S0-BXV-451

En pages précédentes : l'entrée du Bassin depuis la dune côtière du Gaillouneys.
En pages 94-95 : petit matin calme à l'île aux Oiseaux. Effet de miroir avant la levée de la brise.

© Copyright 2003 – Éditions Sud Ouest. Ce livre a été imprimé par Pollina à Luçon (85).
La photogravure couleur est de Photogravure d'Aquitaine à Bordeaux (33).
ISBN : 2.87901.508.1 – Éditeur : 1447.01.05.12.03 – N° d'impression : 90565

Bassin d'Arcachon

Ouvrages de Jean-Pierre Poussou

Bordeaux et le Sud-Ouest au XVIIIe *siècle : croissance économique et attraction urbaine*, Jean Touzot et EHESS, 1983.
La vie quotidienne à Bordeaux au XVIIIe *siècle*, (avec P. Butel), 1983.
La croissance des villes au XIXe *siècle*, SEDES, 1991.
La Terre et les Paysans en France et en Grande Bretagne aux XVIIe *et XVIII*[e] *siècles*, SEDES, 1999.
Lot-et-Garonne, Éditions Sud Ouest, 2001.

Jean-Pierre Poussou
Photographies de Jean-Joël Le Fur

Bassin d'Arcachon

ÉDITIONS SUD OUEST

Pour Auriane,
qui aime tant lire !

Les multiples attraits du Bassin d'Arcachon

Un « lieu fort sauvage » devenu un grand centre balnéaire

Le Bassin d'Arcachon, écrit l'abbé Baurein dans ses *Variétés bordelaises* parues en 1786, est « un golfe de la mer de Gascogne, placé dans le pays de Buch, au couchant et à la distance d'environ neuf lieues de Bordeaux ». Pendant longtemps, il n'était guère connu que des Bordelais ou de marins, comme le montre l'architecte Claude Perrault, lorsqu'il vient à Bordeaux un peu plus d'un siècle plus tôt, en 1669 : « Ce soir, nos messieurs revinrent de leur voyage de la Teste de Buch qui est un lieu à douze ou treize lieues de Bordeaux, dans les Landes, sur les bords de la mer qui fait là un golfe. Ce lieu est fort sauvage, plein de forêts de pins qui sont terminées par de grandes montagnes de sable que le vent fait en l'enlevant de dessus le bord de la mer. »

Aujourd'hui, au contraire, il est universellement connu comme un très grand lieu de villégiature qu'ont fréquenté en leur temps des dizaines de personnalités illustres : Gabriele D'Annunzio, Sarah Bernhardt, Alphonse XIII, la reine Ranavalo, le futur Édouard VII, Charles Gounod ou Claude Debussy.

Au XIXe siècle, sa renommée est d'abord venue de sa qualité climatique : l'air marin y était réputé, dès que l'on quittait la plage, bonifié par les pins et mêlé d'effluves balsamiques particulièrement indiqués pour les poitrinaires. C'est cela qui fit son originalité, alors que les autres stations balnéaires qui naquirent au milieu du XIXe siècle ne durent leur succès qu'à la vogue nouvelle des bains de mer, eux aussi considérés comme une thérapie, avant que l'attrait du rivage et le goût pour la plage ne viennent s'ajouter.

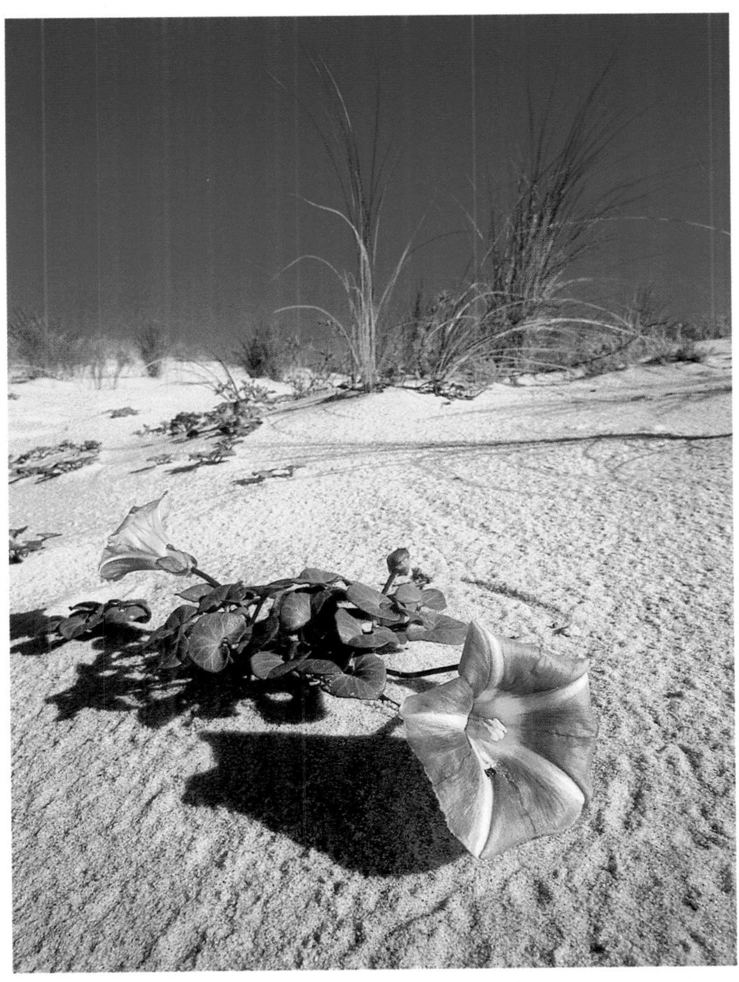

Liseron des sables sur la côte océane.

CI-CONTRE
Pinasses devant la conche du Mimbeau, au Cap-Ferret.

Arcachon: la ville et son littoral depuis l'observatoire du parc Mauresque, lors du départ de la régate des 18 heures (premier week-end de juillet).

De très nombreux atouts

À notre époque, dès qu'approche puis s'installe l'été, la population des alentours du Bassin se gonfle en une sorte de grande marée qui dure jusqu'en septembre. Depuis longtemps, il est un des hauts lieux du tourisme estival français, une grande station de bains de mer, divisée en de multiples lieux. Certes, si l'ensoleillement est important, la mer reste plus fraîche, plus roborative, le climat plus variable qu'au bord de la Méditerranée, et il peut y avoir ici des étés relativement frais, comme en 2002. Pourtant, la fidélité au Bassin est remarquable, et ce n'est pas seulement le cas de ceux qui y ont amarré un bateau ou des Bordelais que sa proximité ne peut que séduire. En réalité, ses atouts sont nombreux: des eaux calmes l'été, des plages très sûres, particulièrement propices à un séjour familial, les charmes tout proches de l'Océan... Le microclimat n'est pas sans jouer son rôle: dans ce Midi océanique, comme l'a bien montré M. Cassou-Mounat, l'été se caractérise par une pluviosité moins grande que dans l'intérieur, et surtout la durée d'ensoleillement est nettement plus élevée de janvier à juin: «Les Bordelais savent qu'ils peuvent, certains dimanches maussades de la fin de l'hiver, trouver le soleil sur la côte.» C'est «un climat océanique à vocation balnéaire». D'une manière plus générale, les eaux sont plus chaudes que l'air d'octobre à avril, et les températures extrêmes rares par suite de cette inertie thermique de l'Océan, de l'afflux presque constant de l'air maritime, de l'alternance enfin des brises de terre et de mer, ce qui compense très largement l'extrême irrégularité de ce climat et le fait que l'air soit souvent humide.

C'est un fait que, comme dans une grande partie du Sud-Ouest, septembre et octobre sont souvent magnifiques ici. Dans son très beau roman publié en 1929, *Deux fois vingt ans*, qui se passe sur le Bassin, Pierre Frondaie fait d'octobre «le mois aimable d'Arcachon», celui où on «voit apparaître les premiers voyageurs ailés qui, pendant des semaines, feront du vaste golfe amer une ville élue des oiseaux. Enfin, les étrangers s'éloignent: délivrée d'être une banlieue, toute une contrée sablonneuse – si bien faite pour la solitude qu'on ne l'y sent pas – rede-

vient dans son délaissement le refuge chéri du recueillement ».

Il faut y ajouter la présence – avec Arcachon et, à un degré moindre, Andernos – de centres de commerces de haut niveau, la dispersion de l'habitat dans la verdure, le très grand nombre de plages (80 kilomètres) et de centres de séjour, ce qui fait que la présence des estivants n'est jamais insupportable ; d'ailleurs, les densités ne sont vraiment importantes qu'à l'occasion des week-ends qui se situent entre le 14 juillet et le 15 août, et il n'est pas rare le matin, même en août, que les promeneurs et baigneurs ne se retrouvent qu'en petit nombre. Comme l'habitat est très majoritairement constitué de maisons individuelles – les villas –, chacun y trouve une impression de calme et de liberté, loin des contraintes urbaines et de celles de la vie de tous les jours.

On pouvait même, dans le premier tiers du XXe siècle, mener dans la presqu'île du Cap-Ferret une vie que Jean Cocteau, amené par le peintre André Lhote, qualifie en 1917 et 1918 de « biblique », sur ce qu'il appelle « un rivage nègre » (c'est-à-dire sauvage). Ici, écrit-il à sa mère, « on rame, on dort, on se roule dans le sable, on se promène tout nu dans des paysages du Texas. Je ne savais pas qu'il existait une si étrange, si belle contrée, dont on peut jouir, chez soi, sans le malaise des navigateurs ».

Faut-il le dire ? En semaine, en dehors de l'été, du côté du Grand-Crohot, du Petit Nice ou de la Lagune, les impressions ne sont pas différentes, et l'on ne saurait trop souligner le charme extraordinaire des promenades d'hiver le long de ces plages océanes et des dunes qui les bordent. On peut citer de nouveau Cocteau : « Sur la dune de l'Océan, rien ne donne l'époque – on se croirait aux premiers âges du monde. »

En outre, depuis une trentaine d'années, se sont multipliés et diversifiés les centres d'intérêt et d'activités, dont beaucoup sont liés au goût de la nature comme le Parc ornithologique et la maison de la Nature du Teich, les promenades à pied ou à vélo dans le domaine de Certes, les balades en kayak ou en canoë sur le Bassin ou le long de la Leyre, les promenades au bord de l'Océan tout proche,

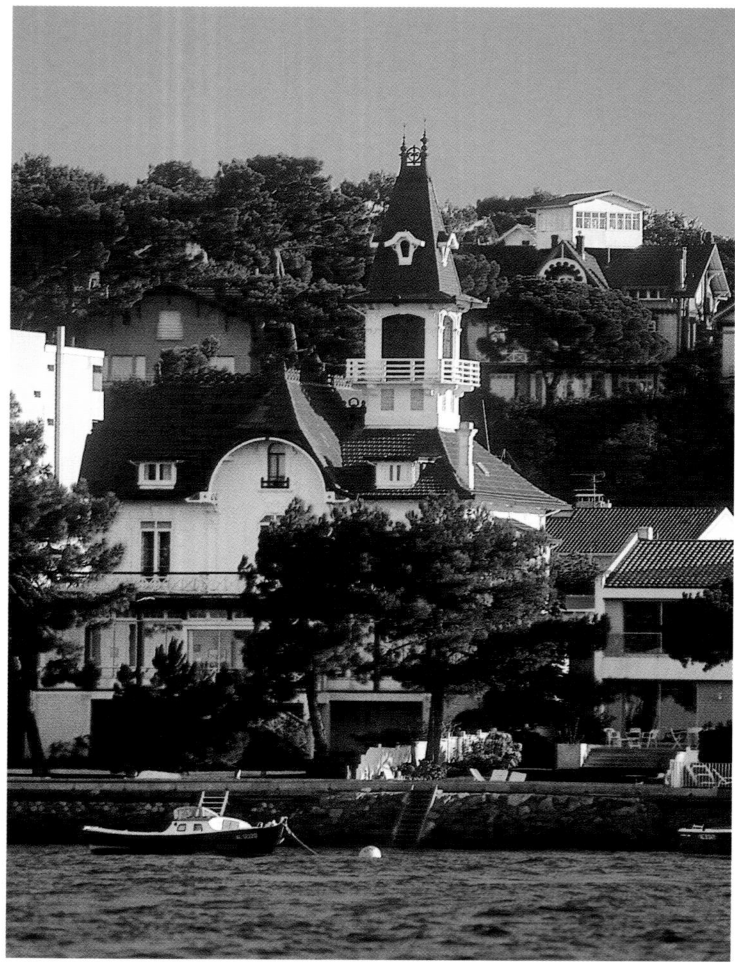

La villa *Saint-Yves* à Arcachon, avec en arrière-plan la Ville d'Hiver.

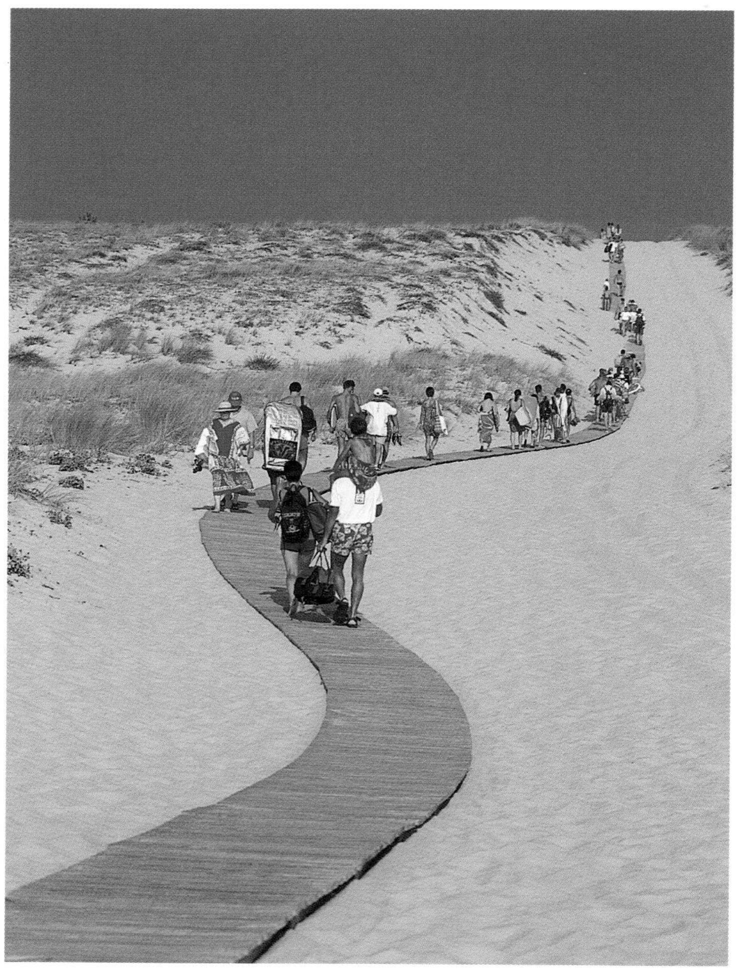

Pointe d'Arcachon. La Salie Nord.

une pêche à pied fort ancienne, mais toujours très pratiquée (des centaines de personnes ramassent des coquillages l'été)... Même les activités marines sont devenues très nombreuses : le motonautisme, le scooter des mers, le kite-surf, le jet-ski, la planche à voile, la plongée sous-marine venant s'ajouter aux voiliers et pinasses... Sans parler des golfs, dont celui d'Arcachon offre un site exceptionnel. De plus en plus, donc, le Bassin est un centre de loisirs de toutes sortes, tout en gardant un indiscutable attrait balnéaire. « Vivre à Arcachon, c'est courir les forêts, profiter des landes, avoir dix plages sans cohue autour d'un bassin étendu sur 100 kilomètres, vouloir jouir de charmants déserts », écrivait déjà Pierre Frondaie, en 1929, dans *Deux fois vingt ans*. Ces possibilités et l'habitat forestier expliquent la croissance très forte depuis une quinzaine d'années d'une présence nouvelle de personnes qui ne travaillent pas sur le Bassin, mais veulent y vivre. L'attrait des week-ends et les réductions du temps de travail ne cessent d'accentuer cette évolution.

Il n'y a pas que les aoûtiens et, malgré son rôle de petite capitale, il n'y a pas qu'Arcachon

Autour du Bassin vivent trois populations : les juilletistes et les aoûtiens, qui viennent souvent de très loin, mais beaucoup avec une extrême fidélité ; les Aquitains, parmi lesquels prédominent les Girondins et surtout les Bordelais, qui y séjournent toute l'année, en profitant des week-ends et des petites vacances ; enfin, une population locale permanente, beaucoup plus nombreuse qu'on ne le croit souvent, surtout du côté sud du Bassin. Celui-ci tend donc à devenir une agglomération dans sa partie méridionale. Il est également de plus en plus une grande banlieue de Bordeaux. Les touristes d'été ne constituent donc plus qu'une très forte vague temporaire, dans une région qui reste habitée et fréquentée. Mais, cette croissance urbaine, ce caractère banlieusard en train de s'installer se situant

CI-CONTRE

Plage de la dune du Pilat.

Dessin de Léo Drouyn : les environs du Moulleau (eau forte, 1849).

dans un cadre protégé et réglementé, et l'habitat qui y correspond ne pouvant s'étendre aux dépens des espaces littoraux qui sont et resteront préservés, le charme continue à être aussi prenant que celui qu'éprouvait, non loin de là, une héroïne de Christine de Rivoyre, lorsqu'elle s'élançait au petit matin, sur son cheval, pour parcourir les plages de l'Océan.

En même temps, le Bassin a toujours été et reste un lieu d'activités qui ne sont pas simplement touristiques. Celles-ci ne relèvent que d'une mémoire courte, récente. L'histoire du Bassin d'Arcachon et du pays de Buch, dont il faisait partie, mérite aussi de retenir l'attention ; elle a au demeurant laissé de multiples traces. Par ailleurs, dans la seconde moitié du XIXe siècle, le développement n'a pas été que touristique. Le séjour pour bains de mer n'est apparu qu'à la fin du XVIIIe siècle, et les premiers hôtels seulement sous la Restauration. Il y avait là des côtes sauvages, dominées par des dunes, dont les dessins de Léo Drouyn nous gardent l'image saisissante. Puis les médecins ont attiré l'attention sur les vertus thérapeutiques du séjour à Arcachon, au moment où un Bordelais, Émile Pereire, comprit les immenses possibilités qui étaient offertes ici, et tout ce que pouvait en retirer sa compagnie de chemin de fer, ce qui l'amena à lancer Arcachon, en y faisant, avec quelques autres, une considérable opération immobilière. C'est alors que la ville fut créée, en retranchant, en 1857, son territoire de celui de La Teste, le reste du Bassin ne devenant centre balnéaire que progressivement, et même très tard pour le Cap-Ferret. La venue en 1859 à Arcachon de Napoléon III avait été une consécration. Il y eut désormais une importante vie mondaine, jusqu'aux années 1930, dans la capitale du Bassin, qu'elle est toujours. Mais, à partir des années 1880, Arcachon n'a plus progressé que lentement, dépassant tout de même les 10 000 habitants en 1911, mais n'atteignant un maximum historique de 15 462 qu'en 1962 ; en 1999, elle n'en avait plus que 11 454, ce qui la ramenait au chiffre du début des années 1920.

Aujourd'hui, donc, il y a bien des centres autres qu'Arcachon autour du Bassin : des communes plus peu-

Parterre de salicornes à l'île aux Oiseaux.

Kayak de mer dans la brume matinale.

Pêche à pied sur la presqu'île, lors des grandes marées.

Delta de la Leyre : les grands prés du Teich.

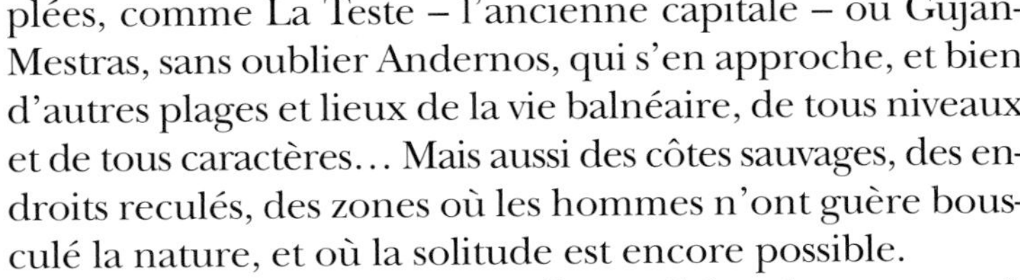

plées, comme La Teste – l'ancienne capitale – ou Gujan-Mestras, sans oublier Andernos, qui s'en approche, et bien d'autres plages et lieux de la vie balnéaire, de tous niveaux et de tous caractères… Mais aussi des côtes sauvages, des endroits reculés, des zones où les hommes n'ont guère bousculé la nature, et où la solitude est encore possible.

C'est aussi une grande zone d'accueil des oiseaux, un milieu maritime au caractère très particulier, un ensemble de prés salés, de marais plus ou moins permanents, de vasières découvertes une partie de la journée, un delta original, enfin. Comme l'a souligné Olivier de Marliave, « l'intérêt naturel de cet ensemble est exceptionnel ; en 1998, le Bassin d'Arcachon a été le seul site français retenu par le programme européen Terra, au titre du développement durable, essentiellement pour la valeur écologique de ses zones humides ».

Foulques macroules dans le domaine de Certes.

Un tour du Bassin

Le Bassin…

L'expression de Bassin d'Arcachon est sans aucun doute passée très tôt dans l'usage courant, puisque l'abbé Baurein l'utilise sans hésitation à la veille de la Révolution. Néanmoins, elle paraît à plusieurs auteurs mal appropriée ; elle semblait pourtant tout à fait naturelle autrefois : pour Pierre Larousse, c'est le « terrain occupé par une mer ou un étang ». Il est donc tout à fait légitime de l'employer. La difficulté vient du fait que, dans les ouvrages scientifiques, on trouve aussi bien baie, golfe, mer intérieure ou lagune, ce qui peut laisser les lecteurs perplexes, d'autant plus que, suivant les jours et suivant les heures du jour, il n'offre pas le même visage : « Ne dites pas que c'est un lac. C'est un coup à vous faire traiter de *cailhoc* (goéland). Et pourtant, le soir, quand la chaude lumière du crépuscule irradie les immenses étendues de sable et de vase, le Bassin d'Arcachon a tout d'un lac. Seuls quelques cygnes, aigrettes et poissons sauteurs viennent troubler la quiétude des lieux » (D. Delbecq, *Libération*, 22 juillet 2002).

En réalité, chacune de ces notions a sa part de vérité. Il s'agit bien d'une large échancrure dans la côte d'Aquitaine, donc d'une baie, ou d'un golfe, et, par rapport à un ensemble de lacs et d'étangs qui s'étend sur près de 250 kilomètres de la Gironde à l'Adour, c'est le seul élément resté en communication permanente avec l'Océan ; en outre, le Bassin fait pénétrer les eaux marines à plus de 20 kilomètres à l'intérieur des terres. Mais il n'est que très peu ouvert sur l'Océan et, surtout, les mouvements de la marée ont pour conséquence qu'il ne cesse de se remplir et de se vider. Il s'agit d'un mouvement considérable : jusqu'à 30 000 mètres cubes par seconde, ce qui est équivalent à ce que l'on a pour les grands estuaires mondiaux. Le Bassin doit donc être considéré comme un milieu d'eaux marines vives, les déplacements pouvant représenter 400 milliards de mètres cubes en eaux vives et 150 milliards en mortes-eaux. Il est entièrement couvert d'eau à marée haute, mais à marée basse, ce sont de vastes *estrans* qui dominent, avec cependant 41 kilomètres de chenaux, ce qui est considérable : la superficie couverte par les eaux est de 18 232 hectares à marée haute et de 4 900 à marée basse.

Le Bassin est aussi partiellement un estuaire, celui d'un petit fleuve côtier, la Leyre – ou Eyre –, lequel après avoir pris sa source près de Sabres, dans l'actuel département des Landes, parcourt près de 80 kilomètres, avant de se terminer en delta dans le Bassin d'Arcachon. La Leyre a vu sa basse vallée ennoyée par la « transgression flandrienne » (14 000 à 3 000 av. J.-C.) ; il y eut ensuite un recul des eaux, qui permit une installation humaine à des niveaux plus bas qu'aujourd'hui durant le néolithique ; mais, durant le haut Moyen Âge, et jusqu'au milieu de celui-ci, la mer remonta, ce qui créa des marécages sur les côtes aquitaines. La Leyre, qui, guidée par de grandes failles en arrière du littoral, se jetait autrefois au nord du Bassin, au Grand Crohot, s'est ensuite frayée un chemin vers l'ouest. Son débit n'est pas considérable : autour de 20 mètres cubes par seconde. Mais, d'une part, c'est le plus important apport d'eau douce à l'intérieur du Bassin, d'autre part, presque tous les auteurs considèrent qu'il lui doit de ne pas être obturé. Elle contribue aussi à l'envasement de la partie sud orientale du Bassin, car elle amène chaque année dans son delta environ 20 000 tonnes de sable et 4 000 tonnes de terres souvent argileuses. L'apport d'eau douce, qui est augmenté par les exutoires du canal de Lège et du canal de Cazaux, arrive à un total annuel de 791 millions de mètres cubes, ce qui crée un mélange d'eaux saumâtres favorable au développement des huîtres.

Malgré cet apport d'eau douce, le Bassin est néanmoins une partie de l'ensemble océanique. C'est bien d'eaux marines qu'il s'agit, mais dans un cadre protégé, particulièrement propice à des baignades sûres, de même que le plan d'eau offert à la navigation, s'il souffre des bancs de sable, des parcs à huîtres et de fortes variations de niveau, est infiniment moins dangereux. Le grand problème, ce sont les passes, étroites, qui bougent sans cesse et

CI-CONTRE

Le banc d'Arguin et les passes à l'entrée du Bassin.

Kayaks de mer dans le delta de la Leyre.

Delta de la Leyre : les îlots de Malprat.

Le delta de la Leyre

Cours d'eau encaissé, qui serpente longtemps sous la forêt-galerie des Landes, la Leyre forme un delta à son arrivée sur le Bassin d'Arcachon. C'est une vaste zone humide où les bras du fleuve constituent aussi des chenaux sur lesquels on trouve plusieurs ports, des zones de prés salés, des îles, et toute une série de digues, construites aux XIXe et XXe siècles pour les grands domaines de Certes, de Graveyron et de l'Escalopier. Plus récemment, on y a aménagé le Parc ornithologique du Teich et, depuis 1986, le delta est devenu une zone de protection spéciale. C'est une zone amphibie, où les aménagements ont fini par protéger la nature dans l'état qui était le sien au milieu du XIXe siècle : « Bassalane est peut-être une île, c'est une île d'artifice, quasiment un polder. Si des fous n'avaient, au XVIIIe siècle, approfondi les salines et élevé les digues, si des arrière-grands-parents n'avaient tenu, au XIXe, à transformer ces salines en étangs à poisson, le Bassin aurait tout organisé à sa guise, il aurait accompli sa razzia » (M. Perrein, *Les Cotonniers de Bassalane*, Bernard Grasset, 1984, p. 25). En effet, tout a changé ici à partir du XVIIIe siècle : endiguements, création de marais salants, puis transformation de ceux-ci en réservoirs à poisson, développement d'un élevage de prés salés, utilisation de la Leyre pour le transport des bois par flottage, très actif entre 1830 et les années 1930…

Trois éléments caractérisent le delta. Malgré les aménagements humains et la présence des hommes, c'est une zone naturelle, voire sauvage, tout autant que les dunes l'hiver. C'est un milieu d'une richesse exceptionnelle par sa flore et sa faune. Comme l'île aux Oiseaux, c'est une réserve ornithologique étonnante, qui attire chaque année des dizaines de milliers de migrateurs. On y a donc installé une maison de la Nature et fait du delta un élément du parc naturel régional des Landes de Gascogne.

On a là, après une partie boisée qui marque l'amont du delta, plusieurs grandes zones. Tout d'abord de grandes prairies, vouées à un élevage extensif indispensable à leur entretien. Des roselières, le long des bras de la Leyre, dont la densité est si forte qu'elle ne laisse que peu de place pour d'autres plantes ; c'est le royaume – que menace la prolifération de ces petits arbustes que sont les baccharis –, des passereaux des marais, des rallidés, mais aussi des ra-

Traces animales près de Malprat, sur les bords de la Leyre.

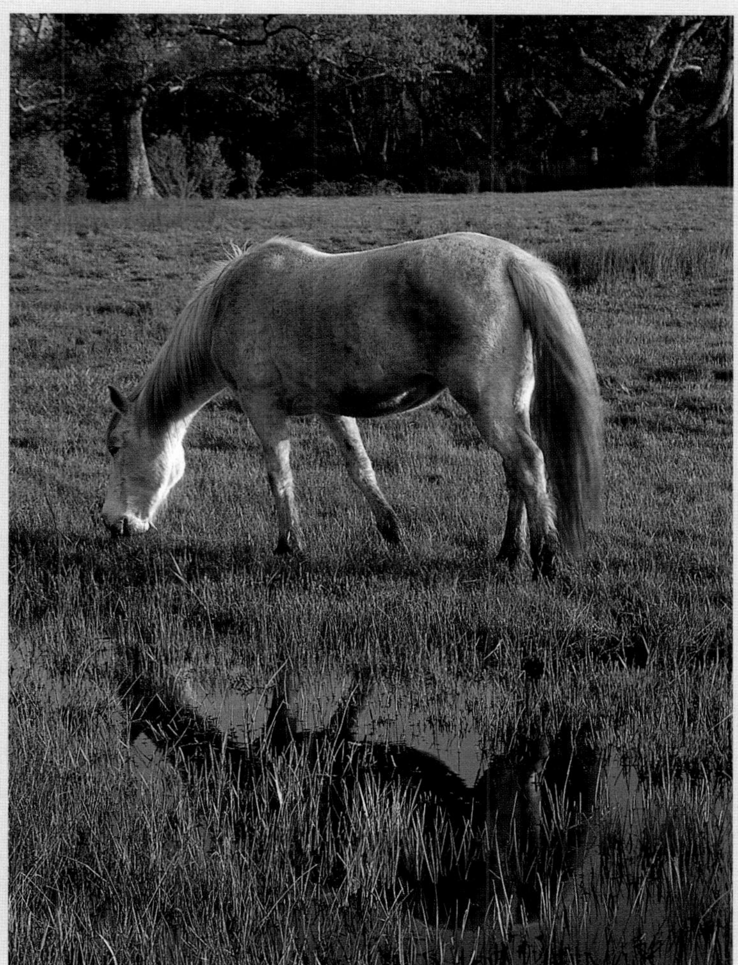

Delta de la Leyre : les grands prés du Teich.

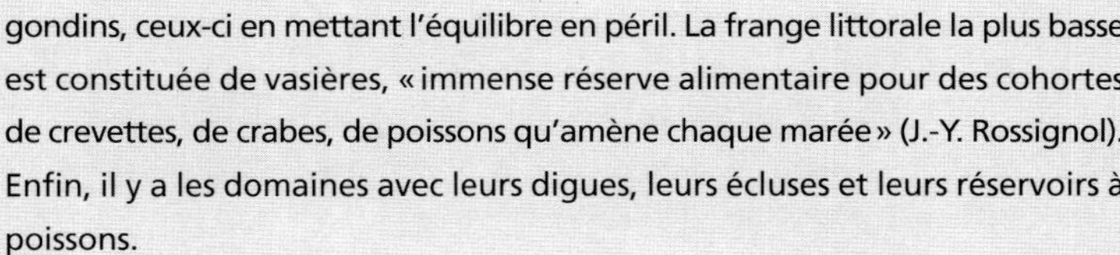

gondins, ceux-ci en mettant l'équilibre en péril. La frange littorale la plus basse est constituée de vasières, « immense réserve alimentaire pour des cohortes de crevettes, de crabes, de poissons qu'amène chaque marée » (J.-Y. Rossignol). Enfin, il y a les domaines avec leurs digues, leurs écluses et leurs réservoirs à poissons.

Le delta est ainsi l'aboutissement d'un parcours exceptionnel, quasi initiatique, qui commence avec la descente de la Leyre et s'achève soit à Malprat, avec ses « réservoirs à poissons peuplés d'anguilles, bars et mules, qui font la joie des cormorans et des hérons », soit avec « l'autre bras de la Leyre, qui débouche sur le Bassin d'Arcachon, entre Malprat et le Parc du Teich. Sur celui-ci nous apercevons d'énormes vols de bécasseaux qui font des ballets dans l'air, alternativement noirs ou d'un blanc éclatant. C'est une féerie qu'il faut avoir vu au moins une fois dans sa vie » (É. Audinet, *La Descente de la Leyre*, Éd. SudOuest, 1997,p. 84).

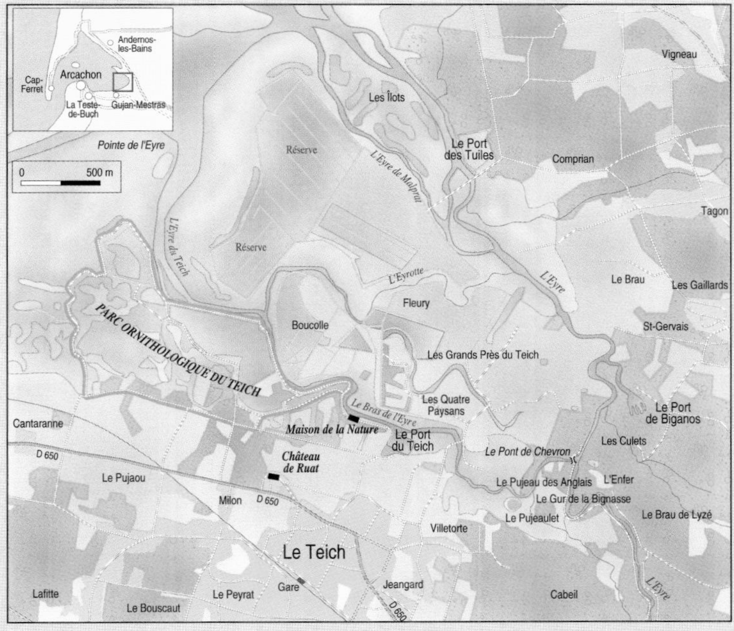

Le delta de la Leyre. Carte Patrick Mérienne.

Pinasses au Lapin Blanc, au fond du chenal de La Teste

qui ont tendance à la fermeture. L'importance des hauts fonds correspond à un « véritable delta sous-marin » (M. Cassou-Mounat). La barre est très dangereuse : de manière permanente, entre une et six heures après la pleine mer et totalement cinquante jours par an, elle est infranchissable. Il faut donc attendre l'étale de basse mer pour rentrer et, de toute manière, l'opération reste difficile pour les bateaux de petit tonnage. Quant au gros temps, il rend la sortie, et surtout l'entrée, extrêmement dangereuses. Le maintien de passes convenables est donc un souci permanent. Il y a, finalement, un vif contraste entre l'importante superficie du Bassin et l'étroitesse de ses entrées, que surmonte la dune du Pilat.

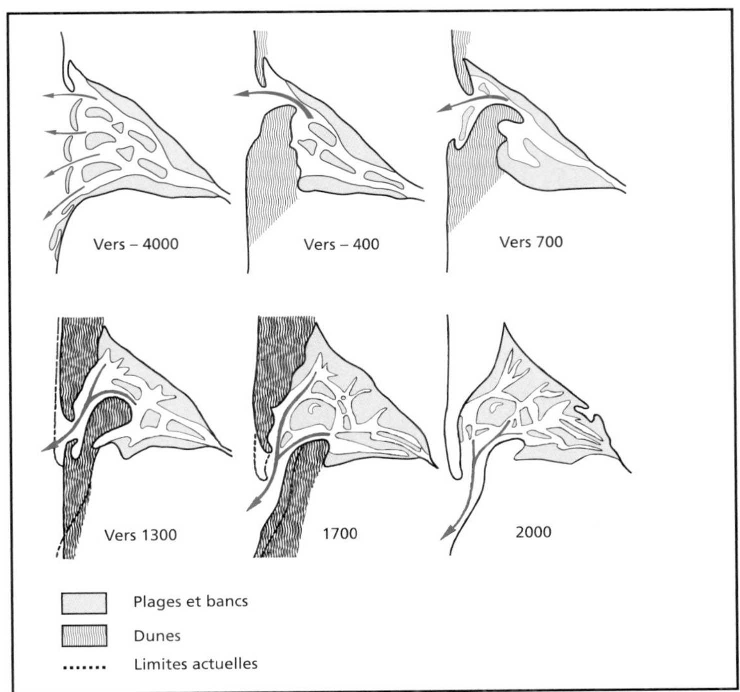

Évolution géomorphologique du Bassin de – 4000 av. J.-C. à nos jours.

L'importance des dunes

Gardienne des portes du Bassin, celle-ci est sans doute l'image que l'on en connaît le plus. Haute d'un peu plus de 100 mètres, large de 700 et longue de 2 700, elle n'a pas d'équivalent en Europe. Elle mérite à elle seule le déplacement, et l'on n'est jamais déçu. Le panorama est splendide sur l'ensemble du Bassin, sur les passes et sur l'océan lui-même. Et la dune elle-même est de toute beauté lorsqu'on la voit en bateau depuis le banc d'Arguin, ou depuis *chez Hortense*, à la pointe du cap Ferret. Les couleurs qu'elle offre sont étonnantes : une masse de sable dorée l'après-midi, au soleil, le contraste étant accusé par le bleu de la mer ; des sables incendiés au coucher du soleil ; ou, à l'aurore, un gris très prononcé, qui s'éclaire peu à peu pour laisser place, en une trentaine de minutes, au jaune de plus en plus éclatant du sable.

Loin d'être isolée, elle fait partie d'un vaste ensemble sableux qui s'étend très au-delà du Bassin. Il s'agit entièrement d'une couverture et d'un apport « exotique », pour reprendre une expression d'Henri Enjalbert, dus à un puissant système éolien, antérieur à nos ères, mais point très ancien non plus, « puisque les vallées des différents cours d'eau qui délimitent le domaine landais existaient déjà lors de l'épandage des sables » achevé au néolithique. Le modelé préexistant a ainsi été fossilisé dans l'ensemble des pays landais, obligeant les cours d'eau, lors des variations de niveau marin flandrienne et postflandrienne, à recreuser leurs vallées, ce qui a été indispensable puisque le niveau marin était, il y a entre 20 000 et 16 000 ans avant notre ère, à 120 mètres en dessous du niveau actuel.

Comme les autres, celle de la Leyre est donc une vallée jeune, ce qui explique son caractère pittoresque : elle coule « au fond d'une étroite vallée, encaissée de 15 à 23 mètres dans le sable éolien et dans les assises meubles sous-jacentes » (H. Enjalbert). De forme parabolique, les dunes du Bassin d'Arcachon sont des dunes anciennes, qui remontent à plus de six millénaires ; elles ont donc été largement fixées par un massif forestier, que l'on retrouve dans d'autres endroits de la côte aquitaine, mais, ici, aussi bien les massifs dunaires que leurs forêts ont une ampleur sans pareille que rappelle le caractère de « forêt usagère » de celle de La Teste. La présence humaine n'y a jamais été que temporaire jusqu'au début du XIXe siècle, et c'est pourquoi le frère Thomas Illyricus vint, en 1519, y établir un ermitage, « dans la solitude, au milieu des animaux », car, pour lui, ce « coin de terre déserte »... était « la terre du Seigneur et sa plénitude ». Ce caractère de désert, ces

La dune du Pilat vue depuis le littoral de Pyla-sur-Mer.

Le Bassin à marée basse entre Le Teich et Audenge :
la multitude des chenaux en fait un domaine singulier

La partie nord de la dune du Pilat, stabilisée par les plantations d'oyats.

La forêt du Sablonney et le sommet de la dune du Pilat.

aspects sauvages étaient encore totalement présents lorsque Léo Drouyn y séjourna ; une eau-forte de 1849, qui concerne la côte du Moulleau, est particulièrement saisissante à cet égard (voir page 14).

On le comprend d'autant mieux que, jusqu'à une époque récente, sables et dunes n'étaient pas fixés : de forme rectiligne, orientées nord-sud, celles-ci étaient mobiles et pouvaient se recomposer sans cesse. Pour celle du Pilat, à partir du milieu du XIXe siècle, on put suivre la formation d'une nouvelle dune, transversale, qui gravissait la précédente et qui porta autour de 1900 la hauteur de ce remarquable ensemble dunaire à 110 mètres. Cette dune transversale reste parfaitement visible aujourd'hui, avec sa dissymétrie si marquée : le versant abrupt à l'est, du côté de la forêt, le versant allongé, à la pente plus douce, à

CI-CONTRE
La dune du Pilat et le banc d'Arguin après une tempête.

L'immensité de l'Océan depuis les zones ostréicoles du banc d'Arguin.

Les passes et le banc d'Arguin

Le Bassin d'Arcachon communique avec l'océan Atlantique par un goulet de marée long de 10 kilomètres, que l'on appelle « les passes ». Il s'agit d'un milieu très original, dont le rôle est essentiel pour la vie du Bassin, qu'il commande largement. Il est perpétuellement mouvant et la navigation peut y être tout à fait périlleuse. Aujourd'hui, seuls des bateaux à très faible tirant d'eau peuvent emprunter la passe nord; quant à la passe sud, large théoriquement de 3 kilomètres, elle n'offre véritablement qu'un chenal de 250 à 300 mètres de largeur. C'est par là qu'entrent et sortent les énormes quantités d'eau qui vivifient le Bassin; le courant y est donc très violent. En cas de tempête, ou de mauvaises conditions météorologiques, la houle peut devenir considérable, et des vagues de plus de 5 mètres déferler.

Aujourd'hui, l'érosion continue à la fois sur la côte sud (Pyla et Petit-Nice) et à la pointe du Cap-Ferret, et les grands chenaux (Courbey et Arès) ont perdu de leur puissance, ce qui met en cause l'équilibre hydraulique du Bassin. La passe nord est devenue difficile et, par gros temps, celle du sud est dangereuse. De grands travaux ont donc été décidés en 2002 et largement entrepris en 2003, mais, d'un côté, ils sont très coûteux, de l'autre ils sont loin de faire l'unanimité, ne serait-ce que parce que l'on ne sait pas très bien quels en seront les résultats, ni l'évolution qui s'ensuivra. On a en effet affaire ici à des cycles naturels longs et irréguliers, même si des prévisions peuvent être tentées: par exemple, que le cycle actuel de recul de la passe nord s'achève dans une dizaine d'années.

On ne peut pas non plus oublier les effets de marées et tempêtes exceptionnelles. Le banc d'Arguin en offre un exemple évident. Avec d'autres bancs sableux qui émergent plus ou moins entre Arguin et la presqu'île, il constitue la principale île de sable à l'entrée du Bassin: 500 hectares à marée basse, 150 à marée haute. Il y a toujours eu ici des bancs émergents: c'était autrefois l'île du Matoc, très apparente sur les cartes du XVIIe siècle, qui a pratiquement disparu au milieu du XIXe siècle, ne représentant aujourd'hui qu'un banc, à côté de ceux du Tourlinguet, du Sable et du Chien. Car il s'agit d'un espace extrêmement fragile, perpétuellement mouvant: la très grave tempête de décembre 1999 a fait perdre au banc d'Arguin la majeure partie de sa superficie et son caractère de crique fermée; sa forme est constamment modifiée par l'action conjuguée des courants, de la houle et des vents. Il s'est donc coupé en trois parties et actuellement il s'allonge vers le sud, tout en se rétrécissant.

Récemment, le banc d'Arguin a eu un rôle économique, en ce sens qu'on y avait installé des parcs à huîtres et que la qualité « banc d'Arguin » était tout à fait prisée des consommateurs, mais cette activité a beaucoup reculé, les ostréiculteurs revenant à ce qu'ils appellent « l'intra-Bassin ». Depuis longtemps, le banc est un point d'ancrage pour les pêcheurs et les estivants, un

Bateaux de plaisance au mouillage à Arguin.

Sternes à Arguin.

but d'excursion pour la navigation de plaisance. Il faut dire qu'il s'agit d'un site exceptionnel, puisque depuis le banc on embrasse à la fois la grande dune, la presqu'île, le Bassin en enfilade, et qu'à l'ouest se déroule l'infinitude de l'Océan. On y éprouve un sentiment très puissant de la nature et d'irréalité magique, particulièrement au petit matin, ou le soir au coucher du soleil; nulle part les couleurs ne sont aussi belles, aussi intenses et aussi variées. Le banc d'Arguin est donc devenu un lieu très prisé d'excursion, de promenade d'une journée entière, loin de toute habitation. Alors que l'île aux Oiseaux n'est à marée basse qu'un point plus haut au-dessus des vasières, on a ici totalement, et de manière permanente, l'étendue marine.

Depuis 1972, le banc d'Arguin abrite aussi une réserve naturelle protégée, sur laquelle veille la Société pour l'étude, la protection et l'aménagement de la nature dans le Sud-Ouest (SEPANSO), créée en 1969, trois ans après l'installation en mai 1966 de la première colonie de sternes caugek; il y en a aujourd'hui plus de quatre mille couples, et bien d'autres espèces, comme le pingouin torda, l'huîtrier pie, la mouette rieuse, le gravelot à collier interrompu... Le banc d'Arguin se trouve en effet sur un couloir de migrations important; des oiseaux y sont donc toujours présents en transit, hivernage et nidification. C'est pourquoi des visites ornithologiques guidées, avec moniteurs, y sont régulièrement organisées.

La conséquence de tous ces centres d'intérêt est que le banc d'Arguin est depuis une trentaine d'années l'un des endroits du Bassin qui attirent le plus: plus de six cents bateaux lors des week-ends, jusqu'à mille lors des plus importants; au moins cent à cent cinquante par jour; et plus de cent dix mille visiteurs par an... On s'y presse donc certains jours, ce qui a obligé à une stricte réglementation pour protéger le banc et la réserve. Mais sans que cela ait jamais fait disparaître son charme profond, ni rebuté les habitués, tel ce couple d'Arès, en vacances avec ses petits-enfants, qui déclarait en juillet 2002: « Ça fait vingt-et-un ans que, de mai à septembre, nous sommes ici quasiment tous les week-ends. Nous avons un bateau personnel, nous venons profiter du calme, du soleil, des oiseaux, du Bassin. Quand nous sommes seuls, il nous arrive de partir sur deux jours, et de passer la nuit sur le bateau. Surtout avant, quand le banc formait une crique fermée » (*La Dépêche du Bassin*, 1er août 2002).

La plage à Arguin.

Crépuscule à Arguin.

Érosion en bordure de la plage de la Lagune.

l'ouest, du côté de la mer. L'intérêt que lui portent les visiteurs ne doit pas faire oublier qu'elle est très importante à connaître du point de vue scientifique, car elle offre tous les stades de l'évolution dunaire locale : « Son versant externe, qui borde la passe sud du Bassin d'Arcachon, recoupe en effet sur plus de 70 mètres de haut les différentes générations de dunes qui se sont empilées là alors qu'ailleurs elles s'échelonnaient entre le rivage et les étangs » (P. Barrère).

Un ensemble menacé

Mais, ce qui paraît beaucoup plus spectaculaire de nos jours, c'est la manière dont l'Océan ronge le littoral. À de nombreux endroits, celui-ci ne cesse de reculer. En fait, dès le XVIIIe siècle, on s'occupe de protéger le massif dunaire et sa forêt. Les premiers travaux commencent en 1825 et couvrent l'ensemble du XIXe siècle. Ils concernent toute la côte sableuse, de la Gironde à l'Adour, soit près de 250 kilomètres. Pour Pierre Barrère, c'est « un des grands travaux de la période, exemple exceptionnel d'aménagement d'une zone littorale à l'échelle mondiale ». Les résultats obtenus subirent plusieurs atteintes : grandes tempêtes (fin XIXe siècle et 1912), absence d'entretien pendant les deux guerres mondiales. Celle de 1939-1945 entraîna des dommages considérables : circulation d'engins militaires, construction de pistes bétonnées et de blockhaus… À partir de 1945, le barrage dunaire fit l'objet de nouveaux efforts, dont la réussite ne fut que partielle notamment parce que l'on dépassa nettement les attitudes optimales de protection, et surtout parce que l'érosion marine, qui n'avait jamais cessé, connut un nouveau regain de force. On en voit justement les marques avec les blockhaus, dont plusieurs, construits au sommet des dunes, se trouvent maintenant dans l'Océan, de manière totale ou partielle, d'autres ayant simplement descendu les dunes. On a donc à la fois une attaque et un recul de la côte, au rythme de 1 à 2 mètres par an, et parfois 4, avec pour corollaire la détérioration, voire la destruction du cordon littoral des dunes.

Le feu d'artifice du 14 juillet à Arcachon.

Au cours des années 1950, on avait pu arranger les dommages, mais il s'ensuivit une longue période de non-entretien, ou quasiment, avec pour résultat une situation très difficile de la pointe du Cap-Ferret. Cette absence d'entretien a coïncidé avec une érosion marine forte et une présence humaine sur les plages, rivages et dunes, beaucoup plus importante qu'autrefois. De profondes dépressions de sable – les *caoudeyres* –, se sont formées ; les falaises de sable ont été éventrées et la végétation a disparu, tout comme au Petit Nice ; les essais de fixation du sable n'ont rien donné de très probant.

Arcachon, capitale d'une région très peuplée

Aujourd'hui, le Bassin représente un ensemble humain tout à fait important, puisque, si l'on inclut Mios et Marcheprime, on dépasse les 100 000 habitants ; à la saison d'été, les effectifs peuvent atteindre 300 000 personnes. Il s'agit donc de la deuxième agglomération de la Gironde après Bordeaux. C'est un ensemble largement discontinu, nettement diversifié, qui s'est partiellement organisé, et qui envisage de le faire davantage.

Sa présentation doit commencer par sa capitale, Arcachon, qui n'est cependant qu'une petite commune de seulement 756 hectares, où ne vivent actuellement qu'un peu plus de 11 500 habitants permanents. Arcachon n'en est pas moins le grand centre urbain du Bassin et l'élément le plus brillant. Sauf en semaine l'hiver, il y a toujours beaucoup de monde à Arcachon, que 250 000 visiteurs fréquentent chaque année. Elle le doit à la qualité de ses aménagements – aussi bien ses boulevards-promenades, que la plage Pereire –, à la présence d'un grand port de plaisance, mais aussi à de nombreux commerces de luxe, d'un casino, d'une salle des Congrès, sans oublier plusieurs fêtes prestigieuses. Ce qui séduit ses habitants permanents de plus en plus nombreux, c'est la beauté du site, le caractère très tranquille de la vie pendant la plus grande partie de l'année, la possibilité de jouir chaque jour du Bassin, et l'on ne saurait trop souligner à quel point celui-ci est agréable durant les quatre saisons, avec,

L'escalier monumental de la villa *Tolédo*.

Les deux côtés du Bassin

« Comme le Combray de Marcel Proust, le Bassin d'Arcachon a ses deux côtés. Chacun possède une histoire, des partisans, des visiteurs illustres. Le sud, autour d'Arcachon, du Moulleau, du Pyla, urbanisé dès la fin du XIXe siècle, est cossu, spectaculaire, souvent familial, élégant parfois. Des casinos, de vastes chalets tarabiscotés, la plus haute dune d'Europe, des régates très disputées, un port animé. Et le souvenir de Sarah Bernhardt ou de D'Annunzio.

Le côté du Cap-Ferret, au nord, a conservé, malgré les campeurs, les joggers, les surfeurs, les hordes estivales et les formes stéréotypées de pollution touristique, quelque chose de plus naturel, de plus intact, d'encore sauvage. Le Piquey nourrira, dès 1917, les émerveillements solaires de Cocteau qui convertit Radiguet, en 1921, aux "paysages du Texas". Le *Diable au corps* et *Le Secret professionnel* naissent de ces séjours édéniques.

Entre les deux côtés, dans le "fond du Bassin", vaseux et populaire, les vrais amoureux du site retrouvent, sur le petit port de Taussat (Le Corbusier y voyait un modèle de composition architecturale), sur l'île de Malprat ou parmi les cabanes d'Audenge, les vestiges des paysages et des mœurs d'autrefois, la pêche, la flore et les beaux oiseaux d'avant l'anarchie immobilière, d'avant les grandes invasions septentrionales. C'est le Bassin des hautes terres, "qui ne se livre qu'avec parcimonie, au gré des marées" (*Sud Ouest*, 23 août 2002). »

J.-M. Planes, avant-propos : « La Vie vierge », à J. Balde, *Le Goéland*, rééd., Bordeaux, L'Horizon chimérique, 1992, pp. 11-12.

tout près, des plages beaucoup plus sauvages qui bordent l'Océan, soit un ensemble rare.

La ville elle-même mérite de retenir l'attention, quoique, comme dans la plupart des autres villes balnéaires, le front de mer ait énormément souffert des aménagements récents qui ont amené la construction d'immeubles élevés, là où il y avait autrefois des villas très typées. Les constructions y sont plaisantes, souvent pittoresques, et même très belles dans la Ville d'Hiver, au charme très prenant, où les rues ont la forme de sentiers ; on peut la découvrir, l'été, grâce au petit train qui la parcourt. Elle a perdu le Casino mauresque, qui en était l'une des constructions les plus typiques et les plus connues, mais elle a gardé un très grand nombre de villas anciennes : plus d'un millier, plusieurs dizaines étant de très grandes dimensions, comme les villas *Brémontier*, *Térésa* ou *Valentine*. Chacune a son originalité et les formules composites ne sont pas rares ; néanmoins, on peut les regrouper en quatre type principaux, selon que leur style dominant est néogothique, oriental, suisse ou parisien. Quoique moins connu, celui-ci est sans doute le plus répandu, à la fois ici et dans l'ensemble des villes balnéaires françaises. Issu de maisons de

Fête de la mer à Arcachon, le 15 août 2003.

La Pessacaise (1859), dans le quartier Notre-Dame à Arcachon : une des premières résidences secondaires à l'usage des Bordelais.

Une arcachonnaise de la Ville d'Automne.

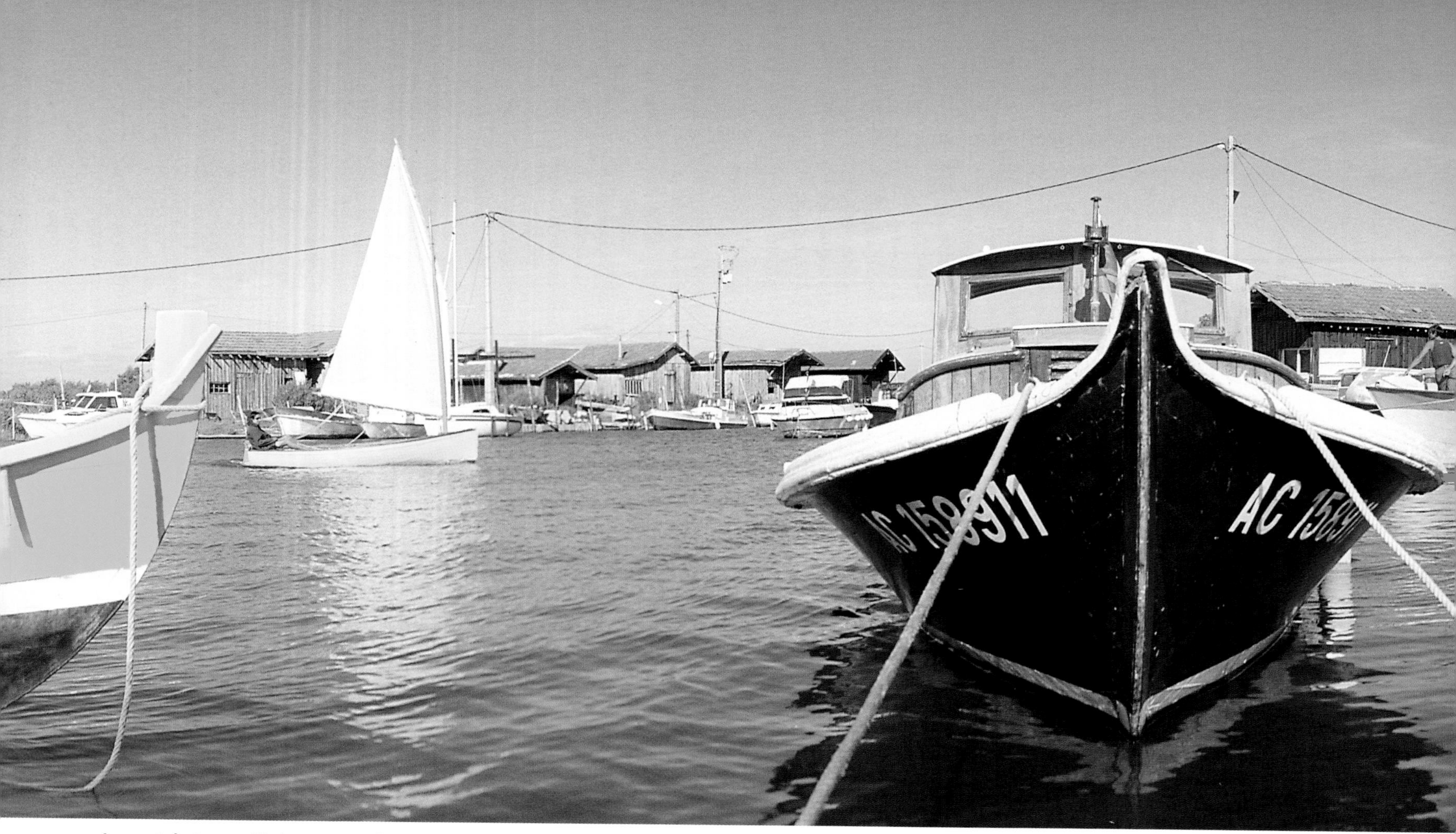

Le port de Larros (Gujan-Mestras) à marée haute, lors d'une fête des vieux bateaux.

campagne banlieusardes de la fin du XVIIIe siècle, pour lesquelles Brongniart joua un grand rôle, il s'est développé essentiellement à la fin du XIXe siècle, à partir des images figurant sur des catalogues de maisons à bon marché. Il s'agit de maisons à un étage, parfois deux, mais avec le second moins haut, car situé sous le toit, qui sont une amélioration de ces chalets qui furent les premières maisons de plaisance. Le bâtiment est compact, car il doit abriter sous un toit souvent débordant – ce qui s'avère très pratique en cas de mauvais temps –, toutes les activités de la maison. Il y eut aussi très vite un niveau supérieur : celui des belles villas, dont les premières se situèrent en front de mer. Nous avons gardé un remarquable dessin de Léo Drouyn, qui montre à la fois l'importance qu'elles avaient déjà et leur espacement. Elles formaient encore dans les années 1960 une ligne quasi continue jusqu'à la dune du Pilat.

Les sentiments éprouvés à l'égard d'Arcachon sont très variables. Beaucoup de visiteurs et d'estivants, mais aussi d'habitants du Bassin, lui reprochent son caractère urbain, et la foule que l'on y trouve l'été et les week-ends de grande affluence. D'autres regrettent le caractère profondément tranquille qui est le sien pendant le reste de l'année. Sa marque urbaine, jugée trop forte par beaucoup, est compensée, et au-delà, par des possibilités qu'ailleurs l'on ne trouve guère associées à un habitat urbain.

Tout autour du Bassin…

Dans ce domaine, elle n'a pas de rivale autour du Bassin. Malgré son ancienneté, La Teste n'offre du point de vue urbain rien de bien plaisant, ce que soulignent à l'envi les voyageurs d'autrefois ; quant à Gujan-Mestras, c'est une succession de villages et de petits ports pleins de charme, mais où l'on aurait du mal à trouver une quelconque organisation. Même si Jean Balde jugeait Arès très plaisante, en dehors d'Andernos et du centre d'Audenge peu de choses peuvent retenir le visiteur à la recherche de villes intéressantes et de témoignages monumentaux du passé. Cela ne doit néanmoins pas faire oublier l'intérêt de ce que l'on peut considérer comme des éléments importants d'un tourisme culturel de très bon niveau : plusieurs petits musées ; le domaine de Certes, resté splendide et exceptionnel malgré une dégradation relativement récente ; l'ancien prieuré de Comprian ; à l'entrée du Teich, le petit château des Amanieu de Ruat. On peut encore leur ajouter la très belle église ancienne de La Teste, la récente mais très curieuse église Notre-Dame-des-Passes du Moulleau, trois ou quatre maisons de La Teste, la belle église romane de Lanton, cependant qu'à Andernos l'église Saint-Éloi, romane elle aussi, et les restes romains méritent d'être vus avec attention… Au total, si le passé du Bassin est passionnant, comme nous le verrons plus loin, ce qu'il a laissé de visible peut être découvert assez vite. C'est donc dans d'autres domaines qu'il faut aller trouver une plus grande variété et de multiples motifs de visites. Vers le passé récent tout d'abord : le Bassin, c'est notamment plus de quinze ports ostréicoles très typés, avec leur chenal d'arrivée, de part et d'autre les cabanes, mais aussi, aujourd'hui, un très grand nombre de bateaux de plai-

Notre-Dame-des-Passes, au Moulleau.

La chapelle de la Villa algérienne.

Le village de l'Herbe.

sance. L'ostréiculture étant avant tout une activité du matin, le visiteur de l'après-midi pourra avoir l'impression d'un monde peu actif, surtout s'il vient à marée basse, lorsque l'eau ne court plus qu'à l'intérieur des chenaux principaux et des quelques *esteys* affluents. Au-delà, des vasières qui s'étendent à perte de vue, même à proximité d'Arcachon car, ni à La Teste, ni à Gujan-Mestras – où il y a pourtant pas moins de sept ports, dont chacun a son cachet et où l'on trouve le plus grand nombre d'inscrits maritimes –, la mer n'est présente toute la journée. Dans toute la région du sud Bassin à l'est d'Arcachon, s'étend une zone de prés salés, dont les plus célèbres sont ceux des Bordes, situés sur La Teste, et d'*estrans* découverts à marée basse, seulement rompue par la petite plage de La Hume, et par les chenaux des nombreux ports ostréicoles qu'il faut cependant entretenir de manière permanente par des dragages. Par une journée d'été écrasée de soleil et de chaleur, depuis le port de Mestras ou la plage de La Hume, ce paysage prend un aspect irréel, avec au premier plan ces étendues de vases vertes, sans pratiquement de relief et, au fond, quelque peu fantomatiques et étrangement désaccordés, les bâtiments élevés qui signalent la ville d'Arcachon, située elle-même un peu plus à l'ouest, mais dont on aperçoit bien les débuts. Le port de Larros mérite le détour, davantage que la plage de La Hume, sans grand caractère en dehors de sa commodité à marée haute ; on y trouve en effet une grande impression d'activité liée à la présence de nombreux chantiers navals. Ici, l'on est presque au bord d'un monde industriel, dans une zone en tout cas de grande et très visible activité. Il faut aussi venir à Larros lorsque le temps est très mauvais et que la tempête souffle sur le Bassin ; on se croirait alors à l'Océan…

De l'autre côté du Bassin, notamment à Piraillan, à l'Herbe ou au Canon, mais aussi au Four, au charmant petit village des Jacquets, ou aux deux Piquey, dans des

CI-CONTRE

Les cabanes tchanquées au crépuscule.

Les cabanes tchanquées ; en bas de la photo, promeneurs à marée basse et piliers de la première cabane tchanquée (1883).

L'île aux Oiseaux

Dénommée « isle de La Teste » sur les cartes anciennes, l'île aux Oiseaux est un des plus étranges univers qui soit en France. Île, il y a bien, puisque, même à marée très haute, environ 300 hectares ne sont jamais couverts, le tour de l'île faisant encore à ce moment-là plus de 4 kilomètres. Mais, dès que l'on s'y trouve, en dehors de quelques sentiers sablonneux et des éminences sableuses où sont installées les quarante-deux cabanes réparties en quatre quartiers, il faut cheminer dans une nature semi-marécageuse, où les zones de vase sont très nombreuses, d'un lac de tonne à l'autre.

Cela suffit à expliquer ce qu'est l'île : un endroit, d'abord, où l'occupation humaine n'a jamais été que réduite et saisonnière, comme autrefois au Cap-Ferret. Depuis 1997, on ne peut plus obtenir d'autorisation d'occupation temporaire, dans cet espace qui constituait sous l'Ancien Régime des vacants dont le captal de Buch avait laissé l'usage aux habitants de La Teste, qui, pour profiter des prés salés, y envoyaient en pacage leurs chevaux et leurs bœufs, et qui y pratiquaient la chasse au canard et la pêche à pied, sans payer aucun droit à partir de 1550. Un milieu amphibie ensuite, dont les zones humides sont très recherchées par les oiseaux, alors que les lapins, qui y pullulaient à la fin du XIXe siècle, ont quasiment disparu. Un domaine, enfin, où depuis longtemps la chasse au canard est une activité essentielle. Certes, l'été et lors d'importants week-ends, il arrive qu'il y vienne beaucoup de monde : les résidents temporaires et les chasseurs sont les premiers à mettre en cause cette surpopulation touristique, considérée avec raison comme dangereuse pour l'équilibre naturel fragile et rare qu'elle représente. Mais ce n'est pas la règle, il s'en faut, et c'est heureux car c'est alors seulement que l'on peut comprendre ce qu'elle est vraiment : en semaine, hors saison.

Pour les chasseurs habitués, le voyage vers l'île est fréquent, et pourtant tous parlent d'un univers passablement onirique, impression que ressentent aussi les visiteurs. Parti, par exemple, d'Arcachon, il faut tout d'abord emprunter les chenaux qui permettent d'avancer au plus près de l'île, où l'on aborde lorsque la mer n'est plus très haute. À faible marée, on peut simplement s'en approcher autant que possible, en fonction du tirant d'eau, puis il faut faire encore 200 à 300 mètres, en étant à moitié immergé au début, car l'île est entourée de hauts-fonds qui offrent un spectacle étonnant au maximum de la marée basse : le *crassat* peut alors correspondre à plus de 1 000 hectares et son pourtour à 16 kilomètres. Ce ne sont qu'étendues sablonneuses et surtout vaseuses, avec çà et là des pêcheurs à pied, qui se concentrent en direction de la Pointe aux Chevaux. Dans plusieurs directions, la mer apparaît très lointaine, et les zones urbanisées de la rive sud à une distance énorme ; à l'ouest, par ailleurs, il n'y a plus rien que l'avancée de la presqu'île et l'infinité océane. Mais, tout au long de l'île, l'impression dominante est bien d'être décidément loin de tout.

Chasseur à l'île aux Oiseaux.

Lac de tonne pour la chasse.

Au cours de la journée, alors que le soleil est facilement dur, de juin à septembre, déjà en mai certains jours, et encore en octobre, qu'il n'y a guère d'air, mais des fragrances végétales très fortes, qui arrivent à couvrir l'odeur des vasières, on ne verra pas plus d'une dizaine de personnes, parfois moins, qui toutes expliqueront combien il est souhaitable qu'il vienne sur l'île le moins de visiteurs possible... Il est certain que des hommes ont habité ici, et qu'il en vient toujours temporairement; mais, hors saison, l'ensemble des cabanes fermées rappelle étrangement les villages morts d'un Ouest lointain... Le luxe, l'élégance et la foule arcachonnaises relèvent d'un autre univers... Le départ est presque un retour vers la civilisation. Il faut d'abord gagner le bateau, ce qui ne se fait ni à pied sec ni sans avoir une ou deux fois de l'eau assez haut, avant d'arriver à l'esquif qui bouge mollement, sous l'effet du courant de la marée montante. Puis, il faut faire un détour, passer au milieu de parcs à huîtres, étrange univers ponctué par des milliers de piquets qui émergent au-dessus de l'eau. La rive sud enfin devient de plus en plus proche, et c'est le retour vers un monde plus familier...

Les sensations sont encore plus fortes si l'on passe la nuit sur l'île, car « une nuit passée dans l'île aux Oiseaux peut compter parmi les choses les plus étranges du monde. Des milliers d'ailes invisibles battent dans l'ombre. De tristes appels y retentissent. Le sable à l'alentour est marqué indéfiniment par les pattes en forme d'étoile des pluviers et des courlis » (P. Benoît, *L'Île verte*, 1932). C'est tout aussi étrange et étonnant si l'on est à l'époque de la chasse aux canards, car, la nuit, dans ce cas, se passe dans la tonne, largement enterrée, où les chasseurs s'enferment pour tirer le gibier que l'appeau fait venir sur le lac de tonne. La nuit est humide, froide même, et le silence doit être aussi grand que possible en attendant que vienne l'heure du tir. Avant comme après, il y a cette atmosphère de chasse si particulière et si prenante, sans aucun doute plus sensible qu'ailleurs dans les marais...

On peut y aller en famille, on peut y aller entre amis – surtout si l'on est chasseurs –, mais s'y rendre en groupe n'a aucun sens. Beaucoup plus encore que le banc d'Arguin, elle ne peut être un rendez-vous touristique, quel que soit son intérêt, et quelque grandiose que puisse être le spectacle qu'elle offre, lorsque arrivent, à la fin de l'été, plus de quarante mille bernaches cravants, venus du grand Nord, qui ne repartiront qu'entre janvier et avril.

Pêche aux vers à l'île aux oiseaux.

Bernaches cravants en vol.

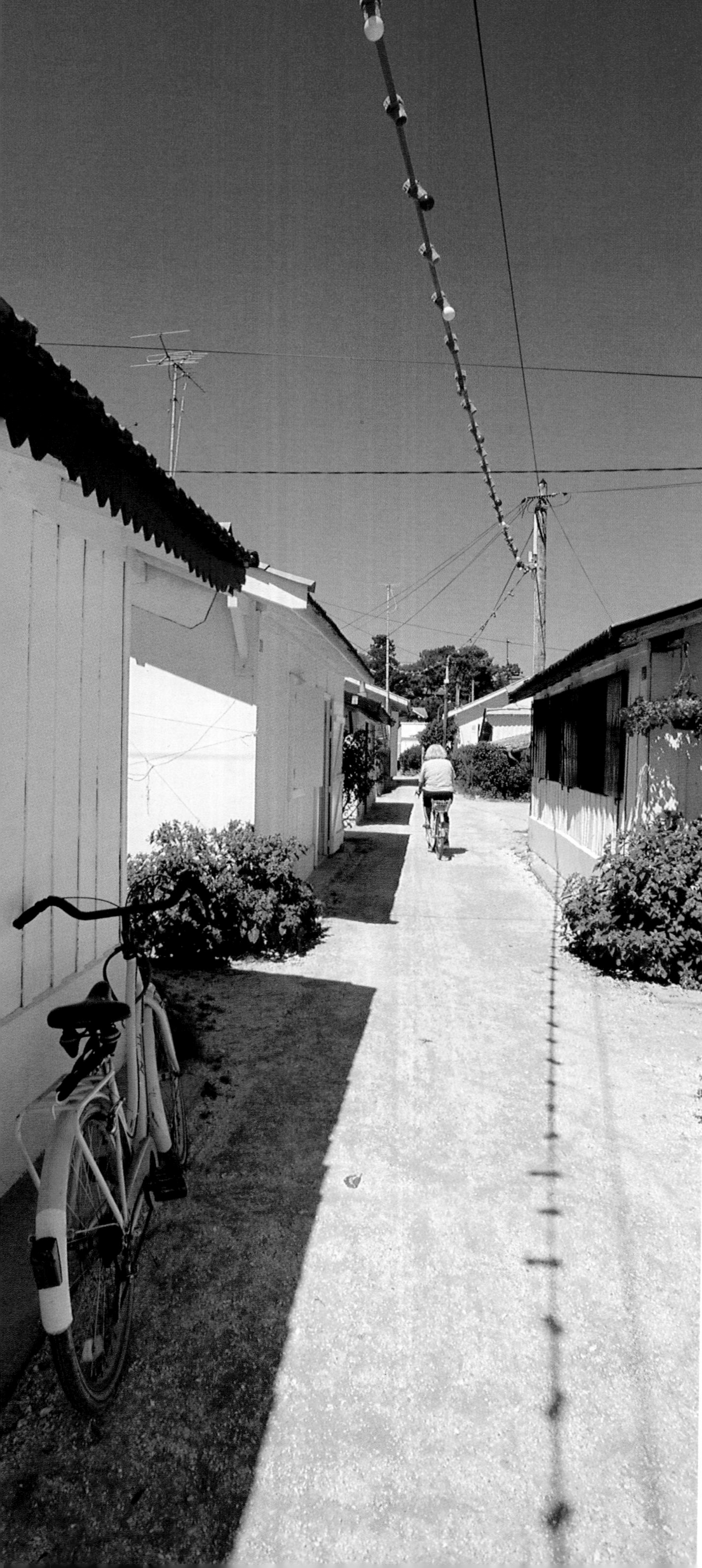

sites protégés et dont certains sont classés, se trouvent les plus beaux villages, magnifiquement entretenus, dont au demeurant une partie des cabanes sont devenues des résidences secondaires. Il est vrai que si les villages du sud Bassin sont des lieux de travail, ici ce furent aussi des lieux de vie. À l'Herbe, par exemple, les aménagements sont très réussis et le village, magnifique, vaut le détour. Non seulement une activité ostréicole reste réelle dans ces villages, mais encore ils sont extrêmement bien entretenus et très fleuris. Ici, une fois surmontés les embouteillages qui caractérisent l'été la route qui mène d'un bout à l'autre de la presqu'île, la vue est de toute beauté, tout particulièrement le matin, à marée haute. De l'extrémité orientale d'Arcachon à la dune du Pilat, c'est un panorama de carte postale qui se déroule. En un mot, des spectacles dont on ne se lasse pas, bien que, les jours de forte chaleur, la vision de la côte sud soit souvent très estompée par la brume. Mais l'un des caractères du Bassin – et pour ceux qui y habitent ou le fréquentent habituellement, un paysage qu'ils aiment profondément –, c'est aussi la présence de vastes espaces découverts à marée basse : depuis l'île aux Oiseaux, ce « désert de sable » (et, il faut ajouter, de terres marécageuses), « avec quelques cabanes isolées et de rares bouquets d'arbres », écrit Jean Balde, ils prennent même un caractère un peu irréel, tant leur ampleur impose le sentiment d'un monde très particulier, totalement différent du rivage de l'Océan ou des parties du Bassin où la présence de l'eau est permanente. On peut encore les regarder depuis la jetée d'Andernos : par une passerelle inaugurée en 1928, et qui était alors la plus longue d'Europe, on s'avance à 232 mètres du rivage, audessus des vasières, pour aboutir à l'endroit où arrive le chenal, et c'est alors que l'on saisit vraiment ce qu'est le Bassin : un vaste espace où l'eau ne cesse de s'avancer et de partir, au rythme des marées, à des heures qui changent sans arrêt, mais aussi les éclairages et les sensations que l'on éprouve. Le Bassin toujours renouvelé, en quelque sorte, et pas seulement ces étendues écrasées de soleil que souligne Cocteau dans sa correspondance, ou cet espace marin fermé, bordé de plages, que connaissent les estivants, mais un milieu très original, largement amphibie, ayant depuis toujours développé ses formes de vie propre.

On doit même aller plus loin : il existe ici un localisme très poussé, en quelque sorte une mentalité îlienne. Cette succession ancienne de villages qui n'étaient souvent que des hameaux, de petits ports, de paroisses peu liées entre

CI-CONTRE

Rue du village ostréicole du Canon.

elles, a développé une mentalité que les connaisseurs du Bassin qualifient volontiers d'insulaire : on est d'Audenge ou de La Hume avant d'être du Bassin. Pendant longtemps, cela a permis une vie locale plus intense qu'ailleurs, avec des liens profonds et des coutumes, habitudes ou fêtes très typées, ce que l'on ne retrouvait nullement à Arcachon à la population beaucoup plus composite. Cela correspondait tellement aux traditions, que ces liens et ces pratiques sont apparus aussitôt dans ces villages tout récents que sont Piraillan, l'Herbe ou le Canon, facilitées, il est vrai, par la communauté de professions et d'activités. Bien sûr, ils ont beaucoup décliné au cours des trente dernières années, malgré la mise sur pied de fêtes beaucoup plus considérables, mais dont il est évident qu'elles visent avant tout à attirer et à intéresser estivants, touristes et chalands. Ainsi, autrefois, le soir, le centre d'Audenge, cette avenue bordée de platanes que l'on appelle « les places », était d'une animation et d'une gaieté tout à fait remarquables. À un degré moindre, on retrouvait cela un peu partout.

Il est vrai que cette partie orientale du Bassin se prêtait tout particulièrement à des formes de vie, de fêtes et de relations sociales proches de celles que René Clair, par exemple, a souvent dépeint à propos des quartiers de Paris dans les années 1930, et pour les mêmes raisons. Comme nous le verrons plus loin, à partir du dernier tiers du XIXe siècle, sans devenir très importante, la population a ici nettement augmenté. Ce sont surtout des gens modestes qui sont venus s'installer, dont beaucoup avaient des liens de famille et d'amitié avec les autochtones. Il suffit d'ailleurs de parcourir ces villages, mais aussi une bonne partie d'Arès et d'Andernos, jusque dans leur centre, pour voir encore nombre de maisonnettes modestes, sur des terrains de faible ou de médiocre superficie, tel le lotissement du Falgouet, à Andernos, en 1928, dont la plupart des lots n'ont que 200 à 300 mètres carrés, un grand nombre de ces maisons présentant en façade une véranda ouverte, étroite, supportée par cinq à six colonnes, le plus souvent en fer et non plus en bois. Cela donne un caractère très typé à cet habitat trop peu étudié jusqu'ici, alors qu'il a été édifié en nombres très importants. On le rapprochera bien évidemment de cet habitat modeste si fréquent dans les banlieues bordelaises en plein développement à la fin du XIXe et au début du XXe siècle. À Audenge et à Lanton, il en fut de même : à partir des villages anciens, un séjour populaire se développa, que favorisa l'installation du chemin de fer économique de Lesparre à Facture, mis en service en 1884. D'abord destiné à transporter les bois, poteaux de mines et huîtres, il accueille aussi à partir de 1905 des « trains de plaisir » et facilite la venue de gens de milieux populaires qui font construire de petites villas pour pouvoir venir séjourner sur le Bassin à la belle saison. Après 1926, des autobus sont mis en place et il y a, par exemple, un service journalier entre Andernos et Bordeaux. Mêlant les pêcheurs, ostréiculteurs, résiniers et agriculteurs installés ici depuis longtemps à des vacanciers venus de Bordeaux et de sa proche banlieue, toute une population modeste y développe jusqu'aux années 1970 une vie très conviviale. Elle est facilitée par le fait que la population locale continue à représenter un pourcentage très important et que donc beaucoup de ceux qui viennent y faire bâtir ont des liens avec les familles précédemment installées. Même à Andernos, en 1896 encore, sur 1 110 habitants, 718 étaient nés dans la commune et 268 en Gironde. C'est donc dans ce cadre que se fait une croissance qui reste lente et mesurée. Elle entraîne néanmoins des aménagements dont la piscine du port d'Audenge est l'exemple, ainsi que les petits ports et les plages que l'on y trouve ; celles de Cassy et de Taussat sont particulièrement plaisantes. Une réelle discrétion est de mise ici, mais ces terres, souvent igno-

Le chenal du port de Taussat (Lanton, 1902), encombré de tuiles à naissains. Coll. José Sainz.

Taussat au début du XXe siècle

« Ces beaux arbres (chênes et pins mêlés) bordent sans cesse le rivage et enveloppent de leur verdure la petite station balnéaire de Taussat, composée de chalets alignés sur une plage très douce. Ce village aimable et le port qui le dessert sont l'œuvre du colonel d'Elloy. Grâce à l'abri obtenu, le nombre des parqueurs s'est beaucoup accru. En 1878, il n'y avait que sept ou huit de ces industriels à Taussat, dix ans plus tard, on y recensait plus de cent cinquante habitants, sans compter les baigneurs. Le port de refuge reçoit souvent soixante bateaux pendant les gros temps ; il pourrait en contenir trois cents. »

Ardouin-Dumazet, *Voyage en France*, 30e série : Gascogne, Paris/Nancy, Berger-Levrault, 1903, p. 65.

L'arrivée de la brume (« l'escalumade ») sur le banc d'Arguin, depuis la forêt du Sablonney, par forte chaleur.

Le mimosa, une espèce très présente sur le Bassin.

Le lièvre de mer et l'étoile de mer, deux bons exemples de la diversité de la faune aquatique du Bassin.

rées par le flux touristique majeur, sont belles et attachantes; elles offrent de réelles surprises à celui qui prend la peine de s'y arrêter, soit parce que le domaine de Certes (à Audenge) est tout à fait exceptionnel, soit parce que l'on peut encore y trouver une réelle simplicité de vie, soit encore parce que les découvertes de qualité n'y manquent pas, comme le domaine et la forêt de Graveyron, ou cette vue magnifique sur un Bassin qui paraît à l'horizon d'une ampleur étonnante qu'offre la baignade à Cassy à marée haute.

Il en avait d'ailleurs été ainsi à Andernos, avant que la ville ne se transforme sous l'impulsion de Louis David, maire de 1900 à 1929, dont la très belle villa *Ignota* est devenue musée et centre d'exposition. Peu auparavant, le conseil municipal, dont il faisait partie, avait obtenu en 1897 que la ville s'appelle Andernos-les-Bains. En liaison avec son ami Robert – dit Bob – Easthope, d'origine anglaise, qui faisait le commerce des poteaux de mines avec l'Angleterre, Louis David, qui devint sénateur, fut le grand animateur d'Andernos. Il fit construire en 1926 le début de la célèbre jetée et fut à l'origine de la construction du casino Le Miami, si célèbre de 1932 à 1989, où se produisirent les chanteurs les plus connus, et qu'a remplacé un nouveau Miami, situé route de Bordeaux, à l'entrée d'Andernos. Le rôle attractif d'Andernos est bien montré par le fait qu'en plus du Miami, qui était aussi un café dancing, il y avait après 1930 quatre autres dancings dans cette station, sans parler du casino Neptune et du billard japonais Descot, qui faisait les délices des adolescents. C'était au sens plein du terme une ville balnéaire, très animée, où les activités distrayantes et festives étaient très nombreuses; Andernos a gardé cette tradition et l'a même développée tout au long de l'année, offrant quotidiennement l'été et très fréquemment ensuite des distractions très recherchées. Il y avait enfin une très forte activité ostréicole, Andernos étant devenue à la fin du XIXe siècle « le principal centre d'expédition des huîtres arcachonnaises », tout en étant « une villette balnéaire aux demeures coquettes et simples » (Ardouin-Dumazet), que Sarah Bernhardt préféra à Arcachon, qui lui semblait « un centre trop vivant et trop élégant », lorsqu'en 1914 la Faculté l'envoya se reposer sur le Bassin. Elle connaissait la ville et était liée à Louis David, mais elle ne reconnut pas la station qu'elle n'avait pas revu depuis vingt ans : maintenant, « les sentiers étaient de larges chemins, bordés de villas charmantes, abritées par des arbres magnifiques, ou couvertes de milliers de roses, car Andernos est le pays des roses… Andernos est le pays des roses, des rossignols, des chiens et des doux crapauds, dont la chantante plainte donne la réplique au triomphant rossignol » (article paru dans *La Petite Gironde*, le 25 juillet 1915). Très vite, donc, Andernos a su se doter d'un centre commercial nettement plus développé que dans tout le reste du Bassin, Arcachon mise à part. Il s'y est développé une sorte de patriotisme et de fierté locale, et il en est toujours ainsi au-

Ce Bassin qui n'a pas de rival en Europe

« Ils passaient tous leurs après-midi en barque sur ce Bassin qui n'a pas de rival en Europe. Une tristesse charmante, un apaisement sans grandeur, mais doux comme le renoncement, s'y mêlent aux lignes simples de la nature. Quand la lumière subtile de l'Atlantique, cette lumière verte, nerveuse, nostalgique, vivante, qu'on trouve partout de Brest à Hendaye, n'est point dramatisée par les orages, il n'est pas en France de paysage d'un aspect plus nuancé. »

Pierre Frondaie, *L'Homme à l'hispano*, Paris, Émile-Paul Frères, 1925.

Pêche dans les brisants au Petit-Nice.

jourd'hui où la population d'Andernos talonne celle d'Arcachon.

Andernos fait donc figure de petite capitale du nord Bassin. À l'échelle de celui-ci, et à son niveau, elle est de ce côté-ci le pendant d'Arcachon, et il est heureux qu'elle joue ce rôle tant les conditions de circulation autour du Bassin sont difficiles. On va très lentement d'Arès à Biganos-Facture où se situent à la fois une importante usine de pâte à papier et l'un des éléments les plus intéressants du Bassin, partagé avec Le Teich : le delta de la Leyre.

Enfin, on ne saurait oublier que le Bassin est étroitement lié à l'Océan. La proximité de celui-ci a pour conséquence que toutes les possibilités qu'il offre sont plus qu'aisément accessibles à ceux qui résident autour du Bassin ou viennent y passer leurs vacances. Bien entendu, il ne s'agit là que d'une partie de la côte landaise, et les mêmes centres d'intérêt se retrouvent de la Pointe de Grave à l'embouchure de l'Adour. Il n'en reste pas moins que les très grandes plages océanes du Crohot, du Petit Nice, de la Lagune et de la Salie sont présentes autour du Bassin. Leur longueur est considérable : plus de 25 kilomètres, par exemple, pour les plages océanes de La Teste. Ainsi, le caractère majoritairement familial offert par celui-ci aux estivants est complété par ces zones beaucoup plus sauvages, passablement désertiques hors saison, royaumes des pêcheurs et des surfeurs, mais aussi de tous ceux qui recherchent la rudesse plus grande du rivage océanique, et qu'attirent des conditions de baignade beaucoup plus sportives, dans un air beaucoup plus tonique et vivifiant. Même le naturisme est possible... En arrière du rivage, on trouve pour partie des pistes cyclables. Par ailleurs, la promenade qui mène de la Lagune à l'extrémité orientale de la dune du Pilat, en suivant le rivage, est une des plus agréables que l'on puisse faire sur ces côtes aquitaines. On en a bien sûr l'équivalent, au nord, avec la presqu'île du Cap-Ferret, qui a gardé d'importants boisements, abonde en promenades et permet de gagner facilement l'Océan ; la liaison avec celui-ci se fait d'ailleurs par un très pittoresque petit train...

Parqueuse du début du XXe siècle.
Coll. José Sainz.

Le Bassin d'autrefois

Un pays à l'écart

Une grande partie de ce qui a été souligné jusqu'ici vante les charmes multiples du Bassin. Ce n'était pas toujours le cas autrefois. *Le Voyageur français* de Delaporte, qui date de la fin du XVIIIe siècle, est particulièrement sévère pour notre région : « Le terrain des landes de Guyenne est stérile et inculte ; la côte marécageuse et presque inabordable ; on n'y trouve de remarquable que le Bassin ou havre d'Arcachon, dont l'entrée est très difficile ; les gros bâtiments ne peuvent y pénétrer, mais ceux qui y entrent s'y trouvent fort en sûreté, et y chargent particulièrement du goudron et de la résine, que les pays des environs fournissent en abondance. Le principal, ou pour mieux dire, le seul lieu de cette triste contrée est au milieu du Bassin d'Arcachon ; c'est un bourg qu'on appelle la Tête ou le cap de Buch. » Comme nous allons le voir, la réalité était plus contrastée, même si, avant le milieu du XIXe siècle, il s'agit d'un pays peu peuplé, passablement à l'écart malgré ses nombreux rapports avec Bordeaux, ce qui n'avait pas que des effets négatifs puisque, par exemple, les grandes épidémies de choléra de 1832 et de 1849 n'eurent aucune manifestation à Andernos.

Il y avait ici des éléments forestiers très importants, de grandes possibilités de pêche et de ramassage des huîtres. Il y avait donc, essentiellement autour de La Teste, ce qu'on pourrait appeler le Bassin heureux, comme l'a très bien ressenti le géographe Claude Masse, ou comme l'exprime de Thou en 1580. Mais, d'autre part, une grande partie des terres qui entourent le Bassin sont des landes et marécages, qui n'ont rien de particulier ni de plaisant, et qui font partie de cet ensemble landais qui va de l'Adour à la Pointe de Grave, en y incluant le Médoc non viticole. C'est un milieu peu favorable à l'homme : la si grande présence des marécages et de nombreux étangs a pour conséquences que l'eau de boisson y est de qualité douteuse, et que des formes importantes de paludisme et des fièvres multiples y abondent, entraînant une forte mortalité de fin d'été et de début d'automne. Les sols ne sont pas riches, et la principale céréale est le seigle. L'âge moyen au décès se situe plus bas qu'ailleurs ; quant à la taille des individus, elle est nettement moindre. Comme l'écrivit un subdélégué de Casteljaloux à la fin du XVIIIe siècle – mais cela vaut pour tout l'ensemble landais : « le lanusquet est chétif et rabougri ». Au début du XIXe siècle, les rapports des conseils de révision ne laissent aucun doute à cet égard.

On peut ajouter que la circulation de l'argent était ici réduite et que, même s'il y avait de solides fortunes, l'étude des apports au mariage ou des inventaires après décès du XVIIIe siècle montre que l'on est très en deçà des niveaux régionaux. Les apports extérieurs sont peu nombreux, excepté à La Teste, par suite des liaisons maritimes. Il vient donc peu de personnes de l'extérieur, en dehors de Landais et de quelques Pyrénéens qui amènent leurs troupeaux jusqu'au bout du Médoc l'hiver. Au demeurant, la vie maritime elle-même a toujours été médiocre : on est très loin des îles charentaises, de l'île d'Yeu ou des petits ports des abers bretons.

Un spectacle qui plaît beaucoup aux yeux

« Quand on a quitté le pays qui est au-delà de la Garonne, on trouve à gauche le rivage de la mer, bordé de pins très élevés, dont on tire la poix ou la résine. Comme on enlève l'écorce de ces arbres, la nature prévoyante fait naître autour quantité d'arbustes pour la revêtir, entre autres des arbousiers, dont les fleurs et les fruits, plus agréables qu'utiles, forment un spectacle qui, joint à la vue de la mer, plaît beaucoup aux yeux...
On fit dresser une table pour dîner sur le rivage ; comme la mer était basse, on leur apportait des huîtres dans des paniers ; ils choisissaient les meilleures et les avalaient sitôt qu'elles étaient ouvertes ; elles sont d'un goût si agréable et si relevé, qu'on croit respirer la violette en les mangeant ; d'ailleurs, elles sont si saines qu'un de leurs valets en avala plus d'un cent sans s'en trouver incommodé. Là, dans la liberté du repas, on s'entretint, tantôt de la beauté du lieu, tantôt de ce qu'on jugeait propre au bien de l'État, tantôt de ce fameux capitaine dont on vient de parler (NB : il s'agit du Captal de Buch), tantôt de ces grands hommes dont Cicéron se souvient en quelque endroit de ses ouvrages, qui ne croyaient pas qu'il fût indigne d'eux d'employer un repos honnête, et nécessaire pour délasser l'esprit de ses grandes occupations, à ramasser des coquilles et des petits cailloux sur le rivage. »

Jacques-Auguste de Thou, *Journal de voyage*, 1580.

Ces premiers habitants du Bassin, qui à l'évidence étaient peu nombreux, vivaient exclusivement autour de la vallée de la Leyre, des étangs et d'une partie des rivages sud et sud-est du Bassin, mais toujours à proximité d'un cours d'eau, comme par exemple le Gourgue pour le village de Losa (Sanguinet). À l'élevage et aux cultures, ils ajoutaient les ressources du Bassin et celles de la forêt. Celles-ci leur ont permis, à partir au moins de la seconde moitié du Ier siècle av. J.-C., d'avoir une activité importante et de jouir d'une réelle prospérité dans le cadre de la Gaule romaine, comme le montrent les fouilles subaquatiques de Sanguinet, qui ont permis de découvrir une grande abondance de céramique sigillée du premier et du deuxième siècle de notre ère. En particulier, à Put Blanc, à 14 mètres de profondeur, dans un village établi au bord du lac au début de l'âge du fer, on a trouvé des pirogues monoxyles – dont les plus anciennes remontent jusqu'au IIe millénaire av. J.-C. – et la preuve de relations avec la péninsule ibérique. Les Boïates ont été capables de constituer une *civitas*, dont Boios, le chef-lieu, était à Lamothe (Biganos), à l'embouchure de la Leyre ; mais il n'y eut pas de réelle urbanisation et Boios ne fut au mieux qu'un gros bourg. Il y eut également une activité à Audenge, essentiellement de fabrication de résine. Enfin, Andernos est un site gallo-romain tout à fait notable : aux trouvailles préhistoriques nombreuses s'ajoutent une villa – d'après une interprétation récente –, ou une basilique paléochrétienne – d'après l'interprétation proposée depuis longtemps –, et d'autres restes archéologiques, notamment un anguipède.

Quelques éléments du passé lointain

Il n'en reste pas moins que l'occupation humaine sur les bords du Bassin et autour de celui-ci est ancienne, et que les activités des populations qui y ont vécu ont toujours été importantes et intéressantes. Il est difficile de dire précisément à partir de quel moment les hommes se sont installés ici et de quelle manière : les modifications du niveau de la mer, les avancées et reculs des sables n'ont cessé de modifier les conditions de vie dans toute la zone littorale ; elles ont pu, également, recouvrir les traces d'occupation humaine ; enfin, les fouilles n'ont porté que sur des superficies réduites. Ce qui est sûr, c'est que le littoral de l'Océan était inhospitalier pour les populations d'autrefois, et qu'elles se sont donc tournées d'abord vers la vallée de la Leyre, ou vers le site qui est devenu l'étang de Cazaux-Sanguinet. C'est dans la vallée de la Leyre et sur ses bords que l'on a trouvé la trace d'une première occupation humaine (lames, grattoirs, burins, pointes aziliens) qui se situe entre 9500 et 7500 av. J.-C. À partir de cette époque, elle a sans doute été continue, mais avec de nombreux changements de sites, voire de populations. À cet égard, le problème le plus épineux est celui de l'arrivée d'une population celtique, porteuse de la métallurgie du fer, que l'on a appelée Boïens, mais François Thierry juge qu'il vaut mieux dire Boïates. Parmi les hypothèses qu'il émet, retenons l'idée que l'on a affaire, plutôt qu'à un peuple de nouveaux venus, à une population déjà installée, qui a subi une forte influence celtique et a sans doute bénéficié de l'installation de Celtes, et non à une mythique population de Boïens venus s'installer dans cette région reculée et déjà marginale.

Grands vases à brai. Lac de Sanguinet. Cliché Pierre Bardou.

Il est impossible de dire ce qui se passe ensuite, entre les IIIe et XIIe siècles, si ce n'est que l'ancienne *civitas* réussit à devenir un pays, celui de Buch, et que celui-ci fut christianisé, comme l'ensemble de la France actuelle. C'est alors que les paroisses furent mises en place et que plusieurs églises, de petite dimension – mais les noyaux humains étaient de petite taille – furent édifiées à Andernos (Saint-Éloi), Lanton, La Teste, ainsi qu'un prieuré à Comprian, qui figurait sur l'un des itinéraires menant à Saint-Jacques-de-Compostelle. Les seigneuries émergèrent comme ailleurs au XIe siècle et se mirent en place au XIIe. Leur dessin en est compliqué puisque le captalat de La Teste comprend deux secteurs, l'un autour de la ville du même nom, qui correspond au sud du Bassin, l'autre centré sur le lac de Lacanau. Il y a une seigneurie à Lège, et une très grande à Audenge, avec le château de Certes. La seigneurie de Blanquefort s'avance jusqu'au bord du Bassin, en englobant Arès. L'intérêt de ce pays de Buch, que borne au sud celui de Born, est donc qu'il comporte une vie et des possibilités maritimes très importantes, en sus des ressources forestières : c'est pourquoi les liens avec Bordeaux sont déjà bien présents, au point qu'au milieu du Moyen Âge la puissante famille de Grailly s'assure le captalat de Buch. Jean III de Grailly (1321-1376) est au XIVe siècle un puissant et très précieux auxiliaire du roi d'Angleterre qui en fait en 1371 le connétable d'Aquitaine, et ce captal de Buch est alors très célèbre, faisant connaître le nom de ce pays dans toute la France et en Angleterre. Par ailleurs, ce qui montre bien les liens avec Bordeaux, le domaine de Lège appartient au temporel du chapitre de la cathédrale Saint-André ; la seigneurie de Castelnau, qui est toute proche, dépend de Puypaulin de Bordeaux ; celle d'Audenge est vassale de celle de Blanquefort.

Le bois de Pinchourlin, dans la « montagne », au cœur de la forêt usagère de La Teste.

Comme le territoire actuel de Marcheprime en fait partie, on voit que le pays de Buch arrive à proximité de Bordeaux puisque sa limite orientale est la banlieue de celle-ci. Comme le souligne Baurein, à la veille de la Révolution, alors que l'on croit souvent que le pays de Buch correspond aux paroisses du Bassin, en réalité, il est beaucoup plus grand et sa « majeure partie, surtout celle qui est vers le levant, est inculte et en landes », ajoute-t-il.

L'emprise seigneuriale se marque par la construction de mottes et de châteaux, dont les deux plus intéressants sont ceux de La Teste – particulièrement imposant – et de Certes. L'époque romane voit la construction d'églises, dont celle de Lanton, délicieux édifice du XIIe siècle, à la belle abside et aux chapiteaux ornés de pommes de pins et de hérons. Les parties les plus anciennes de Saint-Éloi d'Andernos, qui se trouvait alors à 150 mètres du rivage, mais qui en est en bordure aujourd'hui, remontent au XIe siècle ; de style roman fortifié, construite à l'aide de matériaux empruntés à la villa gallo-romaine qu'elle jouxte, agrandie au XVe siècle, elle a perdu son caractère original, mais on y a retrouvé en 1904 une fresque du XVe siècle dédiée à sainte Quitterie ; en 1971, le grand Raymond Mirande en a refait les vitraux.

L'économie d'autrefois

Il n'y eut certainement pas ici une vie extrêmement active. Passé le XIIIe siècle et l'achèvement des structures de pouvoir ou ecclésiastiques, il semble que les choses aient peu bougé. On parle peu du pays de Buch ; les dimensions des édifices religieux restent modestes, voire médiocres, même si Saint-Vincent de La Teste est agrandie au début du XVIIe siècle, moment où le duc d'Épernon, gouverneur de la Guyenne et captal de Buch, lui offre un beau retable. L'agriculture n'a guère été modifiée par rapport à ce qu'écrivait au IIe siècle de notre ère le géographe Strabon : « Les terres océaniques de l'Aquitaine sont en majeure partie sablonneuses et maigres ; elles suffisent à l'alimentation pour le millet, mais sont plutôt improductives dans les autres cultures. » Il faut en réalité attendre les deux derniers siècles du Moyen Âge pour atteindre plus de profondeur historique et pour déceler d'intéressantes relations économiques. On constate aussitôt deux originalités du pays de Buch, ou plutôt de la partie testerine de celui-ci : les ressources forestières et la vie maritime.

Une résinière du début du XXe siècle.
Coll. José Sainz.

La production de résine au début du XVIIIe siècle

«…Cette espèce de bois n'est commune en France qu'entre les rivières de la Leire et de la Dour dans le pays communément appelé les landes où il est très commun… Quand ces arbres ont dix-huit à vingt ans, d'une grandeur et grosseur convenables, les résiniers donnent un coup de hache ou de serpette pour enlever l'écorce et un peu du vif de l'arbre d'où il sort quand il fait chaud une gomme blanche qui distille insensiblement dans une petite fosse ou bacquet que les résiniers amassent et qu'ils portent dans leurs cabanes qui sont établies de côté et d'autre dans ces grands bois. Quand ils ont amassé une grande quantité de cette gomme, ils la font bouillir dans les chaudières en suite de quoi elle est assez cuite ; ils la font couler avec une petite dalle dans des trous qu'ils font dans le sable pour en faire des pains ronds d'un pied ou deux de diamètre sur dix-huit ou vingt pouces de hauteur… Quand elle est séchée et dure, on la rompt par morceaux et se vend à la livre…»

Claude Masse, *Mémoire sur le pays de Buch…* (1723), extraits édités dans le Bulletin de la Société historique et archéologique d'Arcachon, n° 78, 1993, 4, pp. 65-66.

Les résiniers au début du XVIIIe siècle

«Les résiniers sont des hommes à faire peur à voir tant par leurs habits que par leur langage rustique et sauvage. Parlant d'un mauvais gascon, ils sont ordinairement jambes et pieds nus et ont sur la tête une toque ou baret n'ayant ni cravate ni collet. Ils se couvrent le corps d'une dalmatique brune avec un capuchon et au-dessus un justaucorps et une culotte le plus souvent de peau. Ces pauvres malheureux habitent les bois de pins dans de petites maisons ou cabanes bâties de planches ou de colombages avec de la terre, ne croissant pas de pierre dans toute cette partie du Médoc. Les plus aisés ont quelques cochons, chèvres, vaches, bourriques, petits chevaux et quelques mouches à miel qui est le grand revenu du pays. Mais la plupart manquent de fourrage pour la nourriture de leurs bestiaux, ne croissant pas d'herbe dans les pins. Ils ont peu de volaille parce qu'elle se perd dans les bois ou que les renards, fouines ou oiseaux de rapine les mangent. Les œufs de ces volailles sont d'un mauvais goût et sentent la résine. En un mot, ces malheureux sont dignes de compassion, de même que leurs familles. Il n'est point étonnant que leurs femmes et enfants se cachent quand ils voient des hommes avec leurs chapeaux, ne voyant du monde que les dimanches, quand ils vont au service divin ; souvent leurs paroisses sont éloignées d'une lieue ou deux ; il n'y a que le curé qui est en chapeau.

Les résiniers se nourrissent aussi mal qu'ils sont habillés, ne mangeant que de très mauvais pain de seigle et quelque peu de bled d'Espagne. Ils font la soupe avec de l'eau et du sel et pour graisse de l'huile d'olive puante qu'ils trouvent la meilleure et quand ils ont de l'ail ou de l'oignon, ils s'estiment très heureux car ils mangent peu de viandes… (Ils sont) de ces peuples qui n'ont jamais mangé de beurre ni de fromage, ne sachant pas le faire, surtout celui de vache ; ils en font quelque peu avec du lait de chèvre ou de brebis qui est très mauvais.»

Claude Masse, *Mémoire sur le pays de Buch…*, *op. cit.*, pp. 68-69.

Les ressources forestières

Les ressources forestières se retrouvent ailleurs, par exemple autour de Mimizan, mais elles semblent nettement plus importantes autour du Bassin, à la fois parce que le débouché bordelais est tout près et parce que les possibilités maritimes permettent une plus grande activité. Deux massifs forestiers sont particulièrement importants – plus de 4000 hectares –, et d'ailleurs quasiment contigus : celui de la Grande Montagne de La Teste, et au nord de celui-ci la Petite Montagne, dite encore montagne d'Arcachon. Ce sont des forêts de pins maritimes, qu'accompagnent de riches sous-bois de feuillus, où l'on trouve notamment des chênes, des arbousiers, des ajoncs, de la mousse et des lichens. De très nombreux oiseaux peuvent ainsi s'y installer. La forêt de La Teste a un statut tout à fait particulier, car c'est une «forêt usagère» depuis très longtemps : en 1468, Jean de Foix-Grailly, comte de Candale, confirma aux habitants de La Teste les libertés et franchises que ses prédécesseurs leur avaient toujours accordées, à savoir le droit de faire gemme et résine, celui de prendre le bois mort et le bois à équarrir, moyennant une faible redevance fixée une fois pour toutes. De fait, les Testerins avaient ainsi un usage quasiment libre de ces étendues accidentées et boisées, dont le nom de «montagne» rappelle le sens romain du mot, c'est-à-dire forêt. À l'intérieur du massif, il ne pouvait y avoir aucune clôture ; «aucun pin vif ne pouvait être abattu et même mort il était encore usager» (R. Aufan) ; à partir de 1535, il ne fut plus possible de vendre le bois ni de le transporter hors des limites du captalat. Les tenanciers étaient divisés en «non-tenans pins», qui avaient simplement le droit de ramasser le bois mort, et « tenans-pins », qui jouissaient de tous les droits d'usage ; le nombre de ces derniers et surtout le jeu des héritages eurent pour résultat que, comme pour les terroirs cultivés, le massif fut subdivisé en une multitude de parcelles. Les Testerins avaient ainsi en abondance du bois de chauffage et de construction ; les grands pins servaient à la construction de pinasses ; surtout, ils disposaient de deux grands produits très recherchés : le goudron et la résine, auxquels on peut ajouter une production de miel, de cire et de térébenthine. D'après Masse, et d'autres observateurs, le miel paraît une grande ressource, mais il est impossible de l'évaluer.

Il s'ensuivait un commerce très actif, dont nous savons, grâce aux travaux de Jacques Bernard, qu'au moins à partir du début du XVIe siècle il assurait des liaisons maritimes entre La Teste et les côtes françaises de l'Ouest (Bretagne surtout), à un degré moindre avec le Pays basque et l'Espagne cantabrique, exceptionnellement avec d'autres ports comme Anvers. Mais poix, goudron et résine étaient surtout amenés à Bordeaux par des voituriers qui paraissent « gueux et misérables par leurs habits et mauvaise nourriture », mais qui « cependant ne laissent pas d'être aisés », écrit Claude Masse au début du XVIIIe siècle. Il leur arrive aussi d'amener les productions locales à Bayonne. Leur moyen de transport est constitué par « des petits chariots à quatre roues traînés par deux bœufs », que l'on appelle « kas », « bros » ou « carts ». « Ils viennent quelquefois une trentaine de chariots de suite. Ils couchent où la nuit les prend, sous leurs chariots, comme font les tartares. » En fait, Masse sous-estime l'importance des convois : comme l'indique un « Mémoire concernant les résines, goudrons et térébenthines », daté de 1698, « les bouviers viennent ordinairement en compagnie et un seul jour de la semaine, savoir le vendredi, au nombre de deux cents ou trois cents chariots, et quelquefois bien davantage ».

L'agriculture et l'élevage

Les paysans qui ont une activité de voituriers peuvent donc acquérir une réelle aisance car, comme l'écrit en 1715 l'intendant Lamoignon de Courson, « ce qui rapporte le plus aux paysans sont les voitures qui se font actuellement, soit à Bordeaux, soit à Bayonne de tout ce qu'on peut retirer des landes ». L'importance de la forêt en ressort bien, d'autant qu'à ce transport s'ajoute celui du poisson frais. À l'opposé, les ressources agricoles apparaissent très réduites. La nourriture de base est fournie par le millet et le seigle ; il y a aussi des vignes à Gujan et à La Teste. Mais c'est à peu près tout, ne serait-ce que parce que seules les parties les plus élevées des landes autour du Bassin peuvent être cultivées : le rapport entre les terres en culture et celles en landes est de un à trois à la fin du XVIIIe siècle. L'élevage est

Troupeau sur la plage Saint-Brice, à Arès (début du XXe siècle). Coll. J.-P. Poussou.

une activité essentielle qui correspondrait, d'après le dénombrement de l'an V, à 21 703 ovins, 575 équidés, 2 280 caprins, 1 113 porcins et 2 991 bovins, chiffres qui donnent un ordre de grandeur. Autour du Bassin, l'élevage permet donc d'entretenir les bovins, nécessaires aux transports, auxquels paraissent réservés les prés salés, y compris ceux de l'île aux Oiseaux, et de nourrir un nombre élevé de moutons, qui fournissent laine, viande et un peu de lait. Pour les ovins, même les dunes peuvent être une ressource, comme le montre Masse : « Ces montagnes forment entre elles des buttes de différentes figures, entrecoupées ou séparées par des vallons, qu'ils appellent vulgairement laides, où il croît de petites herbes qui nourrissent les troupeaux partie de l'année, surtout quand la lande est trop sèche. Les pasteurs ont soin de mettre le feu à un certain espace de landes dont la cendre fait croître de petites herbes dans les temps humides, mais qui ne produisent point dans la grande chaleur, ce qui oblige les troupeaux de se jeter dans les dunes pour y paître ».

Il faut donc absolument des ressources complémentaires que fournissent les charrois, la mer – grâce avant tout à la pêche – et la forêt. Mais si la pauvreté est moins générale que ne le laisserait croire l'aspect extérieur des habitants – « rustique », dit Claude Masse – et si d'ailleurs les impositions rentrent bien, il n'en reste pas moins que ce sont des pays à l'écart, où seule une minorité dispose d'un cadre de vie comparable à celui de régions plus aisées. C'est ce qui explique les faibles chiffres d'une population dispersée en petits hameaux ou villages : il n'y a, au début du XVIIIe siècle, qu'un peu plus de 200 habitants à Lège ou à Andernos, 300 à Lanton... Le sud Bassin, de La Teste à Biganos, en a autour de 3 800, dont 1 800 à La Teste ; le nord Bassin : autour de 1 700. Parmi eux, beaucoup de matelots, de bergers et pasteurs, de résiniers paraissent

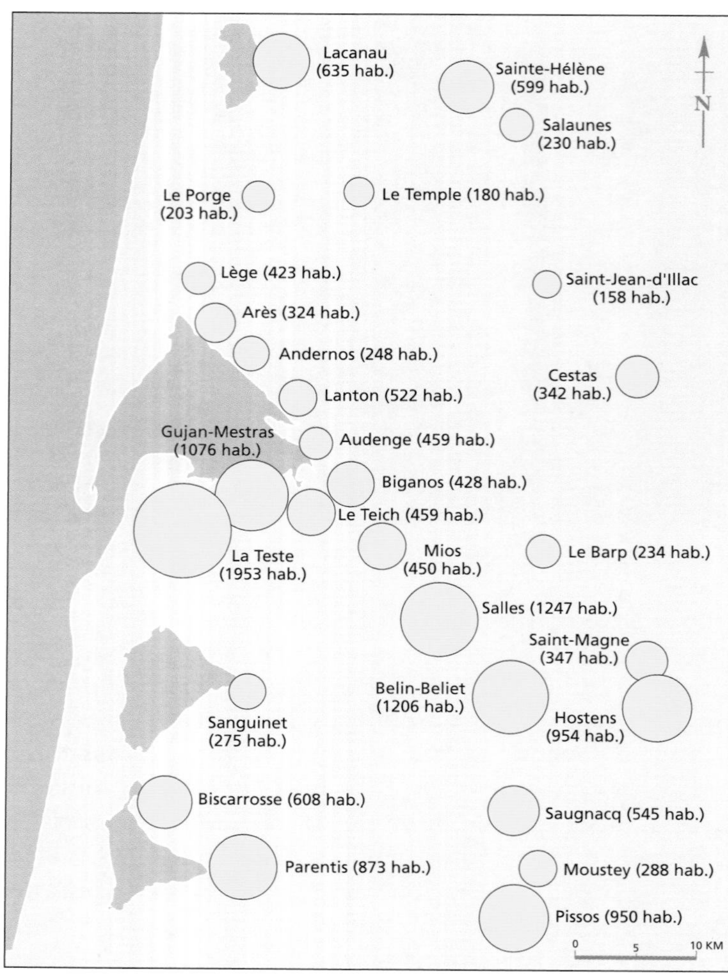

La population autour du Bassin d'Arcachon en 1710-1715 (nombre d'habitants).

fort pauvres. Christian Huetz de Lemps a relevé, dans un mémoire de Lamoignon de Courson (1715), des notations qui témoignent de l'étonnement de l'intendant devant ces pays et ces populations : « Ce pays est presque inhabité et on ne trouve que des maisons ou plutôt des cabanes éparses dans la campagne, fort éloignées les unes des autres, et lorsqu'il y a cinq ou six de ces cabanes ensemble, cela est regardé comme un gros village... Les habitants ont tous une couleur fort jaune et ne vivent guère plus de cinquante ans ; le mauvais air, la mauvaise eau, la mauvaise nourriture en sont cause... Il est aisé de comprendre par la vie qu'ils mènent qu'ils ont fort peu de connaissance, pas même de la religion. Ils sont fort enclins au crime et au larcin, hors pour les choses dont on les charge, qu'ils conduisent avec beaucoup de fidélité... » Il faut bien entendu faire la part des choses, le texte de Lamoignon paraissant souvent très extérieur aux réalités décrites, surtout par comparaison avec celui de Claude Masse, qui a parcouru réellement le pays et qui y a séjourné. Masse n'en a pas moins laissé toute une série de notations qui expliquent celles de l'intendant, exactement contemporaines des siennes. Par exemple, lorsqu'allant du « Cap du Ferret » jusqu'à l'embouchure de la Garonne par la côte, il ne rencontre personne, « hormis quelques bergers qui fuyaient quand nous les appelions à cause que nous portions des chapeaux ». Masse parle à plusieurs reprises de l'apparence sauvage des gens autour du Bassin, et il dresse notamment un portrait saisissant des résiniers.

La pêche

À vrai dire, tout ce qui précède pourrait être attribué au Médoc. L'originalité du Bassin d'Arcachon, c'est qu'il s'y ajoute une vie maritime notable. La pêche était une activité essentielle dans les paroisses du nord Bassin, où les ressources agricoles étaient limitées, Audenge mise à part qui a « un terroir assez bon » (Masse). Le curé de Lège dit en 1731 que les habitants de Lège sont tous marins, cependant qu'en 1723 Masse dit de même pour « Endernos » dans laquelle il englobe Arès. Ce sont des exagérations, mais il est vrai qu'à Andernos près du tiers des habitants, et à Gujan plus de 40 % tirent leur subsistance de la mer.

La Teste est le seul port ayant véritablement des liaisons commerciales, grâce aux productions de ses « montagnes ». On en a donc des traces dès le Moyen Âge, et surtout, grâce aux magnifiques travaux de Jacques Bernard, au début du XVIe siècle : « Entre 1511 et 1520, quelques petits navires étaient affrétés à Bordeaux par des marchands de cette ville, à destination d'Arcachon, ou plus précisément La Teste, pour y charger des résineux, et les transporter ensuite vers La Rochelle, Bilbao, Londres, Anvers... », rarement Bordeaux, et souvent la Bretagne. Ce trafic est fait, tout au long des XVe-XVIIIe siècles, par trente à quarante barques, petites unités de dix à vingt-cinq tonneaux, qui peuvent aussi convoyer du vin de La Teste ou de Bordeaux vers la Bretagne – et d'abord Redon –, d'où il leur arrive de ramener du grain lorsque les récoltes sont déficitaires autour du Bassin. C'est important pour les populations locales ; ce ne l'est guère en soi. Les maîtres de barque du Bassin font du cabotage le long de la côte atlantique ; malgré la surveillance des fermes, qui ont un bureau important à La Teste, ils participent aux fraudes sur diverses marchandises, dont le tabac ou le sel.

La pêche occupait davantage de monde. Au début du XVIIIe siècle, on avait ici vingt-et-une chaloupes qui servaient à la pêche du poisson frais en hiver et au commerce l'été, et deux cent quatorze tilloles, d'une ou deux bariques de port, pour la pêche l'été. Il s'agit en réalité d'une pêche multiforme, dont une partie se déroule à l'extérieur du Bassin. Les patrons des barques les plus importantes s'adonnent plutôt au commerce durant l'été, mais non durant l'hiver, qui est la plus grande période de pêche, aussi bien pour les huîtres que pour l'extérieur ou l'intérieur du Bassin. La plus intéressante, celle qui rapporte le plus, est la pêche du *péougue*, autrement dit de l'Océan, que nous connaissons bien, comme les autres au demeurant, grâce au rapport rédigé en 1727 par Lemasson du Parc, inspecteur général des pêches, dont Christian Huetz de Lemps a donné une brillante analyse. Elle se pratique de novembre à mars, par des barques d'au moins quatre à cinq tonneaux, avec des équipages d'une douzaine d'hommes. « Elle se fait au vu et près de la terre dont les pêcheurs ne s'éloignent guère de plus de 3 ou 4 lieues ». Elle n'en est pas moins très dangereuse, comme le montre le dramatique naufrage du 28 mars 1836, au cours duquel chavirèrent six chaloupes, et périrent soixante-dix-huit marins. Bien que se situant à proximité de la côte, elle amène à entrer et à sortir souvent du Bassin vers l'Océan et vice-versa, et surtout, en cas de gros temps et de détérioration atmosphérique rapide, les pêcheurs du *péougue* ne peuvent atteindre aucun havre proche. « Les pêcheurs sortaient dans la matinée, tendaient les filets, mouillaient l'ancre et l'équipage restait sur ses filets le reste de la journée et toute la nuit suivante, ne les relevant qu'au point du jour… Les chaloupes revenaient à la côte si le temps le permettait; une petite pinasse ou tillole, montée par deux hommes, venait à la rencontre de chaque bateau, qui y reversait le poisson de sa pêche, prenait les vivres dont l'équipage avait besoin, faisait sécher ses filets à la côte et remettait en mer aussitôt pour continuer la pêche » (C. Huetz de Lemps). On « pêchait aussi à la drague, avec une pinasse montée par deux hommes, les coquillages et les huîtres », d'autres étant ramassés à la main à marée basse, notamment par les femmes et les enfants.

L'été, l'intérieur du Bassin était très poissonneux. De petites tilloles, montées par cinq ou six hommes, y pratiquaient des pêches au filet dont la plus importante était celle des sardines, qui se déroulait de mai aux premiers jours de juillet. Il y en avait plusieurs sortes, notamment le palet qui consistait à planter à marée basse des piquets, ou palets, en forme de demi-cercle, qu'on reliait par un filet reposant sur le sol; il était relevé à marée haute, et le poisson venait s'y prendre. Les quantités de poissons ainsi capturés pouvaient être considérables. Il y avait aussi la pêche à la senne, ou à la traîne, pratiquée le long des côtes par une pinasse et douze à quinze hommes pour poser et relever les filets; elle était très critiquée, car elle détruisait les huîtres mères. Il y avait encore, l'hiver, « une pêche fort considérable d'oiseaux marins et maritimes » (Le Masson), surtout abondante lorsqu'il faisait très froid. On tendait des filets dans lesquels se prenaient ces oiseaux, surtout les macreuses. Claude Masse l'a très bien vu : il y a dans le Bassin, « un très grand nombre de bancs qui découvrent toutes les

Le village ostréicole de La Teste et ses cabanes au début du XXᵉ siècle. Coll. José Sainz.

marées… La plus grande partie des bancs sont plantés de grandes lignes de perches où les pêcheurs tendent leurs rets, en hiver particulièrement, où ils prennent une quantité prodigieuse de canards et d'autres oiseaux de mer ».

Toute cette activité est directement liée aux besoins de Bordeaux, ce qui nous montre que déjà le Bassin est dans une très grande dépendance à son égard, même s'il est le seul foyer de pêche maritime important du Vieux Boucau jusqu'à l'embouchure de la Seudre. Réunis pour l'essentiel à La Teste, les produits qui en résultaient n'allaient que très partiellement dans d'autres directions : Bayonne, par exemple, pour les huîtres; les Antilles, voire les pays du Nord, pour les huîtres marinées. C'était avant tout par voiturage que ces produits de la pêche gagnaient Bordeaux, et quelquefois Bayonne. Cependant, à la différence des charrois de résine et de goudron, amenés pour les marchés du vendredi, les chasse-marée vont chaque fois que nécessaire à Bordeaux ; il n'y a donc presque point de jour où on ne les voit faire ce voyage en très grand nombre.

Pourtant, en dehors des questions liées à la sûreté du royaume et à la mise en défense éventuelle du Bassin, la vie maritime ne préoccupait guère au XVIIIᵉ siècle, si ce n'est par les menaces qui pesaient sur les huîtres. « Le dragage des chenaux et le ratissage des *crassats*, conduits de manière anarchique, avaient provoqué la dévastation des bancs huîtriers, longtemps considérés comme inépuisables »… En septembre 1750, le Parlement de Bordeaux suspendit pour trois mois la pêche des huîtres dans le Bassin ; en 1754, l'usage de la drague fut interdit; en 1759, celui du râteau; en 1766, il fut défendu de vendre des huîtres de mai à octobre, mesures qui « permirent la reconstitution des huîtrières », écrit Michel Boyé.

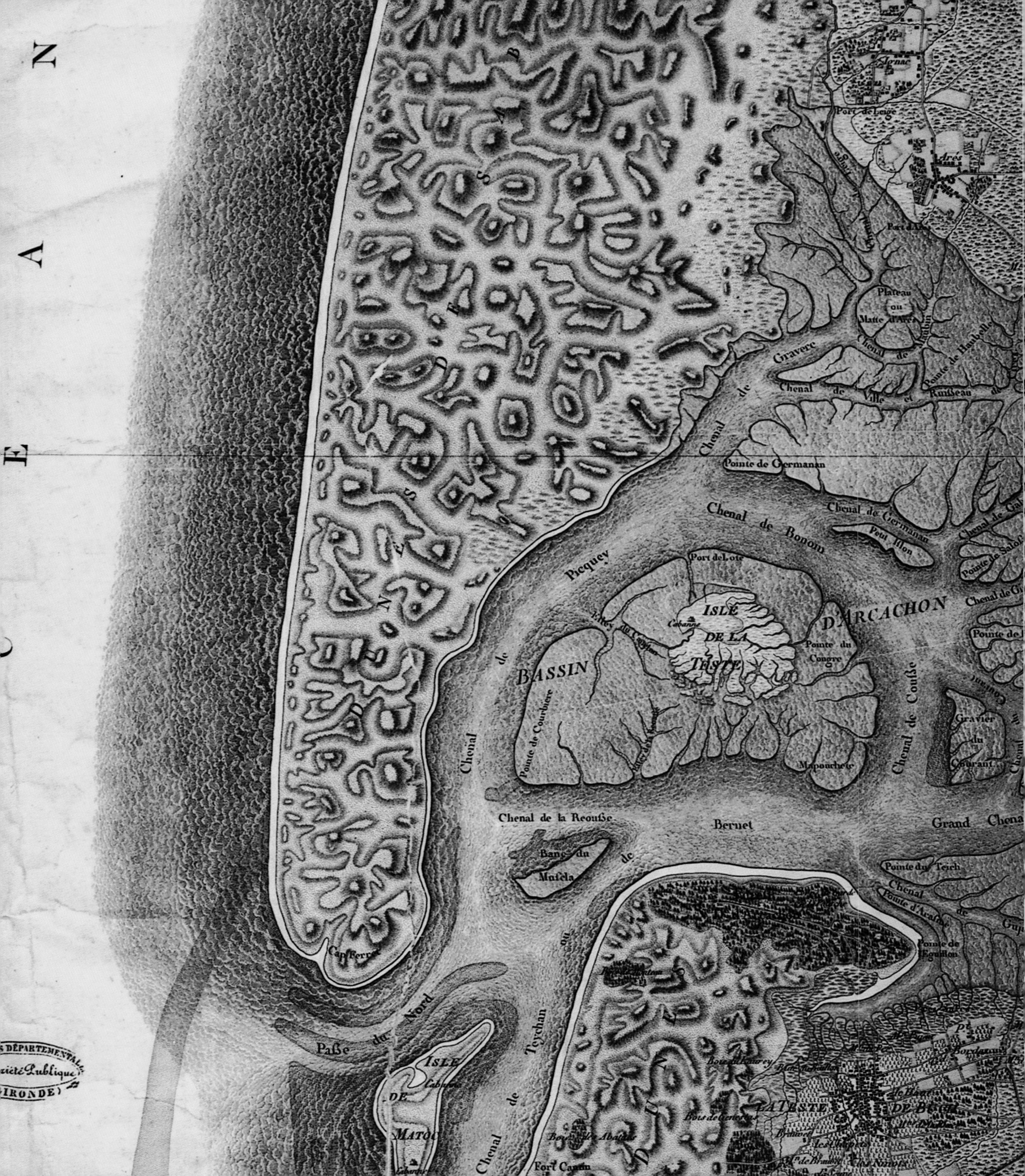

S DÉPARTEMENTAL
ciété Publique
IRONDE

La grande transformation

De l'agronomie à la fixation des dunes et à la plantation des pins

En fait, les grandes affaires, c'était la menace d'une avancée des dunes et la mise en valeur des landes; et l'on aborde pour l'une comme pour l'autre la question du peuplement en pins maritimes, dont tout le monde a entendu parler. Tout au long du XVIIIe siècle, réflexions, projets et entreprises se succédèrent, patronnés et impulsés non seulement par l'intendant et les autres pouvoirs régionaux, mais aussi par les seigneurs locaux les plus importants, Jean-Baptiste Amanieu de Ruat pouvant faire figure de précurseur. Cela devint même une préoccupation nationale avec le sujet que l'académie de Bordeaux mit au concours en 1775, et dont le lauréat fut Guillaume Desbiey: « Quelle est la meilleure manière de tirer parti des landes de Bordeaux quant à la culture et à la population ? » C'est dans ce contexte qu'il faut placer l'extraordinaire entreprise du marquis de Civrac à Certes, ainsi que les entreprises qu'avait patronnées peu auparavant François-Alain Amanieu de Ruat, captal de Buch. En 1766, il avait concédé à un banquier suisse, nommé Nézer, quarante mille journaux de landes qu'il avait sur Gujan, Le Teich, Cazaux et La Teste, pour qu'ils soient défrichés et mis en culture. La compagnie Nézer effectua des semis de pins au Teich, mais dès 1769, l'échec fut patent; ruiné, Nézer mourut l'année suivante. En 1821, Pierre Balguerie-Stuttenberg prit la tête d'une compagnie: la Compagnie des dunes, qui voulait mettre en place trois canaux dont le « Canal du duc de Bordeaux » reliant Bordeaux à Saubusse par Audenge et Sanguinet. Il y eut ensuite Jean-François Boyer-Fonfrède qui essaya de promouvoir, à partir de 1820, un canal entre le Bassin et Bayonne. La première étape consistait à relier le Bassin à l'étang de Mimizan, par Cazaux. Les travaux commencèrent en 1835 et, en 1838, un canal de 14 kilomètres permit de faire le parcours La Hume-Cazaux; ce fut un nouvel échec: dissolution de la compagnie en 1857, arrêt de la navigation en 1859. Il y eut encore la Compagnie agricole et industrielle d'Arcachon, qui dura de 1837 à 1846; elle avait pour but de mettre en valeur les terrains considérables – plus de 12000 hectares – que pos-

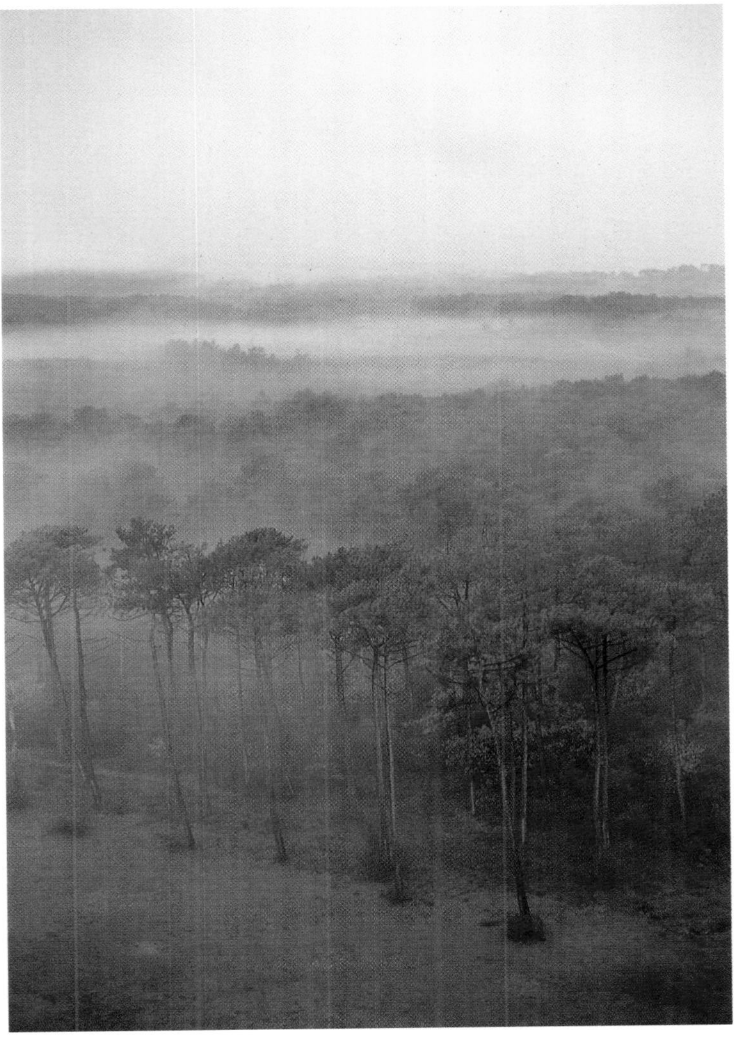

Brume matinale sur la forêt de La Teste.

CI-CONTRE

Extrait de la carte de la Guyenne de Pierre de Belleyme (années 1762 à 1778) représentant le Cap-Ferret et le Bassin d'Arcachon. On notera la quasi-inexistence des boisements en dehors des « montagnes » d'Arcachon et de La Teste.

© Archives départementales de la Gironde, 2Fi 1487.

Réserve naturelle d'Arès : le courant de Lège.

Les dromadaires d'Arès

« Puisque les Landes étaient fréquemment assimilées au Sahara, il fallait que quelqu'un eût un jour l'intuition d'y acclimater le dromadaire. En l'an XI, Robert Duboscq en développa l'idée devant la Société d'agriculture de Mont-de-Marsan, dont il était le secrétaire perpétuel : "L'analogie de nos Landes avec les déserts de l'Arabie et de l'Afrique semblerait inviter à tenter d'introduire le chameau dans notre département. Les pieds de ce quadrupède si utile ne se trouveraient pas déplacés sur nos sables".

M. de Charlet de Sauvage avait acheté un vaste domaine à Arès. Dès 1827... il importa quelques spécimens d'Égypte... Le cheptel de M. de Sauvage se distingua plus en politique qu'en agriculture. Neveu d'un ministre de la Restauration, son propriétaire était un royaliste fervent. Lors des journées de juin 1830, il décida de se porter à la rescousse du régime vacillant. Il monta sur dromadaires la garde nationale d'Arès, soit trois marins-pêcheurs, un forgeron et un laboureur, et emmena vers Bordeaux cette colonne de méharistes. Les marins supportèrent le roulis, mais non les deux terriens qui s'empressèrent de mettre pied à terre pour tirer leur monture par la corde. À Bordeaux, la caravane fut reçue par un fonctionnaire de préfecture ébahi, puis repartit vers Arès sans avoir livré combat... M. de Sauvage finit par revendre son domaine landais et il fit suivre les dromadaires dans le château qu'il possédait en Médoc, à Lamarque. Les animaux y finirent leurs jours : une lithographie de Gustave de Galard les représente en miniature au pied de ce castel moyenâgeux... »

J. Sargos, *Histoire de la forêt landaise : du désert à l'âge d'or*, Bordeaux, L'Horizon chimérique, 1997, pp. 313-314.

sédaient les héritiers de Nézer, notamment sur Le Teich, Gujan et La Teste. Il s'agissait à la fois de défricher, de mettre en culture et de créer des industries (sériciculture, huile de résine, féculerie...). Mais, ce fut très vite la faillite, suivie par un nouvel échec, celui de la Société ouvrière de colonisation, créée en 1849 pour développer la culture du riz dans la plaine de Cazaux. On opposera à ces grandes tentatives, largement utopiques, les réussites d'Ernest Valeton de Boissière à Certes (pisciculture) et du banquier parisien, Léopold Javal, à Arès. Les terres de celui-ci correspondaient aux biens de François de Belcier, confisqués pendant la Révolution, et rachetés en 1822 par un neveu du duc Decazes, Antoine de Sauvage, qui se spécialisa dans l'élevage des dromadaires !

Devant les résultats médiocres, son fils Charles céda le domaine en 1835 à un officier de marine en retraite, Louis-David Allègre, qui installa des réservoirs à poissons et une scierie mécanique ; il s'intéressa aux huîtres et à la pêche, proposant même de créer un port à La Vigne. Javal acheta le domaine en 1847, et le porta à près de 3 000 hectares. Il fit creuser 160 kilomètres de fossés, planta des pins sur les 9/10e des terres, en landes jusque-là ; il créa des réservoirs à poissons sur 19 hectares, et fonda une exploitation agricole associant agriculture et élevage des moutons sur près de 250 hectares. Javal créa aussi « une maison pour les bains de mer, un séchoir à tabac, une fabrique de résine, deux moulins à eau et deux moulins à vent » (M. Boyé).

S'agissant du boisement des landes, tout un travail d'expérimentation eut lieu qui explique largement l'œuvre de Brémontier. Comme l'a rappelé Robert Aufan, dès le XVIIe siècle, les Laville, seigneurs d'Arès, plantèrent des pins dans la « montagne » d'Andernos et, en 1768, le marquis de Civrac dans la forêt de Pomeau, à Facture. L'effort aurait sans aucun doute été amplifié si les habitants, qui tenaient à leurs communaux et à leurs usages, ne s'y étaient opposés avec vigueur, comme l'éprouva en 1733 Jean-Baptiste Amanieu de Ruat : les habitants de La Teste mirent le feu aux plantations de pins qu'il avait fait réaliser. Son fils, François Alain, reprit le projet en 1772, en s'as-

La plage du Petit-Nice et la forêt domaniale de La Teste, avec au fond le lac de Cazaux.

surant l'accord des habitants pour ensemencer une partie des dunes, notamment au Cap-Ferret; ce fut son intendant, Jean-Baptiste Peyjehan de Francon qui dirigea les premiers essais de semis à partir de 1782.

On ne saurait non plus oublier les frères Desbiey, issus de Saint-Julien-en-Born. Le cadet, Louis-Mathieu, chanoine de l'église cathédrale Saint-André de Bordeaux, lut en 1774, devant l'Académie de cette ville, un mémoire qui répondait à cette très grande préoccupation: la crainte d'une avancée des sables vers l'intérieur, compte tout autant que l'idée de mettre en valeur les landes. Il s'agissait de les fixer, et l'on savait depuis longtemps que les plantations de pins le permettaient. C'est à celles-ci que s'attacha son frère aîné, Guillaume, qui était entreposeur et receveur des fermes du roi à La Teste. En 1776, il présenta à son tour un *Mémoire sur la meilleure manière de tirer parti des Landes de Bordeaux quant à la culture et à la population*; il y soulignait avec force que non seulement le pin maritime était l'arbre qu'il fallait multiplier, mais encore qu'il serait une très grande source de richesse. On doit également faire une place à Charlevoix, baron de Villers, ingénieur de la Marine et des colonies, auteur de quatre mémoires centrés sur le port d'Arcachon, mais qui s'occupe énormément du boisement car « la sûreté de toute la navigation du golfe de Guyenne et de la Marine de Sa Majesté exige le plus prompt ensemencement des dunes de sable » qui menacent à la fois La Teste, la navigation dans le Bassin et ses passes (1778-1779). Pierre Buffault a montré l'intérêt des mémoires qu'il a rédigés, l'importance des projets – notamment de canaux – que nous lui devons, mais il se heurta aux responsables locaux, avec au premier rang l'intendant Dupré de Saint-Maur, et son travail tomba dans l'oubli, alors qu'au contraire les circonstances, mais aussi son rôle sur le terrain, permirent à Brémontier d'émerger.

Il n'y a donc ni antériorité, ni originalité de Nicolas Brémontier (1738-1809), même s'il rédigea dès 1780, sur le sujet, un premier mémoire, qu'il ne rendit public qu'en 1790. Mais, à partir de 1784, il fut ingénieur en chef des Ponts et Chaussées à Bordeaux. C'est donc lui qui dirigea

Une cabane du domaine de Certes, au milieu des réservoirs.

Le domaine de Certes

Parmi les éléments les plus remarquables du Bassin d'Arcachon, on doit placer le domaine de Certes, vaste ensemble de 376 hectares, situé pour l'essentiel sur la commune d'Audenge. Le Conservatoire de l'espace littoral en est propriétaire depuis 1984; il y a ajouté récemment le magnifique domaine de la presqu'île de Graveyron et l'île de Malprat (Bassalane).

Au milieu du XVIIIe siècle, Émery-François de Durfort, marquis de Civrac, qui était à la tête de cette immense seigneurie de plus de 120000 hectares, et qui était l'un de ces nobles français de l'époque préoccupés de progrès économique et d'agronomie, décida de transformer les terres dépendant de l'ancien château de Certes. Pour cela, après avoir obtenu en 1761 de Louis XV l'autorisation de créer des salines, il lia à la côte l'île de Branne et transforma l'ensemble en marais salants, faisant venir à cet effet des sauniers charentais. L'ensemble est considérable, comme le montre encore la carte ci-jointe. Mais le résultat fut décevant pour le marquis et ses associés, car les salants de Certes ne bénéficièrent d'une exonération que de 1768 à 1773. La fortune du marquis en fut définitivement ruinée, et il mourut en 1774, laissant plus d'un million de livres tournois de dettes. La monarchie confia Certes à une commission extraordinaire, et elle essaya de vendre le domaine, sans y réussir. Son état se dégrada donc, et plus encore après 1790; il devint bien national, le dernier des Durfort ayant émigré. Il fut acquis à ce titre, en 1798 par un ancien protégé de madame du Barry, Dauberval, maître de ballet à l'opéra de Bordeaux.

En 1818, Certes fut acheté par un négociant bordelais, François de Boissière, qui en porta la superficie à 2000 hectares, avant de le léguer en 1843 à son fils Ernest Valeton de Boissière. À la fois polytechnicien, saint-simonien et fouriériste, celui-ci planta les terres émergées de pins maritimes, et surtout, il transforma les marais salants en réservoirs à poissons (bars, mulets, daurades et surtout, anguilles). À ce moment-là, le domaine rapporta beaucoup, et plus encore lorsque la transformation en réservoirs atteignit son maximum. Les bénéfices permirent vers 1835 de faire construire l'actuel château, à la place de la chartreuse des Durfort.

En 1895, le grand négociant bordelais, Camille Descas acheta Certes. Il ajouta au château la tourelle et installa une remarquable décoration art nouveau, qu'il faudrait aujourd'hui préserver et restaurer. C'est la famille Descas qui a vendu en 1984 l'actuel domaine, dont les dimensions sont beaucoup plus réduites, même s'il reste une grande exploitation, dont 140 hectares – près de 40 % – sont des réservoirs à poissons. Ce sont des bassins de 100 à 1000 mètres de long, peu profonds – 40 à 50 centimètres –, avec tout un système d'écluses et de fossés permettant la circulation des eaux. On fait « boire » les réservoirs à marée haute, deux fois par jour, en y introduisant de l'eau de mer, « pour renouveler l'eau, pour donner des aliments aux poissons et pour introduire le fretin. On ne fait boire qu'à partir du 15 mars, jusqu'au premier novembre ». Faire déboire, c'est « faire écouler dans le Bassin une partie de l'eau du réservoir; à marée basse, le courant léger n'a pas assez de force pour entraîner les alevins » (Gaston Douillard de Mahaudière, *Simple note sur les réservoirs du Bassin d'Arcachon*, Bordeaux, Gounouilhou, 1867). Pour cette dernière opération, il faut remplacer le cadre grillagé qui empêche les poissons de sortir.

Ces réservoirs gardent les poissons 3 à 4 ans. Ils représentent depuis leur création un travail considérable, qu'il faut entretenir soigneusement. Ils sont en effet « formés de digues d'argile, larges de 6 mètres environ; la pente

Une faune et une flore propres à ce milieu.

Certes et Graveyron : vue aérienne, avec Lanton au fond.

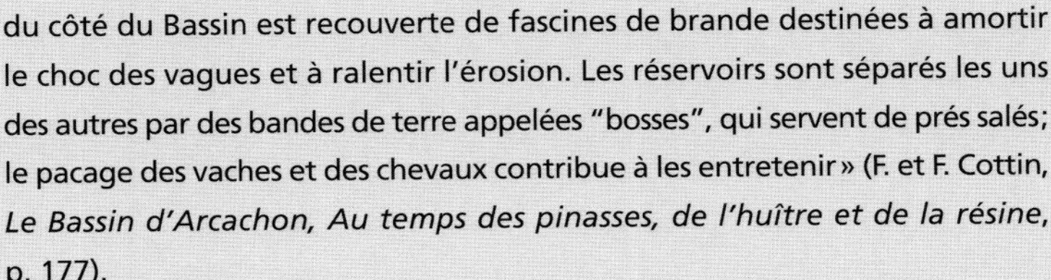

du côté du Bassin est recouverte de fascines de brande destinées à amortir le choc des vagues et à ralentir l'érosion. Les réservoirs sont séparés les uns des autres par des bandes de terre appelées "bosses", qui servent de prés salés ; le pacage des vaches et des chevaux contribue à les entretenir » (F. et F. Cottin, *Le Bassin d'Arcachon, Au temps des pinasses, de l'huître et de la résine*, p. 177).

Certes offre un ensemble de promenades remarquable, à partir de ces réservoirs. D'une part, on a là un des paysages les plus intéressants du Sud-Ouest, avec la possibilité de découvertes ornithologiques nombreuses car on y trouve mille espèces d'oiseaux et de bêtes sauvages, au milieu d'un flore très riche. Or, la digue qui sépare le domaine du Bassin permet des promenades faciles, notamment à bicyclette. Au bout du domaine, on a une des plus belles vues du Bassin. D'autre part, Certes offre l'exemple d'une nature entièrement reconstruite : restes des marais salants, réservoirs, forêts de pins, restes de l'allée de platanes, un paysage forestier « italien » créé par Dauberval, des chênes en éventail – ce qui est exceptionnel –, beaucoup d'arbres magnifiques, dont on regrettera néanmoins que l'ensemble en ait été abîmé et que les allées de platanes ne soient pas mieux entretenues, voire reconstituées.

Enfin, il y a le château, les chais et les granges, soit un étonnant ensemble de bâtiments qui demanderaient aujourd'hui à être mieux entretenus et utilisés. La grotte de béton qu'avait fait construire Valeton de Boissière devant le château, l'état de celui-ci et d'une partie des bâtiments et des allées de platanes donnent à l'ensemble une note de réelle mélancolie, de fuite du temps et de fragilité des constructions humaines qui retient, mais qui souligne aussi cruellement que l'ensemble demande à être remis en valeur, la richesse écologique actuelle n'en étant qu'un élément. Au demeurant, à part les oiseaux qui viennent de loin, il n'y a rien de « sauvage » ni de « naturel » à Certes : nous sommes totalement devant une construction humaine, ce qui n'en rend pas moins ce domaine prodigieusement intéressant.

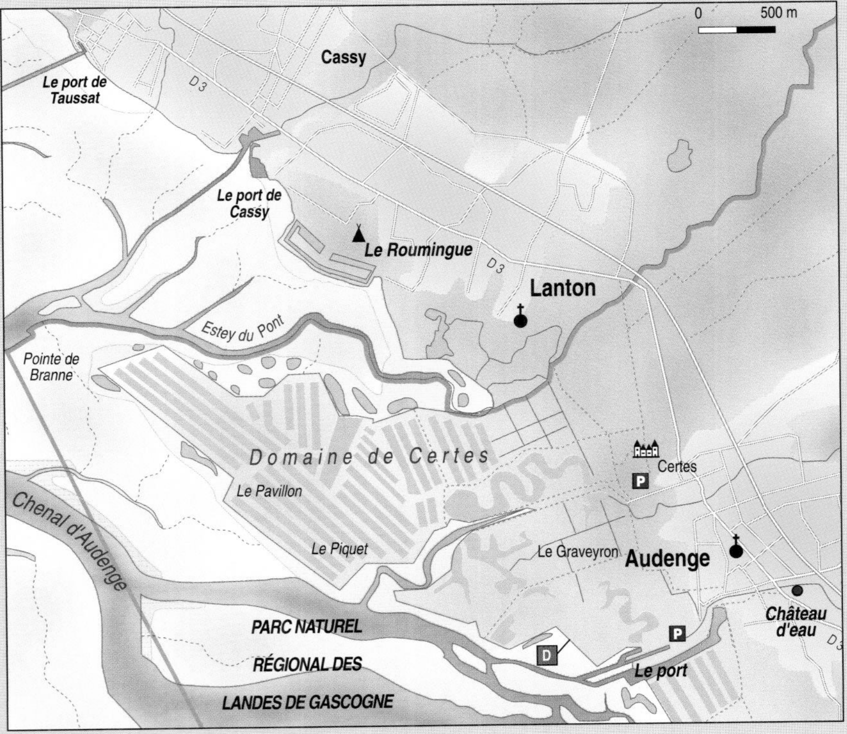

Le domaine de Certes. Carte Patrick Mérienne

Forêt domaniale de La Teste : un garde de l'ONF.

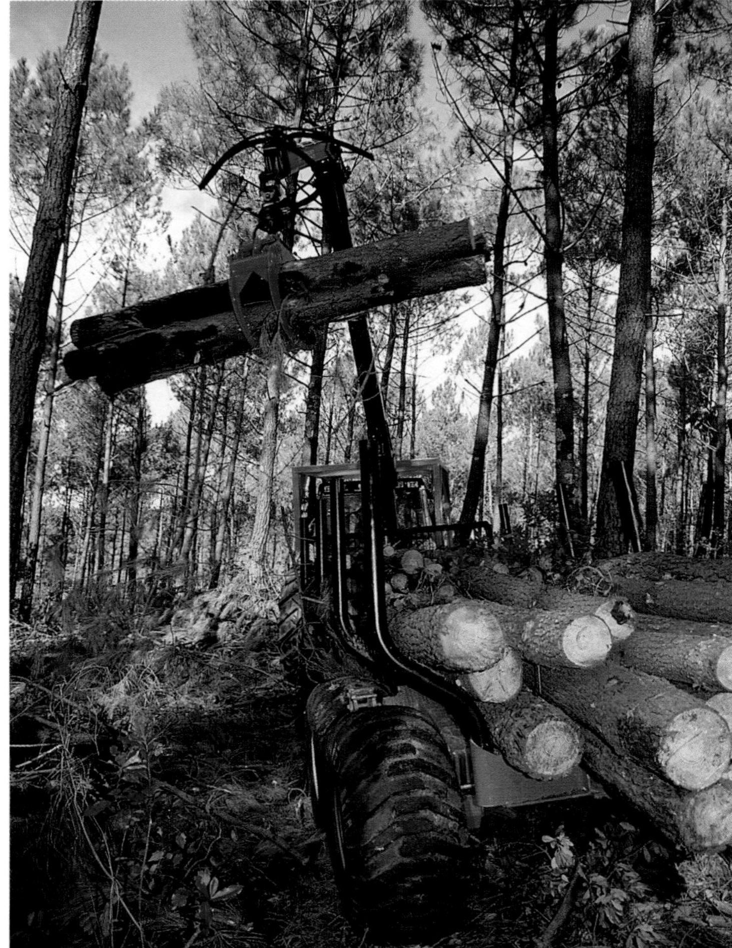

Coupe de pins.

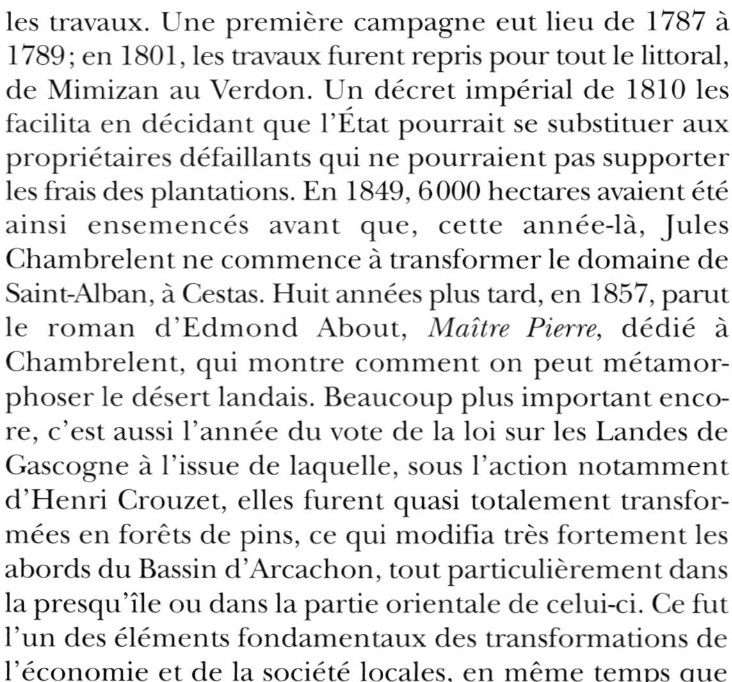

les travaux. Une première campagne eut lieu de 1787 à 1789 ; en 1801, les travaux furent repris pour tout le littoral, de Mimizan au Verdon. Un décret impérial de 1810 les facilita en décidant que l'État pourrait se substituer aux propriétaires défaillants qui ne pourraient pas supporter les frais des plantations. En 1849, 6000 hectares avaient été ainsi ensemencés avant que, cette année-là, Jules Chambrelent ne commence à transformer le domaine de Saint-Alban, à Cestas. Huit années plus tard, en 1857, parut le roman d'Edmond About, *Maître Pierre*, dédié à Chambrelent, qui montre comment on peut métamorphoser le désert landais. Beaucoup plus important encore, c'est aussi l'année du vote de la loi sur les Landes de Gascogne à l'issue de laquelle, sous l'action notamment d'Henri Crouzet, elles furent quasi totalement transformées en forêts de pins, ce qui modifia très fortement les abords du Bassin d'Arcachon, tout particulièrement dans la presqu'île ou dans la partie orientale de celui-ci. Ce fut l'un des éléments fondamentaux des transformations de l'économie et de la société locales, en même temps que les municipalités y acquéraient une grande richesse, les communaux ayant eux aussi été plantés ; aujourd'hui encore, les coupes de bois sont pour elles un appoint monétaire précieux. Au cours du XIXe siècle, cela aboutit à la mise en place d'une active industrie forestière, dont les conséquences les plus évidentes furent la création de la commune de Marcheprime et la mise en place de la voie ferrée Lesparre-Facture. On y ajoutera les trains de radeaux de 5 mètres de large sur 20 de long, menés par les *radjaïres*, qui descendaient la Leyre jusqu'à Mios – où il y avait de nombreuses scieries –, et jusqu'à Lamothe ou Le Teich. En 1899, d'après Ardouin-Dumazet, « il y eut six cent vingt-sept radeaux ou trains, dont le tonnage atteignit 30 771 tonnes ». Le bois fut donc du milieu du XIXe siècle jusqu'aux années 1950 une activité importante autour du Bassin.

L'essor balnéaire: des vertus des bains de mer aux bienfaits de l'air

C'est dans ce contexte que se situent les premiers développements balnéaires. Il ne s'agit en rien d'une particularité locale, mais d'un mouvement d'ensemble qui a poussé vers les rivages les Anglais, puis les Français. La qualité du séjour, le goût romantique pour la mer et les espaces océaniques ont joué, mais, au départ, ce qui a surtout compté, ce sont les vertus thérapeutiques attribuées aux bains de mer, redécouvertes au XVIIIe siècle. D'Angleterre, la médecine balnéaire passa en France, avec notamment un médecin bordelais, Rouxel, qui traduisit en 1812 l'ouvrage de l'anglais Buchan *L'Observation sur l'usage du bain de mer*. C'est ainsi que la baie d'Arcachon devint un centre de séjour car, « contrairement à Biarritz ou Royan, hauts lieux des mondanités et des fêtes, Arcachon fut d'abord une ville de santé. Et c'est à une dynastie de médecins, précurseurs de la thalassothérapie et de la climatothérapie d'aujourd'hui, que la station doit ses premiers succès » (Ch. Daney). Il s'agit des Hameau, médecins de La Teste. Encore ne faut-il pas avoir une approche trop rigide des débuts d'Arcachon, car le rôle majeur de Jean Hameau se situe finalement assez tard.

Mieux vaut reconnaître que les débuts n'ont eu aucun caractère systématique. D'un côté, la partie orientale du Bassin et surtout le sud sont connus depuis longtemps des Bordelais. C'est un milieu qui intéresse et qui plaît, dont les huîtres sont très prisées, et qui offre aussi d'intéressantes possibilités de chasse pour une partie des élites. Les Ruat au Teich, les Civrac à Certes y séjournent assez fréquemment et y reçoivent. Mais, d'un autre côté, il n'y a rien qui suscite la venue de personnes n'ayant pas de liens avec le Bassin. Le démarrage est donc tardif: c'est seulement au début du XIXe siècle que quelques riches familles bordelaises vinrent y passer quelque temps l'été. Cela ne pouvait aller très loin, faute de possibilités de logement: en dehors de La Teste, qui n'intéressait guère, il n'y avait que quelques cabanes et masures, et jusqu'à la grande dune, le rivage actuel était quasiment désert et surtout extrêmement sauvage. C'est encore la situation dans les années 1840, comme en témoignent les dessins de Léo Drouyn, qui nous révèlent également un premier démarrage. L'initiateur fut, en 1823, François Legallais, malouin d'origine, ancien capitaine au long cours, qui avait épousé une Testerine. L'hôtel Legallais nous est bien connu, à la fois par des témoignages et par des dessins; son propriétaire, qui s'occupait aussi de pêche et de navigation, eut un grand rôle dans ces débuts d'Arcachon auxquels Robert Aufan a consacré une étude.

Au même moment, un aubergiste, Duprat, se mit à louer une cabane, à partir de laquelle son gendre, Lesca, créa un nouvel hôtel, en 1839. Il avait été précédé par deux autres établissements, fondés en 1836: les hôtels Gaillard et Bourdain. Ces premiers développements, qui restent limités – un peu plus d'une centaine de chambres – sont intégralement liés aux bains de mer, dont l'organisation est de plus en plus évidente dans les années 1840, ce qui aboutit en mai 1847 à la Société des Bains de La Teste, initiée par Gérard Daulhac, qui fournit des bains à l'eau de mer chauffée, pris dans des baignoires placées dans des cabines ou cabanes. Depuis les années 1820, il y avait aussi des cabines à roulettes, cependant que « l'hôtel fournissait les tenues de bains: chemises pour dames, cale-

Cet abri saisonnier de pêcheurs de la côte noroît au XIXe siècle est l'ancêtre des cabanes de pêcheurs. Gravure de Gustave de Galard.

Arrêté réglementant les bains pris par le maire de La Teste le 15 juillet 1847

« – Article 6: Les hommes se baignant dans les prés salés de La Teste ou sur la côte du bassin jusqu'à 1 kilomètre au couchant de l'allée d'Arcachon, seront vêtus d'un pantalon long et ils se tiendront, autant que possible, éloignés des lieux où seront les dames. Ils devront se déshabiller et s'habiller dans les cabanes qui sont disposées pour cela sur la plage, et si quelque motif nécessitait qu'ils se déshabillassent dans leurs appartements, ils devront se couvrir le corps d'une chemise de laine ou de tout autre vêtement pour arriver aux dites cabanes. Les dames, pour aller au bain et pour se baigner, devront être vêtues d'un grand peignoir tombant jusqu'aux talons.
– Article 7: Il est défendu à tout baigneur et aux personnes de l'un et l'autre sexe, de proférer des paroles et de faire des gestes indécents dans le bain et sur la plage. »

Cité par R. Aufan, dans *La naissance d'Arcachon (1823-1857): de la forêt à la ville*, Arcachon, Société historique et archéologique d'Arcachon et du pays de Buch, 1994, p. 45.

La villa d'Émile Pereire, démolie en 1959, s'élevait à l'ouest d'Arcachon, avant le quartier des Abatilles.

çons et gilets de laine pour les messieurs» (R. Aufan). C'est donc sous la Restauration et la Monarchie de Juillet que commence l'histoire balnéaire du Bassin, alors entièrement arcachonnaise. La venue de Parisiens, comme Arago, dénote aussitôt une certaine renommée. Il était cependant à peu près impossible que le mouvement prenne de l'ampleur, car il était difficile d'aller de Bordeaux à La Teste, encore plus s'il s'agissait de déplacements familiaux: il n'y avait ni voirie adéquate, ni moyens de transport collectifs. L'action du grand négociant bordelais, Nathaniel Johnston, fut décisive: on lui doit la création de la ligne de chemin de fer Bordeaux-La Teste; inaugurée le 6 juillet 1841, elle fut l'une des premières de France. En réalité, elle avait surtout comme objectif de permettre la mise en valeur des landes; mais sa création eut pour conséquence que les bains sur le Bassin devenaient ainsi d'un accès commode pour les Bordelais, d'autant plus qu'en 1845 fut ouverte la route La Teste-Eyrac. Désormais, ce n'était plus une aventure que d'aller se baigner à Arcachon, même si Stendhal ironise durement dans ses *Mémoires d'un touriste*: «La folie du chemin de fer éclate à Bordeaux comme ailleurs; ils vont faire un chemin de fer de Bordeaux à la tête (sic) de Buch, et, le chemin fait, on sera bien en peine d'y faire passer quelque chose.»

C'est alors que les frères Pereire, plus particulièrement Émile, bouleversent tout en implantant ici, en quelques années, une station balnéaire et climatique d'envergure européenne, au moment même où le Second Empire voit l'essor d'autres stations extrêmement brillantes, à commencer par Deauville et Biarritz. Leur intérêt s'explique facilement: ils sont à la fois d'origine bordelaise et à la tête d'une société ferroviaire, la Compagnie du Midi, qui aurait tout à gagner du développement d'une station balnéaire, sans oublier le vieil objectif de la mise en valeur des landes. Au milieu des années 1850, plusieurs opérations sont menées en même temps: construction d'un tronçon ferroviaire reliant La Teste à Arcachon, inauguré le 25 juillet 1857; création d'une commune nouvelle: le territoire d'Arcachon devient donc une entité particulière, par démembrement de La Teste, le 2 mai 1857; mise en place d'une urbanisation rapide, qui se situe entre 1860 et 1880. Arcachon, écrit Saint-Rieul-Dupouy, «est devenue le Biarritz de la fashion bordelaise, une sorte de village élégant et aristocratique, où chacun a voulu avoir sa maisonnette et son chalet» (*L'Été à Bordeaux*, Bordeaux, 1850, p. 12).

Les Pereire ont pu s'appuyer sur un groupe très actif, et à certains égards décisif, d'Arcachonnais et de Testerins. Les médecins tout d'abord: déjà, dans la première moitié du siècle, des Bordelais, comme Joseph-Émile Pereira, vantent l'intérêt médical des bains de mer et du climat arcachonnais. Puis Jean Hameau souligne que les bains de mer d'Arcachon sont d'autant plus profitables qu'on évite les rudesses de l'Océan, ce qui est exceptionnel, mais encore, et désormais surtout, qu'on a, à proximité du rivage, la forêt de pins dont les vertus paraissent extraordinaires pour les maladies de poitrine. Or, nous sommes à un moment où la tuberculose est une préoccupation considérable: les poitrinaires sont légion, et les élites sociales se sentent très concernées. Pour Jean Hameau, à Arcachon, on peut tout à la fois atténuer, voire faire régresser les maladies de poitrine, mais aussi les prévenir grâce à un air particulièrement balsamique. Le simple séjour temporaire est en lui-même intéressant: il procure aux poitrinaires un moment de répit et d'amélioration. Émile Pereire, qui souffre lui-même d'un asthme très fort, comprend l'intérêt majeur de ce point de vue: le climat arcachonnais est un argument essentiel dans le lancement de la nouvelle station.

Tout était cependant à créer, et il fallait d'abord régler la question de la forêt usagère, plus précisément celle de la montagne d'Arcachon. D'une part, les clôtures étaient interdites; d'autre part, tout aménagement d'ensemble ne pouvait qu'entraîner la disparition d'une très grande partie de la forêt. Or, il y avait à La Teste tout un milieu de spéculateurs fonciers, dont certains ne s'étaient installés que récemment, parfois par mariage, comme Legallais. L'un des plus représentatifs est le lot-et-garonnais, Alphonse Lamarque de Plaisance (1813-1880), qui avait fait bâtir dès 1842 l'une des premières demeures privées en bordure du rivage; nommé en 1852 par Haussmann, maire de La Teste, il n'eut de cesse d'assurer la partition d'une nouvelle commune: Arcachon, dont il fut maire de 1857 à 1865 et de 1874 à 1876. Lamarque de Plaisance réussit no-

Arcachon : la Ville de Printemps, avec une grande villa du littoral, *Les Genêts*.

tamment, de 1853 à 1855, à obtenir de la municipalité l'affranchissement des droits usagers sur la montagne d'Arcachon, puis leur rachat à 5 % du prix de l'hectare. Tout aussi important fut Adalbert Deganne (1817-1886) auquel l'opposait une forte rivalité et qui fut lui aussi maire d'Arcachon en 1870-1871 et de 1876 à 1880. Époux de la testerine Nelly Robert, Deganne était un ingénieur originaire de la Marne, venu travailler au chemin de fer Bordeaux-La Teste en 1839 ; Nelly Robert possédait d'immenses terrains, dont ils tirèrent un très grand profit, même s'ils en abandonnèrent une part notable pour créer des avenues spacieuses. Deganne était très soucieux de la beauté de la nouvelle ville : par exemple, il fit réaliser, à l'entrée d'Arcachon, une place accueillante, le Rond-Point, où se rejoignaient quatre avenues ; un bassin, qui permettait les jeux des enfants, en occupait le centre ; c'était aussi l'endroit où se réunissaient les cavaliers.

Incontestablement, le visage d'Arcachon reste marqué par ce qu'on peut à juste titre appeler l'œuvre d'Émile Pereire et de Paul Regnauld, sans oublier l'architecte Alaux. Ce n'est pas le style des maisons qui est décisif : il est normal à cette époque ; ce qui est essentiel, c'est le maintien, voulu pour des raisons médicales, du cadre forestier, ce qui a caractérisé par la suite tout le Bassin. Ce qui l'est encore, c'est l'organisation d'ensemble et la mise en place d'un urbanisme spacieux, que révèlent parfaitement les nombreux plans établis dans la deuxième moitié du XIXe siècle, avec des rues et des boulevards larges pour l'époque, un front de mer particulièrement mis en valeur, une Ville d'Hiver et une Ville d'Automne où la voirie est très sinueuse, à la fois parce que l'on veut éviter un visage urbain et parce que le terrain, très accidenté – par exemple, la dune de Pontac, ou l'espace aujourd'hui en arrière de Notre-Dame, – l'impose largement. De nos jours, la Ville d'Hiver reste très largement préservée, constituant sans aucun doute le meilleur témoin de ce que fut l'architecture, faite essentiellement de villas et de chalets, des stations balnéaires françaises dans la seconde moitié du XIXe siècle. Beaucoup de constructions dénotent une très grande fantaisie, qui est à son maximum au Casino

La villa *Térésa*, dans la Ville d'Hiver.

Arcachon : la Ville d'Hiver

Dès les années 1860-1870, et jusqu'à l'Entre-deux-Guerres, les belles villas se sont multipliées tout autour du Bassin d'Arcachon, et l'on en trouve partout, par exemple la villa *Tijuka* à Andernos, ou la villa *Isabelle* à Audenge, ne prenant que rarement des formes considérables comme à La Vigne la Villa algérienne, aujourd'hui disparue, ou à Gujan le château Mader.
Le caractère exceptionnel de la Ville d'Hiver d'Arcachon, c'est qu'elle offre un ensemble considérable, parfaitement daté, que des modifications partielles survenues par la suite n'ont absolument pas altéré. Elle correspond à une opération globale, voulue par les frères Pereire, lancée à leur demande dans les années 1860. Regnauld, ingénieur de la Compagnie du Midi, édifia dans un premier temps une vingtaine de villas de types différents, en y ajoutant au centre, le pittoresque Casino mauresque, une passerelle métallique, et un observatoire haut de 25 mètres. Disséminées dans les pins, sur les dunes, ensoleillées, abritées des vents, les villas de ce lotissement et de ceux qui vinrent après, correspondent à un but médical. En somme, écrit avec justesse Robert Fleury, il s'agit de la création, tout à fait novatrice et étonnante, « d'un sanatorium ouvert », qu'une publicité efficace réussit à imposer, l'opération étant achevée en 1891 avec la Place des palmiers. « La Ville d'Hiver a été conçue par des médecins pour des malades », mais dans le cadre d'une vaste opération immobilière. Le traitement était simple : il suffisait de respirer l'air d'Arcachon, « thérapeutique en lui-même et par lui-même, puisqu'il apporte » du chlorure de sodium, de la térébenthine, et surtout de l'ozone. L'iode marine tamisée par les pins, la situation de microclimat très protégé, les abris offerts par les arbres et par les dunes – les rues droites et larges sont proscrites –, tout cela paraît convenir à merveille aux poitrinaires, alors si nombreux.
La Ville d'Hiver devient ainsi un haut lieu de rencontre pour la haute société internationale : les souverains d'Espagne ou du Portugal, les grands ducs russes, les radjahs indiens, l'aristocratie anglaise, les hauts dignitaires, artistes, peintres musiciens et écrivains français y accourent entre 1865 et 1914. Ils y trouvent une vie mondaine brillante, qu'ils contribuent à développer. Ils ne sont que locataires, car la Ville d'Hiver est aussi une considérable opération immobilière, en dehors du projet médical qui en constitue la justification, comme l'ont voulu ses créateurs. Le pittoresque doit régner en maître, car il s'agit de séduire des malades, certes riches, mais souvent blasés. Le résultat continue de séduire aujourd'hui : peu de parcours urbains sont aussi agréables et variés, et c'est un vrai plaisir que d'emprunter le « petit train » qui permet de la parcourir sous la conduite d'un guide, la visite étant tout aussi agréable à pied ou à vélo. Elle reste insérée dans un relief dunaire, planté de pins ; quant aux rues, elles ont l'apparence de sentiers, comme s'il ne s'agissait que d'un parc urbain.
Il s'agit d'un habitat du siècle de l'industrie, les villas étant construites avec des pierres normalisées dès la sortie des carrières ou des briques de terre cuite, comme l'a bien souligné Jacques Gubler. Leur association, qui peut être très variée, la possibilité de colorer les briques, la variété des chaînages, l'alternance des briques et des pierres ont permis de jouer avec ces matériaux, dans le cadre d'un éclectisme stylistique extrême, souvent très composite. Le bois est lui aussi produit et mis en œuvre industriellement – par des scieries mécaniques –, mais il est utilisé avec une variété et un éclectisme tout aussi grands. Le bois découpé et la polychromie sont des éléments essentiels de la décoration des villas : par exemple, la villa *Alexandre Dumas*, d'où l'on domine le Bassin, ne se contente pas de marier des éléments de style hispanique avec un belvédère imité de ceux que l'on trouve dans les villas italiennes rustiques, elle comporte des bandeaux d'arcatures des baies et des travées très colorées car composées d'une alternance de briques rouges vernissées bleu, jaune et vert ; cette ancienne villa *Osiris*, puisque tel était son premier nom, y ajoute des boutons de fleurs en terre cuite moulée.
La structure d'ensemble de ces villas correspond à trois niveaux : un étage inférieur de service ; un étage plus ou moins surélevé, où se trouvent l'entrée principale, la salle à manger, le salon et toute autre pièce de réception ; un étage supérieur pour les chambres de maîtres. On y trouve de nombreuses cheminées, mais guère de salles de bains, peu de sanitaires, et souvent mal commodes, ce qui en a rendu plus tard les transformations coûteuses.
Par delà les structures communes, une grande fantaisie s'est donc donné libre cours, y compris à l'intérieur. Ainsi, la villa *Térésa* présente dans le vestibule du rez-de-chaussée des boiseries enserrant de vastes compositions décoratives en céramique polychrome représentant des scènes aquatiques : marais, oiseaux de nuit, paysages crépusculaires, cependant que de grands bouquets de fleurs ornent le plafond. Dans la salle à manger, au plafond en stuc de style baroque viennois, on trouve une toile de Jean Georges qui est un hommage à la musique… Propriétaires et architectes ont voulu l'originalité de chaque villa ; parfois même, on a eu des dimensions et des formes insolites et exagérées. Tout était possible, y compris l'usage du béton à des fins décoratives, plus souvent d'un bois extrêmement travaillé. Les fantaisies que pouvait susciter le style gothique, ont été redoublées par celles de l'art nouveau. Un élément essentiel en est donc l'utilisation très ajourée du bois pour les escaliers, balcons, toitures, chaînages et vérandas. Il contribue d'une manière considérable au pittoresque.

CI-CONTRE
Ornements et boiseries du vestibule de la villa *Térésa*.

SORTIE

La villa *Les Ruines* au début du siècle. Coll. J.-P. Poussou.

La Villa algérienne. Coll. J.-P. Poussou.

mauresque et au Buffet chinois, dans le parc qui domine la Ville d'Été, à la pointe de la Ville d'Hiver. Il y eut même, au bord de la plage, un véritable château, édifié en 1853 par Deganne, sur le modèle de celui de Boursault (Marne), construit par la veuve Cliquot pour sa petite-fille; il devint casino à partir de 1903. Malgré la multiplication des résidences, la Ville d'Automne conserve encore beaucoup de charme, avec un ensemble de constructions beaucoup plus modestes, « L'East End » d'Arcachon, qui comprend aussi le quartier de l'Aiguillon et celui de Saint- Ferdinand ayant toujours eu, comme voulu à l'origine, un caractère nettement populaire. On n'y trouve pas moins quelques remarquables témoins de l'architecture antérieure à 1914, notamment l'étonnante villa *Les Ruines* (allée Victoria), actuellement dans un état de délabrement qui révolte, tant son histoire et son originalité mériteraient d'être pris en compte pour que son sauvetage soit enfin réalisé. On est quelque peu choqué que les municipalités ne s'efforcent pas de sauver des villas tellement étonnantes; il est vrai qu'à Gujan-Mestras, l'étonnant *Rancho*, maison tout en bois de la fin du XIXe siècle, était sur le point d'être démolie au début de l'été 2003. L'ensemble de cette partie orientale de la ville révèle d'autres formes de vie et de relations qui renvoient vers les autres localités du Bassin et non vers les parties centrales et prestigieuses d'Arcachon, comme nous en a laissé le souvenir le célèbre auteur de romans policiers américains, Chester Himes (1909-1984) dans *Regrets sans repentir*. Par ailleurs, le parc Pereire a disparu au profit d'un lotissement, cependant que le front de mer était largement détruit, surtout après 1945.

Ailleurs, le développement resta très limité avant les vingt dernières années du XIXe siècle. On doit citer cependant, à L'Herbe, l'étonnante Villa algérienne, édifice de style mauresque élevé en 1865 par Léon Lesca qui avait fait fortune en travaillant à l'aménagement du port d'Alger. Lesca, acheta, sur les terrains de la presqu'île dont Napoléon III avait autorisé la vente, 800 hectares, et il s'y installa, y développant ses activités et assurant ses liaisons par bateau. En arrière de la villa, détruite en 1965, il y avait un magnifique parc de 25 hectares, où il introduisit le yucca et surtout le mimosa, devenu aujourd'hui une des splendeurs du Bassin; à côté, fut édifiée la Chapelle algérienne qui existe toujours.

Le Bassin d'Arcachon devient un centre majeur de pêche et d'ostréiculture

La manière dont l'ostréiculture et la pêche étaient pratiquées se sont modifiées complètement des années 1840 aux années 1870, au point d'acquérir des dimensions incomparablement plus importantes que celles qui étaient les leurs jusque-là. Il est tout à fait essentiel de souligner que ces changements sont exactement contemporains de ceux qui amènent la naissance d'Arcachon. On ne saurait mieux souligner à quel point le Bassin d'Arcachon a été transformé au milieu du XIXe siècle.

Bien entendu, de même que la vie balnéaire n'a concerné que progressivement l'ensemble du Bassin, de même ces changements ne se sont pas réalisés d'un seul coup. C'est ainsi que la pêche à l'intérieur du Bassin a continué sans grandes modifications, même si l'usage des bateaux à moteur l'a facilitée à partir de la fin du XIXe siècle; ainsi, la pêche au palet pratiquée par les *palinayres* est restée tout à fait semblable à ce qu'elle avait toujours été. Au contraire, pour la pêche au *péougue*, grâce au capitaine Allègre, le Bassin a pris, plus tôt que les autres lieux de pêche français, l'orientation vers des bateaux à vapeur. À la suite du drame de 1836 – qui a entraîné un souci de sécurité marqué en 1840 par l'érection du phare du Cap-Ferret –, il a fait construire dès 1836 *Le Turbot*, gros navire de 80 tonneaux, puis, deux ans plus tard, en 1838, en utilisant ce même navire, il a mis au point le chalutage à vapeur. Legallais l'a imité, mais dans un premier temps, ce fut un échec commercial et financier. C'est seulement sous le Second Empire que la pêche à la vapeur s'est réellement installée, avec, à partir de 1863, le lancement de l'*Émile Pereire*, qui souligne l'omniprésence du financier. La Société des pêcheries de l'Océan fut fondée à ce moment-là et l'activité de pêche fut très active, favorisée d'ailleurs par la présence d'une importante clientèle locale.

Le commerce des huîtres connut des transformations tout aussi profondes. Vers 1840, c'était une activité menacée : les gisements naturels d'huîtres indigènes – l'*Ostrea edulis* – étaient en voie d'épuisement, car soumis à des dragages abusifs par suite de la pêche au filet. Les gisements naturels étaient dépeuplés et les autorités, qui s'en étaient déjà préoccupées plusieurs fois, tentaient à nouveau de mettre un frein « à l'acharnement féroce des pêcheurs » (M. Boyé). En 1839, le Bassin n'avait expédié que 260 quintaux d'huîtres. C'était au demeurant un phénomène général qui concernait l'ensemble de l'ostréiculture française, mais ici la situation était plus grave qu'ailleurs. En 1852, une commission d'étude fut confiée à Victor Coste, membre de l'Académie des sciences, qui conclut à la nécessité de pratiquer des ensemencements d'huîtres, mais ni les branchages et fascines traditionnels, ni les planchers collecteurs préconisés par Coste ne s'avérèrent des solutions suffisamment efficaces : après l'euphorie des premières réalisations (1860-1861), ce fut très vite la désillusion, le détroquage abîmant les jeunes huîtres, faute d'un support convenable. Heureusement, dès 1865, un maçon de La Teste, Jean Michelet (1835-1904), mit au point le support idéal : des tuiles recouvertes d'un mélange de chaux hydrique et de sable, ce qui est à la fois assez ferme pour permettre la fixation du naissain, et assez friable pour permettre le détroquage. Il mit également au point, dès 1866, « la caisse ostréophile », ou « ambulance », destinée à hospitaliser les jeunes huîtres endommagées par le couteau des détroqueurs, en les mettant à l'abri des prédateurs.

À partir de là, l'essor fut tout simplement extraordinaire, les livraisons atteignant en 1892 un record de cinq cent quarante millions d'huîtres. L'ostréiculture devint ainsi une véritable profession et une activité tout à fait considérable. Il en résulta aussi l'apparition d'un genre de vie nouveau : les pêcheurs et surtout les ostréiculteurs installèrent dans le nord du Bassin – au Canon, à l'Herbe, à Piraillan, au Petit-Piquey – de véritables villages ; dans le sud, les petits ports furent garnis de cabanes, le tout aboutissant à un paysage absolument nouveau. Jusque-là, le ramassage des huîtres était une activité d'appoint, notamment pour les femmes. Désormais, il s'agit d'une genre de vie. Les ostréiculteurs sont moins des marins que des paysans de la mer. Travaillant le plus souvent en famille, créant dans les années 1860-1880 de véritables dynasties, ils ont mis sur pied, dès 1875, 2 500 hectares de parcs, divisés en parcelles que l'on ne peut exploiter durant les périodes de mortes-eaux car le niveau n'est pas suffisamment descendu. Ces parcs à huîtres sont des concessions accordées par le Domaine maritime. Ils sont délimités par des piquets de pin, les *pignots*, cependant que les *endors*, fixés sur le bord supérieur de la cage, servent à maintenir les tuiles, et que les *pointus*, qui sont des branches effilées, empêchent les poissons de dévaster les parcs. Leurs instruments de travail sont essentiellement des pelles, des fourches et des râteaux. Les tempêtes sont redoutées, car elles causent des dégâts aux parcs. Il faut s'y rendre, même l'hiver, lorsqu'il gèle et que souffle le vent glacé du nord-est, soit pour réparer les dommages, soit pour aller chercher les huîtres à vendre. Les parqueurs ont donc besoin de moyens de navigation commodes, ce que furent aussitôt les pinasses à rames et les pinassotes traditionnelles, au tirant d'eau très faible : 20 centimètres.

Parqueurs d'huîtres. Coll. J.-P. Poussou.

Le grand essor de l'ostréiculture du Bassin fut, comme pour ses autres activités, lié à l'avènement du chemin de fer, qui permit de vendre les huîtres au loin, même si celles de Marennes, de Bretagne ou de Normandie étaient davantage prisées dans la capitale : dès 1872, le Bassin produit dix millions d'huîtres ; en 1882, deux cent soixante-dix millions, pour quatre mille parcs (il y en avait 1 500 en 1870) ; cinq cent quarante millions en 1892…

Intérieur d'une cabane au Cap-Ferret.

Une allée du Canon, entre les cabanes.

Les ports ostréicoles, leurs villages et leurs cabanes

Les ports ostréicoles avec leurs villages de cabanes, sont l'un des aspects les plus pittoresques du Bassin d'Arcachon. On pourrait les croire très anciens; en réalité, même s'il y a toujours eu ici des pêcheurs d'huîtres, c'est seulement dans la seconde moitié du XIXe siècle que sont apparus et ont été aménagés les sites actuels. Même les cabanes n'avaient absolument pas cet aspect autrefois.

Celles que bâtissaient les pêcheurs de toute nature, n'étaient que des constructions très sommaires, de formes rondes, que nous connaissons bien grâce aux dessins de Léo Drouyn. Leur structure est faite de bois d'épaves, ou de branches d'arbres, à peine travaillés pour une partie, recouverts de genêt, de bruyère ou de gourbet. En usage dès la Préhistoire, les pêcheurs abandonnaient facilement ces simples abris s'ils ne revenaient pas s'installer au même endroit, ce qui était fréquent, leur installation étant directement liée aux possibilités de la pêche qui variaient beaucoup. On les trouvait un peu partout en bord de mer, mais surtout dans la presqu'île du Ferret où les pêcheurs s'installaient à la belle saison. Leur aspect sauvage surprit et intéressa tout à la fois, comme en 1892 ce journaliste de l'Illustration, cité par Nathalie Pinard, qui se croyait «transporté au milieu d'un campement de Peaux-Rouges ou de Néo-Calédoniens». Au Cap-Ferret surtout, mais aussi dans les autres dunes, les chasseurs en bâtissaient et en bâtissent encore de semblables, en dehors des palombières qui relèvent d'une autre type. Ce ne sont dans ce cas que des abris sommaires, dans des endroits éloignés, très différents donc des tonnes, construites avec soin, et qui sont aujourd'hui la forme principale des cabanes de chasse du Bassin.

Les cabanes actuelles, beaucoup plus soignées et importantes, correspondent à l'activité des ostréiculteurs. Elles sont devenues nombreuses lorsque les parcs à huîtres se sont développés, à partir du Second Empire. Situées sur le domaine maritime, ce sont des instruments de travail et non pas des habitations, si ce n'est de manière saisonnière et temporaire. Construites en planches, espacées d'au moins un mètre, installées sur une ou deux rangées parallèles, elles constituent de véritables ensembles, que l'on trouve aussi bien dans l'île aux Oiseaux qu'au port des tuiles, à Piraillan, à l'Herbe, au Canon, ou dans les nombreux ports ostréicoles de Gujan et de La Teste. On y range les outils, les filets; elles servent comme ateliers, ou comme chais. Elles doivent à la fois se trouver sur un lieu sec, et à proximité immédiate d'une voie d'eau navigable au moment des marées, tels les canaux des ports ostréicoles dont les berges ont été consolidées en retenant la terre par des pieux en bois. Afin de les mettre à l'abri des eaux les plus hautes, elles sont construites sur dés, ce qui permet la circulation de l'eau en dessous. Dans les terrains de

Alignement des cabanes au port d'Audenge.

Le port ostréicole d'Arès.

prés salés du sud Bassin, elles sont même sur pilotis, sans que l'on ait cependant le caractère exceptionnel des deux cabanes « tchanquées » (de *tchancas,* échasses) de l'île aux Oiseaux qui passent souvent pour le symbole du Bassin. La première a été édifiée en 1883 pour la surveillance des parcs à huîtres, puis reconstruite après la deuxième Guerre mondiale ; la seconde date de 1948. Elles ne sont en rien habituelles et, si l'on veut un véritable ensemble de cabanes sur pilotis, c'est à Biganos qu'il faut aller, la conjonction possible de crues ou d'eaux très hautes de la Leyre avec de grandes marées y ayant obligé.

Au nord du Bassin, cependant, elles ont évolué vers l'habitation, tout comme à l'île aux Oiseaux, car les séjours étaient longs et l'habitation normale éloignée. Devant leur multiplication, l'État a fini par les réglementer : elles ne doivent mesurer que 6 mètres sur 4, et porter un numéro d'identification. Mais, certaines sont devenues la propriété de gens qui n'étaient pas inscrits au Domaine maritime, ce qui constitue une utilisation illégale, qui a transformé ces cabanes de travail en « villas miniatures » (N. Pinard), car habiter une cabane rénovée a été considéré comme particulièrement à la mode. Les habitants n'en sont que des usagers qui doivent obtenir une autorisation temporaire d'occupation : dix-huit ans désormais. Une cabane ne peut être transmise qu'aux héritiers des titulaires du titre d'occupation.

Les villages de l'Herbe, du Canon ou de Piraillan, sont de toute beauté, permettant un mouvement touristique important. Dans les ports ostréicoles du sud Bassin, on a, de part et d'autre des chenaux, mais d'une manière irrégulière, des lignes de cabanes noires, de petites dimensions. C'est un patrimoine authentique, que l'on doit considérer comme exceptionnel.

Il y a ainsi une nette opposition entre les villages de travail, restés tout à fait traditionnels, aux cabanes noires, sans fleurs ni fioritures, et l'élégance des villages du nord aux couleurs vives et variées, même si souvent elles se limitent aux contrevents, portes et bardages. Il faut aussi aller au « port des tuiles », minuscule, où le silence est seulement interrompu par le vol et le chant des oiseaux, le passage à marée basse des chevaux, la circulation de quelques barques dans ce delta de la Leyre, ou, lorsque le vent atteint une certaine force, le bruissement des cotonniers de Bassalane.

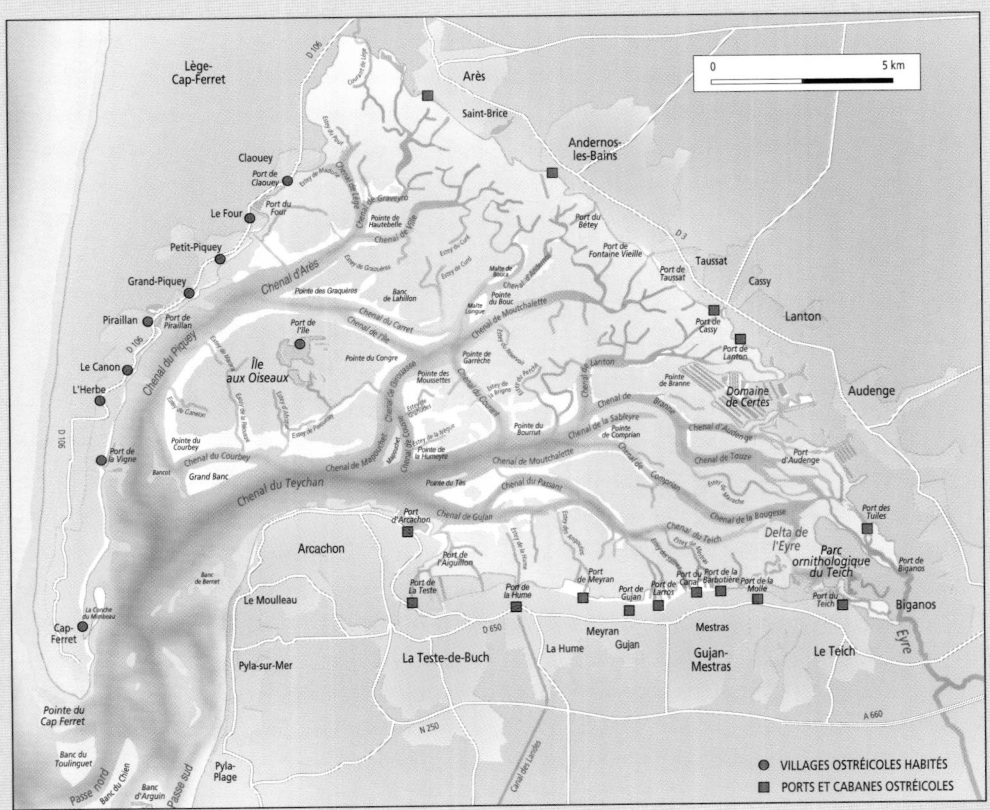

Les ports et les chenaux du Bassin d'Arcachon. Carte Patrick Mérienne.

***Le Courrier du Cap*. Il s'agit d'un ancien yacht, construit à Nantes en 1870, gréé en goélette, pouvant embarquer 80 passagers; il assurait le ravitaillement et le courrier de la presqu'île. Réquisitionné en 1917, envoyé aux Dardanelles, il resta en service actif jusqu'en 1943.** Coll. J.-P. Poussou.

D'Annunzio au Moulleau

«… La figure légendaire du Bassin, c'est D'Annunzio. Il habita, de 1910 à 1915, au Moulleau, la villa *Saint-Dominique*… En ce temps d'avant-guerre, le Moulleau était encore très solitaire. D'Annunzio y vivait fort isolé. On le voyait passer sur la plage, le soir, escorté de grands lévriers blancs. Les pins rapprochés formaient le fond de ce tableau nocturne… Ses façons de vivre déconcertaient: il mangeait sur un coin de table, dormait par terre sur un matelas, et fermait impitoyablement sa porte. On chuchotait pourtant qu'il recevait les fréquentes visites d'une dame. Cela fait partie de sa légende. Ces jours-là, quelle que fût l'impécuniosité du poète, la villa était pleine de roses… »

Jean Balde, *La Maison au bord du fleuve: Souvenirs bordelais*, Bordeaux, Delmas, 1937, p. 200.

Le Bassin d'Arcachon à la Belle Époque

À partir des années 1840, la population du Bassin d'Arcachon n'a cessé de s'accroître, ce qui montre bien les conséquences positives des nouvelles activités. Mais cela s'est fait à des rythmes et avec une ampleur très différents. Dans un premier temps, cette croissance est essentiellement arcachonnaise, la population y passant d'une à deux centaines d'habitants permanents autour de 1850 à 4981 en 1876. Mais déjà Gujan-Mestras et La Teste sont entraînées dans ce mouvement: de 2183 à 3433 habitants pour la première; de 2986 à 5314 pour la seconde. L'ensemble des trois communes a 5169 habitants en 1851; 13728 en 1876, soit + 166 %. Les autres communes, qui groupaient 5646 habitants, en ont 7052, soit + 25 %.

En dehors d'Arès, dont le rôle a été important pour la pêche et l'ostréiculture, et qui en a bénéficié, dans un premier temps tout s'est joué à Arcachon et autour d'Arcachon. Le fait majeur est l'extension de l'urbanisation au Moulleau. C'est dans le dernier tiers du XIXe siècle, que les autres localités ont à leur tour connu un essor qui, pour être nettement moins rapide que celui d'Arcachon, n'en est pas moins évident. Elles le doivent notamment à leur fonction balnéaire de stations liées aux bains de mer et au séjour estival, accessibles aux milieux modestes, surtout bordelais, qui, au même moment, investissent la banlieue de Bordeaux. Mais elles le doivent aussi à la multiplication des activités forestières, maritimes et ostréicoles dont nous avons vu le développement. On est ici tout à fait à contre-courant d'un ensemble aquitain en voie de dépeuplement. La pêche, l'ostréiculture, le tourisme, les productions forestières, mais aussi d'autres activités comme les verreries, industries céramiques, forges, industries chimiques, papeteries, ont multiplié les emplois autour du Bassin qui n'en avait jamais compté autant, et qui vécut alors une sorte de période d'apogée économique, qui ne fut retrouvée qu'après 1970.

On voit donc se construire beaucoup de maisons d'une taille modeste, basses, dont les « arcachonnaises » sont les plus belles et les plus typiques; certaines sont issues directement de la banlieue bordelaise: ce sont les « pessacaises ». Beaucoup n'ont rien d'original: à l'évidence, on a affaire, comme les montrent les cartes postales, à la simple construction en dur de cabanes, dont un bon nombre ne sont entourées que d'un terrain d'une superficie réduite. On voit même naître, dans la presqu'île du Cap-Ferret, en dehors des villages ostréicoles, quelques cabanes sans confort – ni eau courante ni électricité jusqu'au milieu du XXe siècle –, où l'on est proche de la « vie sauvage », pour reprendre cette expression de Cocteau. En réalité, dès le Second Empire, le Cap-Ferret est un lieu d'excursion pour les habitants d'Arcachon et pour ceux qui viennent y séjourner: près de cinq mille visiteurs par an dès 1870, ce qui amène le gardien chef du phare, Romain Baleste, à proposer à l'administration de construire une passerelle entre le phare et l'Océan afin de « faciliter aux baigneurs et promeneurs un parcours (alors) fatigant et pénible à travers les dunes de sable ». Par ailleurs, Léon Lesca, propriétaire de la Société anonyme du courrier du Cap, organise par l'intermédiaire de celui-ci, à partir de juin 1902, une liaison entre Arcachon et le Cap-Ferret, puis avec l'Herbe, le Canon et Piquey.

Dans les communes de la partie orientale du Bassin, on a comme ailleurs des lotissements et à plusieurs reprises des actions concertées et délibérées, comme Pierre Labat l'a montré pour Taussat, dont le village et la station balnéaire ont été la création exclusive de la famille Le Cousturier de Courcy, à partir de 1857, avec une accélération au cours des années 1880, moment où la configuration de Taussat-ville peut être considérée comme définitive. Le cadre naturel – forêts de pins et de chênes – a été respecté, avec quelques belles et grandes constructions en rivage, une chapelle dès 1860, puis, lorsque le chemin de fer arrive en 1884, des villas modestes, dont les habitants viennent renforcer, l'été, une population sédentaire, parmi laquelle les marins du quartier du port, aux petites maisons entassées, sont les plus nombreux. Ainsi a été réussie la création de la nouvelle station voulue par Eugène Ernest de Courcy (1810-1873), qui vivait surtout dans l'Orne, et qu'aida son gendre, le futur général d'Elloy. Dès 1858, dans « Arcachon et ses environs », Dejean était sensible à l'action entreprise : « À Taussat, on a construit ces dernières années un établissement de bains et quelques maisons. C'est une jolie position qui pourrait avoir de l'avenir. » Ne croyons pas, d'ailleurs, que cette partie du Bassin n'est fréquentée que par une population modeste, même s'il s'agit de la tonalité dominante : par exemple, Toulouse-Lautrec est venu régulièrement à Taussat, l'été.

Il faut insister sur le rôle des transports, qui a permis ces nouveaux développements. D'une part, surtout pour répondre aux besoins forestiers, en 1884, la ligne Lesparre-Bordeaux par Arès et Facture dessert la partie orientale du Bassin. D'autre part, au Cap-Ferret et dans les quartiers extérieurs d'Arcachon, on crée des tramways hippomobiles, avant que ne soit mis en place à Arcachon un tramway à moteur, qui a fonctionné de 1911 à 1932. Enfin, de petits trains « Decauville » permettent de transporter les produits de la forêt jusqu'au Bassin. Les aménagements routiers, eux, sont souvent tardifs : ainsi, la route qui traverse la presqu'île du Cap-Ferret, commencée en 1920, n'est achevée qu'en 1929.

Il y a donc une accentuation de l'essor général, dont les chiffres de population sont le meilleur indicateur. Les communes situées sur le Bassin groupaient 10815 habitants en 1851 ; sous le Second Empire et au début de la IIIe République, leur population avait quasiment doublé : 20780 habitants, soit + 92 %. En 1911, il y en avait 31712, ce qui montre un net ralentissement du rythme de croissance : + 53 %. La grande nouveauté de la fin du XIXe siècle, c'est qu'en pourcentages d'évolution, désormais les autres communes ont le même rythme qu'Arcachon, Gujan et La Teste, quoique en chiffres absolus, elles représentent beaucoup moins :

	1851	1876	1911
Arcachon, Gujan et La Teste	5169	13728	21612 hab.
Autres communes	5646	7052	10100 hab.
total Bassin	10815	20780	31712 hab.

Le charme d'Arès au début du XXe siècle

Nous connaissons bien cette Belle Époque, grâce à de nombreux documents et témoignages, parmi lesquels se détache celui d'Ardouin-Dumazet, dont le regard était souvent de premier ordre. Il s'en dégage une réelle impression de prospérité, de nouveauté également des activités, et de forte croissance de l'habitat, en notant au passage qu'il ne parle pas du Cap-Ferret où il n'y a encore que les villages ostréicoles, le phare et l'amorce de Bélisaire. Particulièrement intéressantes sont les pages consacrées à Arès : « Entre le village (de Lège) et l'Océan, la forêt qui couvre des monticules de sable enfermant de vastes lèdes gazonnées est fort belle. Les bois qui en proviennent alimentent en partie les chantiers des grands commerçants. Les forêts de la lande sont particulièrement soumises au résinage. Le chemin qui parcourt la clairière est une sorte de rue où les métairies, habitations de résiniers, se suivent jusqu'au bourg d'Arès, plus populeux et vivant. Ici les poteaux de mines et la résine cèdent le pas aux industries maritimes. Le bassin d'Arcachon s'y termine en une baie arrondie, immense étendue de vases et de sables à mer basse, nappe clapotante quand le flot vient baigner le bord des pinèdes.

Arès est le premier des petits ports qui s'échelonnent depuis l'embouchure du chenal de Lège jusqu'à Arcachon. Il couvre une grande superficie par ses jolies maisons formées d'un simple rez-de-chaussée que précède une véranda dont le toit est supporté par de minces colonnes. Des arbustes verts et des fleurs accroissent l'impression de gaîté. C'est qu'Arès, malgré le court espace de temps pendant lequel les eaux marines viennent baigner ses plages, est devenu une station de mer. Les effluves salins, les parfums balsamiques des pignadas, le bon marché de la vie ont déterminé l'affluence des baigneurs.

Hier soir, au clair de lune, Arès avait un peu l'allure d'une ville de rêve. J'étais allé jusqu'au port… Le bassin, prodigieusement vaste, étincelle entre ses rives mystérieuses. Au fond, brillent les lumières d'Arcachon, fenêtres révélant la lampe familiale, longues files de becs de gaz. Le phare du Cap-Ferret semble une étoile puissante. Aucun murmure de vague ne vient à nous, mais le vent dans les pins semble gémir. L'impression est étrange et profonde, j'ai peine à arracher mon fils Pierre à l'extase dans laquelle le plonge cette fantasmagorie nocturne. »

Voyage en France, 30e série, *Gascogne*, p. 58-60.

Malgré une première grande crise de l'ostréiculture, la période apparaît brillante pour le Bassin. À Arcachon, l'atmosphère est souvent très festive : la première procession nautique (plus de mille bateaux d'après l'abbé Mouls), a lieu le 8 août 1854, bénie par le cardinal Donnet.

Le Bassin d'Arcachon du XXe au XXIe siècle

L'entre-deux-guerres

Les nombreux changements liés à la Première Guerre mondiale ont parfois été de véritables ruptures ; on peut parler même de tournant historique.

Les conséquences directes de la guerre ont été multiples. Il y eut bien sûr la disparition de cette clientèle qui avait largement façonné la vie arcachonnaise, et qui appartenait à la haute société européenne. Avec elle a décliné très vite le thermalisme hivernal, même si autour du Bassin il prenait d'autres formes, avec en particulier l'aérium d'Arès : créé par la Fondation Wallerstein, dans un site boisé exceptionnel, pour deux cents enfants de onze à quatorze ans appartenant à des milieux modestes, « il a joué un rôle d'avant-garde dans la conception de la cure hélio-marine pour des enfants de santé déficiente », et constitué « l'archétype de l'architecture médico-sociale de l'entre-deux-guerres » (F. Choay). Mais, à l'aérium comme ailleurs, il ne s'agissait plus alors de « saison » d'hiver, et les établissements de séjour de ce type correspondaient à d'autres structures. Au demeurant, pour les tuberculeux, les séjours de montagne l'emportèrent de plus en plus. Le Bassin restait néanmoins « fashionable », notamment grâce à l'essor du yachting, qui en faisait, a-t-on dit, le « Cowes » français.

Certes, les premières régates avaient eu lieu dès 1848, et le Yacht Club d'Arcachon avait été créé en 1873. Mais les grandes heures – auxquelles sont liées la venue de Philippe de Rothschild, qui implanta une magnifique villa au Pyla, et de Virginie Hériot –, correspondent aux années 1919 à 1939. C'est dans ce contexte que naît le Cercle de la voile d'Arcachon, et que sont créés ou développés plusieurs chantiers navals et entreprises de fabrication de moteurs (Bossuet, Barrière, Bonnin, Couach), pour lesquels la navigation de plaisance est une activité essentielle.

L'aérium d'Arès. Coll. J.-P. Poussou.

J.-F. Sanz, charpentier de marine, suivant une régate estivale de pinassottes à voiles.

CI-CONTRE
Le maquereautier *Jolie Brise* devant le Pyla.

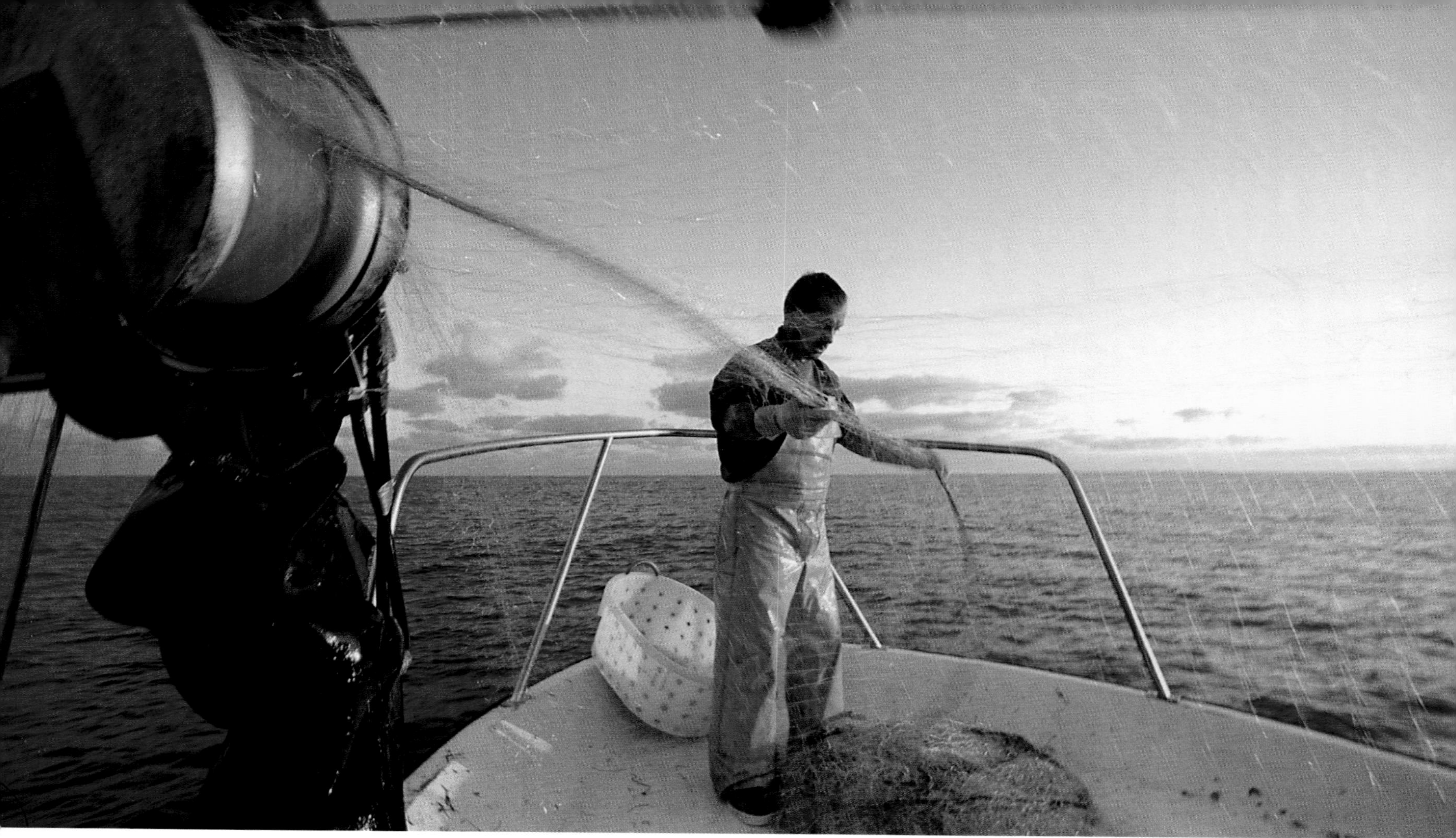

Pêche au bar dans la passe nord, au petit matin, à bord du *Paul-Luce*.

Pour la pêche arcachonnaise, ce fut une période de grandes difficultés, le port ayant connu son activité maximale en 1910 : avec 20 000 tonnes de poissons débarquées, dont la moitié de sardines, c'est alors le deuxième port français. Les tensions commencèrent avec la faillite en 1911 de la Société des Pêcheries du Golfe de Gascogne, qui était, avec vingt-trois chalutiers, la plus importante de France, et de nombreux conflits sociaux, notamment en 1913, année où, de surcroît, la crise de la sardine fut intense. La guerre ne fut pas moins difficile avec des pertes de clientèles et de marchés, et surtout la réquisition des chalutiers pour le dragage des mines. Dans un premier temps, néanmoins, la reprise fut rapide. On vit apparaître une nouvelle compagnie d'envergure, Cameleyre frères, et plusieurs petites. Le manque d'aménagement du port les handicapait, mais cela n'empêchait pas une activité très soutenue, particulièrement pour la pêche à la sardine. Quant à la pêche morutière, elle fut de nouveau florissante jusqu'en 1933, qui marqua son déclin rapide, puis sa disparition.

Les choses allèrent beaucoup plus mal dans l'ostréiculture. Avant même la guerre de 1914, elle avait souffert du morcellement excessif des parcs et d'épizooties qui affectaient si fortement l'huître plate arcachonnaise, la « gravette », que la production diminua et finit même par être pratiquement anéantie en 1924. Il fallut se tourner vers l'huître « creuse », ou portugaise, apparue en 1903, et à propos de laquelle les oppositions avaient été très fortes. Une première chute des cours avait eu lieu au début du XXe siècle ; elle fut encore plus sévère de 1929 à 1934, avec pour résultat que l'ostréiculture arcachonnaise n'était guère florissante à la fin des années 1930. L'évolution de la population de Gujan-Mestras est très représentative des problèmes rencontrés par les activités de la mer : on y trouvait 4 659 habitants en 1911, mais seulement 4 038 en 1926, et 4 394 en 1936, et cela même si d'autres activités étaient venues s'ajouter, comme un important trafic de poteaux de mines au port de Meyran entre 1925 et 1935.

Quant à l'évolution d'Arcachon, elle s'était fortement ralentie : 10 266 habitants en 1911, 13 102 en 1936. Elle

Le littoral du Pyla en fin de journée.

n'était plus réellement une station des quatre saisons et le développement des activités balnéaires se traduisait par d'autres formes de séjour, sans parler du caractère très régional de la clientèle : elle devenait de plus en plus le lieu favori des Bordelais, mais aussi des bourgeoisies urbaines de la Dordogne ou du Lot-et-Garonne, sans exclusive au demeurant puisque, par exemple, Royan ou Soulac étaient également très prisées. L'Entre-deux-guerres amorce en réalité la grande croissance de la transformation du Bassin en un vaste ensemble balnéaire qui attire de plus en plus des couches sociales moyennes, voire modestes. Désormais, c'est le nord Bassin dont le rythme d'accroissement est le plus rapide : ainsi, Andernos double pratiquement sa population : 1 354 habitants en 1911, 2 300 en 1936, cependant qu'Audenge passe de 1344 à 1781 habitants, et Lanton de 849 à 1 143.

C'est à ce moment-là qu'au Moulleau, au Pyla et au Cap-Ferret, comme à Andernos, se met en place la caractéristique dominante de l'habitat autour du Bassin : les villas dans la forêt de pins, ce que M. Cassou-Mounat appelle à juste titre « les lotissements forestiers », dont le Cap-Ferret est incontestablement l'exemple le plus poussé. Il y a bien multiplication des constructions, mais elles ne sont jamais ou presque jamais jointives, chacune s'inscrivant dans un terrain propre et ayant gardé un maximum d'arbres et de végétation ; les rues droites sont peu fréquentes, les trottoirs non aménagés et le style des constructions est libre ; celles-ci sont basses : de plain-pied ou au maximum un étage. Seuls quelques endroits – par exemple au Canon – présentent un petit noyau urbain où se groupent des commerces, sur la route qui mène à la pointe de la presqu'île. À partir de ces données d'ensemble, chaque station a ses caractéristiques, son visage. Il suffit de visiter à la suite Andernos et Claouey pour constater que, malgré un même type de maisons, avec un grand nombre d'entre elles de dimensions modestes, malgré une organisation forestière commune, le développement de l'habitat a été tout à fait différent ; relativement organisé dans le premier cas, fort peu dans le second. Claouey, au lendemain de la Seconde Guerre mondiale, était d'ailleurs, comme l'en-

Une maison du domaine des «44 hectares», à la pointe du Cap-Ferret.

semble du Cap-Ferret, le domaine des sentiers et non pas des rues. De son côté, Le Pyla a démarré son urbanisation. En 1915, l'État a cédé à Daniel Meller 144 hectares en bord de mer qui l'amènent à créer la Société immobilière de Pyla-sur-mer, l'essor venant à partir de la construction de la route de liaison avec Arcachon, en 1926. Le Pyla associe à partir de là un front de mer avec de très belles et très importantes villas, et des séries de lotissements qui ont un air de famille très poussé parce que le promoteur fut le même: Louis Gaume, qui, depuis 1920, a acheté des terrains, organisé des lotissements et assuré la plupart des constructions. Il y a un style Gaume tout à fait évident, avec notamment une prédominance des villas de type basque ou landais. L'entreprise a livré depuis sa création quatre mille maisons clés en main, surtout au Pyla et au Cap-Ferret; forte aujourd'hui de cinquante-sept salariés, elle dispose encore d'importantes réserves foncières.

Aucun endroit, néanmoins, n'a autant associé les villas et les pins que la presqu'île du Cap-Ferret, et plus encore le Cap-Ferret proprement dit. Il n'y a à peu près personne ici avant 1908, même si déjà quatre fois par semaine, à la belle saison, le vapeur *Le Bordelais* y amène des excursions, dès les années 1860. C'est dans ce contexte que Romain Baleste, ouvre en 1870, un restaurant, avant qu'une dizaine d'années plus tard Bélisaire installe le sien. C'est donc en 1908 que l'État a mis en vente les 44 hectares de la pointe et que, progressivement, les lotissements ont continué et les villas se sont multipliées. Sans grands aménagements: ni eau courante, ni trottoirs, ni avenues régulées et goudronnées. Certes, les beaux domaines et les belles villas n'ont pas manqué, mais, pendant longtemps, il n'y a pas eu d'urbanisation et la presqu'île est restée proche de cette «vie sauvage» que vantait Cocteau, gardant cette apparence qu'avait ressentie Pierre Loti dès 1911, lorsqu'il découvrit le site: «Ces maisonnettes basses, à véranda sur le sable, dans la verdure des pins: on dirait un village des colonies!» Contrairement à ce qu'on aurait pu attendre, la vogue inouïe qu'a connue le Cap-Ferret entre les deux guerres n'a pas réellement altéré cette atmosphère. Grâce à une loi de 1919, la Compagnie d'entreprises immobilières pour l'aménagement et l'extension des villes «acheta les terrains qui restaient disponibles pour les lotir et les vendre, créant des routes et chemins, faisant forer des puits artésiens, lançant la station qui profitait d'une température plus tiède qu'ailleurs en hiver, de la proximité de l'Océan et de la splendeur des mimosas, qui s'y plaisent tant, en février-mars. Le Cap-Ferret était à la mode et il est resté depuis plus chic pour les uns, plus près de la nature pour les autres, de s'y installer, une deuxième grande vague de constructions ayant eu lieu entre 1950 et 1970, époque où sont également morcelés et bâtis les espaces encore vides entre Andernos et Taussat, cependant qu'à Arès la disparition de Mme Wallerstein entraîne un grand essor des lotissements. Aujourd'hui encore, l'ensemble de la presqu'île est différent des environs d'Arcachon, le Pyla compris. C'est une partie du Bassin où les caractères urbains sont très atténués. L'hiver, il y a peu de monde. L'été, autour du débarcadère, zone bruyante et animée, il règne toujours une atmosphère de vacances festives sans égale, cependant que plus loin, blotties sous leurs pins, les villas offrent un calme quasi campagnard, encore plus accentué à la pointe, où se trouve le domaine» des 44 hectares, en fait un «lotissement défectueux... d'où les règlements d'urbanisme sont entièrement bannis» (M. Cassou-Mounat), qui a le désavantage de se situer dans une zone fragile, perpétuellement menacée par la mer.

Mis en œuvre dans l'Entre-deux-guerres, le développement de cette urbanisation forestière n'a pas cessé jusqu'à aujourd'hui, et il marque profondément l'habitat du Bassin d'Arcachon, au point d'en être de loin la forme majoritaire: les villas du Bassin, ce sont «les maisons sous

CI-CONTRE
Au Cap-Ferret: la conche du Mimbeau à marée basse.

Le Mimbeau à marée haute.

Le Cap-Ferret, le soir.

« Je déteste Arcachon et j'aime le Cap-Ferret »

« Pour tout dire, j'en voulais à Vielmas de m'emmener à Arcachon. Parce que je déteste Arcachon et j'aime le Cap-Ferret. Parce qu'ils sont trop près l'un de l'autre, séparés par le Bassin. J'aurais voulu qu'il m'emmenât n'importe où, mais que ce fut un endroit dépaysant... (Arcachon) une plage jaune, bête, civilisée... C'est physiquement que j'aime le Cap-Ferret. Il fait partie des lieux où je respire un air à moi. Il me suffit d'y être... »

M. Perrein, *La Sensitive*, Grasset, 1986, pp. 116 et 118.

les arbres ». Certes, il a fallu faire des aménagements à ce schéma dominant – par exemple, les zones industrielles de La Teste ou de Lège –, et une partie des constructions de la fin du XXe siècle ont été beaucoup moins forestières, tels les lotissements de La Teste, sur la nouvelle route qui mène à la dune du Pilat. Mais, en dehors d'Arcachon, au territoire communal très exigu, c'est bien ce modèle qui s'est imposé et qui règne en maître dans les Plans locaux d'urbanisme qui se mettent en place en ce début du XXIe siècle.

On ne saurait trop le répéter : le Bassin d'Arcachon est le royaume des villas. On n'y trouve toujours aujourd'hui qu'un équipement hôtelier relativement réduit : seulement 1 247 chambres d'hôtel en 2001 (6 700 dans l'agglomération bordelaise !) ; quant aux campings, leurs capacités qui ne s'accroissent plus, sont très inférieures à celles de la côte landaise : 8 673 emplacements contre 27 291.

L'évolution des activités depuis les années 1940

La Seconde Guerre mondiale n'a pas eu d'effets considérables. Comme Bordeaux, le Bassin d'Arcachon fit partie dès le début de la zone d'occupation. La vie n'y fut donc pas facile, d'autant plus que la surveillance y était importante pour d'évidentes raisons maritimes, les Allemands s'étant installés dans tous les hôtels, dans des villas réquisitionnées, sans parler d'un camp près du cimetière, et de trois batteries d'artillerie côtière pour empêcher l'entrée de navires ennemis. Les effets les plus visibles de la période sont liés au Mur de l'Atlantique, avec la construction de blockhaus – il fallait en moyenne un mois – et de pistes cimentées permettant le mouvement rapide des troupes allemandes, souvent aux dépens de la forêt ou d'un milieu dunaire fragile. Il s'y ajouta pendant plusieurs années la présence de mines : au lendemain de la guerre, il fallait encore faire très attention en se rendant à l'Océan. L'auteur de ces lignes en a gardé des souvenirs précis, tout comme des pistes cimentées qui menaient aux plages du Crohot.

L'un des traits les plus marquants de l'après-guerre, ce sont sans doute les difficultés et le déclin de la pêche. La Seconde Guerre mondiale a eu les mêmes effets que la Première : réquisitions de bateaux, restrictions multiples aux activités de pêche ; mais il n'y eut pas cette fois le même relèvement rapide. Les raisons avancées tiennent à l'insuffisant aménagement du port : l'envasement (qui reste un important problème, y compris pour ce qui

CI-CONTRE

Le phare du Cap-Ferret.

Parcs à huîtres : culture sur tables et au sol.

concerne l'évacuation des boues, une fois celles-ci collectées), et l'absence de structures portuaires modernes. Certes, en 1938 avaient été installés une drague et un dock flottant, mais ils avaient été détruits par un bombardement anglais en 1945. La création, en 1948, d'une criée municipale n'enraya pas le déclin : 6 000 tonnes d'apports en 1948, ce qui était un net recul, 1 300 en 1954. Un réel effort fut alors entrepris, à l'initiative du maire De Gracia : le port fut réaménagé, l'inauguration finale se situant en 1968. D'autres raisons jouèrent : par exemple, la meilleure situation d'autres ports sur le plan géographique comme sur celui des capitaux : en 1952, la société Cameleyre partit s'installer à Lorient.

À l'opposé, jusqu'aux années 1970, l'ostréiculture marche bien : le nombre des parcs, qui avait chuté à près de deux mille en 1920 était remonté à plus de huit mille dans les années 1960, avec l'installation de beaucoup de nouveaux producteurs, souvent jeunes. C'était cependant une situation fragile. L'huître portugaise connut à son tour de très graves difficultés à la fin des années 1950 et durant les années 1960 : en premier lieu, des récoltes très déficitaires de naissains, puis trois fortes épizooties : 1967, 1970 et 1971. Absolument catastrophique, celle-ci obligea de nouveau à changer d'espèce, la portugaise disparaissant entre 1971 et 1973, remplacée par l'huître creuse japonaise. Jusqu'en 1985, c'est une longue période de crise, qui amène à une diminution de 40 % des surfaces d'exploitation et à la disparition de la moitié des concessionnaires. En 2001, il n'y en avait plus que 524 contre 739 en 1989 et 2 527 en 1960. Les surfaces, qui avaient atteint un maximum de 5 000 hectares dans les années 1880, n'étaient plus en 1990 que de 1 000 hectares. En un mot, le Bassin avait cessé d'être le vaste parc à huîtres qu'il était devenu dans les années 1870. Les techniques d'élevage elles-mêmes changèrent, avec le développement des pochons à partir des années 1960. Il s'agit de sacs de nylon à petites mailles, remplis de coquilles d'huîtres ; on les dispose en deux traverses parallèles espacées de 50 centimètres, côte à côte, sur des piquets enfoncés dans la vase. Seule une minorité de parqueurs continua à travailler le sol des parcs comme

Un vivier ostréicole à La Teste.

autrefois. En même temps, sur les marchés nationaux, l'ostréiculture arcachonnaise ne cessa de reculer au profit de la région de Marennes et des productions normandes et bretonnes. Enfin, entre 1975 et 1982, l'ostréiculture arcachonnaise fut atteinte par les « effets néfastes des composés organiques de l'étain, diffusés dans le milieu (marin) à partir des peintures antisalissures des carénages de bateaux » (J.-P. Deltreil). Les crises sont toujours possibles, car le Bassin est un milieu semi-fermé, présentant un faible taux de renouvellement des eaux intérieures, ce qui rend son ostréiculture très sensible aux épizooties.

La profession a réagi à toutes ces difficultés, et elle l'a fait avec dynamisme, même si le recul des surfaces et des producteurs a été important. D'une part, durant tout l'été se déroulent désormais de très grandes foires aux huîtres. D'autre part, les producteurs se sont efforcés de garder ou d'améliorer la qualité, voire de proposer de nouvelles variétés comme les huîtres du banc d'Arguin. Surtout, les ostréiculteurs du Bassin se sont spécialisés dans la production du naissain, pour laquelle ils tiennent le premier rang en Europe avec en année normale deux millions à deux millions cinq cents mille de collecteurs (il y a cinq cents huîtres par collecteur). Le coût de la main-d'œuvre est de ce fait plus élevé, mais c'est une activité plus rentable que la simple production, la difficulté étant que la quantité de naissains peut très fortement varier d'une année sur l'autre : ainsi, au cours des cinq dernières années, si 2003 est exceptionnelle par le nombre et la qualité du naissain, trois années ont été sans naissains, ce qui explique le recours au placement de stocks de production dans l'estuaire de la Gironde ou en Bretagne. Il y avait 326 entreprises en 1999, contre 1 095 en 1978 ; une vingtaine seulement sont des entreprises semi-industrielles, ayant entre 2 et 20 salariés, les autres faisant appel à une main-d'œuvre familiale et saisonnière. La production se situe entre 7 000 et 10 000 tonnes par an, soit de 6 à 10 % de la production française. Mais, grâce au naissain, c'est une activité qui génère un chiffre d'affaires de l'ordre de 17 à 18 millions d'euros, celui de la pêche étant un peu inférieur : 12 à 14 millions d'euros.

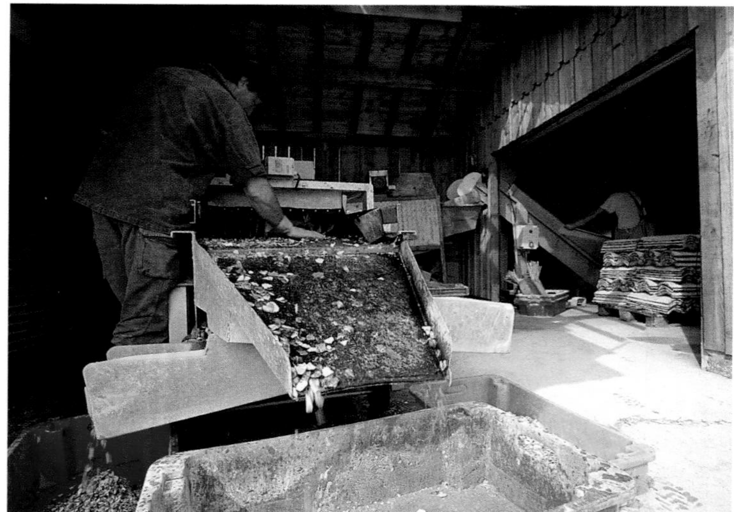

Le criblage des naissains.

Port d'Arcachon : débarquement du poisson au petit matin.

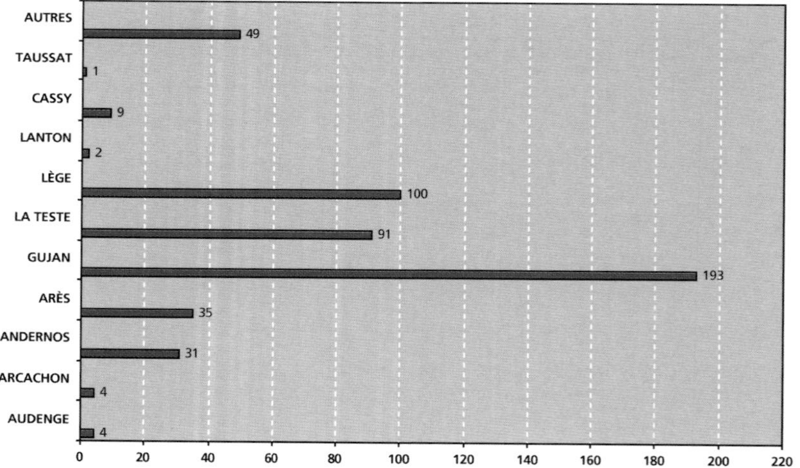

Répartition des ostréiculteurs par port de travail.

Aujourd'hui, l'activité de celle-ci n'en est pas moins satisfaisante : les tonnages ont remonté et se sont stabilisés depuis le début des années 1990, Arcachon occupant même un très bon rang en France. Sont en effet attachés au port dix à douze chalutiers, treize à quatorze fileyeurs, six à sept vedettes côtières, le tout représentant 2000 à 2500 tonnes d'apports annuels. La moitié de ces apports sont dus aux chalutiers. Très spectaculaire est la pêche au bar, au demeurant très dangereuse, que pratique toujours la famille Lucine. La criée matinale est un des aspects de la vie du Bassin les plus prisés des estivants. L'un des problèmes majeurs reste le franchissement des passes par gros temps ; la direction des pêches a donc mis sur pied un système de transport par camions à la halle d'Arcachon, les bateaux débarquant leurs prises à La Rochelle, Saint-Jean-de-Luz ou Hendaye. Patrons et marins-pêcheurs sont au nombre de deux cent cinquante, auxquels il faut ajouter quatorze mareyeurs et dix-sept détaillants, ce qui veut dire qu'environ mille deux cents personnes vivent de la pêche. La pêche à l'intérieur du Bassin compte peu : 6 % des apports, même si, par exemple, elle amène sur les étalages les rougets du Bassin ou « vendangeurs », très recherchés.

C'est d'autant plus notable qu'il n'y a pas d'industrie importante autour du Bassin, à l'exception de l'usine de pâte à papier de Facture : l'ancienne « Cellulose du pin » emploie encore près de cinq cents personnes. Les odeurs qu'elle exhale sont bien connues de tous : « L'usine de pâte à papier, château fort moderne et lointain, qui, comme le tourisme, nourrit et pourrit le Bassin nourricier, crachait ses fumées blanches. Par chance, cet après-midi-là, le vent ne soufflant pas sud-est, elles ne les atteignaient pas, ne les enveloppaient pas de leur parfum de choucroute rance. – Elle est belle la Cellulose, la nuit, dans ses lumières allumées et ses nuages rouges. On dirait un paquebot qui flambe » (M. Perrein, *Les Cotonniers de Bassalane*, p. 17). En dehors des chantiers navals Couach, à côté de l'usine de Facture, les seuls gros employeurs sont les hypermarchés, ce qui est significatif d'un pays entièrement dominé par le tertiaire : en 1982, il occupait ici 65,4 % des actifs, contre 57,6 % en France.

Les entreprises sont nombreuses dans chaque commune, mais ce ne sont presque toujours que des PME ou des PMI. Les activités sont plus artisanales qu'industrielles, et elles correspondent avant tout aux besoins d'un ensemble de population qui est désormais élevé, comme nous l'avons déjà vu, d'autant plus qu'une part croissante de la population résidante travaille dans ce que l'on peut appeler le grand Bordeaux : 440 personnes, par exemple en 2003 à Lège-Cap-Ferret dont la population active était en 1999 de 2231 personnes ! C'est du Bassin que vient en proportion le plus grand nombre de gens allant travailler chaque jour

Construction d'un maquereautier *(Le Jolie Brise)* et d'un bac à voile *(Umbria)* au chantier Raba à La Teste.

dans le grand Bordeaux : le quart des personnes ayant un emploi et habitant sur le Bassin émigrent au moins une fois par semaine pour aller travailler dans le grand Bordeaux, malgré les difficultés de circulation ; dans le sud Bassin, quotidiennement, 2 800 personnes vont travailler à Bordeaux – 14,3 % des actifs du Bassin –, contre 950 dans le sens opposé. Par ailleurs, beaucoup de maisons de gros se sont installées ici. Il y a également d'importants effectifs dans le bâtiment. Curieusement, l'hôtellerie occupe moins de population résidante qu'on ne pourrait s'y attendre a priori, car elle recourt chaque année à un nombre élevé de saisonniers. L'ensemble reste néanmoins dominé par le commerce. D'une manière générale, les deux mille saisonniers sont des jeunes, ayant presque tous moins de vingt-six ans, les deux tiers étant des étudiants et également les deux tiers venant de l'extérieur ; eux aussi rencontrent de réels problèmes de logement et d'accueil, ce qui a amené à créer une maison des saisonniers à La Teste. Enfin, on fera sa place à une intéressante activité de construction navale. Les chantiers Dubourdieu se sont spécialisés dans les « Classic Express » inspirés des pinasses. Les plus importants – plus de trois cents personnes – les chantiers Couach, qui ont lancé en juillet 2002 la plus grande vedette de luxe française, et avec lesquels Yves Parlier vient de s'associer pour construire un bateau révolutionnaire : un catamaran à deux mâts, ou hydraplaneur, projet qui fait entrer le Bassin dans la construction de bateaux de compétition composites high-tech, de grande dimension. Pour ces mêmes chantiers, et pour les autres, est en train de se faire l'aménagement du port de Larros, à Gujan-Mestras, qui permettra de travailler sur de grosses unités, quelle que soit la marée. La tradition de réussite Couach est forte ; elle a été pendant longtemps symbolisée par les vedettes en bois Arcoa. Déjà, Couach s'est tourné vers l'exportation, car, à défaut de développer un marché national ou international, le manque de mouillages – le client veut pouvoir disposer du bateau qu'il a fait construire ou acheté – risque de handicaper fortement cette activité, et la construction navale de plaisance du Bassin risque de voir ses débouchés de-

La plage du Pyla en hiver, devant les villas *Thétis* et *La Hutte*.

venir plus difficiles, même si, en 2003, les carnets de commande sont pleins pour deux à trois ans.

Il reste que les caractéristiques de la population résidante ont beaucoup changé : de moins en moins de métiers liés à la mer (Taussat, qui a compté jusqu'à trente-sept ostréiculteurs, n'en a plus qu'un seul), à la forêt ou à l'agriculture ; de plus en plus de tertiaire ; une croissance – mesurée – en nombre (mais pas en proportion) de l'artisanat ; un pourcentage très élevé de personnes travaillant dans le grand Bordeaux. Enfin, le Bassin est directement intéressé par l'implantation au Barp du Laser Mégajoule, ce qui non seulement créera, à partir de 2009, à proximité immédiate du Bassin, une unité de grande taille (huit cents à mille personnes travailleront dans un bâtiment de 300 mètres de longueur sur 45 de hauteur). Ainsi, le Bassin et ses environs renforcent des positions qui étaient déjà très fortes grâce à la présence du CEA au Barp et à la base aérienne de Cazaux.

Vers la maîtrise de la croissance

Au cours des quarante dernières années, la croissance de la population du Bassin a été très rapide, nettement supérieure celle du département et de la France. Ainsi, entre 1982 et 1990, le taux de croissance annuel a été le suivant : France : 0,49 % ; Gironde : 0,92 % ; Bassin d'Arcachon : 1,90 %. D'un point de vue démographique, c'est Arcachon qui a le moins profité de cette évolution. Certes, elle a gardé sa prospérité commerciale, mais son poids relatif n'a cessé de diminuer, d'autant plus qu'elle a reculé depuis le maximum de 1962 (15 462 habitants) : 11 770 en 1990, 11 854 en 1999. Les communes les plus importantes sont aujourd'hui La Teste : 23 819 habitants et Gujan-Mestras : 15 367. Andernos n'est plus très loin : 9 442 ; Biganos en a 7 018 et Lège-Cap-Ferret : 6 391. Si l'on reprend les divisions proposées plus haut, le groupe Arcachon-Gujan-La Teste est toujours majoritaire par rapport aux 92 558 habitants des communes limitrophes du Bassin : 55,1 %. Mais sa part a décru par rapport à 1911 (57,4 %), et surtout par rapport à 1946 ou 1975 :

	1911	1946	1975	1999
ARCACHON, GUJAN ET LA TESTE	21 612 57,4 %	27 986 68,4 %	39 422 68 %	51 040 hab. 55,1 %
AUTRES COMMUNES	10 100	12 962	18 519	41 518 hab.
TOTAL BASSIN	31 712	40 948	57 941	92 558 hab.

Les conclusions sont claires : d'une part, dans le sud du Bassin, la part de Gujan-Mestras et surtout de La Teste est de plus en plus importante par rapport à Arcachon ; même si celle-ci recommence à accroître sa population, elle ne pourra que limiter faiblement un retard croissant, imposé par l'exiguïté de son territoire. D'autre part, les trois communes principales du sud du Bassin se développent moins que les autres depuis trente ans. Par ailleurs, presque tous les terrains à bâtir intéressants, en vue ou à proximité du Bassin, sont aujourd'hui occupés, et des décisions concernant l'ensemble de celui-ci doivent être prises. C'est incontestablement une direction qui a été prise, avec un notable développement de l'intercommunalité et surtout de son action : Syndicat mixte du Bassin d'Arcachon (SIBA), qui assure de grands travaux d'aménagements comme le réensablement des plages ou le dragage du Bassin, et s'occupe du développement économique, du tourisme et de l'urbanisme, tout cela l'ayant amené à élaborer le schéma directeur du Bassin de 1994 et à être chargé d'élaborer le nouveau schéma ; communauté d'agglomérations du Bassin d'Arcachon Sud, réunissant Arcachon, Gujan, La Teste et Le Teich, essentiellement pour les questions d'économie et d'aménagement (COBAS) ; communauté de communes du Val de l'Eyre ; mise en place d'une intercommunalité du canton d'Audenge ; enfin, volonté des 17 maires du Bassin et du Val de Leyre de créer un « Pays du Bassin et du Val de Leyre », manifestée à la suite de leur réunion générale du 23 juin 2003, et dont les limites recoupent celles du nouvel arrondissement qui vient d'être créé : allant jusqu'à Lugos et Saint-Magne, il dénombrera près de 115 000 habitants.

Le retour des ostréiculteurs à l'entrée du port de Larros, à Gujan-Mestras.

Parmi les points communs à traiter, il y a donc la maîtrise générale de l'habitat et des infrastructures. Le Bassin bénéficie d'un aéroport à Villemarie (quarante mille mouvements en 2001, essentiellement liés aux loisirs), et il est relativement bien relié par voie ferrée à Bordeaux (et par Facture au sud de l'Aquitaine) avec une sorte de train banlieusard (dix-huit liaisons par jour). Du point de vue routier, beaucoup a été fait, mais l'été, les week-ends, et autour de certaines périodes de petites vacances, la circulation reste très difficile autour du Bassin, particulièrement au sud de celui-ci, ce qui entraîne pour les habitants permanents des nuisances considérables et des conditions de vie très difficiles. La lenteur avec laquelle l'autoroute est construite, l'incapacité à créer les échangeurs avant de dérouler les chaussées ne peuvent qu'étonner. On n'oubliera pas non plus les difficultés de la liaison Biganos-Arès, le contournement, qui est en projet depuis quinze ans, paraissant à nouveau relancé. Il s'y ajoute d'importants problèmes de dragage et d'hydraulique, sans parler de l'ensablement des plages. Par exemple, jusqu'à présent, le réensablement des plages pylataises devait être renouvelé tous les deux ans; en 2003, on a apporté 1,3 million de mètres cubes de sable, ce qui redonne la possibilité de longues promenades à marée basse et devrait, en principe, les fixer pour plusieurs années. En fait, il y a ici un problème permanent d'érosion des plages, qui correspond à des changements des lignes de rivage et des modifications des passes. Pour être très important, le phénomène n'est pas nouveau: par exemple, le Cap-Ferret a beaucoup reculé dans le premier tiers du XIXe siècle: 480 mètres en 1835. Aujourd'hui, « la pointe » est particulièrement menacée, de fortes brèches ne cessant de s'y ouvrir. Une dizaine de maisons sont en péril. À la flèche du Mimbeau, l'isobathe – 5 mètres, qui est désormais au pied des parcs à huîtres, avance vers les terres de 5 mètres par an. L'ensemble de la pointe a reculé de 440 mètres entre 1977 et 1996. Si donc, comme le soulignait le Bulletin municipal de juillet 2003, la pollution du *Prestige* est maintenant maîtrisée sur le Bassin, dont les plages ont été remarquablement entretenues durant l'été 2003, il reste à trouver une solution à

Andernos possède la plus longue jetée du Bassin.

Arcachon: la jetée de la Chapelle, dans le quartier Notre-Dame.

cette « situation inacceptable » que crée l'érosion. Elle ne paraît pas facile à définir, sans parler du coût.

Le rapprochement de tous ces faits débouche sur une série de questions, à commencer pour Arcachon. La ville n'a cessé depuis un demi-siècle de faire des efforts pour garder sa dynamique et son renom. Maire de 1945 à 1977, Lucien de Gracia a créé le golf, le stade de tennis, la piscine, les ports de pêche (1956) et de plaisance (1958), la criée, le lycée et l'hôpital. Une grande réussite a été, sous le mandat de Robert Fleury, l'aménagement de la plage Pereire (août 1978), comportant une promenade splendide et depuis peu une piste cyclable très appréciée. Il faut ajouter une vie culturelle et de spectacles intéressante que devrait favoriser la rénovation de l'Olympia qui deviendra une salle de spectacle de près de neuf cent cinquante places, une bonne université du 3ᵉ âge et, tout récemment, un établissement de thalassothérapie qui était un grand objectif de Pierre Lataillade sous lequel fut édifié le palais des Congrès-Casino, par transformation de l'ancien château Deganne, devenu casino au début du XXᵉ siècle; en 2002, il a généré 7,3 millions d'euros de retombées économiques sur la ville et reçu trente-huit mille personnes, dont treize mille pour des spectacles. Aujourd'hui, toute une série de projets ont pour but à la fois de rénover le centre urbain, autour du marché et de la mairie, et, par étapes, de réaménager la façade sur la mer (nouvelle jetée Thiers, par exemple), tout en apportant des aménagements favorables aux activités, comme une nouvelle halle sur le port et la construction d'un bâtiment commun des affaires maritimes et du service maritime. En même temps, depuis la fin des années 1940, cela s'est accompagné d'une transformation qui a rapproché Arcachon des autres villes françaises, avec de grands habitats comme Arcachon-Marines, la tour de l'Aiguillon, le remplacement en front de mer de la plupart des villas par des résidences… Le tout aboutissant à une allure urbaine qui est tout à fait frappante depuis l'autre côté du Bassin, ou lorsque l'on vient en bateau de Piquey ou du Cap-Ferret. La Ville d'Hiver, une partie de la Ville d'Automne et globalement le Moulleau sont les seules parties d'Arcachon à être restées proches de ce qu'elles étaient. Le Plan local d'urbanisme en cours de discussion entend les préserver, tout en rénovant le centre ville, ce qui paraît s'imposer. On ne pourra guère aller très loin: Arcachon restera dans la tranche supérieure des petites villes actuelles, même si elle est toujours une station balnéaire de haut niveau, qui « conserve sa réputation de ville où il fait bon vivre » (*Libération*, 22 juillet 2002).

Un exemple de recul: la plage de la Lagune

« La plage de la Lagune recule inexorablement. Entre juillet et novembre 2002, elle a perdu 20 mètres, et, entre novembre 2002 et janvier 2003, elle a perdu 30 mètres, soit un recul de plus de 10 mètres par mois, ce qui est extraordinaire. La piste cyclable, qui passait jadis entre les restaurants et la dune, est carrément tombée aux environs du mois de mars… Les deux restaurants, qui étaient en bordure de la plage, ont été enlevés… »

La Dépêche du Bassin, 24 au 30 avril 2003.

Les problèmes de La Teste et de Gujan-Mestras sont différents: ce n'est pas l'espace qui manque, mais une organisation urbaine: ce sont des communes éclatées en plusieurs pôles. Il n'y a pas de véritable centralité urbaine à Gujan, même si beaucoup a été fait depuis un quart de siècle. Le rôle du centre-ville reste réduit à La Teste malgré le marché central et une zone proche où l'on trouve un supermarché et un multicinémas. À Gujan, la vie des villages principaux (Gujan, Mestras, La Hume) reste réelle; elle n'est qu'en partie contrebalancée par la vigueur de la vie associative et l'action de la municipalité. À l'évidence, leurs municipalités aspirent à jouer un rôle plus grand, ce qui se manifeste par une politique culturelle de plus en plus soutenue, même si Andernos et Arcachon gardent de l'avance à cet égard. Mais l'absence de plages permanentes et l'éclatement des sites rendent difficile la pleine réussite de ces projets. Par ailleurs, il sera difficile de maintenir l'état actuel d'une partie des ports ostréicoles, par suite du recul numérique de la profession; certains projets proposent de s'en tenir à la préservation des «ports historiques»...

Les autres municipalités paraissent soucieuses de limiter et de contrôler désormais la croissance, notamment en préservant le type d'habitat actuel. Le meilleur exemple est bien sûr celui de la presqu'île du Cap-Ferret, mais on verra qu'au Teich, par exemple, le point de vue est très proche. Pour faire bref, on peut ramener les positions à deux principes: d'une part, le caractère intangible des zones forestières, en particulier dans la presqu'île où la municipalité actuelle, dirigée par M. Sammarcelli, a décidé qu'il n'est pas question d'installer une deuxième voie pénétrante qui résoudrait largement les embouteillages d'été, mais qui attaquerait beaucoup trop la forêt; d'autre part, le maintien d'une habitat forestier de villas de 8 ou 11 mètres de hauteur maximale, sans immeubles. Ainsi, le maire du Teich a déclaré à *Sud Ouest*, le 17 juin 2003, que la population (5200 habitants aujourd'hui), serait maintenue entre 6000 et 6500 habitants; qu'il fallait «stopper l'étalement urbain... mettre un frein à l'urbanisation sous forme de lotissements de cinquante lots... qui excluent les gens modestes... développer et densifier le réseau cyclable». F. Deluga ajoutait: «Il faut maintenir le classement de plus de 90 % du territoire (de la commune) en zone naturelle... Orienté vers l'environnement, Le Teich doit garder sa spécificité de village dans la nature». On peut rappeler à ce propos que 6875 hectares forestiers sont classés, dont la dune du Pilat, protégée depuis 1943, la forêt usagère, qui l'est depuis 1994, et une partie de la forêt privée.

Ces positions paraissent d'autant plus solides qu'elles sont soutenues par la très grande majorité des résidants et des propriétaires, notamment par l'intermédiaire d'associations actives et vigilantes. Il s'agit en réalité d'un mouvement très général, qui concerne aussi bien le patrimoine de la Ville d'Hiver que les pinasses à voiles en bois, *Le Courrier du Cap* que d'aucuns voudraient revoir naviguer, ou que l'association qui reconstruit à Larros un bac à voile sardinier... Ou le Musée de l'huître de Larros (quinze mille visiteurs par an), ou encore l'association «Bien vivre à l'Aiguillon», qui veut «conserver à son quartier son aspect de village de pêcheurs où se comptent encore les maisons basses à galeries nimbées de vigne vierge» (*Sud Ouest*, 1er août 2002). Il est très clair que le patriotisme local est devenu très fort et que ceux qui ont choisi de venir habiter ici, à titre principal ou secondaire, veulent absolument garder l'environnement qui les a attirés. Sentiment de la nature et défense du patrimoine s'additionnent donc. Ces réactions, déjà très fortes depuis une dizaine d'années, ont été davantage encore cristallisées en 2003 par la marée noire, qui a peu touché l'intérieur du Bassin, mais causé de graves dommages sur les plages océaniques, déclenchant des réactions de défense et de solidarité sans précédent, au prix cependant d'un coût humain et économique très élevé.

Cette très forte volonté de préservation de l'existant n'en entraîne pas moins de nombreux problèmes économiques et sociaux. En premier lieu, une flambée des prix des logements, à la location et à la vente: on dit souvent aujourd'hui qu'il n'y plus de prix de vente dans la presqu'île, la rareté se conjuguant avec une demande considérable; à Arcachon, les loyers flambent et louer à l'année une maison y relève «du parcours du combattant» (*Sud Ouest*, 10 septembre 2003). Le mouvement concerne toutes les communes et s'étend en fait à tout un grand Bordeaux, avec une accentuation particulière pour la partie ouest de l'agglomération. Or, les décisions qui sont en train d'être prises ne pourront que l'accentuer, l'offre se bloquant de plus en plus, sauf à développer les zones constructibles en arrière du Bassin, à partir d'un aménagement d'ensemble autour de celui-ci. On a à la fois un taux de chômage très élevé (le plus fort de la région avec 15,5 %) et un problème d'équilibre démographique: comment garder ou faire venir une population jeune? Bien entendu, le poids des résidences secondaires est considérable: sur 64677 résidences, 26041, soit 40,3 %, sont des résidences secondaires. Dans plusieurs communes, les pourcentages sont très élevés: 69,3 % à Lège-Cap-Ferret, 56,4 % à Arcachon; 41 % à Andernos... Seules font exception Audenge (14,1 %), Biganos (3 %) et Le Teich (6,1 %). Mais il s'y ajoute ceux qui travaillent en dehors du Bassin, dont nous avons vu les pourcentages très élevés. On voit donc la plupart des municipalités s'efforcer d'implanter des logements sociaux permettant d'accueillir de jeunes ménages ou des couples à revenus modestes. Enfin, il y a un peu partout une importante proportion de personnes âgées, et notamment de dames seules ou veuves, ce qui permet des clubs du 3e âge très actifs, mais pose évidemment des problèmes aux municipalités. Cette personne seule provient souvent d'un couple qui a choisi à la retraite de transformer en résidence principale sa villa du Bassin, ce qui nous ramène à l'attrait considérable des conditions de vie autour de celui-ci et à la volonté de le préserver en maîtrisant désormais la croissance.

Au demeurant, est-il possible d'augmenter beaucoup l'habitat dans les années à venir ? Dans de nombreux endroits, la situation est très tendue l'été, aussi bien pour les services municipaux débordés (notamment par l'enlèvement des ordures), que pour les infrastructures en place : dans la presqu'île, par exemple, on est alors aux limites du possible pour le ravitaillement en eau potable (malgré un renforcement récent du réseau d'alimentation) ou pour le tout-à-l'égout. Il est donc difficile d'envisager que la croissance de la population reste aussi rapide dans une grande partie du Bassin, y compris celle des estivants, car même pour les campings, on n'est pas très loin de la saturation dans les sites littoraux.

Cela vaut aussi pour une bonne partie des activités de plaisance. D'une part, les places dans les ports sont prises d'assaut et l'importante fraude avec les corps-morts ne peut suffire à l'accroissement de la demande. Il y a 4520 mouillages autorisés et plus de 3000 illégaux ; 4300 places dans les ports et peut-être 800 à 1000 de plus dans les années à venir. Mais, cependant, la pénurie continuera : ainsi, à Arcachon, 240 anneaux supplémentaires vont être créés en plus des 2600 existant actuellement, mais les demandes en attente sont au nombre de 8807 et comme il ne se libère que trente à quarante places par an, on voit l'ampleur du problème. À Andernos, le problème est le même : il ne se libère que deux à trois places par an ! C'est pourquoi *Sud Ouest* titrait le 13 mai 2003 : « Bassin d'Arcachon : les joies de la plaisance virent à la galère ! » Certes, des solutions existent comme les ports au sec. Mais on tombe alors sur l'autre grande difficulté, qui est tout aussi considérable : est-il souhaitable de laisser augmenter la navigation de plaisance, alors que l'été et certains week-ends on peut estimer que le Bassin est déjà en état de saturation et qu'il serait risqué de continuer à accroître celle-ci ? Sans parler de problèmes difficiles de cohabitation entre les baigneurs, les véliplanchistes de toutes sortes, et les bateaux à moteur, dont beaucoup ne respectent pas aussi strictement qu'il le faudrait « la bande des 300 mètres », à partir du rivage, où on ne doit pas marcher à plus de cinq nœuds.

Comme on le voit, dans de nombreux domaines fondamentaux et pour une grande partie des superficies qui l'entourent, le Bassin d'Arcachon paraît presque au bout de ses possibilités. Certes, une partie des solutions sont déjà en place. D'une part, la multiplication des petites vacances et les loisirs plus étendus liés aux nouveaux rythmes de travail aboutissent à l'allongement de la saison. D'autre part, l'orientation vers un tourisme d'affaires, actuellement freiné par l'absence d'un équipement hôtelier haut de gamme, peut également apporter un appoint très important, grâce à la qualité de la vie et des sites, mais aussi à la douceur du climat. Tout cela ne pèserait pas sur le milieu naturel et sur les structures de l'habitat que tous les responsables veulent préserver. Tous soulignent qu'il s'agit d'un milieu fragile, menacé, difficile à protéger ou à remettre en état (voir, par exemple, le difficile problème posé par les spartines, qui prolifèrent depuis les années 1980, surtout dans la partie nord du Bassin ; fixant les sédiments, ces herbes contribuent au comblement des chenaux), qu'on ne peut prendre le risque de mettre en péril ; tous soulignent que l'habitat forestier doit être absolument préservé. On peut ajouter qu'il est aujourd'hui possible de faire à pied le tour du Bassin grâce à un sentier balisé de 100 kilomètres, qui se situe le plus souvent au bord de l'eau, et que la fin des aménagements cyclables devrait en fournir l'équivalent, une étape essentielle étant l'achèvement en septembre 2003 d'une passerelle pour vélos au-dessus de l'autoroute.

La pointe de l'Aiguillon à Arcachon.

Tout comme la venue depuis un demi siècle de plus de 51000 habitants nouveaux là où il n'y en avait en 1946 que 40948, cette attitude si générale témoigne de l'attrait pour les conditions de vie de ce milieu et de ce cadre exceptionnel que représente le Bassin d'Arcachon. À cet égard, il n'y rien de changé par rapport à ce que pensaient Alphonse Lamarque de Plaisance, Jean Hameau, François Legallais ou Émile Pereire.

EN PAGES SUIVANTES

Les promeneurs, à la jetée du Moulleau, l'été, au coucher du soleil.

Bibliographie

Nous disposons aujourd'hui de l'excellent *Dictionnaire du Bassin d'Arcachon*, publié par O. de Marliave (Éditions Sud Ouest, 2002) ; dans bien des domaines, il constitue l'ouvrage auquel il convient de se référer. Pour les autres ouvrages, la situation est beaucoup plus contrastée. En effet, s'il existe une très abondante littérature sur le Bassin d'Arcachon, en dehors du livre peu approfondi de R. Galy, *Histoire du Bassin d'Arcachon* (Princi Negre, 1998), qui à la fois peut servir d'introduction et donne de nombreux détails, il n'y a aucun ouvrage d'ensemble ni pour l'histoire, ni pour la géographie, ni pour l'économie, ce qui ne signifie pas que l'on n'a pas la possibilité de recourir à plusieurs travaux ou études de très grande qualité. C'est ainsi qu'a été publié, sous la direction de C. Daney et M. Boyé, aidés de onze collaborateurs, un ouvrage à thèmes dont la lecture est indispensable, *Une Histoire du Bassin : Arcachon, entre landes et Océan* (Mollat, 1995).

Toujours dans le domaine historique, on trouve énormément de renseignements et d'excellents articles dans le *Bulletin de la Société historique et archéologique d'Arcachon et du pays de Buch* (4 numéros par an ; le n° 117 a été publié durant l'été 2003). On y ajoutera plusieurs volumes de colloques qui offrent, comme *Une histoire du Bassin*, des contributions séparées : *Le Littoral gascon et son arrière-pays*, n° I, Arcachon, 1990 ; n° 2, Arcachon, 1992 (ce sont des colloques de la Société historique) ; *D'Arcachon à Andernos : regards sur le Bassin* (Actes du 48ᵉ Congrès d'études régionales de la Fédération historique du Sud-Ouest, Bordeaux, 1997).

La thèse de géographie de M. Cassou-Mounat *La vie humaine sur le littoral des Landes de Gascogne* (Champion, 1977), constitue une analyse essentielle pour comprendre l'évolution du Bassin, y compris pour les deux décennies à venir.

On regardera encore *Le Bassin d'Arcachon : milieu biologique* (CRDP, 1986) ; C. Labrid, *L'Ostréiculture et le Bassin d'Arcachon* (Féret, 1969) ; *L'Ostréiculture arcachonnaise* (Société historique et archéologique, 1994) ; J.-Y. Rossignol, *Le Delta de la Leyre* (Conseil général de la Gironde, 1996). Dans le domaine maritime, et notamment le yachting, sont tout à fait intéressants *Les Cahiers du Bassin*, édités depuis 1997 par « Les Voiles d'antan » du Bassin d'Arcachon.

On aura un réel profit à utiliser : R. Aufan, *La Naissance d'Arcachon (1823-1857)* (Société historique et archéologique, 1994) ; R. Aufan et F. Thierry, *Histoire des produits résineux landais* (Société historique et archéologique, 1990) ; E. Keller, *Arcachon : villas et personnalités* (Éd. Équinoxe, 1994) ; B. Wagon, *Le Littoral aquitain : paysage et architecture* (Délégation régionale à l'architecture, 1987) ; L. Grenier et M. Culot éd., *La Ville d'Hiver d'Arcachon* (Institut français d'architecture, 1983) ; P. Buffault, *Histoire des dunes maritimes de la Gascogne* (Delmas, 1942) ; J. Sargos, *Histoire de la forêt landaise : du désert à l'âge d'or* (L'Horizon chimérique, 1997) ; J. Ragot, *Pages d'histoire du pays de Buch* (1987) ; F. Thierry, *Archéologie en Buch et Born* (Société historique et archéologique, 2002) ; M. Boyé, *Arcachon raconté par ses rues et lieux-dits* (Société historique et archéologique, 2000) ; N. Pinard de Puyjoulon, *Les Cabanes du Sud-Ouest* (Aubanel, 2003) ; M. Szelengowicz, *Le Bassin d'Arcachon vu par les peintres* (Huche Corne, 1993) ; le livre splendide de B. Cherrier, *Fond de Bassin* (Aubéron, 1994).

Les éditions de cartes postales sont multiples et incessantes, sous une forme plus ou moins élaborée. À titre indicatif, retenons P. Perrein, *Images d'autrefois de la Gironde*, tome I : « Le Bassin d'Arcachon » (Fanlac, 1982), la plus générale de toutes ces publications ; J.-P. Bernès, *Audenge et son canton* (A. Sutton, 2003) ; J. Clémens et F. Baudy, *Andernos-les-Bains* (A. Sutton, 2003) ; M. Baumann, *Le Cap-Ferret* (Équinoxe, 2 vol., tome 1, 2001 ; tome 2,) ; C. Bouchard-Camedescasse, *Il était une fois Arcachon : la nostalgie à travers les cartes postales* (Communication-Presse-Édition, 2003) ; J. Delamare, *La Teste-de-Buch à travers les siècles* (Bertout, 1999) ; F. et F. Cottin, *Le Bassin d'Arcachon, au temps des pinasses, de l'huître et de la résine* (L'Horizon chimérique, 2000).

De nombreux écrivains ont parlé du Bassin. On se reportera aux excellents recueils de J.-C. Garnung, *Je vous écris du Bassin d'Arcachon* (Éd. Pimientos, tome 1, 2002 ; tome 2, 2003). J'ai emprunté à cet ouvrage les textes de J. de Thou et de C. Perrault. On peut, pour le plaisir, citer P. Caupenne, *Du rififi sur le Bassin* (2 tomes, 1999 et 2002), qui est une bande dessinée, et une enquête du commissaire Bourrel : M. Bastide, *Au Bassin d'Arcachon* (Le Masque, 1961).

Je dois beaucoup à la lecture de l'édition de *Sud Ouest « Bassin d'Arcachon »*, et de *La Dépêche du Bassin*, qui publie des documents anciens, des articles de fond et des articles historiques.

Deux documents, enfin, sont exceptionnels. Il s'agit tout d'abord du volume III des albums de dessin de Léo Drouyn, *Le Bassin d'Arcachon et la Grande Lande* (CLEM, 1998). Puis du *Voyage en France* d'Ardouin-Dumazet : vol. 3 : *Les Îles de l'Atlantique : I. D'Arcachon à Belle Isle* (1895) ; vol. 30 : *Gascogne*. On prendra aussi beaucoup d'intérêt à la lecture du tome 3 des *Variétés bordelaises* de l'abbé Baurein (Ferret, 1876), dont le pays de Buch forme une grande part.

CI-CONTRE
***La Testerine*, pinassotte à voile filant au bon plein dans la rade d'Arcachon.**

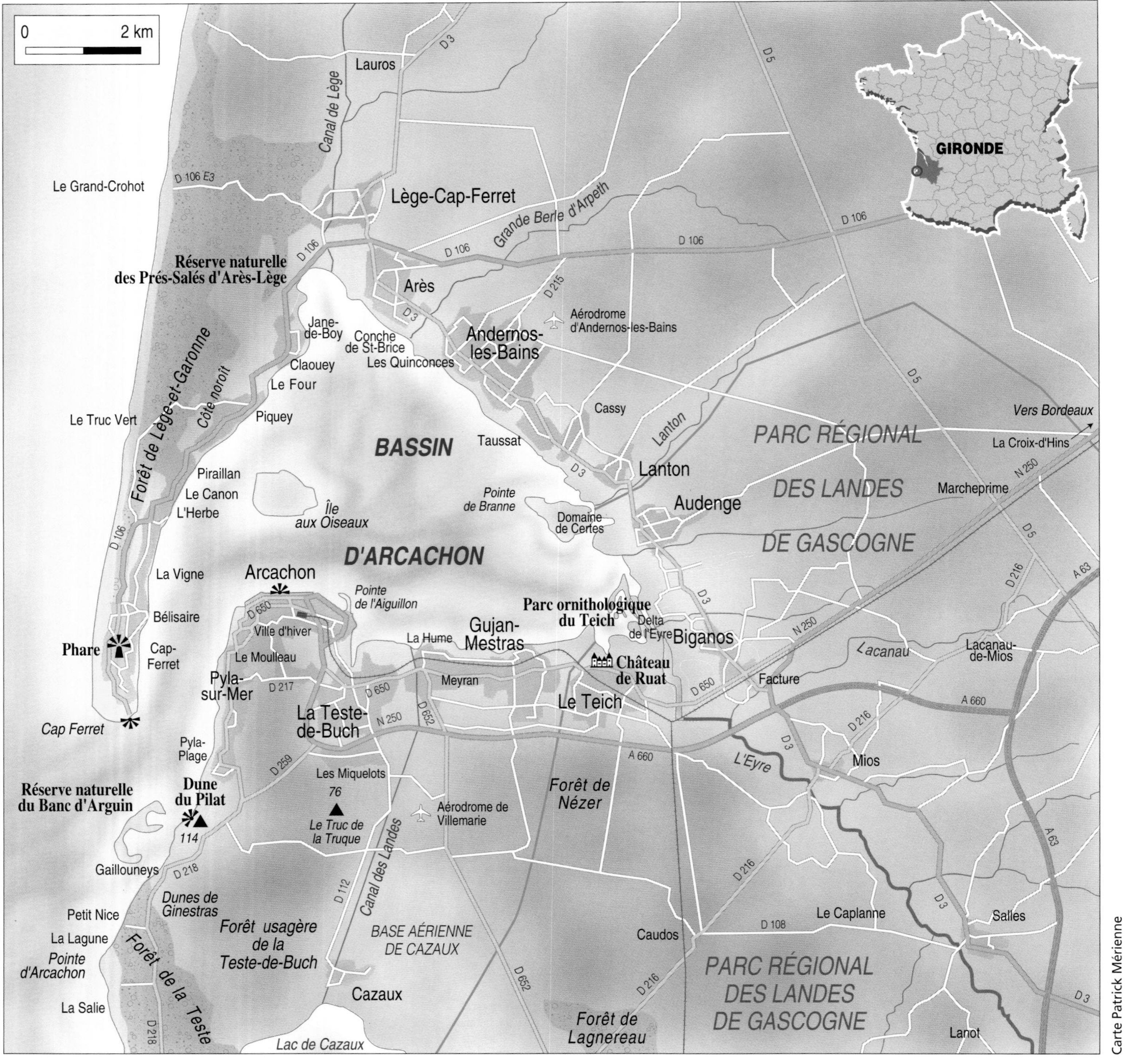

Carte Patrick Mérienne

Remerciements

Ce livre n'aurait pas vu le jour sans la demande amicale de G.-M. Renié. Son écriture a été fortement facilitée par l'aide précieuse d'A. et E. Cuq, J.-P. Bordier, C. Huetz de Lemps, J.-P. Bernès, M. Figeac, F. Laux. Michel Boyé, président de la Société historique et archéologique, et G. Neymon, secrétaire générale, m'ont permis – avec une grande générosité – de rassembler la documentation indispensable. Dans le domaine de l'économie et des compétences du COBAS, l'aide très amicale de P. Delfaud m'a été d'un grand secours.
MM. les maires d'Arcachon et de Lège-Cap-Ferret m'ont très aimablement communiqué les rapports de présentation du Plan local d'urbanisme, en cours de décision.
Afin de vérifier mes données, Mme des Esgaulx, députée, MM. Sammarcelli (maire de Lège-Cap-Ferret), Pérusat (maire d'Andernos), Druart (président de la Section régionale de conchyliculture), Mauviau (secrétaire général de celle-ci), Herszfeld (directeur des pêches et de la criée), Guérin (Directeur du SIBA), P. Labrue (directeur de cabinet de M. le maire de Gujan-Mestras) ont accepté de me recevoir, en m'apportant, lors de ces entretiens, de précieux renseignements.
Je n'aurais garde d'oublier J.-J. Le Fur pour sa si amicale collaboration et pour ses nombreuses suggestions.
Enfin, par-delà les années, je ne saurais trop dire à quel point m'ont fait connaître et aimer le Bassin d'Arcachon, à partir de 1946, mes séjours en compagnie de ma mère, de mes cousins Claude et Jacques Royère, et de leurs amis Mariol (Arès, Claouey, la Vigne, Arcachon).

Table des matières

Safety Symbols

These symbols appear in laboratory activities. They warn of possible dangers in the laboratory and remind you to work carefully.

Safety Goggles Wear safety goggles to protect your eyes in any activity involving chemicals, flames or heating, or glassware.

Lab Apron Wear a laboratory apron to protect your skin and clothing from damage.

Breakage Handle breakable materials, such as glassware, with care. Do not touch broken glassware.

Heat-Resistant Gloves Use an oven mitt or other hand protection when handling hot materials such as hot plates or hot glassware.

Plastic Gloves Wear disposable plastic gloves when working with harmful chemicals and organisms. Keep your hands away from your face, and dispose of the gloves according to your teacher's instructions.

Heating Use a clamp or tongs to pick up hot glassware. Do not touch hot objects with your bare hands.

Flames Before you work with flames, tie back loose hair and clothing. Follow instructions from your teacher about lighting and extinguishing flames.

No Flames When using flammable materials, make sure there are no flames, sparks, or other exposed heat sources present.

Corrosive Chemical Avoid getting acid or other corrosive chemicals on your skin or clothing or in your eyes. Do not inhale the vapors. Wash your hands after the activity.

Poison Do not let any poisonous chemical come into contact with your skin, and do not inhale its vapors. Wash your hands when you are finished with the activity.

Fumes Work in a ventilated area when harmful vapors may be involved. Avoid inhaling vapors directly. Only test an odor when directed to do so by your teacher, and use a wafting motion to direct the vapor toward your nose.

Sharp Object Scissors, scalpels, knives, needles, pins, and tacks can cut your skin. Always direct a sharp edge or point away from yourself and others.

Animal Safety Treat live or preserved animals or animal parts with care to avoid harming the animals or yourself. Wash your hands when you are finished with the activity.

Plant Safety Handle plants only as directed by your teacher. If you are allergic to certain plants, tell your teacher; do not do an activity involving those plants. Avoid touching harmful plants such as poison ivy. Wash your hands when you are finished with the activity.

Electric Shock To avoid electric shock, never use electrical equipment around water, or when the equipment is wet or your hands are wet. Be sure cords are untangled and cannot trip anyone. Unplug equipment not in use.

Physical Safety When an experiment involves physical activity, avoid injuring yourself or others. Alert your teacher if there is any reason you should not participate.

Disposal Dispose of chemicals and other laboratory materials safely. Follow the instructions from your teacher.

Hand Washing Wash your hands thoroughly when finished with the activity. Use antibacterial soap and warm water. Rinse well.

General Safety Awareness When this symbol appears, follow the instructions provided. When you are asked to develop your own procedure in a lab, have your teacher approve your plan before you go further.

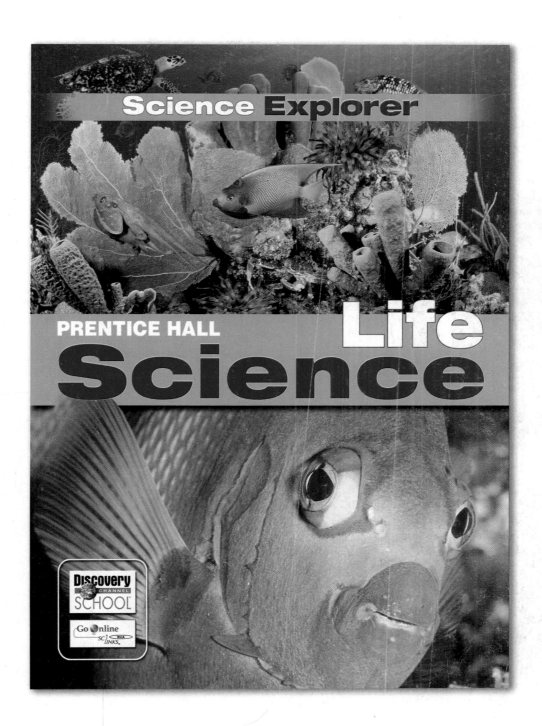

Science Explorer

PRENTICE HALL

Life Science

Discovery Channel School

Go Online SciLinks NSTA

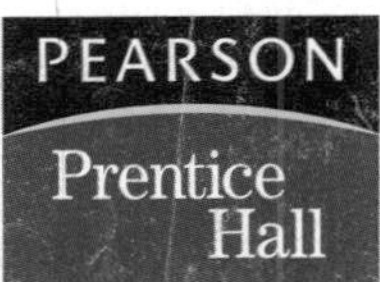

Boston, Massachusetts
Upper Saddle River, New Jersey

Life Science

Program Resources

Student Edition
Student Express™ with Interactive Textbook
Teacher's Edition
All-in-One Teaching Resources
Color Transparencies
Guided Reading and Study Workbook
Laboratory Manual
Consumable and Nonconsumable Materials Kits
Computer Microscope Lab Manual
Inquiry Skills Activity Books
Progress Monitoring Assessments
Test Preparation Workbook
Test-Taking Tips With Transparencies
Teacher's ELL Handbook
Reading Strategies for Science Content

Program Technology Resources

TeacherEXPRESS™ CD-ROM
Interactive Textbooks Online
PresentationEXPRESS™ CD-ROM
Student Edition on Audio CD
ExamView® Computer Test Bank CD-ROM
Lab zone™ Easy Planner CD-ROM
Probeware Lab Manual With CD-ROM
Computer Microscope and Lab Manual
Materials Ordering CD-ROM
Discovery Channel School® Video and DVD Library
Lab Activity Video and DVD Library
Web Site at PHSchool.com

Spanish Resources for Modular Series

Spanish Student Edition
Spanish Guided Reading and Study Workbook
Spanish Teaching Guide With Tests

Acknowledgments appear on pages 872–874, which constitute an extension of this copyright page.

Copyright © 2005 by Pearson Education, Inc., publishing as Pearson Prentice Hall, Boston, Massachusetts 02116. All rights reserved. Printed in the United States of America. This publication is protected by copyright, and permission should be obtained from the publisher prior to any prohibited reproduction, storage in a retrieval system, or transmission in any form or by any means, electronic, mechanical, photocopying, recording, or likewise. For information regarding permission(s), write to: Rights and Permissions Department, One Lake Street, Upper Saddle River, New Jersey 07458.

Pearson Prentice Hall™ is a trademark of Pearson Education, Inc.
Pearson® is a registered trademark of Pearson plc.
Prentice Hall® is a registered trademark of Pearson Education, Inc.

Lab zone™ is a trademark of Pearson Education, Inc.

Planet Diary® is a registered trademark of Addison Wesley Longman, Inc.

Discovery Channel School® is a registered trademark of Discovery Communications, Inc., used under license. The Discovery Channel School logo is a trademark of Discovery Communications, Inc.

SciLinks® is a trademark of the National Science Teachers Association. The SciLinks® service includes copyrighted materials and is owned and provided by the National Science Teachers Association. All rights reserved.

Science News® is a registered trademark of Science Services, Inc.

Cover
A rich variety of underwater life thrives among the reefs of the Cayman Islands (top). One striking reef resident is the queen angelfish (bottom), characterized by its brilliant blue and yellow coloring.

ISBN 0-13-190119-2

3 4 5 6 7 8 9 10 08 07 06 05

Program Authors

Michael J. Padilla, Ph.D.
Professor of Science Education
University of Georgia
Athens, Georgia

Michael Padilla is a leader in middle school science education. He has served as an author and elected officer for the National Science Teachers Association and as a writer of the National Science Education Standards. As lead author of Science Explorer, Mike has inspired the team in developing a program that meets the needs of middle grades students, promotes science inquiry, and is aligned with the National Science Education Standards.

Ioannis Miaoulis, Ph.D.
President
Museum of Science
Boston, Massachusetts

Originally trained as a mechanical engineer, Ioannis Miaoulis is in the forefront of the national movement to increase technological literacy. As dean of the Tufts University School of Engineering, Dr. Miaoulis spearheaded the introduction of engineering into the Massachusetts curriculum. Currently he is working with school systems across the country to engage students in engineering activities and to foster discussions on the impact of science and technology on society.

Martha Cyr, Ph.D.
Director of K–12 Outreach
Worcester Polytechnic Institute
Worcester, Massachusetts

Martha Cyr is a noted expert in engineering outreach. She has over nine years of experience with programs and activities that emphasize the use of engineering principles, through hands-on projects, to excite and motivate students and teachers of mathematics and science in grades K–12. Her goal is to stimulate a continued interest in science and mathematics through engineering.

Book Authors

Elizabeth Coolidge-Stolz, M.D.
Medical Writer
North Reading, Massachusetts

Donald Cronkite, Ph.D.
Professor of Biology
Hope College
Holland, Michigan

Jan Jenner, Ph.D.
Science Writer
Talladega, Alabama

Linda Cronin Jones, Ph.D.
Associate Professor of Science and Environmental Education
University of Florida
Gainesville, Florida

Marylin Lisowski, Ph.D
Professor of Science and Environmental Education
Eastern Illinois University
Charleston, Illinois

Contributing Writers

Douglas E. Bowman
Health/Physical Education Teacher
Welches Middle School
Welches, Oregon

Patricia M. Doran
Science Instructional Assistant
State University of New York at Ulster
Stone Ridge, New York

Fred Holtzclaw
Science Instructor
Oak Ridge High School
Oak Ridge, Tennessee

Theresa K. Holtzclaw
Former Science Instructor
Clinton, Tennessee

Jorie Hunken
Science Consultant
Woodstock, Connecticut

James Robert Kaczynski, Jr.
Science Instructor
Jamestown School
Jamestown, Rhode Island

Andrew C. Kemp, Ph.D.
Assistant Professor of Education
University of Louisville
Louisville , Kentucky

Beth Miaoulis
Technology Writer
Sherborn, Massachusetts

Evan P. Silberstein
Science Instructor
The Frisch School
Paramus, New Jersey

Joseph Stukey, Ph.D.
Department of Biology
Hope College
Holland, Michigan

Thomas R. Wellnitz
Science Instructor
The Paideia School
Atlanta, Georgia

Consultants

Reading Consultant

Nancy Romance, Ph.D.
Professor of Science Education
Florida Atlantic University
Fort Lauderdale, Florida

Mathematics Consultant

William Tate, Ph.D.
Professor of Education and Applied Statistics and Computation
Washington University
St. Louis, Missouri

Reviewers

Content Reviewers

Paul Beale, Ph.D.
Department of Physics
University of Colorado
Boulder, Colorado

Jeff Bodart, Ph.D.
Chipola Junior College
Marianna, Florida

Michael Castellani, Ph.D.
Department of Chemistry
Marshall University
Huntington, West Virginia

Eugene Chiang, Ph.D.
Department of Astronomy
University of California – Berkeley
Berkeley, California

Charles C. Curtis, Ph.D.
Department of Physics
University of Arizona
Tucson, Arizona

Daniel Kirk-Davidoff, Ph.D.
Department of Meteorology
University of Maryland
College Park, Maryland

Diane T. Doser, Ph.D.
Department of Geological Sciences
University of Texas at El Paso
El Paso, Texas

R. E. Duhrkopf, Ph.D.
Department of Biology
Baylor University
Waco, Texas

Michael Hacker
Co-director, Center for Technological Literacy
Hofstra University
Hempstead, New York

Michael W. Hamburger, Ph.D.
Department of Geological Sciences
Indiana University
Bloomington, Indiana

Alice K. Hankla, Ph.D.
The Galloway School
Atlanta, Georgia

Donald C. Jackson, Ph.D.
Department of Molecular Pharmacology, Physiology, & Biotechnology
Brown University
Providence, Rhode Island

Jeremiah N. Jarrett, Ph.D.
Department of Biological Sciences
Central Connecticut State University
New Britain, Connecticut

David Lederman, Ph.D.
Department of Physics
West Virginia University
Morgantown, West Virginia

Becky Mansfield, Ph.D.
Department of Geography
Ohio State University
Columbus, Ohio

Elizabeth M. Martin, M.S.
Department of Chemistry and Biochemistry
College of Charleston
Charleston, South Carolina

Joe McCullough, Ph.D.
Department of Natural and Applied Sciences
Cabrillo College
Aptos, California

Robert J. Mellors, Ph.D.
Department of Geological Sciences
San Diego State University
San Diego, California

Joseph M. Moran, Ph.D.
American Meteorological Society
Washington, D.C.

David J. Morrissey, Ph.D.
Department of Chemistry
Michigan State University
East Lansing, Michigan

Philip A. Reed, Ph.D.
Department of Occupational & Technical Studies
Old Dominion University
Norfolk, Virginia

Scott M. Rochette, Ph.D.
Department of the Earth Sciences
State University of New York, College at Brockport
Brockport, New York

Laurence D. Rosenhein, Ph.D.
Department of Chemistry
Indiana State University
Terre Haute, Indiana

Ronald Sass, Ph.D.
Department of Biology and Chemistry
Rice University
Houston, Texas

George Schatz, Ph.D.
Department of Chemistry
Northwestern University
Evanston, Illinois

Sara Seager, Ph.D.
Carnegie Institution of Washington
Washington, D.C.

Robert M. Thornton, Ph.D.
Section of Plant Biology
University of California
Davis, California

John R. Villarreal, Ph.D.
College of Science and Engineering
The University of Texas – Pan American
Edinburg, Texas

Kenneth Welty, Ph.D.
School of Education
University of Wisconsin–Stout
Menomonie, Wisconsin

Edward J. Zalisko, Ph.D.
Department of Biology
Blackburn College
Carlinville, Illinois

Tufts University Content Reviewers

Faculty from Tufts University in Medford, Massachusetts, developed *Science Explorer* chapter projects and reviewed the student books.

Astier M. Almedom, Ph.D.
Department of Biology

Wayne Chudyk, Ph.D.
Department of Civil and Environmental Engineering

John L. Durant, Ph.D.
Department of Civil and Environmental Engineering

George S. Ellmore, Ph.D.
Department of Biology

David Kaplan, Ph.D.
Department of Biomedical Engineering

Samuel Kounaves, Ph.D.
Department of Chemistry

David H. Lee, Ph.D.
Department of Chemistry

Douglas Matson, Ph.D.
Department of Mechanical Engineering

Karen Panetta, Ph.D.
Department of Electrical Engineering and Computer Science

Jan A. Pechenik, Ph.D.
Department of Biology

John C. Ridge, Ph.D.
Department of Geology

William Waller, Ph.D.
Department of Astronomy

Teacher Reviewers

David R. Blakely
Arlington High School
Arlington, Massachusetts

Jane E. Callery
Two Rivers Magnet Middle School
East Hartford, Connecticut

Melissa Lynn Cook
Oakland Mills High School
Columbia, Maryland

James Fattic
Southside Middle School
Anderson, Indiana

Dan Gabel
Hoover Middle School
Rockville, Maryland

Wayne Goates
Eisenhower Middle School
Goddard, Kansas

Katherine Bobay Graser
Mint Hill Middle School
Charlotte, North Carolina

Darcy Hampton
Deal Junior High School
Washington, D.C.

Karen Kelly
Pierce Middle School
Waterford, Michigan

David Kelso
Manchester High School Central
Manchester, New Hampshire

Benigno Lopez, Jr.
Sleepy Hill Middle School
Lakeland, Florida

Angie L. Matamoros, Ph.D.
ALM Consulting, Inc.
Weston, Florida

Tim McCollum
Charleston Middle School
Charleston, Illinois

Bruce A. Mellin
Brooks School
North Andover, Massachusetts

Ella Jay Parfitt
Southeast Middle School
Baltimore, Maryland

Evelyn A. Pizzarello
Louis M. Klein Middle School
Harrison, New York

Kathleen M. Poe
Fletcher Middle School
Jacksonville, Florida

Shirley Rose
Lewis and Clark Middle School
Tulsa, Oklahoma

Linda Sandersen
Greenfield Middle School
Greenfield, Wisconsin

Mary E. Solan
Southwest Middle School
Charlotte, North Carolina

Mary Stewart
University of Tulsa
Tulsa, Oklahoma

Paul Swenson
Billings West High School
Billings, Montana

Thomas Vaughn
Arlington High School
Arlington, Massachusetts

Susan C. Zibell
Central Elementary
Simsbury, Connecticut

Safety Reviewers

W. H. Breazeale, Ph.D.
Department of Chemistry
College of Charleston
Charleston, South Carolina

Ruth Hathaway, Ph.D.
Hathaway Consulting
Cape Girardeau, Missouri

Douglas Mandt, M.S.
Science Education Consultant
Edgewood, Washington

Activity Field Testers

Nicki Bibbo
Witchcraft Heights School
Salem, Massachusetts

Rose-Marie Botting
Broward County Schools
Fort Lauderdale, Florida

Colleen Campos
Laredo Middle School
Aurora, Colorado

Elizabeth Chait
W. L. Chenery Middle School
Belmont, Massachusetts

Holly Estes
Hale Middle School
Stow, Massachusetts

Laura Hapgood
Plymouth Community Intermediate School
Plymouth, Massachusetts

Mary F. Lavin
Plymouth Community Intermediate School
Plymouth, Massachusetts

James MacNeil, Ph.D.
Cambridge, Massachusetts

Lauren Magruder
St. Michael's Country Day School
Newport, Rhode Island

Jeanne Maurand
Austin Preparatory School
Reading, Massachusetts

Joanne Jackson-Pelletier
Winman Junior High School
Warwick, Rhode Island

Warren Phillips
Plymouth Public Schools
Plymouth, Massachusetts

Carol Pirtle
Hale Middle School
Stow, Massachusetts

Kathleen M. Poe
Fletcher Middle School
Jacksonville, Florida

Cynthia B. Pope
Norfolk Public Schools
Norfolk, Virginia

Anne Scammell
Geneva Middle School
Geneva, New York

Karen Riley Sievers
Callanan Middle School
Des Moines, Iowa

David M. Smith
Eyer Middle School
Allentown, Pennsylvania

Gene Vitale
Parkland School
McHenry, Illinois

Contents

Life Science

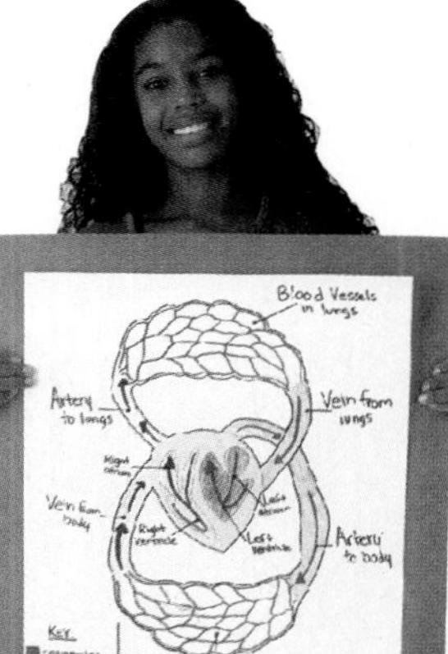

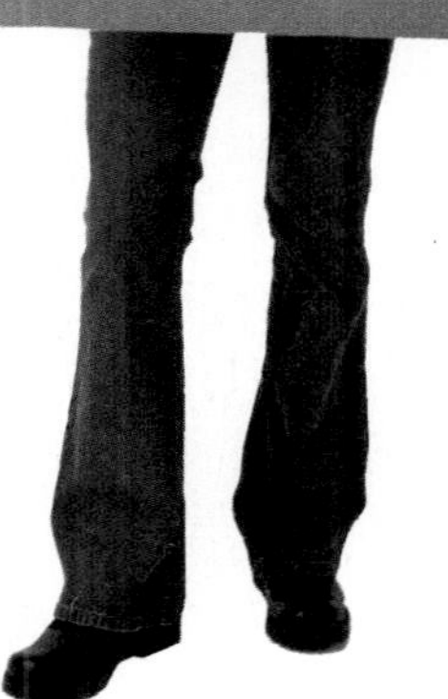

Unit 4 Ecology

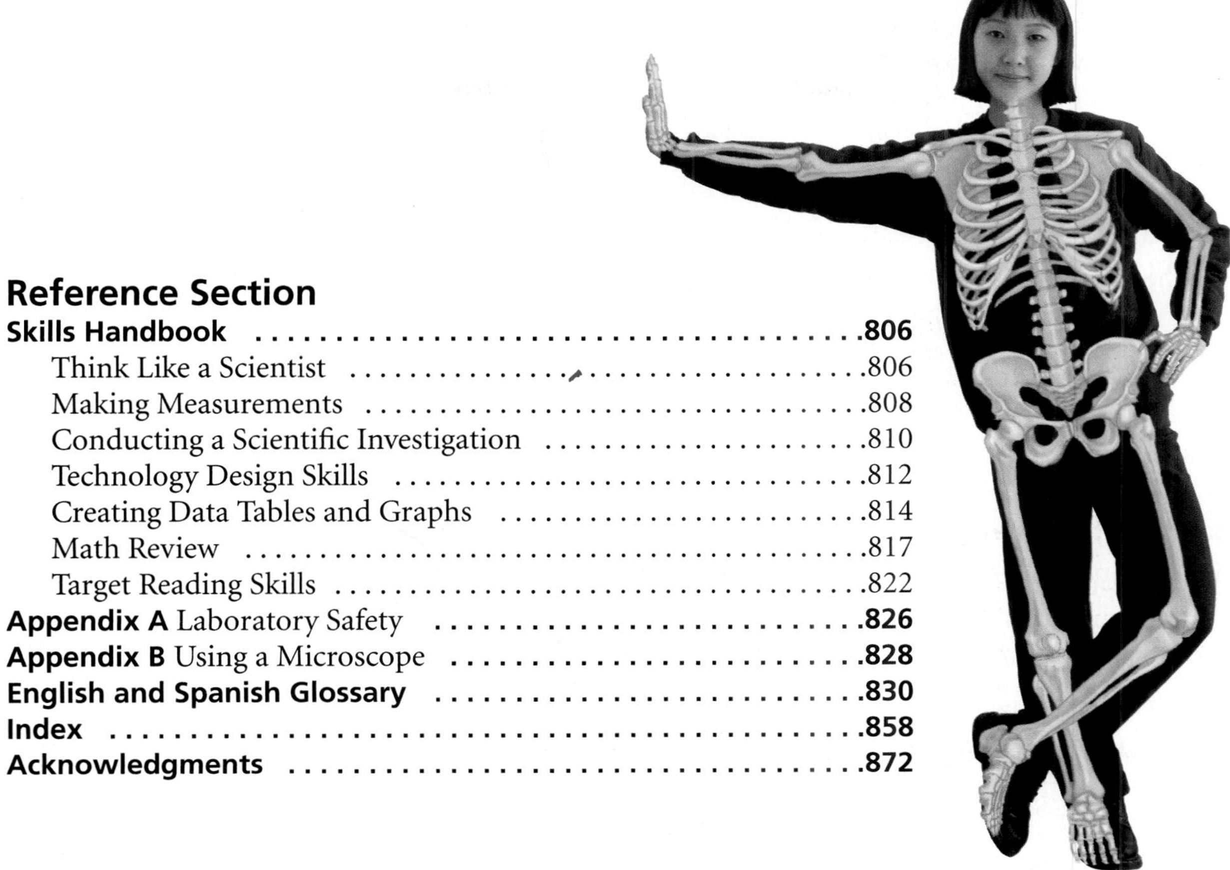

Reference Section

VIDEO

Enhance understanding through dynamic video.

Preview Get motivated with this introduction to the chapter content.

Field Trip Explore a real-world story related to the chapter content.

Assessment Review content and take an assessment.

Get connected to exciting Web resources in every lesson.

SCI LINKS NSTA Find Web links on topics relating to every section.

Active Art Interact with selected visuals from every chapter online.

Planet Diary® Explore news and natural phenomena through weekly reports.

Science News® Keep up to date with the latest science discoveries.

Experience the complete textbook online and on CD-ROM.

Activities Practice skills and learn content.

Videos Explore content and learn important lab skills.

Audio Support Hear key terms spoken and defined.

Self-Assessment Use instant feedback to help you track your progress.

Activities

Lab zone™ Chapter **Project** Opportunities for long-term inquiry

Lab zone Discover **Activity** Exploration and inquiry before reading

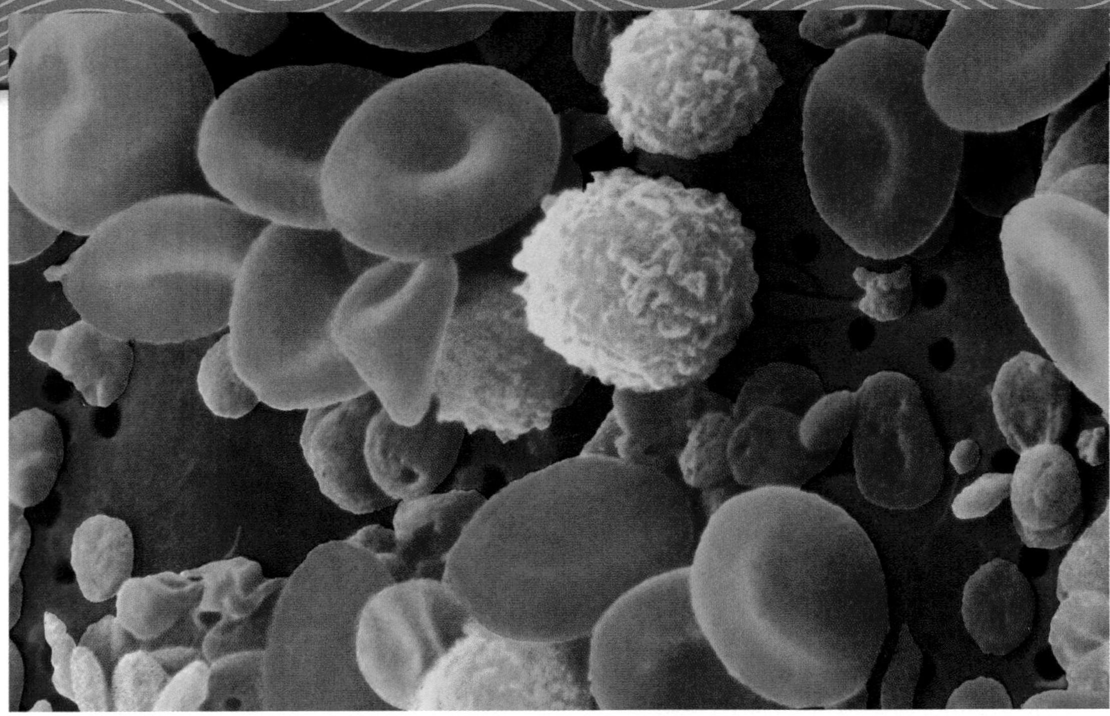

Lab zone **Try This Activity** Reinforcement of key concepts

Lab zone Skills Activity — Practice of specific science inquiry skills

Labs In-depth practice of inquiry skills and science concepts

Lab zone At-Home **Activity** Quick, engaging activities for home and family

• Tech & Design • Design, build, test, and communicate

Math Point-of-use math practice

Analyzing Data

Math Skills

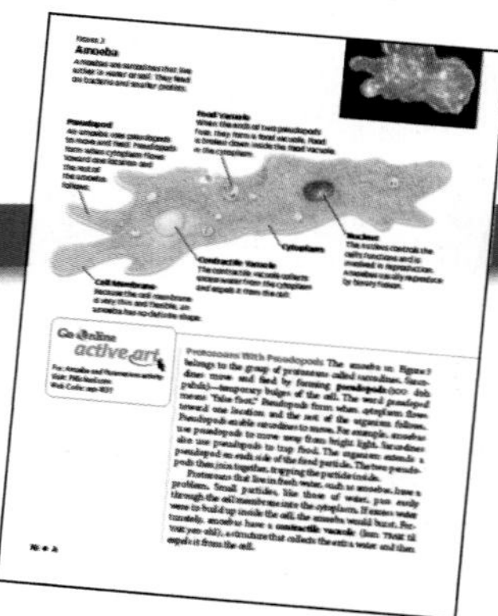

active art Illustrations come alive online

SCiLINKS NSTA

A Steely Athletic Trainer

"When I was young in Japan, I wanted to be a professional athlete," says National Football League athletic trainer Ariko Iso. "I was hoping to play sports forever." But all of that changed in one fateful moment on the basketball court. "I was playing junior high basketball, when I tore the anterior cruciate ligament (ACL) in my knee. I was 14."

"I was in the hospital for about seven weeks for recovery and rehabilitation. It was nearly a year before I played basketball again. I did play, but I was never the same as before. I was never as fast or as quick."

The experience changed Ariko's career plans. "I decided if I couldn't play sports, I would choose a profession where I could help athletes." Today, Ariko is the assistant athletic trainer for the Pittsburgh Steelers. Ariko is neither big nor tall, but she plays a vital role on the team. It's her job to help 200–300-pound athletes stay in the best condition possible. For Ariko, it's a dream job.

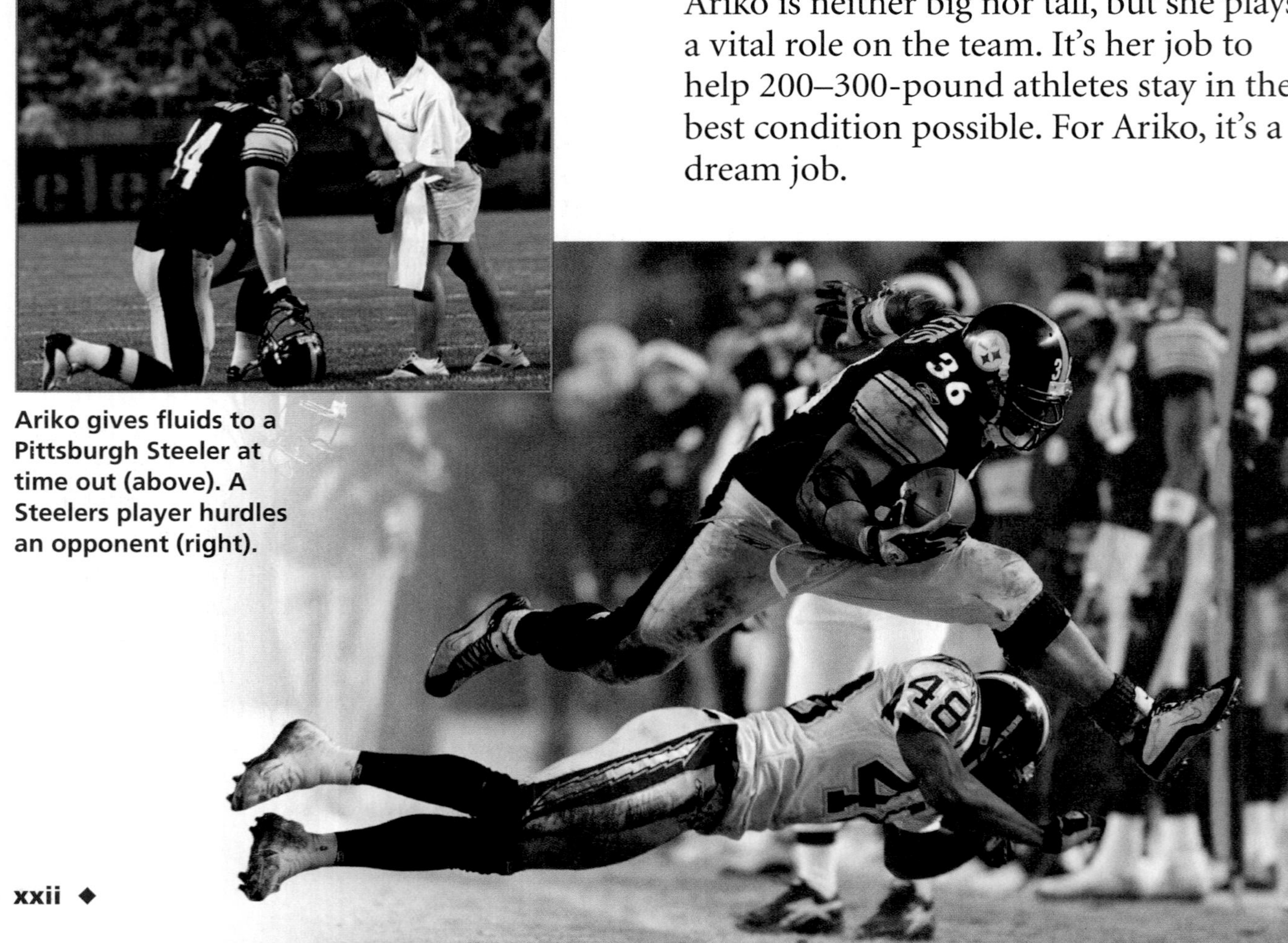

Ariko gives fluids to a Pittsburgh Steeler at time out (above). A Steelers player hurdles an opponent (right).

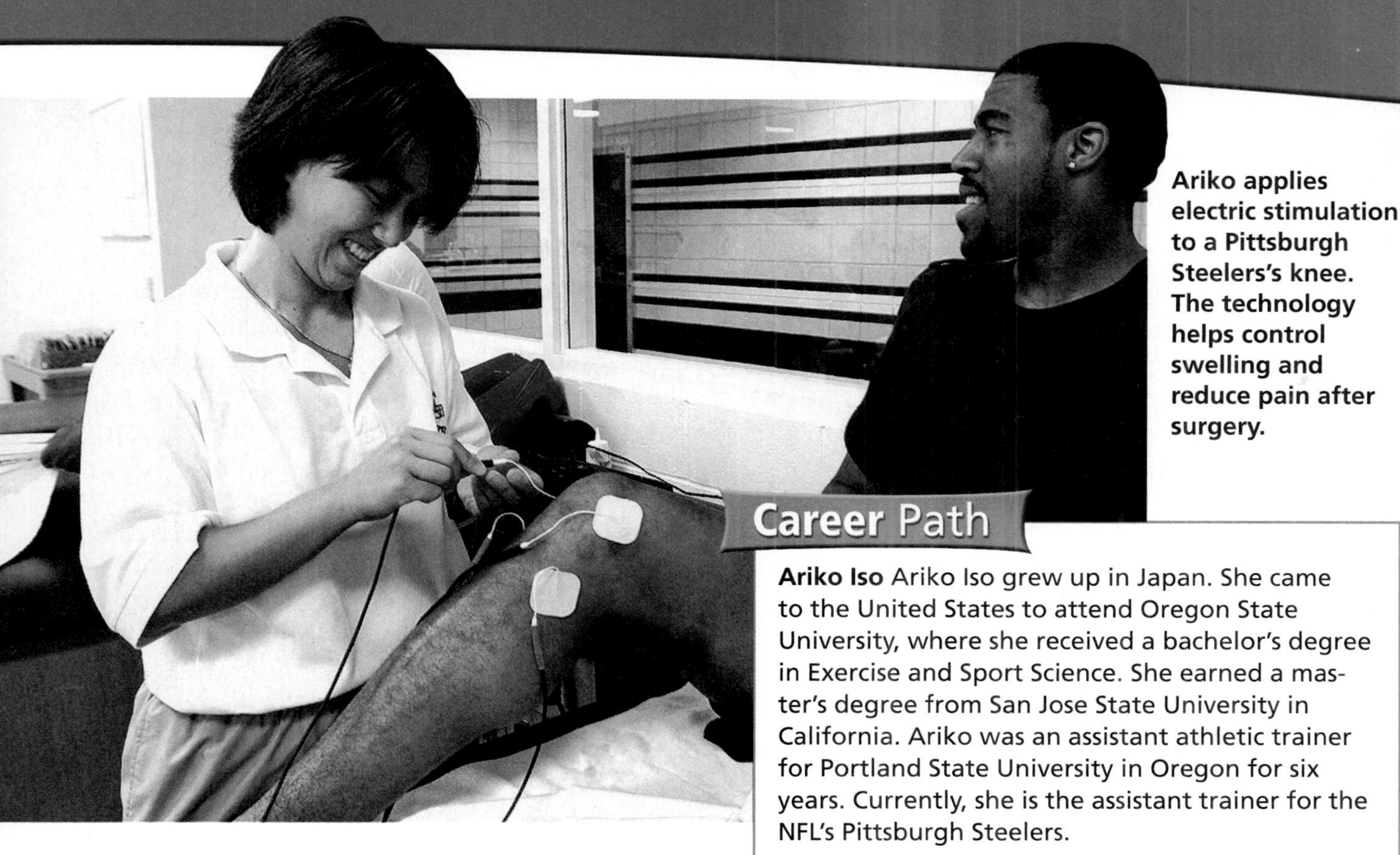

Ariko applies electric stimulation to a Pittsburgh Steelers's knee. The technology helps control swelling and reduce pain after surgery.

Career Path

Ariko Iso Ariko Iso grew up in Japan. She came to the United States to attend Oregon State University, where she received a bachelor's degree in Exercise and Sport Science. She earned a master's degree from San Jose State University in California. Ariko was an assistant athletic trainer for Portland State University in Oregon for six years. Currently, she is the assistant trainer for the NFL's Pittsburgh Steelers.

Talking With Ariko Iso

What brought you to the United States?

Twenty years ago in Japan, athletic training was fairly new. There was no four-year college degree in athletic training. Furthermore, the techniques are from the West. I wanted to learn the science. Also, I had always wanted to go to a new country and learn a new language. My parents told me they would support my going overseas. So I ended up at Oregon State University.

What science courses should a trainer take?

First, you have to learn about the human body. Anatomy and physiology are key courses to our education. In anatomy class, I learned all the bones and muscles in the body. I also learned the other parts of the body. But to an athletic trainer, the bone and muscle structures are the most important.

I studied physiology to learn how the different parts of the body function. Later, I studied kinesiology, or body movement. Kinesiology involves physics as well as anatomy and physiology.

Why is kinesiology important?

When you throw a ball, for instance, you want to know the most efficient way to do it. That means you need to know the best angle of the shoulder and which muscles move the shoulder in a throwing motion. You also need to know and understand the internal rotation of the shoulder. It's helpful to analyze each joint, its motion, and the muscles that make a movement happen. Then you know which muscles to train in order to improve that motion.

How did you get the job with the Steelers?

I started out at Portland State University in Oregon as the women's basketball assistant athletic trainer. Later, when I became the football athletic trainer, I attended an NFL football-injury conference. There I met the head athletic trainer for the Pittsburgh Steelers. He told me to apply to the Steelers' summer internship program for athletic trainers. I ended up working at the Steelers' training camp for two summers. Then in the spring of 2002, the Steelers called and asked if I would be interested in a full-time job.

What do you do as an athletic trainer?

I do a little bit of everything. I will tape up ankles before a practice or a game. If someone needs help loosening up his muscles, I'll lend a hand. I make sure that the players drink plenty of fluids. If someone gets a small cut, I'll close it up. When someone is injured on the field, it's my job to evaluate the injury and to perform whatever emergency treatment is appropriate. I also need to be able to tell when to call for a doctor or other specialist.

Off the field, my duties include helping the athletes avoid injury. But if a player does get injured, I make sure that his rehabilitation goes as well as possible. An athlete recovering from an anterior cruciate ligament (ACL) injury, for instance, can take up to a year to be completely healthy. It's my job to monitor his progress and make sure he is doing everything he can to speed his recovery.

In the Steelers' training center, Ariko monitors the recovery of injured players.

A Steelers player exercises, using a machine. The computer graphs how much force he is using (above).

Recovering from shoulder surgery, this player exercises and stretches to build strength.

What rehabilitation do you give for an ACL injury?

Tearing the anterior cruciate ligament is a big injury. If you sprain your ankle, there is usually no need to operate. But if you tear your anterior cruciate ligament in your knee, reconstruction is recommended. With my athletes, the focus during the first 24 to 48 hours after the surgery is on controlling the pain and swelling with compression and ice. As soon as the pain is bearable, the patient is expected to exercise to regain a range of motion in the knee. The player is walking with crutches within about three days and without crutches within two weeks.

The tissue needs a certain time to heal before beginning rehabilitation. I would probably start with really light weights as soon as the pain and swelling go down and then watch the knee carefully. You begin with no weight, work up to a five-pound weight, and increase the amount of weight from there.

What's the best part of your job?

I like working with athletes over a long time. I can tend to their aches and pains, monitor their training, and oversee their rehabilitation. It's a mentally challenging job, too. It demands a detailed knowledge of how the body works and how best to take care of it. I'd choose this job again!

This Steelers player is exercising with weights in the whirlpool.

Writing in Science

Career Path Ariko says that it's important for an athletic trainer to know the science of bone and muscle structures. Think of one simple motion that you use in an activity, such as walking, running, or swimming. In a paragraph, describe the bones and muscles you use and what you'd like to learn about improving your motion.

For: More on this career
Visit: PHSchool.com
Web Code: ceb-4000

Chapter 1

Introduction to Life Science

Chapter Preview

1. **What Is Science?**
   Discover *How Keen Are Your Senses?*
   Analyzing Data *Chimp Food*
   At-Home Activity *"Pastabilities"*

2. **Scientific Inquiry**
   Discover *What Can You Learn About Mealworms?*
   Skills Activity *Controlling Variables*
   Active Art *The Nature of Inquiry*

3. **Understanding Technology**
   Discover *What Are Some Examples of Technology?*
   Skills Activity *Predicting*

4. **Safety in the Science Laboratory**
   Discover *Where Is the Safety Equipment in Your School?*
   Design Your Own Lab *Keeping Flowers Fresh*

This food scientist is busy at work in a laboratory. ▶

What Is Science?

▶ Video Preview
Video Field Trip
Video Assessment

Lab zone™ Chapter **Project**

Is It Really True?

Does fertilizer make plants grow taller? Is yawning contagious? Do fresh eggs sink in water, but older eggs float? Does moss always grow on the north side of trees? Each of these questions relates to a common belief about living things. But are those beliefs true? In this chapter project, you will use scientific methods to find out.

Your Goal To design and conduct a scientific experiment to test whether a common belief about living things is true or false

To complete this project, you must

- select one specific question to investigate
- determine the procedure you will follow to investigate your question
- collect data and use it to draw conclusions
- follow the safety guidelines in Appendix A

Plan It! Make a list of some common beliefs you could explore. Then preview the chapter to learn what types of questions can be explored by scientific methods. When you select a question, write the procedure you will follow. After your teacher approves your plan, begin your experiment.

Section 1

What Is Science?

Reading Preview

Key Concepts

- What skills do scientists use to learn about the world?

Key Terms

- science • observing
- quantitative observation
- qualitative observation
- inferring • predicting
- classifying • making models
- life science

Target Reading Skill

Asking Questions Before you read, preview the red headings. In a graphic organizer like the one below, ask a *what*, *how*, or *why* question for each heading. As you read, write answers to your questions.

Thinking Like a Scientist

Question	Answer
What does observing involve?	Observing involves . . .

Lab zone **Discover Activity**

How Keen Are Your Senses?

1. Your teacher has arranged for an unexpected event to occur. At the count of three, the event will begin.
2. List as many details as you can remember about the event.
3. Compare your list with those of your classmates.

Think It Over

Observing How many details could you list? Which of your senses did you use to gather information?

Once, as I walked through thick forest in a downpour, I suddenly saw a chimp hunched in front of me. Quickly I stopped. Then I heard a sound from above. I looked up and there was a big chimp there, too. When he saw me he gave a loud, clear wailing wraaaaah—a spine-chilling call that is used to threaten a dangerous animal. To my right I saw a large black hand shaking a branch and bright eyes glaring threateningly through the foliage. Then came another savage wraaaah from behind. Up above, the big male began to sway the vegetation. I was surrounded.

These words are from the writings of Jane Goodall, a scientist who studies wild chimpanzees in Gombe National Park in Tanzania, Africa. What would you have done if you were in Jane's shoes? Would you have screamed or tried to run away? Jane did neither of these things. Instead, she crouched down and stayed still so she wouldn't startle the chimps. Not feeling threatened by her, the chimps eventually moved on.

Jane Goodall was determined to learn all she could about chimps. Her studies are an example of science in action. **Science** is a way of learning about the natural world. Science also includes all of the knowledge gained by exploring the natural world. **Scientists use skills such as observing, inferring, predicting, classifying, and making models to learn more about the world.** However, these skills are not unique to scientists. You, too, think like a scientist every day.

For: More on scientific thinking
Visit: PHSchool.com
Web Code: cgd-6011

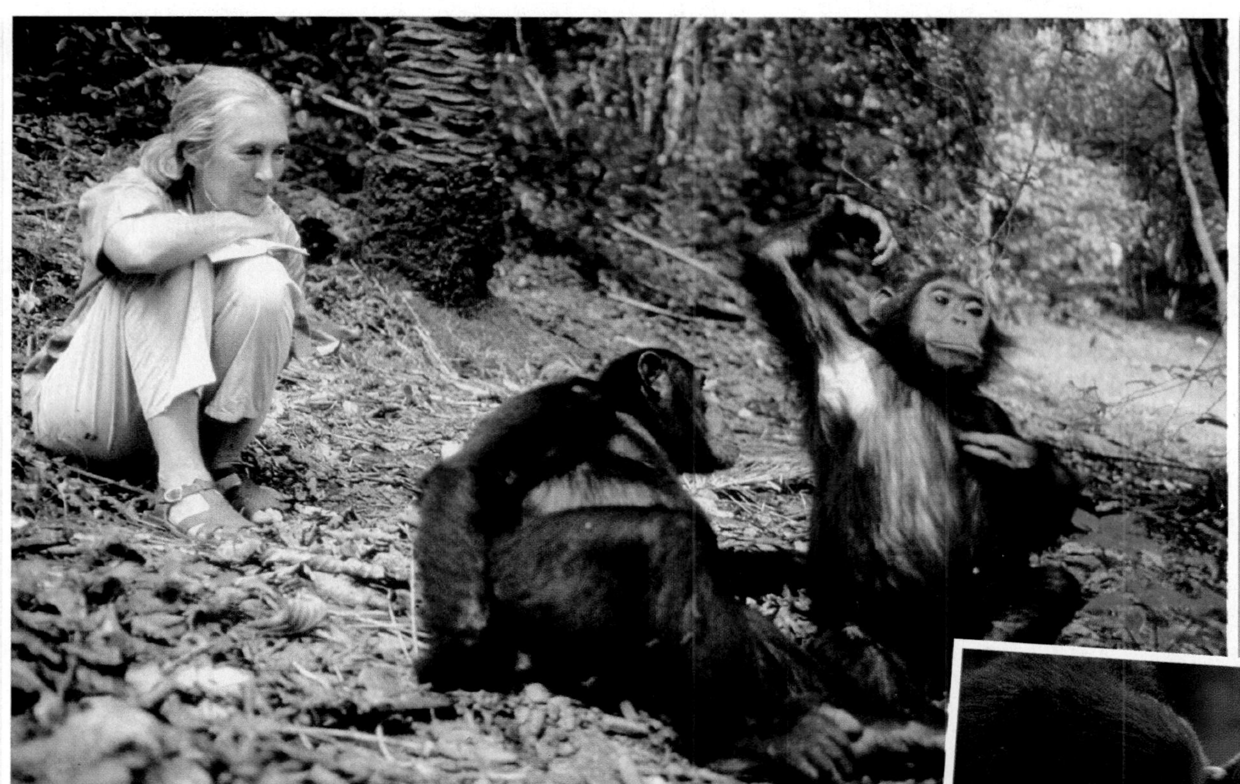

Observing

Jane Goodall has spent countless hours among the chimpanzees—quietly following them, taking notes, and carefully observing. **Observing** means using one or more of your senses to gather information. Your senses include sight, hearing, touch, taste, and smell. By using her senses, Jane learned what chimpanzees eat, what sounds they make, and even what games they play! During her time in Gombe, Jane made many surprising observations. For example, she observed how chimpanzees use stems or long blades of grass as tools to "fish" out a tasty meal from termite mounds.

Like Jane, you use your senses to gather information. Look around you. What do you see? What do you hear and smell? You depend on your observations to help you make decisions throughout the day. For example, if it feels chilly when you wake up, you'll probably dress warmly.

Observations can be either quantitative or qualitative. **Quantitative observations** deal with a number, or amount. Seeing that you have eight new e-mails in your inbox is a quantitative observation. **Qualitative observations,** on the other hand, deal with descriptions that cannot be expressed in numbers. Noticing that a bike is blue or that a grape tastes sour are qualitative observations.

Figure 1 Observing
By patiently observing chimpanzees, Jane Goodall learned many things about chimpanzee behavior. The smaller photo shows one of Jane's earliest discoveries—that chimps use sticks as tools to fish for termites.

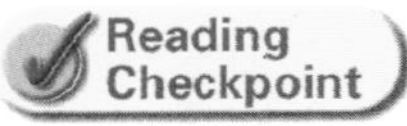

What senses can the skill of observation involve?

Inferring

One day, Jane Goodall saw something peculiar. She watched as a chimpanzee peered into a hollow in a tree. The chimp picked off a handful of leaves from the tree and chewed on them. Then it took the leaves out of its mouth and pushed them into the tree hollow. When the chimp pulled the leaves back out, Jane saw the gleam of water. The chimp then put the wet leaves back in its mouth.

What was the chimpanzee doing? Jane reasoned that the chimpanzee might be using the chewed leaves like a sponge to soak up water. Seeing the chimp chew on leaves, put them in the hollow, and then squeeze the liquid out is an example of an observation. But Jane went beyond simply observing when she reasoned why the chimpanzee was doing these things. When you explain or interpret the things you observe, you are **inferring,** or making an inference.

Making an inference doesn't mean guessing wildly. Inferences are based on reasoning from what you already know. Jane knew that chimpanzees, like all other animals, need water, and that rainwater collects in tree hollows. She reasoned that the chimp was using chewed leaves to get the water out of the tree.

You, too, make inferences all the time. Because your brain processes observations and other information so quickly, you may not even realize when you have made an inference. For example, if you see your friend smile after getting back an exam, you might automatically infer that she got a good grade. Inferences are not always correct, however. Your friend's smile might not have anything to do with the test.

Reading Checkpoint **What is inferring?**

FIGURE 2 Inferring
When you explain or interpret your observations, you are making an inference. **Inferring** *List three inferences you can make about this chimp.*

Predicting

Sometimes, Jane could even predict what a chimp was going to do next. **Predicting** means making a forecast of what will happen in the future based on past experience or evidence.

Through her observations, Jane learned that when a chimpanzee is frightened or angry, its hairs stand on end. This response is sometimes followed by threatening gestures such as charging, throwing rocks, and shaking trees, or even an attack. Therefore, if Jane sees a chimp with its hairs on end, she can predict that the chimp might attack her in a short time. She then leaves the area.

Likewise, you would probably move away if you saw a dog growling or baring its teeth. Why? Because predicting is part of your everyday thinking. You might predict, for example, that your basketball team will win tonight's game if you have always beaten the other team in the past. Predictions, of course, are not always correct. New players this year may increase the other team's chances of winning.

Predictions and inferences are closely related. An inference is typically an attempt to explain what is happening or *has* happened. A prediction is a forecast of what *will* happen. If you see a broken egg on the floor by a table, you might infer that the egg had rolled off the table. If, however, you see an egg rolling toward the edge of a table, you can predict that it's about to create a mess.

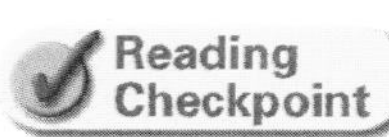

What are predictions based on?

FIGURE 3
Predicting
Predictions are forecasts of what will happen next. Like many animals, chimps bare their teeth when they are frightened or angry.
Predicting *What do you think the chimp will do next?*

Math Analyzing Data

Chimp Food

This graph shows the diet of chimps at Gombe National Park during May of one year.

1. **Reading Graphs** According to the graph, what foods do chimps eat?
2. **Interpreting Data** Did chimps feed more on seeds or leaves during this month?
3. **Calculating** What percentage of the diet did blossoms, seeds, leaves, and fruit make up?
4. **Predicting** Suppose you learn that November is the main termite-fishing season, when chimps spend a large part of their time eating termites. Predict how the chimp diet might change in November.

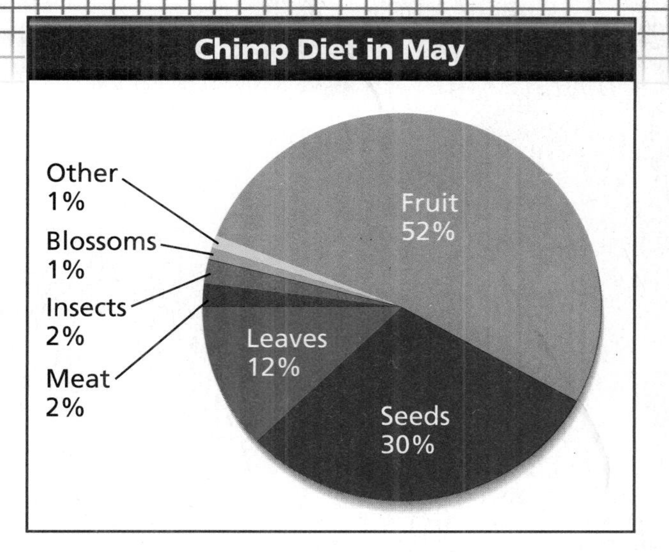

FIGURE 4 Classifying Field notes like these contain many details about a chimp's daily activities. By grouping together all the information related to resting, climbing, or feeding, Jane can better understand the chimp's behavior.

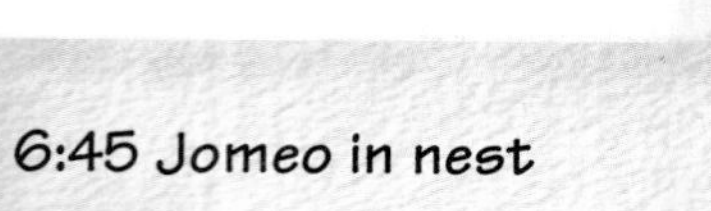

6:45 Jomeo in nest
6:50 Jomeo leaves nest, climbs, feeds on *viazi pori* fruit
7:16 Wanders along, feeding on *budyankende* fruits
8:08 Stops feeding, climbs, and feeds on *viazi pori* fruit again
8:35 Travels

Classifying

What do chimps do all day? To find out, Jane and her assistants followed the chimpanzees through the forest. They took detailed field notes about the chimps' behaviors. Figure 4 shows a short section of notes about Jomeo, an adult male chimp.

Suppose Jane wanted to know how much time Jomeo spent feeding or resting that morning. She could find out by classifying Jomeo's actions into several categories. **Classifying** is the process of grouping together items that are alike in some way. For example, Jane could group together all the information about Jomeo's feeding habits or his resting behavior. This would also make it easier to compare Jomeo's actions to those of other chimps. For instance, she could determine if other adult males feed or rest as much as Jomeo does.

You, too, classify objects and information all the time. Classifying things helps you to stay organized so you can easily find and use them later. When you put papers in a notebook, you might classify them by subject or date. And, you might have one drawer in your dresser for shirts and another for socks.

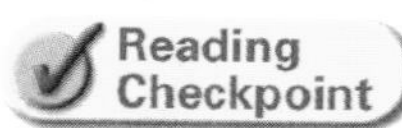

How is classifying objects useful?

Climbing

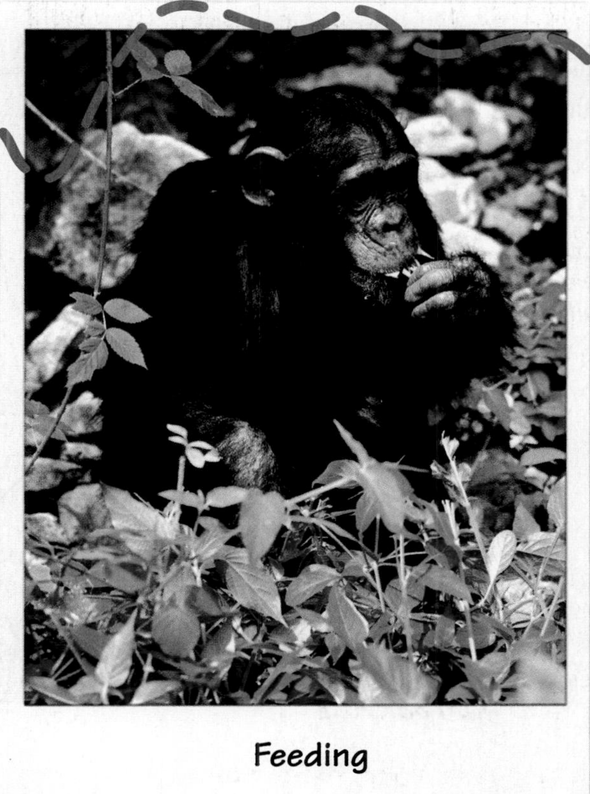
Feeding

Making Models

How far do chimpanzees travel? Where do they go? Sometimes, Jane's research team would follow a particular chimpanzee for many days at a time. Figure 5 illustrates Jomeo's journey through the forest over the course of one day. The diagram is one example of a model. **Making models** involves creating representations of complex objects or processes. Models help people study and understand things that are complex or that can't be observed directly. Using a model like the one in Figure 5, Jane and her assistants could share information that would otherwise be difficult to explain.

Models are all around you. They include physical objects, such as globes or the sets used in filming your favorite TV show. Some models are generated by computer, like the ones some architects use to design new buildings. It's important to keep in mind that models are only representations of the real object or process. Because some information may be missing from a model, you may not be able to understand everything about the object or process the model represents.

What is a model?

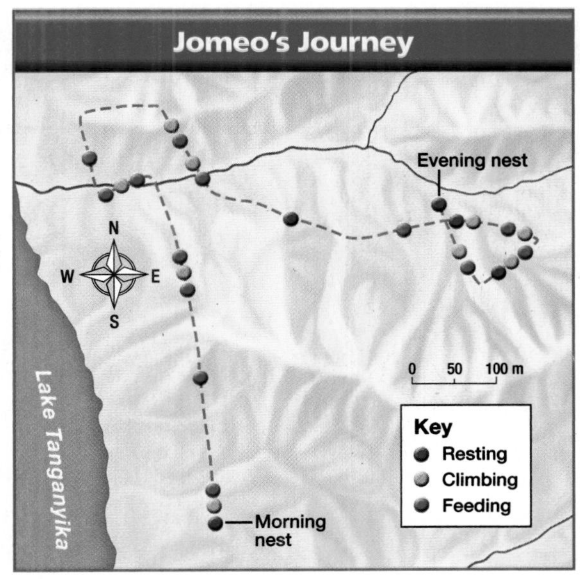

FIGURE 5
Making Models
This map is a model that traces Jomeo's journey through the forest. It represents information that would be hard to explain in words. Interpreting Maps *What is the total distance that Jomeo traveled between his morning and evening nests?*

FIGURE 6
Life Science Careers

You can find life scientists at work in such diverse places as forests, laboratories, farms, and animal hospitals. **Comparing and Contrasting** *How are the careers of botanist and forestry technician similar?*

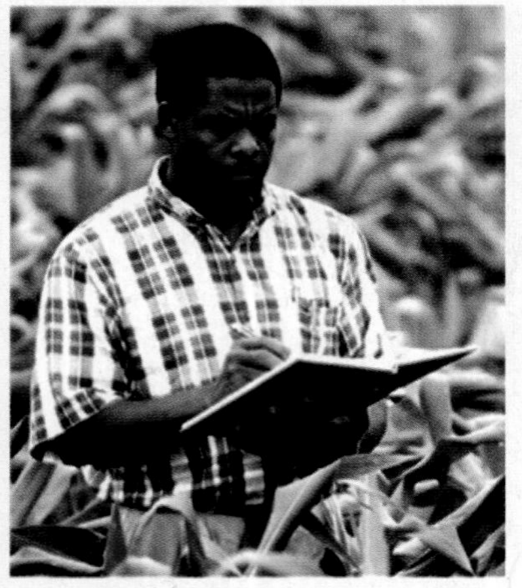

Botanist ◄
Botanists study plants. Many botanists, such as the one shown here, work with farmers to help increase crop yields. Other botanists study plants growing in their natural environment.

Park Rangers ▲
Park rangers work in government parks. These rangers are attaching a tag to a bird so they can track its movements. Other rangers lead tours that educate park visitors.

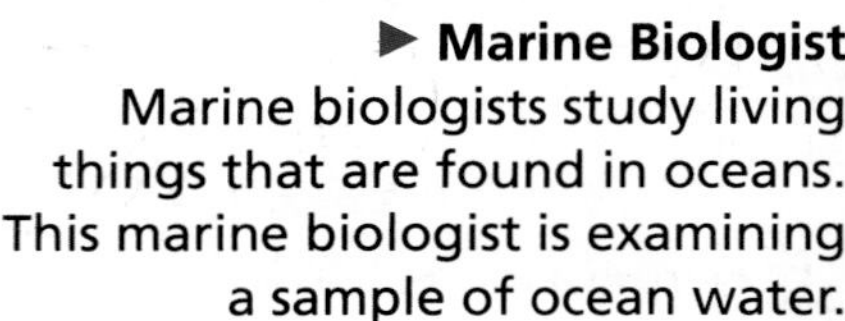

► Marine Biologist
Marine biologists study living things that are found in oceans. This marine biologist is examining a sample of ocean water.

Working in Life Science

The study of the behavior of animals such as chimpanzees is one branch of life science. **Life science** is the study of living things. Life science is also known as biology, and scientists who study living things are called biologists.

If you are interested in living things, you might one day enjoy working in life science. You don't need to be a biologist to use life science in your career. Many different jobs involve knowing about life science. You can see some of these jobs in Figure 6.

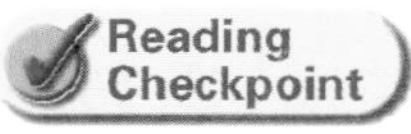

What is life science?

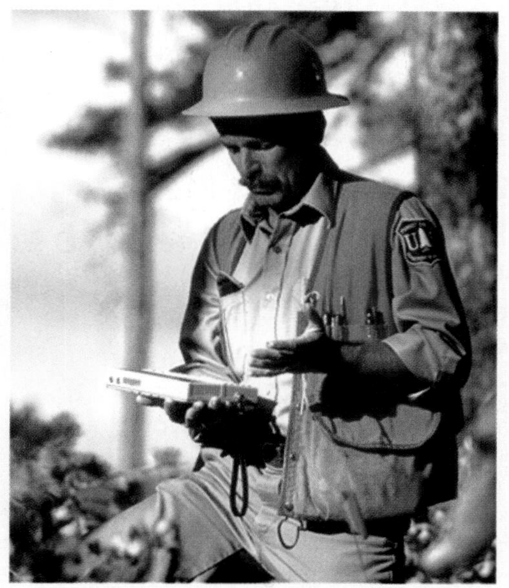

Forestry Technician ▲
Forestry technicians mostly work outdoors. They determine which trees can be cut down for lumber. They check trees for disease and insect damage. These workers also plant tree seedlings.

Health-Care Workers ▼
Health-care workers do jobs such as examine patients, treat injuries, and research cures for diseases. The doctor (left) and nurse (right) are discussing their notes.

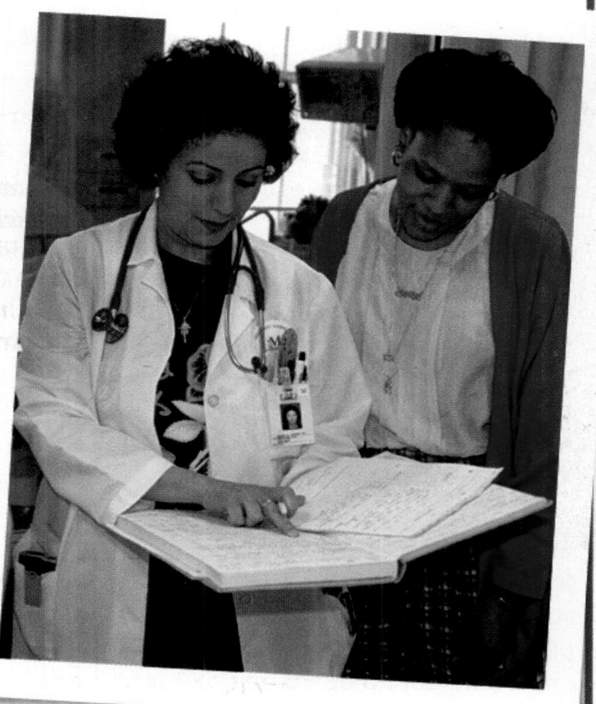

Section 1 Assessment

Target Reading Skill **Asking Questions** Use the answers to the questions you wrote about the headings to help you answer the questions below.

Reviewing Key Concepts

1. a. **Listing** Name five skills that are important in scientific thinking.
   b. **Comparing and Contrasting** How do observations differ from inferences?
   c. **Classifying** Is this statement an observation or an inference? *The cat must be ill.* Explain your reasoning.
   d. **Applying Concepts** Choose a career described on these pages. Give examples of how observations and inferences might be important in that career.

Lab zone At-Home Activity

"Pastabilities" Collect pasta of various shapes and sizes. You and a family member should each devise a system to classify the pasta into three groups. You and your family member should each identify the characteristics you used in your classifications. How similar were your groupings?

Section 2 Scientific Inquiry

Reading Preview

Key Concepts

- What is scientific inquiry?
- What makes a hypothesis testable?
- What attitudes are important in science?

Key Terms

- scientific inquiry
- hypothesis • variable
- controlled experiment
- manipulated variable
- responding variable
- operational definition
- data • communicating

Target Reading Skill

Building Vocabulary A definition states the meaning of a word or phrase by telling about its most important feature or function. After you read this section, reread the paragraphs that contain definitions of Key Terms. Use all the information you have learned to write a definition of each Key Term in your own words.

Lab zone Discover Activity

What Can You Learn About Mealworms?

1. Observe mealworms in a tray. Use a magnifying glass to see them more clearly.
2. Watch the mealworms' behavior—for example, how they move.

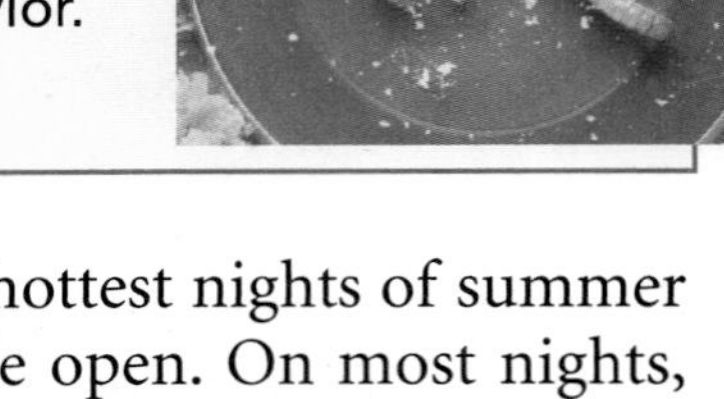

Think It Over

Posing Questions Write three questions you have about mealworms and their behavior. How could you find out the answers?

"Chirp, chirp, chirp." It is one of the hottest nights of summer and your bedroom windows are wide open. On most nights, the quiet chirping of crickets gently lulls you to sleep, but not tonight. The noise from the crickets is almost deafening!

Why do all the crickets in your neighborhood seem determined to keep you awake tonight? Could the crickets be chirping more because of the heat? How could you find out?

As you lie awake, you are probably not thinking much about science. But, in fact, you are thinking just as a scientist would. You made observations—you heard the loud chirping of the crickets and felt the heat of the summer night. Your observations led you to infer that heat might cause increased chirping. You might even make a prediction: "If it's cooler tomorrow night, the crickets will be quieter."

▼ A snowy tree cricket

The Scientific Process

Although you might not know it, your thinking and questioning can be the start of the **scientific inquiry** process. **Scientific inquiry refers to the diverse ways in which scientists study the natural world and propose explanations based on the evidence they gather.** If you have ever tried to figure out why a plant has wilted, then you have used scientific inquiry. Similarly, you could use scientific inquiry to find out whether there is a relationship between the air temperature and crickets' chirping.

Posing Questions Scientific inquiry often begins with a problem or question about an observation. In the case of the crickets, your question might be: Does the air temperature affect the chirping of crickets? Of course, questions don't just come to you from nowhere. Instead, questions come from experiences that you have and from observations and inferences that you make. Curiosity plays a large role as well. Think of a time that you observed something unusual or unexpected. Chances are good that your curiosity sparked a number of questions.

Some questions cannot be investigated by scientific inquiry. Think about the difference between the two questions below.

- Does my dog eat more food than my cat?
- Which makes a better pet—a cat or a dog?

The first question is a scientific question because it can be answered by making observations and gathering evidence. For example, you could measure the amount of food your cat and dog each eat during a week. In contrast, the second question has to do with personal opinions or values. Scientific inquiry cannot answer questions about personal tastes or judgments.

Developing a Hypothesis How could you explain your observation of noisy crickets on that summer night? "Perhaps crickets chirp more when the temperature is higher," you think. In trying to answer the question, you are in fact developing a hypothesis. A **hypothesis** (plural: *hypotheses*) is a possible explanation for a set of observations or answer to a scientific question. In this case, your hypothesis would be that cricket chirping increases at higher air temperatures.

In science, a hypothesis must be testable. This means that researchers must be able to carry out investigations and gather evidence that will either support or disprove the hypothesis. Many trials will be needed before a hypothesis can be accepted as true.

Reading
Checkpoint
What is a hypothesis?

Perhaps crickets chirp more when the temperature is higher.

FIGURE 7 Developing Hypotheses
A hypothesis is one possible way to explain a set of observations. A hypothesis must be testable—scientists must be able to carry out investigations to test the hypothesis. **Developing Hypotheses** *Propose another hypothesis that could explain the observation that crickets seem to be noisier on some nights than others.*

Lab zone Skills **Activity**

Controlling Variables

Suppose you are designing an experiment to determine whether birds eat a larger number of sunflower seeds or millet seeds. What is your manipulated variable? What is your responding variable? What other variables would you need to control?

Designing an Experiment To test your hypothesis, you will need to observe crickets at different air temperatures. All other **variables,** or factors that can change in an experiment, must be exactly the same. Other variables include the kind of crickets, the type of container you test them in, and the type of thermometer you use. By keeping all of these variables the same, you will know that any difference in cricket chirping must be due to temperature alone.

An experiment in which only one variable is manipulated at a time is called a **controlled experiment.** The one variable that is purposely changed to test a hypothesis is called the **manipulated variable** (also called the independent variable). In your cricket experiment, the manipulated variable is the air temperature. The factor that may change in response to the manipulated variable is called the **responding variable** (also called the dependent variable). The responding variable here is the number of cricket chirps.

Another aspect of a well-designed experiment is having clear operational definitions. An **operational definition** is a statement that describes how to measure a variable or define a term. For example, in this experiment you would need to determine what sounds will count as a single "chirp."

Collecting and Interpreting Data For your experiment, you need a data table in which to record your data. **Data** are the facts, figures, and other evidence gathered through observations. A data table is an organized way to collect and record observations. After the data have been collected, they need to be interpreted. A graph can help you interpret data. Graphs can reveal patterns or trends in data.

What are data?

FIGURE 8
A Controlled Experiment
In their controlled experiment, these students are using the same kind of containers, thermometers, leaves, and crickets. The manipulated variable in this experiment is temperature. The responding variable is the number of cricket chirps per minute at each temperature.
Controlling Variables *What other variables must the students keep constant in this experiment?*

Drawing Conclusions A conclusion is a summary of what you have learned from an experiment. In drawing your conclusion, you should ask yourself whether the data support the hypothesis. You also need to consider whether you collected enough data. After reviewing the data, you decide that the evidence supports your original hypothesis. You conclude that cricket chirping does increase with temperature. It's no wonder that you have trouble sleeping on those warm summer nights!

Scientific inquiry usually doesn't end once a set of experiments is done. Often, a scientific inquiry raises new questions. These new questions can lead to new hypotheses and new experiments. Also, scientific inquiry is not a rigid sequence of steps. Instead, it is a process with many paths, as shown in Figure 9.

Communicating An important part of the scientific inquiry process is communicating your results. **Communicating** is the sharing of ideas and experimental findings with others through writing and speaking. Scientists share their ideas in many ways. For example, they give talks at scientific meetings, exchange information on the Internet, and publish articles in scientific journals. When scientists communicate their research, they describe their procedures in full detail so that other scientists can repeat their experiments.

For: The Nature of Inquiry Activity
Visit: PHSchool.com
Web Code: cgp-6012

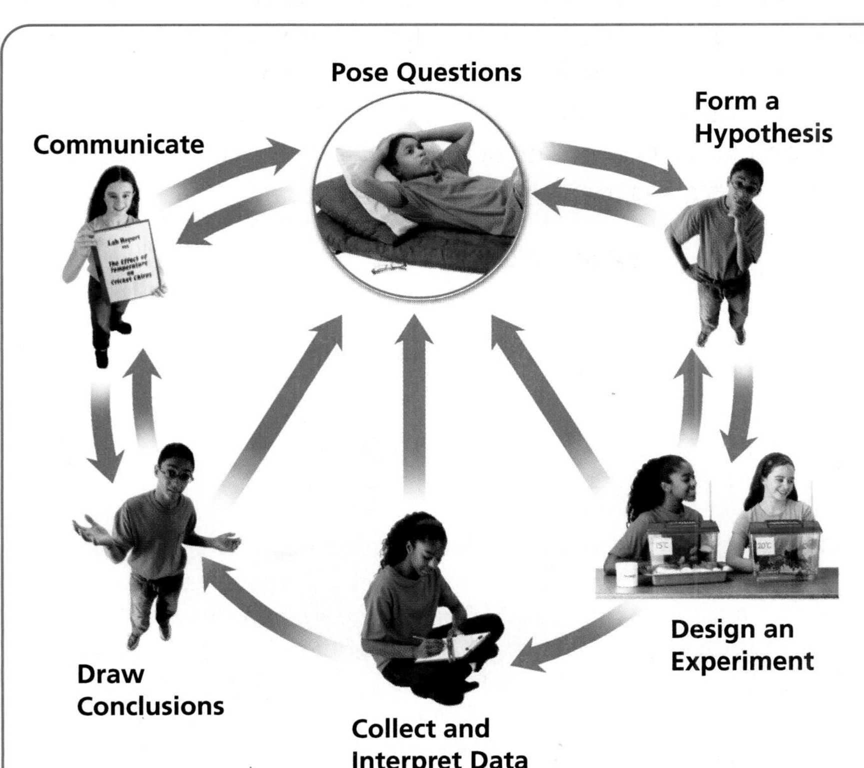

FIGURE 9
Scientific Inquiry
There is no set path that a scientific inquiry must follow. Observations at each stage of the process may lead you to modify your hypothesis or experiment. Conclusions from one experiment often lead to new questions and experiments.

FIGURE 10 Curiosity
Curiosity has led Dr. Daphne Soares to study how alligators interact with their environment.

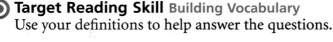

Scientific Attitudes

Why has Jane Goodall been very successful at studying chimps? **Successful scientists possess certain important attitudes, or habits of mind, including curiosity, honesty, open-mindedness, skepticism, and creativity.**

Curiosity An important attitude that drives scientists is curiosity. Successful scientists are eager to learn more about the topics they study. They stick with problems in spite of setbacks.

Honesty Good scientists always report their observations and results truthfully. Honesty is especially important when a scientist's results go against previous ideas or predictions.

Open-Mindedness and Skepticism Scientists need to be open-minded, or capable of accepting new and different ideas. However, open-mindedness should always be balanced by skepticism, which is an attitude of doubt.

Creativity Whether scientists study chimps or earthquakes, problems may arise in their studies. Sometimes, it takes a bit of creativity to find a solution. Creativity means coming up with inventive ways to solve problems or produce new things.

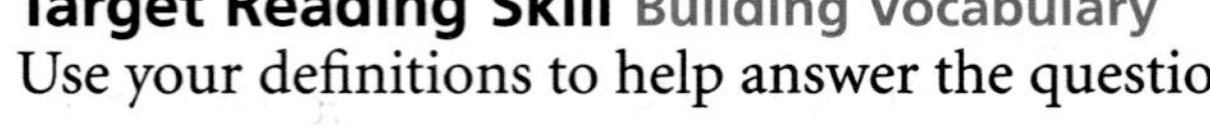

Section 2 Assessment

Target Reading Skill Building Vocabulary
Use your definitions to help answer the questions.

Reviewing Key Concepts

1. a. Defining Define the term *scientific inquiry*.
   b. Explaining A friend claims that pea plants grow faster than corn plants. Could you investigate this idea through scientific inquiry? Explain.
   c. Problem Solving What kind of data would you need to collect to carry out this experiment?
2. a. Reviewing What is meant by saying that a hypothesis must be testable?
   b. Developing Hypotheses Every time you and your friend study for an exam while listening to classical music, both of you do well on the exam. What testable hypothesis can you develop from your observations?
3. a. Identifying What attitudes help scientists succeed in their work?
   b. Explaining Why is it important for scientists to balance open-mindedness and skepticism?
   c. Making Judgments Is it important to be both open-minded and skeptical in your everyday life? Explain.

Writing in Science

Summary Suppose you will be traveling to a convention of cricket scientists from around the world. Write a paragraph describing the results of your cricket experiment. Include questions you'd like to ask other cricket scientists while at the conference.

Section 3

• Tech & Design •

Understanding Technology

Reading Preview

Key Concepts

- What is the goal of technology?
- How does technology differ from science?
- How does technology affect society?

Key Terms

- technology
- engineer

Target Reading Skill

Previewing Visuals When you preview, you look ahead at the material to be read. Preview Figure 12. Then write two questions you have about the diagram. As you read, answer your questions.

Science and Technology

Q. What does technology have to do with science?
A.
Q.

Lab zone Discover Activity

What Are Some Examples of Technology?

1. Look at the objects in the photographs.
2. With a partner, discuss whether or not each object is an example of technology. Write your reasons for each decision.

Think It Over

Forming Operational Definitions On what basis did you and your partner decide whether an object was an example of technology? What is your definition of the term *technology?*

In the fourth quarter of a football game between San Jose State and Nevada, the crowd went wild. Neil Parry had just joined the San Jose players on the field. Cries of "PAR-ry, PAR-ry, PAR-ry" filled the stadium.

It was Neil's first football game after his right leg below the knee had been amputated, or removed in an operation. Neil now has an artificial leg, or prosthesis. Because of his determination and hard work, Neil Parry can play football again. His ability to run and tackle is also due to the design of his artificial leg.

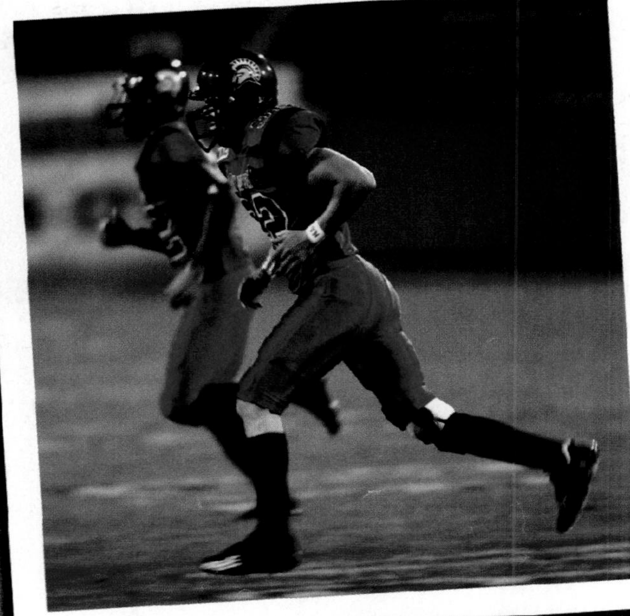

◀ Neil Parry plays football.

Lab zone Skills Activity

Predicting

Choose a type of technology, such as medical technology or video technology. Talk to older people about how this type of technology has changed during their lives. Then predict how this technology may continue to change.

What Is Technology?

Artificial legs are examples of technology. So are football helmets, shoulder pads, and shoes with cleats. When you see or hear the word *technology,* you may think of such things as electronic scoreboards, computers, and DVD players. But technology consists of more than modern inventions. **Technology** is how people change the world around them to meet their needs and solve practical problems.

Technology includes things people make, such as computers. It also consists of the knowledge needed to design those products. Finally, technology includes the processes, such as manufacturing and transportation, that get products to the people who use them. Figure 11 shows examples of technology.

The goal of technology is to improve the way people live. Your refrigerator, for example, improves your life by making food stay fresh longer. If you wear glasses or contact lenses, you know that they help people see better. A medical thermometer makes it easier to determine whether you are sick.

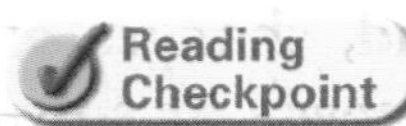

What are some examples of technology?

FIGURE 11
Examples of Technology
Technology includes things people make to meet their needs. Applying Concepts *How does farm machinery help people meet their needs?*

▼ **Heart monitor**

▼ **Farm machinery**

Science

Scientists learn how light moves through substances.

Technology

Engineers develop optical fibers, thin tubes that carry light. Optical fibers are used in communication networks and medicine.

Science

Doctors use optical fibers to learn more about how the heart functions.

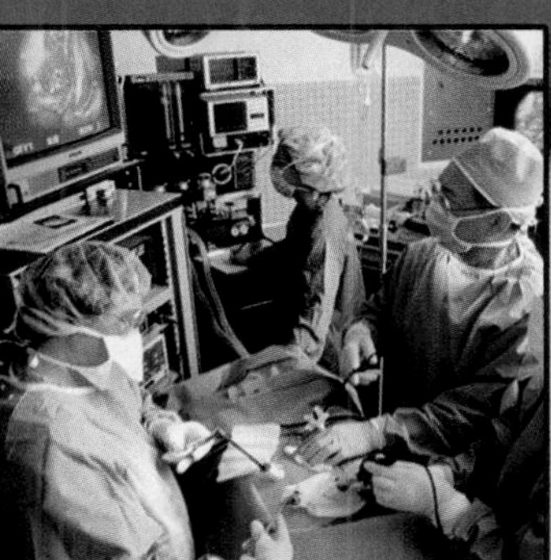

FIGURE 12
Science and Technology
Advances in science contribute to advances in technology, which in turn can contribute to science. Understanding the characteristics of light (science) led to the development of optical fibers and endoscopes (technology).
Relating Cause and Effect *How might endoscopes help scientists learn more about the human body?*

Comparing Technology and Science

Science and technology are related, but they are not the same thing. **Science is the study of the natural world to understand how it functions. Technology, on the other hand, changes, or modifies, the natural world to meet human needs or solve problems.**

To understand this difference, contrast the ways in which a biologist and an engineer might study insects. (An **engineer** is a person who is trained to use both technological and scientific knowledge to solve practical problems.) The biologist might investigate the structure of insects' bodies and how insects obtain oxygen. The engineer might study insects to learn how to keep them from damaging crops. In other words, a scientist studies something to learn about the topic itself. An engineer studies a topic to solve a problem or develop a process or product for human use.

Often, advances in science and technology depend on one another, as shown in Figure 12. Endoscopes are tiny medical instruments that allow doctors to view organs within the human body. Endoscopes transmit light using long, thin strands of glass called optical fibers. The design of these fibers would not have been possible without the work of scientists. Once scientists understood how light travels through substances, technologists were able to use this knowledge to design optical fibers and endoscopes. Endoscopes, in turn, have helped scientists learn more about the human body.

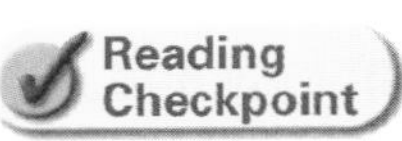

What is an endoscope?

For: Links on technology
Visit: www.SciLinks.org
Web Code: scn-1631

Impact on Society

When you read stories like that of Neil Parry, you might think that technology always benefits people. **However, technology can have both positive and negative consequences for individual people and for society as a whole.** The term *society* refers to any group of people who live together in an area and have certain things in common, such as form of government.

For example, pesticides are chemicals that kill insects, including those that eat crops. Because of pesticides, farmers can produce more crops and feed more people. However, humans and other animals can sometimes be harmed if they eat food containing pesticides. Also, rain can wash pesticides into rivers, streams, and water supplies. The pesticides can then affect plants and animals that live in the water, as well as people who depend on the water supply.

Technology does not provide perfect solutions to the problems it helps solve. People must make informed decisions to use technology wisely.

FIGURE 13
Spraying Pesticide
The airplane is spraying pesticide on a field.

What are pesticides?

Section 3 Assessment

Target Reading Skill Previewing Visuals Refer to your questions and answers about Figure 12 to help you answer Question 2 below.

Reviewing Key Concepts

1. a. Defining What is technology?
   b. Explaining Explain why a toothbrush is an example of technology.
   c. Applying Concepts What is the goal of technology? Explain how a toothbrush achieves this goal.
2. a. Comparing and Contrasting Compare science and technology.
   b. Explaining Is a human leg prosthesis an example of science or technology? Explain.
   c. Relating Cause and Effect Explain how both science and technology must have been involved in the development of a leg prosthesis.
3. a. Listing List the positive consequences of using pesticides. Then list the negative consequences.
   b. Explaining Explain the following statement: "Technology does not provide perfect solutions to problems." Use pesticides as an example.

Writing in Science

Technology and You Choose an example of technology that has had an important impact on your life. Describe the technology and explain how it has affected you.

Section 4

Safety in the Science Laboratory

Reading Preview

Key Concepts

- Why is preparation important when carrying out scientific investigations in the lab and in the field?
- What should you do if an accident occurs?

Target Reading Skill

Outlining As you read, make an outline about science safety that you can use for review. Use the red headings for the main ideas and the blue headings for supporting ideas.

Safety in the Science Laboratory
I. Safety During Investigations
A. Preparing for the lab
B.
C.
D.
II. In Case of an Accident

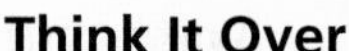

Lab zone **Discover Activity**

Where Is the Safety Equipment in Your School?

1. Look around your classroom or school for any safety-related equipment.
2. Draw a floor plan of the room or building and clearly label where each item is located.

Think It Over

Predicting Why is it important to know where safety equipment is located?

You and your family have just arrived at a mountain cabin for a vacation. The view of the mountaintops is beautiful, and the fresh scent of pine trees fills the air. In the distance, you can glimpse a lake through the pines.

You put on a bathing suit and head down the trail toward the lake. The sparkling, clear water looks inviting. You're tempted to jump in and swim. However, you wait for the rest of your family to join you. It isn't safe for a person to swim alone.

Safety During Investigations

Just as when you go swimming, you have to take steps to be safe during any scientific investigation. **Good preparation helps you stay safe when doing science activities.** Do you know how to use lab equipment? What should you do if something goes wrong? Thinking about these questions ahead of time is an important part of being prepared.

Preparing for the Lab Preparing for a lab should begin the day before you will perform the lab. It is important to read through the procedure carefully and make sure you understand all the directions. Also, review the general safety guidelines in Appendix A, including those related to the specific equipment you will use. If anything is unclear, be prepared to ask your teacher about it before you begin the lab.

For: Links on laboratory safety
Visit: www.SciLinks.org
Web Code: scn-1624

Performing the Lab Whenever you perform a science lab, always follow your teacher's instructions and the textbook directions exactly. You should never try anything on your own without asking your teacher first. Keep your work area clean and organized. Also, do not rush through any of the steps. Finally, always show respect and courtesy to your teacher and classmates.

Labs and activities in this textbook include the safety symbols shown on the next page. These symbols alert you to possible dangers in performing the lab and remind you to work carefully. They also identify any safety equipment that you should use to protect yourself from potential hazards. The symbols are explained in detail in Appendix A. Make sure you are familiar with each safety symbol and what it means.

FIGURE 14

Safety in the Lab

Good preparation for an experiment helps you stay safe in the laboratory. **Observing** *List three precautions each student is taking while performing the labs.*

Wear safety goggles to protect your eyes from chemical splashes, glass breakage, and sharp objects.

Wear an apron to protect yourself and your clothes from chemicals.

Wear heat-resistant gloves when handling hot objects.

Keep your work area clean and uncluttered.

Wear closed-toe shoes when working in the laboratory.

Make sure electric cords are untangled and out of the way.

End-of-Lab Procedures When you have finished a lab, clean your work area. Turn off and unplug equipment and return it to its proper place. Dispose of any wastes as your teacher instructs you to. Finally, wash your hands thoroughly.

Safety in the Field You work in the "field" whenever you work outdoors—for example, in a forest, park, or schoolyard. Always tell an adult where you will be. Never carry out a field investigation alone. Ask an adult or classmate to go with you.

Possible safety hazards outdoors include such things as severe weather, traffic, wild animals, and poisonous plants. Planning ahead can help you avoid some hazards. For example, the weather report can alert you to severe weather. Use common sense to avoid any potentially dangerous situations.

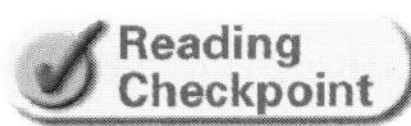

What should you do with equipment at the end of a lab?

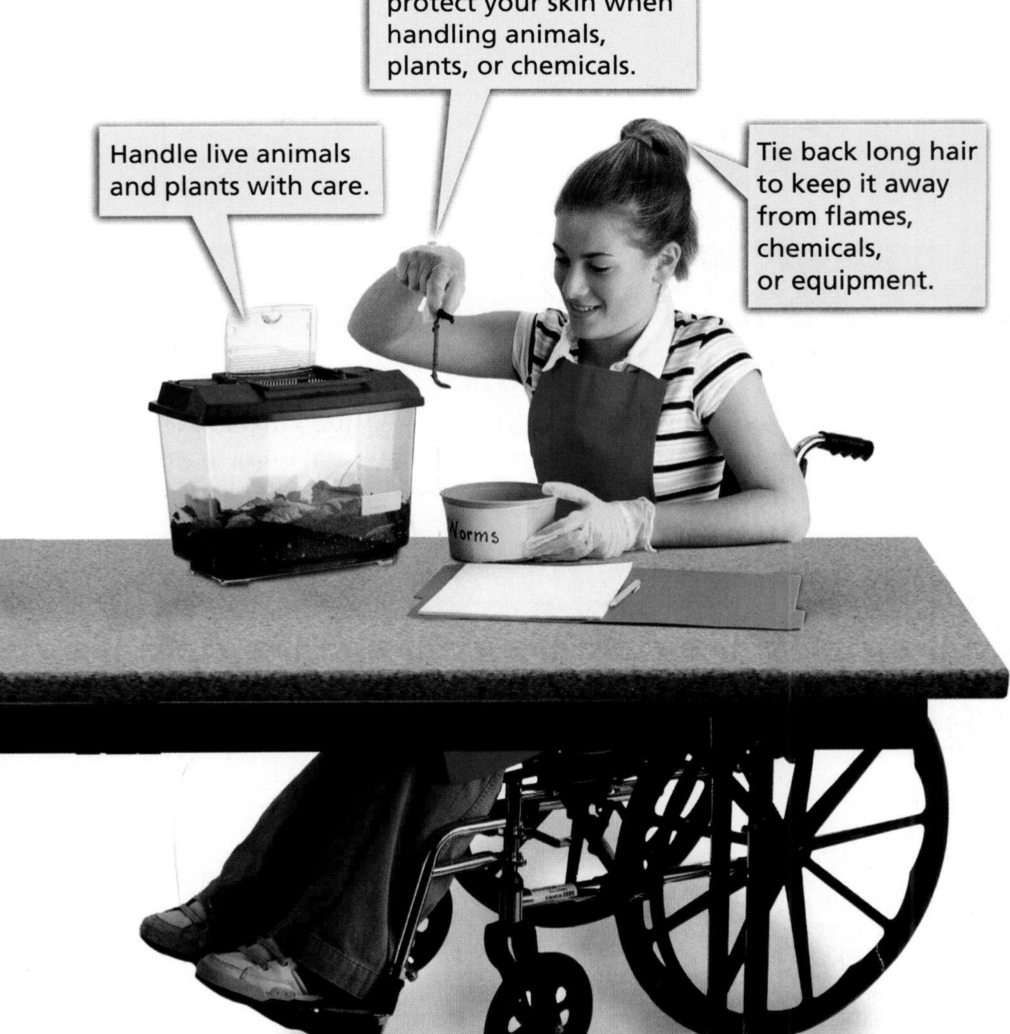

Wear plastic gloves to protect your skin when handling animals, plants, or chemicals.
Handle live animals and plants with care.
Tie back long hair to keep it away from flames, chemicals, or equipment.
Worms

Safety Symbols

 Safety Goggles

 Lab Apron

 Breakage

 Heat-Resistant Gloves

 Plastic Gloves

 Heating

 Flames

 No Flames

 Corrosive Chemical

 Poison

 Fumes

 Sharp Object

 Animal Safety

 Plant Safety

 Electric Shock

 Physical Safety

 Disposal

 Hand Washing

  General Safety Awareness

In Case of Emergency

ALWAYS NOTIFY YOUR TEACHER IMMEDIATELY

Injury	What to Do
Burns	Immerse burns in cold water.
Cuts	Cover cuts with a clean dressing. Apply direct pressure to the wound to stop bleeding.
Spills on Skin	Flush the skin with large amounts of water.
Foreign Object in Eye	Flush the eye with large amounts of water. Seek medical attention.

FIGURE 15 First-Aid Tips
These first-aid tips can help guide your actions during emergency situations. Remember, always notify your teacher immediately if an accident occurs.

In Case of an Accident

Good preparation and careful work habits can go a long way toward making your lab experiences safe ones. But, at some point, an accident may occur. A classmate might accidentally knock over a beaker or a chemical might spill on your sleeve. Would you know what to do?

When any accident occurs, no matter how minor, notify your teacher immediately. Then, listen to your teacher's directions and carry them out quickly. Make sure you know the location and proper use of all the emergency equipment in your lab room. Knowing safety and first-aid procedures beforehand will prepare you to handle accidents properly. Figure 15 lists some first-aid procedures you should know.

What should you do when an accident occurs?

Section 4 Assessment

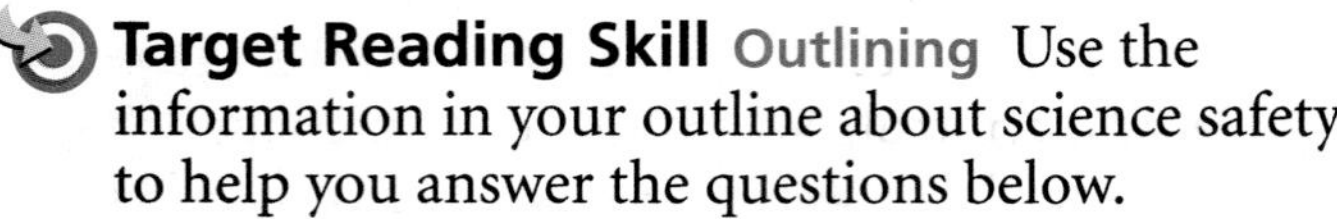

Target Reading Skill Outlining Use the information in your outline about science safety to help you answer the questions below.

Reviewing Key Concepts

1. **a.** Reviewing Why is good preparation important in lab investigations?
   b. Identifying Identify two steps you should take to prepare for a lab.
   c. Predicting What might happen if you did not follow the steps you identified in Question (b)?
2. **a.** Describing What should you do immediately after any lab accident?
   b. Applying Concepts Your lab partner cuts herself and stops the bleeding with a tissue from her pocket. Did she follow the proper procedure? Explain.
   c. Relating Cause and Effect Explain how your partner might have prevented the accident if she had been more familiar with the safety symbols on page 25.

Writing in Science

Field Trip Safety Think of an outdoor area that you know, such as a park, field, or vacant lot, where you might observe wild plants. Write safety instructions that would help students prepare for a field trip to that place. You might add illustrations to help make the instructions clear.

Lab zone **Design Your Own Lab**

Keeping Flowers Fresh

Problem

How can cut flowers stay fresher for a longer period of time?

Skills Focus

developing hypotheses, designing experiments, drawing conclusions

Suggested Materials

- plastic cups
- cut flowers
- spoon
- water
- sugar

Design a Plan

1. You have just been given a bouquet of cut flowers. You remember once seeing a gardener put some sugar into the water in a vase before putting flowers in. You wonder if the gardener did that so that the flowers would stay fresh longer. Write a hypothesis for an experiment you could perform to answer your question.
2. Working with a partner, design a controlled experiment to test your hypothesis. Make a list of all of the variables you will need to control. Also decide what data you will need to collect. For example, you could count the number of petals each flower drops. Then write out a detailed experimental plan for your teacher to review.
3. If necessary, revise your plan according to your teacher's instructions. Then set up your experiment and begin collecting your data.

Analyze and Conclude

1. **Developing Hypotheses** What hypothesis did you decide to test? On what information or experience was your hypothesis based?
2. **Designing Experiments** What was the manipulated variable in the experiment you performed? What was the responding variable? What variables were kept constant?
3. **Graphing** Use the data you collected to create one or more graphs of your experimental results. (For more on creating graphs, see the Skills Handbook.) What patterns or trends do your graphs reveal?
4. **Drawing Conclusions** Based on your graphs, what conclusion can you draw about sugar and cut flowers? Do your results support your hypothesis? Why or why not?
5. **Communicating** In a paragraph, describe which aspects of your experimental plan were difficult to carry out. Were any variables hard to control? Was it difficult to collect accurate data? What changes could you make to improve your experimental plan?

More to Explore

Make a list of some additional questions you would like to investigate about how to keep cut flowers fresh. Choose one of the questions and write a hypothesis for an experiment you could perform. Then design a controlled experiment to test your hypothesis. *Obtain your teacher's permission before carrying out your investigation.*

Chapter 1 Study Guide

1 What Is Science?

Key Concepts

- Scientists use skills such as observing, inferring, predicting, classifying, and making models to learn more about the world.

Key Terms

science
observing
quantitative observation
qualitative observation
inferring
predicting
classifying
making models
life science

2 Scientific Inquiry

Key Concepts

- Scientific inquiry refers to the diverse ways in which scientists study the natural world and propose explanations based on the evidence they gather.
- In science, a hypothesis must be testable. This means that researchers must be able to carry out investigations and gather evidence that will either support or disprove the hypothesis.
- Successful scientists possess certain attitudes, or habits of mind, including curiosity, honesty, open-mindedness, skepticism, and creativity.

Key Terms

scientific inquiry
hypothesis
variable
controlled experiment
manipulated variable
responding variable
operational definition
data
communicating

3 Understanding Technology

Key Concepts

- The goal of technology is to improve the way people live.
- Science is the study of the natural world to understand how it functions. Technology, on the other hand, changes, or modifies, the natural world to meet human needs or solve problems.
- Technology can have both positive and negative consequences for individual people and for society as a whole.

Key Terms

technology
engineer

4 Safety in the Science Laboratory

Key Concepts

- Good preparation helps you stay safe when doing science activities.
- When any accident occurs, no matter how minor, notify your teacher immediately. Then, listen to your teacher's directions and carry them out quickly.

Review and Assessment

For: Self-Assessment
Visit: PHSchool.com
Web Code: cha-1010

Organizing Information

Identifying Main Ideas Copy the graphic organizer about scientific skills onto a separate sheet of paper. Then complete it and add a title. (For more on Identifying Main Ideas, see the Skills Handbook.)

Main Idea

Scientists use many different skills to learn more about the world.

Detail	Detail	Detail	Detail	Detail
a. ?	b. ?	c. ?	d. ?	e. ?

Reviewing Key Terms

Choose the letter of the best answer.

1. When you note that a rabbit has white fur, you are making a
   - **a.** quantitative observation.
   - **b.** qualitative observation.
   - **c.** prediction.
   - **d.** model.
2. Music stores arrange CDs according to the type of music—rock, country, folk, and so on. This is an example of
   - **a.** observation.
   - **b.** inferencing.
   - **c.** posing questions.
   - **d.** classifying.
3. A statement that describes how to measure a variable or define a term is a(n)
   - **a.** controlled variable.
   - **b.** manipulated variable.
   - **c.** hypothesis.
   - **d.** operational definition.
4. Which of the following is NOT an example of technology?
   - **a.** a teaspoon
   - **b.** a computer
   - **c.** a leaf
   - **d.** a microscope
5. In labs in this book, which of the following indicates the danger of breakage?
   - **a.**
   - **b.** 
   - **c.** 
   - **d.** 

If the statement is true, write *true.* If it is false, change the underlined word or words to make the statement true.

6. When you interpret what you have observed, you are <u>inferring</u>.
7. When you <u>pose questions</u>, you create representations of complex objects or processes.
8. The <u>responding variable</u> is changed to test a hypothesis.
9. <u>Technology</u> changes the natural world to meet human needs.
10. You should begin preparing for a lab <u>15 minutes</u> before you perform the lab.

Writing in Science

Description Think about the ways in which the police who investigate crimes act like scientists. In a paragraph, describe the scientific skills that police use in their work.

What Is Science?

Video Preview
Video Field Trip
▶ Video Assessment

Review and Assessment

Checking Concepts

11. When you observe something, what are you doing?

12. What is life science?

13. What is a hypothesis? Why is it important to develop a scientific hypothesis that is testable?

14. In an experiment, why is it important to control all variables except one?

15. What does *data* mean?

16. What does an engineer do?

17. Identify three things that you should do to prepare for a lab.

Thinking Critically

18. **Inferring** Suppose you come home to the scene below. What can you infer happened while you were gone?

19. **Problem Solving** Suppose you would like to find out which dog food your dog likes best. What variables would you need to control in your experiment?

20. **Making Judgments** You read an ad claiming that scientific studies prove that frozen fruit is more nutritious than canned vegetables. What questions would you want answered before you accept this claim?

21. **Applying Concepts** This textbook is an example of technology. What need does it meet? What practical problem does it solve?

Applying Skills

Use the data table below to answer Questions 22–26.

Three students conducted a controlled experiment to find out how walking and running affected their heart rates.

Effect of Activity on Heart Rate (in beats per minute)

Student	Heart Rate (at rest)	Heart Rate (walking)	Heart Rate (running)
1	70	90	115
2	72	80	100
3	80	100	120

22. **Controlling Variables** What is the manipulated variable in this experiment? What is the responding variable?

23. **Developing Hypotheses** What hypothesis might this experiment be testing?

24. **Predicting** Based on this experiment and what you know about exercising, predict how the students' heart rates would change while they are resting after a long run.

25. **Designing Experiments** Design a controlled experiment to determine which activity has more of an effect on a person's heart rate—jumping rope or doing push-ups.

26. **Drawing Conclusions** What do the data indicate about the increased physical activity and heart rate?

Lab zone Chapter Project

Performance Assessment Create a poster that summarizes your experiment for the class. Your poster should include the question you tested, how you tested it, the data you collected, and what conclusion you drew from your experiment. What problems did you encounter while carrying out your experiment? Is additional testing necessary?

Standardized Test Prep

Test-Taking Tip

Interpreting Data Tables

When you are asked questions about data in a table, begin by reading the title of the table to see what kind of information it contains. Look at the headings and column rows to see what specific data the table contains and how the table is organized. Think about the relationship between columns and rows. For example, look at the table above Question 2. The column and row headings tell you that the data show how the numbers of grasshoppers, birds, and spiders in a field changed from July to August. Do not spend too much time trying to examine all the data, because you may not need to understand all the data to answer the questions.

Sample Question

Which of the following statements accurately expresses what happened in the field between July and August?

A The numbers of all the animals increased.
B The numbers of all the plants increased.
C The number of spiders decreased.
D The number of birds stayed the same.

Answer

The correct answer is **D**. There were 100 birds in the field in both July and August. **A** is incorrect because the population of grasshoppers decreased. **B** is incorrect because the table contains no data about plants. **C** is incorrect because the number of spiders increased.

Choose the letter of the best answer.

1. Your brother has a cold and you think you will probably get a cold, too. Which of the following are you doing?
A posing a question based on an inference
B predicting based on an observation
C making a model based on an observation
D designing a controlled experiment

Use the table below to answer Questions 2 and 3.

Animals in a Field

Kind of Animal	Number of Animals	
	July	August
Grasshoppers	5,000	1,500
Birds	100	100
Spiders	200	500

2. Which of the following statements about the data is true?
F In July, there were more grasshoppers than birds.
G In August, there were more birds than spiders.
H Between July and August, the number of grasshoppers increased by 500.
J In both months, there were more spiders than grasshoppers.

3. Which of the following is a logical question that a scientist might pose based on the data in the table?
A What killed off the spiders in the field?
B Are spiders feeding on grasshoppers?
C Do all birds fly south for the winter?
D Are grasshoppers related to beetles?

4. During a lab, if you spill a chemical on your skin, you should
F apply pressure to the area.
G rub the chemical off with a clean tissue.
H flush the skin with large amounts of water.
J throw the rest of the chemical in a waste basket.

Constructed Response

5. Advertisements for three brands of plant food each claim that their brand makes plants grow fastest. How would you design an experiment to test which brand works best?

Chapter 2 Living Things

Chapter Preview

1. **What Is Life?**
   Discover *Is It Living or Nonliving?*
   Try This *React!*
   Active Art *Redi's and Pasteur's Experiments*
   Skills Activity *Designing Experiments*
   Analyzing Data *Frogs and Rainfall*
   At-Home Activity *Observing Life*
   Skills Lab *Please Pass the Bread!*

2. **Classifying Organisms**
   Discover *Can You Organize a Junk Drawer?*
   Skills Activity *Classifying*
   At-Home Activity *Kitchen Classification*

3. **Discovering Cells**
   Discover *Is Seeing Believing?*
   Skills Activity *Observing*
   Technology Lab *Design and Build a Microscope*

4. **Looking Inside Cells**
   Discover *How Large Are Cells?*
   Try This *Gelatin Cell*
   Active Art *Plant and Animal Cells*
   Skills Activity *Observing*

Each transparent ball is a tiny freshwater organism known as a *Volvox*.

Cell Structure and Function

▶ Video Preview
Video Field Trip
Video Assessment

Lab zone™ Chapter Project

Mystery Object

It's not always easy to tell whether something is alive. In this chapter, you will learn the characteristics of living things. As you study this chapter, your challenge will be to determine whether or not a mystery object is alive.

Your Goal To study a mystery object for several days to determine whether or not it is alive

To complete the project, you must

- care for your object following your teacher's instructions
- observe your object each day, and record your data
- determine whether your object is alive, and if so, to which domain and kingdom it belongs
- follow the safety guidelines in Appendix A

Plan It! Before you get started, create a list of characteristics that living things share. Think about whether nonliving things also share these characteristics. Also, think about what kind of tests you can carry out to look for signs of life. Create data tables in which to record your observations.

Section 1

What Is Life?

Reading Preview

Key Concepts

- What characteristics do all living things share?
- Where do living things come from?
- What do living things need to survive?

Key Terms

- organism • cell • unicellular
- multicellular • stimulus
- response • development
- spontaneous generation
- autotroph • heterotroph
- homeostasis

Target Reading Skill

Using Prior Knowledge Look at the section headings and visuals to see what this section is about. Then write what you already know about living things in a graphic organizer like the one below. As you read, write what you learn.

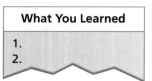

What You Know
1. Living things grow. 2.

What You Learned
1. 2.

Lab zone Discover Activity

Is It Living or Nonliving?

1. Your teacher will give you and a partner a wind-up toy.
2. One of you will look for evidence that the toy is alive and the other will look for evidence that the toy is not alive.
3. Observe the toy. List the evidence that supports your position about whether or not the toy is alive.
4. Share your lists with your classmates.

Think It Over

Forming Operational Definitions Based on what you just learned, create a list of characteristics that living things share.

If you were asked to name some living things, or **organisms,** you might name yourself, a pet, and maybe some insects or plants. You would probably not mention a moss growing in a shady spot, the mildew on bathroom tiles, or the slime molds that oozed across lawns. But all of these things are organisms.

The Characteristics of Living Things

Living things share important characteristics. **All living things have a cellular organization, contain similar chemicals, use energy, respond to their surroundings, grow and develop, and reproduce.**

Cellular Organization All organisms are made of small building blocks called cells. A **cell** is the basic unit of structure and function in an organism. Cells are so small that you need a microscope to see them.

Organisms may be composed of only one cell or of many cells. **Unicellular,** or single-celled organisms, include bacteria (bak TIHR ee uh), the most numerous organisms on Earth. **Multicellular** organisms are composed of many cells that are specialized to do certain tasks. For example, you are made of trillions of cells. Specialized cells in your body, such as muscle and nerve cells, work together to keep you alive.

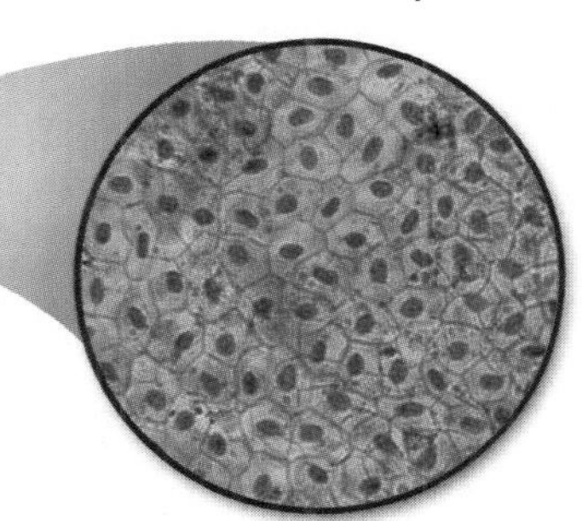

FIGURE 1
Cellular Organization
Like all living things, the frog is made of cells. Most cells are so small that you need a microscope to see them.

The Chemicals of Life The cells of all living things are composed of chemicals. The most abundant chemical in cells is water. Other chemicals, called carbohydrates (kahr boh HY drayts), are a cell's main energy source. Two other chemicals, proteins (PROH teenz) and lipids, are the building materials of cells. Nucleic (noo KLEE ik) acids are the genetic material—the chemical instructions that direct the cell's activities.

Energy Use The cells of organisms use energy to do what living things must do, such as repairing injured parts. An organism's cells are always hard at work. For example, as you read this paragraph, your eye and brain cells are at work. Your blood cells are busy moving chemicals around your body.

Response to Surroundings Have you noticed that plant stems bend toward the light? Plants and all other organisms react to changes in their environment. A change in an organism's surroundings that causes the organism to react is called a **stimulus** (plural *stimuli*). Stimuli include changes in temperature, light, sound, and other factors. An organism reacts to a stimulus with a **response**—an action or change in behavior. For example, has the sound of a car horn ever startled you? The sound was a stimulus that caused your response.

Growth and Development Living things also grow and develop. Growth is the process of becoming larger. **Development** is the process of change that occurs during an organism's life to produce a more complex organism.

Reproduction Another characteristic of organisms is the ability to reproduce, or produce offspring that are similar to the parents. For example, robins lay eggs that develop into young robins that closely resemble their parents.

Lab zone Try This Activity

React!

1. Have a partner clap his or her hands together about 10 centimeters in front of your face. Describe how you react.
2. Look at one of your eyes in a mirror. Cover the eye with your hand for a minute. While looking in the mirror, remove your hand. Observe how the size of your pupil changes.
3. Bring a slice of lemon close to your nose and mouth. Describe what happens.

Classifying For each action performed, name the stimulus and the response.

FIGURE 2

Redi's Experiment

Francesco Redi designed one of the first controlled experiments. In his experiment, Redi showed that flies do not spontaneously arise from decaying meat.
Controlling Variables *What is the manipulated variable in this experiment?*

1. Redi placed meat in two identical jars. He left one jar uncovered. He covered the other jar with a cloth that let in air.

2. After a few days, Redi saw maggots (young flies) on the decaying meat in the open jar. There were no maggots on the meat in the covered jar.

3. Redi reasoned that flies had laid eggs on the meat in the open jar. The eggs hatched into maggots. Because flies could not lay eggs on the meat in the covered jar, there were no maggots there. Redi concluded that decaying meat did not produce maggots.

For: Redi's and Pasteur's Experiments activity
Visit: PHSchool.com
Web Code: cep-1011

Life Comes From Life

Today, when people see moths fly out of a closet or weeds poking out of cracks in the sidewalk, they know that these organisms are the result of reproduction. **Living things arise from living things through reproduction.** However, four hundred years ago, people believed that life could appear from nonliving material. For example, they thought that flies could arise from rotting meat. The mistaken idea that living things can arise from nonliving sources is called **spontaneous generation.** It took hundreds of years of experiments to convince people that spontaneous generation does not occur.

Redi's Experiment In the 1600s, an Italian doctor named Francesco Redi helped to disprove spontaneous generation. Redi designed a controlled experiment to show that flies do not arise from decaying meat. Recall that in a controlled experiment, a scientist carries out two tests that are identical in every respect except for one factor. The one factor that a scientist changes is called the manipulated variable.

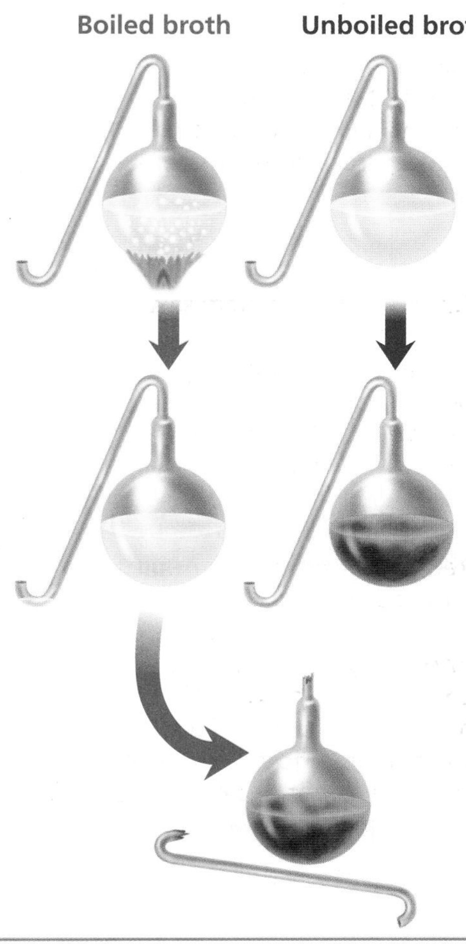

1. Pasteur put clear broth into two flasks with curved necks. The necks would let in oxygen but keep out bacteria from the air. Pasteur boiled the broth in one flask to kill any bacteria in the broth. He did not boil the broth in the other flask.

2. In a few days, the unboiled broth became cloudy, showing that new bacteria were growing. The boiled broth remained clear. Pasteur concluded that bacteria do not spontaneously arise from the broth. New bacteria appeared only when living bacteria were already present.

Later, Pasteur took the flask with the broth that had remained clear and broke its curved neck. Bacteria from the air could now enter the flask. In a few days, the broth became cloudy. This evidence confirmed that new bacteria arise only from existing bacteria.

FIGURE 3
Pasteur's Experiment
Louis Pasteur's carefully controlled experiment demonstrated that bacteria arise only from existing bacteria.

▲ **Pasteur in his laboratory**

In Redi's experiment, shown in Figure 2, the manipulated variable was whether or not the jar was covered. Flies were able to enter the uncovered jar and lay their eggs on the meat inside. These eggs hatched into maggots, which developed into new flies. The flies could not enter the covered jar, however. Therefore, no maggots formed on the meat in the covered jar. Through his experiment, Redi was able to conclude that rotting meat does not produce flies.

Pasteur's Experiment Even after Redi's work, many people continued to believe that spontaneous generation could occur. In the mid-1800s, the French chemist Louis Pasteur designed some controlled experiments that finally rejected spontaneous generation. As shown in Figure 3, he demonstrated that new bacteria appeared in broth only when they were produced by existing bacteria. The experiments of Redi and Pasteur helped to convince people that living things do not arise from nonliving material.

What is a controlled experiment?

Lab zone Skills Activity

Designing Experiments

Your teacher will give you a slice of potato. Predict what percentage of the potato's mass is water. Then come up with a plan to test your prediction. For materials, you will be given a hair dryer and a balance. Obtain your teacher's approval before carrying out your plan. How does your result compare with your prediction?

The Needs of Living Things

Though it may seem surprising, flies, bacteria, and all other organisms have the same basic needs as you. **All living things must satisfy their basic needs for water, food, living space, and stable internal conditions.**

Water All living things need water to survive. In fact, most organisms can live for only a few days without water. Organisms need water to obtain chemicals from their surroundings, break down food, grow, move substances within their bodies, and reproduce.

Food Recall that organisms need a source of energy to live. They use food as their energy source. Organisms differ in the ways they obtain energy. Some organisms, such as plants, capture the sun's energy and use it to make food. Organisms that make their own food are called **autotrophs** (AW toh trohfs). *Auto-* means "self" and *-troph* means "feeder." Autotrophs use the food they make to carry out their own life functions.

Organisms that cannot make their own food are called **heterotrophs** (HET uh roh trohfs). *Hetero-* means "other." Heterotrophs obtain their energy by feeding on others. Some heterotrophs eat autotrophs and use the energy in the autotroph's stored food. Other heterotrophs consume heterotrophs that eat autotrophs. Therefore, a heterotroph's energy source is also the sun—but in an indirect way. Animals, mushrooms, and slime molds are examples of heterotrophs.

Why are plants called autotrophs?

FIGURE 4
Water, Food, and Living Space

This environment meets the needs of the many animals that live there. **Inferring** *How do plants meet their needs for food?*

The porcupine, a heterotroph, feeds on green plants.

Math Analyzing Data

Frogs and Rainfall

Frogs need a moist environment, such as a pond, to survive. For five years, a scientist counted the frogs in a pond. The scientist also measured the spring rainfall.

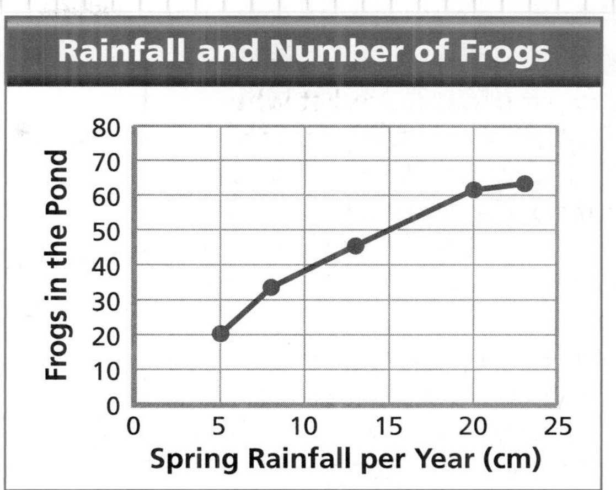

1. **Reading Graphs** What data are plotted on the horizontal axis? What units were used?
2. **Interpreting Data** What was the greatest number of frogs that the scientist recorded? How much rain fell that spring?
3. **Making Generalizations** What is the relationship between the number of frogs and the amount of spring rain? What do you know about living things that might help explain that relationship?

Rainfall and Number of Frogs

Living Space All organisms need a place to live—a place to get food and water and find shelter. Whether an organism lives in the freezing Antarctic or the scorching desert, its surroundings must provide what it needs to survive.

Because there is a limited amount of space on Earth, some organisms must compete for space. Trees in a forest, for example, compete with other trees for sunlight above ground. Below ground, their roots compete for water and minerals.

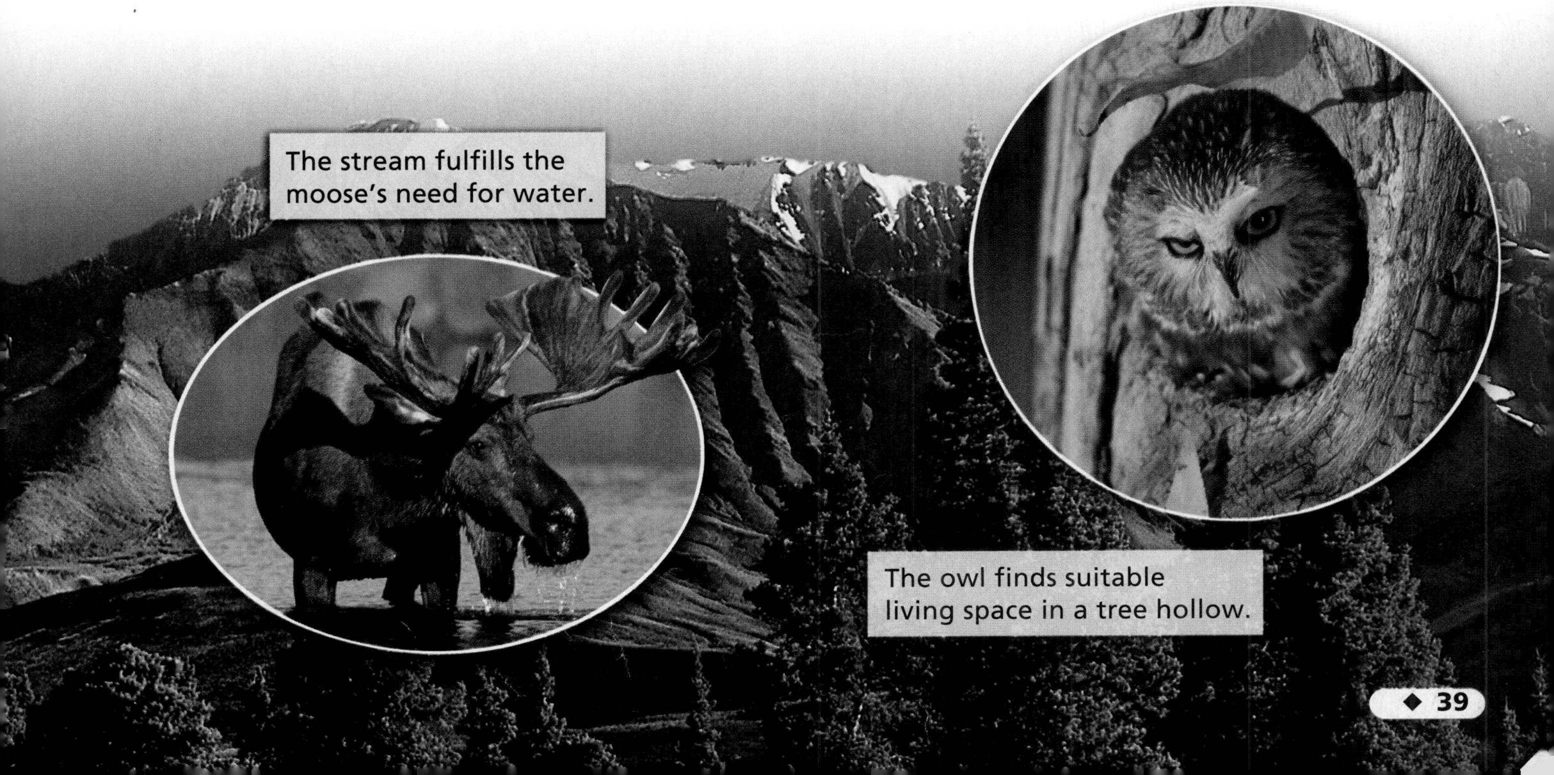

The stream fulfills the moose's need for water.

The owl finds suitable living space in a tree hollow.

FIGURE 5
Homeostasis
Sweating helps your body maintain a steady body temperature. Your body produces sweat during periods of strenuous activity. As the sweat evaporates, it cools your body down.

Stable Internal Conditions Organisms must be able to keep the conditions inside their bodies stable, even when conditions in their surroundings change significantly. For example, your body temperature stays steady despite changes in the air temperature. The maintenance of stable internal conditions is called **homeostasis** (hoh mee oh STAY sis).

Homeostasis keeps internal conditions just right for cells to function. Think about your need for water after a hard workout. When water levels in your body decrease, chemicals in your body send signals to your brain, causing you to feel thirsty.

Other organisms have different mechanisms for maintaining homeostasis. Consider barnacles, which as adults are attached to rocks at the edge of the ocean. At high tide, they are covered by water. At low tide, however, the watery surroundings disappear, and barnacles are exposed to hours of sun and wind. Without a way to keep water in their cells, they would die. Fortunately, a barnacle can close up its hard outer plates, trapping some water inside. In this way, a barnacle can keep its body moist until the next high tide.

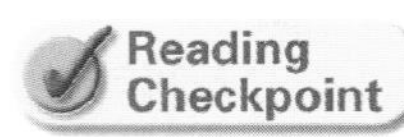
Reading Checkpoint **What is homeostasis?**

Section 1 Assessment

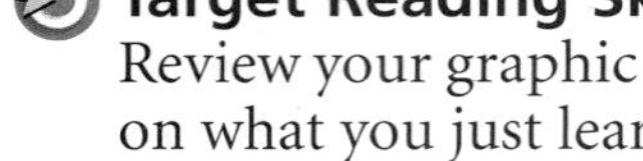

Target Reading Skill Using Prior Knowledge Review your graphic organizer and revise it based on what you just learned in the section.

Reviewing Key Concepts

1. a. Reviewing List the six characteristics of living things.
   b. Inferring A bird sitting in a tree flies away as you walk by. Which of the life characteristics explains the bird's behavior?
   c. Applying Concepts Explain why the tree, which does not move away, is also considered a living thing.
2. a. Defining What was meant by the idea of *spontaneous generation*?
   b. Explaining Why is this idea incorrect?
   c. Summarizing How did Pasteur's experiment help show that spontaneous generation does not occur?
3. a. Identifying What four things do all organisms need to survive?
   b. Describing Which need is a fox meeting by feeding on berries?
   c. Applying Concepts The arctic fox has thick, dense fur in the winter and much shorter fur in the summer. How does this help the fox maintain homeostasis?

Lab zone At-Home Activity

Observing Life With a family member, observe a living thing, such as a family pet, a houseplant, or a bird outside your window. Record your observations as you study the organism. Prepare a chart that shows how the organism meets the four needs of living things discussed in this section.

Please Pass the Bread!

Problem

What factors are necessary for bread molds to grow?

Skills Focus

observing, controlling variables

Materials

- paper plates
- plastic dropper
- bread without preservatives
- sealable plastic bags
- tap water
- packing tape

Procedure 

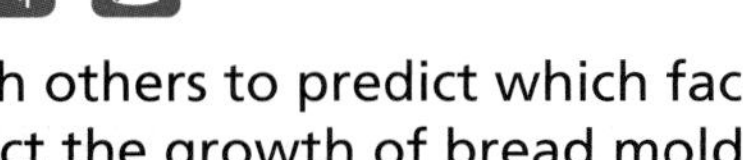

1. Brainstorm with others to predict which factors might affect the growth of bread mold. Record your ideas.
2. Place two slices of bread of the same size and thickness on separate, clean plates.
3. To test the effect of moisture on bread mold growth, add drops of tap water to one bread slice until the whole slice is moist. Keep the other slice dry. Expose both slices of bread to the air for one hour.
4. Put each slice into its own sealable bag. Press the outside of each bag to remove the air. Seal the bags. Then use packing tape to seal the bags again. Store the bags in a warm, dark place.
5. Copy the data table into your notebook.
6. Every day for at least five days, briefly remove the sealed bags from their storage place. Record whether any mold has grown. Estimate the area of the bread where mold is present. **CAUTION:** *Do not unseal the bags. At the end of the experiment, give the sealed bags to your teacher.*

Analyze and Conclude

1. **Observing** How did the appearance of the two slices of bread change over the course of the experiment?
2. **Inferring** How can you explain any differences in appearance between the two slices?
3. **Controlling Variables** What was the manipulated variable in this experiment? Why was it necessary to control all other variables except this one?
4. **Communicating** Suppose that you lived in Redi's time. A friend tells you that molds just suddenly appear on bread. How would you explain to your friend about Redi's experiment and how it applies to molds and bread?

Design an Experiment

Choose another factor that may affect mold growth, such as temperature or the amount of light. Set up an experiment to test the factor you choose. Remember to keep all conditions the same except for the one you are testing. *Obtain your teacher's permission before carrying out your investigation.*

Data Table

	Moistened Bread Slice		Unmoistened Bread Slice	
Day	Mold Present?	Area With Mold	Mold Present?	Area With Mold
1				
2				

Section 2 Classifying Organisms

Reading Preview

Key Concepts

- Why do biologists organize living things into groups?
- What do the levels of classification indicate about the relationship between organisms?
- What characteristics are used to classify organisms into domains and kingdoms?

Key Terms

- classification
- taxonomy
- binomial nomenclature
- genus
- species
- prokaryote
- nucleus
- eukaryote

Target Reading Skill

Asking Questions Before you read, preview the red headings. In a graphic organizer like the one below, ask a *what, why,* or *how* question for each heading. As you read, write the answers to your questions.

Classifying Organisms

Question	Answer
Why do scientists classify?	Scientists classify because . . .

Lab zone Discover Activity

Can You Organize a Junk Drawer?

1. Your teacher will give you some items that you might find in the junk drawer of a desk. Your job is to organize the items.
2. Examine the objects and decide on three groups into which you can sort them.
3. Place each object into one of the groups, based on how the item's features match the characteristics of the group.
4. Compare your grouping system with those of your classmates.

Think It Over

Classifying Which of your classmates' grouping systems seemed most useful? Why?

Suppose you had only ten minutes to run into a supermarket to get what you needed—milk and tomatoes. Could you do it? In most supermarkets this would be an easy task. You'd probably find out where the dairy and produce sections are, and head straight to those areas. Now imagine if you had to shop for these same items in a market where things were randomly placed throughout the store. Where would you begin? You'd have to search through a lot of things before you found what you needed. You could be there for a long time!

FIGURE 6
Classifying Vegetables
Vegetables in the produce section of a supermarket are neatly organized.

FIGURE 7
Classifying Beetles
These beetles belong to a large insect collection in a natural history museum. They have been classified according to characteristics they share. **Observing** *What characteristics may have been used to group these beetles?*

Why Do Scientists Classify?

Just as shopping can be a problem in a disorganized store, finding information about a specific organism can also be a problem. So far, scientists have identified more than one million kinds of organisms on Earth. That's a large number, and it is continually growing as scientists discover new organisms. Imagine how difficult it would be to find information about one particular organism if you had no idea even where to begin. It would be a lot easier if similar organisms were placed into groups.

Organizing living things into groups is exactly what biologists have done. Biologists group organisms based on similarities, just as grocers group milk with dairy products and tomatoes with produce. **Classification** is the process of grouping things based on their similarities.

Biologists use classification to organize living things into groups so that the organisms are easier to study. The scientific study of how living things are classified is called **taxonomy** (tak SAHN uh mee). Taxonomy is useful because once an organism is classified, a scientist knows a lot about that organism. For example, if you know that a crow is classified as a bird, then you know that a crow has wings, feathers, and a beak.

Reading Checkpoint **What is the scientific study of how living things are classified called?**

The Naming System of Linnaeus

Taxonomy also involves naming organisms. In the 1750s, the Swedish naturalist Carolus Linnaeus devised a system of naming organisms that is still used today. Linnaeus placed organisms in groups based on their observable features. Based on his observations, Linnaeus gave each organism a unique, two-part scientific name. This naming system Linnaeus used is called **binomial nomenclature** (by NOH mee ul NOH men klay chur). The word *binomial* means "two names."

Genus and Species The first word in an organism's scientific name is its genus. A **genus** (JEE nus) (plural *genera*) is a classification grouping that contains similar, closely related organisms. For example, pumas, marbled cats, and house cats are all classified in the genus *Felis*. Organisms that are classified in the genus *Felis* share characteristics such as sharp, retractable claws and behaviors such as hunting other animals.

The second word in a scientific name often describes a distinctive feature of an organism, such as where it lives or its appearance. Together, the two words indicate a unique species. A **species** (SPEE sheez) is a group of similar organisms that can mate with each other and produce offspring that can also mate and reproduce.

What kind of name did Linnaeus give each organism?

FIGURE 8 **Binomial Nomenclature**

These three species of cats belong to the same genus. Their scientific names, written in Latin, share the same first word, *Felis*. The second word of their names describes a feature of the animal. **Classifying** *What characteristics do these species share?*

Felis concolor (Puma)
Concolor means "the same color." Notice that this animal's coat is mostly the same color.

Felis marmorata (Marbled cat)
Notice the marbled pattern of this animal's coat. *Marmorata* means "marble."

Felis domesticus
(House cat)
Domesticus means "of the house."

Using Binomial Nomenclature Notice in Figure 8 that a complete scientific name is written in italics. Only the first letter of the first word is capitalized. Notice also that scientific names contain Latin words. Linnaeus used Latin because it was the language that scientists used during that time.

Binomial nomenclature makes it easy for scientists to communicate because everyone uses the same name for the same organism. Using different names can get confusing. For instance, people call the animal in Figure 9 a woodchuck, groundhog, or whistlepig. Fortunately, it has only one scientific name—*Marmota monax.*

FIGURE 9
Marmota monax
Although there are many common names for this animal, it has only one scientific name, *Marmota monax*.

Levels of Classification

The classification system that scientists use today is based on the contributions of Linnaeus. But today's classification system uses a series of many levels to classify organisms.

To help you understand the levels in classification, imagine a room filled with everybody from your state. First, all of the people from your town raise their hands. Then, those from your neighborhood raise their hands. Then, those from your street raise their hands. Finally, those from your house raise their hands. Each time, fewer people raise their hands. But you'd be in all of the groups. The most general group you belong to is the state. The most specific group is the house. The more levels you share with others, the more you have in common with them. Of course, organisms are not grouped by where they live, but rather by their shared characteristics.

The Major Levels of Classification Most biologists today classify organisms into eight levels. First, an organism is placed in a broad group, which in turn is divided into more specific groups. **The more classification levels that two organisms share, the more characteristics they have in common.**

Here are the eight classification levels that biologists commonly use.

- A domain is the highest level of organization.
- Within a domain, there are kingdoms.
- Within kingdoms, there are phyla (FY luh) (singular *phylum*).
- Within phyla are classes.
- Within classes are orders.
- Within orders are families.
- Each family contains one or more genera.
- Each genus contains one or more species.

For: Links on kingdoms
Visit: www.SciLinks.org
Web Code: scn-0113

Classifying an Owl Look at Figure 10 to see how the great horned owl is classified. The top row shows a wide variety of organisms that share the owl's domain. Notice that as you move down the levels, there are fewer kinds of organisms in each group. The organisms in each new group have more in common, however. For example, the class Aves includes all birds. The order Strigiformes includes only owls.

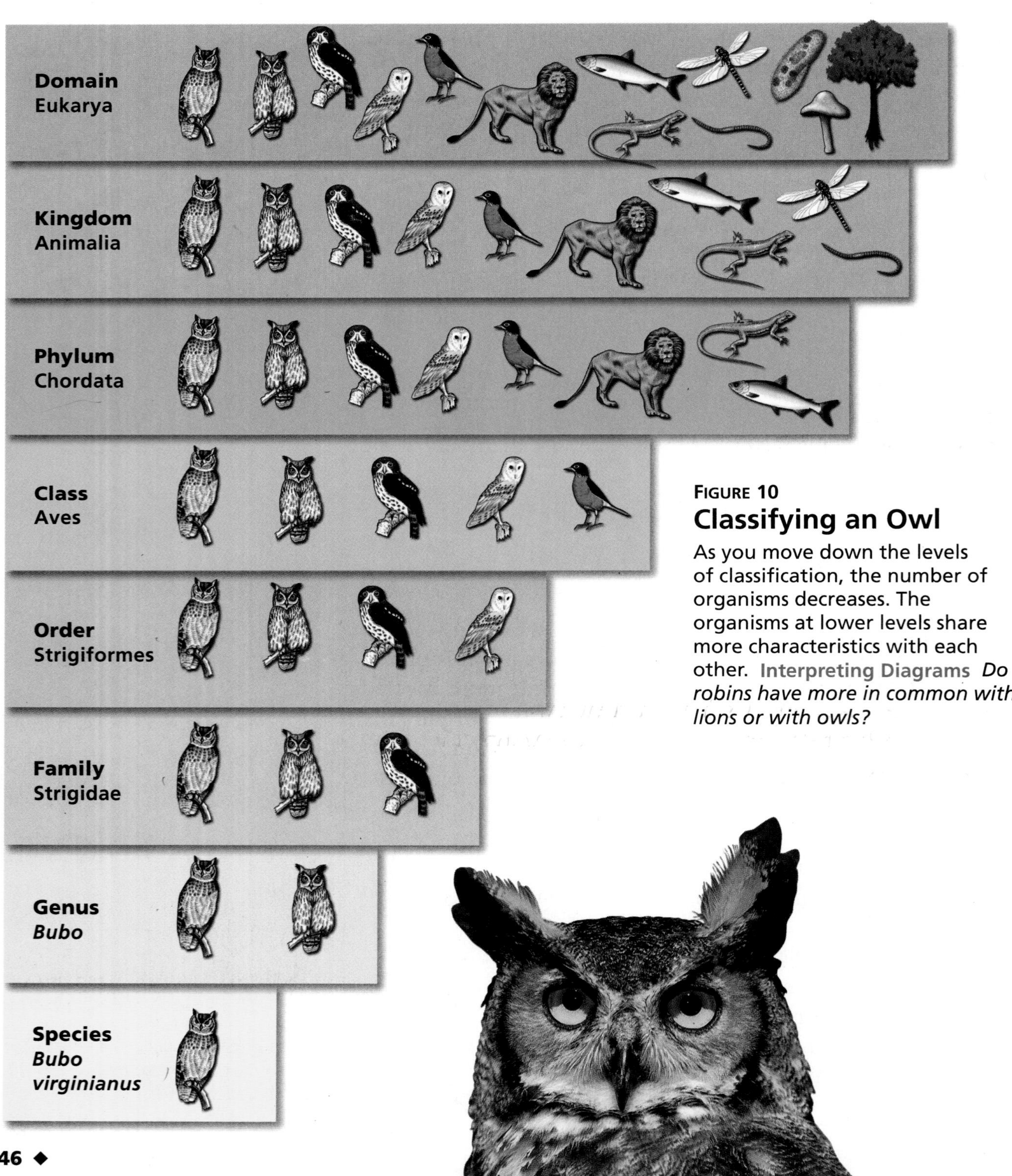

FIGURE 10
Classifying an Owl
As you move down the levels of classification, the number of organisms decreases. The organisms at lower levels share more characteristics with each other. **Interpreting Diagrams** *Do robins have more in common with lions or with owls?*

Domains and Kingdoms

Today, a three-domain system of classification is commonly used. Shown in Figure 11, the three domains are Bacteria, Archaea, and Eukarya. Within the domains are kingdoms. **Organisms are placed into domains and kingdoms based on their cell type, their ability to make food, and the number of cells in their bodies.**

Bacteria Although you may not know it, members of the domain Bacteria are all around you. You can find them in the yogurt you eat, on every surface you touch, and inside your body, both when you are healthy and sick. Some bacteria are autotrophs, while others are heterotrophs.

Members of the domain Bacteria are prokaryotes (proh KA ree ohtz). **Prokaryotes** are organisms whose cells lack a nucleus. A **nucleus** (NOO klee us) (plural *nuclei*) is a dense area in a cell that contains nucleic acids—the chemical instructions that direct the cell's activities. In prokaryotes, nucleic acids are not contained within a nucleus.

Archaea Deep in the Pacific Ocean, hot gases and molten rock spew out from a vent in the ocean floor. Surprisingly, a group of tiny organisms thrives there. They are members of the domain Archaea (ahr KEE uh), whose name comes from the Greek word for "ancient." Archaea can be found in some of the most extreme environments on Earth, including hot springs, very salty water, swamps, and the intestines of cows! Scientists think that the harsh conditions in which archaea live are similar to those of ancient Earth.

Like bacteria, archaea are unicellular prokaryotes. And like bacteria, some archaea are autotrophs while others are heterotrophs. Archaea are classified in their own domain, however, because their structure and chemical makeup differ from that of bacteria.

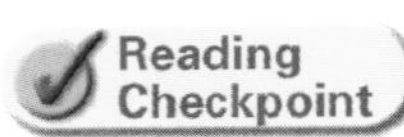

What is a nucleus?

Lab zone Skills Activity

Classifying

Test your classifying skills using Figure 10. Look carefully at the organisms pictured together at the kingdom level. Make a list of the characteristics that the organisms share. Then make two more lists of shared characteristics—one for the organisms at the class level and the other for those at the genus level. How does the number of shared characteristics on your lists change at each level?

Three Domains of Life

Bacteria	Archaea	Eukarya			
		Protists	Fungi	Plants	Animals

FIGURE 11
Three Domains
In the three-domain system of classification, all known organisms belong to one of three domains—Bacteria, Archaea, or Eukarya.

▲ Protists: Paramecium

▲ Fungi: Mushrooms

FIGURE 12
Domain Eukarya
You can encounter organisms from all four kingdoms of Eukarya on a hike through the woods.
Making Generalizations *What characteristic do all Eukarya share?*

Domain Eukarya

What do seaweeds, mushrooms, tomatoes, and dogs have in common? They are all members of the domain Eukarya. Organisms in this domain are **eukaryotes** (yoo KA ree ohtz)—organisms with cells that contain nuclei. **Scientists classify organisms in the domain Eukarya into one of four kingdoms: protists, fungi, plants, or animals.**

Protists A protist (PROH tist) is any eukaryotic organism that cannot be classified as an animal, plant, or fungus. Because its members are so different from one another, the protist kingdom is sometimes called the "odds and ends" kingdom. For example, some protists are autotrophs, while other protists are heterotrophs. Most protists are unicellular, but some, such as seaweeds, are large multicellular organisms.

Fungi If you have eaten mushrooms, then you have eaten fungi (FUN jy). Mushrooms, molds, and mildew are all fungi. Most fungi are multicellular eukaryotes. A few, such as the yeast you use for baking, are unicellular eukaryotes. Fungi are found almost everywhere on land, but only a few live in fresh water. All fungi are heterotrophs. Most fungi feed by absorbing nutrients from dead or decaying organisms.

Plants Dandelions on a lawn, mosses in a forest, and peas in a garden are familiar members of the plant kingdom. Plants are all multicellular eukaryotes and most live on land. In addition, plants are autotrophs that make their own food. Plants provide food for most of the heterotrophs on land.

The plant kingdom includes a great variety of organisms. Some plants produce flowers, while others do not. Some plants, such as giant redwood trees, can grow very tall. Others, like mosses, never grow taller than a few centimeters.

▲ **Plants:** Moss

▲ **Animals:** Salamander

Animals A dog, a flea on the dog's ear, and a cat that the dog chases have much in common because all are animals. All animals are multicellular eukaryotes. In addition, all animals are heterotrophs. Animals have different adaptations that allow them to locate food, capture it, eat it, and digest it. Members of the animal kingdom live in diverse environments throughout Earth. Animals can be found from ocean depths to mountaintops, from hot, scalding deserts to cold, icy landscapes.

Which two kingdoms consist only of heterotrophs?

Section 2 Assessment

Target Reading Skill **Asking Questions** Use the answers to the questions you wrote about the headings to help you answer the questions below.

Reviewing Key Concepts

1. a. **Reviewing** Why do biologists classify?
   b. **Inferring** Suppose someone tells you that a jaguarundi is classified in the same genus as a house cat. What characteristics do you think a jaguarundi might have?
   c. **Predicting** What genus name would you expect a jaguarundi to have? Explain.
2. a. **Listing** List in order the levels of classification, beginning with domain.
   b. **Applying Concepts** Woodchucks are classified in the same family as squirrels, but in a different family than mice. Do woodchucks have more characteristics in common with squirrels or mice? Explain.
3. a. **Identifying** What are the three domains into which organisms are classified?
   b. **Classifying** Which two domains include only organisms that are prokaryotes?
   c. **Comparing and Contrasting** How do the members of the two domains of prokaryotes differ?

Lab zone At-Home Activity

Kitchen Classification With a family member, go on a "classification hunt" in the kitchen. Look in your refrigerator, cabinets, and drawers to discover what classification systems your family uses to organize items. Then explain to your family member the importance of classification in biology.

Section 3

• Tech & Design •

Discovering Cells

Reading Preview

Key Concepts

- What are cells?
- How did the invention of the microscope contribute to knowledge about living things?
- What is the cell theory?
- How do microscopes produce magnified images?

Key Terms

- cell
- microscope
- cell theory

Target Reading Skill

Sequencing A sequence is the order in which a series of events occurs. As you read, construct a flowchart showing how the work of Hooke, Leeuwenhoek, Schleiden, Schwann, and Virchow contributed to scientific understanding of cells.

Discovering Cells

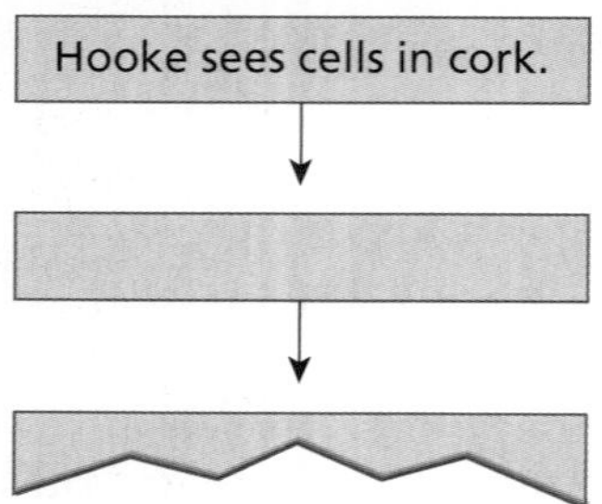
Hooke sees cells in cork.

Lab zone Discover Activity

Is Seeing Believing?

1. Cut a black-and-white photograph out of a page in a newspaper. With only your eyes, closely examine the photo. Record your observations.
2. Examine the same photo with a hand lens. Again, record your observations.
3. Place the photo on the stage of a microscope. Use the clips to hold the photo in place. Shine a light down on the photo. Focus the microscope on part of the photo. (See Appendix B for instructions on using the microscope.) Record your observations.

Think It Over

Observing What did you see in the photo with the hand lens that you could not see with only your eyes? What additional details could you see with the microscope?

A forest is filled with an amazing variety of living things. Some are easy to see, but you have to look closely to find others. If you look carefully at the floor of a forest, you can often find spots of bright color. A beautiful pink coral fungus grows beneath tall trees. Beside the pink fungus, a tiny red newt perches on a fallen leaf.

What do you think a fungus, a tree, and a red newt have in common? They are all living things, or organisms, and, like all organisms, they are made of cells.

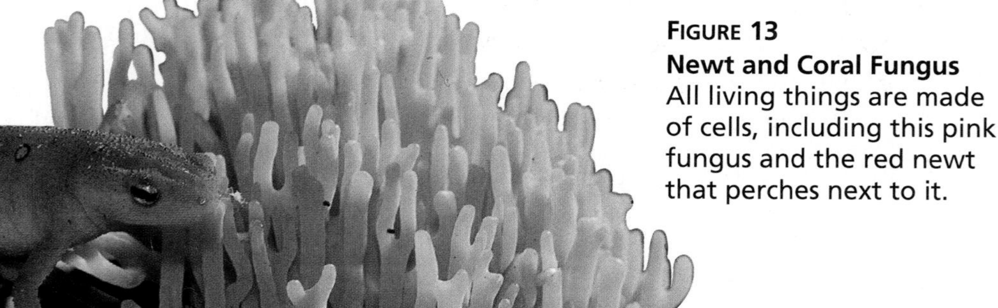

FIGURE 13

Newt and Coral Fungus

All living things are made of cells, including this pink fungus and the red newt that perches next to it.

An Overview of Cells

You are made of cells. **Cells are the basic units of structure and function in living things.** This means that **cells** form the parts of an organism and carry out all of an organism's processes, or functions.

Cells and Structure When you describe the structure of an object, you describe what it is made of and how its parts are put together. The structures of many buildings, for example, are determined by the way in which bricks, steel beams, and other materials are arranged. The structures of living things are determined by the amazing variety of ways in which cells are put together. A tall tree, for example, consists of cells arranged to form a high trunk and leafy branches. A red newt's cells form a body with a head and four legs.

Cells and Function An organism's functions are the processes that enable it to stay alive and reproduce. Some functions in organisms include obtaining oxygen, getting rid of wastes, obtaining food, and growing. Cells are involved in all these functions. For example, cells in your digestive system absorb food. The food provides your body with energy and materials needed for growth.

Many and Small Figure 14 shows human skin cells. One square centimeter of your skin's surface contains more than 100,000 cells. But no matter how closely you look with your eyes alone, you won't be able to see individual skin cells. That is because, like most cells, those of your skin are very small. Until the late 1600s, no one knew cells existed because there was no way to see them.

Reading Checkpoint **What are some functions that cells perform in living things?**

FIGURE 14
Skin Cells
Your skin is made of cells such as these. **Applying Concepts** *What are cells?*

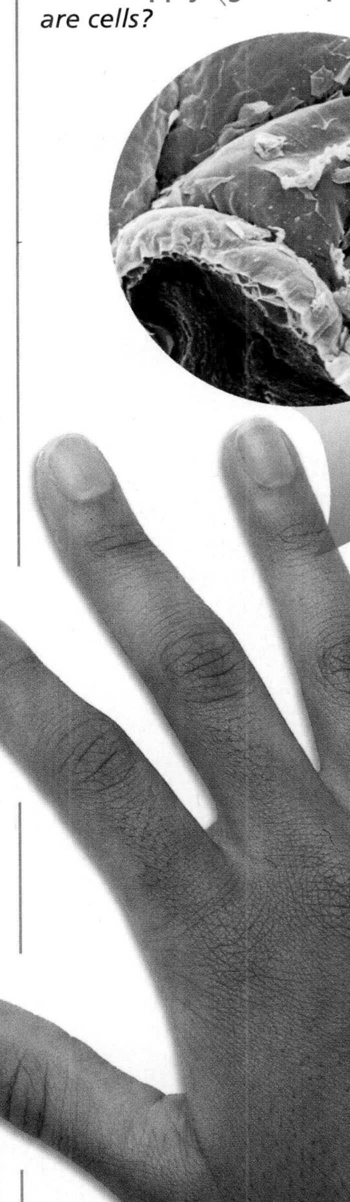

First Observations of Cells

Around 1590, the invention of the microscope enabled people to look at very small objects. **The invention of the microscope made it possible for people to discover and learn about cells.** A **microscope** is an instrument that makes small objects look larger. Some microscopes do this by using lenses to focus light. The lenses used in light microscopes are similar to the clear, curved pieces of glass or plastic used in eyeglasses. A simple microscope contains only one lens. A light microscope that has more than one lens is called a compound microscope.

Robert Hooke One of the first people to observe cells was the English scientist and inventor Robert Hooke. Hooke built his own compound microscope, which was one of the best microscopes of his time. In 1663, Hooke used his microscope to observe the structure of a thin slice of cork. Cork, the bark of the cork oak tree, is made up of cells that are no longer alive. To Hooke, the empty spaces in the cork looked like tiny rectangular rooms. Therefore, Hooke called the empty spaces *cells,* which is a word meaning "small rooms."

Hooke described his observations this way: "These pores, or cells, were not very deep, but consisted of a great many little boxes. . . ." What most amazed Hooke was how many cells the cork contained. He calculated that in a cubic inch there were about twelve hundred million cells—a number he described as "almost incredible."

• Tech & Design in History •

The Microscope: Improvements Over Time

The microscope made the discovery of cells possible. Microscopes have improved in many ways over the last 400 years.

1590 First Compound Microscope
Dutch eyeglass makers Zacharias and Hans Janssen made one of the first compound microscopes. It was a tube with a lens at each end.

1660 Hooke's Compound Microscope
Robert Hooke's compound microscope included an oil lamp for lighting. A lens focuses light from the flame onto the specimen.

1674 Leeuwenhoek's Simple Microscope
Although Anton Von Leeuwenhoek's simple microscope used only one tiny lens, it could magnify a specimen up to 266 times.

1500 1600 1700

Anton van Leeuwenhoek At about the same time that Robert Hooke made his discovery, Anton van Leeuwenhoek (LAY vun hook) also began to observe tiny objects with microscopes. Leeuwenhoek was a Dutch businessman who sold cloth. In his spare time, he built simple microscopes.

Leeuwenhoek looked at drops of lake water, scrapings from teeth and gums, and water from rain gutters. In many materials, Leeuwenhoek was surprised to find a variety of one-celled organisms. Leeuwenhoek noted that many of these tiny organisms moved. Some whirled, some hopped, and some shot through water like fast fish. He called these moving organisms *animalcules* (an ih MAL kyoolz), meaning "little animals."

Which type of microscope—simple or compound—did Leeuwenhoek make and use?

Writing in Science

Research and Write Find out more about one of the microscopes. Then write an advertisement for it that might appear in a popular science magazine. Be creative. Emphasize the microscope's usefulness or describe the wonders that can be seen with it.

1886 Modern Compound Light Microscope
German scientists Ernst Abbé and Carl Zeiss made a compound light microscope with complex lenses that greatly improved the image. A mirror focuses light up through the specimen. Modern compound microscopes can effectively magnify a specimen up to 1,000 times.

1933 Transmission Electron Microscope (TEM)
German physicist Ernst Ruska created the first electron microscope. TEMs send electrons through a very thinly sliced specimen. TEMs can magnify a specimen up to 500,000 times.

1965 Scanning Electron Microscope (SEM)
An SEM sends electrons over the surface of a specimen, rather than through it. The result is a three-dimensional image of the specimen's surface. SEMs can magnify a specimen up to 150,000 times.

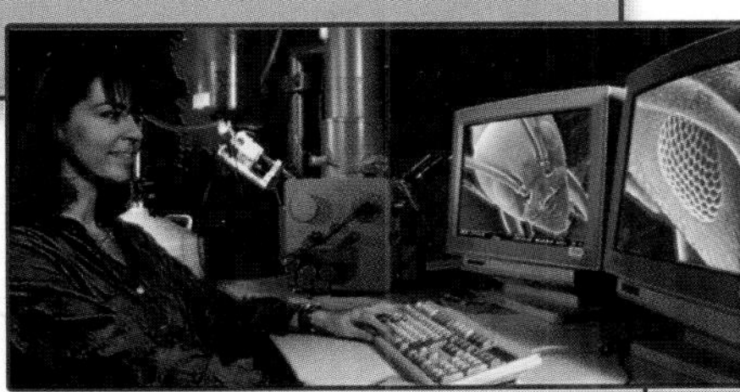

1981 Scanning Tunneling Microscope (STM)
An STM measures electrons that leak, or "tunnel," from the surface of a specimen. STMs can magnify a specimen up to 1,000,000 times.

1800 1900 2000

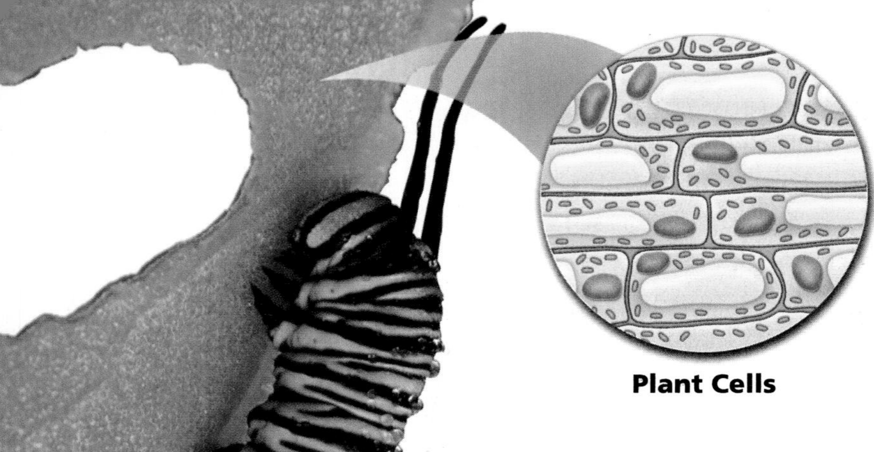

FIGURE 15
Monarch and Milkweed
The monarch butterfly caterpillar and the milkweed leaf that the caterpillar nibbles on are both made of cells.

Development of the Cell Theory

Leeuwenhoek's exciting discoveries caught the attention of other researchers. Like Hooke, Leeuwenhoek, and all good scientists, these other researchers were curious about the world around them, including things they couldn't normally see. Many other people began to use microscopes to discover what secrets they could learn about cells.

Schleiden, Schwann, and Virchow Three German scientists made especially important contributions to people's knowledge about cells. These scientists were Matthias Schleiden (SHLY dun), Theodor Schwann, and Rudolf Virchow (FUR koh). In 1838, Schleiden concluded that all plants are made of cells. He based this conclusion on his own research and on the research of others before him. The next year, Theodor Schwann concluded that all animals are also made up of cells. Thus, stated Schwann, all living things are made up of cells.

Schleiden and Schwann had made an important discovery about living things. However, they didn't explain where cells came from. Until their time, most people thought that living things could come from nonliving matter. In 1855, Virchow proposed that new cells are formed only from cells that already exist. "All cells come from cells," wrote Virchow.

What the Cell Theory Says Schleiden, Schwann, Virchow, and others helped develop the cell theory. The **cell theory** is a widely accepted explanation of the relationship between cells and living things. **The cell theory states the following:**

- **All living things are composed of cells.**
- **Cells are the basic units of structure and function in living things.**
- **All cells are produced from other cells.**

For: Links on cell theory
Visit: www.SciLinks.org
Web Code: scn-0311

The cell theory holds true for all living things, no matter how big or how small. Since cells are common to all living things, they can provide information about the functions that living things perform. Because all cells come from other cells, scientists can study cells to learn about growth and reproduction.

Reading Checkpoint

What did Schleiden and Schwann conclude about cells?

Light and Electron Microscopes

The cell theory could not have been developed without microscopes. For a microscope to be useful, it must combine two important properties—magnification and resolution. Scientists today use two kinds of microscopes: light microscopes and electron microscopes.

Magnification and Lenses The first property, magnification, is the ability to make things look larger than they are. **The lenses in light microscopes magnify an object by bending the light that passes through them.** If you examine a hand lens, such as the one in Figure 16, you will see that the lens is curved, not flat. The center of the lens is thicker than the edge. A lens with this curved shape is called a convex lens. The light passing through the sides of the lens bends inward. When this light hits the eye, the eye sees the object as larger than it really is.

Lab zone Skills Activity

Observing

1. Read about using the microscope (Appendix B) before beginning this activity.
2. Place a prepared slide of a thin slice of cork on the stage of a microscope.
3. Observe the slide under low power. Draw what you see.
4. Place a few drops of pond water on another slide and cover it with a coverslip.
5. Observe the slide under low power. Draw what you see. Wash your hands after handling pond water.

How does your drawing in Step 3 compare to Hooke's description of cells on page 52? Based on your observations in Step 5, why did Leeuwenhoek call the organisms he saw "little animals"?

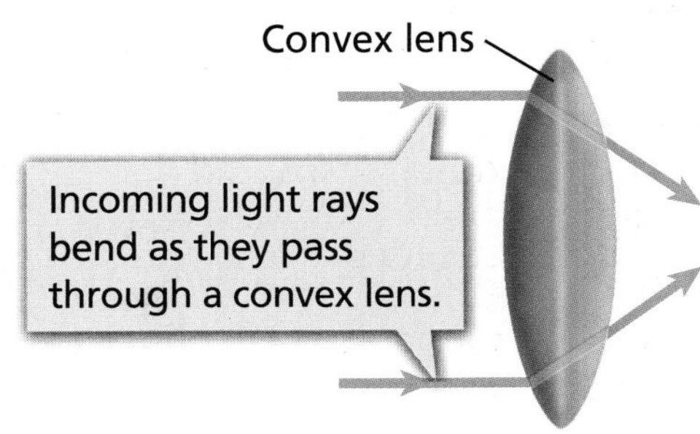

Convex lens
Incoming light rays bend as they pass through a convex lens.

FIGURE 16
A Convex Lens
A magnifying glass is a convex lens. The lines in the diagram represent rays of light, and the arrows show the direction in which the light travels.
Interpreting Diagrams *Describe what happens to light rays as they pass through a convex lens.*

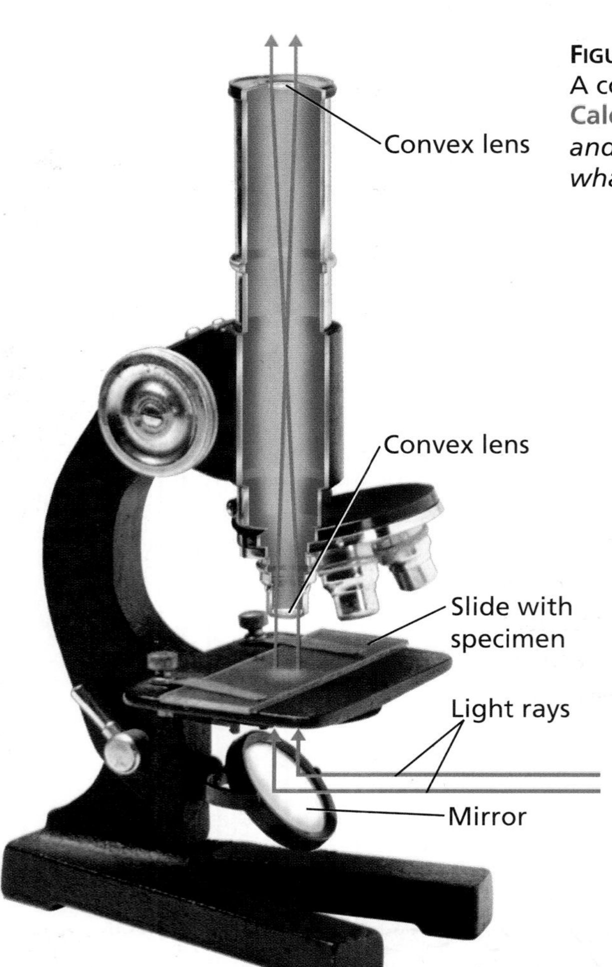

FIGURE 17 A Compound Microscope
A compound microscope has two convex lenses.
Calculating *If one lens has a magnification of 10, and the other lens has a magnification of 50, what is the total magnification?*

Compound Microscope Magnification

A compound microscope uses more than one lens. As a result, it can magnify an object more than one lens by itself. Light passes through a specimen and then through two lenses, as shown in Figure 17. The first lens, near the specimen, magnifies the object. Then a second lens, near the eye, further magnifies the enlarged image. The total magnification of the microscope is equal to the magnifications of the two lenses multiplied together. For example, suppose the first lens makes an object look 10 times bigger than it actually is, and the second lens makes the object look 40 times bigger than it actually is. The total magnification of the microscope is 10×40, or 400.

Resolution To create a useful image, a microscope must also help you see individual parts clearly. The ability to clearly distinguish the individual parts of an object is called resolution. Resolution is another term for the sharpness of an image. For example, a photograph in a newspaper is really made up of a collection of small dots. If you put the photo under a microscope, you can see the dots. You see the dots not only because they are magnified but also because the microscope improves resolution. Good resolution is needed when you study cells.

FIGURE 18
Light Microscope Photos
The pictures of the water flea and the threadlike *Spirogyra* were both taken with a light microscope.

Water flea
40 times actual size

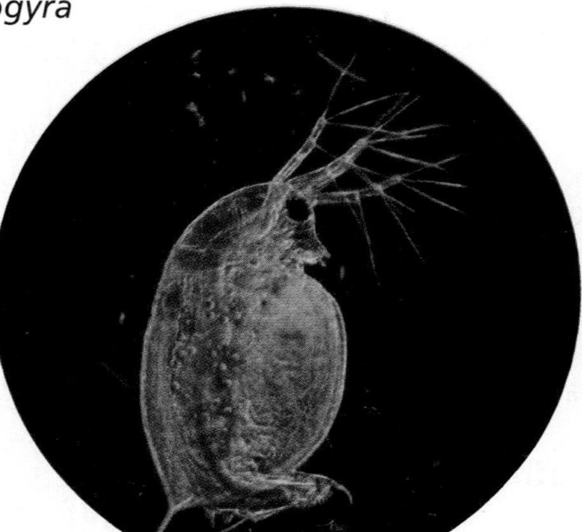

Spirogyra
300 times actual size

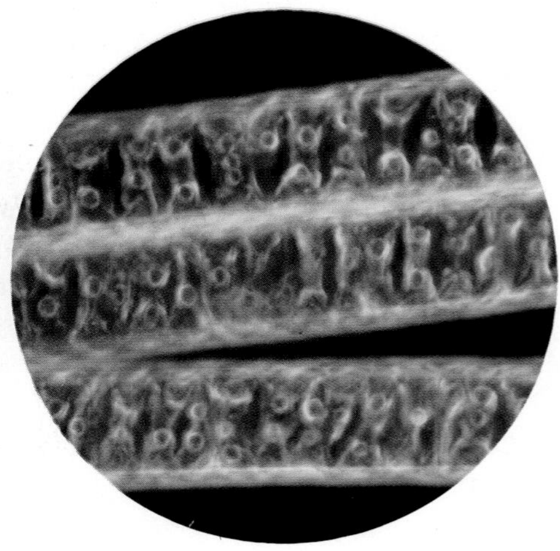

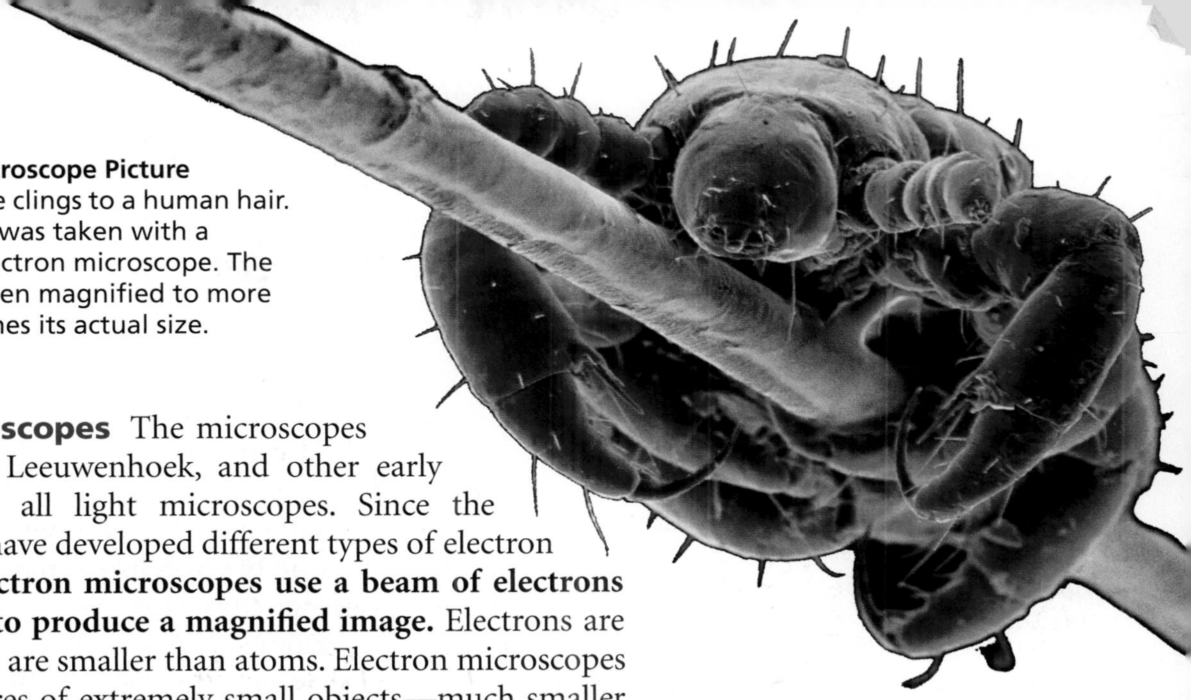

FIGURE 19
Electron Microscope Picture
A head louse clings to a human hair. This picture was taken with a scanning electron microscope. The louse has been magnified to more than 100 times its actual size.

Electron Microscopes The microscopes used by Hooke, Leeuwenhoek, and other early researchers were all light microscopes. Since the 1930s, scientists have developed different types of electron microscopes. **Electron microscopes use a beam of electrons instead of light to produce a magnified image.** Electrons are tiny particles that are smaller than atoms. Electron microscopes can obtain pictures of extremely small objects—much smaller than those that can be seen with light microscopes. The resolution of electron microscopes is much better than the resolution of light microscopes.

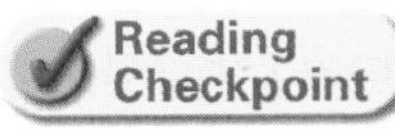

What do electron microscopes use to produce magnified images?

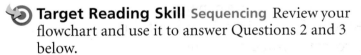

Section 3 Assessment

Target Reading Skill **Sequencing** Review your flowchart and use it to answer Questions 2 and 3 below.

Reviewing Key Concepts

1. a. **Defining** Define *structure* and *function.*
   b. **Explaining** Explain this statement: Cells are the basic units of structure and function in organisms.
   c. **Applying Concepts** In what important function are the cells in your eyes involved?
2. a. **Reviewing** What does a microscope enable people to do?
   b. **Summarizing** Summarize Hooke's observations of cork under a microscope.
   c. **Relating Cause and Effect** Why would Hooke's discovery have been impossible without a microscope?
3. a. **Reviewing** What are the main ideas of the cell theory?
   b. **Explaining** What did Virchow contribute to the cell theory?
   c. **Applying Concepts** Use the ideas of Virchow to explain why plastic plants and stuffed animals are not alive.
4. a. **Defining** What is magnification?
   b. **Comparing and Contrasting** Contrast the way light microscopes and electron microscopes magnify objects.

Writing in Science

Writing an Award Speech Suppose you are a member of a scientific society that is giving an award to one of the early cell scientists. Choose the scientist, and write a speech that you might give at the award ceremony. Your speech should describe the scientist's accomplishments.

Lab zone **Technology Lab**

• Tech & Design •

Design and Build a Microscope

Problem

How can you design and build a compound microscope?

Design Skills

building a prototype, evaluating design constraints

Materials

- book
- 2 dual magnifying glasses, each with one high-power and one low-power lens
- metric ruler
- 2 cardboard tubes from paper towels, or black construction paper
- tape

Procedure

PART 1 Research and Investigate

1. Work with a partner. Using only your eyes, examine words in a book. Then use the high-power lens to examine the same words. In your notebook, contrast what you saw with and without the magnifying lens.
2. Hold the high-power lens about 5–6 cm above the words in the book. When you look at the words through the lens, they will look blurry.
3. Keep the high-power lens about 5–6 cm above the words. Hold the low-power lens above the high-power lens, as shown in the photograph on the right.
4. Move the low-power lens up and down until the image is in focus and upside down. (*Hint:* You may have to move the high-power lens up or down slightly too.)
5. Once the image is in focus, experiment with raising and lowering both lenses. Your goal is to produce the highest magnification while keeping the image in clear focus.
6. When the image is in focus at the position of highest magnification, have your lab partner measure and record the distance between the book and the high-power lens. Your lab partner should also measure and record the distance between the two lenses.
7. Write a description of how the magnified words viewed through two lenses compares with the words seen without magnification.

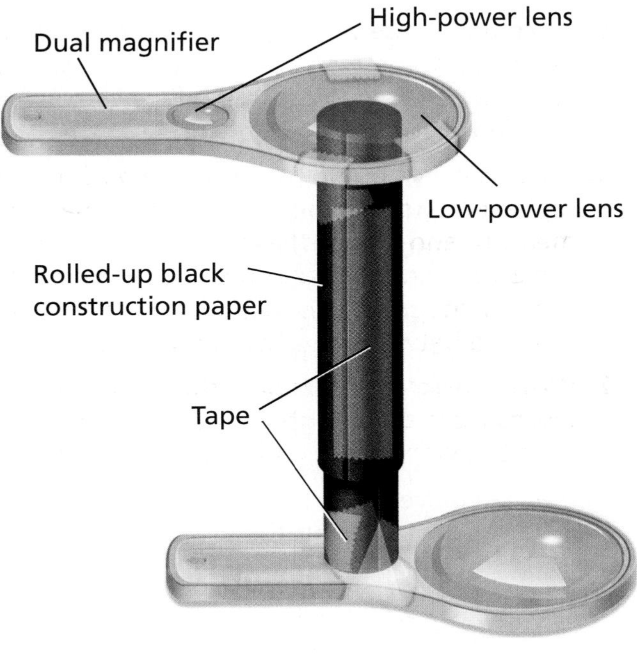

PART 2 Design and Build

8. Based on what you learned in Part 1, work with a partner to design your own two-lens (compound) microscope. Your microscope should
   - consist of one high-power lens and one low-power lens, each attached to a tube of paper or rolled-up cardboard
   - allow one tube to fit snugly inside the other tube so the distance between the two lenses can be easily adjusted
   - focus to produce a clear, enlarged, upside-down image of the object
   - be made from dual magnifying glasses, cardboard tubes, and tape
9. Sketch your design on a sheet of paper. Obtain your teacher's approval for your design. Then construct your microscope.

PART 3 Evaluate and Redesign

10. Test your microscope by examining printed words or a printed photograph. Then, examine other objects such as a leaf or your skin. Record your observations. Did your microscope meet the criteria listed in Step 8?
11. Examine microscopes made by other students. Based on your tests and your examination of other microscopes, list ways you could improve your microscope.

Analyze and Conclude

1. **Observing** Compare the images you observed using one lens with the image from two lenses.
2. **Evaluating** When you used two lenses, how did moving the top lens up and down affect the image? What was the effect of moving the bottom lens up and down?
3. **Building a Prototype** Describe how you built your microscope and explain why you built it that way.
4. **Evaluating the Impact on Society** Describe some of the ways that microscopes have aided scientists in their work.

Communicate

Imagine it is 1675. Write an explanation that will convince scientists to use your new microscope rather than the single-lens variety used by Leeuwenhoek.

Section 4

Looking Inside Cells

Reading Preview

Key Concepts

- What role do the cell wall and cell membrane play in the cell?
- What are the functions of cell organelles?
- How are cells organized in many-celled organisms?

Key Terms

- organelle • cell wall
- cell membrane • cytoplasm
- mitochondria
- endoplasmic reticulum
- ribosome • Golgi body
- chloroplast • vacuole
- lysosome

Target Reading Skill

Previewing Visuals Before you read, preview Figure 24. Then write two questions that you have about the illustrations in a graphic organizer like the one below. As you read, answer your questions.

Plant and Animal Cells

Q.	How are animal cells different from plant cells?
A.	
Q.	

Lab zone Discover Activity

How Large Are Cells?

1. Look at the organism in the photo. The organism is an amoeba (uh MEE buh), a large single-celled organism. This type of amoeba is about 1 mm long.
2. Multiply your height in meters by 1,000 to get your height in millimeters. How many amoebas would you have to stack end-to-end to equal your height?
3. Many of the cells in your body are about 0.01 mm long—one hundredth the size of an amoeba. How many body cells would you have to stack end-to-end to equal your height?

Think It Over

Inferring Look at a metric ruler to see how small 1 mm is. Now imagine a distance one one-hundredth as long, or 0.01 mm. Why can't you see your body's cells without the aid of a microscope?

Nasturtiums brighten up many gardens with green leaves and colorful flowers. How do nasturtiums carry out all the functions necessary to stay alive? To answer this question, you are about to take an imaginary journey. You will travel inside a nasturtium leaf, visiting its tiny cells. You will observe some of the structures found in plant cells. You will also learn some differences between plant and animal cells.

As you will discover on your journey, there are even smaller structures inside a cell. These tiny cell structures, called **organelles,** carry out specific functions within the cell. Just as your stomach, lungs, and heart have different functions in your body, each organelle has a different function within the cell. Now it's time to hop aboard your imaginary ship and sail into a typical plant cell.

Nasturtiums ▶

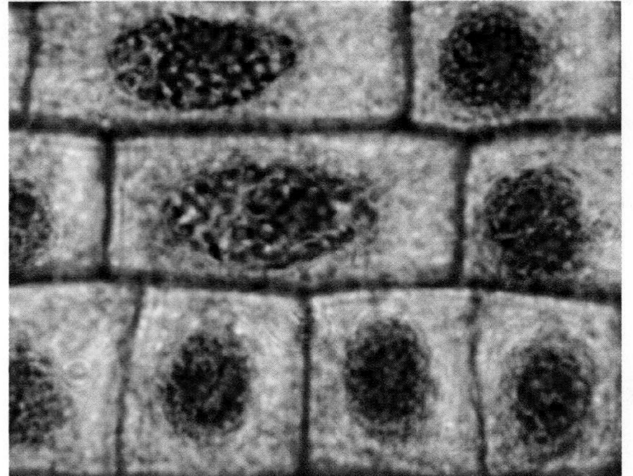

◀ Onion root cells

Paramecium ▼

Enter the Cell

Your ship doesn't have an easy time getting inside the cell. It has to pass through the cell wall and the cell membrane.

Cell Wall As you travel through the plant cell, refer to Figure 24 in this section. First, you must slip through the cell wall. The **cell wall** is a rigid layer of nonliving material that surrounds the cells of plants and some other organisms. The cells of animals, in contrast, do not have cell walls. **A plant's cell wall helps to protect and support the cell.** The cell wall is made mostly of a strong material called cellulose. Although the cell wall is tough, many materials, including water and oxygen, can pass through easily.

Cell Membrane After you sail through the cell wall, the next barrier you must cross is the **cell membrane.** All cells have cell membranes. In cells with cell walls, the cell membrane is located just inside the cell wall. In other cells, the cell membrane forms the outside boundary that separates the cell from its environment.

The cell membrane controls what substances come into and out of a cell. Everything the cell needs, from food to oxygen, enters the cell through the cell membrane. Fortunately, your ship can slip through, too. Harmful waste products leave the cell through the cell membrane. For a cell to survive, the cell membrane must allow these materials to pass in and out. In addition, the cell membrane prevents harmful materials from entering the cell. In a sense, the cell membrane is like a window screen. The screen allows air to enter and leave a room, but it keeps insects out.

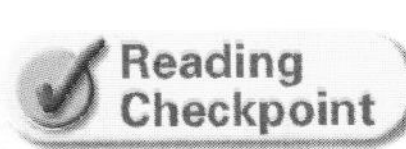

What is the function of the cell wall?

FIGURE 20
Cell Wall and Cell Membrane
The onion root cells have both a cell wall and a cell membrane. The single-celled paramecium has only a cell membrane.
Interpreting Photographs *What shape do the cell walls give to the onion root cells?*

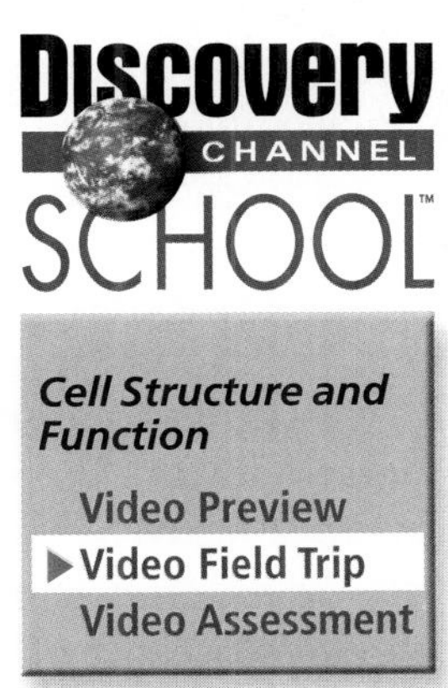

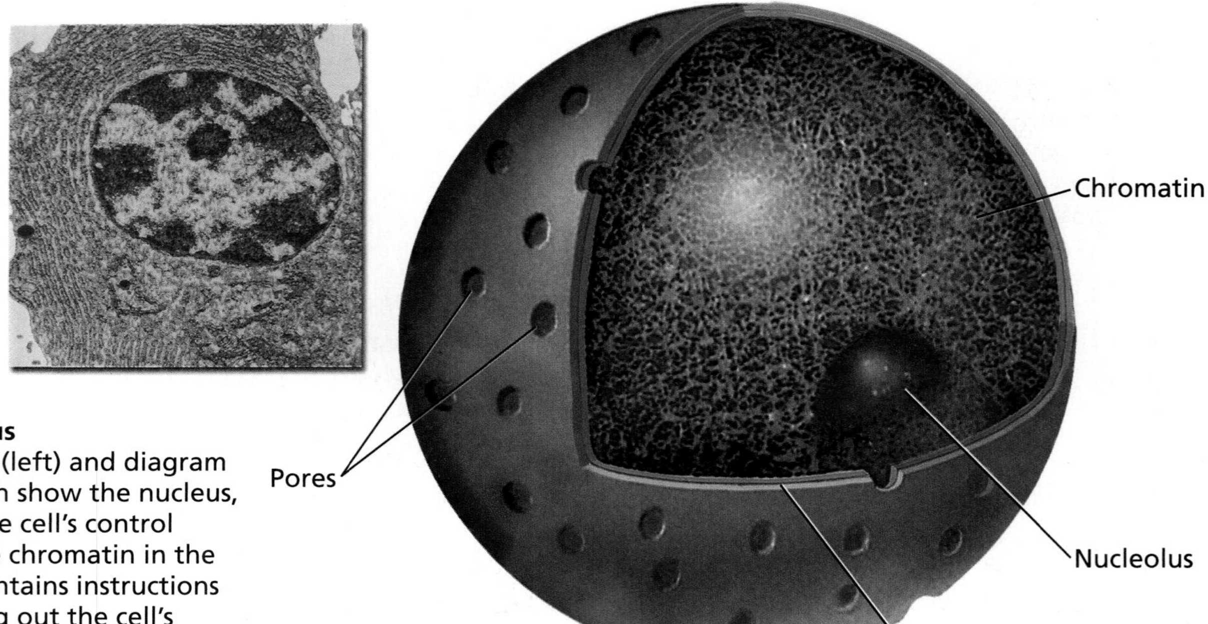

FIGURE 21
The Nucleus
The photo (left) and diagram (right) both show the nucleus, which is the cell's control center. The chromatin in the nucleus contains instructions for carrying out the cell's activities.

Sail On to the Nucleus

As you sail inside the cell, a large, oval structure comes into view. This structure, the nucleus, acts as the "brain" of the cell. **You can think of the nucleus as the cell's control center, directing all of the cell's activities.**

Nuclear Envelope Notice in Figure 21 that the nucleus is surrounded by a membrane called the nuclear envelope. Just as a mailing envelope protects the letter inside it, the nuclear envelope protects the nucleus. Materials pass in and out of the nucleus through pores in the nuclear envelope. So aim for that pore just ahead and carefully glide into the nucleus.

Chromatin You might wonder how the nucleus "knows" how to direct the cell. The answer lies in those thin strands floating directly ahead in the nucleus. These strands, called chromatin, contain genetic material, the instructions for directing the cell's functions. For example, the instructions in the chromatin ensure that leaf cells grow and divide to form more leaf cells.

Nucleolus As you prepare to leave the nucleus, you spot a small object floating by. This structure, a nucleolus, is where ribosomes are made. Ribosomes are the organelles where proteins are produced. Proteins are important chemicals in cells.

Where in the nucleus is genetic material found?

Lab zone Try This Activity

Gelatin Cell

Make your own model of a cell.

1. Dissolve a packet of colorless gelatin in warm water. Pour the gelatin into a rectangular pan (for a plant cell) or a round pan (for an animal cell).
2. Choose different materials that resemble each of the cell structures found in the cell you are modeling. Insert these materials into the gelatin before it begins to solidify.

Making Models On a sheet of paper, develop a key that identifies each cell structure in your model. Describe the function of each structure.

FIGURE 22 Mitochondrion
The mitochondria produce most of the cell's energy. **Inferring** *In what types of cells would you expect to find a lot of mitochondria?*

Organelles in the Cytoplasm

As you leave the nucleus, you find yourself in the **cytoplasm,** the region between the cell membrane and the nucleus. Your ship floats in a clear, thick, gel-like fluid. The fluid in the cytoplasm is constantly moving, so your ship does not need to propel itself. Many cell organelles are found in the cytoplasm.

Mitochondria Suddenly, rod-shaped structures loom ahead. These organelles are **mitochondria** (my tuh KAHN dree uh) (singular *mitochondrion*). **Mitochondria are known as the "powerhouses" of the cell because they convert energy in food molecules to energy the cell can use to carry out its functions.** Figure 22 shows a mitochondrion up close.

Endoplasmic Reticulum As you sail farther into the cytoplasm, you find yourself in a maze of passageways called the **endoplasmic reticulum** (en duh PLAZ mik rih TIK yuh lum). **The endoplasmic reticulum's passageways carry proteins and other materials from one part of the cell to another.**

Ribosomes Attached to some surfaces of the endoplasmic reticulum are small, grainlike bodies called **ribosomes.** Other ribosomes float in the cytoplasm. **Ribosomes function as factories to produce proteins.** Some newly made proteins are released through the wall of the endoplasmic reticulum. From the interior of the endoplasmic reticulum, the proteins will be transported to the Golgi bodies.

FIGURE 23
Endoplasmic Reticulum
The endoplasmic reticulum is similar to the system of hallways in a building. Proteins and other materials move throughout the cell by way of the endoplasmic reticulum. The spots on this organelle are ribosomes, which produce proteins.

Ribosomes

FIGURE 24

Plant and Animal Cells

These illustrations show typical structures found in plant and animal cells. **Comparing and Contrasting** *Identify one structure found in plant cells but not in animal cells.*

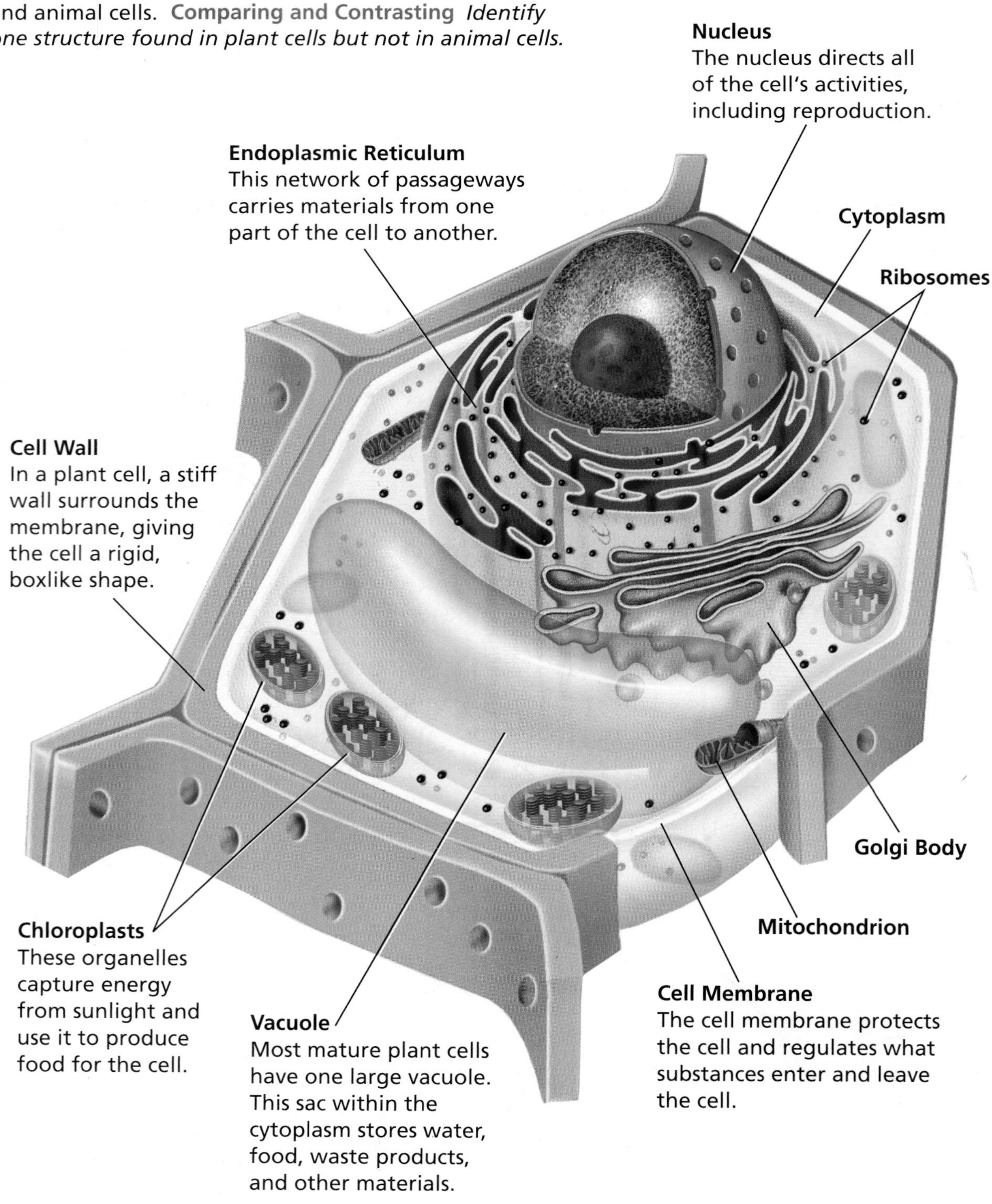

Nucleus
The nucleus directs all of the cell's activities, including reproduction.

Endoplasmic Reticulum
This network of passageways carries materials from one part of the cell to another.

Cytoplasm

Ribosomes

Cell Wall
In a plant cell, a stiff wall surrounds the membrane, giving the cell a rigid, boxlike shape.

Golgi Body

Mitochondrion

Chloroplasts
These organelles capture energy from sunlight and use it to produce food for the cell.

Vacuole
Most mature plant cells have one large vacuole. This sac within the cytoplasm stores water, food, waste products, and other materials.

Cell Membrane
The cell membrane protects the cell and regulates what substances enter and leave the cell.

Plant Cell

Go Online
active art

For: Plant and Animal Cells activity
Visit: PHSchool.com
Web Code: cep-3012

Ribosomes
These small structures function as factories to produce proteins. Ribosomes may be attached to the endoplasmic reticulum, or they may float in the cytoplasm.

Cytoplasm
The cytoplasm includes a gel-like fluid in which many different organelles are found.

Nucleus
The nucleus directs all of the cell's activities, including reproduction.

Mitochondria
Most of the cell's energy is produced within these rod-shaped organelles.

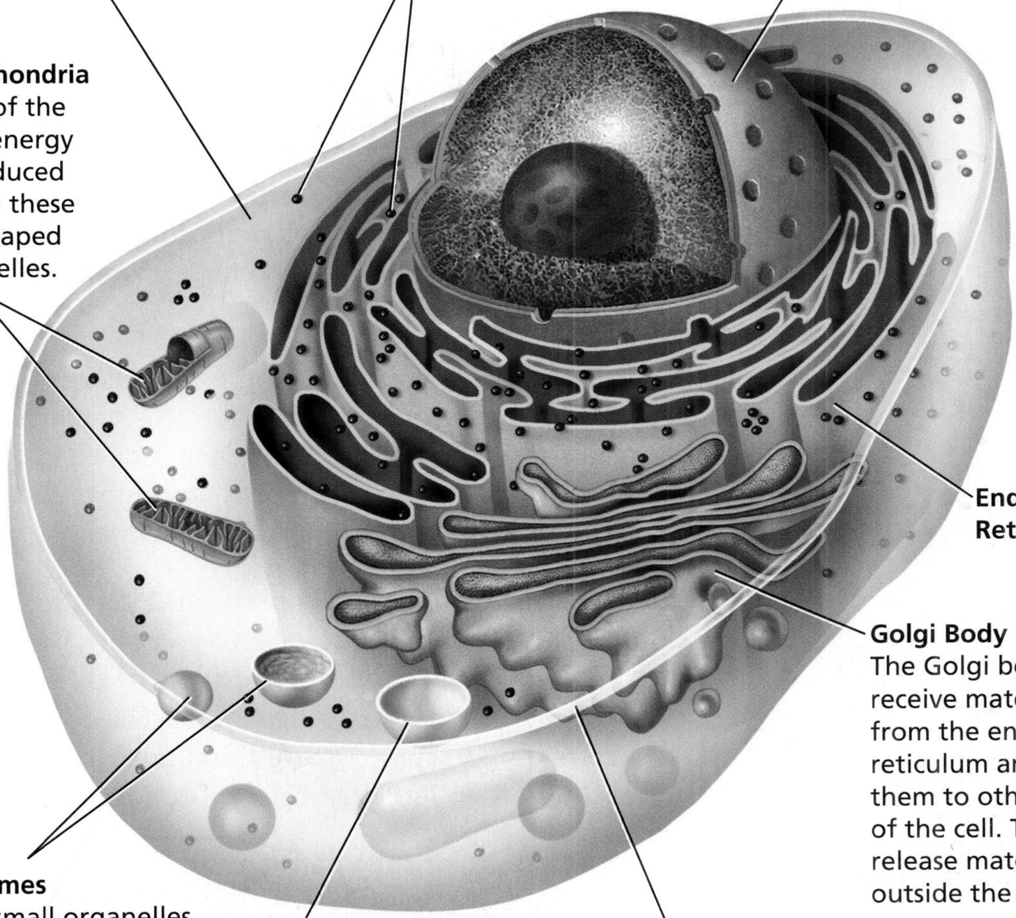

Endoplasmic Reticulum

Golgi Body
The Golgi bodies receive materials from the endoplasmic reticulum and send them to other parts of the cell. They also release materials outside the cell.

Lysosomes
These small organelles contain chemicals that break down food particles and worn-out cell parts.

Vacuole
Some animal cells have vacuoles that store food, water, waste, and other materials.

Cell Membrane
Since an animal cell does not have a cell wall, the cell membrane forms a barrier between the cytoplasm and the environment outside the cell.

Animal Cell

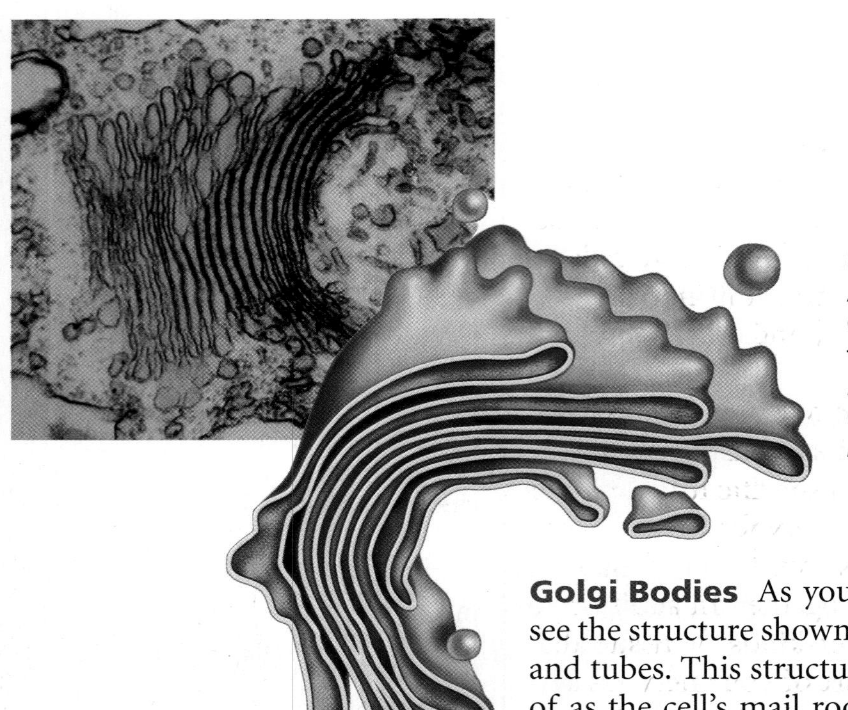

FIGURE 25
A Golgi Body
Golgi bodies are organelles that transport materials.
Applying Concepts *Why can a Golgi body be described as a cell's mail room?*

Golgi Bodies As you leave the endoplasmic reticulum, you see the structure shown in Figure 25. It looks like flattened sacs and tubes. This structure, called a **Golgi body,** can be thought of as the cell's mail room. **The Golgi bodies receive proteins and other newly formed materials from the endoplasmic reticulum, package them, and distribute them to other parts of the cell.** The Golgi bodies also release materials outside the cell.

Chloroplasts Have you noticed the many large green structures floating in the cytoplasm? Only the cells of plants and some other organisms have these green organelles called **chloroplasts. Chloroplasts capture energy from sunlight and use it to produce food for the cell.** Chloroplasts make leaves green.

Vacuoles Steer past the chloroplasts and head for that large, water-filled sac, called a **vacuole** (VAK yoo ohl), floating in the cytoplasm. **Vacuoles are the storage areas of cells.** Most plant cells have one large vacuole. Some animal cells do not have vacuoles; others do. Vacuoles store food and other materials needed by the cell. Vacuoles can also store waste products.

Lysosomes Your journey through the cell is almost over. Before you leave, take another look around you. If you carefully swing your ship around the vacuole, you may be lucky enough to see a **lysosome** (LY suh sohm). **Lysosomes are small, round structures containing chemicals that break down certain materials in the cell.** Some chemicals break down large food particles into smaller ones. Lysosomes also break down old cell parts and release the substances so they can be used again. In this sense, you can think of lysosomes as the cell's cleanup crew.

Reading Checkpoint **What organelle captures the energy of sunlight and uses it to make food for the cell?**

Lab zone Skills Activity

Observing

Observe the characteristics of plant and animal cells.

1. Obtain a prepared slide of plant cells from your teacher. Examine these cells under the low-power and high-power lenses of a microscope.
2. Draw a picture of what you see.
3. Repeat Steps 1 and 2 with a prepared slide of animal cells.

How are plant and animal cells alike? How are they different?

Specialized Cells

Plants and animals (including yourself) contain many cells. In a many-celled organism, the cells are often quite different from each other and are specialized to perform specific functions. Contrast, for example, the nerve cell and red blood cells in Figure 26. Nerve cells are specialized to transmit information from one part of your body to another, and red blood cells carry oxygen throughout your body.

In many-celled organisms, cells are often organized into tissues, organs, and organ systems. A tissue is a group of similar cells that work together to perform a specific function. For example, your brain is made mostly of nervous tissue, which consists of nerve cells. An organ, such as your brain, is made of different kinds of tissues that function together. In addition to nervous tissue, the brain contains other kinds of tissue that support and protect it. Your brain is part of your nervous system, which is an organ system that directs body activities and processes. An organ system is a group of organs that work together to perform a major function.

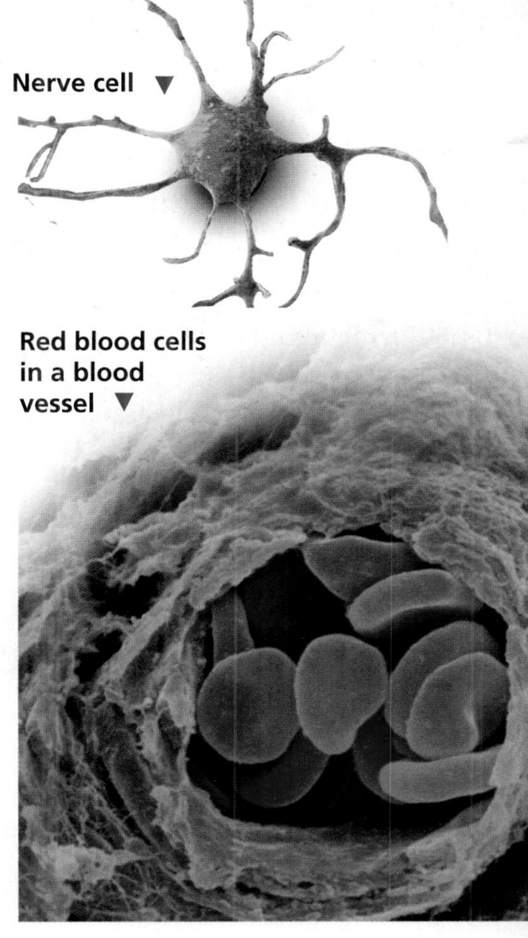

FIGURE 26 Specialized Cells
Nerve cells carry information throughout the human body. Red blood cells carry oxygen.

Section 4 Assessment

Target Reading Skill Previewing Visuals
Refer to your questions and answers about Figure 24 to help you answer the questions below.

Reviewing Key Concepts

1. a. **Comparing and Contrasting** Compare the functions of the cell wall and the cell membrane.
   b. **Inferring** How does cellulose help with one function of the cell wall?
2. a. **Identifying** Identify the functions of ribosomes and Golgi bodies.
   b. **Describing** Describe the characteristics of the endoplasmic reticulum.
   c. **Applying Concepts** How are the functions of ribosomes, Golgi bodies, and the endoplasmic reticulum related to one another?
3. a. **Reviewing** What is a tissue? What is an organ?
   b. **Explaining** What is the relationship among cells, tissues, and organs?
   c. **Inferring** Would a tissue or an organ have more kinds of specialized cells? Explain.

Writing in Science

Writing a Description Write a paragraph describing a typical animal cell. Your paragraph should include all the structures generally found in animal cells and a brief explanation of the functions of those structures.

Chapter 2

Study Guide

1 What Is Life?

Key Concepts

- All living things have a cellular organization, contain similar chemicals, use energy, respond to their surroundings, grow and develop, and reproduce.
- Living things arise from living things through reproduction.
- All living things must satisfy their basic needs for water, food, living space, and stable internal conditions.

Key Terms

organism
cell
unicellular
multicellular
stimulus
response
development
spontaneous generation
autotroph
heterotroph
homeostasis

2 Classifying Organisms

Key Concepts

- Biologists use classification to organize living things into groups so that the organisms are easier to study.
- The more classification levels that two organisms share, the more characteristics they have in common.
- Organisms are placed into domains and kingdoms based on their cell type, their ability to make food, and the number of cells in their bodies.

Key Terms

classification
taxonomy
binomial nomenclature
genus
species
prokaryote
nucleus
eukaryote

3 Discovering Cells

Key Concepts

- Cells are the basic units of structure and function in living things.
- The cell theory states the following: All living things are composed of cells. Cells are the basic units of structure and function in living things. All cells are produced from other cells.
- The invention of the microscope enabled people to learn about cells. Light microscopes magnify an object by bending light. Electron microscopes use electrons instead of light.

Key Terms

cell
microscope
cell theory

4 Looking Inside Cells

Key Concepts

- A plant's cell wall protects and supports the cell. The cell membrane controls what substances come into and out of a cell.
- The nucleus directs the cell's activities.
- Mitochondria convert energy in food molecules to energy the cell can use.
- The endoplasmic reticulum carries materials throughout the cell.
- Ribosomes produce proteins.
- The Golgi bodies receive materials, package them, and distribute them.
- Chloroplasts capture energy from sunlight and use it to produce food for the cell.
- Vacuoles are the storage areas of cells.
- Lysosomes contain chemicals that break down certain materials in the cell.
- In many-celled organisms, cells are often organized into tissues, organs, and organ systems.

Key Terms

organelle
cell wall
cell membrane
cytoplasm
mitochondria
endoplasmic reticulum
ribosome
Golgi body
chloroplast
vacuole
lysosome

Review and Assessment

For: Self-Assessment
Visit: PHSchool.com
Web Code: cha-1020

Organizing Information

Concept Mapping Copy the concept map about the needs of organisms onto a separate sheet of paper. Then complete it and add a title. (For more on Concept Mapping, see the Skills Handbook.)

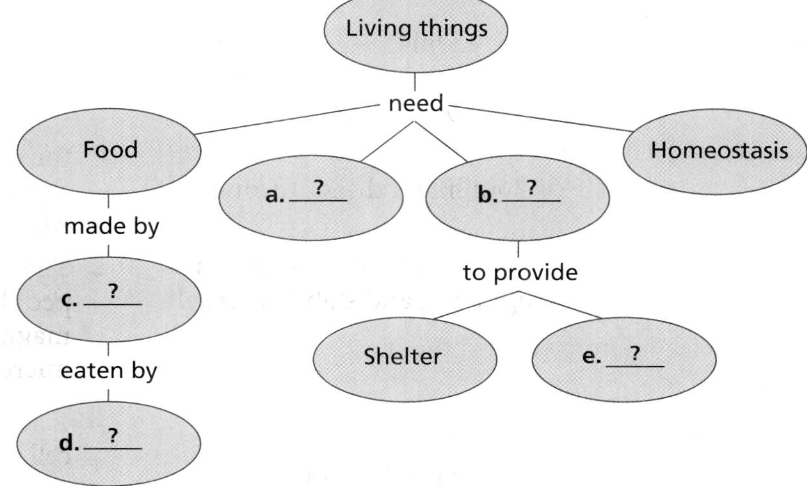

Reviewing Key Terms

Choose the letter of the best answer.

1. The idea that life could spring from nonliving matter is called
   a. development.
   b. spontaneous generation.
   c. homeostasis.
   d. evolution.
2. The scientific study of how living things are classified is called
   a. development.
   b. biology.
   c. taxonomy.
   d. evolution.
3. A genus is divided into
   a. species. **b.** phyla.
   c. families. **d.** classes.
4. The basic units of structure in all living things are
   a. nuclei. **b.** organelles.
   c. tissues. **d.** cells.
5. In plant and animal cells, the control center of the cell is the
   a. chloroplast.
   b. cytoplasm.
   c. nucleus.
   d. Golgi body.

If the statement is true, write *true*. If it is false, change the underlined word or words to make the statement true.

6. Bacteria are <u>unicellular</u> organisms.
7. Linnaeus devised a system of naming organisms called <u>binomial nomenclature</u>.
8. The gray wolf, *Canis lupus*, and the red wolf, *Canis rufus*, belong to the same <u>species</u>.
9. Cells were discovered using <u>electron</u> microscopes.
10. <u>Ribosomes</u> produce proteins.

Writing in Science

Dialogue A dialogue is a conversation. Write a dialogue that might have taken place between Schleiden and Schwann. The scientists should discuss their observations and conclusions.

Cell Structure and Function
Video Preview
Video Field Trip
▶ Video Assessment

Review and Assessment

Checking Concepts

11. Your friend thinks that plants are not alive because they do not move. How would you respond to your friend?
12. Describe how your pet, or a friend's pet, meets its needs as a living thing.
13. What are the advantages of identifying an organism by its scientific name?
14. What role did the microscope play in the development of the cell theory?
15. Describe the function of the cell wall.
16. Which organelles are called the "powerhouses" of the cell? Why are they given that name?
17. How are cells usually organized in large multicellular organisms?

Thinking Critically

18. **Applying Concepts** How do you know that a robot is not alive?
19. **Inferring** Which two of the following organisms are most closely related: *Entamoeba histolytica, Escherichia coli, Entamoeba coli*? Explain your answer.
20. **Applying Concepts** The photograph below has not been artificially colored. Do the cells in the photo come from a plant or an animal? Explain your answer.

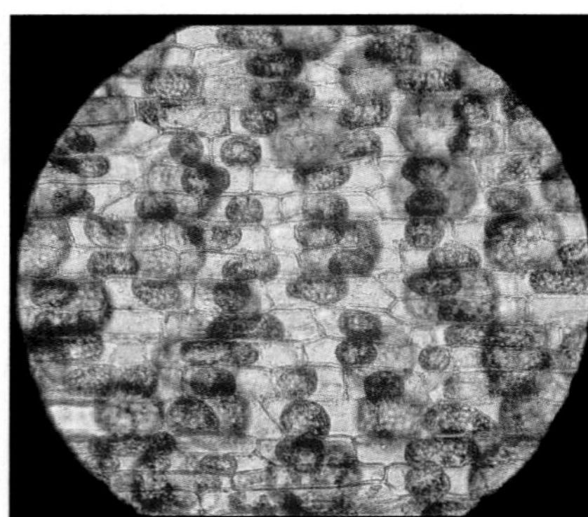

21. **Classifying** If you were trying to classify an unfamiliar organism by looking at its cells, what could the cells tell you?

Applying Skills

Refer to the illustrations below to answer Questions 22–25.

A student designed the experiment pictured below to test how light affects the growth of plants.

22. **Controlling Variables** Is this a controlled experiment? If so, identify the manipulated variable. If not, why not?
23. **Developing Hypotheses** What hypothesis might this experiment be testing?
24. **Predicting** Based on what you know about plants, predict how each plant will change in two weeks.
25. **Designing Experiments** Design a controlled experiment to determine whether the amount of water that a plant receives affects its growth.

Lab zone Chapter Project

Performance Assessment Prepare a display presenting your conclusion about your mystery object. Describe the observations that helped you to reach your conclusion. Compare your ideas with those of other students. If necessary, defend your work.

Standardized Test Prep

Test-Taking Tip

Watching for Qualifiers

You may be asked to answer a question that uses a qualifying word such as *always, never, most,* or *least.* For example, in the sample question below, only one of the answer choices is *always* true. Read the question and think about whether each choice is always true. Then answer the question.

Sample Question

Two organisms that are classified in the same phylum will *always* be classified in the same

A kingdom.
B order.
C family.
D genus.

Answer

The correct answer is **A** because a phylum is part of a kingdom. Any two organisms classified in the same phylum must always share the same kingdom. They may, however, be classified in different levels below the phylum level. Thus, you can eliminate **B, C,** and **D.**

Choose the letter of the best answer.

1. Which of the following statements about cells is *not* true?
   A Cells are the building blocks of living things.
   B Cells carry out the basic life functions of living things.
   C Some organisms are made up of only one cell.
   D Most cells can be seen with the naked eye.

2. Organisms that are autotrophs are classified in which of the following domains?
   F Bacteria
   G Archaea
   H Eukarya
   J all of the above

Use the table below and your knowledge of science to answer Questions 3–4.

Some Types of Trees

Common Name of Tree	Kingdom	Family	Species
Bird cherry	Plants	Rosaceae	*Prunus avium*
Flowering cherry	Plants	Rosaceae	*Prunus serrula*
Smooth-leaved elm	Plants	Ulmaceae	*Ulmus minor*
Whitebeam	Plants	Rosaceae	*Sorbus aria*

3. In the system of binomial nomenclature, what is the name for the whitebeam tree?
   A Rosaceae
   B *Sorbus aria*
   C *Prunus serrula*
   D *Ulmus minor*

4. Which of the following organisms is most different from the other three?
   F *Prunus avium*
   G *Prunus serrula*
   H *Ulmus minor*
   J *Sorbus aria*

5. A compound microscope has two lenses. One lens has a magnification of 15 and the other lens has a magnification of 40. What is the total magnification of the microscope?
   A 55
   B 150
   C 25
   D 600

Constructed Response

6. Name five characteristics that all living things share. Then describe each characteristic or give an example.

Chapter 3

Cell Processes and Energy

Chapter Preview

1. **Chemical Compounds in Cells**
   Discover *What Is a Compound?*
   Try This *What's That Taste?*
   Consumer Lab *Which Foods Are Fat-Free?*
2. **The Cell in Its Environment**
   Discover *How Do Molecules Move?*
   Math Skills *Ratios*
   Try This *Diffusion in Action*
3. **Photosynthesis**
   Discover *Where Does the Energy Come From?*
   Active Art *The Photosynthesis Process*
   Try This *Looking at Pigments*
4. **Respiration**
   Discover *What Is a Product of Respiration?*
   At-Home Activity *Make Bread*
5. **Cell Division**
   Discover *What Are the Yeast Cells Doing?*
   Try This *Modeling Mitosis*
   Active Art *The Cell Cycle*
   Analyzing Data *Length of the Cell Cycle*
   Skills Lab *Multiplying by Dividing*

Sunlight on these maple leaves powers the process of photosynthesis. ▶

Cell Processes and Energy
- ▶ Video Preview
- Video Field Trip
- Video Assessment

Lab zone™ Chapter **Project**

Shine On!

Every morning at sunrise, tiny living factories start a manufacturing process called photosynthesis. The power they use is sunlight. In this project, you will investigate how light affects one familiar group of photosynthesizers—plants.

Your Goal To determine how different lighting conditions affect the health and growth of plants

To complete the project, you will

- write up a plan to grow plants under different lighting conditions
- care for your plants daily and keep careful records of their health and growth for three weeks
- graph your data and draw conclusions about the effect of light on plant growth
- follow the safety guidelines in Appendix A

Plan It! Brainstorm with classmates to answer these questions: What different light conditions might you test? What plants will you use? How will you measure health and growth? How can you be sure your results are due to the light conditions? Write up your plan and submit it to your teacher.

Section 1

Integrating Chemistry

Chemical Compounds in Cells

Reading Preview

Key Concepts

- What are elements and compounds?
- How is water important to the function of cells?
- What are the main kinds of organic molecules in living things?

Key Terms

- element • compound
- carbohydrate • lipid
- protein • amino acid
- enzyme • nucleic acid
- DNA • RNA

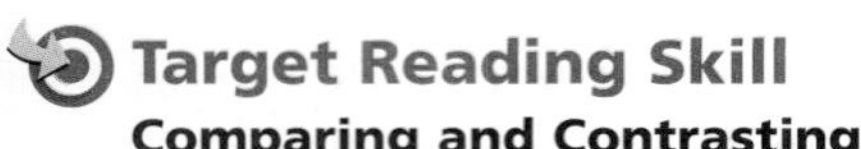

Target Reading Skill

Comparing and Contrasting
As you read, compare and contrast carbohydrates, lipids, and proteins in a table like the one below.

Type of Compound	Elements	Functions
Carbo-hydrate	Carbon, hydrogen, oxygen	
Lipid		
Protein		

Lab zone Discover Activity

What Is a Compound?

1. Your teacher will provide you with containers filled with various substances. All of the substances are chemical compounds.
2. Examine each substance. Read the label on each container to learn what each substance is made of.

Think It Over
Forming Operational Definitions Write a definition of what you think a chemical compound is.

Watch out—you are surrounded by particles that you can't see! Air is made up of millions of tiny particles. They bump into your skin, hide in the folds of your clothes, and whoosh into your nose every time you take a breath. In fact, you and the world around you, including the cells in your body, are composed of tiny particles. Some of these particles are elements, and others are compounds.

Elements and Compounds

You may not realize it, but air is a mixture of gases. These gases include both elements and compounds. Three gases in the air are oxygen, nitrogen, and carbon dioxide.

Elements Oxygen and nitrogen are examples of **elements. An element is any substance that cannot be broken down into simpler substances.** The smallest unit of an element is called an atom. An element is made up of only one kind of atom. The elements found in living things include carbon, hydrogen, oxygen, nitrogen, phosphorus, and sulfur.

FIGURE 1
An Element
Sulfur is an element. In its pure form, it sometimes forms crystals.

Compounds Carbon dioxide is a **compound** made up of the elements carbon and oxygen. **When two or more elements combine chemically, they form a compound.** Most elements in living things occur in the form of compounds. The smallest unit of any compound is called a molecule. A molecule of carbon dioxide consists of one carbon atom and two oxygen atoms.

For: Links on proteins
Visit: www.SciLinks.org
Web Code: scn-0313

The Compound Called Water Like carbon dioxide, water is a compound. Each water molecule is made up of two hydrogen atoms and one oxygen atom. Water makes up about two thirds of your body. Water plays many important roles in cells. Water dissolves chemicals that cells need. **Most chemical reactions within cells could not take place without water.** Water also helps cells keep their size and shape. In fact, a cell without water would be like a balloon without air. In addition, because water changes temperature so slowly, it helps keep the temperature of cells from changing rapidly.

Organic and Inorganic Compounds Many compounds in living things contain the element carbon. Most compounds that contain carbon are called organic compounds. Compounds that don't contain carbon are called inorganic compounds. Water and sodium chloride, or table salt, are familiar examples of inorganic compounds.

How are inorganic compounds different from organic compounds?

FIGURE 2
Molecules and Compounds
Carbon dioxide, which is found in the gas bubbles, is a chemical compound. So is water.
Applying Concepts *What is a compound?*

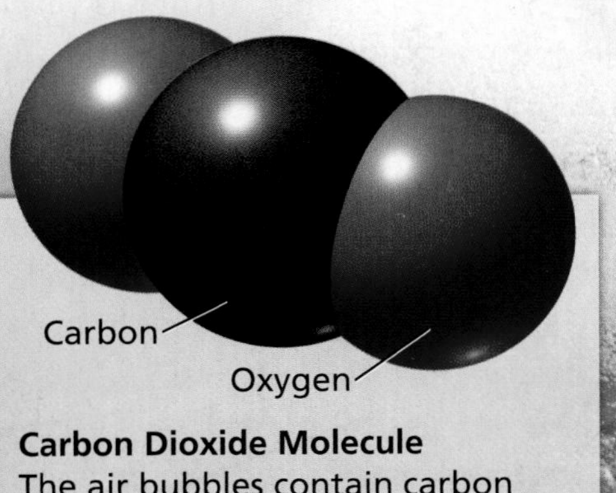

Carbon Dioxide Molecule
The air bubbles contain carbon dioxide. A carbon dioxide molecule has one atom of carbon and two atoms of oxygen.

Water Molecule
A water molecule is made up of one atom of oxygen and two atoms of hydrogen.

Oxygen
Hydrogen

FIGURE 3 Starch
These potatoes contain a large amount of starch. Starch is a carbohydrate. The blue grains in the close-up are starch granules in a potato. The grains have been colored blue to make them easier to see.

Carbohydrates

Carbohydrates, lipids, proteins, and nucleic acids are important groups of organic compounds in living things. A **carbohydrate** is an energy-rich organic compound made of the elements carbon, hydrogen, and oxygen. Sugars and starches are carbohydrates.

Sugars are produced during the food-making process that takes place in plants. Foods such as fruits and some vegetables have a high sugar content. Sugar molecules can combine, forming large molecules called starches, or complex carbohydrates. Plant cells store excess energy in molecules of starch. Many foods that come from plants contain starch. These foods include potatoes, pasta, rice, and bread. When you eat those foods, your body breaks down the starch into glucose, a sugar that your cells can use to produce energy.

Carbohydrates are important components of some cell parts. For example, the cellulose found in the cell walls of plants is a type of carbohydrate. Carbohydrates are also found in cell membranes.

Lipids

Fats, oils, and waxes are all lipids. Like carbohydrates, **lipids** are energy-rich organic compounds made of carbon, hydrogen, and oxygen. Lipids contain even more energy than carbohydrates. Cells store energy in lipids for later use. For example, during winter, a dormant bear lives on the energy stored in fat. In addition, cell membranes are made mainly of lipids.

Reading Checkpoint **What are three kinds of lipids?**

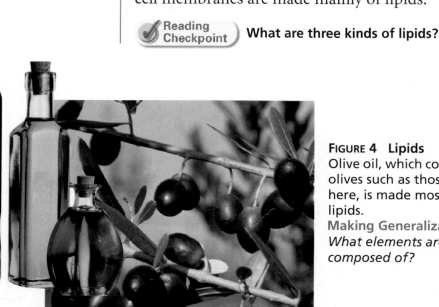

FIGURE 4 Lipids
Olive oil, which comes from olives such as those shown here, is made mostly of lipids.
Making Generalizations
What elements are lipids composed of?

Proteins

What do a bird's feathers, a spider's web, and your fingernails have in common? All of these substances are made mainly of proteins. **Proteins** are large organic molecules made of carbon, hydrogen, oxygen, nitrogen, and, in some cases, sulfur. Foods that are high in protein include meat, eggs, fish, nuts, and beans.

Structure of Proteins Protein molecules are made up of smaller molecules called **amino acids.** Although there are only 20 common amino acids, cells can combine them in different ways to form thousands of different proteins. The kinds of amino acids and the order in which they link together determine the type of protein that forms. You can think of the 20 amino acids as being like the 26 letters of the alphabet. Those 26 letters can form thousands of words. The letters you use and their order determine the words you form. Even a change in one letter, for example, from *rice* to *mice,* creates a new word. Similarly, a change in the type or order of amino acids can result in a different protein.

Functions of Proteins Much of the structure of cells is made up of proteins. Proteins form parts of cell membranes. Proteins also make up many of the organelles within the cell.

The proteins known as enzymes perform important functions in the chemical reactions that take place in cells. An **enzyme** is a type of protein that speeds up a chemical reaction in a living thing. Without enzymes, many chemical reactions that are necessary for life would either take too long or not occur at all. For example, enzymes in your saliva speed up the digestion of food by breaking down starches into sugars in your mouth.

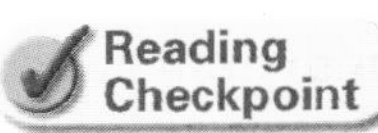

What is the role of enzymes in cells?

Lab zone Try This Activity

What's That Taste?

Use this activity to discover one role that enzymes play in your body.

1. Put an unsalted soda cracker in your mouth. Chew it, but do not swallow. Note what the cracker tastes like.
2. Continue to chew the cracker for a few minutes, mixing it well with your saliva. Note how the taste of the cracker changes.

Inferring Soda crackers are made up mainly of starch, with little sugar. How can you account for the change in taste after you chewed the cracker for a few minutes?

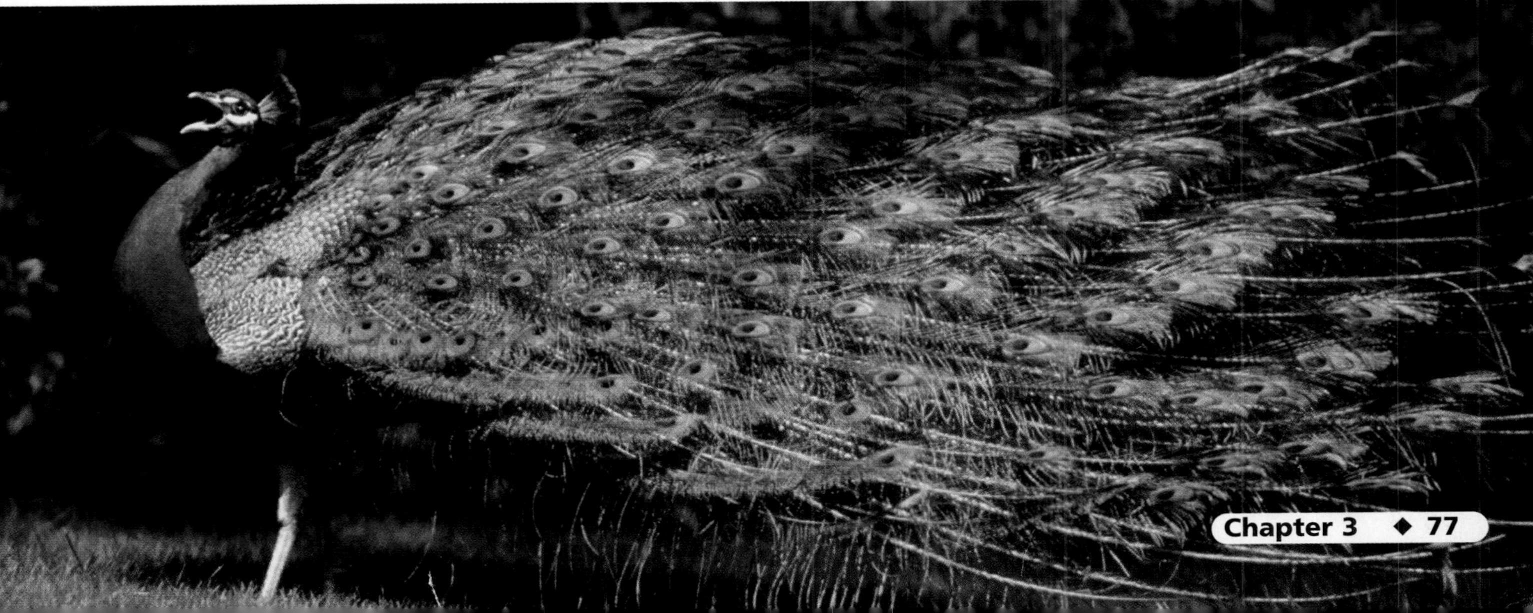

FIGURE 5
Feathers Made of Protein
The feathers of this peacock are made mainly of protein.
Applying Concepts *What smaller molecules make up protein molecules?*

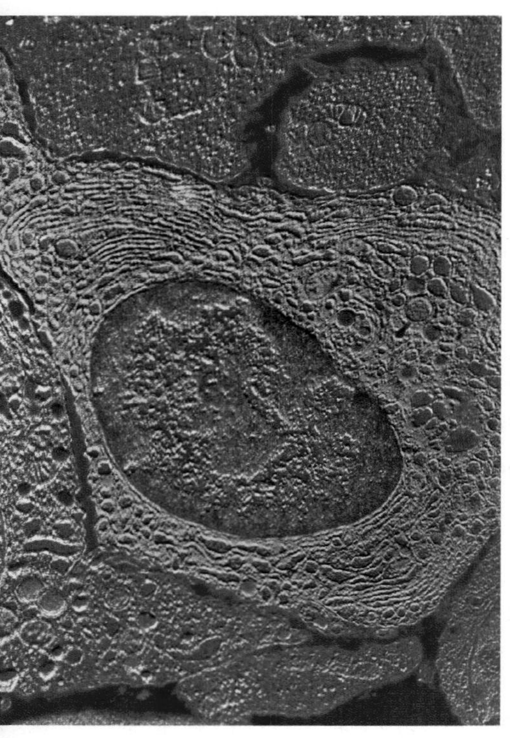

Nucleic Acids

Nucleic acids are very long organic molecules made of carbon, oxygen, hydrogen, nitrogen, and phosphorus. Nucleic acids contain the instructions that cells need to carry out all the functions of life.

There are two kinds of nucleic acids. Deoxyribonucleic acid (dee ahk see ry boh noo KLEE ik), or **DNA,** is the genetic material that carries information about an organism and is passed from parent to offspring. The information in DNA also directs all of the cell's functions. Most of the DNA in a cell is found in the chromatin in the nucleus. Ribonucleic acid (ry boh noo KLEE ik), or **RNA,** plays an important role in the production of proteins. RNA is found in the cytoplasm as well as in the nucleus.

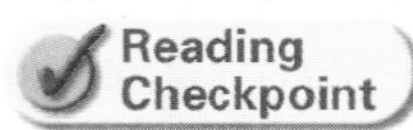

What are the two kinds of nucleic acids? What are their functions?

FIGURE 6 DNA in the Nucleus
A cell's nucleus (colored purple) contains most of the cell's DNA in its chromatin (colored red and yellow).

Section 1 Assessment

Target Reading Skill

Comparing and Contrasting Use the information in your table to help you answer the questions below.

Reviewing Key Concepts

1. a. **Defining** What is an element?
   b. **Comparing and Contrasting** How is a compound different from an element?
   c. **Classifying** A molecule of ammonia consists of one atom of nitrogen and three atoms of hydrogen. Is ammonia an element or a compound? Explain.
2. a. **Reviewing** What three important functions does water perform in cells?
   b. **Relating Cause and Effect** Suppose a cell is seriously deprived of water. How might this lack of water affect the cell's enzymes? Explain.
3. a. **Reviewing** What are four types of organic molecules found in living things?
   b. **Classifying** Which of the four types of organic molecules contain the element nitrogen?
   c. **Inferring** An organic compound contains only the elements carbon, hydrogen, and oxygen. Could this compound be a carbohydrate? Could it be a protein? Explain.

Lab zone At-Home Activity

Compounds in Food With family members, look at the "Nutrition Facts" labels on a variety of food products. Identify foods that contain large amounts of the following organic compounds: carbohydrates, proteins, and fats. Discuss with your family what elements make up each of these compounds and what roles they play in cells and in your body.

Lab zone **Consumer Lab**

Which Foods Are Fat-Free?

Problem

Some people want to limit their intake of fats, or lipids. How can you determine whether information about fats on a food label is accurate?

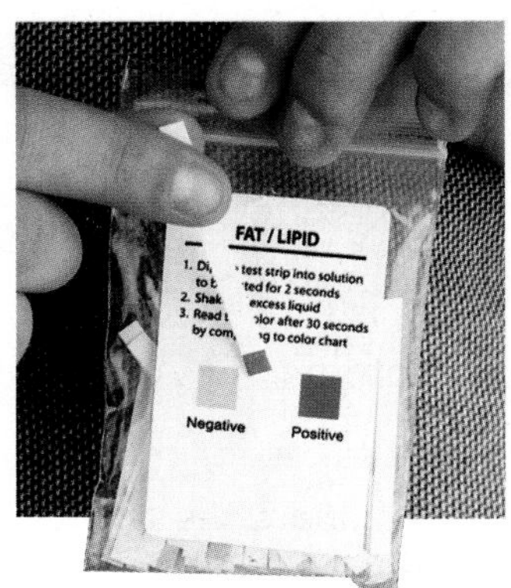

Skills Focus

interpreting data, inferring

Materials

- permanent marker
- 5 cotton swabs
- 5 different snack dips in their containers, including nutrition labels
- 5 fat-testing strips with color key
- watch or clock
- 5 small squares of paper towel

Procedure

1. Copy the data table on a sheet of paper. Record the brand names of the five snack dips in the table. **CAUTION:** *Do not taste the dips at any time.*
2. Examine the nutrition label on the container of each dip. Record the percentage of the Daily Value (% DV) of fat that the dip contains.
3. Look at other information on the container to see whether the dip is labeled "fat-free." Record this information in the table.
4. Obtain five fat-testing strips. Label each strip with the name of one of the dips.
5. Use a cotton swab to smear a bit of one dip onto the test square of the corresponding testing strip. After 30 seconds, gently wipe the dip from the strip with a paper towel.
6. To determine whether the sample contains fat, compare the test square with the color key. Record your observation in the table.
7. Repeat Steps 5–6 for each of the sample dips.

Analyze and Conclude

1. Observing According to the information on the containers, which dips had 0% fat? Which dips were labeled "fat-free"?
2. Interpreting Data Did the result shown on the test square always agree with the information on the dip's container?
3. Inferring Based on your results, what can you conclude about the accuracy of labels indicating that foods are fat-free?
4. Communicating Write a report for consumers that summarizes your results. Summarize the processes you used.

Design an Experiment

Protein test strips indicate *how much* protein is present in a food sample. Design an experiment to rank five food samples in the order of least protein to most protein. *Obtain your teacher's permission before carrying out your investigation.*

Data Table

Name of Dip	Percent Fat (% Daily Value)	Labeled Fat-Free?	Result of Test

Section 2

The Cell in Its Environment

Reading Preview

Key Concepts

- How do most small molecules cross the cell membrane?
- Why is osmosis important to cells?
- What is the difference between passive transport and active transport?

Key Terms

- selectively permeable
- diffusion
- osmosis
- passive transport
- active transport

Target Reading Skill

Building Vocabulary

A definition states the meaning of a word or phrase. After you read the section, reread the paragraphs that contain definitions of Key Terms. Use all the information you have learned to write a definition of each Key Term in your own words.

Lab zone Discover Activity

How Do Molecules Move?

1. Stand with your classmates in locations that are evenly spaced throughout the classroom.
2. Your teacher will spray an air freshener into the room. When you first smell the air freshener, raise your hand.
3. Note how long it takes for other students to smell the scent.

Think It Over

Developing Hypotheses How was each student's distance from the teacher related to when he or she smelled the air freshener? Develop a hypothesis about why this pattern occurred.

As darkness fell, the knight urged his horse toward the castle. The weary knight longed for the safety of the castle, with its thick walls of stone and strong metal gates. The castle's gatekeeper opened the gates and slowly lowered the drawbridge. The horse clopped across the bridge, and the knight sighed with relief. Home at last!

Like ancient castles, cells have structures that protect their contents from the world outside. All cells are surrounded by a cell membrane that separates the cell from the outside environment. The cell membrane is **selectively permeable,** which means that some substances can pass through the membrane while others cannot.

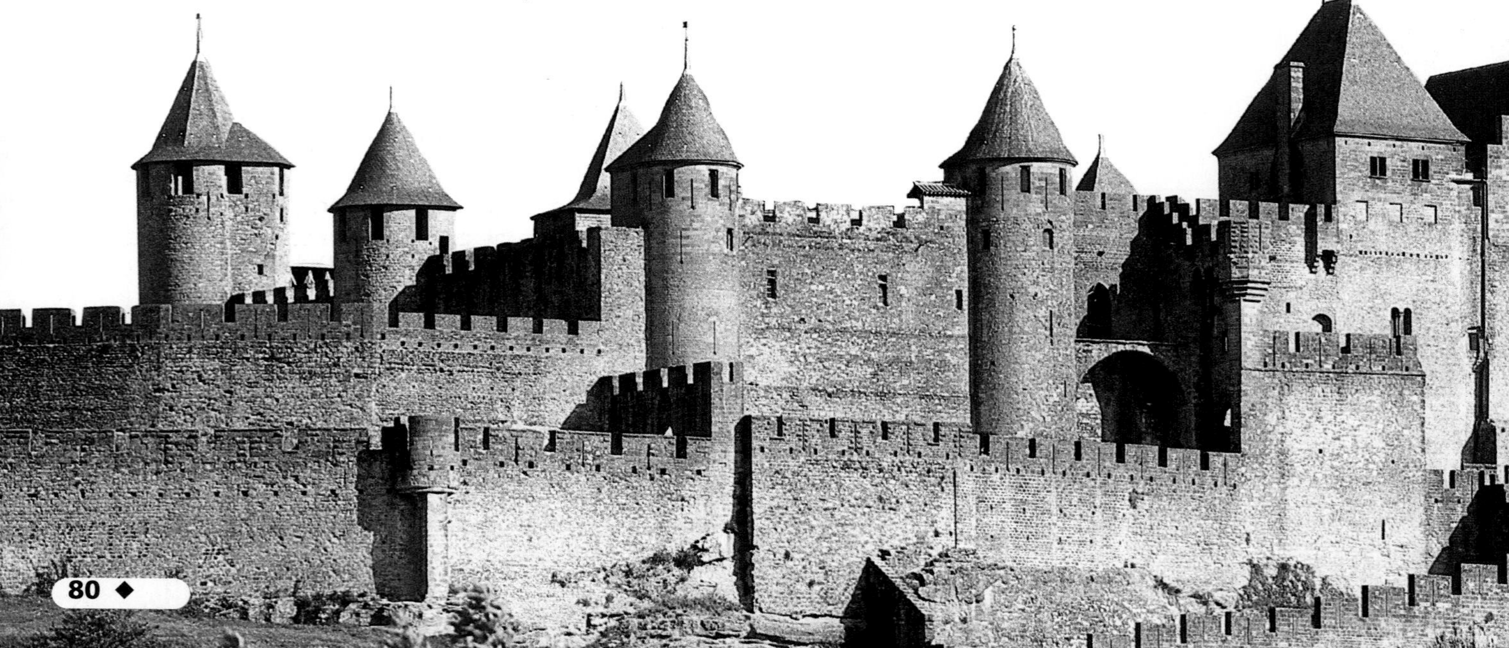

Cells, like castles, must let things enter and leave. Cells must let in needed materials, such as oxygen and food molecules. In contrast, waste materials must move out of cells. Oxygen, food molecules, and waste products all must pass through the cell membrane.

Diffusion

Substances that can move into and out of a cell do so by one of three methods: diffusion, osmosis, or active transport. **Diffusion is the main method by which small molecules move across the cell membrane. Diffusion** (dih FYOO zhun) is the process by which molecules move from an area of higher concentration to an area of lower concentration. The concentration of a substance is the amount of the substance in a given volume. For example, suppose you dissolve 1 gram of sugar in 1 liter of water. The concentration of the sugar solution is 1 gram per liter.

If you did the Discover activity, you observed diffusion in action. The area where the air freshener was sprayed had many molecules of freshener. The molecules gradually moved from this area of higher concentration to the other parts of the classroom, where there were fewer molecules of freshener—and thus a lower concentration.

What Causes Diffusion? Molecules are always moving. As they move, the molecules bump into one another. The more molecules there are in an area, the more collisions there will be. Collisions cause molecules to push away from one another. Over time, the molecules of a substance will continue to spread out. Eventually, they will be spread evenly throughout the area.

Math Skills

Ratios

The concentration of a solution can be expressed as a ratio. A ratio compares two numbers. It tells you how much you have of one item in comparison to another. For example, suppose you dissolve 5 g of sugar in 1 L of water. You can express the concentration of the solution in ratio form as 5 g : 1 L, or 5 g/L.

Practice Problem Suppose you dissolve 7 g of salt in 1 L of water. Express the concentration of the solution as a ratio.

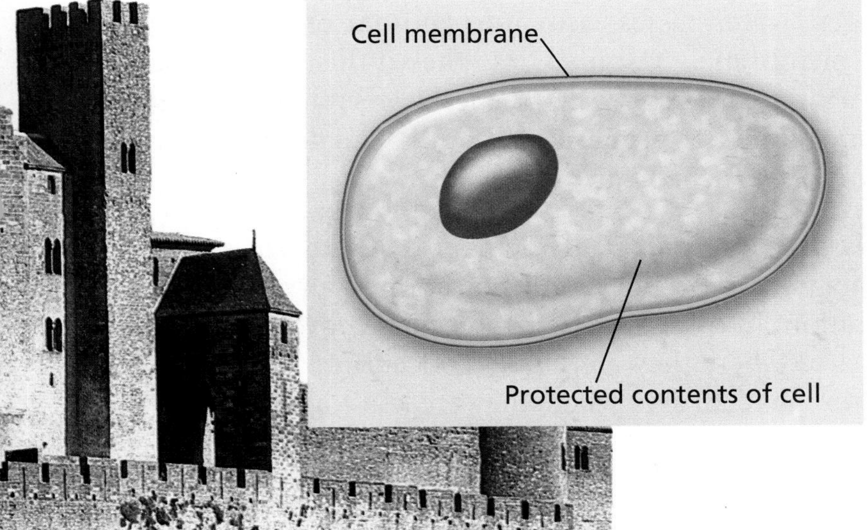

FIGURE 7
A Selective Barrier
The walls of a castle protected the inhabitants within, and the castle gatekeeper allowed only certain people to pass through. Similarly, the cell membrane protects the contents of the cell and helps control the materials that enter and leave.

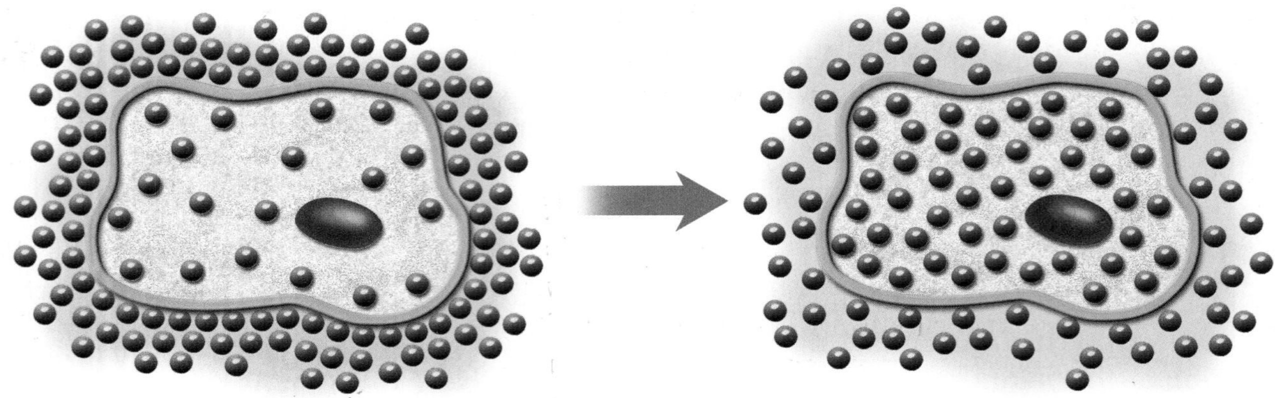

Before Diffusion
There is a higher concentration of oxygen molecules outside the cell than inside the cell.

After Diffusion
The concentration of oxygen molecules is the same outside and inside the cell.

FIGURE 8
Diffusion in Action
Molecules move by diffusion from an area of higher concentration to an area of lower concentration.
Predicting *What would happen if the concentration of oxygen molecules outside the cell was lower than inside the cell?*

Diffusion of Oxygen Have you ever used a microscope to observe one-celled organisms in pond water? These organisms obtain the oxygen they need to survive from the water around them. Luckily for them, there are many more molecules of oxygen in the water outside the cell than there are inside the cell. In other words, there is a higher concentration of oxygen molecules in the water than inside the cell. Remember that the cell membrane is permeable to oxygen molecules. The oxygen molecules diffuse from the area of higher concentration—the pond water—through the cell membrane to the area of lower concentration—the inside of the cell.

By what process do small molecules move into cells?

Osmosis

Like oxygen, water passes easily into and out of cells through the cell membrane. **Osmosis** is the diffusion of water molecules through a selectively permeable membrane. **Because cells cannot function properly without adequate water, many cellular processes depend on osmosis.**

Osmosis and Diffusion Remember that molecules tend to move from an area of higher concentration to an area of lower concentration. In osmosis, water molecules move by diffusion from an area where they are highly concentrated through the cell membrane to an area where they are less concentrated.

For: More on cellular transport
Visit: PHSchool.com
Web Code: ced-3014

Effects of Osmosis Osmosis can have important consequences for a cell. Look at Figure 9 to see the effect of osmosis on cells. In Figure 9A, a red blood cell is bathed in a solution in which the concentration of water is the same as it is inside the cell. This is the normal shape of a red blood cell.

Contrast this shape to the cell in Figure 9B. The red blood cell is floating in water that contains a large amount of salt. The concentration of water molecules outside the cell is lower than the concentration of water molecules inside the cell. This difference in concentration occurs because the salt takes up space in the salt water. Therefore, there are fewer water molecules in the salt water outside the cell compared to the water inside the cell. As a result, water moves out of the cell by osmosis. When water moves out, cells shrink.

In Figure 9C, the red blood cell is floating in water that contains a very small amount of salt. The water inside the cell contains more salt than the solution outside the cell. Thus, the concentration of water outside the cell is greater than it is inside the cell. The water moves into the cell, causing it to swell.

How is osmosis related to diffusion?

Lab zone Try This Activity

Diffusion in Action

Here's how you can observe the effects of diffusion.

1. Fill a small, clear plastic cup with cold water. Place the cup on the table and allow it to sit until there is no movement in the water.
2. Use a plastic dropper to add one large drop of food coloring to the water.
3. Observe the water every minute. Note any changes that take place. Continue to observe until you can no longer see any changes.

Inferring What role did diffusion play in the changes you observed?

FIGURE 9

Effects of Osmosis on Cells

In osmosis, water diffuses through a selectively permeable membrane.

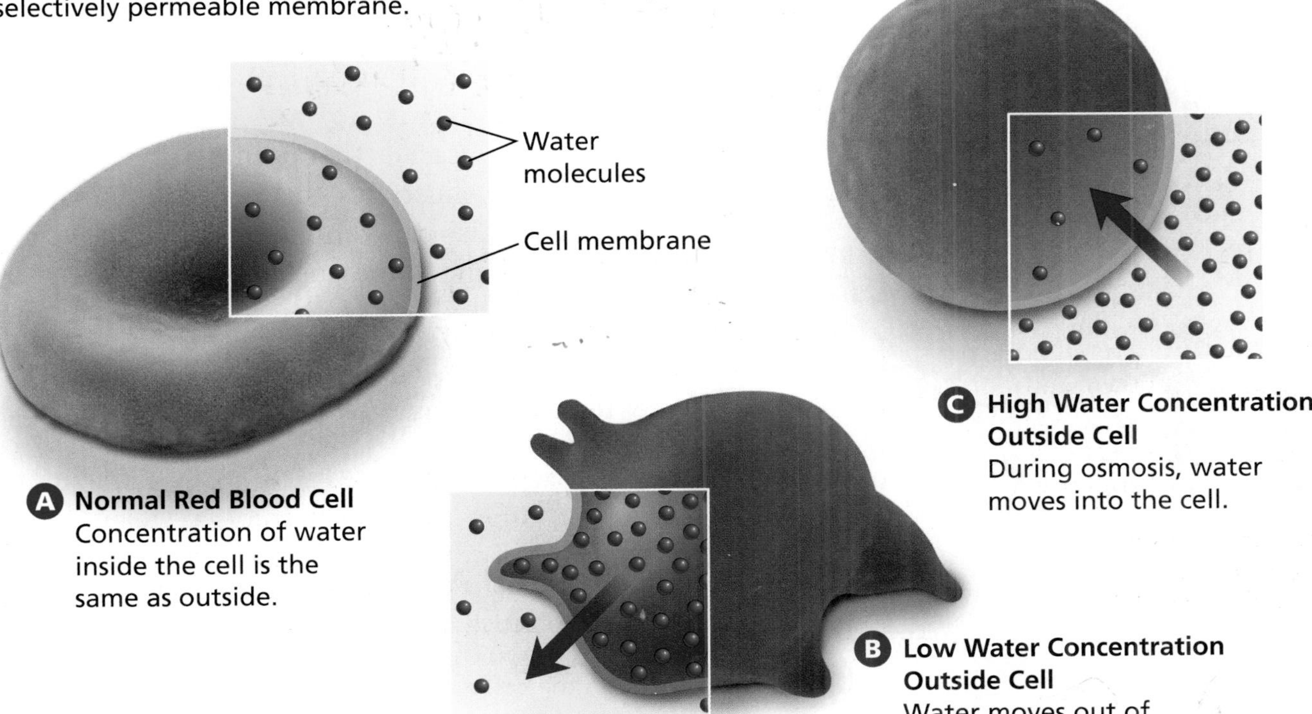

A Normal Red Blood Cell
Concentration of water inside the cell is the same as outside.

B Low Water Concentration Outside Cell
Water moves out of the cell during osmosis.

C High Water Concentration Outside Cell
During osmosis, water moves into the cell.

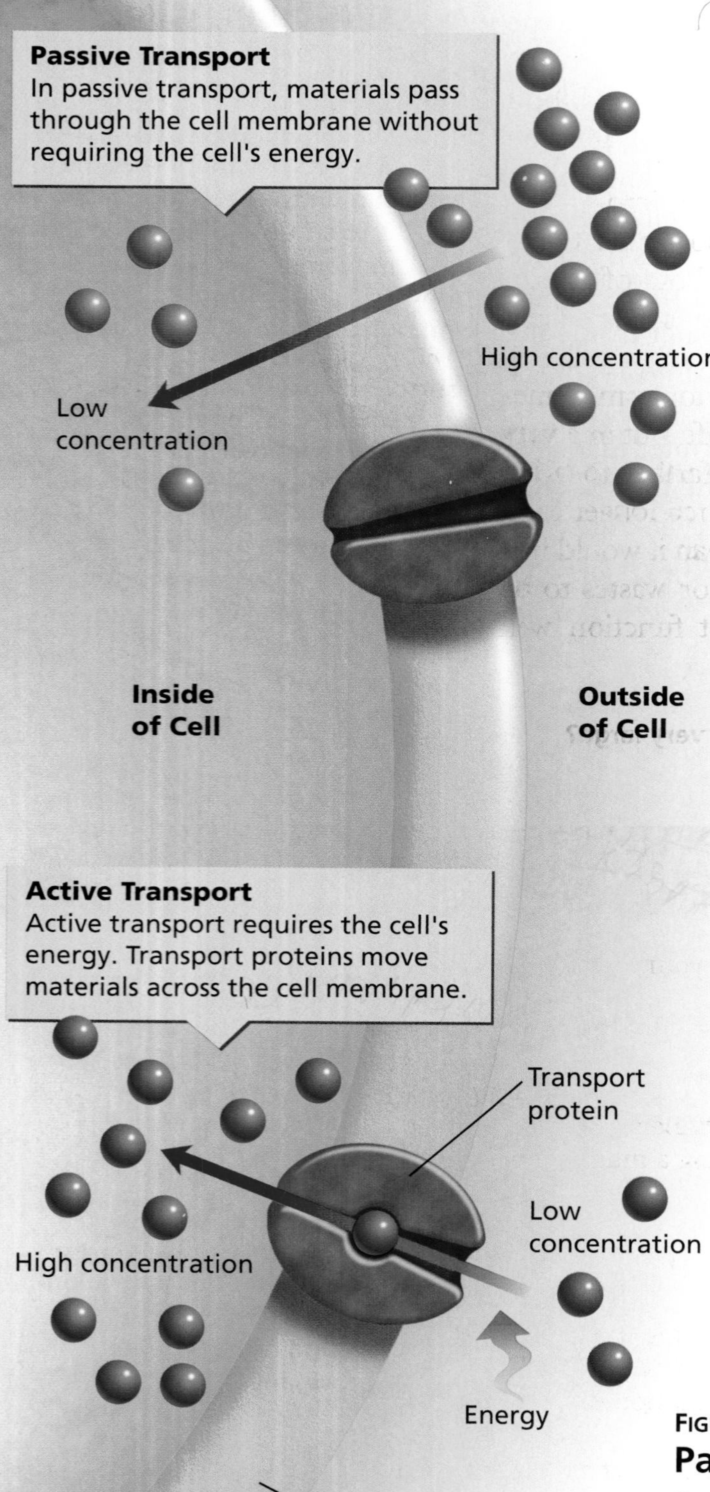
Passive Transport
In passive transport, materials pass through the cell membrane without requiring the cell's energy.
High concentration
Low concentration
Inside of Cell
Outside of Cell
Active Transport
Active transport requires the cell's energy. Transport proteins move materials across the cell membrane.
Transport protein
Low concentration
High concentration
Energy
Cell membrane

Active Transport

If you have ever ridden a bicycle down a long hill, you know that it doesn't take any of your energy to go fast. But you do have to use some of your energy to pedal back up the hill. For a cell, moving materials through the cell membrane by diffusion and osmosis is like cycling downhill. These processes do not require the cell to use its own energy. The movement of dissolved materials through a cell membrane without using cellular energy is called **passive transport.**

What if a cell needs to take in a substance that is present in a higher concentration inside the cell than outside? The cell would have to move the molecules in the opposite direction than they naturally move by diffusion. Cells can do this, but they have to use energy—just as you would use energy to pedal back up the hill. **Active transport** is the movement of materials through a cell membrane using cellular energy. **Active transport requires the cell to use its own energy, while passive transport does not.**

Transport Proteins Cells have several ways of moving materials by active transport. In one method, transport proteins in the cell membrane "pick up" molecules outside the cell and carry them in, using energy. Figure 10 illustrates this process. Transport proteins also carry molecules out of cells in a similar way. Some substances that are carried into and out of cells in this way include calcium, potassium, and sodium.

FIGURE 10
Passive and Active Transport
Passive and active transport are two processes by which materials pass through the cell membrane.
Interpreting Diagrams *What is the function of a transport protein?*

Transport by Engulfing Figure 11 shows another method of active transport. First, the cell membrane surrounds and engulfs, or encloses, a particle. Once the particle is engulfed, the cell membrane wraps around the particle and forms a vacuole within the cell. The cell must use energy in this process.

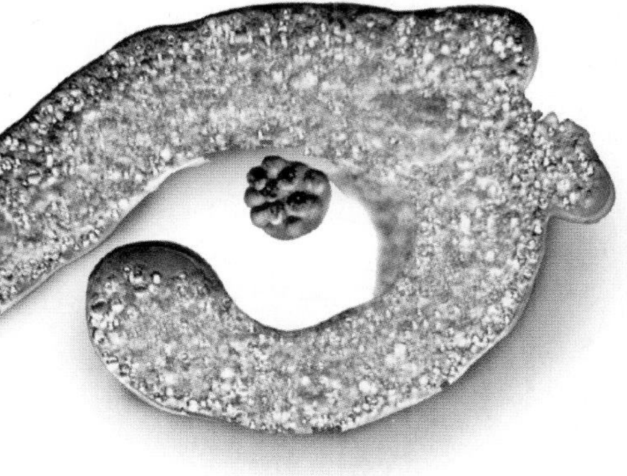

FIGURE 11
Amoeba Engulfing Food
This single-celled amoeba is surrounding a smaller organism. The amoeba will engulf the organism and use it for food. Engulfing is a form of active transport.

Why Cells Are Small As you know, most cells are so small that you cannot see them without a microscope. Have you ever wondered why cells are so small? One reason is related to how materials move into and out of cells.

As a cell's size increases, more of its cytoplasm is located farther from the cell membrane. Once a molecule enters a cell, it is carried to its destination by a stream of moving cytoplasm, somewhat like the way currents in the ocean move a raft. But in a very large cell, the streams of cytoplasm must travel farther to bring materials to all parts of the cell. It would take much longer for a molecule to reach the center of a very large cell than it would in a small cell. Likewise, it would take a long time for wastes to be removed. If a cell grew too large, it could not function well enough to survive.

What prevents cells from growing very large?

Section 2 Assessment

Target Reading Skill Building Vocabulary Use your definitions to help answer the questions below.

Reviewing Key Concepts

1. a. Defining What is diffusion?
   b. Relating Cause and Effect Use diffusion to explain what happens when you drop a sugar cube into a mug of hot tea.
2. a. Defining What is osmosis?
   b. Describing Describe how water molecules move through the cell membrane during osmosis.
   c. Applying Concepts A selectively permeable membrane separates solutions A and B. The concentration of water molecules in Solution B is higher than that in Solution A. Describe how the water molecules will move.
3. a. Comparing and Contrasting How is active transport different from passive transport?
   b. Reviewing What are transport proteins?
   c. Explaining Explain why transport proteins require energy to function in active transport.

Math Practice

A scientist dissolves 60 g of sugar in 3 L of water.

4. Calculating a Concentration Calculate the concentration of the solution in grams per liter.
5. Ratios Express the concentration as a ratio.

Section
3 Photosynthesis

Reading Preview

Key Concepts

- How does the sun supply living things with the energy they need?
- What happens during the process of photosynthesis?

Key Terms

- photosynthesis
- autotroph
- heterotroph
- pigment
- chlorophyll
- stomata

Target Reading Skill

Sequencing A sequence is the order in which the steps in a process occur. As you read, create a flowchart that shows the steps in photosynthesis. Put each step in a separate box in the flowchart in the order in which it occurs.

Steps in Photosynthesis

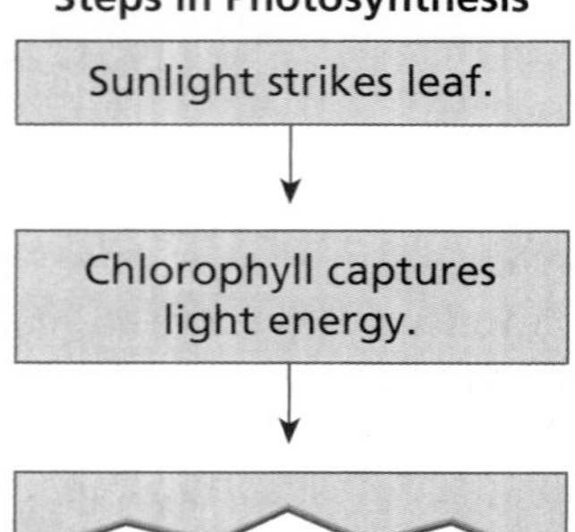
Sunlight strikes leaf.
Chlorophyll captures light energy.

Lab zone Discover Activity

Where Does the Energy Come From?

1. Obtain a solar-powered calculator that does not use batteries. Place the calculator in direct light.
2. Cover the solar cells with your finger. Note how your action affects the number display.
3. Uncover the solar cells. What happens to the number display?
4. Now cover all but one of the solar cells. How does that affect the number display?

Think It Over

Inferring From your observations, what can you infer about the energy that powers the calculator?

On a plain in Africa, dozens of zebras peacefully eat the grass. But watch out—the zebras' grazing will soon be harshly interrupted. A group of lions is about to attack the herd. The lions will kill one of the zebras and eat it.

Both the zebras and the lions use the food they eat to obtain energy. Every living thing needs energy. All cells need energy to carry out their functions, such as making proteins and transporting substances into and out of the cell. The zebra's meat supplies the lion's cells with the energy they need, just as the grass provides the zebra's cells with energy. But plants and certain other organisms, such as algae and some bacteria, obtain their energy in a different way. These organisms use the energy in sunlight to make their own food.

The sun is the source of energy for most living things.

Plants such as grass use energy from the sun to make their own food.

The zebra obtains energy by eating grass.

The lion obtains energy by feeding on the zebra.

FIGURE 12
Energy From the Sun
The sun supplies energy for most living things, directly or indirectly.
Relating Cause and Effect *How does sunlight provide food for the zebra?*

Sources of Energy

The process by which a cell captures energy in sunlight and uses it to make food is called **photosynthesis** (foh toh SIN thuh sis). The term *photosynthesis* comes from the Greek words *photo*, which means "light," and *synthesis*, which means "putting together."

Nearly all living things obtain energy either directly or indirectly from the energy of sunlight captured during photosynthesis. Grass obtains energy directly from sunlight, because it makes its own food during photosynthesis. When the zebra eats the grass, it gets energy that has been stored in the grass. Similarly, the lion obtains energy stored in the zebra. The zebra and lion both obtain the sun's energy indirectly, from the energy that the grass obtained through photosynthesis.

Plants manufacture their own food through the process of photosynthesis. An organism that makes its own food is called an **autotroph** (AWT oh trahf). An organism that cannot make its own food, including animals such as the zebra and the lion, is called a **heterotroph** (HET ur oh trahf). Many heterotrophs obtain food by eating other organisms. Some heterotrophs, such as fungi, absorb their food from other organisms.

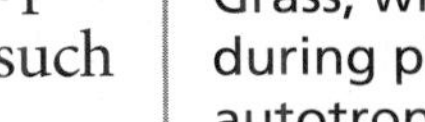

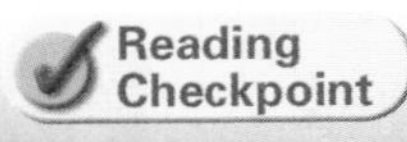

Reading Checkpoint **What are autotrophs?**

FIGURE 13
Autotrophs and Heterotrophs
Grass, which makes its own food during photosynthesis, is an autotroph. Zebras and lions are heterotrophs, because they cannot make their own food.

For: The Photosynthesis Process
Visit: PHSchool.com
Web Code: cep-1042

The Two Stages of Photosynthesis

Photosynthesis is a complex process. **During photosynthesis, plants and some other organisms use energy from the sun to convert carbon dioxide and water into oxygen and sugars.** The process of photosynthesis is shown in Figure 14. You can think of photosynthesis as taking place in two stages: capturing the sun's energy and producing sugars. You're probably familiar with many two-stage processes. To make a cake, for example, the first stage is to combine the ingredients to make the batter. The second stage is to bake the batter. To get the desired result—the cake—both stages must occur in the correct order.

Stage 1: Capturing the Sun's Energy The first stage of photosynthesis involves capturing the energy in sunlight. In plants, this energy-capturing process occurs mostly in the leaves. Recall that chloroplasts are green organelles inside plant cells. The green color comes from **pigments,** colored chemical compounds that absorb light. The main photosynthetic pigment in chloroplasts is **chlorophyll.**

Chlorophyll functions in a manner similar to that of the solar "cells" in a solar-powered calculator. Solar cells capture the energy in light and use it to power the calculator. Similarly, chlorophyll captures light energy and uses it to power the second stage of photosynthesis.

FIGURE 14
Two Stages of Photosynthesis
Photosynthesis has two stages, as shown in the diagram. Interpreting Diagrams *Which stage requires light?*

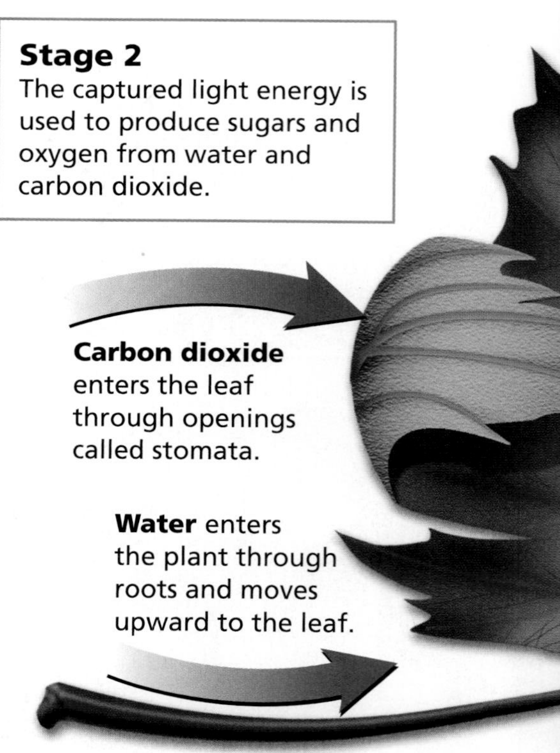

Stage 2
The captured light energy is used to produce sugars and oxygen from water and carbon dioxide.
Carbon dioxide enters the leaf through openings called stomata.
Water enters the plant through roots and moves upward to the leaf.

Stage 2: Using Energy to Make Food In the next stage of photosynthesis, the cell uses the captured energy to produce sugars. The cell needs two raw materials for this stage: water (H_2O) and carbon dioxide (CO_2). In plants, the roots absorb water from the soil. The water then moves up through the plant's stem to the leaves. Carbon dioxide is one of the gases in the air. Carbon dioxide enters the plant through small openings on the undersides of the leaves called **stomata** (STOH muh tuh) (singular *stoma*). Once in the leaves, the water and carbon dioxide move into the chloroplasts.

Inside the chloroplasts, the water and carbon dioxide undergo a complex series of chemical reactions. The reactions are powered by the energy captured in the first stage. These reactions produce chemicals as products. One product is a sugar that has six carbon atoms. Six-carbon sugars have the chemical formula $C_6H_{12}O_6$. Recall that sugars are a type of carbohydrate. Cells can use the energy in the sugar to carry out important cell functions.

The other product of photosynthesis is oxygen (O_2), which exits the leaf through the stomata. In fact, almost all the oxygen in Earth's atmosphere was produced by living things through the process of photosynthesis.

Reading Checkpoint **What makes plants green?**

Lab zone **Try This Activity**

Looking at Pigments

You can observe the pigments in a leaf.

1. Cut a strip 5 cm by 20 cm out of a paper coffee filter.
2. Place a leaf on top of the paper strip, about 2 cm from the bottom.
3. Roll the edge of a dime over a section of the leaf, leaving a narrow band of color on the paper strip.
4. Pour rubbing alcohol into a plastic cup to a depth of 1 cm. Stand the paper strip in the cup so the color band is about 1 cm above the alcohol. Hook the other end of the strip over the top of the cup.
5. After 10 minutes, remove the paper strip and let it dry. Observe the strip.
6. Wash your hands.

Inferring What does the paper strip's appearance reveal about leaf pigments?

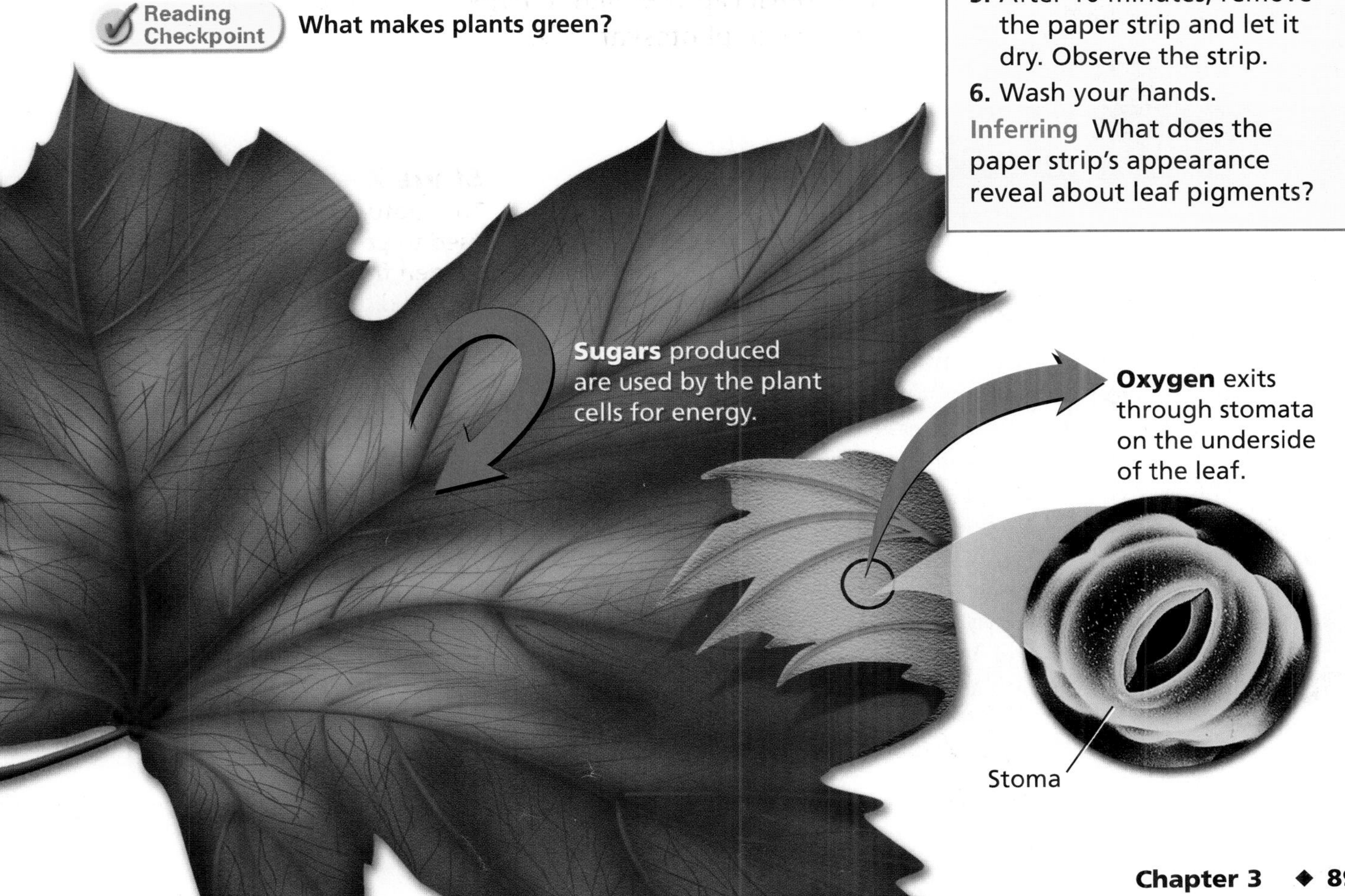
Sugars produced are used by the plant cells for energy.
Oxygen exits through stomata on the underside of the leaf.
Stoma

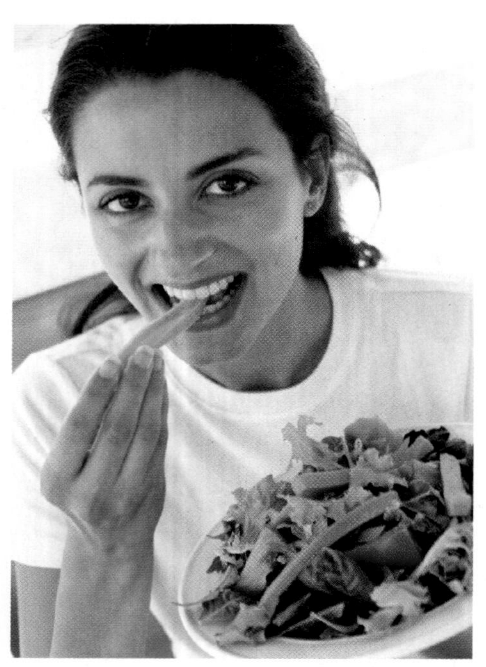

FIGURE 15 **Stored Energy**
When you eat a carrot, you obtain energy stored during photosynthesis.

The Photosynthesis Equation The events of photosynthesis can be summed up by the following chemical equation:

$$\underset{\text{carbon dioxide}}{6\,CO_2} + \underset{\text{water}}{6\,H_2O} \xrightarrow{\text{light energy}} \underset{\text{a sugar}}{C_6H_{12}O_6} + \underset{\text{oxygen}}{6\,O_2}$$

Notice that the raw materials—six molecules of carbon dioxide and six molecules of water—are on the left side of the equation. The products—one molecule of a sugar and six molecules of oxygen—are on the right side of the equation. An arrow, which you can read as "yields," connects the raw materials to the products. Light energy, which is necessary for the chemical reaction to occur, is written above the arrow.

What happens to the sugar produced in photosynthesis? Plant cells use some of the sugar for food. The cells break down the sugar molecules to release the energy they contain. This energy can then be used to carry out the plant's functions. Some sugar molecules are converted into other compounds, such as cellulose. Other sugar molecules may be stored in the plant's cells for later use. When you eat food from plants, such as potatoes or carrots, you are eating the plant's stored energy.

In the photosynthesis equation, what does the arrow mean?

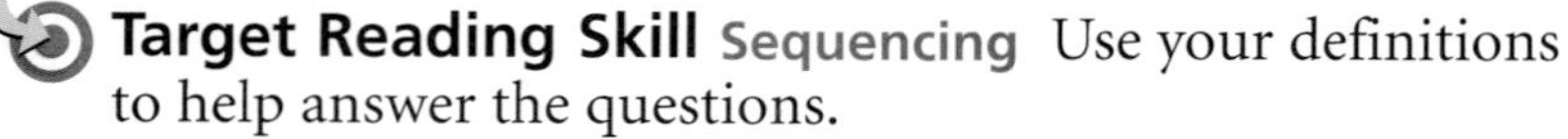

Section 3 Assessment

Target Reading Skill Sequencing Use your definitions to help answer the questions.

Reviewing Key Concepts

1. a. Reviewing Why do living things need energy?
   b. Explaining How do plants obtain energy?
   c. Applying Concepts An insect eats a leaf. Explain how the insect depends on the sun for energy.
2. a. Reviewing What chemical equation sums up the events of photosynthesis?
   b. Comparing and Contrasting What are the substances needed for photosynthesis? What substances are produced during photosynthesis?
   c. Making Generalizations Would you expect a plant to produce more oxygen on a cloudy day or a sunny day? Explain.

Writing in Science

Job Qualifications When people apply for jobs, they often must complete a job application form in which they describe their qualifications for a job. Suppose that you are a leaf, and that you are applying for a job in a photosynthesis factory. Write a paragraph in which you summarize your qualifications for the job of photosynthesis. Your paragraph should include the following words: *chloroplasts, chlorophyll, light, energy, water, carbon dioxide,* and *stomata*.

Section 4

Respiration

Reading Preview

Key Concepts

- What events occur during respiration?
- What is fermentation?

Key Terms

- respiration
- fermentation

Target Reading Skill

Using Prior Knowledge Your prior knowledge is what you already know before you read about a topic. Before you read, write a definition of respiration in a graphic organizer like the one below. As you read, revise your definition based on what you learn.

What You Know
1. Definition of respiration:

What You Learned
1.

Lab zone Discover Activity

What Is a Product of Respiration?

1. Put on your goggles. Fill two test tubes half full of warm water. Add 5 mL of sugar to one of the test tubes. Put the tubes in a test-tube rack.
2. Add 0.5 mL of dried yeast (a single-celled organism) to each tube. Stir the contents of each tube with a straw. Place a stopper snugly in the top of each tube.
3. Observe the two test tubes over the next 10 to 15 minutes.

Think It Over

Observing How can you account for any changes you observed?

You've been hiking all morning, and you are hungry. You get out the sandwich you packed and begin munching. Why does your body need food?

What Is Respiration?

Food supplies your body with glucose, an energy-rich sugar. **Respiration** is the process by which cells obtain energy from glucose. **During respiration, cells break down simple food molecules such as sugar and release the energy they contain.**

Storing and Releasing Energy Energy stored in cells is something like money in a savings account. During photosynthesis, plants capture energy from sunlight and "save" it in the form of carbohydrates, including sugars and starches. Similarly, when you eat, you add to your body's energy savings account. When cells need energy, they "withdraw" it by breaking down the carbohydrates in the process of respiration.

Breathing and Respiration The term *respiration* has two meanings. You have probably used it to mean "breathing," that is, moving air in and out of your lungs. To avoid confusion, the respiration process that takes place inside cells is sometimes called cellular respiration. Breathing brings oxygen, which is usually necessary for cellular respiration, into your lungs.

Go Online
SCi LINKS
NSTA

For: Links on cellular respiration
Visit: www.SciLinks.org
Web Code: scn-0322

The Two Stages of Respiration Like photosynthesis, respiration is a two-stage process. The first stage takes place in the cytoplasm of the organism's cells. There, molecules of glucose are broken down into smaller molecules. Oxygen is not involved, and only a small amount of energy is released.

The second stage of respiration takes place in the mitochondria. There, the small molecules are broken down into even smaller molecules. These chemical reactions require oxygen, and they release a great deal of energy. This is why the mitochondria are sometimes called the "powerhouses" of the cell.

Trace the steps in the breakdown of glucose in Figure 16. Note that energy is released in both stages. Two other products of respiration are carbon dioxide and water. These products diffuse out of the cell. In most animals, the carbon dioxide and some water leave the body during exhalation, or breathing out. Thus, when you breathe in, you take in oxygen—a raw material for respiration. When you breathe out, you release carbon dioxide and water—products of respiration.

The Respiration Equation Although respiration occurs in a series of complex steps, the overall process can be summarized in the following equation:

$$\underset{\text{sugar}}{C_6H_{12}O_6} + \underset{\text{oxygen}}{6\,O_2} \longrightarrow \underset{\text{carbon dioxide}}{6\,CO_2} + \underset{\text{water}}{6\,H_2O} + \text{energy}$$

Notice that the raw materials for respiration are sugar and oxygen. Plants and other organisms that undergo photosynthesis make their own sugar. The glucose in the cells of animals and other organisms comes from the food they consume. The oxygen used in respiration comes from the air or water surrounding the organism.

FIGURE 16
Two Stages of Respiration
Respiration, like photosynthesis, takes place in two stages.
Interpreting Diagrams *In which stage is oxygen used?*

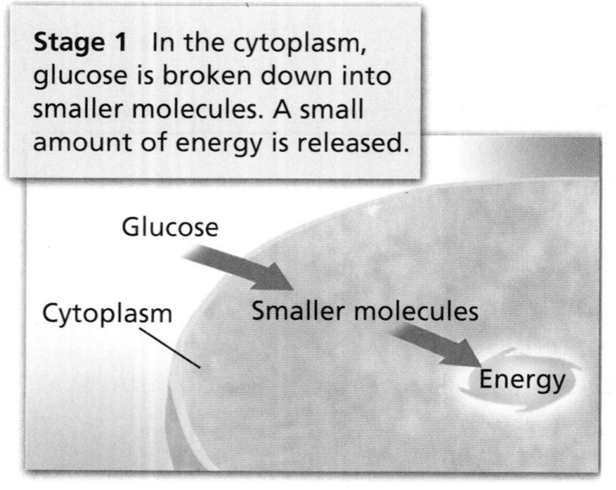
Stage 1 In the cytoplasm, glucose is broken down into smaller molecules. A small amount of energy is released.
Glucose
Cytoplasm
Smaller molecules
Energy

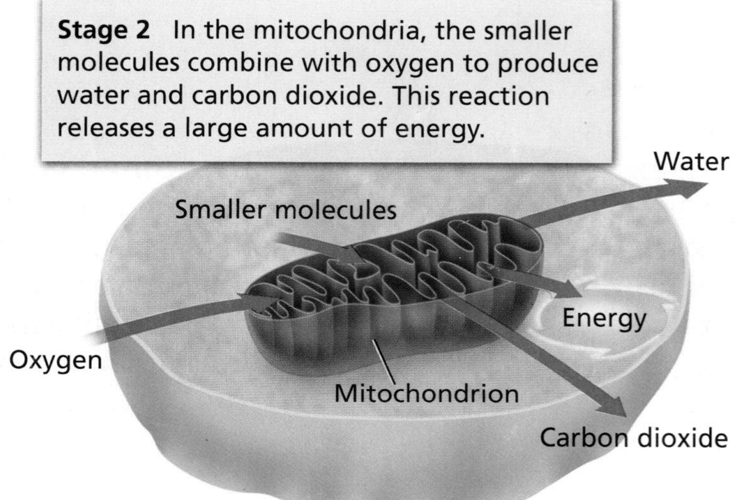
Stage 2 In the mitochondria, the smaller molecules combine with oxygen to produce water and carbon dioxide. This reaction releases a large amount of energy.
Water
Smaller molecules
Energy
Oxygen
Mitochondrion
Carbon dioxide

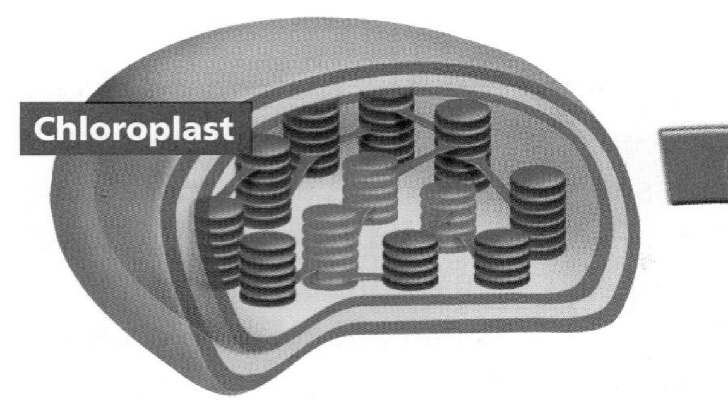

Sugar and Oxygen

Photosynthesis
During photosynthesis, plants use carbon dioxide and release oxygen.

$$6\ CO_2 + 6\ H_2O \longrightarrow C_6H_{12}O_6 + 6\ O_2$$

Respiration
During respiration, organisms use oxygen and release carbon dioxide.

$$C_6H_{12}O_6 + 6\ O_2 \longrightarrow 6\ CO_2 + 6\ H_2O$$

Carbon Dioxide and Water

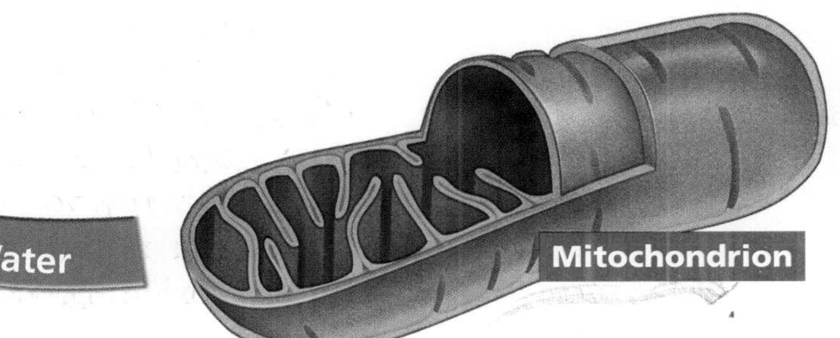

FIGURE 17
Photosynthesis and Respiration
You can think of photosynthesis and respiration as opposite processes.
Comparing and Contrasting *Which process uses oxygen? Which uses carbon dioxide?*

Comparing Photosynthesis and Respiration Can you notice anything familiar about the equation for respiration? You are quite right if you said it is the opposite of the equation for photosynthesis. This is an important point. During photosynthesis, carbon dioxide and water are used to produce sugars and oxygen. During respiration, the sugar glucose and oxygen are used to produce carbon dioxide and water. Photosynthesis and respiration can be thought of as opposite processes.

Together, these two processes form a cycle that keeps the levels of oxygen and carbon dioxide fairly constant in Earth's atmosphere. As you can see in Figure 17, living things use both gases over and over again.

Which process—photosynthesis or respiration—produces water?

Fermentation

Some cells are able to obtain energy from food without using oxygen. For example, some single-celled organisms live where there is no oxygen, such as deep in the ocean or in the mud of lakes or swamps. These organisms obtain their energy through **fermentation,** an energy-releasing process that does not require oxygen. **Fermentation provides energy for cells without using oxygen.** The amount of energy released from each sugar molecule during fermentation, however, is much lower than the amount released during respiration.

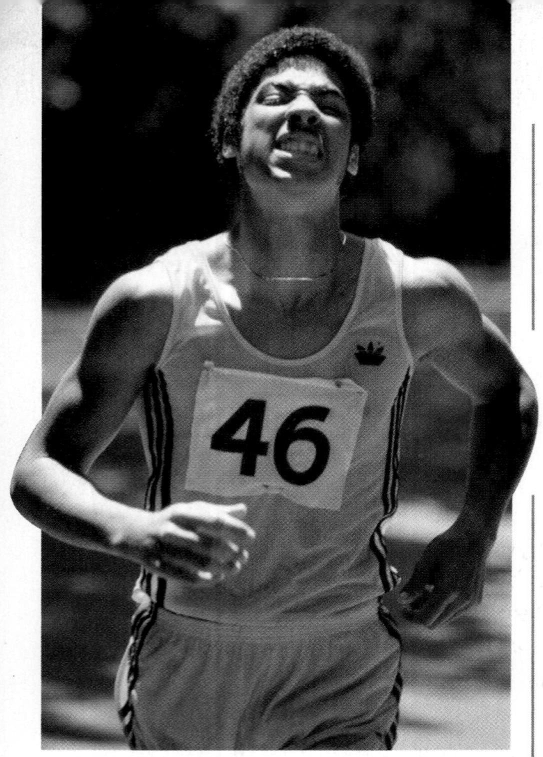

FIGURE 18
Lactic Acid Fermentation
When an athlete's muscles run out of oxygen, lactic acid fermentation supplies the cells with energy.

Alcoholic Fermentation One type of fermentation occurs when yeast and some other single-celled organisms break down sugars. This process is sometimes called alcoholic fermentation because alcohol is one of the products. The other products are carbon dioxide and a small amount of energy.

Alcoholic fermentation is important to bakers and brewers. The carbon dioxide produced by yeast creates air pockets in bread dough, causing it to rise. Carbon dioxide is also the source of bubbles in alcoholic drinks such as beer.

Lactic Acid Fermentation Another type of fermentation takes place at times in your body. You've probably felt its effects. Think of a time when you ran as fast as you could for as long as you could. Your leg muscles were pushing hard against the ground, and you were breathing quickly.

No matter how hard you breathed, your muscle cells used up the oxygen faster than it could be replaced. Because your cells lacked oxygen, fermentation occurred. The fermentation supplied your cells with energy. One product of this type of fermentation is an acid known as lactic acid. When lactic acid builds up, you feel a painful sensation in your muscles. Your muscles feel weak and sore.

Section 4 Assessment

Target Reading Skill

Using Prior Knowledge Review your graphic organizer about respiration. List two things that you learned about respiration.

Reviewing Key Concepts

1. a. **Reviewing** What happens during respiration?
   b. **Reviewing** What is the equation for respiration?
   c. **Comparing and Contrasting** Compare the equations for respiration and photosynthesis.
   d. **Relating Cause and Effect** Explain why cellular respiration adds carbon dioxide to the atmosphere, but photosynthesis does not.
2. a. **Identifying** What is the process in which cells obtain energy without using oxygen?
   b. **Inferring** How would athletes be affected if this process could not take place?
   c. **Predicting** Is this process more likely to occur during a short run or a long walk? Explain your answer.

Lab zone At-Home Activity

Make Bread With an adult family member, follow a recipe in a cookbook to make a loaf of bread using yeast. Explain to your family what causes the dough to rise. After you bake the bread, observe a slice and look for evidence that fermentation occurred.

Section 5

Cell Division

Reading Preview

Key Concepts

- What events take place during the three stages of the cell cycle?
- How does the structure of DNA help account for the way in which DNA copies itself?

Key Terms

- cell cycle
- interphase
- replication
- mitosis
- chromosome
- cytokinesis

Target Reading Skill

Sequencing As you read, make a cycle diagram that shows the events in the cell cycle, including the phases of mitosis. Write each event in a separate circle.

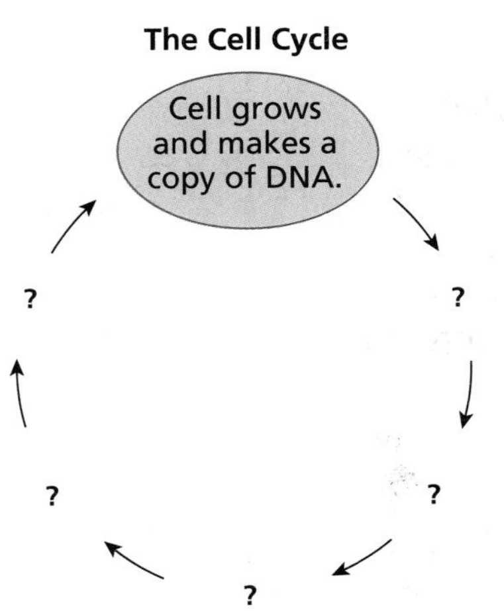

Lab zone Discover Activity

What Are the Yeast Cells Doing?

1. Use a plastic dropper to transfer some yeast cells from a yeast culture to a microscope slide. Your teacher has prepared the slide by drying methylene blue stain onto it. Add a coverslip and place the slide under a microscope.
2. Examine the cells on the slide. Use low power first and then high power. Look for what appear to be two cells attached to each other. One cell may be larger than the other. Draw what you see.

Think It Over

Developing Hypotheses What process do you think the "double cells" are undergoing? Develop a hypothesis that might explain what you see.

In the early autumn, many local fairs run pumpkin contests. Proud growers enter their largest pumpkins, hoping to win a prize. The pumpkin below has a mass greater than 600 kilograms! This giant pumpkin began as a small flower. How did the pumpkin grow so big?

A pumpkin grows in size by increasing both the size and the number of its cells. A single cell grows and then divides, forming two cells. Then two cells grow and divide, forming four, and so on. This process of cell growth and division does not occur only in pumpkins, though. In fact, many cells in your body are dividing as you read this page.

Prize-winning pumpkin ▲

Cell Processes and Energy

Video Preview
▶ Video Field Trip
Video Assessment

Stage 1: Interphase

How do little pigs get to be big pigs? Their cells grow and divide, over and over. The regular sequence of growth and division that cells undergo is known as the **cell cycle.** During the cell cycle, a cell grows, prepares for division, and divides into two new cells, which are called "daughter cells." Each of the daughter cells then begins the cell cycle again. You can see details of the cell cycle in Figure 21. Notice that the cell cycle is divided into three main stages: interphase, mitosis, and cytokinesis.

The first stage of the cell cycle is called **interphase.** Interphase is the period before cell division. **During interphase, the cell grows, makes a copy of its DNA, and prepares to divide into two cells.**

Growing During the first part of interphase, the cell grows to its full size and produces structures it needs. For example, the cell makes new ribosomes and produces enzymes. Copies are made of both mitochondria and chloroplasts.

Copying DNA In the next part of interphase, the cell makes an exact copy of the DNA in its nucleus in a process called **replication.** Recall that DNA is found in the chromatin in the nucleus. DNA holds all the information that the cell needs to carry out its functions. Replication of DNA is very important, since each daughter cell must have a complete set of DNA to survive. At the end of DNA replication, the cell contains two identical sets of DNA. You will learn the details of DNA replication later in this section.

Preparing for Division Once the DNA has replicated, preparation for cell division begins. The cell produces structures that it will use to divide into two new cells. At the end of interphase, the cell is ready to divide.

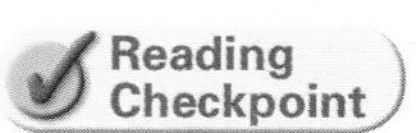

What is replication?

Lab zone Try This **Activity**

Modeling Mitosis

Refer to Figure 21 as you carry out this activity.

1. Construct a model of a cell that has four chromosomes. Use a piece of construction paper to represent the cell. Use different-colored pipe cleaners to represent the chromosomes. Make sure that the chromosomes look like double rods.
2. Position the chromosomes in the cell where they would be during prophase.
3. Repeat Step 2 for metaphase, anaphase, and telophase.

Making Models How did the model help you understand the events of mitosis?

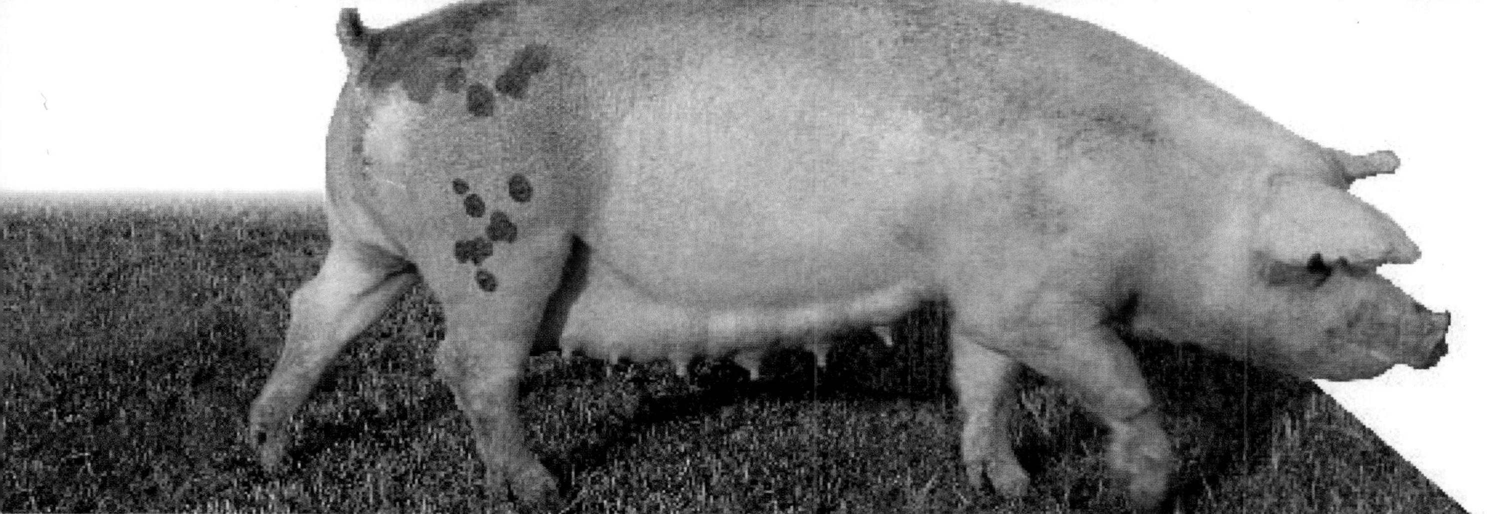

FIGURE 19
Bigger Pig, More Cells
The mother pig has more cells in her body than her small piglets.

Stage 2: Mitosis

Once interphase is complete, the second stage of the cell cycle begins. **Mitosis** (my TOH sis) is the stage during which the cell's nucleus divides into two new nuclei. **During mitosis, one copy of the DNA is distributed into each of the two daughter cells.**

Scientists divide mitosis into four parts, or phases: prophase, metaphase, anaphase, and telophase. During prophase, the threadlike chromatin in the nucleus condenses to form double-rod structures called **chromosomes.** Each chromosome has two rods because the cell's DNA has replicated, and each rod in a chromosome is an exact copy of the other. Each identical rod in a chromosome is called a chromatid. Notice in Figure 20 that the two chromatids are held together by a structure called a centromere.

As the cell progresses through metaphase, anaphase, and telophase, the chromatids separate from each other and move to opposite ends of the cell. Then two nuclei form around the chromatids at the two ends of the cell.

FIGURE 20
Chromosomes
During mitosis, the chromatin condenses to form chromosomes. Each chromosome consists of two identical strands, or chromatids.
Applying Concepts *During which phase of mitosis do the chromosomes form?*

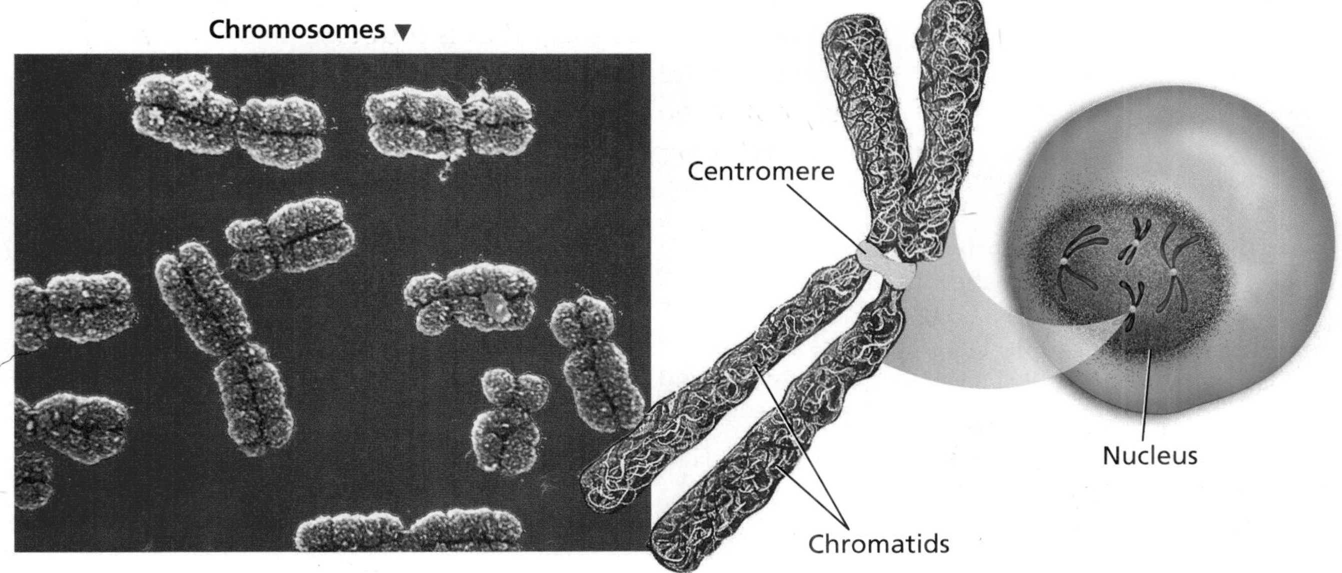

FIGURE 21

The Cell Cycle

Cells undergo an orderly sequence of events as they grow and divide. The sequence shown here is a typical cell cycle in an animal cell. **Comparing and Contrasting** *Compare the location of the chromosomes during metaphase and anaphase.*

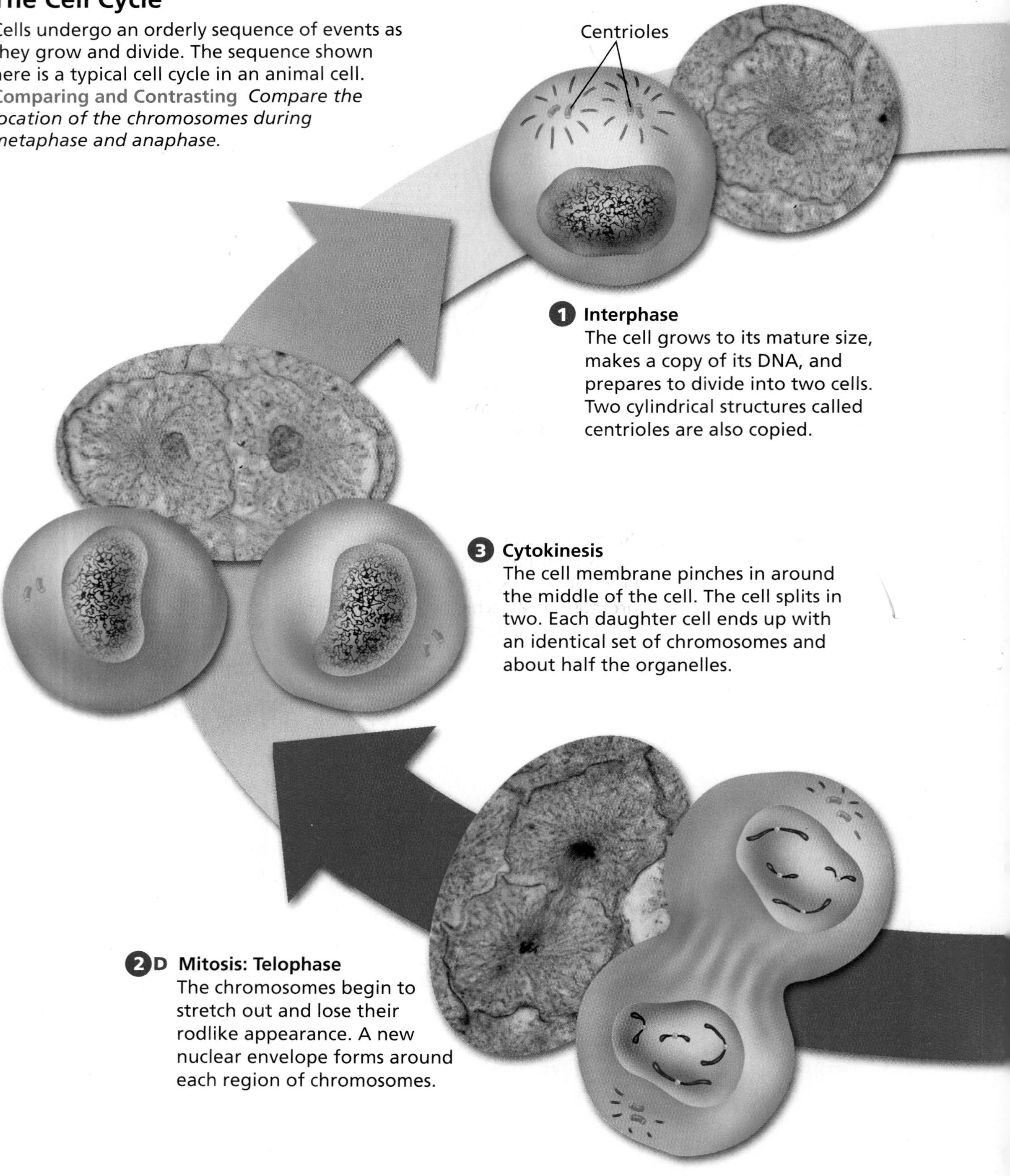

Centrioles

1 Interphase
The cell grows to its mature size, makes a copy of its DNA, and prepares to divide into two cells. Two cylindrical structures called centrioles are also copied.

3 Cytokinesis
The cell membrane pinches in around the middle of the cell. The cell splits in two. Each daughter cell ends up with an identical set of chromosomes and about half the organelles.

2D Mitosis: Telophase
The chromosomes begin to stretch out and lose their rodlike appearance. A new nuclear envelope forms around each region of chromosomes.

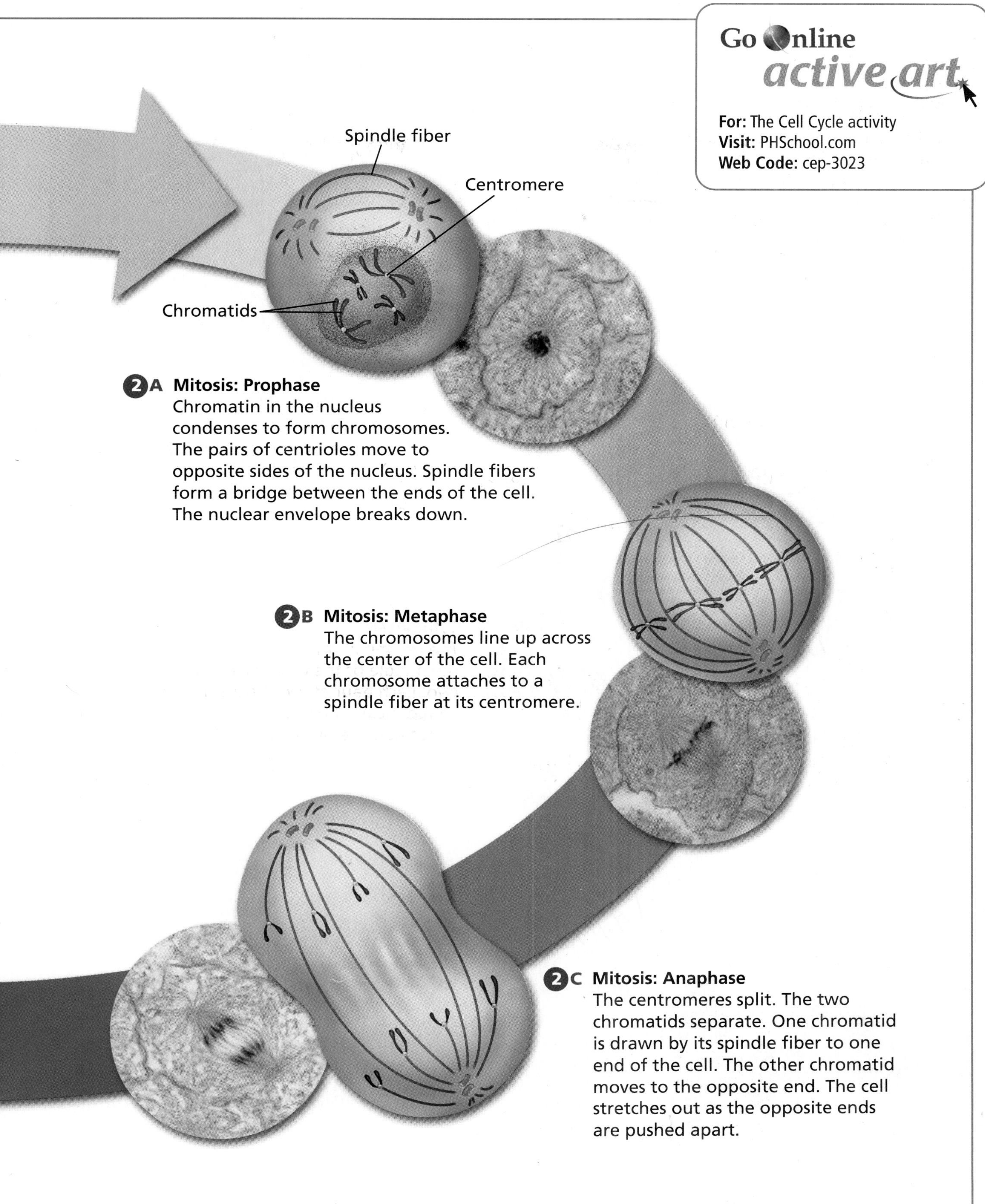

2A Mitosis: Prophase
Chromatin in the nucleus condenses to form chromosomes. The pairs of centrioles move to opposite sides of the nucleus. Spindle fibers form a bridge between the ends of the cell. The nuclear envelope breaks down.

2B Mitosis: Metaphase
The chromosomes line up across the center of the cell. Each chromosome attaches to a spindle fiber at its centromere.

2C Mitosis: Anaphase
The centromeres split. The two chromatids separate. One chromatid is drawn by its spindle fiber to one end of the cell. The other chromatid moves to the opposite end. The cell stretches out as the opposite ends are pushed apart.

Go Online
active art

For: The Cell Cycle activity
Visit: PHSchool.com
Web Code: cep-3023

Math Analyzing Data

Length of the Cell Cycle

How long does it take for a cell to go through one cell cycle? It all depends on the cell. A human liver cell, for example, completes one cell cycle in about 22 hours, as shown in the graph. Study the graph and then answer the following questions.

1. **Reading Graphs** What do the three curved arrows outside the circle represent?
2. **Reading Graphs** In what stage of the cell cycle is the wedge representing growth?
3. **Interpreting Data** In human liver cells, how long does it take DNA replication to occur?
4. **Drawing Conclusions** In human liver cells, what stage in the cell cycle takes the longest time?

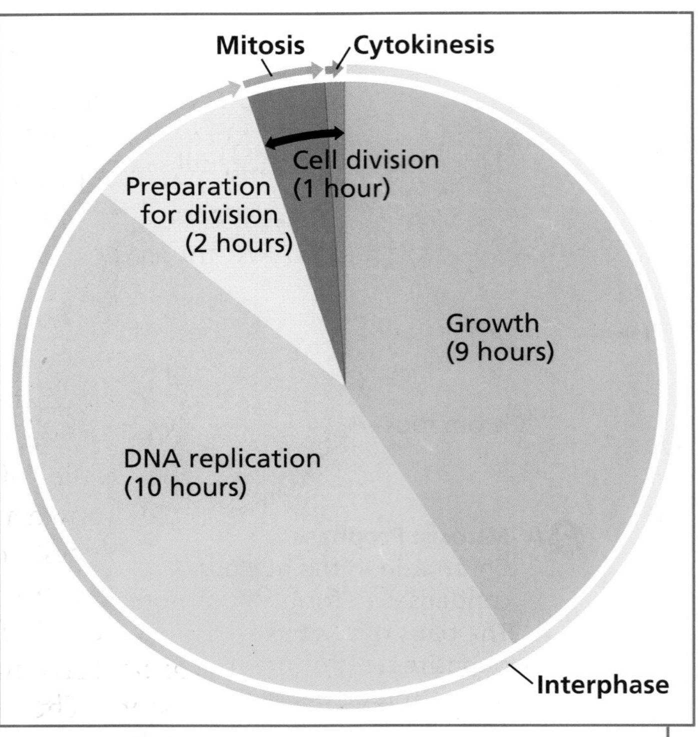

Stage 3: Cytokinesis

The final stage of the cell cycle, which is called **cytokinesis** (sy toh kih NEE sis), completes the process of cell division. **During cytokinesis, the cytoplasm divides. The organelles are distributed into each of the two new cells.** Cytokinesis usually starts at about the same time as telophase. When cytokinesis is complete, two new cells, or daughter cells, have formed. Each daughter cell has the same number of chromosomes as the original parent cell. At the end of cytokinesis, each cell enters interphase, and the cycle begins again.

Cytokinesis in Animal Cells During cytokinesis in animal cells, the cell membrane squeezes together around the middle of the cell. The cytoplasm pinches into two cells. Each daughter cell gets about half of the organelles.

Cytokinesis in Plant Cells Cytokinesis is somewhat different in plant cells. A plant cell's rigid cell wall cannot squeeze together in the same way that a cell membrane can. Instead, a structure called a cell plate forms across the middle of the cell. The cell plate gradually develops into new cell membranes between the two daughter cells. New cell walls then form around the cell membranes.

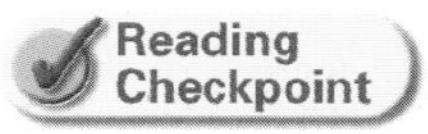

During what phase of mitosis does cytokinesis begin?

FIGURE 22
Cytokinesis in Plant Cells
During cytokinesis in plant cells, a cell plate forms between the two new nuclei.

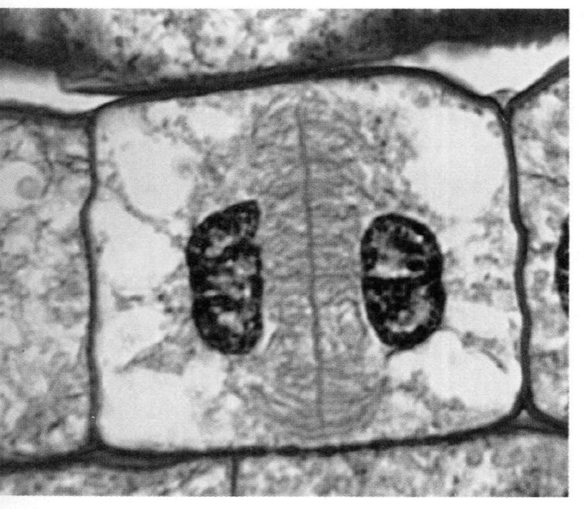

Structure and Replication of DNA

DNA replication ensures that each daughter cell will have the genetic information it needs to carry out its activities. Before scientists could understand how DNA replicates, they had to know its structure. In 1952, Rosalind Franklin used an X-ray method to photograph DNA molecules. Her photographs helped James Watson and Francis Crick figure out the structure of DNA in 1953.

The Structure of DNA Notice in Figure 23 that a DNA molecule looks like a twisted ladder, or spiral staircase. The two sides of the DNA ladder are made up of molecules of a sugar called deoxyribose, alternating with molecules known as phosphates.

Each rung is made up of a pair of molecules called nitrogen bases. Nitrogen bases are molecules that contain the element nitrogen and other elements. DNA has four kinds of nitrogen bases: adenine (AD uh neen), thymine (THY meen), guanine (GWAH neen), and cytosine (SY tuh seen). The capital letters A, T, G, and C are used to represent the four bases.

The bases on one side of the ladder pair with the bases on the other side. Adenine (A) only pairs with thymine (T), while guanine (G) only pairs with cytosine (C). This pairing pattern is the key to understanding how DNA replication occurs.

FIGURE 23
The Structure of DNA
The DNA molecule is shaped like a twisted ladder. **Classifying** *Which base always pairs with adenine?*

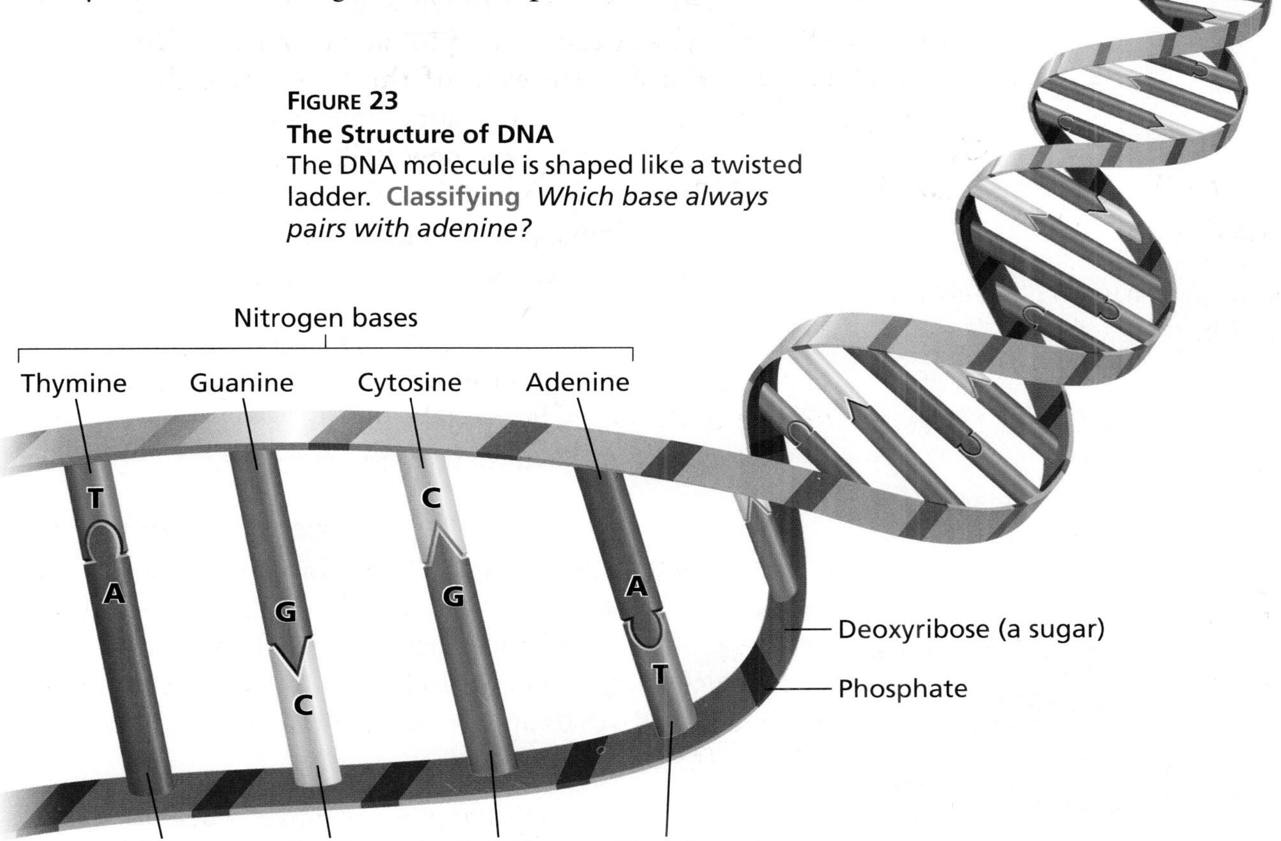

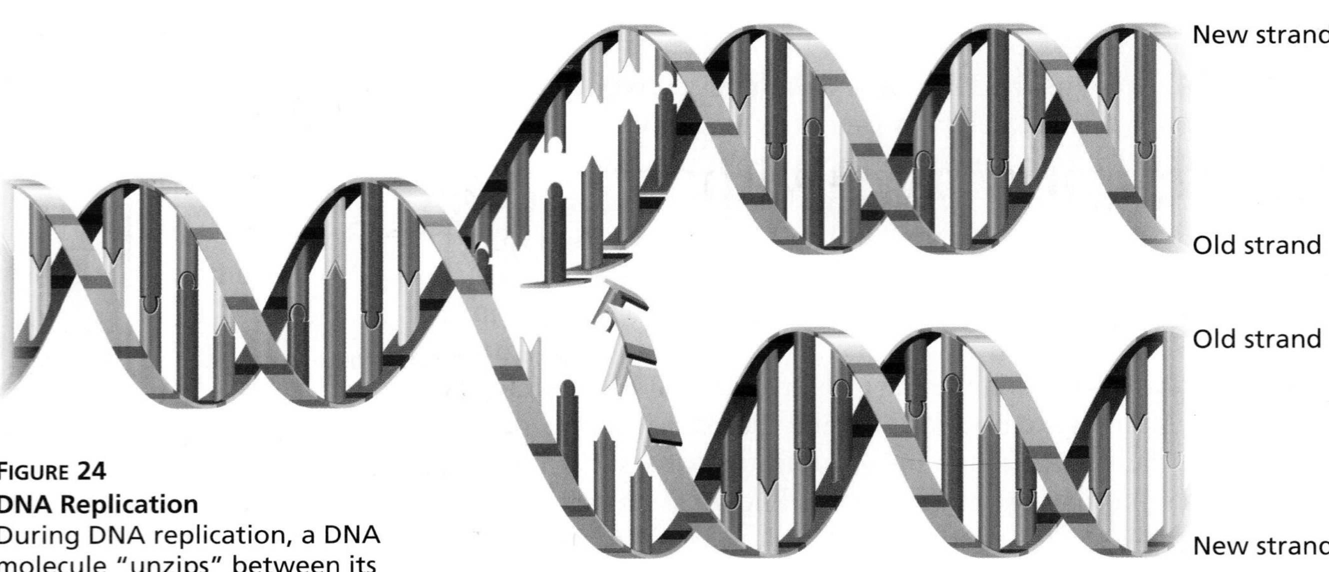

FIGURE 24
DNA Replication
During DNA replication, a DNA molecule "unzips" between its paired bases. New bases pair with the bases on each old strand. As a result, two identical DNA strands form.

The Replication Process DNA replication begins when the two sides of the DNA molecule unwind and separate, somewhat like a zipper unzipping. As you can see in Figure 24, the molecule separates between the paired nitrogen bases.

Next, nitrogen bases that are floating in the nucleus pair up with the bases on each half of the DNA molecule. **Because of the way in which the nitrogen bases pair with one another, the order of the bases in each new DNA molecule exactly matches the order in the original DNA molecule.** Adenine always pairs with thymine, while guanine always pairs with cytosine. Once the new bases are attached, two new DNA molecules are formed.

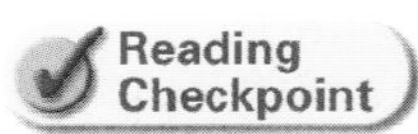

During DNA replication, which base pairs with guanine?

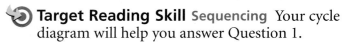

Section 5 Assessment

Target Reading Skill Sequencing Your cycle diagram will help you answer Question 1.

Reviewing Key Concepts

1. a. Reviewing What are the three stages of the cell cycle?
   b. Summarizing Summarize what happens to chromosomes during the stage of the cell cycle in which the nucleus divides. Include the terms *prophase, metaphase, anaphase,* and *telophase.*
   c. Interpreting Diagrams Look at Figure 21. What is the role of spindle fibers during cell division?
2. a. Listing List the nitrogen bases in DNA.
   b. Describing Describe how the nitrogen bases pair in a DNA molecule.
   c. Inferring One section of a strand of DNA has the base sequence AGATTC. What is the base sequence on the other strand?

Writing in Science

Writing Instructions Imagine that you work in a factory where cells are manufactured. Write instructions for newly forming cells on how to carry out cytokinesis. Provide instructions for both plant and animal cells.

Lab zone **Skills Lab**

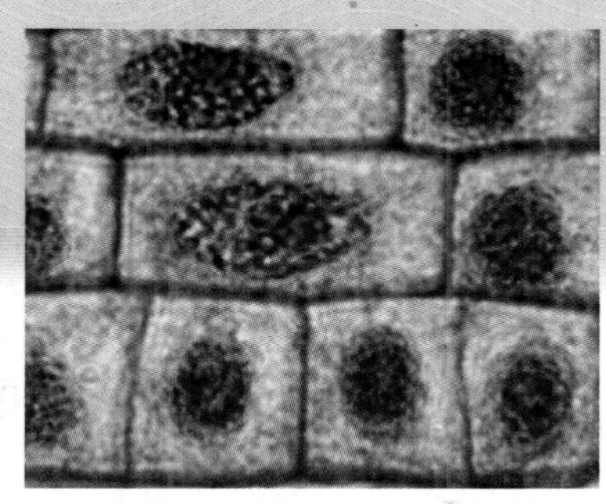

Multiplying by Dividing

Problem
How long do the stages of the cell cycle take?

Skills Focus
observing, calculating

Materials
- microscope
- colored pencils
- calculator (optional)
- prepared slides of onion root tip cells undergoing cell division

Procedure 

1. Place the slide on the stage of a microscope. Use low power to locate a cell in interphase. Then switch to high power, and make a labeled drawing of the cell. **CAUTION:** *Slides and coverslips break easily. Do not allow the objective to touch the slide. If the slide breaks, notify your teacher. Do not touch broken glass.*
2. Repeat Step 1 to find cells in prophase, metaphase, anaphase, and telophase. Then copy the data table into your notebook.
3. Return to low power. Find an area of the slide with many cells undergoing cell division. Switch to the magnification that lets you see about 50 cells at once (for example, 100 ×).
4. Examine the cells row by row, and count the cells that are in interphase. Record that number in the data table under *First Sample*.
5. Examine the cells row by row four more times to count the cells in prophase, metaphase, anaphase, and telophase. Record the results.
6. Move to a new area on the slide. Repeat Steps 3–5 and record your counts in the column labeled *Second Sample*.
7. Fill in the column labeled *Total Number* by adding the numbers across each row in your data table.
8. Add the totals for the five stages to find the total number of cells counted.

Analyze and Conclude

1. **Observing** Which stage of the cell cycle did you observe most often?
2. **Calculating** The cell cycle for onion root tips takes about 720 minutes (12 hours). Use your data and the formula below to find the number of minutes each stage takes.

$$\text{Time for each stage} = \frac{\text{Number of cells at each stage}}{\text{Total number of cells counted}} \times 720 \text{ min}$$

3. **Communicating** Use the data to compare the amount of time spent in mitosis with the total time for the whole cell cycle. Write your answer in the form of a paragraph.

More to Explore
Examine prepared slides of animal cells undergoing cell division. Use drawings and descriptions to compare plant and animal mitosis.

Data Table

Stage of Cell Cycle	First Sample	Second Sample	Total Number
Interphase			
Mitosis:			
Prophase			
Metaphase			
Anaphase			
Telophase			
Total number of cells counted			

Chapter 3 Study Guide

1 Chemical Compounds in Cells

Key Concepts

- An element is any substance that cannot be broken down into simpler substances.
- When two or more elements combine chemically, they form a compound.
- Most chemical reactions in cells could not take place without water.
- Carbohydrates, lipids, proteins, and nucleic acids are important groups of organic compounds in living things.

Key Terms

• element • compound • carbohydrate
• lipid • protein • amino acid • enzyme
• nucleic acid • DNA • RNA

2 The Cell in Its Environment

Key Concepts

- Diffusion is the main method by which small molecules move across cell membranes.
- Osmosis is important because cells cannot function properly without adequate water.
- Active transport requires the cell to use its own energy, while passive transport does not.

Key Terms

• selectively permeable • diffusion • osmosis
• passive transport • active transport

3 Photosynthesis

Key Concepts

- Nearly all living things obtain energy either directly or indirectly from the energy of sunlight captured during photosynthesis.
- During photosynthesis, plants and some other organisms use energy from the sun to convert carbon dioxide and water into oxygen and sugars. The equation for photosynthesis is

$$6\,CO_2 + 6\,H_2O \longrightarrow C_6H_{12}O_6 + 6\,O_2.$$

Key Terms

• photosynthesis • autotroph • heterotroph
• pigment • chlorophyll • stomata

4 Respiration

Key Concepts

- During respiration, cells break down simple food molecules such as sugar and release their stored energy. The respiration equation is

$$C_6H_{12}O_6 + 6\,O_2 \longrightarrow 6\,CO_2 + 6\,H_2O + \text{energy}.$$

- Fermentation provides energy for cells without using oxygen.

Key Terms

• respiration • fermentation

5 Cell Division

Key Concepts

- During interphase, the cell grows, makes a copy of its DNA, and prepares to divide into two cells. During mitosis, one copy of the DNA is distributed into each of the two daughter cells. During cytokinesis, the cytoplasm divides. The organelles are distributed into the new cells.
- Because of the way in which the nitrogen bases pair with one another, the order of the bases in each new DNA molecule exactly matches the order in the original DNA molecule.

Key Terms

• cell cycle • interphase • replication
• mitosis • chromosome • cytokinesis

Review and Assessment

For: Self-Assessment
Visit: PHSchool.com
Web Code: cha-1030

Organizing Information

Comparing and Contrasting
Copy the compare and contrast table about photosynthesis and respiration. Complete the table to compare these processes. (For more information on compare and contrast tables, see the Skills Handbook.)

Comparing Photosynthesis and Respiration

Feature	Photosynthesis	Respiration
Raw materials	Water and carbon dioxide	a. ___?___
Products	b. ___?___	c. ___?___
Is energy released?	d. ___?___	Yes

Reviewing Key Terms

Choose the letter of the best answer.

1. Starch is an example of a
   a. nucleic acid.
   b. protein.
   c. lipid.
   d. carbohydrate.
2. The process by which water moves across a cell membrane is called
   a. osmosis.
   b. active transport.
   c. enzyme.
   d. carbohydrate.
3. The organelle in which photosynthesis takes place is the
   a. mitochondrion.
   b. chloroplast.
   c. chlorophyll.
   d. nucleus.
4. What process produces carbon dioxide?
   a. photosynthesis
   b. replication
   c. mutation
   d. respiration
5. What happens during cytokinesis?
   a. A spindle forms.
   b. Chloroplasts release energy.
   c. The cytoplasm divides.
   d. Chromosomes divide.

If the statement is true, write *true*. If it is false, change the underlined word or words to make the statement true.

6. Both DNA and RNA are <u>proteins</u>.
7. The cell membrane is <u>selectively permeable</u>.
8. During <u>respiration</u>, most energy is released in the mitochondria.
9. An energy-releasing process that does not require oxygen is <u>replication</u>.
10. The stage of the cell cycle when DNA replication occurs is called <u>telophase</u>.

Writing in Science

Brochure Cancer is a disease in which the cell cycle is disrupted. Suppose you are a volunteer who works with cancer patients. Write a brochure that could be given to cancer patients and their families. The brochure should explain the cell cycle.

Cell Processes and Energy
Video Preview
Video Field Trip
▶ Video Assessment

Review and Assessment

Checking Concepts

11. Explain the difference between elements and compounds.
12. How are enzymes important to living things?
13. Briefly explain what happens to energy from the sun during photosynthesis.
14. What are the raw materials needed for photosynthesis? What are the products?
15. Why do organisms need to carry out the process of respiration?
16. Describe what happens during interphase.
17. How do the events in the cell cycle ensure that the genetic information in the daughter cells will be identical to that of the parent cell?

Thinking Critically

18. **Predicting** Suppose a volcano threw so much ash into the air that it blocked most of the sunlight that usually strikes Earth. How might this affect the ability of animals to obtain the energy they need to live?
19. **Comparing and Contrasting** Explain the relationship between the processes of breathing and cellular respiration.
20. **Relating Cause and Effect** Do plant cells need to carry out respiration? Explain.
21. **Inferring** The diagram below shows part of one strand of a DNA molecule. What would the bases on the other strand be?

22. **Comparing and Contrasting** Explain how active transport is different from osmosis.

Applying Skills

Use the table below to answer Questions 23–26.

Percentages of Nitrogen Bases in the DNA of Various Organisms

Nitrogen Base	Human	Wheat	*E. coli* Bacterium
Adenine	30%	27%	24%
Guanine	20%	23%	26%
Thymine	30%	27%	24%
Cytosine	20%	23%	26%

23. **Graphing** For each organism, draw a bar graph to show the percentages of each nitrogen base in its DNA.
24. **Interpreting Data** What is the relationship between the amounts of adenine and thymine in the DNA of each organism? What is the relationship between the amounts of guanine and cytosine?
25. **Inferring** Based on your answer to Question 24, what can you infer about the structure of DNA in these three organisms?
26. **Applying Concepts** Suppose cytosine made up 28% of the nitrogen bases in an organism. What percentage of the organism's nitrogen bases should be thymine? Explain.

Lab zone Chapter Project

Performance Assessment Bring in your plants, recorded observations, and graphs to share with the class. Be prepared to describe your experimental plan and explain your results. How well did you follow your experimental plan? What did you learn about photosynthesis and light from the experiment you performed?

Standardized Test Prep

Test-Taking Tip

Interpreting Data

Before you answer a question about a data table, read the title of the table to see what type of data it contains. For example, the title of the table that follows Question 2 tells you that the data show how temperature affects the length of the cell cycle. Next, read the titles of the columns and rows. Do not spend time trying to analyze all the data, because you may not need total understanding to answer the question.

Sample Question

The data in the table show that

A cells divide faster when the temperature is decreased.

B cells divide faster when the temperature is increased.

C the length of the cell cycle is not affected by temperature.

D the length of the cell cycle is inherited.

Answer

The general trend of the data show that the cell cycle decreases in length as the temperature increases, so **B** is the correct answer and **A** is incorrect. Answer choice **C** is incorrect because the table shows that temperature affects cell cycle length. The data in the table do not deal with inheritance, so **D** is incorrect.

Choose the letter of the best answer.

1. A researcher places part of a plant in a beaker of water. She observes that the plant leaves release bubbles of gas when she shines a light on the beaker. The leaves do not release gas when the beaker is placed in the dark. Based on her observations, which of the following is the most logical inference?

A The plant is undergoing cellular respiration.
B The plant is breathing.
C Light is breaking down molecules of air.
D The plant is undergoing photosynthesis.

2. A scientist performed an experiment to determine the effect of temperature on the length of the cell cycle. On the basis of the data in the table below, how long would you expect the cell cycle to be at 5°C ?

F less than 13.3 hours
G more than 54.6 hours
H between 29.8 and 54.6 hours
J about 20 hours

Effect of Temperature on Length of Onion Cell Cycle

Temperature (°C)	Length of Cell Cycle (hours)
10	54.6
15	29.8
20	18.8
25	13.3

3. Which of the following statements is true?

A Plants cannot respire because they have no mitochondria.
B Photosynthesis produces energy.
C Animals cannot photosynthesize.
D Only plants photosynthesize and only animals respire.

4. Which of the following nitrogen base pairs can be found in DNA?

F A-G
G T-C
H G-T
J A-T

Constructed Response

5. Explain why water is important in the cell. Include a description of the ways osmosis can affect a cell.

Chapter 4

Genetics: The Science of Heredity

Chapter Preview

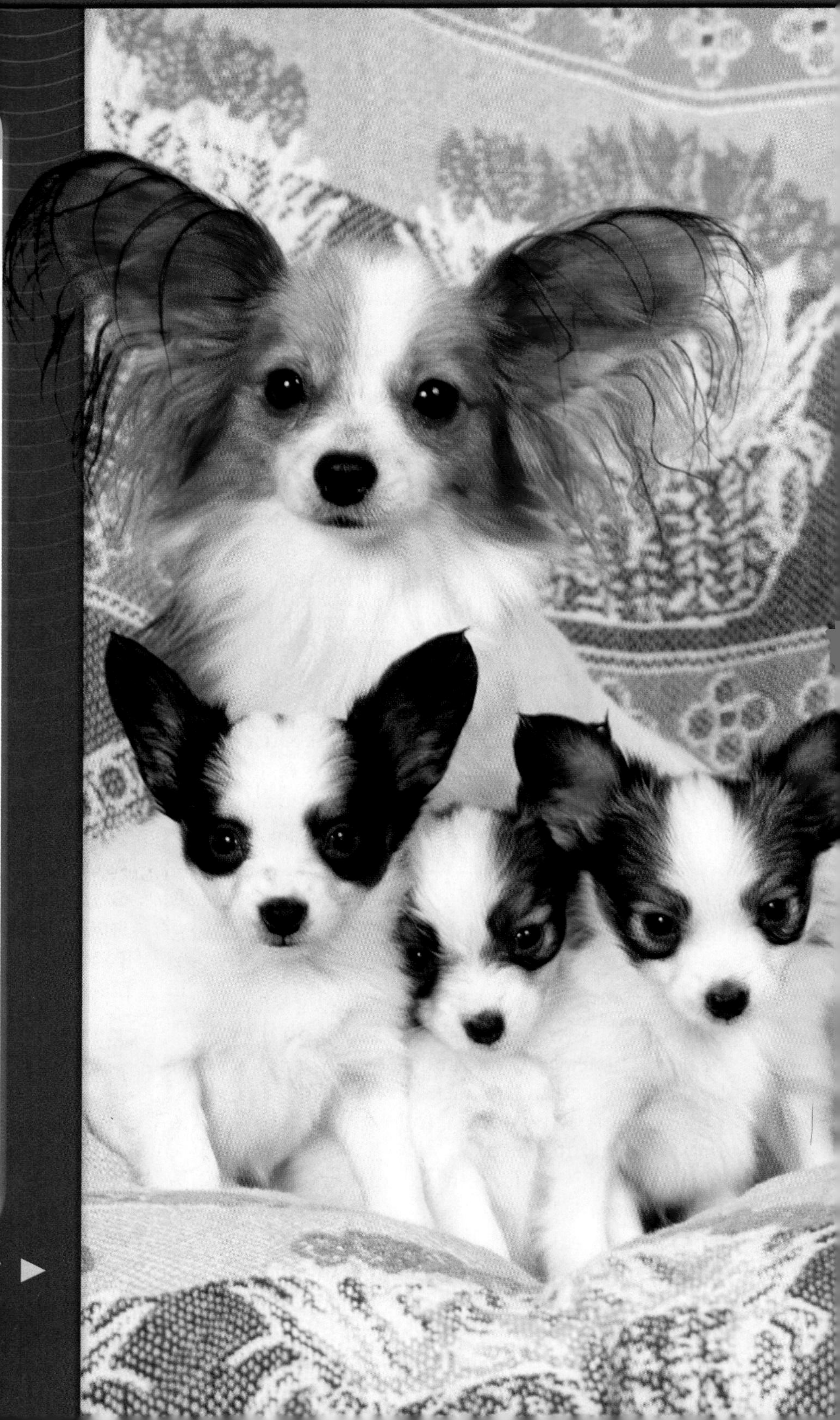

These spaniel puppies and their mother resemble each other in many ways. ▶

Genetics: The Science of Heredity

▶ Video Preview

Video Field Trip

Video Assessment

Lab zone™ Chapter **Project**

All in the Family

Did you ever wonder why some offspring resemble their parents while others do not? In this chapter, you'll learn how offspring come to have traits similar to those of their parents. You'll create a family of "paper pets" to explore how traits pass from parents to offspring.

Your Goal To create a "paper pet" that will be crossed with a classmate's pet, and to determine what traits the offspring will have

To complete this project successfully, you must

- create your own unique paper pet with five different traits
- cross your pet with another pet to produce six offspring
- determine what traits the offspring will have, and explain how they came to have those traits
- follow the safety guidelines in Appendix A

Plan It! Cut out your pet from either blue or yellow construction paper. Choose other traits for your pet from this list: square eyes or round eyes; oval nose or triangular nose; pointed teeth or square teeth. Then create your pet using materials of your choice.

Section 1

Mendel's Work

Reading Preview

Key Concepts

- What were the results of Mendel's experiments, or crosses?
- What controls the inheritance of traits in organisms?

Key Terms

- heredity • trait • genetics
- fertilization • purebred • gene
- alleles • dominant allele
- recessive allele • hybrid

Target Reading Skill

Outlining As you read, make an outline about Mendel's work. Use the red headings for the main ideas and the blue headings for the supporting ideas.

Mendel's Work
I. Mendel's experiments
A. Crossing pea plants
B.
C.

Lab zone Discover Activity

What Does the Father Look Like?

1. Observe the colors of the kitten in the photo. Record the kitten's coat colors and pattern. Include as many details as you can.
2. Observe the mother cat in the photo. Record her coat color and pattern.

Think It Over

Inferring Based on your observations, describe what you think the kitten's father might look like. Identify the evidence on which you based your inference.

In the mid nineteenth century, a priest named Gregor Mendel tended a garden in a central European monastery. Mendel's experiments in that peaceful garden would one day revolutionize the study of heredity. **Heredity** is the passing of physical characteristics from parents to offspring.

Mendel wondered why different pea plants had different characteristics. Some pea plants grew tall, while others were short. Some plants produced green seeds, while others had yellow seeds. Each different form of a characteristic, such as stem height or seed color, is called a **trait.** Mendel observed that the pea plants' traits were often similar to those of their parents. Sometimes, however, the plants had different traits from those of their parents.

Mendel experimented with thousands of pea plants to understand the process of heredity. Today, Mendel's discoveries form the foundation of **genetics,** the scientific study of heredity.

Gregor Mendel ▶

Mendel's Experiments

Figure 1 shows a pea plant's flower. The flower's petals surround the pistil and the stamens. The pistil produces female sex cells, or eggs. The stamens produce pollen, which contains the male sex cells, or sperm. A new organism begins to form when egg and sperm join in the process called **fertilization.** Before fertilization can happen in pea plants, pollen must reach the pistil of a pea flower. This process is called pollination.

Pea plants are usually self-pollinating. In self-pollination, pollen from a flower lands on the pistil of the same flower. Mendel developed a method by which he cross-pollinated, or "crossed," pea plants. To cross two plants, he removed pollen from a flower on one plant. He then brushed the pollen onto a flower on a second plant.

Crossing Pea Plants Suppose you wanted to study the inheritance of traits in pea plants. What could you do? Mendel decided to cross plants with contrasting traits—for example, tall plants and short plants. He started his experiments with purebred plants. A **purebred** organism is the offspring of many generations that have the same trait. For example, purebred short pea plants always come from short parent plants.

FIGURE 1
Crossing Pea Plants
Gregor Mendel crossed pea plants that had different traits. The illustrations show how he did this. **Interpreting Diagrams** *How did Mendel prevent self-pollination?*

1 To prevent self-pollination, Mendel removed the pollen-producing structures from a pink flower.
2 He used a brush to remove pollen from a white flower on another plant. He brushed this pollen onto the pink flower.
3 The egg cells in the pink flower were then fertilized by sperm from the white flower. After a time, peas formed in the pod.

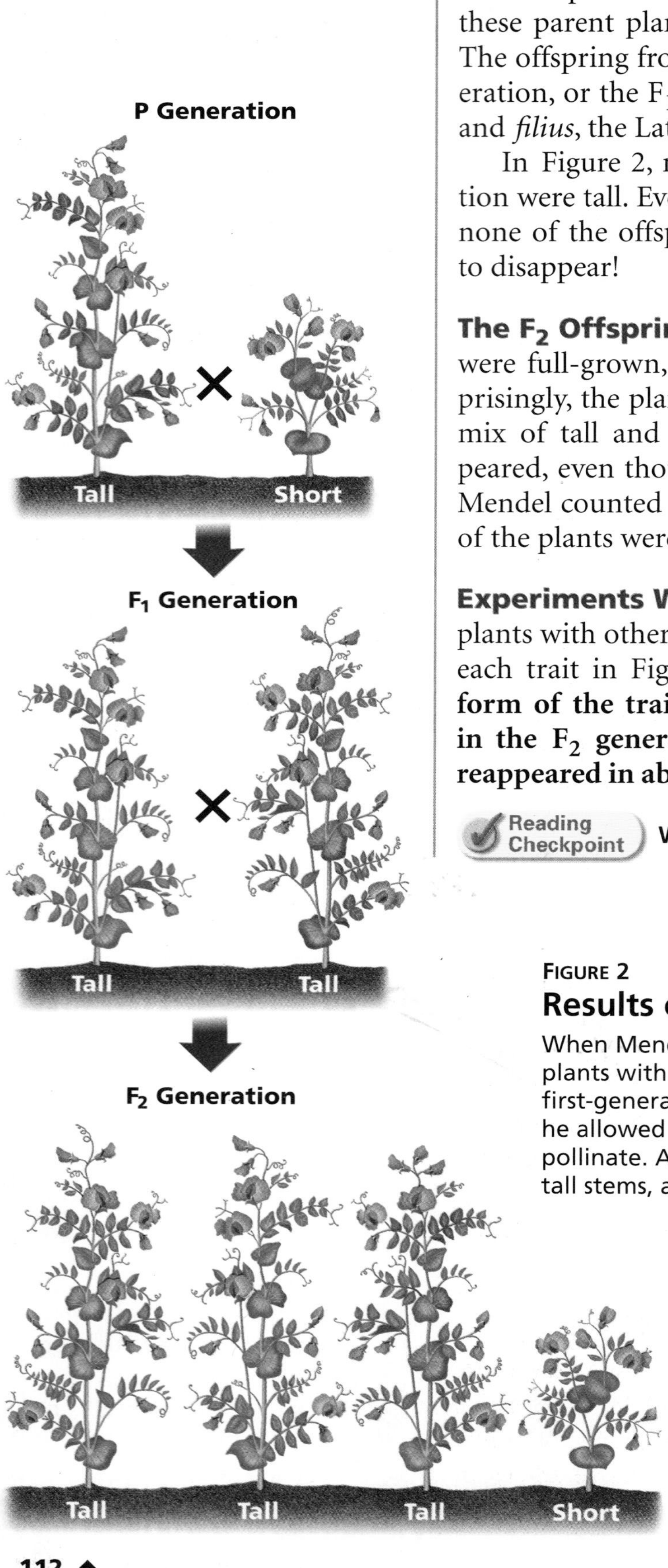

The F_1 Offspring In one experiment, Mendel crossed purebred tall plants with purebred short plants. Scientists today call these parent plants the parental generation, or P generation. The offspring from this cross are the first filial (FIL ee ul) generation, or the F_1 generation. The word *filial* comes from *filia* and *filius*, the Latin words for "daughter" and "son."

In Figure 2, notice that all the offspring in the F_1 generation were tall. Even though one of the parent plants was short, none of the offspring were short. The shortness trait seemed to disappear!

The F_2 Offspring When the plants in the F_1 generation were full-grown, Mendel allowed them to self-pollinate. Surprisingly, the plants in the F_2 (second filial) generation were a mix of tall and short plants. The shortness trait had reappeared, even though none of the F_1 parent plants were short. Mendel counted the tall and short plants. About three fourths of the plants were tall, while one fourth were short.

Experiments With Other Traits Mendel also crossed pea plants with other contrasting traits. Compare the two forms of each trait in Figure 3. **In all of Mendel's crosses, only one form of the trait appeared in the F_1 generation. However, in the F_2 generation, the "lost" form of the trait always reappeared in about one fourth of the plants.**

Reading Checkpoint **What did Mendel observe about the F_2 plants?**

FIGURE 2
Results of a Cross
When Mendel crossed purebred tall-stemmed plants with purebred short-stemmed plants, the first-generation offspring all had tall stems. Then he allowed the first-generation plants to self-pollinate. About 75 percent of the offspring had tall stems, and about 25 percent had short stems.

Genetics of Pea Plants							
Traits	Seed Shape	Seed Color	Seed Coat Color	Pod Shape	Pod Color	Flower Position	Stem Height
Controlled by Dominant Allele	Round	Yellow	Gray	Smooth	Green	Side	Tall
Controlled by Recessive Allele	Wrinkled	Green	White	Pinched	Yellow	End	Short

Dominant and Recessive Alleles

Mendel reached several conclusions on the basis of his experimental results. He reasoned that individual factors, or sets of genetic "information," must control the inheritance of traits in peas. The factors that control each trait exist in pairs. The female parent contributes one factor, while the male parent contributes the other factor. Finally, one factor in a pair can mask, or hide, the other factor. The tallness factor, for example, masked the shortness factor.

Genes and Alleles Today, scientists use the word **gene** for the factors that control a trait. **Alleles** (uh LEELZ) are the different forms of a gene. The gene that controls stem height in peas, for example, has one allele for tall stems and one allele for short stems. Each pea plant inherits two alleles from its parents—one allele from the egg and the other from the sperm. A pea plant may inherit two alleles for tall stems, two alleles for short stems, or one of each.

An organism's traits are controlled by the alleles it inherits from its parents. Some alleles are dominant, while other alleles are recessive. A **dominant allele** is one whose trait always shows up in the organism when the allele is present. A **recessive allele,** on the other hand, is hidden whenever the dominant allele is present. A trait controlled by a recessive allele will only show up if the organism does not have the dominant allele. Figure 3 shows dominant and recessive alleles in Mendel's crosses.

FIGURE 3
Mendel studied several traits in pea plants.
Interpreting Diagrams *Is yellow seed color controlled by a dominant allele or a recessive allele?*

Lab zone Skills Activity

Predicting

In fruit flies, long wings are dominant over short wings. A scientist crossed a purebred long-winged male fruit fly with a purebred short-winged female. Predict the wing length of the F_1 offspring. If the scientist crossed a hybrid male F_1 fruit fly with a hybrid F_1 female, what would their offspring probably be like?

In pea plants, the allele for tall stems is dominant over the allele for short stems. Pea plants with one allele for tall stems and one allele for short stems will be tall. The allele for tall stems masks the allele for short stems. Only pea plants that inherit two recessive alleles for short stems will be short.

Alleles in Mendel's Crosses In Mendel's cross for stem height, the purebred tall plants in the P generation had two alleles for tall stems. The purebred short plants had two alleles for short stems. The F_1 plants each inherited an allele for tall stems from the tall parent and an allele for short stems from the short parent. Therefore, each F_1 plant had one allele for tall stems and one for short stems. The F_1 plants are called hybrids. A **hybrid** (HY brid) organism has two different alleles for a trait. All the F_1 plants are tall because the dominant allele for tall stems masks the recessive allele for short stems.

When Mendel crossed the F_1 plants, some of the offspring in the F_2 generation inherited two dominant alleles for tall stems. These plants were tall. Other F_2 plants inherited one dominant allele for tall stems and one recessive allele for short stems. These plants were also tall. The rest of the F_2 plants inherited two recessive alleles for short stems. These plants were short.

Symbols for Alleles Geneticists use letters to represent alleles. A dominant allele is represented by a capital letter. For example, the allele for tall stems is represented by *T*. A recessive allele is represented by the lowercase version of the letter. So, the allele for short stems would be represented by *t*. When a plant inherits two dominant alleles for tall stems, its alleles are written as *TT*. When a plant inherits two recessive alleles for short stems, its alleles are written as *tt*. When a plant inherits one allele for tall stems and one allele for short stems, its alleles are written as *Tt*.

FIGURE 4
Black Fur, White Fur
In rabbits, the allele for black fur is dominant over the allele for white fur. **Inferring** *What combination of alleles must the white rabbit have?*

Significance of Mendel's Contribution Mendel's discovery of genes and alleles eventually changed scientists' ideas about heredity. Before Mendel, most people thought that the traits of an individual organism were simply a blend of their parents' characteristics. According to this idea, if a tall plant and a short plant were crossed, the offspring would all have medium height.

However, when Mendel crossed purebred tall and purebred short pea plants, the offspring were all tall. Mendel's experiments demonstrated that parents' traits do not simply blend in the offspring. Instead, traits are determined by individual, separate alleles inherited from each parent. Some of these alleles, such as the allele for short height in pea plants, are recessive. If a trait is determined by a recessive allele, the trait can seem to disappear in the offspring.

Unfortunately, the importance of Mendel's discovery was not recognized during his lifetime. Then, in 1900, three different scientists rediscovered Mendel's work. These scientists quickly recognized the importance of Mendel's ideas. Because of his work, Mendel is often called the Father of Genetics.

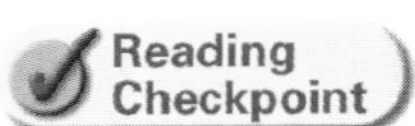
If an allele is represented by a capital letter, what does this indicate?

FIGURE 5
The Mendel Medal
Every year, to honor the memory of Gregor Mendel, an outstanding scientist is awarded the Mendel Medal.

Section 1 Assessment

Target Reading Skill Outlining Use the information in your outline about Mendel's work to help you answer the questions below.

Reviewing Key Concepts

1. a. **Identifying** In Mendel's cross for stem height, what contrasting traits did the pea plants in the P generation exhibit?
   b. **Explaining** What trait or traits did the plants in the F_1 generation exhibit? When you think of the traits of the parent plants, why is this result surprising?
   c. **Comparing and Contrasting** Contrast the offspring in the F_1 generation to the offspring in the F_2 generation. What did the differences in the F_1 and F_2 offspring show Mendel?
2. a. **Defining** What is a dominant allele? What is a recessive allele?
   b. **Relating Cause and Effect** Explain how dominant and recessive alleles for the trait of stem height determine whether a pea plant will be tall or short.
   c. **Applying Concepts** Can a short pea plant ever be a hybrid for the trait of stem height? Why or why not? As part of your explanation, write the letters that represent the alleles for stem height of a short pea plant.

Lab zone At-Home Activity

Gardens and Heredity Some gardeners save the seeds produced by flowers and plant them in the spring. If there are gardeners in your family, ask them how closely the plants that grow from these seeds resemble the parent plants. Are the offspring's traits ever different from those of the parents?

Lab zone **Skills Lab**

Go Online PHSchool.com

For: Data sharing
Visit: PHSchool.com
Web Code: ced-3031

Take a Class Survey

Problem

Are traits controlled by dominant alleles more common than traits controlled by recessive alleles?

Skills Focus

developing hypotheses, interpreting data

Materials

- mirror (optional)

Procedure

PART 1 Dominant and Recessive Alleles

1. Write a hypothesis reflecting your ideas about the problem. Then copy the data table.
2. For each of the traits listed in the data table, work with a partner to determine which trait you have. Circle that trait in your data table.
3. Count the number of students in your class who have each trait. Record that number in your data table. Also record the total number of students.

PART 2 Are Your Traits Unique?

4. Look at the circle of traits on the opposite page. All the traits in your data table appear in the circle. Place the eraser end of your pencil on the trait in the small central circle that applies to you—either free ear lobes or attached ear lobes.
5. Look at the two traits touching the space your eraser is on. Move your eraser onto the next description that applies to you. Continue using your eraser to trace your traits until you reach a number on the outside rim of the circle. Share that number with your classmates.

Analyze and Conclude

1. **Observing** The traits listed under Trait 1 in the data table are controlled by dominant alleles. The traits listed under Trait 2 are controlled by recessive alleles. Which traits controlled by dominant alleles were shown by a majority of students? Which traits controlled by recessive alleles were shown by a majority of students?

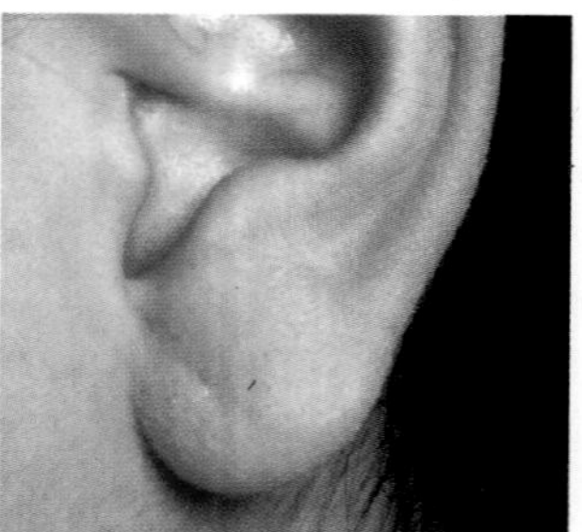
Free ear lobe

Widow's peak

Cleft chin

Dimple

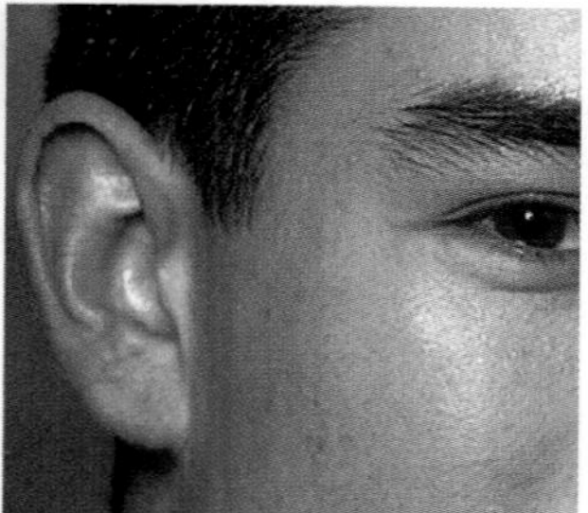
Attached ear lobe

No widow's peak

No cleft chin

No dimple

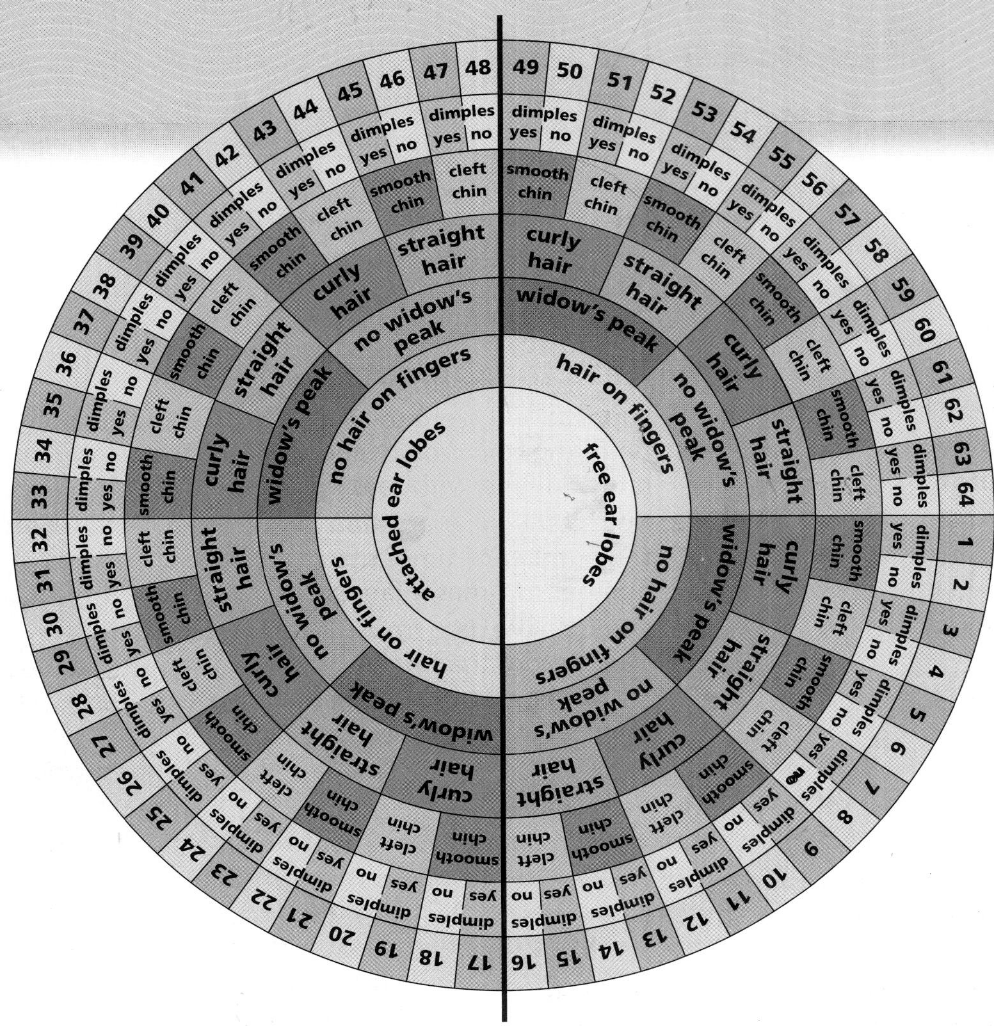

2. **Interpreting Data** How many students ended up on the same number on the circle of traits? How many students were the only ones to have their number? What do the results suggest about each person's combination of traits?

3. **Developing Hypotheses** Do your data support the hypothesis you proposed in Step 1? Write an answer with examples.

Design an Experiment

Do people who are related to each other show more genetic similarity than unrelated people? Write a hypothesis. Then design an experiment to test your hypothesis. *Obtain your teacher's permission before carrying out your investigation.*

Data Table				
Total Number of Students__________				
	Trait 1	Number	Trait 2	Number
A	Free ear lobes		Attached ear lobes	
B	Hair on fingers		No hair on fingers	
C	Widow's peak		No widow's peak	
D	Curly hair		Straight hair	
E	Cleft chin		Smooth chin	
F	Smile dimples		No smile dimples	

Section 2

Integrating Mathematics

Probability and Heredity

Reading Preview

Key Concepts

- What is probability and how does it help explain the results of genetic crosses?
- What is meant by genotype and phenotype?
- What is codominance?

Key Terms

- probability
- Punnett square
- phenotype
- genotype
- homozygous
- heterozygous
- codominance

Target Reading Skill

Building Vocabulary After you read the section, reread the paragraphs that contain definitions of Key Terms. Use all the information you have learned to write a definition of each Key Term in your own words.

For: Links on probability and genetics
Visit: www.SciLinks.org
Web Code: scn-0332

Lab zone Discover Activity

What's the Chance?

1. Suppose you were to toss a coin 20 times. Predict how many times the coin would land with heads up and how many times it would land with tails up.
2. Now test your prediction by tossing a coin 20 times. Record the number of times the coin lands with heads up and the number of times it lands with tails up.
3. Combine the data from the entire class. Record the total number of tosses, the number of heads, and the number of tails.

Think It Over

Predicting How did your results in Step 2 compare to your prediction? How can you account for any differences between your results and the class results?

On a brisk fall afternoon, the stands are packed with cheering football fans. Today is the big game between Riverton's North and South high schools, and it's almost time for the kickoff. Suddenly, the crowd becomes silent, as the referee is about to toss a coin. The outcome of the coin toss will decide which team kicks the ball and which receives it. The captain of the visiting North High team says "heads." If the coin lands with heads up, North High wins the toss and the right to decide whether to kick or receive the ball.

What is the chance that North High will win the coin toss? To answer this question, you need to understand the principles of probability.

Principles of Probability

If you did the Discover activity, you used the principles of **probability** to predict the results of a particular event. In this case, the event was the toss of a coin. **Probability is a number that describes how likely it is that an event will occur.**

Mathematics of Probability Each time you toss a coin, there are two possible ways that the coin can land—heads up or tails up. Each of these two events is equally likely to occur. In mathematical terms, you can say that the probability that a tossed coin will land with heads up is 1 in 2. There is also a 1 in 2 probability that the coin will land with tails up. A 1 in 2 probability can also be expressed as the fraction $\frac{1}{2}$ or as a percent—50 percent.

The laws of probability predict what is likely to occur, not necessarily what will occur. If you tossed a coin 20 times, you might expect it to land with heads up 10 times and with tails up 10 times. However, you might not get these results. You might get 11 heads and 9 tails, or 8 heads and 12 tails. The more tosses you make, the closer your actual results will be to the results predicted by probability.

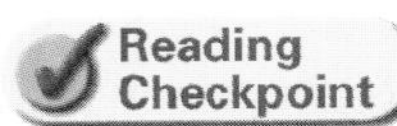

What is probability?

Independence of Events When you toss a coin more than once, the results of one toss do not affect the results of the next toss. Each event occurs independently. For example, suppose you toss a coin five times and it lands with heads up each time. What is the probability that it will land with heads up on the next toss? Because the coin landed heads up on the previous five tosses, you might think that it would be likely to land heads up on the next toss. However, this is not the case. The probability of the coin landing heads up on the next toss is still 1 in 2, or 50 percent. The results of the first five tosses do not affect the result of the sixth toss.

Math Skills

Percentage

One way you can express a probability is as a percentage. A percentage (%) is a number compared to 100. For example, 50% means 50 out of 100.

Suppose that 3 out of 5 tossed coins landed with heads up. Here's how you can calculate what percent of the coins landed with heads up.

1. Write the comparison as a fraction.
   $$3 \text{ out of } 5 = \frac{3}{5}$$
2. Multiply the fraction by 100% to express it as a percentage.
   $$\frac{3}{5} \times \frac{100\%}{1} = 60\%$$

Practice Problem Suppose 3 out of 12 coins landed with tails up. How can you express this as a percent?

FIGURE 6
A Coin Toss
The result of a coin toss can be explained by probability.

1 Start by drawing a box and dividing it into four squares.

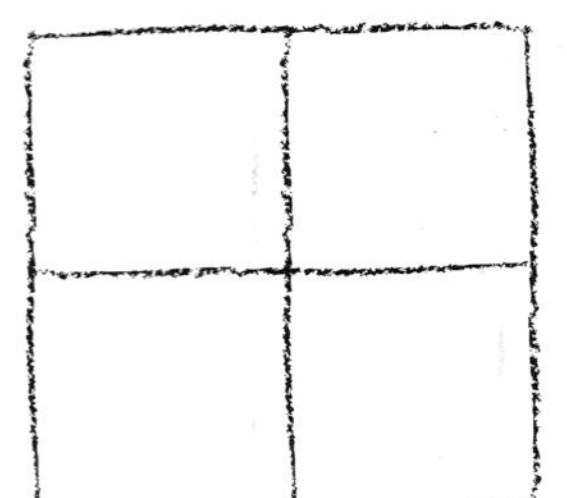

2 Write the male parent's alleles along the top of the square and the female parent's alleles along the left side.

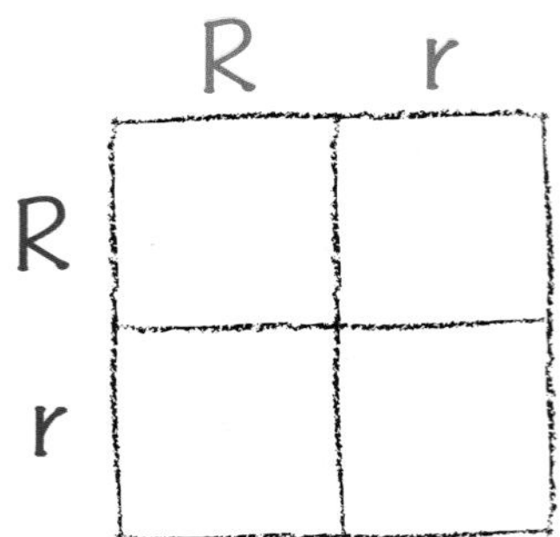

FIGURE 7

How to Make a Punnett Square

The diagrams show how to make a Punnett square. In this cross, both parents are heterozygous for the trait of seed shape. *R* represents the dominant round allele, and *r* represents the recessive wrinkled allele.

Probability and Genetics

How is probability related to genetics? To answer this question, think back to Mendel's experiments with peas. Remember that Mendel carefully counted the offspring from every cross that he carried out. When Mendel crossed two plants that were hybrid for stem height (*Tt*), three fourths of the F_1 plants had tall stems. One fourth of the plants had short stems.

Each time Mendel repeated the cross, he obtained similar results. Mendel realized that the mathematical principles of probability applied to his work. He could say that the probability of such a cross producing a tall plant was 3 in 4. The probability of producing a short plant was 1 in 4. Mendel was the first scientist to recognize that the principles of probability can be used to predict the results of genetic crosses.

Punnett Squares A tool that can help you understand how the laws of probability apply to genetics is called a Punnett square. A **Punnett square** is a chart that shows all the possible combinations of alleles that can result from a genetic cross. Geneticists use Punnett squares to show all the possible outcomes of a genetic cross, and to determine the probability of a particular outcome.

Figure 7 shows how to construct a Punnett square. In this case, the Punnett square shows a cross between two hybrid pea plants with round seeds (*Rr*). The allele for round seeds (*R*) is dominant over the allele for wrinkled seeds (*r*). Each parent can pass either of its alleles, *R* or *r*, to its offspring. The boxes in the Punnett square represent the possible combinations of alleles that the offspring can inherit.

What is a Punnett square?

Lab zone Try This Activity

Coin Crosses

Here's how you can use coins to model Mendel's cross between two *Tt* pea plants.

1. Place a small piece of masking tape on each side of two coins.
2. Write a *T* (for tall) on one side of each coin and a *t* (for short) on the other.
3. Toss both coins together 20 times. Record the letter combinations that you obtain from each toss.

Interpreting Data How many of the offspring would be tall plants? (*Hint:* What different letter combinations would result in a tall plant?) How many would be short? Convert your results to percentages. Then compare your results to Mendel's.

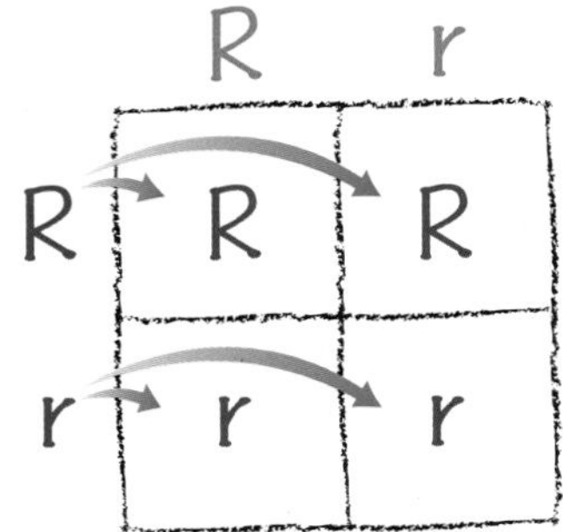

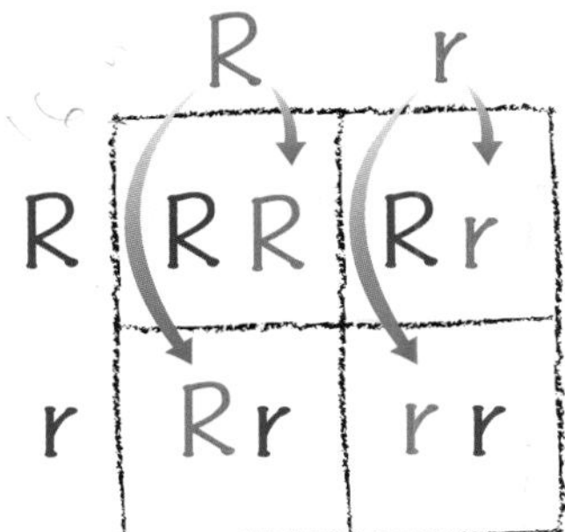

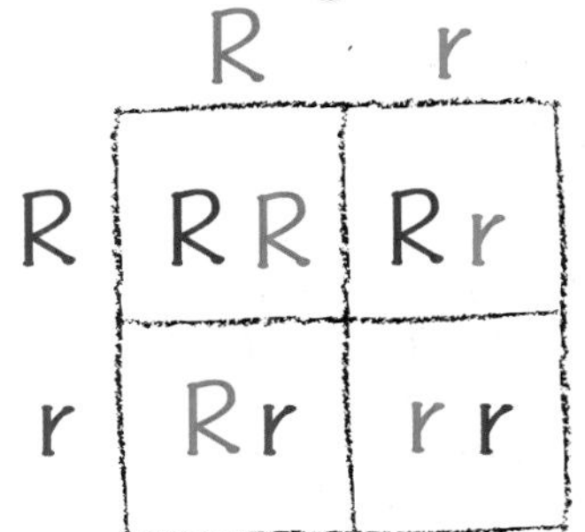

5 The completed Punnett square shows all the possible allele combinations in the offspring.
R
r
R
RR
Rr
r
Rr
rr

Using a Punnett Square You can use a Punnett square to calculate the probability that offspring with a certain combination of alleles will result. **In a genetic cross, the allele that each parent will pass on to its offspring is based on probability.** The completed Punnett square in Figure 7 shows four possible combinations of alleles. The probability that an offspring will be *RR* is 1 in 4, or 25 percent. The probability that an offspring will be *rr* is also 1 in 4, or 25 percent. Notice, however, that the *Rr* allele combination appears in two boxes in the Punnett square. This is because there are two possible ways in which this combination can occur. So the probability that an offspring will be *Rr* is 2 in 4, or 50 percent.

When Mendel crossed hybrid plants with round seeds, he discovered that about three fourths of the plants (75 percent) had round seeds. The remaining one fourth of the plants (25 percent) produced wrinkled seeds. Plants with the *RR* allele combination would produce round seeds. So too would those plants with the *Rr* allele combination. Remember that the dominant allele masks the recessive allele. Only those plants with the *rr* allele combination would have wrinkled seeds.

Predicting Probabilities You can use a Punnett square to predict probabilities. For example, Figure 8 shows a cross between a purebred black guinea pig and a purebred white guinea pig. The allele for black fur is dominant over the allele for white fur. Notice that only one allele combination is possible in the offspring—*Bb*. All of the offspring will inherit the dominant allele for black fur. Because of this, all of the offspring will have black fur. There is a 100 percent probability that the offspring will have black fur.

FIGURE 8
Guinea Pig Punnett Square
This Punnett square shows a cross between a black guinea pig (*BB*) and a white guinea pig (*bb*).
Calculating *What is the probability that an offspring will have white fur?*

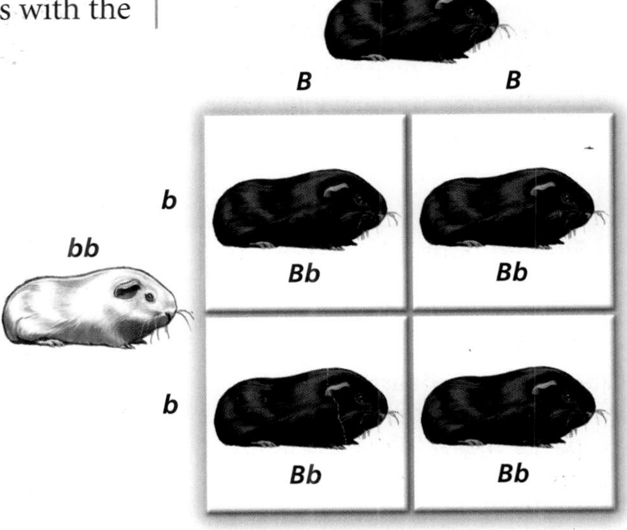

Math Analyzing Data

What Are the Genotypes?

Mendel allowed several F_1 pea plants with yellow seeds to self-pollinate. The graph shows the approximate numbers of the F_2 offspring with yellow seeds and with green seeds.

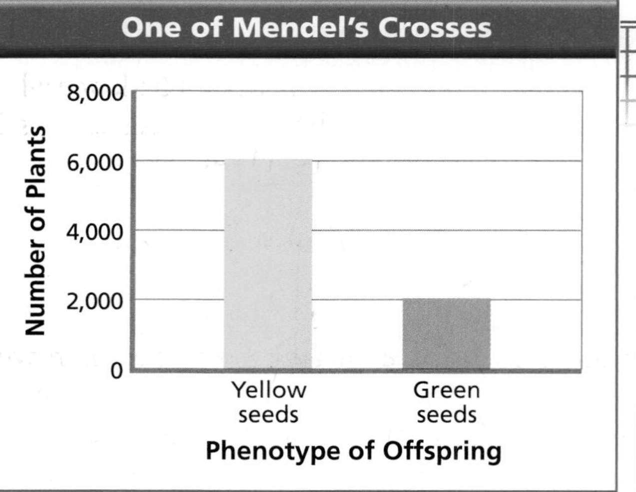

1. **Reading Graphs** How many F_2 offspring had yellow seeds? How many had green seeds?
2. **Calculating** Use the information in the graph to calculate the total number of offspring that resulted from this cross. Then calculate the percentage of the offspring with yellow peas, and the percentage with green peas.
3. **Inferring** Use the answers to Question 2 to infer the probable genotypes of the parent plants. (*Hint:* Construct Punnett squares with the possible genotypes of the parents.)

Phenotypes and Genotypes

Two useful terms that geneticists use are **phenotype** (FEE noh typ) and **genotype** (JEN uh typ). **An organism's phenotype is its physical appearance, or visible traits. An organism's genotype is its genetic makeup, or allele combinations.**

To understand the difference between phenotype and genotype, look at Figure 9. The allele for smooth pea pods (*S*) is dominant over the allele for pinched pea pods (*s*). All of the plants with at least one dominant allele have the same phenotype—they all produce smooth pods. However, the plants can have two different genotypes—*SS* or *Ss*. If you were to look at the plants with smooth pods, you would not be able to tell the difference between those with the *SS* genotype and those with the *Ss* genotype. The plants with pinched pods, on the other hand, would all have the same phenotype—pinched pods—as well as the same genotype—*ss*.

Geneticists use two additional terms to describe an organism's genotype. An organism that has two identical alleles for a trait is said to be **homozygous** (hoh moh ZY gus) for that trait. A smooth-pod plant that has the alleles *SS* and a pinched-pod plant with the alleles *ss* are both homozygous. An organism that has two different alleles for a trait is **heterozygous** (het ur oh ZY gus) for that trait. A smooth-pod plant with the alleles *Ss* is heterozygous. Mendel used the term *hybrid* to describe heterozygous pea plants.

SS *Ss* *ss*

Phenotypes and Genotypes

Phenotype	Genotype
Smooth pods	*SS*
Smooth pods	*Ss*
Pinched pods	*ss*

FIGURE 9
The phenotype of an organism is its physical appearance. Its genotype is its genetic makeup. **Interpreting Tables** *How many genotypes are there for the smooth-pod phenotype?*

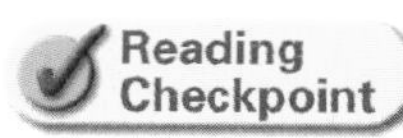
Reading Checkpoint **If a pea plant's genotype is *Ss*, what is its phenotype?**

Codominance

For all of the traits that Mendel studied, one allele was dominant while the other was recessive. This is not always the case. For some alleles, an inheritance pattern called **codominance** exists. **In codominance, the alleles are neither dominant nor recessive. As a result, both alleles are expressed in the offspring.**

Look at Figure 10. Mendel's principle of dominant and recessive alleles does not explain why the heterozygous chickens have both black and white feathers. The alleles for feather color are codominant—neither dominant nor recessive. As you can see, neither allele is masked in the heterozygous chickens. Notice also that the codominant alleles are written as capital letters with superscripts—F^B for black feathers and F^W for white feathers. As the Punnett square shows, heterozygous chickens have the $F^B F^W$ allele combination.

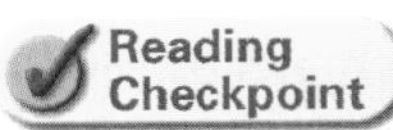

How are the symbols for codominant alleles written?

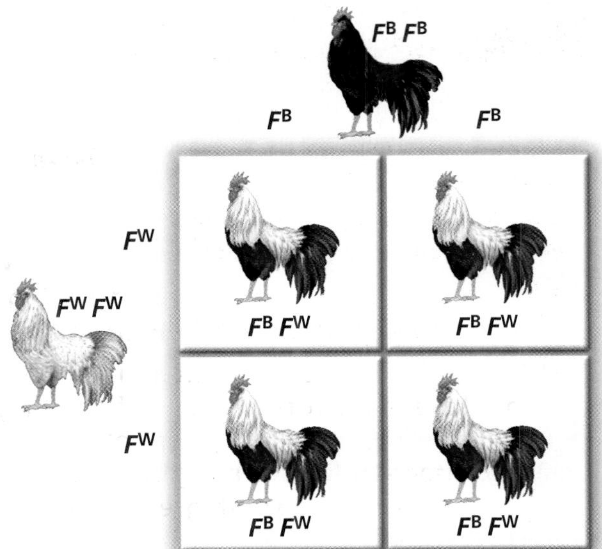

FIGURE 10
Codominance
The offspring of the cross in this Punnett square will have both black and white feathers.
Classifying *Will the offspring be heterozygous or homozygous? Explain your answer.*

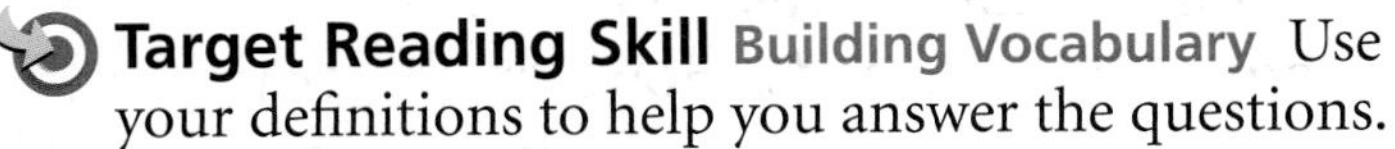

Section 2 Assessment

Target Reading Skill **Building Vocabulary** Use your definitions to help you answer the questions.

Reviewing Key Concepts

1. a. **Reviewing** What is probability?
   b. **Explaining** If you know the parents' alleles for a trait, how can you use a Punnett square to predict the probable genotypes of the offspring?
   c. **Predicting** A pea plant with round seeds has the genotype *Rr*. You cross this plant with a wrinkled-seed plant, genotype *rr*. What is the probability that the offspring will have wrinkled seeds? (Use a Punnett square to help with the prediction.)
2. a. **Defining** Define *genotype* and *phenotype*.
   b. **Relating Cause and Effect** Explain how two organisms can have the same phenotype but different genotypes. Give an example.
   c. **Applying Concepts** A pea plant has a tall stem. What are its possible genotypes?
3. a. **Explaining** What is codominance? Give an example of codominant alleles and explain why they are codominant.
   b. **Applying Concepts** What is the phenotype of a chicken with the genotype $F^B F^W$?

Math Practice

4. **Ratios** A scientist crossed a tall pea plant with a short pea plant. Of the offspring, 13 were tall and 12 were short. Write the ratio of each phenotype to the total number of offspring. Express the ratios as fractions.
5. **Percentage** Use the fractions to calculate the percentage of the offspring that were tall and the percentage that were short.

Lab zone **Skills Lab**

Make the Right Call!

Problem

How can you predict the possible results of genetic crosses?

Skills Focus

making models, interpreting data

Materials

- 2 small paper bags
- marking pen
- 3 blue marbles
- 3 white marbles

Procedure

1. Label one bag "Bag 1, Female Parent." Label the other bag "Bag 2, Male Parent." Then read over Part 1, Part 2, and Part 3 of this lab. Write a prediction about the kinds of offspring you expect from each cross.

PART 1 Crossing Two Homozygous Parents

2. Copy the data table and label it *Data Table 1*. Then place two blue marbles in Bag 1. This pair of marbles represents the female parent's alleles. Use the letter *B* to represent the dominant allele for blue color.
3. Place two white marbles in Bag 2. Use the letter *b* to represent the recessive allele for white color.
4. For Trial 1, remove one marble from Bag 1 without looking in the bag. Record the result in your data table. Return the marble to the bag. Again, without looking in the bag, remove one marble from Bag 2. Record the result in your data table. Return the marble to the bag.
5. In the column labeled Offspring's Alleles, write *BB* if you removed two blue marbles, *bb* if you removed two white marbles, or *Bb* if you removed one blue marble and one white marble.
6. Repeat Steps 4 and 5 nine more times.

PART 2 Crossing Homozygous and Heterozygous Parents

7. Place two blue marbles in Bag 1. Place one white marble and one blue marble in Bag 2. Copy the data table again, and label it *Data Table 2*.
8. Repeat Steps 4 and 5 ten times.

Data Table

Number ________

Trial	Allele From Bag 1 (Female Parent)	Allele From Bag 2 (Male Parent)	Offspring's Alleles
1			
2			
3			
4			
5			
6			

PART 3 Crossing Two Heterozygous Parents

9. Place one blue marble and one white marble in Bag 1. Place one blue marble and one white marble in Bag 2. Copy the data table again and label it *Data Table 3.*
10. Repeat Steps 4 and 5 ten times.

Analyze and Conclude

1. **Making Models** Make a Punnett square for each of the crosses you modeled in Part 1, Part 2, and Part 3.
2. **Interpreting Data** According to your results in Part 1, how many different kinds of offspring are possible when the homozygous parents (*BB* and *bb*) are crossed? Do the results you obtained using the marble model agree with the results shown by a Punnett square?
3. **Predicting** According to your results in Part 2, what percentage of offspring are likely to be homozygous when a homozygous parent (*BB*) and a heterozygous parent (*Bb*) are crossed? What percentage of offspring are likely to be heterozygous? Does the model agree with the results shown by a Punnett square?
4. **Making Models** According to your results in Part 3, what different kinds of offspring are possible when two heterozygous parents ($Bb \times Bb$) are crossed? What percentage of each type of offspring are likely to be produced? Does the model agree with the results of a Punnett square?
5. **Inferring** For Part 3, if you did 100 trials instead of 10 trials, would your results be closer to the results shown in a Punnett square? Explain.
6. **Communicating** In a paragraph, explain how the marble model compares with a Punnett square. How are the two methods alike? How are they different?

More to Explore

In peas, the allele for yellow seeds (*Y*) is dominant over the allele for green seeds (*y*). What possible crosses do you think could produce a heterozygous plant with yellow seeds (*Yy*)? Use the marble model and Punnett squares to test your predictions.

Section 3

The Cell and Inheritance

Reading Preview

Key Concepts

- What role do chromosomes play in inheritance?
- What events occur during meiosis?
- What is the relationship between chromosomes and genes?

Key Term

- meiosis

Target Reading Skill

Identifying Supporting Evidence As you read, identify the evidence that supports the hypothesis that chromosomes are important in inheritance. Write the evidence in a graphic organizer.

Evidence

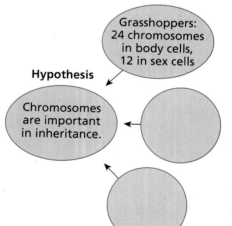

Grasshoppers: 24 chromosomes in body cells, 12 in sex cells

Hypothesis

Chromosomes are important in inheritance.

Lab zone Discover Activity

Which Chromosome Is Which?

Mendel did not know about chromosomes or their role in genetics. Today we know that genes are located on chromosomes.

1. Label two craft sticks with the letter *A*. The craft sticks represent a pair of chromosomes in the female parent. Turn the sticks face down on a piece of paper.
2. Label two more craft sticks with the letter *a*. These represent a pair of chromosomes in the male parent. Turn the sticks face down on another piece of paper.
3. Turn over one craft stick "chromosome" from each piece of paper. Move both sticks to a third piece of paper. These represent a pair of chromosomes in the offspring. Note the allele combination that the offspring received.

Think It Over

Making Models Use this model to explain how chromosomes are involved in the inheritance of alleles.

Mendel's work showed that genes exist. But scientists in the early twentieth century did not know what structures in cells contained genes. The search for the answer to this puzzle is something like a mystery story. The story could be called "The Clue in the Grasshopper's Cells."

In 1903, Walter Sutton, an American geneticist, was studying the cells of grasshoppers. He wanted to understand how sex cells (sperm and egg) form. Sutton focused on the movement of chromosomes during the formation of sex cells. He hypothesized that chromosomes were the key to understanding how offspring have traits similar to those of their parents.

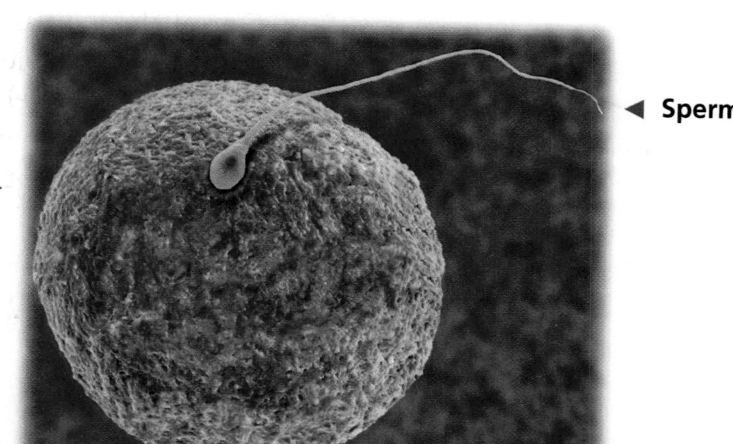

Figure 11
Sex Cells
The large egg is a female sex cell, and the smaller sperm is a male sex cell.

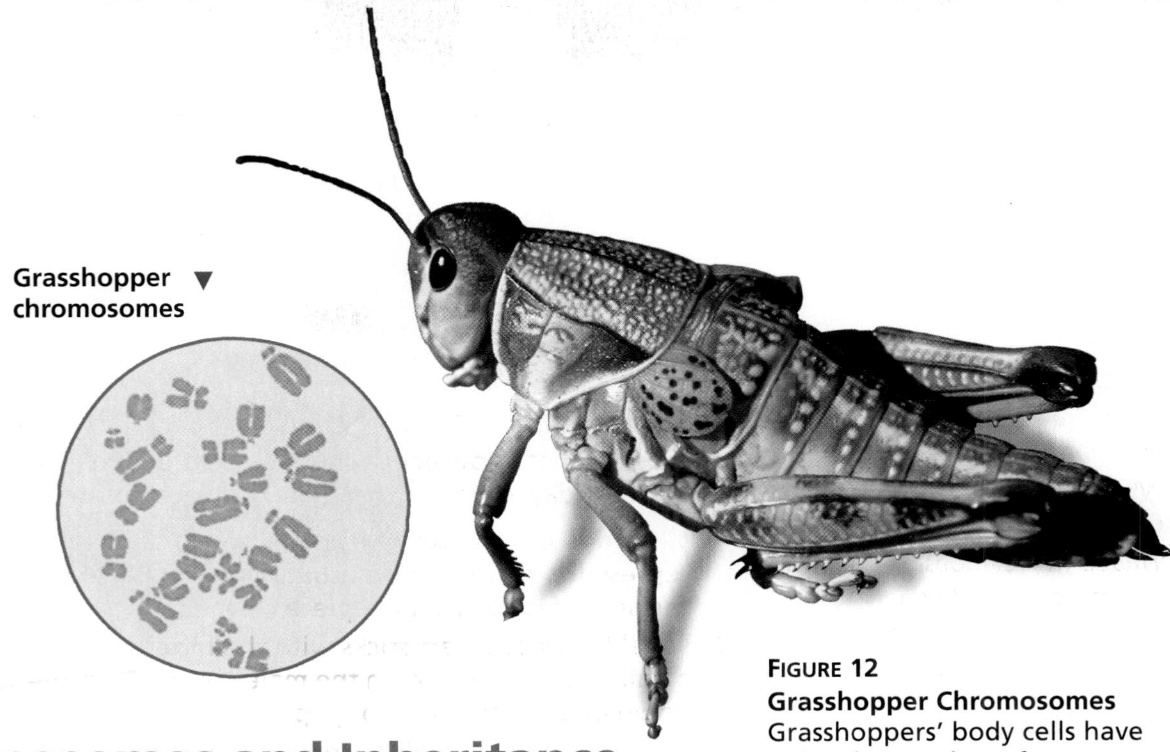

FIGURE 12
Grasshopper Chromosomes
Grasshoppers' body cells have twice the number of chromosomes as their sex cells.
Applying Concepts *What is the function of chromosomes?*

Chromosomes and Inheritance

Sutton needed evidence to support his hypothesis that chromosomes were important in the inheritance of traits. He found that evidence in grasshoppers' cells. The body cells of a grasshopper have 24 chromosomes. To his surprise, Sutton found that the grasshopper's sex cells have only 12 chromosomes. In other words, a grasshopper's sex cells have exactly half the number of chromosomes found in its body cells.

Chromosome Pairs Sutton observed what happened when a sperm cell and an egg cell joined during fertilization. The fertilized egg that formed had 24 chromosomes. As a result, the grasshopper offspring had exactly the same number of chromosomes in its cells as did each of its parents. The 24 chromosomes existed in 12 pairs. One chromosome in each pair came from the male parent, while the other chromosome came from the female parent.

Genes on Chromosomes Recall that alleles are different forms of a gene. Because of Mendel's work, Sutton knew that alleles exist in pairs in an organism. One allele in a pair comes from the organism's female parent and the other allele comes from the male parent. Sutton realized that paired alleles were carried on paired chromosomes. Sutton's idea came to be known as the chromosome theory of inheritance. **According to the chromosome theory of inheritance, genes are carried from parents to their offspring on chromosomes.**

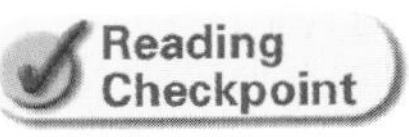

What is the relationship between alleles and chromosomes?

FIGURE 13

Meiosis

During meiosis, a cell produces sex cells with half the number of chromosomes. **Interpreting Diagrams** *What happens before meiosis?*

1 Before Meiosis
Before meiosis begins, every chromosome in the parent cell is copied. Centromeres hold the two chromatids together.

2 Meiosis I

A The chromosome pairs line up in the center of the cell.

B The pairs separate and move to opposite ends of the cell.

C Two cells form, each with half the number of chromosomes. Each chromosome still has two chromatids.

Meiosis

How do sex cells end up with half the number of chromosomes as body cells? To answer this question, you need to understand the events that occur during meiosis. **Meiosis** (my OH sis) is the process by which the number of chromosomes is reduced by half to form sex cells—sperm and eggs.

What Happens During Meiosis You can trace the events of meiosis in Figure 13. In this example, each parent cell has four chromosomes arranged in two pairs. **During meiosis, the chromosome pairs separate and are distributed to two different cells. The resulting sex cells have only half as many chromosomes as the other cells in the organism.** The sex cells end up with only two chromosomes each—half the number found in the parent cell. Each sex cell has one chromosome from each original pair.

When sex cells combine to form an organism, each sex cell contributes half the normal number of chromosomes. Thus, the offspring gets the normal number of chromosomes—half from each parent.

For: Links on meiosis
Visit: www.SciLinks.org
Web Code: scn-0333

3 Meiosis II

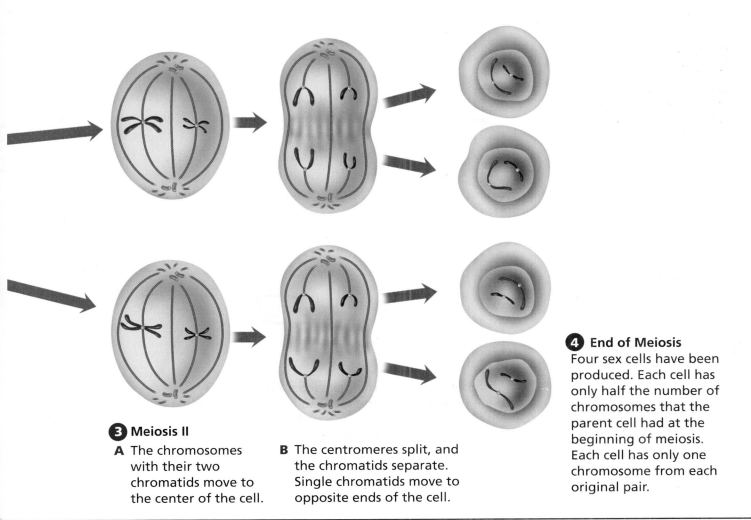

A The chromosomes with their two chromatids move to the center of the cell.

B The centromeres split, and the chromatids separate. Single chromatids move to opposite ends of the cell.

4 End of Meiosis

Four sex cells have been produced. Each cell has only half the number of chromosomes that the parent cell had at the beginning of meiosis. Each cell has only one chromosome from each original pair.

Meiosis and Punnett Squares A Punnett square is actually a way to show the events that occur at meiosis. When the chromosome pairs separate and go into two different sex cells, so do the alleles carried on each chromosome. One allele from each pair goes to each sex cell.

In Figure 14, you can see how the Punnett square accounts for the separation of alleles during meiosis. As shown across the top of the Punnett square, half of the sperm cells from the male parent will receive the chromosome with the *T* allele. The other half of the sperm cells will receive the chromosome with the *t* allele. In this example, the same is true for the egg cells from the female parent, as shown down the left side of the Punnett square. Depending on which sperm cell combines with which egg cell, one of the allele combinations shown in the boxes will result.

FIGURE 14
Meiosis Punnett Square
Both parents are heterozygous for the trait of stem height. The Punnett square shows the possible allele combinations after fertilization.

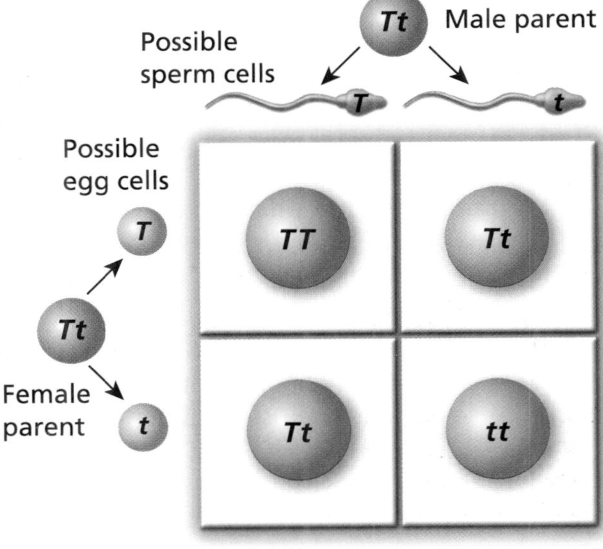

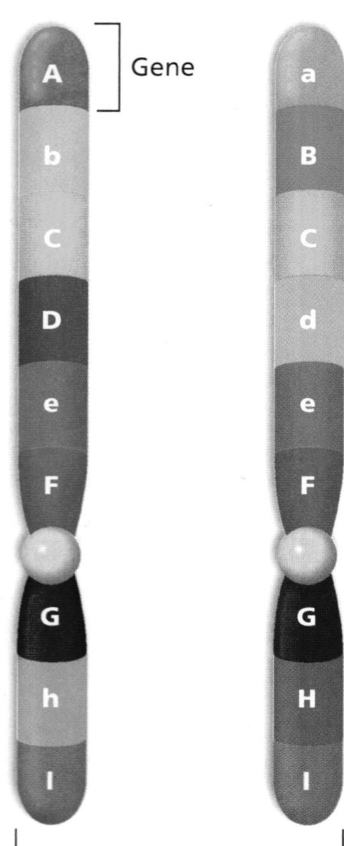

A Lineup of Genes

The body cells of humans contain 23 chromosome pairs, or 46 chromosomes. **Chromosomes are made up of many genes joined together like beads on a string.** Although you have only 23 pairs of chromosomes, your body cells each contain about 35,000 genes. Each gene controls a trait.

In Figure 15, one chromosome in the pair came from the female parent. The other chromosome came from the male parent. Notice that each chromosome in the pair has the same genes. The genes are lined up in the same order on both chromosomes. However, the alleles for some of the genes might be different. For example, the organism has the *A* allele on one chromosome and the *a* allele on the other. As you can see, this organism is heterozygous for some traits and homozygous for others.

FIGURE 15
Genes on Chromosomes
Genes are located on chromosomes. The chromosomes in a pair may have different alleles for some genes and the same alleles for others.
Classifying *For which genes is this organism homozygous? For which genes is it heterozygous?*

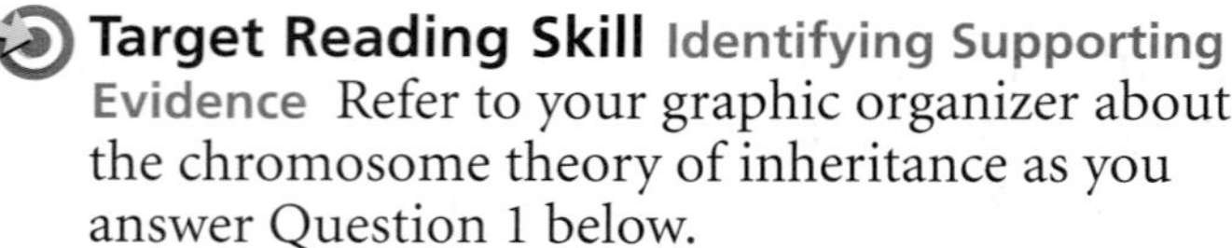

Section 3 Assessment

Target Reading Skill **Identifying Supporting Evidence** Refer to your graphic organizer about the chromosome theory of inheritance as you answer Question 1 below.

Reviewing Key Concepts

1. a. **Comparing and Contrasting** According to Sutton's observations, how does the number of chromosomes in a grasshopper's body cells compare to the number in its sex cells?
   b. **Describing** Describe what happens to the number of chromosomes when two grasshopper sex cells join in fertilization.
   c. **Explaining** How do Sutton's observations about chromosome number support the chromosome theory of inheritance?
2. a. **Defining** What is meiosis?
   b. **Interpreting Diagrams** Briefly describe meiosis I and meiosis II. Refer to Figure 13.
   c. **Sequencing** Use the events of meiosis to explain why a sex cell normally does not receive both chromosomes from a pair.
3. a. **Describing** How are genes arranged on a chromosome?
   b. **Comparing and Contrasting** How does the order of genes in one member of a chromosome pair compare to the order of genes on the other chromosome?

Writing in Science

Newspaper Interview You are a newspaper reporter in the early 1900s. You want to interview Walter Sutton about his work with chromosomes. Write three questions you would like to ask Sutton. Then, for each question, write answers that Sutton might have given.

Section 4

The DNA Connection

Reading Preview

Key Concepts

- What forms the genetic code?
- How does a cell produce proteins?
- How can mutations affect an organism?

Key Terms

- messenger RNA
- transfer RNA
- mutation

Target Reading Skill

Sequencing A sequence is the order in which the steps in a process occur. As you read, make a flowchart that shows protein synthesis. Put the steps of the process in separate boxes in the flowchart in the order in which they occur.

Protein Synthesis

DNA provides code to form messenger RNA.

↓

Messenger RNA attaches to ribosome.

↓

Lab zone Discover Activity

Can You Crack the Code?

1. Use the Morse code in the chart to decode the question in the message below. The letters are separated by slash marks.

   • – – / • • • • / • / • – • / • / • – / • – • /
   • / – – • / • / – • / • / • • • / • – • • / – – –/
   – • – • / • – / – / • / – • • /
2. Write your answer to the question in Morse code.
3. Exchange your coded answer with a partner. Then decode your partner's answer.

A • –	N – •
B – • • •	O – – –
C – • – •	P • – – •
D – • •	Q – – • –
E •	R • – •
F • • – •	S • • •
G – – •	T –
H • • • •	U • • –
I • •	V • • • –
J • – – –	W • – –
K – • –	X – • • –
L • – • •	Y – • – –
M – –	Z – – • •

Think It Over

Forming Operational Definitions Based on your results from this activity, write a definition of the word *code*. Then compare your definition to one in a dictionary.

The young, white, ring-tailed lemur in the photograph below was born in a forest in southern Madagascar. White lemurs are extremely rare. Why was this lemur born with such an uncommon phenotype? To answer this question, you need to know how the genes on a chromosome control an organism's traits.

A white lemur and its mother ▶

The Genetic Code

The main function of genes is to control the production of proteins in an organism's cells. Proteins help to determine the size, shape, color, and many other traits of an organism.

Genes and DNA Recall that chromosomes are composed mostly of DNA. In Figure 16, you can see the relationship between chromosomes and DNA. Notice that a DNA molecule is made up of four different nitrogen bases—adenine (A), thymine (T), guanine (G), and cytosine (C). These bases form the rungs of the DNA "ladder."

A gene is a section of a DNA molecule that contains the information to code for one specific protein. A gene is made up of a series of bases in a row. The bases in a gene are arranged in a specific order—for example, ATGACGTAC. A single gene on a chromosome may contain anywhere from several hundred to a million or more of these bases. Each gene is located at a specific place on a chromosome.

Order of the Bases A gene contains the code that determines the structure of a protein. **The order of the nitrogen bases along a gene forms a genetic code that specifies what type of protein will be produced.** Remember that proteins are long-chain molecules made of individual amino acids. In the genetic code, a group of three DNA bases codes for one specific amino acid. For example, the base sequence CGT (cytosine-guanine-thymine) always codes for the amino acid alanine. The order of the three-base code units determines the order in which amino acids are put together to form a protein.

FIGURE 16
The DNA Code

Chromosomes are made of DNA. Each chromosome contains thousands of genes. The sequence of bases in a gene forms a code that tells the cell what protein to produce. **Interpreting Diagrams** *Where in the cell are chromosomes located?*

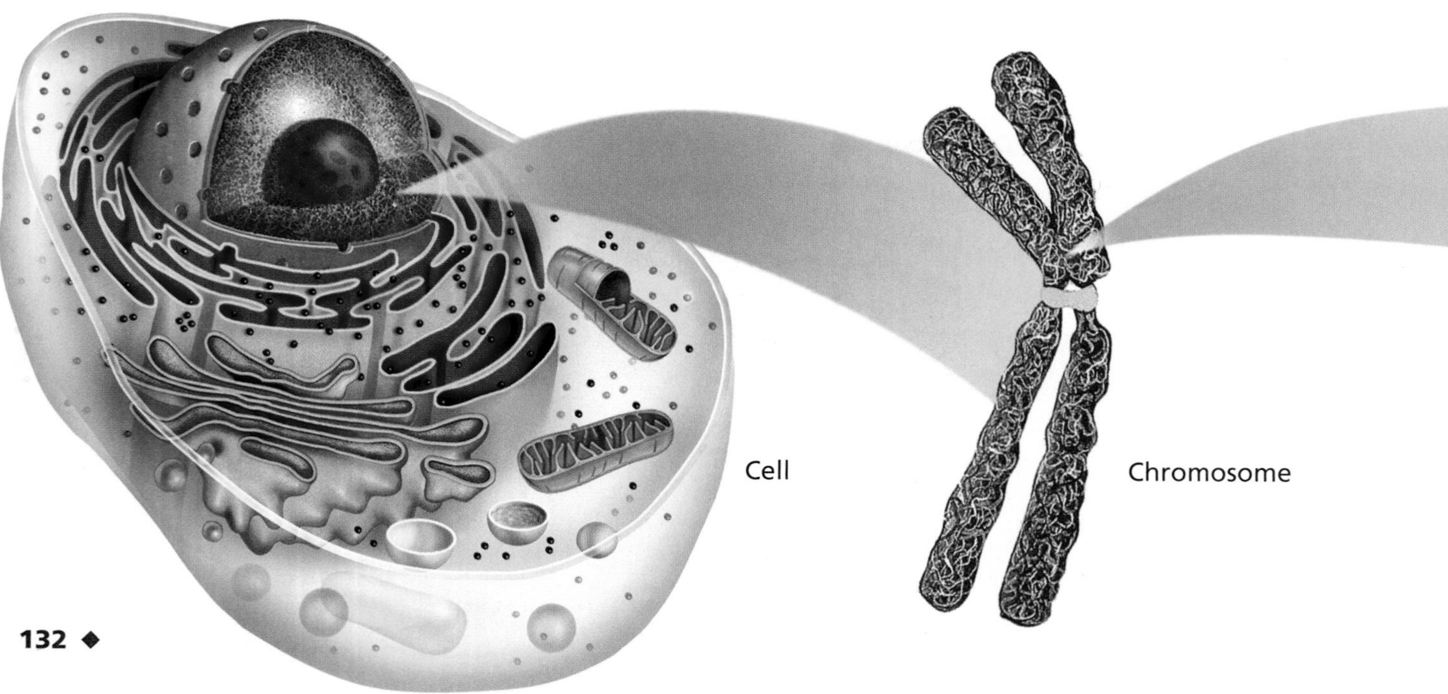

How Cells Make Proteins

The production of proteins is called protein synthesis. **During protein synthesis, the cell uses information from a gene on a chromosome to produce a specific protein.** Protein synthesis takes place on the ribosomes in the cytoplasm of a cell. As you know, the cytoplasm is outside the nucleus. The chromosomes, however, are found inside the nucleus. How, then, does the information needed to produce proteins get out of the nucleus and into the cytoplasm?

The Role of RNA Before protein synthesis can take place, a "messenger" must first carry the genetic code from the DNA inside the nucleus into the cytoplasm. This genetic messenger is called ribonucleic acid, or RNA.

Although RNA is similar to DNA, the two molecules differ in some important ways. Unlike DNA, which has two strands, RNA has only one strand. RNA also contains a different sugar molecule from the sugar found in DNA. Another difference between DNA and RNA is in their nitrogen bases. Like DNA, RNA contains adenine, guanine, and cytosine. However, instead of thymine, RNA contains uracil (YOOR uh sil).

Types of RNA There are several types of RNA involved in protein synthesis. **Messenger RNA** copies the coded message from the DNA in the nucleus, and carries the message to the ribosome in the cytoplasm. Another type of RNA, called **transfer RNA,** carries amino acids to the ribosome and adds them to the growing protein.

How is RNA different from DNA?

Lab zone Skills Activity

Drawing Conclusions

The following is a sequence of nitrogen bases on one strand of a nucleic acid molecule.

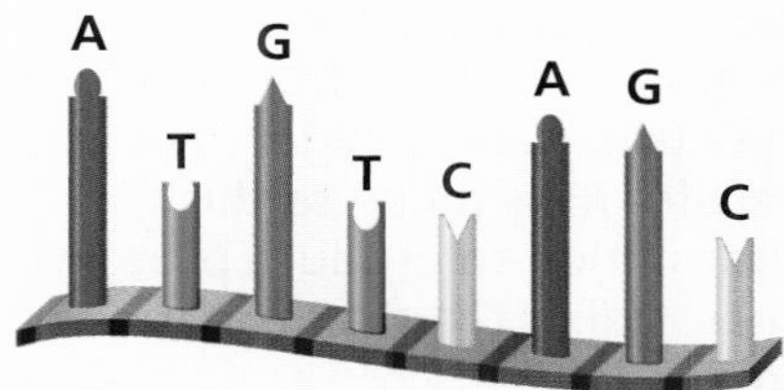

Does the strand come from DNA or RNA? Explain your answer.

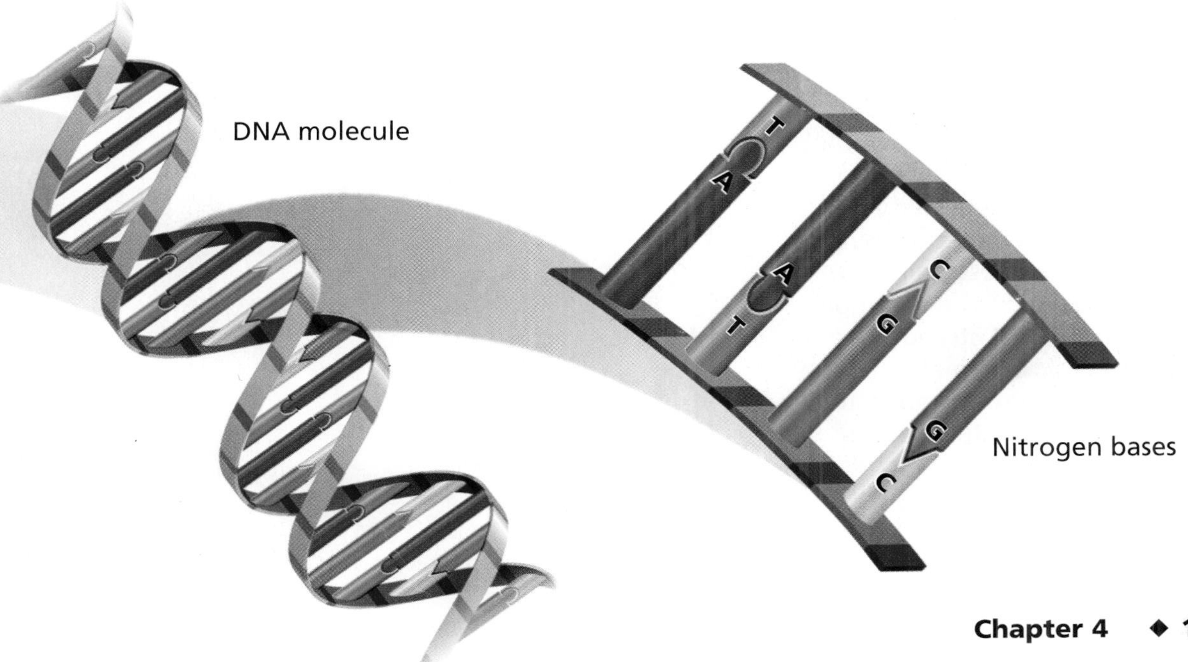

Translating the Code The process of protein synthesis is shown in Figure 17. Look at the illustration as you read the following steps.

❶ The first step is for a DNA molecule to "unzip" between its base pairs. Then one of the strands of DNA directs the production of a strand of messenger RNA. To form the RNA strand, RNA bases pair up with the DNA bases. The process is similar to the process in which DNA replicates. Cytosine always pairs with guanine. However, uracil—not thymine— pairs with adenine.

❷ The messenger RNA then leaves the nucleus and enters the cytoplasm. In the cytoplasm, messenger RNA attaches to a ribosome. On the ribosome, the messenger RNA provides the code for the protein molecule that will form. During protein synthesis, the ribosome moves along the messenger RNA strand.

FIGURE 17
Protein Synthesis

To make proteins, messenger RNA copies information from DNA in the nucleus. Messenger RNA and transfer RNA then use this information to produce proteins. **Interpreting Diagrams** *In which organelle of the cell are proteins manufactured?*

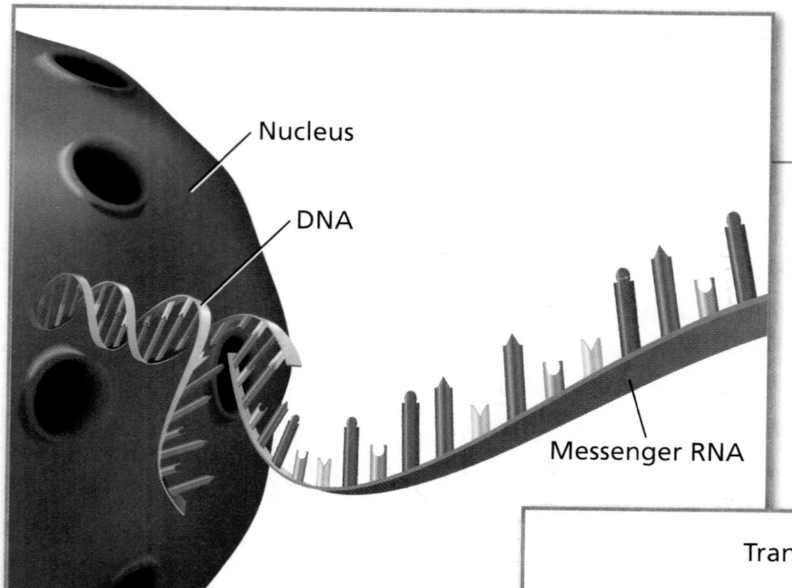

❶ Messenger RNA Production ▲
In the nucleus, a DNA molecule serves as a "pattern" for making messenger RNA. The DNA molecule "unzips" between base pairs. RNA bases match up along one of the DNA strands. The genetic information in the DNA is transferred to the messenger RNA strand.

❷ Messenger RNA Attaches to a Ribosome ▼
When the messenger RNA enters the cytoplasm, it attaches to a ribosome, where production of the protein chain begins. The ribosome moves along the messenger RNA strand.

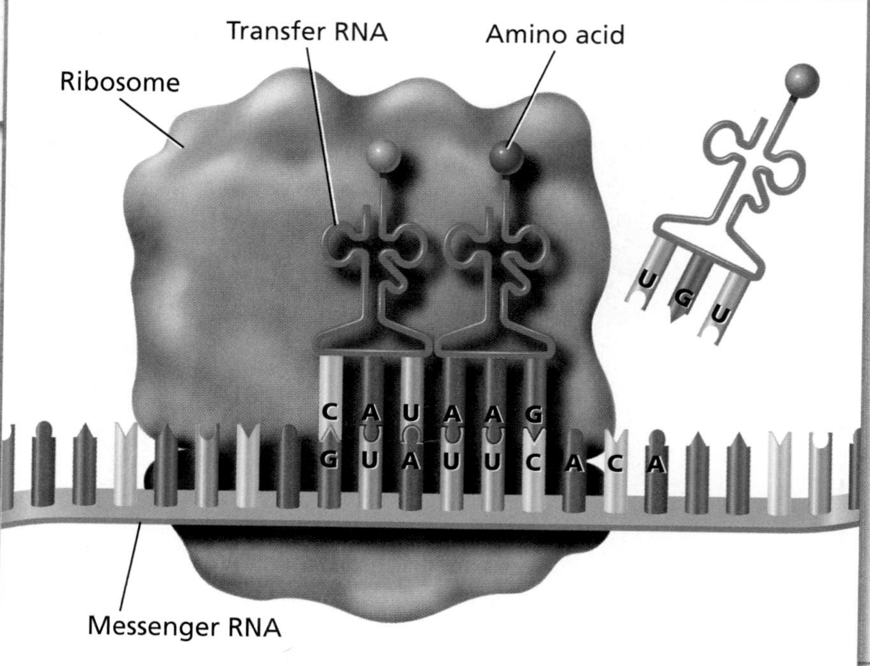

❸ Molecules of transfer RNA attach to the messenger RNA. The bases on the transfer RNA "read" the message by pairing up three-letter codes to bases on the messenger RNA. For example, you can see that a molecule of transfer RNA with the bases AAG pairs with the bases UUC on the messenger RNA. The molecules of transfer RNA carry specific amino acids. The amino acids link in a chain. The order of the amino acids in the chain is determined by the order of the three-letter codes on the messenger RNA.

❹ The protein molecule grows longer as each transfer RNA molecule puts the amino acid it is carrying along the growing protein chain. Once an amino acid is added to the protein chain, the transfer RNA is released into the cytoplasm and can pick up another amino acid. Each transfer RNA molecule always picks up the same kind of amino acid.

What is the function of transfer RNA?

For: Protein Synthesis activity
Visit: PHSchool.com
Web Code: cep-3034

❸ Transfer RNA Attaches to Messenger RNA ▼
Transfer RNA molecules carry specific amino acids to the ribosome. There they "read" the message in messenger RNA by matching up with three-letter codes of bases. The protein chain grows as each amino acid is attached.

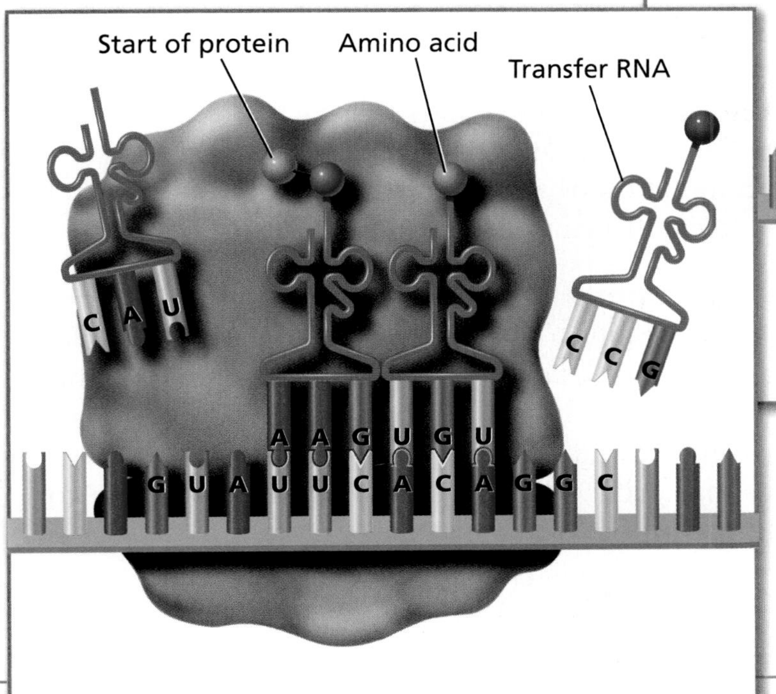

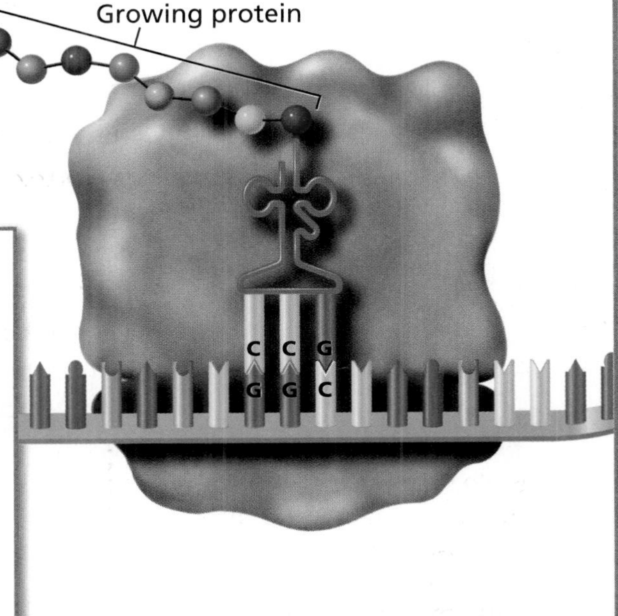

❹ Protein Production Continues ▲
The protein chain continues to grow until the ribosome reaches a three-letter code that acts as a stop sign. The ribosome then releases the completed protein.

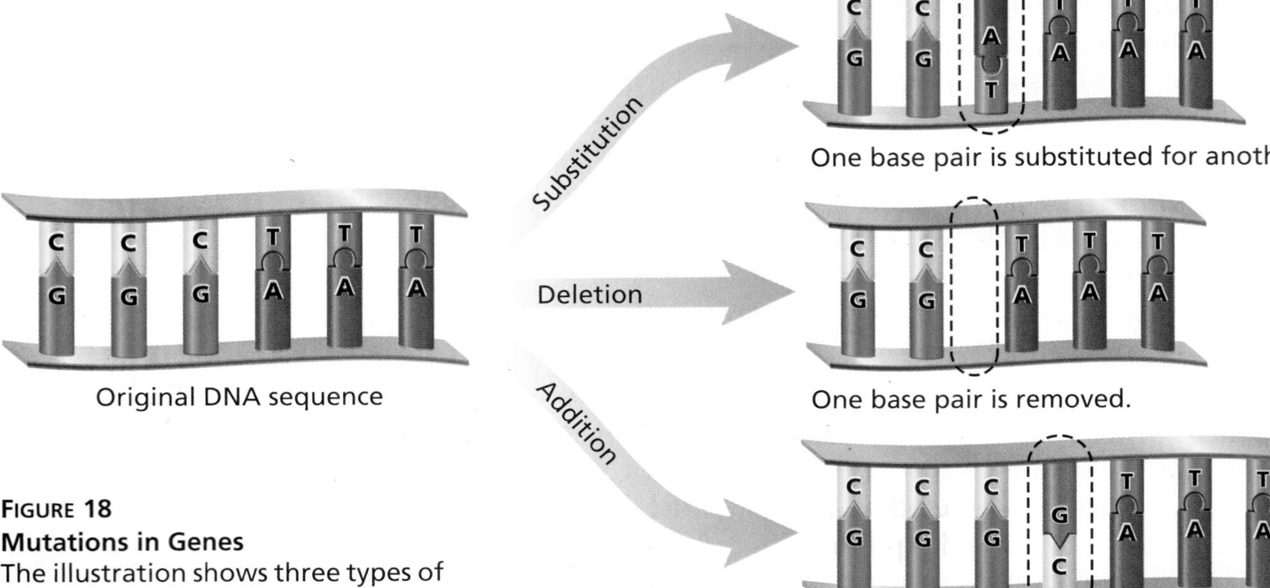

FIGURE 18
Mutations in Genes
The illustration shows three types of mutations that can occur in genes.
Comparing and Contrasting *How are these mutations different from the mutations that occur when chromosomes do not separate during meiosis?*

Mutations

Suppose that a mistake occurred in one gene of a chromosome. Instead of the base A, for example, the DNA molecule might have the base G. Such a mistake is one type of mutation that can occur in a cell's hereditary material. A **mutation** is any change in a gene or chromosome. **Mutations can cause a cell to produce an incorrect protein during protein synthesis. As a result, the organism's trait, or phenotype, may be different from what it normally would have been.** In fact, the term *mutation* comes from a Latin word that means "change."

If a mutation occurs in a body cell, such as a skin cell, the mutation will not be passed on to the organism's offspring. If, however, a mutation occurs in a sex cell, the mutation can be passed on to an offspring and affect the offspring's phenotype.

Types of Mutations Some mutations are the result of small changes in an organism's hereditary material. For example, a single base may be substituted for another, or one or more bases may be removed from a section of DNA. This type of mutation can occur during the DNA replication process. Other mutations may occur when chromosomes don't separate correctly during meiosis. When this type of mutation occurs, a cell can end up with too many or too few chromosomes. The cell could also end up with extra segments of chromosomes.

Effects of Mutations Because mutations can introduce changes in an organism, they can be a source of genetic variety. Some mutations are harmful to an organism. A few mutations, however, are helpful, and others are neither harmful nor helpful. A mutation is harmful to an organism if it reduces the organism's chance for survival and reproduction.

Whether a mutation is harmful or not depends partly on the organism's environment. The mutation that led to the production of a white lemur would probably be harmful to an organism in the wild. The lemur's white color would make it more visible, and thus easier for predators to find. However, a white lemur in a zoo has the same chance for survival as a brown lemur. In a zoo, the mutation neither helps nor harms the lemur.

Helpful mutations, on the other hand, improve an organism's chances for survival and reproduction. Antibiotic resistance in bacteria is an example. Antibiotics are chemicals that kill bacteria. Gene mutations have enabled some kinds of bacteria to become resistant to certain antibiotics—that is, the antibiotics do not kill the bacteria that have the mutations. The mutations have improved the bacteria's ability to survive and reproduce.

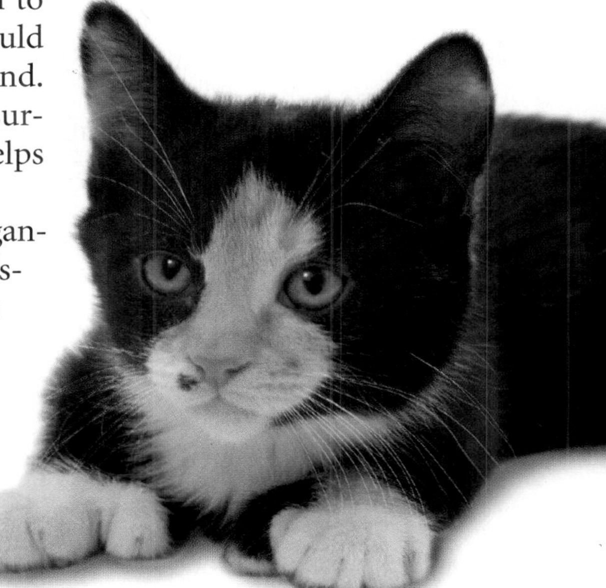

FIGURE 19
Six-Toed Cat
Because of a mutation in one of its ancestors, this cat has six toes on each front paw.

What are two types of mutations?

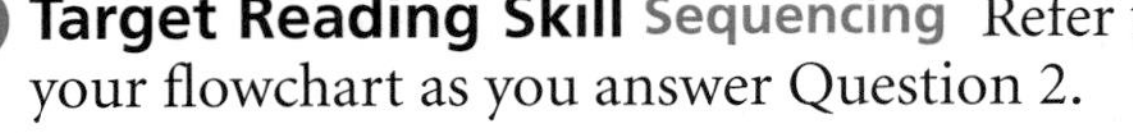

Target Reading Skill Sequencing Refer to your flowchart as you answer Question 2.

Reviewing Key Concepts

1. a. Explaining What is the relationship between a gene, a DNA molecule, and a protein?
   b. Relating Cause and Effect How does a DNA molecule determine the structure of a specific protein?
   c. Inferring The DNA base sequence GGG codes for the amino acid proline. Could this same base sequence code for a different amino acid? Why or why not?
2. a. Listing List the sequence of events that happens during protein synthesis.
   b. Describing What is messenger RNA? Describe how it performs its function.
   c. Inferring Does transfer RNA perform its function in the nucleus or cytoplasm? Explain your answer.
3. a. Reviewing How does a mutation in a gene affect the order of DNA bases?
   b. Relating Cause and Effect How can a mutation in a gene cause a change in an organism's phenotype?

Writing in Science

Compare/Contrast Paragraph Write a paragraph comparing and contrasting gene mutations and chromosome mutations. In your paragraph, explain what the two types of mutations are, and how they are similar and different.

Chapter 4

Study Guide

1 Mendel's Work

Key Concepts

- In all of Mendel's crosses, only one form of the trait appeared in the F_1 generation. However, in the F_2 generation, the "lost" form of the trait always reappeared in about one fourth of the plants.
- An organism's traits are controlled by the alleles it inherits from its parents. Some alleles are dominant, while other alleles are recessive.

Key Terms

heredity
trait
genetics
fertilization
purebred
gene
alleles
dominant allele
recessive allele
hybrid

2 Probability and Heredity

Key Concepts

- Probability is the likelihood that a particular event will occur.
- In a genetic cross, the allele that each parent will pass on to its offspring is based on probability.
- An organism's phenotype is its physical appearance, or visible traits. An organism's genotype is its genetic makeup, or allele combinations.
- In codominance, the alleles are neither dominant nor recessive. As a result, both alleles are expressed in the offspring.

Key Terms

probability
Punnett square
phenotype
genotype
homozygous
heterozygous
codominance

3 The Cell and Inheritance

Key Concepts

- According to the chromosome theory of inheritance, genes are carried from parents to their offspring on chromosomes.
- During meiosis, the chromosome pairs separate and are distributed to two different cells. The resulting sex cells have only half as many chromosomes as the other cells in the organism.
- Chromosomes are made up of many genes joined together like beads on a string.

Key Term

meiosis

4 The DNA Connection

Key Concepts

- The order of the nitrogen bases along a gene forms a genetic code that specifies what type of protein will be produced.
- During protein synthesis, the cell uses information from a gene on a chromosome to produce a specific protein.
- Mutations can cause a cell to produce an incorrect protein during protein synthesis. As a result, the organism's trait, or phenotype, may be different from what it normally would have been.

Key Terms

messenger RNA
transfer RNA
mutation

Review and Assessment

For: Self-Assessment
Visit: PHSchool.com
Web Code: cea-3030

Organizing Information

Concept Mapping Copy the concept map onto a separate sheet of paper. Then complete the concept map. (For more on Concept Mapping, see the Skills Handbook.)

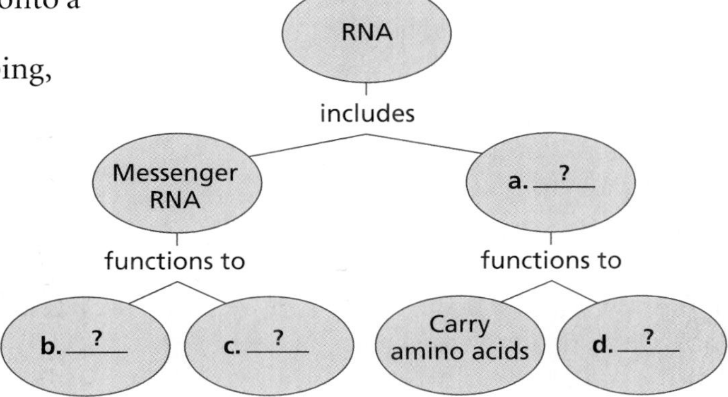

Reviewing Key Terms

Choose the letter of the best answer.

1. The different forms of a gene are called
   a. alleles. **b.** chromosomes.
   c. phenotypes. **d.** genotypes.
2. The likelihood that a particular event will occur is called
   a. chance.
   b. Punnett square.
   c. probability.
   d. recessive.
3. An organism with two identical alleles for a trait is
   a. heterozygous.
   b. homozygous.
   c. recessive.
   d. dominant.
4. If the body cells of an organism have 10 chromosomes, then the sex cells produced during meiosis would have
   a. 5 chromosomes.
   b. 10 chromosomes.
   c. 15 chromosomes.
   d. 20 chromosomes.
5. During protein synthesis, messenger RNA
   a. links one amino acid to another.
   b. releases the completed protein chain.
   c. provides a code from DNA in the nucleus.
   d. carries amino acids to the ribosome.

If the statement is true, write *true*. If it is false, change the underlined word or words to make the statement true.

6. The scientific study of heredity is called <u>genetics</u>.
7. An organism's physical appearance is its <u>genotype</u>.
8. In <u>codominance</u>, neither of the alleles is dominant or recessive.
9. Each transfer RNA molecule picks up one kind of <u>protein</u>.
10. Mutations in <u>body cells</u> are passed to offspring.

Writing in Science

Science Article You are a science reporter for a newspaper. Write an article about gene mutations. Explain what a mutation is and what determines whether it is helpful or harmful.

Genetics: The Science of Heredity
Video Preview
Video Field Trip
▶ Video Assessment

Review and Assessment

Checking Concepts

11. Describe what happened when Mendel crossed purebred tall pea plants with purebred short pea plants.

12. You toss a coin five times and it lands heads up each time. What is the probability that it will land heads up on the sixth toss? Explain your answer.

13. In guinea pigs, the allele for black fur (*B*) is dominant over the allele for white fur (*b*). In a cross between a heterozygous black guinea pig (*Bb*) and a homozygous white guinea pig (*bb*), what is the probability that an offspring will have white fur? Use a Punnett square to answer the question.

14. Describe the role of transfer RNA in protein synthesis.

15. How can mutations affect protein synthesis?

Thinking Critically

16. Applying Concepts In rabbits, the allele for a spotted coat is dominant over the allele for a solid-colored coat. A spotted rabbit was crossed with a solid-colored rabbit. The offspring all had spotted coats. What are the probable genotypes of the parents? Explain.

17. Interpreting Diagrams The diagram below shows a chromosome pair. For which genes is the organism heterozygous?

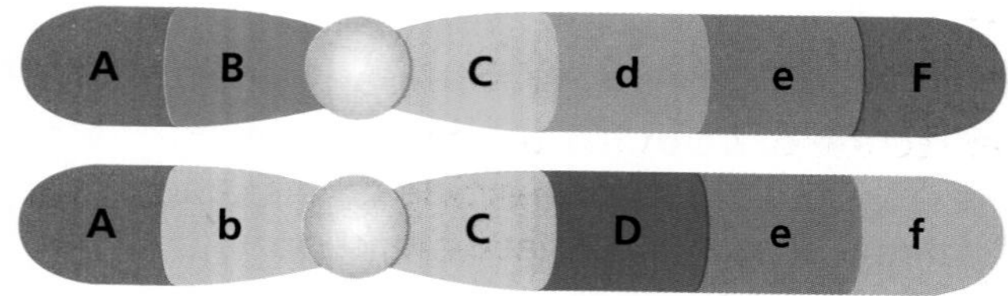

18. Predicting A new mutation in mice causes the coat to be twice as thick as normal. In what environments would this mutation be helpful? Why?

19. Applying Concepts If the body cells have 12 chromosomes, how many will the sex cells have?

20. Relating Cause and Effect Why are mutations that occur in an organism's body cells not passed on to its offspring?

Math Practice

21. Percentage A garden has 80 pea plants. Of the plants, 20 have short stems and 60 have tall stems. What percentage of the plants have short stems? What percentage have tall stems?

Applying Skills

Use the information in the table to answer Questions 22–24.

In peas, the allele for green pods (G) is dominant over the allele for yellow pods (g). The table shows the phenotypes of offspring produced from a cross of two plants with green pods.

Phenotype	Number of Offspring
Green pods	27
Yellow pods	9

22. Calculating Percent Calculate what percent of the offspring produce green pods. Calculate what percent have yellow pods.

23. Inferring What is the genotype of the offspring with yellow pods? What are the possible genotypes of the offspring with green pods?

24. Drawing Conclusions What are the genotypes of the parents? How do you know?

Lab zone Chapter Project

Performance Assessment Finalize your display of your pet's family. Be prepared to discuss the inheritance patterns in your pet's family. Examine your classmates' exhibits. See which offspring look most like, and least like, their parents. Can you find any offspring that "break the laws" of inheritance?

Standardized Test Prep

Test-Taking Tip

Sequencing Events

A test question may ask you to arrange a series of events in order. You might be asked which event comes last, or which event comes before another event. Before you answer the question, think about the process the question asks about. Then think of the process's main events and try to put them in order.

For example, the question below asks about protein synthesis. Before looking at the answer choices, try to recall the correct sequence in which the events of protein synthesis occur. Then choose the answer that the question asks for.

Sample Question

Which of the following is the first event in the process of protein synthesis?

A Messenger RNA enters the cytoplasm and attaches to a ribosome.
B The coded message in DNA is copied when a molecule of messenger RNA is formed.
C The protein chain grows until a stop code is reached.
D Transfer RNA molecules carrying amino acids attach to messenger RNA.

Answer

The correct answer is **B**. For protein synthesis to begin, instructions must be carried from DNA in the nucleus to the cytoplasm. Messenger RNA performs that function.

Choose the letter of the best answer.

1. Which of the following is the first step in the formation of sex cells in an organism that has eight chromosomes?
A The two chromatids of each chromosome separate.
B Chromosome pairs line up next to each other in the center of the cell.
C The DNA in the eight chromosomes is copied.
D The chromatids move apart, producing cells with four chromosomes each.

The Punnett square below shows a cross between two pea plants, each with round seeds. Use the Punnett square to answer Questions 2–4.

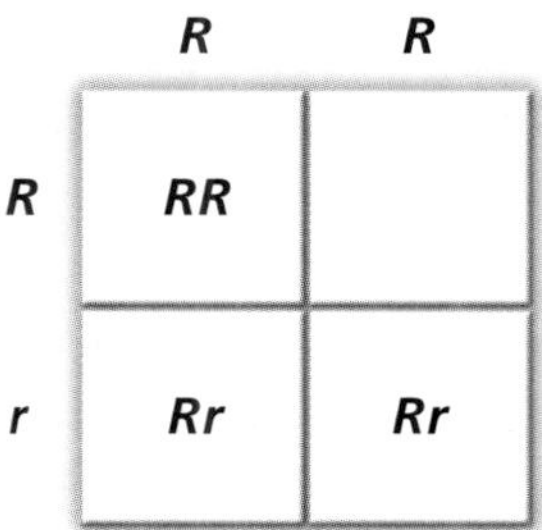

2. The missing genotype in the empty square is correctly written as
F Rr.
G rR.
H rr.
J RR.

3. Which statement is true about the cross shown in the Punnett square?
A Both parents are heterozygous for the trait.
B Both parents are homozygous for the trait.
C One parent is heterozygous and the other is homozygous for the trait.
D The trait is controlled by codominant alleles.

4. What percentage of the offspring of this cross will produce round seeds?
F 0%
G 25%
H 50%
J 100%

5. A section of DNA has the base sequence GCTTAA. The corresponding messenger RNA base sequence will be
A GCTTAA.
B CGAAUU.
C CGAATT.
D UUTTCG.

Constructed Response

6. Compare the processes and outcomes of mitosis and meiosis.

Chapter 5

Modern Genetics

Chapter Preview

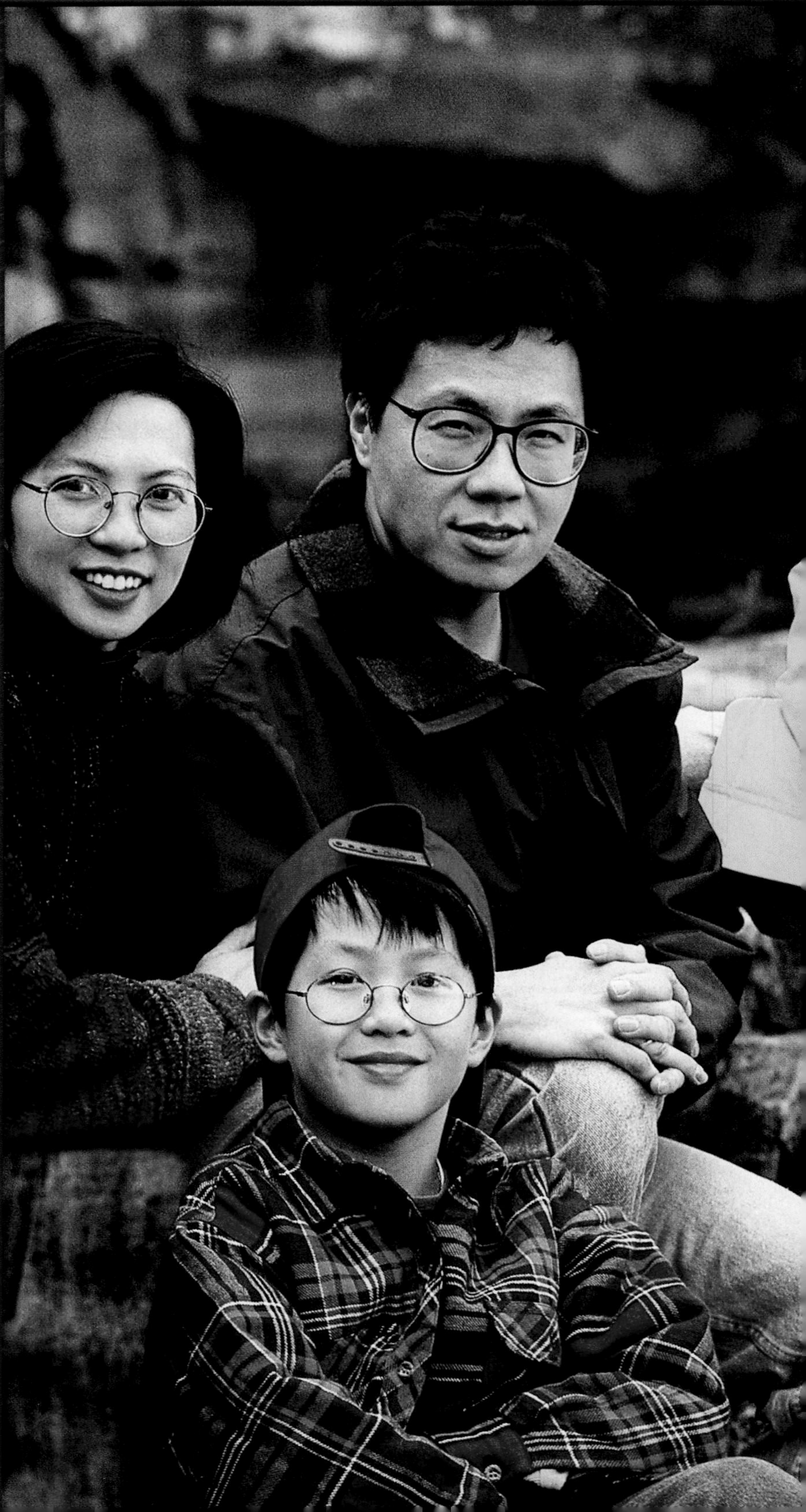

The members of this family resemble one another because they share some alleles. ▶

Modern Genetics

▶ Video Preview
Video Field Trip
Video Assessment

Lab zone™ Chapter **Project**

Teach Others About a Trait

People inherit alleles for traits from their parents. Some traits, such as keen eyesight, are beneficial. Other traits, such as colorblindness, can present challenges. In this project you will design a display to help teach younger children about a genetically inherited trait. You and your group will need to research the inheritance pattern of your selected trait.

Your Goal To design and build an educational tool or display that can be used to educate young children

The display you create should

- illustrate how the trait is inherited and whom it can affect
- explain whether the trait is dominant, recessive, or codominant
- contain an interactive question and answer section that includes a way of predicting the probability that a person will inherit the trait
- stand by itself and be easy to set up

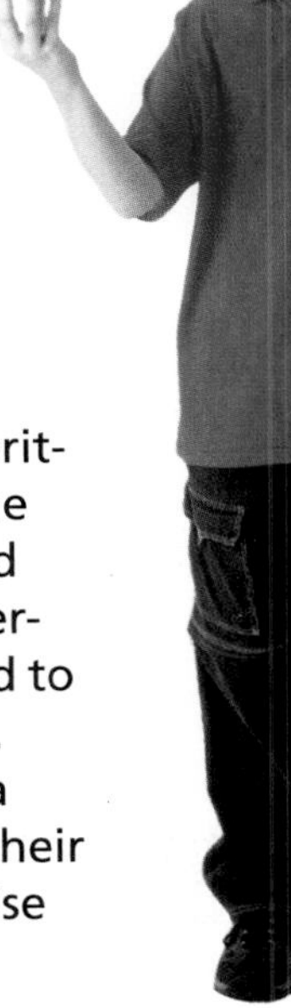

Plan It! Begin by choosing a trait and researching its inheritance pattern. Then determine how the display will look and the materials you need. Determine what is the best method to make the display interactive. Plan to test your display on a younger audience to assess their understanding and then revise your design.

Section 1

Human Inheritance

Reading Preview

Key Concepts

- What are some patterns of inheritance in humans?
- What are the functions of the sex chromosomes?
- What is the relationship between genes and the environment?

Key Terms

- multiple alleles
- sex chromosomes
- sex-linked gene
- carrier

Target Reading Skill

Identifying Main Ideas
As you read the Patterns of Human Inheritance section, write the main idea—the biggest or most important idea—in a graphic organizer like the one below. Then write three supporting details that further explain the main idea.

Main Idea

Human traits are controlled by single genes with two alleles, single genes with . . .

Detail **Detail** **Detail**

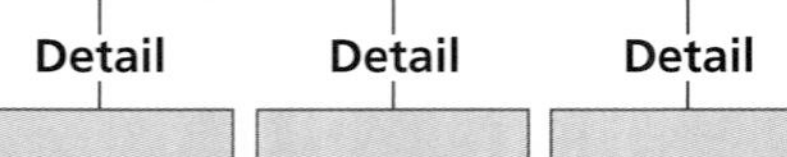

Lab zone Discover Activity

How Tall Is Tall?

1. Choose a partner. Measure each other's height to the nearest 5 centimeters. Record your measurements on the chalkboard.
2. Create a bar graph showing the number of students at each height. Plot the heights on the horizontal axis and the number of students on the vertical axis.

Think It Over
Inferring Do you think height in humans is controlled by a single gene, as it is in peas? Explain your answer.

The arrival of a baby is a happy event. Eagerly, the parents and grandparents gather around to admire the newborn baby. "Don't you think she looks like her father?" "Yes, but she has her mother's eyes."

When a baby is born, the parents, their families, and their friends try to determine whom the baby resembles. Chances are good that the baby will look a little bit like both parents. That is because both parents pass alleles for traits on to their offspring.

FIGURE 1
Family Resemblance
Because children inherit alleles for traits from their mother and father, children often look like their parents.

Patterns of Human Inheritance

Take a few seconds to look at the other students in your classroom. Some people have curly hair; others have straight hair. Some people are tall, some are short, and many others are in between. You'll probably see eyes of many different colors, ranging from pale blue to dark brown. The different traits you see are determined by a variety of inheritance patterns. **Some human traits are controlled by single genes with two alleles, and others by single genes with multiple alleles. Still other traits are controlled by many genes that act together.**

Single Genes With Two Alleles A number of human traits are controlled by a single gene with one dominant allele and one recessive allele. These human traits have two distinctly different phenotypes, or physical appearances.

For example, a widow's peak is a hairline that comes to a point in the middle of the forehead. The allele for a widow's peak is dominant over the allele for a straight hairline. The Punnett square in Figure 2 illustrates a cross between two parents who are heterozygous for a widow's peak. Trace the possible combinations of alleles that a child may inherit. Notice that each child has a 3 in 4, or 75 percent, probability of having a widow's peak. There is only a 1 in 4, or 25 percent, probability that a child will have a straight hairline. When Mendel crossed peas that were heterozygous for a trait, he obtained similar percentages in the offspring.

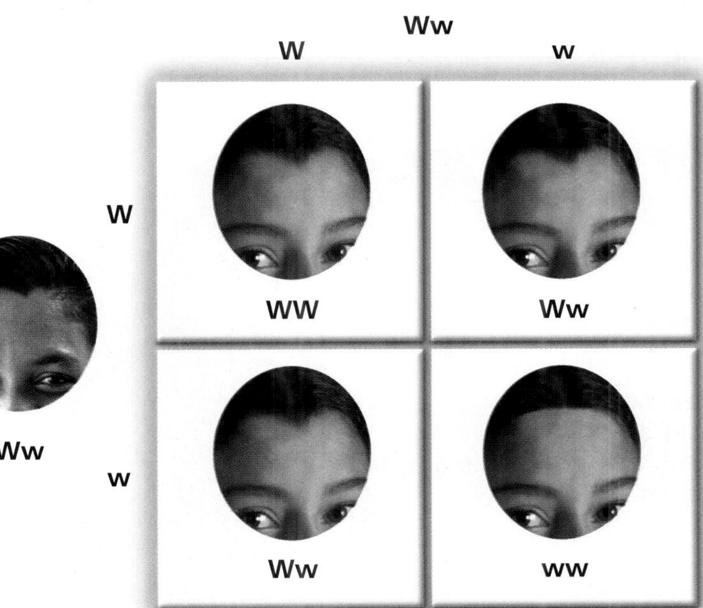

FIGURE 2
Widow's Peak Punnett Square
This Punnett square shows a cross between two parents with widow's peaks.
Interpreting Diagrams *What are the possible genotypes of the offspring? What percentage of the offspring will have each genotype?*

FIGURE 3
Inheritance of Blood Type
Blood type is determined by a single gene with three alleles. This chart shows which combinations of alleles result in each blood type.

Alleles of Blood Types

Blood Type	Combination of Alleles
A	I^AI^A or I^Ai
B	I^BI^B or I^Bi
AB	I^AI^B
O	ii

Single Genes With Multiple Alleles Some human traits are controlled by a single gene that has more than two alleles. Such a gene is said to have **multiple alleles**—three or more forms of a gene that code for a single trait. Even though a gene may have multiple alleles, a person can carry only two of those alleles. This is because chromosomes exist in pairs. Each chromosome in a pair carries only one allele for each gene.

Human blood type is controlled by a gene with multiple alleles. There are four main blood types—A, B, AB, and O. Three alleles control the inheritance of blood types. The allele for blood type A and the allele for blood type B are codominant. The allele for blood type A is written as I^A. The allele for blood type B is written I^B. The allele for blood type O—written i—is recessive. Recall that when two codominant alleles are inherited, neither allele is masked. A person who inherits an I^A allele from one parent and an I^B allele from the other parent will have type AB blood. Figure 3 shows the allele combinations that result in each blood type. Notice that only people who inherit two i alleles have type O blood.

Traits Controlled by Many Genes If you completed the Discover activity, you saw that height in humans has more than two distinct phenotypes. In fact, there is an enormous variety of phenotypes for height. Some human traits show a large number of phenotypes because the traits are controlled by many genes. The genes act together as a group to produce a single trait. At least four genes control height in humans, so there are many possible combinations of genes and alleles. Skin color is another human trait that is controlled by many genes.

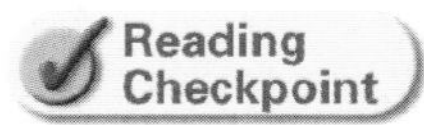

Why do some traits exhibit a large number of phenotypes?

FIGURE 4
Many Phenotypes
Skin color in humans is determined by three or more genes. Different combinations of alleles for each of the genes result in a wide range of possible skin colors.

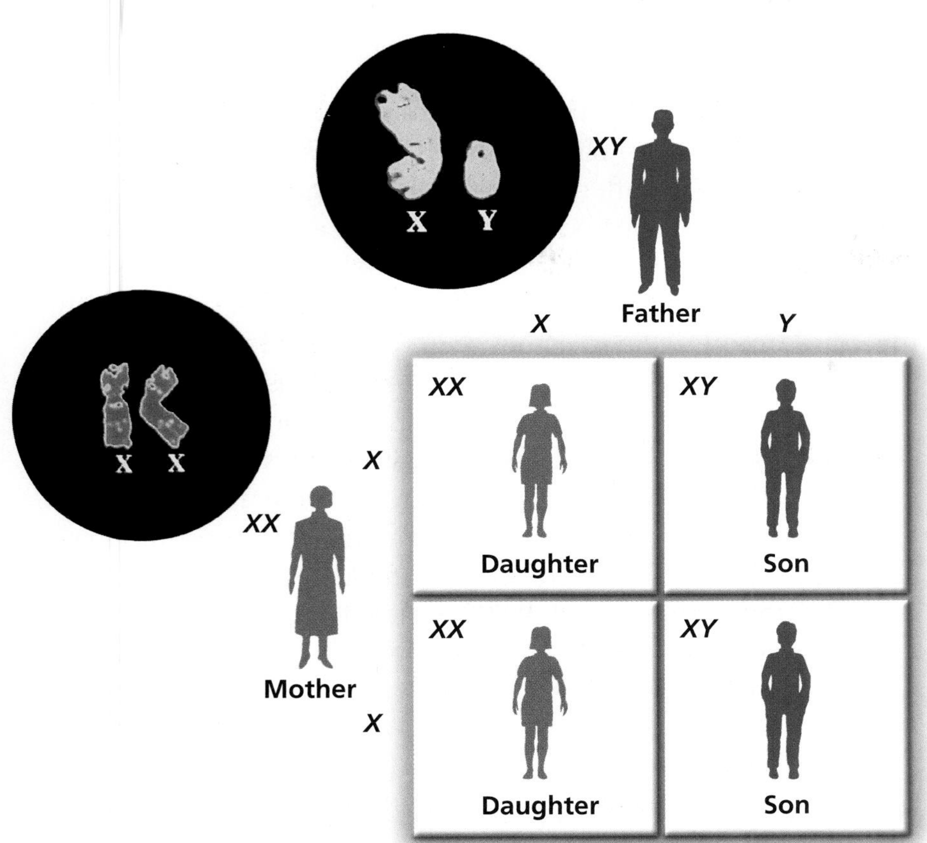

FIGURE 5
Male or Female?
As this Punnett square shows, there is a 50 percent probability that a child will be a girl and a 50 percent probability that a child will be a boy.
Interpreting Diagrams *What sex will the child be if a sperm with a Y chromosome fertilizes an egg?*

The Sex Chromosomes

The **sex chromosomes** are one of the 23 pairs of chromosomes in each body cell. **The sex chromosomes carry genes that determine whether a person is male or female. They also carry genes that determine other traits.**

Girl or Boy? The sex chromosomes are the only chromosome pair that do not always match. If you are a girl, your two sex chromosomes match. The two chromosomes are called X chromosomes. If you are a boy, your sex chromosomes do not match. One of them is an X chromosome, and the other is a Y chromosome. The Y chromosome is much smaller than the X chromosome.

Sex Chromosomes and Fertilization What happens to the sex chromosomes when egg and sperm cells form? Since both of a female's sex chromosomes are X chromosomes, all eggs carry one X chromosome. Males, however, have two different sex chromosomes. Therefore, half of a male's sperm cells carry an X chromosome, while half carry a Y chromosome.

When a sperm cell with an X chromosome fertilizes an egg, the egg has two X chromosomes. The fertilized egg will develop into a girl. When a sperm with a Y chromosome fertilizes an egg, the egg has one X chromosome and one Y chromosome. The fertilized egg will develop into a boy.

Lab zone Try This Activity

The Eyes Have It

One inherited trait is eye dominance—the tendency to use one eye more than the other. Here's how you can test yourself for this trait.

1. Hold your hand out in front of you at arm's length. Point your finger at an object across the room.
2. Close your right eye. With only your left eye open, observe how far your finger appears to move.
3. Repeat Step 2 with the right eye open. With which eye did your finger seem to remain closer to the object? That eye is dominant.

Designing Experiments Is eye dominance related to hand dominance—whether a person is right-handed or left-handed? Design an experiment to find out. *Obtain your teacher's permission before carrying out your experiment.*

Sex-Linked Genes The genes for some human traits are carried on the sex chromosomes. Genes on the X and Y chromosomes are often called **sex-linked genes** because their alleles are passed from parent to child on a sex chromosome. Traits controlled by sex-linked genes are called sex-linked traits. One sex-linked trait is red-green colorblindness. A person with this trait cannot distinguish between red and green.

Recall that females have two X chromosomes, whereas males have one X chromosome and one Y chromosome. Unlike most chromosome pairs, the X and Y chromosomes have different genes. Most of the genes on the X chromosome are not on the Y chromosome. Therefore, an allele on an X chromosome may have no corresponding allele on a Y chromosome.

Like other genes, sex-linked genes can have dominant and recessive alleles. In females, a dominant allele on one X chromosome will mask a recessive allele on the other X chromosome. But in males, there is usually no matching allele on the Y chromosome to mask the allele on the X chromosome. As a result, any allele on the X chromosome—even a recessive allele—will produce the trait in a male who inherits it. Because males have only one X chromosome, males are more likely than females to have a sex-linked trait that is controlled by a recessive allele.

FIGURE 6
Colorblindness
The lower photo shows how a red barn and green fields look to a person with red-green colorblindness.

Normal vision

Red-green colorblind vision

Inheritance of Colorblindness Colorblindness is a trait controlled by a recessive allele on the X chromosome. Many more males than females have red-green colorblindness. You can understand why this is the case by examining the Punnett square in Figure 7. Both parents in this example have normal color vision. Notice, however, that the mother is a carrier of colorblindness. A **carrier** is a person who has one recessive allele for a trait and one dominant allele. A carrier of a trait controlled by a recessive allele does not have the trait. However, the carrier can pass the recessive allele on to his or her offspring. In the case of sex-linked traits, only females can be carriers.

As you can see in Figure 7, there is a 25 percent probability that this couple will have a colorblind child. Notice that none of the couple's daughters will be colorblind. On the other hand, the sons have a 50 percent probability of being colorblind. For a female to be colorblind, she must inherit two recessive alleles for colorblindness, one from each parent. A male needs to inherit only one recessive allele. This is because there is no gene for color vision on the Y chromosome. Thus, there is no allele that could mask the recessive allele on the X chromosome.

Reading Checkpoint **What is the sex of a person who is a carrier for colorblindness?**

For: Links on genetics
Visit: www.SciLinks.org
Web Code: scn-0341

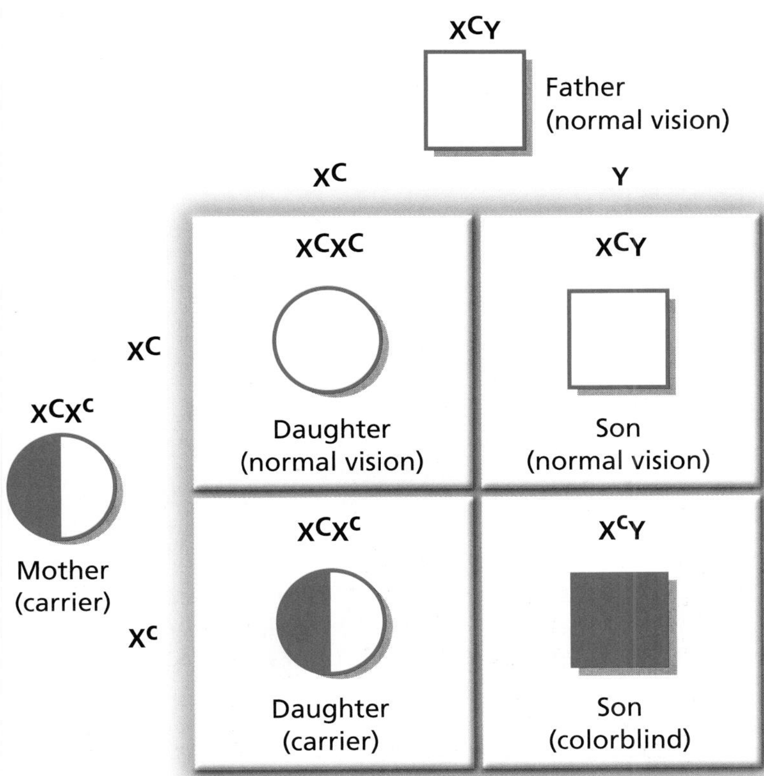

FIGURE 7
Colorblindness Punnett Square
Red-green colorblindness is a sex-linked trait. A girl who receives only one recessive allele (written X^c) for red-green colorblindness will not have the trait. However, a boy who receives one recessive allele will be colorblind.
Applying Concepts *What allele combination would a daughter need to inherit to be colorblind?*

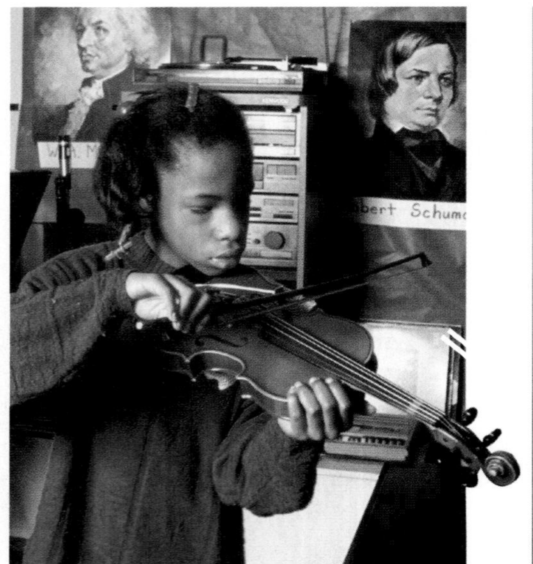

Figure 8
Heredity and Environment
When a person plays a violin, genetically determined traits such as muscle coordination interact with environmental factors such as time spent in practice.

The Effect of Environment

In humans and other organisms, the effects of genes are often influenced by the environment—an organism's surroundings. **Many of a person's characteristics are determined by an interaction between genes and the environment.**

You have learned that several genes work together to help determine human height. However, people's heights are also influenced by their environments. People's diets can affect their height. A diet lacking in protein, certain minerals, or certain vitamins can prevent a person from growing as tall as might be possible.

Environmental factors can also affect human skills, such as playing a musical instrument. For example, physical traits such as muscle coordination and a good sense of hearing will help a musician play well. But the musician also needs instruction on how to play the instrument. Musical instruction is an environmental factor.

How can environmental factors affect a person's height?

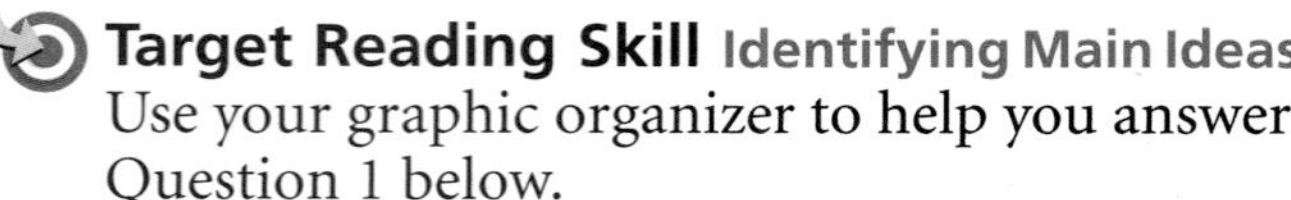

Target Reading Skill Identifying Main Ideas Use your graphic organizer to help you answer Question 1 below.

Reviewing Key Concepts

1. a. Identifying Identify three patterns of inheritance in humans. Give an example of a trait that follows each pattern.
   b. Summarizing How many human blood types are there? Summarize how blood type is inherited.
   c. Drawing Conclusions Aaron has blood type O. Can either of his parents have blood type AB? Explain your answer.
2. a. Reviewing What are the functions of the sex chromosomes?
   b. Comparing and Contrasting Contrast the sex chromosomes found in human females and human males.
   c. Relating Cause and Effect Explain how red-green colorblindness is inherited. Why is the condition more common in males than in females?
3. a. Reviewing Are a person's characteristics determined only by genes? Explain.
   b. Applying Concepts Explain what factors might work together to enable a great soccer player to kick a ball a long distance.

Writing in Science

Heredity and Environment Think of an ability you admire, such as painting, dancing, snowboarding, or playing games skillfully. Write a paragraph explaining how genes and the environment might work together to enable a person to develop this ability.

Section 2

Human Genetic Disorders

Reading Preview

Key Concepts

- What are two major causes of genetic disorders in humans?
- How do geneticists trace the inheritance of traits?
- How are genetic disorders diagnosed and treated?

Key Terms

- genetic disorder
- pedigree
- karyotype

Target Reading Skill

Comparing and Contrasting

As you read, compare and contrast the types of genetic disorders by completing a table like the one below.

Disorder	Description	Cause
Cystic fibrosis	Abnormally thick mucus	Loss of three DNA bases

Lab zone Discover Activity

How Many Chromosomes?

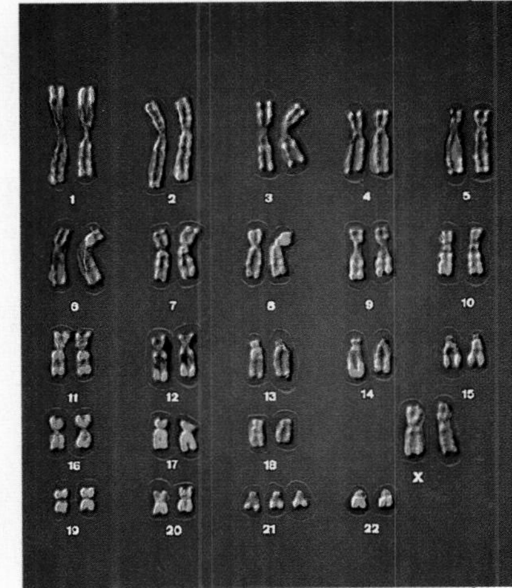

The photo at right shows the chromosomes from a cell of a person with Down syndrome, a genetic disorder. The chromosomes have been sorted into pairs.

1. Count the number of chromosomes in the photo.
2. How does the number of chromosomes compare to the usual number of chromosomes in human cells?

Think It Over

Inferring How do you think a cell could have ended up with this number of chromosomes? (*Hint:* Think about the events that occur during meiosis.)

The air inside the stadium was hot and still. The crowd cheered loudly as the runners approached the starting blocks. At the crack of the starter's gun, the runners leaped into motion and sprinted down the track. Seconds later, the race was over. The runners, bursting with pride, hugged each other and their coaches. These athletes were running in the Special Olympics, a competition for people with disabilities. Many of the athletes who compete in the Special Olympics have disabilities that result from genetic disorders.

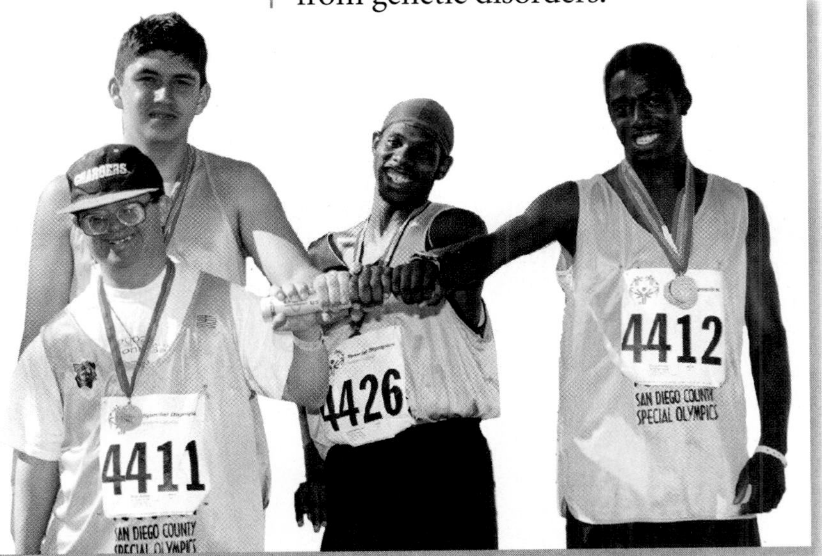

◄ Runners in the Special Olympics

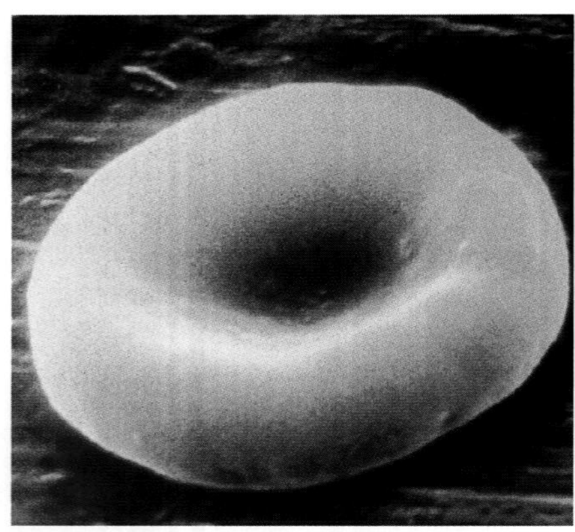

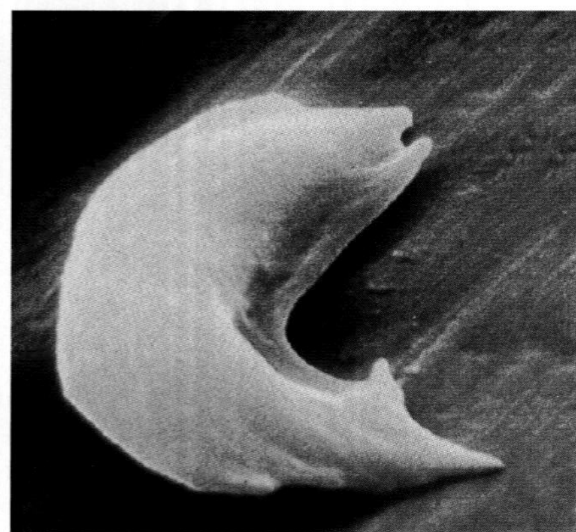

FIGURE 9
Sickle-Cell Disease
Normally, red blood cells are shaped like round disks (top). In a person with sickle-cell disease, red blood cells can become sickle-shaped (bottom).

Causes of Genetic Disorders

A **genetic disorder** is an abnormal condition that a person inherits through genes or chromosomes. **Some genetic disorders are caused by mutations in the DNA of genes. Other disorders are caused by changes in the overall structure or number of chromosomes.** In this section, you will learn about some common genetic disorders.

Cystic Fibrosis Cystic fibrosis is a genetic disorder in which the body produces abnormally thick mucus in the lungs and intestines. The thick mucus fills the lungs, making it hard for the affected person to breathe. Cystic fibrosis is caused by a recessive allele on one chromosome. The recessive allele is the result of a mutation in which three bases are removed from a DNA molecule.

Sickle-Cell Disease Sickle-cell disease affects hemoglobin, a protein in red blood cells that carries oxygen. When oxygen concentrations are low, the red blood cells of people with the disease have an unusual sickle shape. Sickle-shaped red blood cells clog blood vessels and cannot carry as much oxygen as normal cells. The allele for the sickle-cell trait is codominant with the normal allele. A person with two sickle-cell alleles will have the disease. A person with one sickle-cell allele will produce both normal hemoglobin and abnormal hemoglobin. This person usually will not have symptoms of the disease.

Hemophilia Hemophilia is a genetic disorder in which a person's blood clots very slowly or not at all. People with the disorder do not produce one of the proteins needed for normal blood clotting. The danger of internal bleeding from small bumps and bruises is very high. Hemophilia is caused by a recessive allele on the X chromosome. Because hemophilia is a sex-linked disorder, it occurs more frequently in males than in females.

Down Syndrome In Down syndrome, a person's cells have an extra copy of chromosome 21. In other words, instead of a pair of chromosomes, a person with Down syndrome has three of that chromosome. Down syndrome most often occurs when chromosomes fail to separate properly during meiosis. People with Down syndrome have some degree of mental retardation. Heart defects are also common, but can be treated.

How is the DNA in the sickle-cell allele different from the normal allele?

Lab zone **Skills Activity**

Predicting

A man has sickle-cell disease. His wife does not have the disease, but is heterozygous for the sickle-cell trait. Predict the probability that their child will have sickle-cell disease. (*Hint:* Construct a Punnett square.)

Pedigrees

Imagine that you are a geneticist who is interested in tracing the occurrence of a genetic disorder through several generations of a family. What would you do? **One important tool that geneticists use to trace the inheritance of traits in humans is a pedigree.** A **pedigree** is a chart or "family tree" that tracks which members of a family have a particular trait.

The trait in a pedigree can be an ordinary trait, such as a widow's peak, or a genetic disorder, such as cystic fibrosis. Figure 10 shows a pedigree for albinism, a condition in which a person's skin, hair, and eyes lack normal coloring.

For: Pedigree activity
Visit: PHSchool.com
Web Code: cep-3042

FIGURE 10

A Pedigree

The father in the photograph has albinism. The pedigree shows the inheritance of the allele for albinism in three generations of a family. **Interpreting Diagrams** *Where is an albino male shown in the pedigree?*

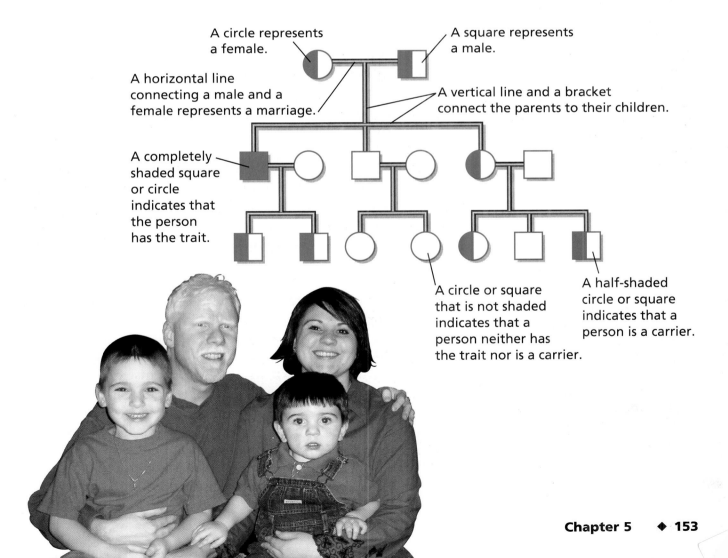

A circle represents a female.

A square represents a male.

A horizontal line connecting a male and a female represents a marriage.

A vertical line and a bracket connect the parents to their children.

A completely shaded square or circle indicates that the person has the trait.

A circle or square that is not shaded indicates that a person neither has the trait nor is a carrier.

A half-shaded circle or square indicates that a person is a carrier.

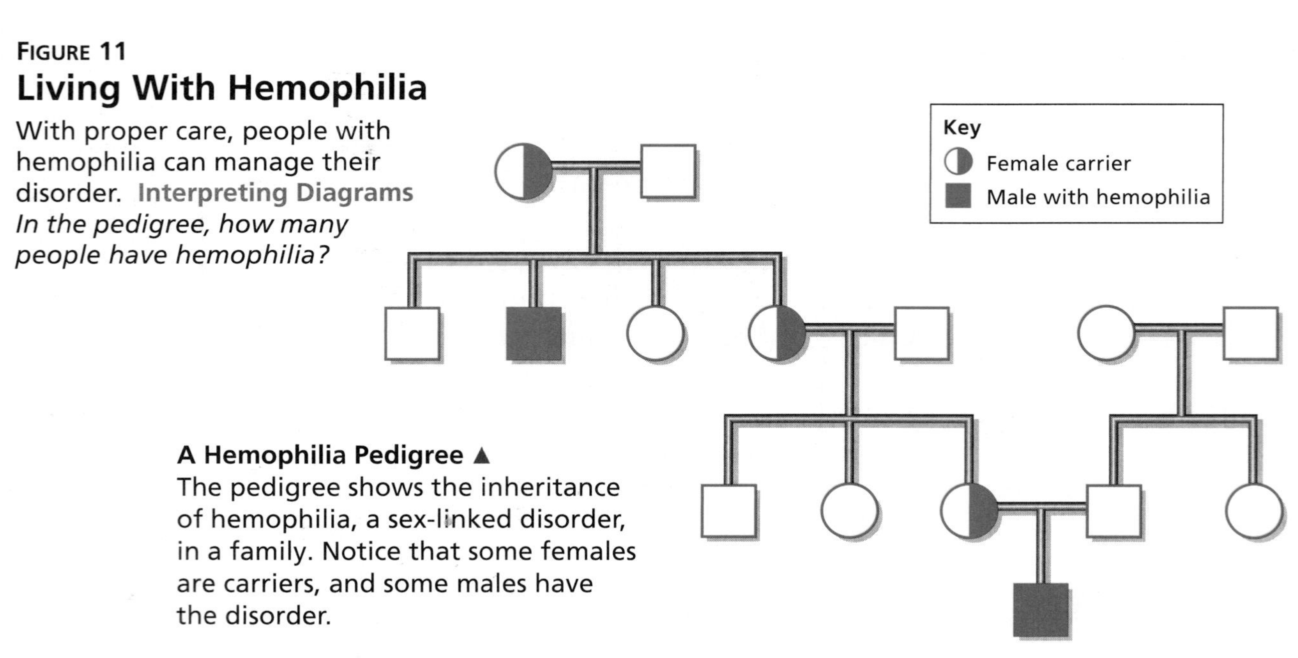

FIGURE 11
Living With Hemophilia
With proper care, people with hemophilia can manage their disorder. **Interpreting Diagrams** *In the pedigree, how many people have hemophilia?*

A Hemophilia Pedigree ▲
The pedigree shows the inheritance of hemophilia, a sex-linked disorder, in a family. Notice that some females are carriers, and some males have the disorder.

Managing Genetic Disorders

Years ago, doctors had only Punnett squares and pedigrees to help them predict whether a child might have a genetic disorder. **Today, doctors use tools such as karyotypes to help diagnose genetic disorders. People with genetic disorders are helped through medical care, education, job training, and other methods.**

Karyotypes To detect chromosomal disorders such as Down syndrome, a doctor examines the chromosomes from a person's cells. The doctor uses a karyotype to examine the chromosomes. A **karyotype** (KA ree uh typ) is a picture of all the chromosomes in a cell. The chromosomes in a karyotype are arranged in pairs. A karyotype can reveal whether a person has the correct number of chromosomes in his or her cells. If you did the Discover activity, you saw a karyotype from a girl with Down syndrome.

Genetic Counseling A couple that has a family history of a genetic disorder may turn to a genetic counselor for advice. Genetic counselors help couples understand their chances of having a child with a particular genetic disorder. Genetic counselors use tools such as karyotypes, pedigree charts, and Punnett squares to help them in their work.

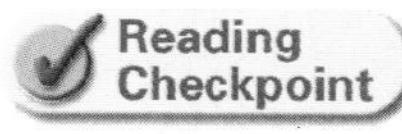

What do genetic counselors do?

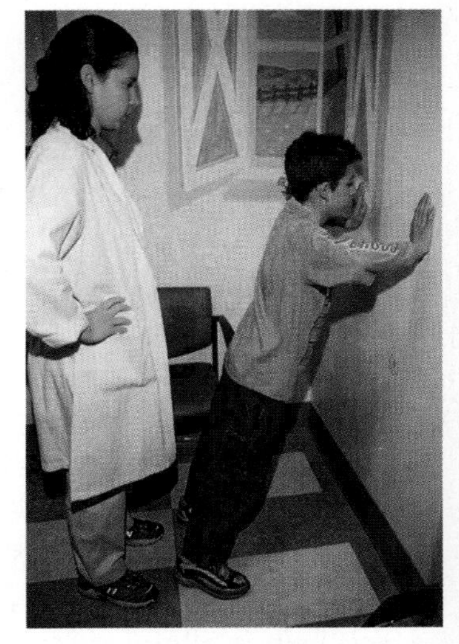

Physical Therapy ▶ Trained medical workers help hemophilia patients cope with their disorder. Here, a boy receives physical therapy.

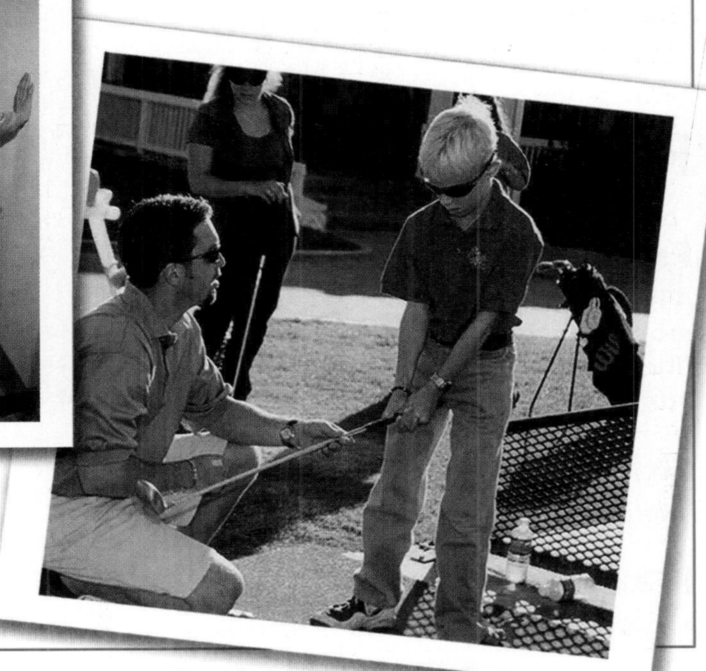

Sports ▶ A boy with hemophilia learns how to play golf. The disorder does not stop people from living active lives.

Dealing With Genetic Disorders People with genetic disorders face serious challenges, but help is available. Medical treatments help people with some disorders. For example, physical therapy helps remove mucus from the lungs of people with cystic fibrosis. People with sickle-cell disease take folic acid, a vitamin, to help their bodies manufacture red blood cells. Because of education and job training, adults with Down syndrome can find work in hotels, banks, restaurants, and other places of employment. Fortunately, most genetic disorders do not prevent people from living active, productive lives.

Section 2 Assessment

Target Reading Skill

Comparing and Contrasting Use the information in your table to help you answer Question 1 below.

Reviewing Key Concepts

1. a. **Identifying** Identify the two major causes of genetic disorders in humans.
   b. **Explaining** Which of those two major causes is responsible for Down syndrome?
   c. **Describing** How are the cells of a person with Down syndrome different from those of a person without the disorder?
2. a. **Defining** What is a pedigree?
   b. **Inferring** Why are pedigrees helpful in understanding genetic disorders?
   c. **Applying Concepts** Sam has hemophilia. Sam's brother, mother, and father do not have hemophilia. Draw a pedigree showing who has the disorder and who is a carrier.
3. a. **Reviewing** What is a karyotype?
   b. **Inferring** Would a karyotype reveal the presence of sickle-cell disease? Why or why not?

Writing in Science

Creating a Web Site Create an imaginary Web site to inform the public about genetic disorders. Write a description of one disorder for the Web site.

Lab zone **Skills Lab**

Family Puzzle

Problem

A husband and wife want to understand the probability that their children might inherit cystic fibrosis. How can you use the information in the box labeled Case Study to predict the probability?

Skills Focus

interpreting data, predicting

Materials

- 12 index cards
- scissors
- marker

Procedure 

1. Read the Case Study. In your notebook, draw a pedigree that shows all the family members. Use circles to represent the females, and squares to represent the males. Shade in the circles or squares representing the individuals who have cystic fibrosis.
2. You know that cystic fibrosis is controlled by a recessive allele. To help you figure out Joshua and Bella's family pattern, create a set of cards to represent the alleles. Cut each of six index cards into four smaller cards. On 12 of the small cards, write *N* to represent the dominant normal allele. On the other 12 small cards, write *n* for the recessive allele.
3. Begin by using the cards to represent Ian's alleles. Since he has cystic fibrosis, what alleles must he have? Write in this genotype next to the pedigree symbol for Ian.
4. Joshua's sister, Sara, also has cystic fibrosis. What alleles does she have? Write in this genotype next to the pedigree symbol that represents Sara.
5. Now use the cards to figure out what genotypes Joshua and Bella must have. Write their genotypes next to their symbols in the pedigree.
6. Work with the cards to figure out the genotypes of all other family members. Fill in each person's genotype next to his or her symbol in the pedigree. If more than one genotype is possible, write in both genotypes.

Case Study: Joshua and Bella

- Joshua and Bella have a son named Ian. Ian has been diagnosed with cystic fibrosis.
- Joshua and Bella are both healthy.
- Bella's parents are both healthy.
- Joshua's parents are both healthy.
- Joshua's sister, Sara, has cystic fibrosis.

Analyze and Conclude

1. **Interpreting Data** What were the possible genotypes of Joshua's parents? What were the genotypes of Bella's parents?
2. **Predicting** Joshua also has a brother. What is the probability that he has cystic fibrosis? Explain.
3. **Communicating** Imagine that you are a genetic counselor. A couple asks why you need information about many generations of their families to draw conclusions about a hereditary condition. Write an explanation you can give to them.

More to Explore

Review the pedigree that you just studied. What data suggest that the traits are not sex-linked? Explain.

Section 3

Tech & Design

Advances in Genetics

Reading Preview

Key Concepts

- What are three ways of producing organisms with desired traits?
- What is the goal of the Human Genome Project?

Key Terms

- selective breeding
- inbreeding • hybridization
- clone • genetic engineering
- gene therapy • genome

Target Reading Skill

Asking Questions Before you read, preview the red headings. In a graphic organizer like the one below, ask a question for each heading. As you read, write answers to your questions.

Advances in Genetics

Question	Answer
What is selective breeding?	Selective breeding is . . .

Lab zone Discover Activity

What Do Fingerprints Reveal?

1. Label a sheet of paper with your name. Then roll one of your fingers from side to side on an ink pad. Make a fingerprint by carefully rolling your inked finger on the paper.
2. Divide into groups. Each group should choose one member to use the same finger to make a second fingerprint on a sheet of paper. Leave the paper unlabeled.
3. Exchange your group's fingerprints with those from another group. Compare each labeled fingerprint with the fingerprint on the unlabeled paper. Decide whose fingerprint it is.
4. Wash your hands after completing this activity.

Think It Over

Observing Why are fingerprints used to identify people?

Would you like to have your picture taken with a 9,000-year-old family member? Adrian Targett, a history teacher in the village of Cheddar in England, has actually done that. All that's left of his ancient relative, known as "Cheddar Man," is a skeleton. The skeleton was discovered in a cave near the village. DNA analysis indicates that Targett and Cheddar Man are relatives.

Like your fingerprints, your DNA is different from everyone else's. Because of advances in genetics, DNA evidence can show many things, such as family relationships.

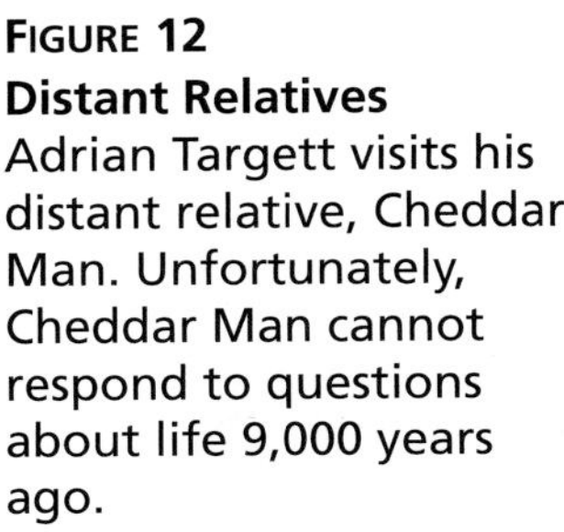

FIGURE 12
Distant Relatives
Adrian Targett visits his distant relative, Cheddar Man. Unfortunately, Cheddar Man cannot respond to questions about life 9,000 years ago.

FIGURE 13
Inbreeding
Turkeys such as the one with white feathers were developed by inbreeding. Breeders started with wild turkeys.

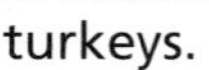

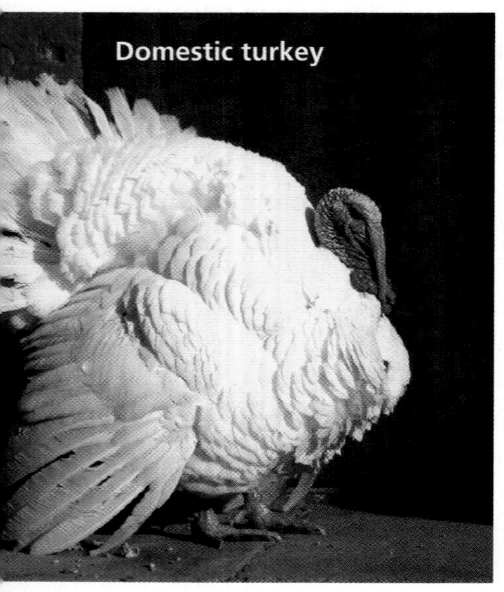

Selective Breeding

Genetic techniques have enabled people to produce organisms with desirable traits. **Selective breeding, cloning, and genetic engineering are three methods for developing organisms with desirable traits.**

The process of selecting organisms with desired traits to be parents of the next generation is called **selective breeding**. Thousands of years ago, in what is now Mexico, the food that we call corn was developed in this way. Every year, farmers saved seeds from the healthiest plants that produced the best food. In the spring, they planted those seeds. By repeating this process over and over, farmers developed plants that produced better corn. People have used selective breeding with many different plants and animals. Two selective breeding techniques are inbreeding and hybridization.

Inbreeding The technique of **inbreeding** involves crossing two individuals that have similar characteristics. For example, suppose a male and a female turkey are both plump and grow quickly. Their offspring will probably also have those desirable qualities. Inbred organisms have alleles that are very similar to those of their parents.

Inbred organisms are genetically very similar. Therefore, inbreeding increases the probability that organisms may inherit alleles that lead to genetic disorders. For example, inherited hip problems are common in many breeds of dogs.

Hybridization In **hybridization** (hy brid ih ZAY shun), breeders cross two genetically different individuals. The hybrid organism that results is bred to have the best traits from both parents. For example, a farmer might cross corn that produces many kernels with corn that is resistant to disease. The result might be a hybrid corn plant with both of the desired traits.

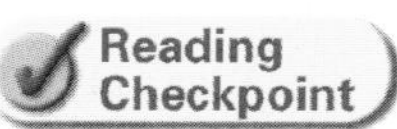

What is the goal of hybridization?

FIGURE 14
Hybridization
McIntosh and Red Delicious apples were crossed to produce Empire apples.
Applying Concepts *What desirable traits might breeders have been trying to produce?*

Math Analyzing Data

Changing Rice Production

The graph shows how worldwide rice production changed between 1965 and 2000. New, hybrid varieties of rice plants are one factor that has affected the amount of rice produced.

1. **Reading Graphs** According to the graph, how did rice production change between 1965 and 2000?
2. **Reading Graphs** How many metric tons of rice per hectare were produced in 1965? How many were produced in 2000?
3. **Calculating** Calculate the approximate difference between rice production in 1965 and 2000.

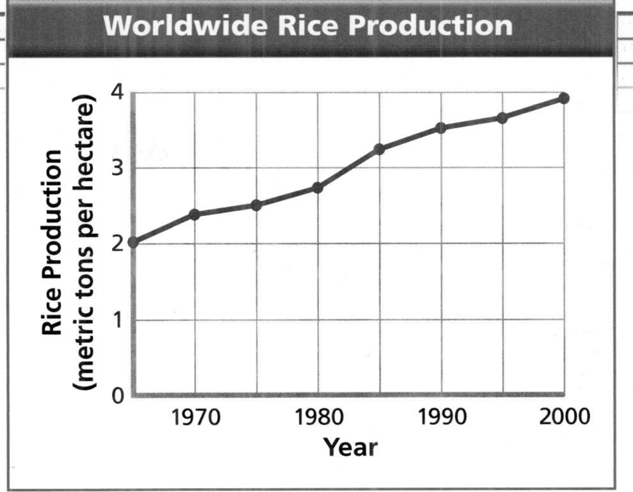

4. **Developing Hypotheses** What factors besides new varieties of plants might help account for the difference in rice production between 1965 and 2000?

Cloning

For some organisms, a technique called cloning can be used to produce offspring with desired traits. A **clone** is an organism that has exactly the same genes as the organism from which it was produced. It isn't hard to clone some kinds of plants, such as an African violet. Just cut a stem from one plant, and put the stem in soil. Water it, and soon you will have a whole new plant. The new plant is genetically identical to the plant from which the stem was cut.

Researchers have also cloned animals such as sheep and pigs. The methods for cloning these animals are complex. They involve taking the nucleus of an animal's body cell and using that nucleus to produce a new animal.

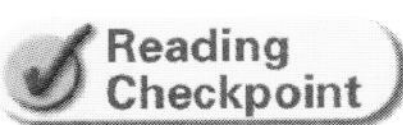

How can a clone of a plant be produced?

FIGURE 15
Cloned Goats
These goats were produced by cloning.

Genetic Engineering

Geneticists have developed another powerful technique for producing organisms with desired traits. In this process, called **genetic engineering**, genes from one organism are transferred into the DNA of another organism. Genetic engineering can produce medicines and improve food crops.

Genetic Engineering in Bacteria One type of genetically engineered bacteria produces a protein called insulin. Injections of insulin are needed by many people with diabetes. Recall that bacteria have a single DNA molecule in the cytoplasm. Some bacterial cells also contain small circular pieces of DNA called plasmids. In Figure 16, you can see how scientists insert the DNA for a human gene into the plasmid of a bacterium.

FIGURE 16
Genetic Engineering
Scientists use genetic engineering to create bacterial cells that produce important human proteins such as insulin.
Interpreting Diagrams *How does a human insulin gene become part of a plasmid?*

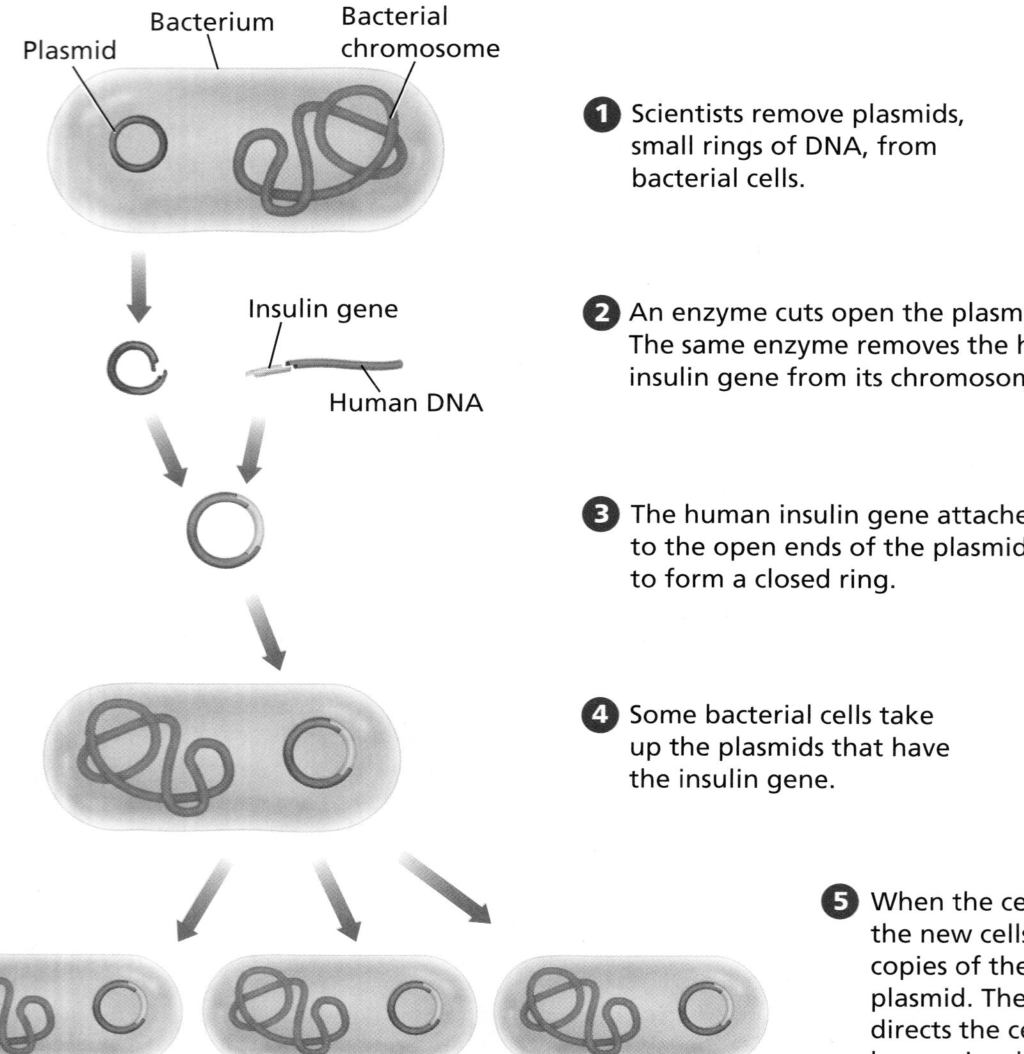

1. Scientists remove plasmids, small rings of DNA, from bacterial cells.
2. An enzyme cuts open the plasmid DNA. The same enzyme removes the human insulin gene from its chromosome.
3. The human insulin gene attaches to the open ends of the plasmid to form a closed ring.
4. Some bacterial cells take up the plasmids that have the insulin gene.
5. When the cells reproduce, the new cells will contain copies of the "engineered" plasmid. The foreign gene directs the cell to produce human insulin.

FIGURE 17
Genetically Engineered Fish
The bright red zebra danios are the result of genetic engineering.

Once the gene is inserted into the plasmid, the bacterial cell and all its offspring will contain this human gene. As a result, the bacteria produce the protein that the human gene codes for—in this case, insulin. Because bacteria reproduce quickly, large amounts of insulin can be produced in a short time.

Genetic Engineering in Other Organisms Scientists can also use genetic engineering techniques to insert genes into animals. For example, human genes can be inserted into the cells of cows. The cows then produce the human protein for which the gene codes in their milk. Scientists have used this technique to produce the blood clotting protein needed by people with hemophilia.

Genes have also been inserted into the cells of plants, such as tomatoes and rice. Some of the genes enable the plants to survive in cold temperatures or in poor soil. Other genetically engineered crops can resist insect pests.

Gene Therapy Someday it may be possible to use genetic engineering to correct some genetic disorders in humans. This process, called **gene therapy**, will involve inserting copies of a gene directly into a person's cells. For example, doctors may be able to treat hemophilia by replacing the defective allele on the X chromosome. The person's blood would then clot normally.

Concerns About Genetic Engineering Some people are concerned about the long-term effects of genetic engineering. For example, some people think that genetically engineered crops may not be entirely safe. People fear that these crops may harm the environment or cause health problems in humans. To address such concerns, scientists are trying to learn more about the effects of genetic engineering.

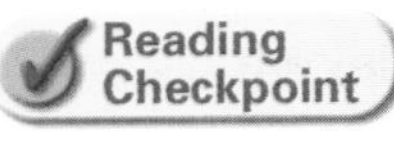

How do genetic engineering techniques enable scientists to produce clotting proteins?

For: Links on genetic engineering
Visit: www.SciLinks.org
Web Code: scn-0343

Lab zone Skills Activity

Communicating

Suppose you work for a drug company that uses genetically engineered bacteria to produce insulin. Write an advertisement for the drug that includes a simplified explanation of how the drug is produced.

FIGURE 18
The Human Genome Project
Scientists on the Human Genome Project continue to study human DNA.

Learning About Human Genetics

Recent advances have enabled scientists to learn a great deal about human genetics. The Human Genome Project and DNA fingerprinting are two applications of this new knowledge.

The Human Genome Project Imagine trying to crack a code that is 6 billion letters long. That's exactly what scientists working on the Human Genome Project have been doing. A **genome** is all the DNA in one cell of an organism. **The main goal of the Human Genome Project has been to identify the DNA sequence of every gene in the human genome.** The Human Genome Project has completed a "first draft" of the human genome. The scientists have learned that the DNA of humans has at least 30,000 genes. The average gene has about 3,000 bases. Scientists will some day know the DNA sequence of every human gene.

DNA Fingerprinting DNA technology used in the Human Genome Project can also identify people and show whether people are related. DNA from a person's cells is broken down into small pieces, or fragments. Selected fragments are used to produce a pattern called a DNA fingerprint. Except for identical twins, no two people have exactly the same DNA fingerprint. You will learn more about DNA fingerprinting in Technology and Society.

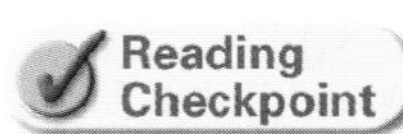

About how many genes are in the human genome?

Section 3 Assessment

Target Reading Skill **Asking Questions** Work with a partner to check your answers in your graphic organizer.

Reviewing Key Concepts

1. a. **Listing** List three methods that scientists can use to develop organisms with desirable traits.
   b. **Describing** Briefly describe each method.
   c. **Applying Concepts** Lupita has a houseplant. Which method would be the best way of producing a similar plant for a friend? Explain your answer.
2. a. **Defining** What is a genome?
   b. **Explaining** What is the Human Genome Project?
   c. **Relating Cause and Effect** How might knowledge gained from the Human Genome Project be used in gene therapy?

Lab zone At-Home Activity

Food and Selective Breeding Go to a grocery store with a parent or other family member. Discuss how fruits and vegetables have been produced by selective breeding. Choose a fruit or vegetable, and identify the traits that make it valuable.

Lab zone **Skills Lab**

Guilty or Innocent?

Problem

A crime scene may contain hair, skin, or blood from a criminal. These materials all contain DNA that can be used to make a DNA fingerprint. A DNA fingerprint, which consists of a series of bands, is something like a bar code. How can a DNA fingerprint identify individuals?

Skills Focus

drawing conclusions, inferring

Materials

- 4–6 bar codes
- hand lens

Procedure

1. Look at the photograph of DNA band patterns shown at right. Each person's DNA produces a unique pattern of these bands.
2. Now look at the Universal Product Code, also called a bar code, shown below the DNA bands. A bar code can be used as a model of a DNA band pattern. Compare the bar code with the DNA bands to see what they have in common. Record your observations.
3. Suppose that a burglary has taken place, and you're the detective leading the investigation. Your teacher will give you a bar code that represents DNA from blood found at the crime scene. You arrange to have DNA samples taken from several suspects. Write a sentence describing what you will look for as you try to match each suspect's DNA to the DNA sample from the crime scene.
4. You will now be given bar codes representing DNA samples taken from the suspects. Compare those bar codes with the bar code that represents DNA from the crime scene.
5. Use your comparisons to determine whether any of the suspects was present at the crime scene.

Analyze and Conclude

1. **Drawing Conclusions** Based on your findings, were any of the suspects present at the crime scene? Support your conclusion with specific evidence.
2. **Inferring** Why do people's DNA patterns differ so greatly?
3. **Drawing Conclusions** How would your conclusions be affected if you learned that the suspect whose DNA matched the evidence had an identical twin?
4. **Communicating** Suppose you are a defense lawyer. DNA evidence indicates that the bloodstain at the scene of a crime belongs to your client. Do you think this DNA evidence should be enough to convict your client? Write a speech you might give to the jury in defense of your client.

More to Explore

Do you think the DNA fingerprints of a parent and a child would show any similarities? Explain your thinking.

Technology and Society

• Tech & Design •

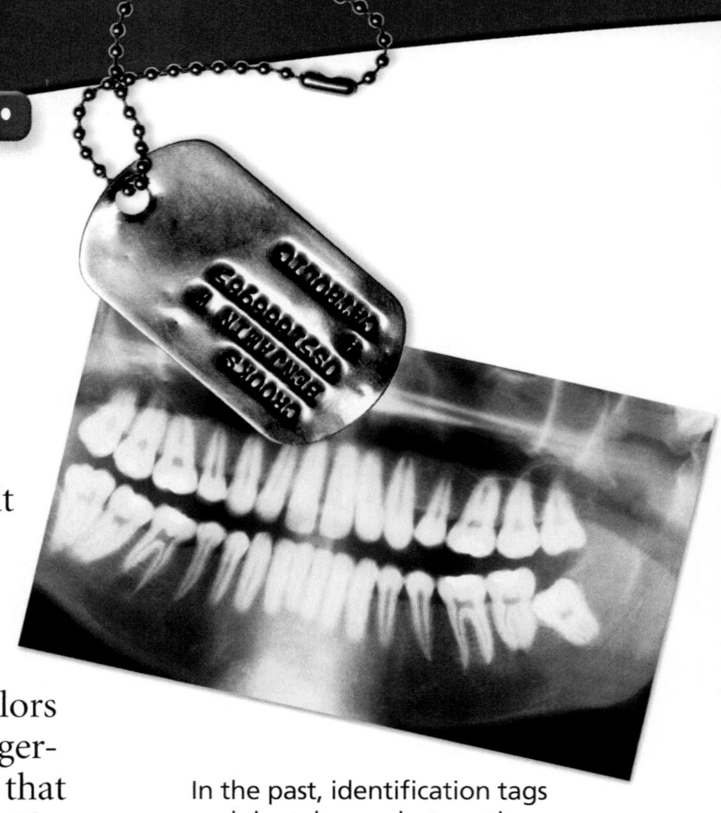

In the past, identification tags and dental records were the main methods for identifying skeletal remains.

DNA Fingerprinting

What do you have that no one else has? Unless you are an identical twin, your DNA is unique. Because one person's DNA is like no one else's, it can be used to produce genetic "fingerprints." These fingerprints can tie a person to the scene of a crime. They can prevent the wrong person from going to jail. They can also be used to identify skeletal remains. Today, soldiers and sailors give blood and saliva samples so their DNA fingerprints can be saved. Like the identification tags that soldiers wear, DNA records can be used to identify the bodies of unknown soldiers or civilians.

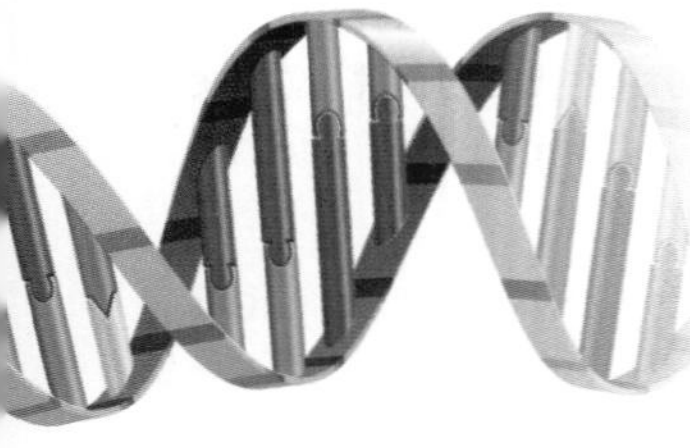

1. After a sample of DNA is extracted from the body, an enzyme cuts the DNA strand into several smaller pieces.

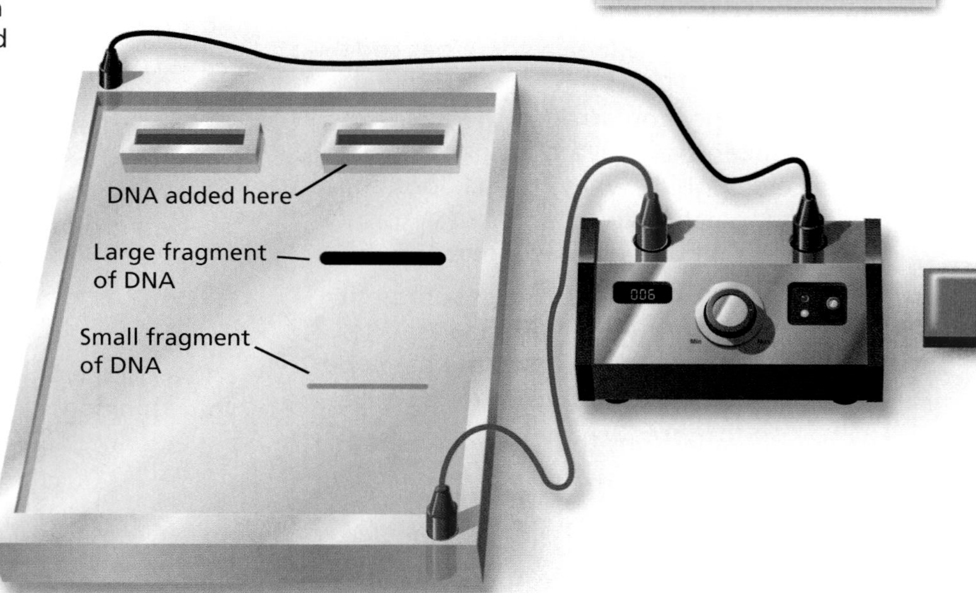

2. The cut-up DNA fragments are loaded into a gel that uses electric current to separate fragments. Larger fragments of DNA move through the gel more slowly than the smaller fragments.

Analyzing DNA

In one method of DNA analysis, DNA from saliva, blood, bones, teeth, or other fluids or tissues is taken from cells. Special enzymes are added to cut the DNA into small pieces. Selected pieces are put into a machine that runs an electric current through the DNA and sorts the pieces by size. The DNA then gets stained and photographed. When developed, a unique banded pattern, similar to a product bar code, is revealed. The pattern can be compared to other samples of DNA to determine a match.

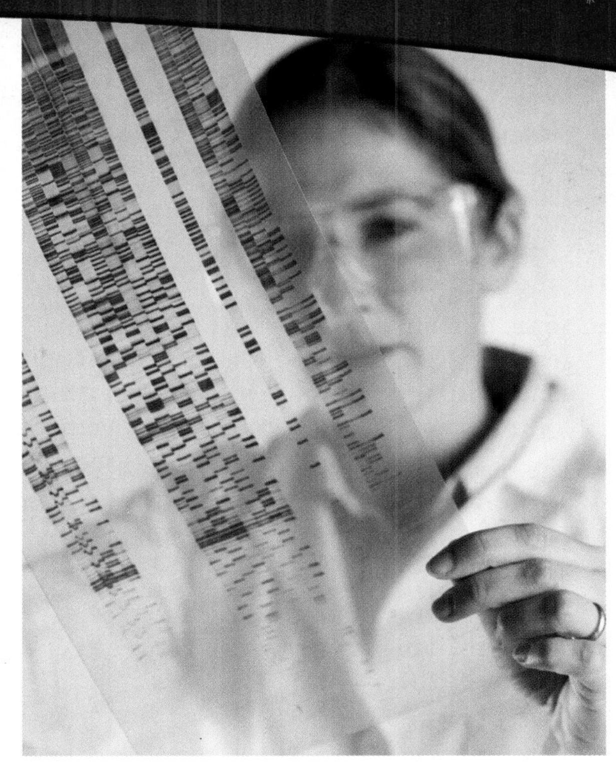

▲ Scientist reading a DNA fingerprint

Limitations of DNA Fingerprinting

Like all technology, DNA fingerprinting has its limitations. DNA is very fragile and the films produced can be difficult to read if the DNA samples are old. In rare instances, DNA from the people testing the samples can become mixed in with the test samples and produce inaccurate results. DNA testing is also time consuming and expensive.

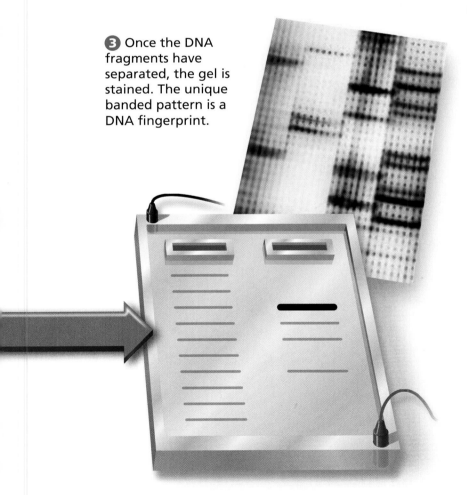

❸ Once the DNA fragments have separated, the gel is stained. The unique banded pattern is a DNA fingerprint.

Weigh the Impact

1. **Identify the Need**
   Make a list of at least five situations in which DNA fingerprinting could be useful.
2. **Research**
   Research the situations you listed in Question 1 to find out if DNA analysis is or can be used in each.
3. **Write**
   Choose one application of DNA analysis and write one or two paragraphs to explain when the application can be used.

For: More on DNA fingerprinting
Visit: PHSchool.com
Web Code: ceh-3040

Chapter 5 Study Guide

1 Human Inheritance

Key Concepts

- Some human traits are controlled by single genes with two alleles, and others by single genes with multiple alleles. Still other traits are controlled by many genes that act together.
- The sex chromosomes carry genes that determine whether a person is male or female. They also carry genes that determine other traits.
- Many of a person's characteristics are determined by an interaction between genes and the environment.

Key Terms

multiple alleles
sex chromosomes
sex-linked gene
carrier

2 Human Genetic Disorders

Key Concepts

- Some genetic disorders are caused by mutations in the DNA of genes. Other disorders are caused by changes in the overall structure or number of chromosomes.
- One important tool that geneticists use to trace the inheritance of traits in humans is a pedigree.
- Today doctors use tools such as karyotypes to help detect genetic disorders. People with genetic disorders are helped through medical care, education, job training, and other methods.

Key Terms

genetic disorder
pedigree
karyotype

3 Advances in Genetics

Key Concepts

- Selective breeding, cloning, and genetic engineering are three methods for developing organisms with desirable traits.
- The main goal of the Human Genome Project has been to identify the DNA sequence of every gene in the human genome.

Key Terms

selective breeding
inbreeding
hybridization
clone
genetic engineering
gene therapy
genome

Review and Assessment

For: Self-Assessment
Visit: PHSchool.com
Web Code: cea-3040

Organizing Information

Concept Mapping Copy the concept map about human traits onto a separate sheet of paper. Then complete it and add a title. (For more on Concept Mapping, see the Skills Handbook.)

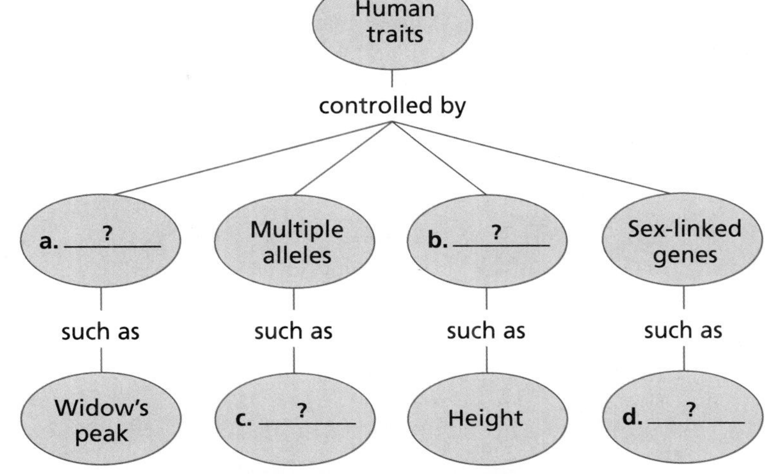

Reviewing Key Terms

Choose the letter of the best answer.

1. A human trait that is controlled by a single gene with multiple alleles is
   a. dimples. **b.** blood type.
   c. height. **d.** skin color.
2. A sex-linked disorder is
   a. cystic fibrosis.
   b. sickle-cell disease.
   c. hemophilia.
   d. Down syndrome.
3. Which of the following would most likely be used to diagnose Down syndrome?
   a. a karyotype
   b. a pedigree
   c. a blood-clotting test
   d. a Punnett square
4. Inserting a human gene into a bacterial plasmid is an example of
   a. inbreeding.
   b. selective breeding.
   c. DNA fingerprinting.
   d. genetic engineering.
5. An organism that has the same genes as the organism from which it was produced is called a
   a. clone. **b.** hybrid.
   c. genome. **d.** pedigree.

If the statement is true, write *true*. If it is false, change the underlined word or words to make the statement true.

6. A widow's peak is a human trait that is controlled by <u>a single gene</u>.
7. A <u>male</u> inherits two X chromosomes.
8. A <u>karyotype</u> tracks which members of a family have a trait.
9. <u>Hybridization</u> is the crossing of two genetically similar organisms.
10. A <u>genome</u> is all the DNA in one cell of an organism.

Writing in Science

Fact Sheet You are a scientist in a cloning lab. Write a fact sheet that explains what the process of cloning involves. Describe at least one example.

Modern Genetics

Video Preview
Video Field Trip
▶ Video Assessment

Review and Assessment

Checking Concepts

11. Explain why there are a wide variety of phenotypes for skin color in humans.
12. Traits controlled by recessive alleles on the X chromosome are more common in males than in females. Explain why.
13. What is sickle-cell disease? How is this disorder inherited?
14. What is a pedigree? How do geneticists use pedigrees?
15. Describe two ways in which people with genetic disorders can be helped.
16. Explain how a horse breeder might use selective breeding to produce horses that have golden coats.
17. Describe how gene therapy might be used in the future to treat a person with hemophilia.
18. What is the Human Genome Project?

Thinking Critically

19. **Problem Solving** A woman with normal color vision has a colorblind daughter. What are the genotypes and phenotypes of both parents?
20. **Calculating** If a mother is a carrier of hemophilia and the father does not have hemophilia, what is the probability that their son will have the trait? Explain your answer.
21. **Interpreting Diagrams** The allele for cystic fibrosis is recessive. Identify which members of the family in the pedigree have cystic fibrosis and which are carriers.

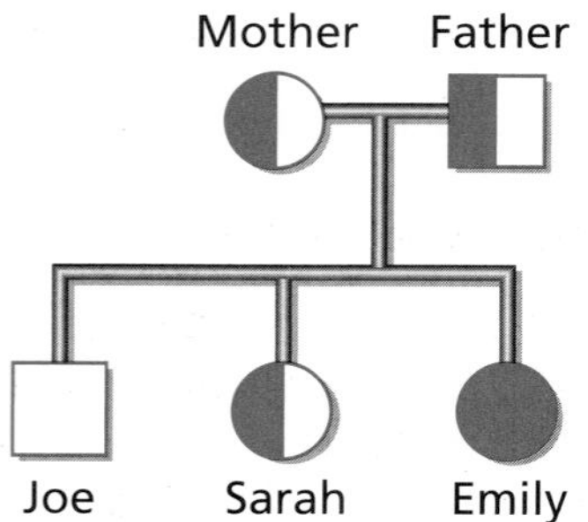

Applying Skills

Use the Punnett square to answer Questions 22–24.

The Punnett square below shows how muscular dystrophy, a sex-linked recessive disorder, is inherited.

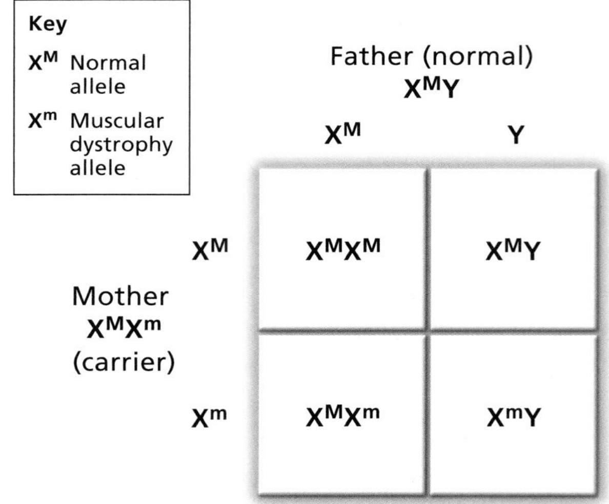

22. **Interpreting Data** What is the probability that a daughter of these parents will have muscular dystrophy? Explain your answer.
23. **Interpreting Data** What is the probability that a son of these parents will have muscular dystrophy? Explain your answer.
24. **Inferring** Is it possible for a woman to have muscular dystrophy? Why or why not?

Lab zone Chapter Project

Performance Assessment Present your display board to your class. Highlight important facts about the genetic trait you selected. Discuss the innovative designs you incorporated into the display board. In your presentation, highlight the interactive part of your project.

Standardized Test Prep

Test-Taking Tip

Interpreting Diagrams

If you are asked to interpret a pedigree diagram, first determine the trait that the pedigree shows. For example, the pedigree for Questions 3–4 shows the inheritance of sickle-cell disease. Remember that a circle represents a female and a square represents a male. Also look for a key that explains what the symbols in this particular pedigree show.

Use the pedigree for Questions 3–4 to answer the sample question below.

Sample Question

Which of the following is true for the first generation shown in the pedigree?

A Both the man and the woman have sickle-cell disease.

B Both the man and the woman are carriers of sickle-cell disease.

C Only the woman is a carrier of sickle-cell disease.

D Only the man is a carrier of sickle-cell disease.

Answer

The correct answer is **C**. Since the circle is half shaded, the woman is a carrier.

Choose the letter of the best answer.

1. A woman is heterozygous for the trait of hemophilia. Her husband does not have hemophilia. What is the probability that their son will have hemophilia?

A 0%

B 25%

C 50%

D 100%

2. Down syndrome is an example of a genetic disorder in which

F one DNA base has been added.

G one DNA base has been deleted.

H one chromosome is substituted for another.

J an extra chromosome is added to a pair.

Use the pedigree to answer Questions 3–4.

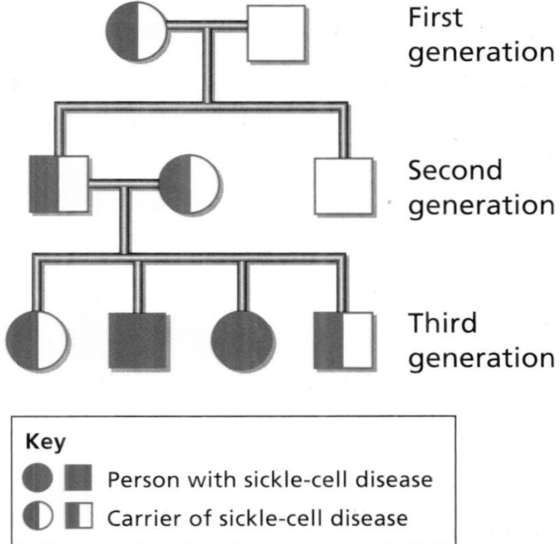

3. How many people in the second generation have sickle-cell disease?

A none

B one person

C two people

D three people

4. Which statement is true about the third generation in the pedigree?

F No one has sickle-cell disease.

G Everyone has sickle-cell disease.

H Everyone has at least one allele for sickle-cell disease.

J No one has any alleles for sickle-cell disease.

5. To produce a human protein through genetic engineering, scientists use

A a bacterial gene inserted into a human chromosome.

B a human gene inserted into a plasmid.

C a bacterial gene inserted into a plasmid.

D a human gene inserted into a human chromosome.

Constructed Response

6. Explain why, for each pregnancy, human parents have a 50 percent probability of having a boy and a 50 percent probability of having a girl. Your answer should include the terms *X chromosome* and *Y chromosome.*

Chapter 6

Changes Over Time

Chapter Preview

1. **Darwin's Theory**
   Discover *How Do Living Things Vary?*
   Try This *Bird Beak Adaptations*
   Skills Activity *Making Models*
   Skills Lab *Nature at Work*

2. **Evidence of Evolution**
   Discover *How Can You Classify Species?*
   Skills Activity *Drawing Conclusions*
   Skills Lab *Telltale Molecules*

3. **The Fossil Record**
   Discover *What Can You Learn From Fossils?*
   Try This *Preservation in Ice*
   Active Art *Fossil Formation*
   Analyzing Data *Radioactive Decay*
   At-Home Activity *Modeling Fossil Formation*

Darwin observed Sally light-foot crabs and iguanas on the Galápagos Islands. ▶

Changes Over Time

▶ Video Preview
Video Field Trip
Video Assessment

Lab zone™ Chapter **Project**

Life's Long Calendar

Earth's history goes back billions of years. This chapter project will help you understand this huge time span. In this project, you'll find a way to convert enormous time periods into a more familiar scale.

Your Goal To use a familiar measurement scale to create two timelines for Earth's history

To complete the project you must

- represent Earth's history using a familiar scale, such as months on a calendar or yards on a football field
- use your chosen scale twice, once to plot out 5 billion years of history, and once to focus on the past 600 million years
- include markers on both scales to show important events in the history of life

Plan It! Preview Figure 16 in this chapter to see what events occurred during the two time periods. In a small group, discuss some familiar scales you might use for your timelines. You could select a time interval such as a year or a day. Alternatively, you could choose a distance interval such as the length of your schoolyard or the walls in your classroom. Decide on the kind of timelines you will make. Then plan and construct your timelines.

Section 1

Darwin's Theory

Reading Preview

Key Concepts

- What important observations did Darwin make on his voyage?
- What hypothesis did Darwin make to explain the differences between similar species?
- How does natural selection lead to evolution?

Key Terms

- species • fossil • adaptation
- evolution • scientific theory
- natural selection • variation

Target Reading Skill

Relating Cause and Effect In a graphic organizer, identify factors that cause natural selection.

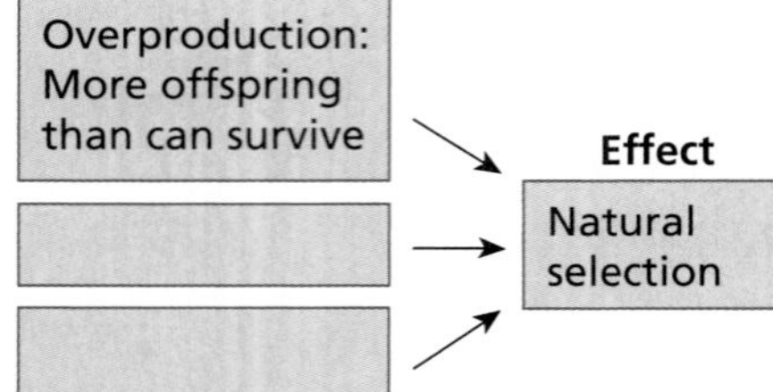

Lab zone Discover Activity

How Do Living Things Vary?

1. Use a ruler to measure the length and width of 10 sunflower seeds. Record each measurement.
2. Now use a hand lens to carefully examine each seed. Record each seed's shape, color, and number of stripes.

Think It Over

Classifying In what ways are the seeds in your sample different from one another? In what ways are they similar? How could you group the seeds based on their similarities and differences?

In December 1831, the British ship HMS *Beagle* set sail from England on a five-year trip around the world. On board was a 22-year-old named Charles Darwin. Darwin eventually became the ship's naturalist—a person who studies the natural world. His job was to learn as much as he could about the living things he saw on the voyage. Darwin observed plants and animals he had never seen before. He wondered why they were so different from those in England. Darwin's observations led him to develop one of the most important scientific theories of all time: the theory of evolution by natural selection.

FIGURE 1

The Voyage of the *Beagle*

Charles Darwin sailed on the *Beagle* to the Galápagos Islands. He saw many unusual organisms on the islands, such as giant tortoises and the blue-footed booby.
Interpreting Maps *After leaving South America, where did the* Beagle *go?*

Replica of the *Beagle* ▶

Darwin's Observations

As you can see in Figure 1, the *Beagle* made many stops along the coast of South America. From there, the ship traveled to the Galápagos Islands. Darwin observed living things as he traveled. He thought about relationships among those organisms. **Darwin's important observations included the diversity of living things, the remains of ancient organisms, and the characteristics of organisms on the Galápagos Islands.**

Diversity Darwin was amazed by the tremendous diversity of living things that he saw. In Brazil, he saw insects that looked like flowers and ants that marched across the forest floor like huge armies. In Argentina, he saw sloths, animals that moved very slowly and spent much of their time hanging in trees.

Today scientists know that organisms are even more diverse than Darwin could ever have imagined. Scientists have identified more than 1.7 million species of organisms on Earth. A **species** is a group of similar organisms that can mate with each other and produce fertile offspring.

Fossils Darwin saw the fossil bones of animals that had died long ago. A **fossil** is the preserved remains or traces of an organism that lived in the past. Darwin was puzzled by some of the fossils he observed. For example, he saw fossil bones that resembled the bones of living sloths. The fossil bones were much larger than those of the sloths that were alive in Darwin's time. He wondered what had happened to the giant creatures from the past.

▲ Giant tortoise

Reading Checkpoint What is a fossil?

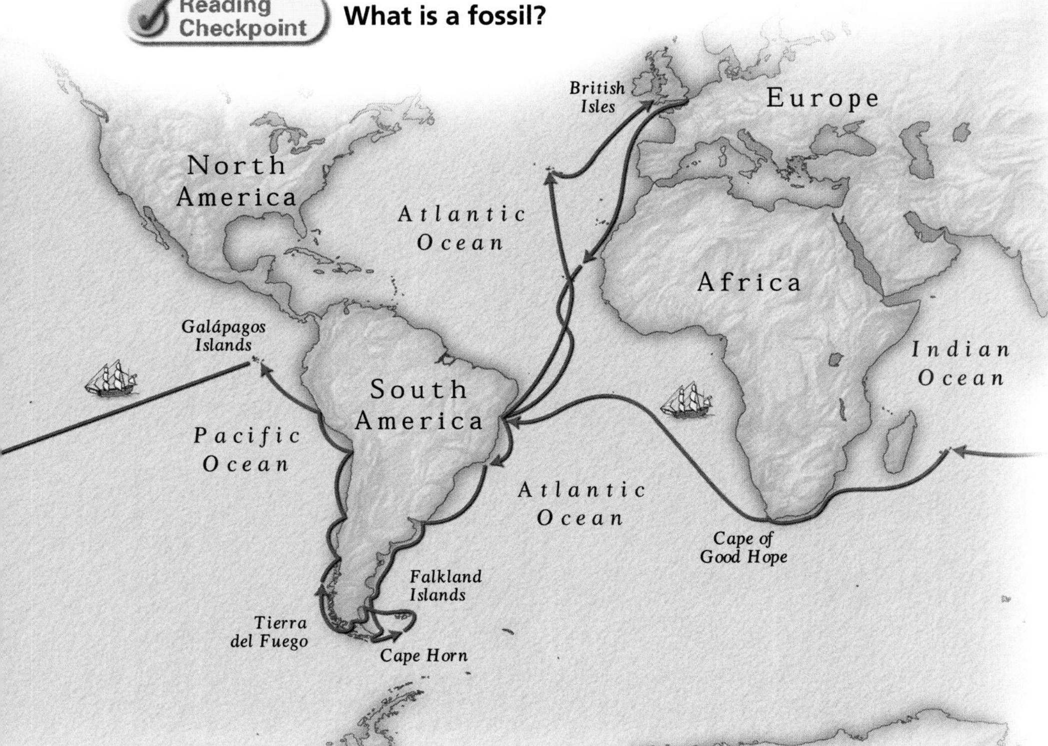

▲ Blue-footed booby

Galápagos Organisms

In 1835, the *Beagle* reached the Galápagos Islands. Darwin observed many unusual life forms on these small islands, such as giant tortoises, or land turtles. Some of these tortoises could look him in the eye! After returning to England, Darwin thought about the organisms he had seen. He compared Galápagos organisms to organisms that lived elsewhere. He also compared organisms on different islands in the Galápagos group. He was surprised by some of the similarities and differences he saw.

Comparisons to South American Organisms Darwin found many similarities between Galápagos organisms and those in South America. Many of the birds on the islands, including hawks, mockingbirds, and finches, resembled those on the mainland. Many of the plants were similar to plants Darwin had collected on the mainland.

However, there were important differences between the organisms on the islands and those on the mainland. The iguanas on the Galápagos Islands had large claws that allowed them to grip slippery rocks, where they fed on seaweed. The iguanas on the mainland had smaller claws. Smaller claws allowed the mainland iguanas to climb trees, where they ate leaves. You can see these differences in Figure 2.

From his observations, Darwin hypothesized that a small number of different plant and animal species had come to the Galápagos Islands from the mainland. They might have been blown out to sea during a storm or set adrift on a fallen log. Once the plants and animals reached the islands, they reproduced. Eventually, their offspring became different from their mainland relatives.

FIGURE 2
Comparing Iguanas
Iguanas on mainland South America (above) have smaller claws than iguanas on the Galápagos Islands. **Comparing and Contrasting** *In what other ways are the iguanas different?*

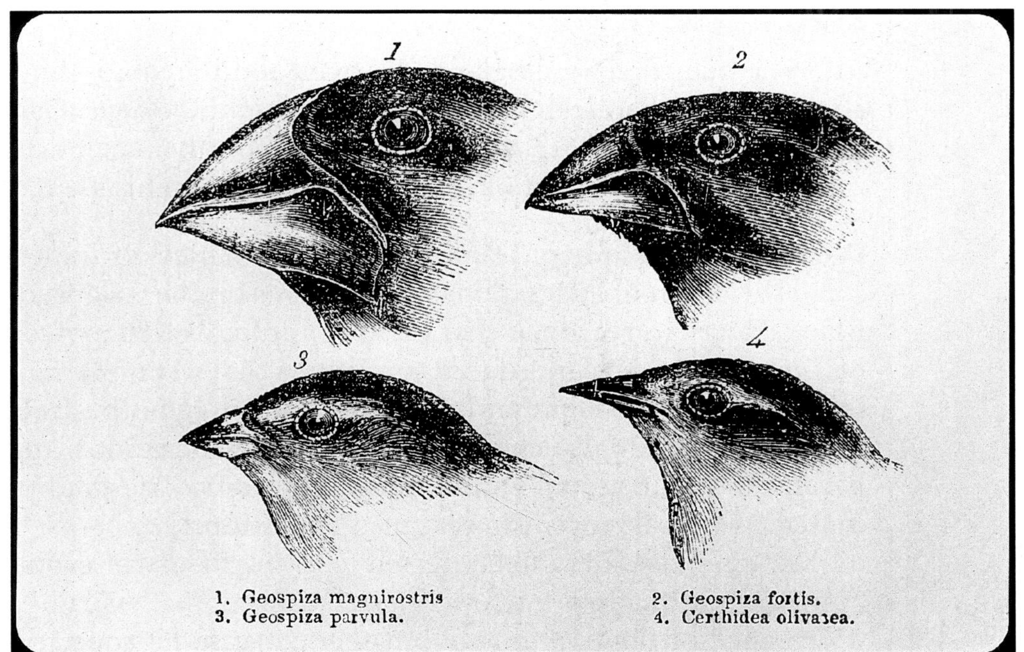

FIGURE 3
Galápagos Finches
Darwin made these drawings of four species of Galápagos finches. The structure of each bird's beak is an adaptation related to the type of food the bird eats. **Comparing and Contrasting** *Identify some specific differences in these finches' beaks.*

Comparisons Among the Islands As he traveled from one Galápagos island to the next, Darwin also noticed many differences among organisms. For example, the tortoises on one island had dome-shaped shells. Those on another island had saddle-shaped shells. A government official in the islands told Darwin that he could tell which island a tortoise came from just by looking at its shell.

Adaptations Like the tortoises, the finches on the Galápagos were noticeably different from one island to the next. The most obvious differences were the varied sizes and shapes of the birds' beaks, as shown in Figure 3. An examination of the different finches showed that each species was well suited to the life it led. Finches that ate insects had narrow, needle-like beaks. Finches that ate seeds had strong, wide beaks.

Beak shape is an example of an **adaptation,** a trait that helps an organism survive and reproduce. The finches' beak structures help in obtaining food. Other adaptations help organisms avoid being eaten. For example, some plants, such as milkweed, are poisonous or have a bad taste. A variety of adaptations aid in reproduction. The bright colors of some flowers attract insects. When an insect lands on a flower, the insect may pick up pollen grains, which produce sperm. The insect then may carry the pollen grains to another flower, enabling fertilization to take place.

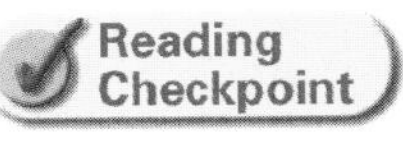
Reading Checkpoint **How did the beaks of Galápagos finches differ from one island to another?**

Lab zone Try This Activity

Bird Beak Adaptations

Use this activity to explore adaptations in birds.

1. Scatter a small amount of bird seed on a paper plate. Scatter 20 raisins on the plate to represent insects.
2. Obtain a variety of objects such as tweezers, hair clips, and clothespins. Pick one object to use as a "beak."
3. See how many seeds you can pick up and drop into a cup in 10 seconds.
4. Now see how many "insects" you can pick up and drop into a cup in 10 seconds.
5. Use a different "beak" and repeat Steps 3 and 4.

Inferring What type of beak worked well for seeds? For insects? How are different-shaped beaks useful for eating different foods?

Evolution

After he returned to England, Darwin continued to think about what he had seen during his voyage on the *Beagle*. Darwin spent the next 20 years consulting with other scientists, gathering more information, and thinking through his ideas.

Darwin's Reasoning Darwin especially wanted to understand the different adaptations of organisms on the Galápagos Islands. **Darwin reasoned that plants or animals that arrived on the Galápagos Islands faced conditions that were different from those on the mainland. Perhaps, Darwin hypothesized, the species gradually changed over many generations and became better adapted to the new conditions.** The gradual change in a species over time is called **evolution**.

Darwin's ideas are often referred to as the theory of evolution. A **scientific theory** is a well-tested concept that explains a wide range of observations. From the evidence he collected, Darwin concluded that organisms on the Galápagos Islands had changed over time. However, Darwin did not know how the changes had happened.

Selective Breeding Darwin studied other examples of changes in living things to help him understand how evolution might occur. One example that Darwin studied was the offspring of animals produced by selective breeding. English farmers in Darwin's time used selective breeding to produce sheep with fine wool. Darwin himself had bred pigeons with large, fan-shaped tails. By repeatedly allowing only those pigeons with many tail feathers to mate, breeders had produced pigeons with two or three times the usual number of tail feathers. Darwin thought that a process similar to selective breeding might happen in nature. But he wondered what process selected certain traits.

What is a scientific theory?

▲ Seattle Slew, great-grandfather of Funny Cide

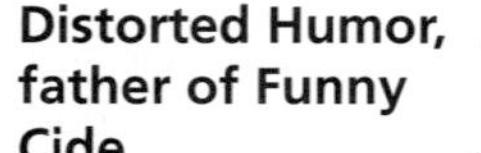

Distorted Humor, ▲ father of Funny Cide

Funny Cide ▶

FIGURE 4
Selective Breeding
Race horses are selectively bred to obtain the trait of speed. Funny Cide's father, Distorted Humor, and great-grandfather, Seattle Slew, were known for their speed.

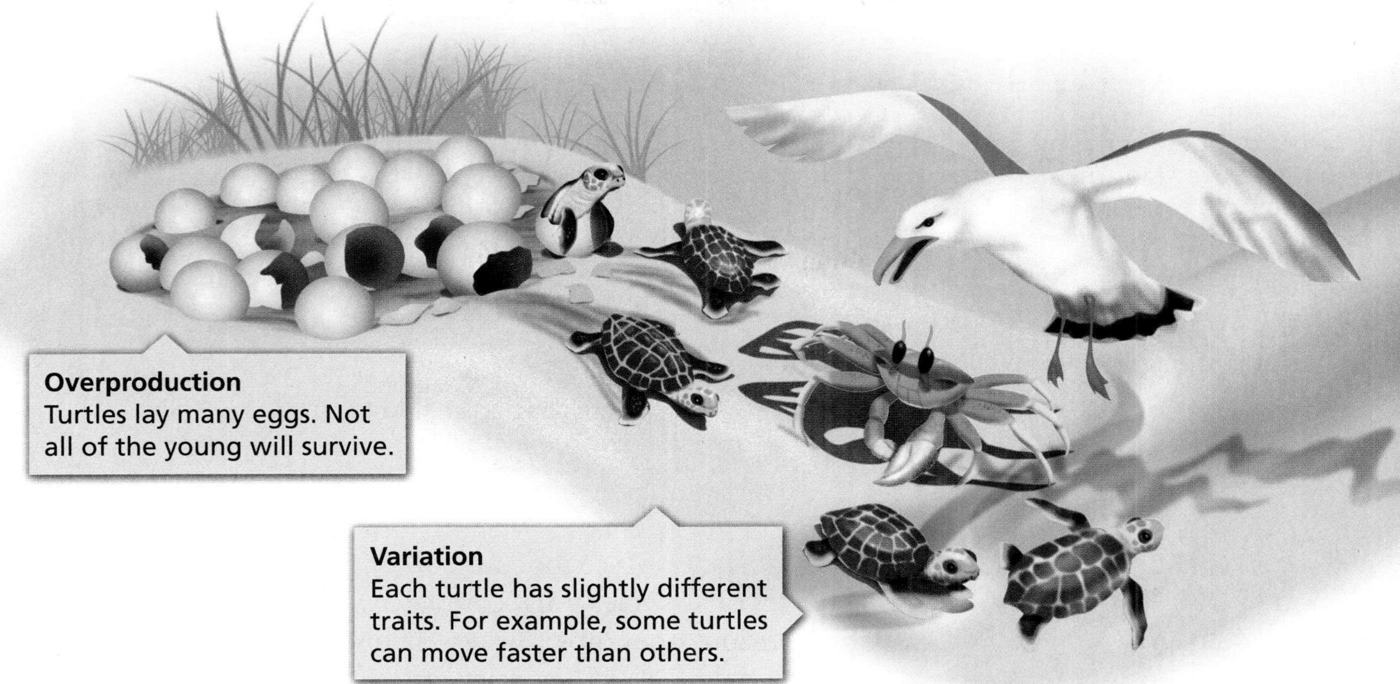

Overproduction
Turtles lay many eggs. Not all of the young will survive.
Variation
Each turtle has slightly different traits. For example, some turtles can move faster than others.

Natural Selection

In 1858, Darwin and another British biologist, Alfred Russel Wallace, each proposed an explanation for how evolution could occur in nature. The next year, Darwin described this mechanism in a book entitled *The Origin of Species.* In his book, Darwin proposed that evolution occurs by means of natural selection. **Natural selection** is the process by which individuals that are better adapted to their environment are more likely to survive and reproduce than other members of the same species. Darwin identified factors that affect the process of natural selection: overproduction, competition, and variations. Figure 5 and Figure 6 show how natural selection might happen in a group of turtles.

FIGURE 5
Overproduction and Variation
Like actual sea turtles, the turtles in this illustration produce many more offspring than will survive. Some turtles are better adapted than others to survive in their environment.
Relating Cause and Effect *What adaptations might help young sea turtles survive?*

Overproduction Darwin knew that most species produce far more offspring than can possibly survive. In many species, so many offspring are produced that there are not enough resources—food, water, and living space—for all of them. Many female insects, for example, lay thousands of eggs. If all newly hatched insects survived, they would soon crowd out all other plants and animals. Darwin knew that this doesn't happen. Why not?

Variations As you learned in your study of genetics, members of a species differ from one another in many of their traits. Any difference between individuals of the same species is called a **variation.** For example, certain insects may be able to eat foods that other insects of their species avoid. The color of a few insects may be different from that of most other insects in their species.

Lab zone Skills Activity

Making Models

Scatter 15 black buttons and 15 white buttons on a sheet of white paper. Have a partner time you to see how many buttons you can pick up in 10 seconds. Pick up the buttons one at a time. Did you collect more buttons of one color than the other? Why? How can a variation such as color affect the process of natural selection?

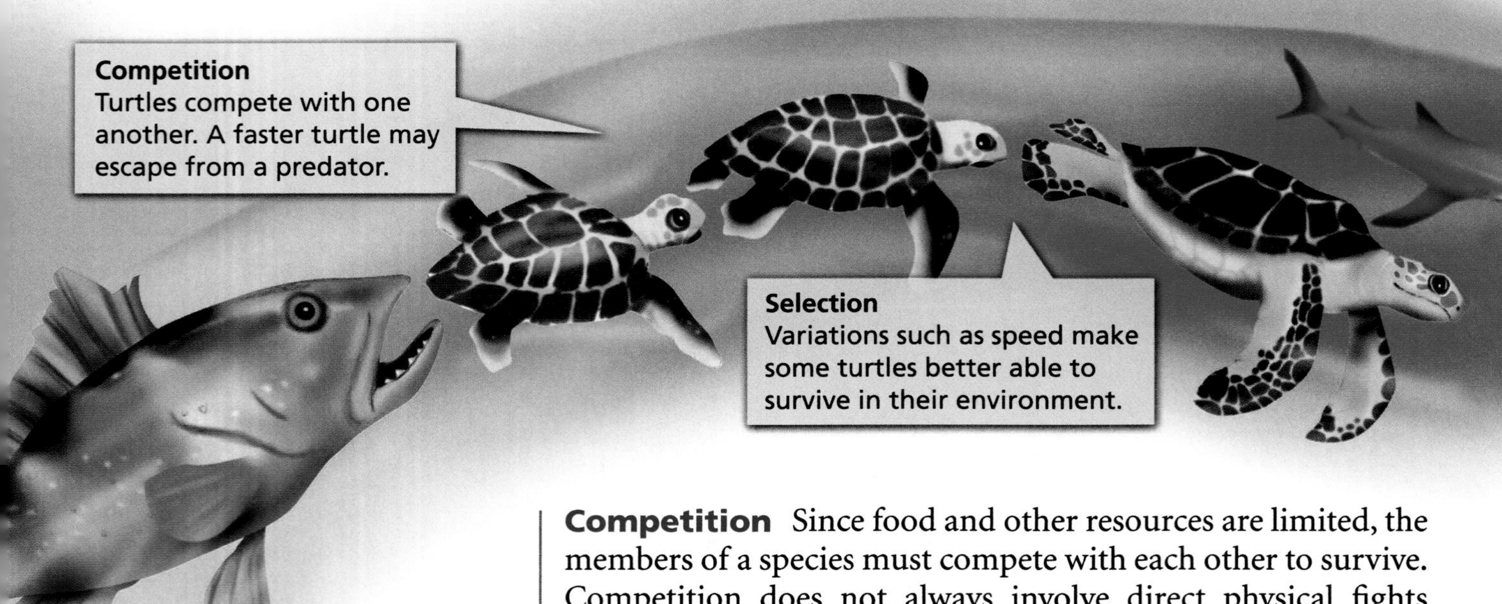

Competition
Turtles compete with one another. A faster turtle may escape from a predator.
Selection
Variations such as speed make some turtles better able to survive in their environment.

FIGURE 6
Competition and Selection
Variations among turtles make some of them better able to survive. Turtles that survive to become adults will be able to reproduce.
Applying Concepts *What are some variations that sea turtles might exhibit?*

Competition Since food and other resources are limited, the members of a species must compete with each other to survive. Competition does not always involve direct physical fights between members of a species. Instead, competition is usually indirect. For example, many insects do not find enough to eat. Others are caught by predators. Only a few insects will survive.

Selection Darwin observed that some variations make individuals better adapted to their environment. Those individuals are more likely to survive and reproduce. Their offspring may inherit the helpful characteristic. The offspring, in turn, will be more likely to survive and reproduce, and thus pass on the characteristic to their offspring. After many generations, more members of the species will have the helpful characteristic.

In effect, the environment has "selected" organisms with helpful traits to become parents of the next generation. **Darwin proposed that, over a long time, natural selection can lead to change. Helpful variations may gradually accumulate in a species, while unfavorable ones may disappear.**

Environmental Change A change in the environment can affect an organism's ability to survive. The environmental change can therefore lead to selection. For example, monkey flowers are a type of plant. Most monkey flowers cannot grow in soil that has a high concentration of copper. However, because of genetic variation, some varieties of monkey flower now grow near copper mines, in spite of the copper in the soil.

Here is how natural selection might have resulted in monkey flowers that can grow in copper-contaminated soil. When the soil around a mine first became contaminated, a small number of monkey-flower plants may have been able to survive in the high level of copper. These plants grew and reproduced. After many generations, most of the seeds that sprouted in the soil produced monkey flowers that could withstand the copper.

For: Links on Charles Darwin
Visit: www.SciLinks.org
Web Code: scn-0351

Survival and Reproduction Only a few turtles survive long enough to reproduce. The offspring may inherit the favorable traits of the parents.

Genes and Natural Selection Without variations, all the members of a species would have the same traits. Natural selection would not occur because all individuals would have an equal chance of surviving and reproducing. But where do variations come from? How are they passed on from parents to offspring?

Darwin could not explain what caused variations or how they were passed on. As scientists later learned, variations can result from mutation and the shuffling of alleles during meiosis. Genes are passed from parents to their offspring. Because of this, only traits that are inherited, or controlled by genes, can be acted upon by natural selection.

Section 1 Assessment

Target Reading Skill

Relating Cause and Effect Work with a partner to check the information in your graphic organizer.

Reviewing Key Concepts

1. a. **Listing** List three general kinds of observations that Darwin made during the voyage of the *Beagle*.
   b. **Comparing and Contrasting** Contrast Galápagos iguanas to South American iguanas.
   c. **Applying Concepts** What is an adaptation? Explain how the claws of the Galápagos and South American iguanas are adaptations.
2. a. **Reviewing** How did Darwin explain why Galápagos species had different adaptations than similar South American species?
   b. **Developing Hypotheses** How does selective breeding support Darwin's hypothesis?
3. a. **Defining** What is variation? What is natural selection?
   b. **Relating Cause and Effect** How do variation and natural selection work together to help cause evolution?
   c. **Applying Concepts** Suppose the climate in an area becomes much drier than it was before. What kinds of variations in the area's plants might be acted on by natural selection?

Writing in Science

Interview You are a nineteenth-century reporter interviewing Charles Darwin about his theory of evolution. Write three questions you would ask him. Then write answers that Darwin might have given.

Nature at Work

Problem

How do species change over time?

Skills Focus

predicting, making models

Materials

- scissors
- marking pen
- construction paper, 2 colors

Procedure

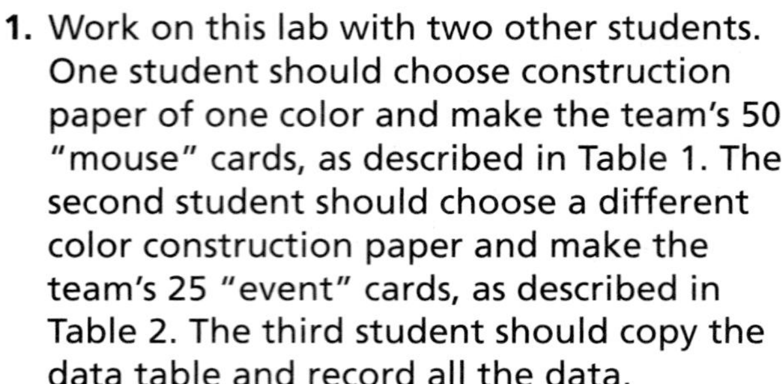

1. Work on this lab with two other students. One student should choose construction paper of one color and make the team's 50 "mouse" cards, as described in Table 1. The second student should choose a different color construction paper and make the team's 25 "event" cards, as described in Table 2. The third student should copy the data table and record all the data.

PART 1 A White Sand Environment

2. Mix up the mouse cards.
3. Begin by using the cards to model what might happen to a group of mice in an environment of white sand dunes. Choose two mouse cards. Allele pairs *WW* and *Ww* produce a white mouse. Allele pair *ww* produces a brown mouse. Record the color of the mouse with a tally mark in the data table.
4. Choose an event card. An "S" card means the mouse survives. A "D" or a "P" card means the mouse dies. A "C" card means the mouse dies if its color contrasts with the white sand dunes. (Only brown mice will die when a "C" card is drawn.) Record each death with a tally mark in the data table.
5. If the mouse lives, put the two mouse cards in a "live mice" pile. If the mouse dies, put the cards in a "dead mice" pile. Put the event card at the bottom of its pack.
6. Repeat Steps 3 through 5 with the remaining mouse cards to study the first generation of mice. Record your results.
7. Leave the dead mice cards untouched. Mix up the cards from the live mice pile. Mix up the events cards.
8. Repeat Steps 3 through 7 for the second generation. Then repeat Steps 3 through 6 for the third generation.

PART 2 A Forest Floor Environment

9. How would the data differ if the mice in this model lived on a dark brown forest floor? Record your prediction in your notebook.
10. Make a new copy of the data table. Then use the cards to test your prediction. Remember that a "C" card now means that any mouse with white fur will die.

Data Table

Type of Environment:

Generation	Population		Deaths	
	White Mice	Brown Mice	White Mice	Brown Mice
1				
2				
3				

Table 1: Mouse Cards		
Number	Label	Meaning
25	*W*	Dominant allele for white fur
25	*w*	Recessive allele for brown fur

Table 2: Event Cards		
Number	Label	Meaning
5	S	Mouse survives.
1	D	Disease kills mouse.
1	P	Predator kills mice of all colors.
18	C	Predator kills mice that contrast with the environment.

Analyze and Conclude

1. **Calculating** In Part 1, how many white mice were there in each generation? How many brown mice? In each generation, which color mouse had the higher death rate? (*Hint:* To calculate the death rate for white mice, divide the number of white mice that died by the total number of white mice, then multiply by 100%.)
2. **Predicting** If the events in Part 1 occurred in nature, how would the group of mice change over time?
3. **Observing** How did the results in Part 2 differ from those in Part 1?
4. **Making Models** How would it affect your model if you increased the number of "C" cards? What would happen if you decreased the number of "C" cards?
5. **Communicating** Imagine that you are trying to explain the point of this lab to Charles Darwin. Write an explanation that you could give to him. To prepare to write, answer the following questions: What are some ways in which this investigation models natural selection? What are some ways in which natural selection differs from this model?

Design an Experiment

Choose a different species with a trait that interests you. Make a set of cards similar to these cards to investigate how natural selection might bring about the evolution of that species. *Obtain your teacher's permission before carrying out your investigation.*

Section 2

Evidence of Evolution

Reading Preview

Key Concepts

- What evidence supports the theory of evolution?
- How do scientists infer evolutionary relationships among organisms?
- How do new species form?

Key Terms

- homologous structures
- branching tree

Target Reading Skill

Identifying Supporting Evidence Evidence consists of facts that can be confirmed by testing or observation. As you read, identify the evidence that supports the theory of evolution. Write the evidence in a graphic organizer like the one below.

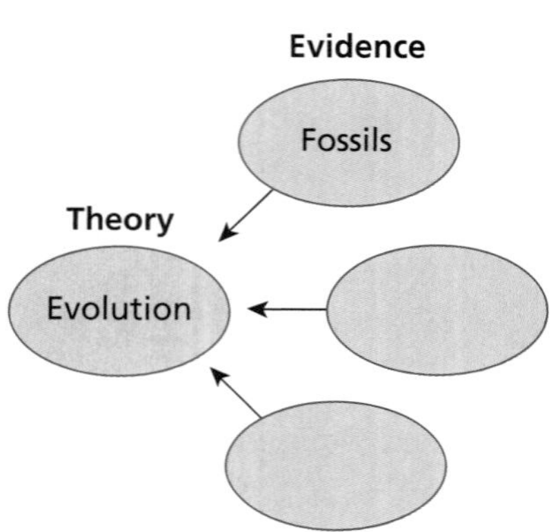

Lab zone Discover Activity

How Can You Classify Species?

1. Collect six to eight different pens. Each pen will represent a different species of similar organisms.
2. Choose a trait that varies among your pen species, such as size or ink color. Using this trait, try to divide the pen species into two groups.
3. Now choose another trait. Divide each group into two smaller groups.

Think It Over

Classifying Which of the pen species share the most characteristics? What might the similarities suggest about how the pen species evolved?

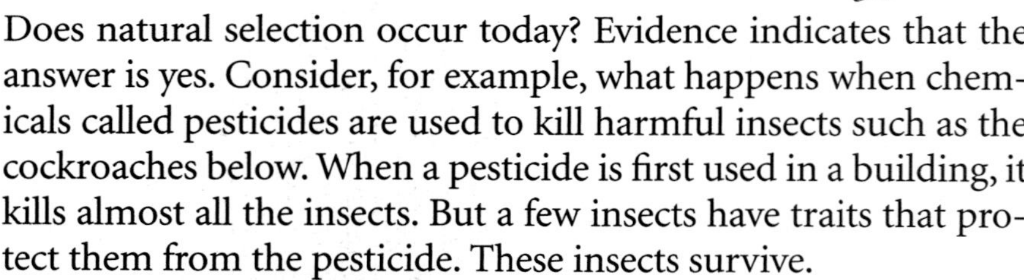

Does natural selection occur today? Evidence indicates that the answer is yes. Consider, for example, what happens when chemicals called pesticides are used to kill harmful insects such as the cockroaches below. When a pesticide is first used in a building, it kills almost all the insects. But a few insects have traits that protect them from the pesticide. These insects survive.

The surviving insects reproduce. Some of their offspring inherit the pesticide protection. The surviving offspring, in turn, reproduce. Every time the pesticide is used, the only insects that survive are those that are resistant to the harmful effects of the pesticide. After many years, most of the cockroaches in the building are resistant to the pesticide. Therefore, the pesticide is no longer effective in controlling the insects. The development of pesticide resistance is one type of evidence that supports Darwin's theory of evolution.

FIGURE 7
Pesticide Resistance
Many insects, including cockroaches such as these, are no longer killed by some pesticides. Increased pesticide resistance is evidence that natural selection is happening.

Interpreting the Evidence

Since Darwin's time, scientists have found a great deal of evidence that supports the theory of evolution. **Fossils, patterns of early development, and similar body structures all provide evidence that organisms have changed over time.**

Fossils By examining fossils, scientists can infer the structures of ancient organisms. Fossils show that, in many cases, organisms that lived in the past were very different than organisms alive today. You will learn more about the importance of fossils in the next section.

Similarities in Early Development Scientists also make inferences about evolutionary relationships by comparing the early development of different organisms. Suppose you were asked to compare an adult fish, salamander, chicken, and opossum. You would probably say they look quite different from each other. However, during early development, these four organisms are similar, as you can see in Figure 8. For example, during the early stages of development all four organisms have a tail and a row of tiny slits along their throats. These similarities suggest that these vertebrate species are related and share a common ancestor.

For: Links on evolution
Visit: www.SciLinks.org
Web Code: scn-0352

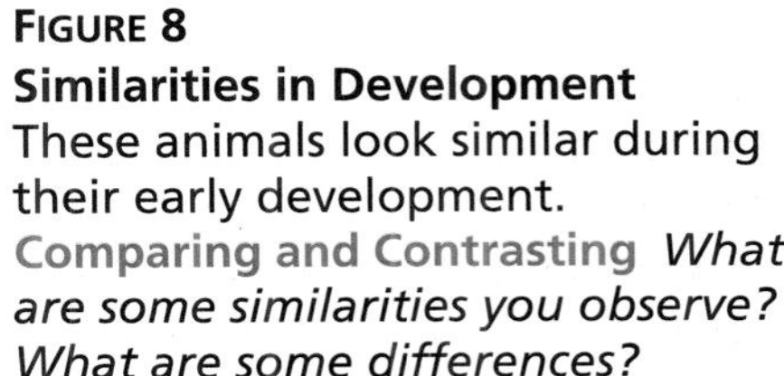

FIGURE 8
Similarities in Development
These animals look similar during their early development.
Comparing and Contrasting *What are some similarities you observe? What are some differences?*

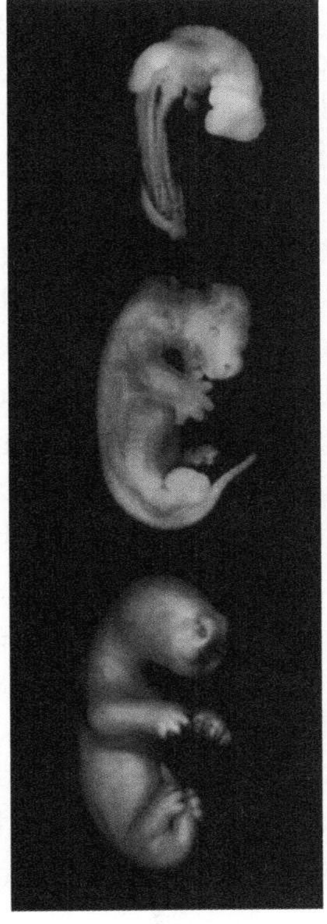

Opossum

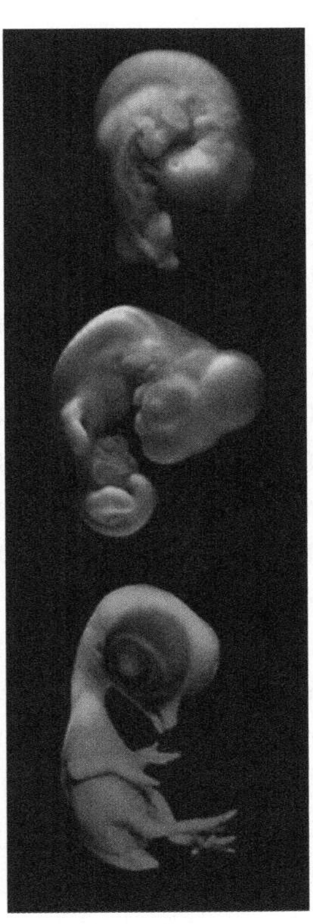

Chicken

Fish

Salamander

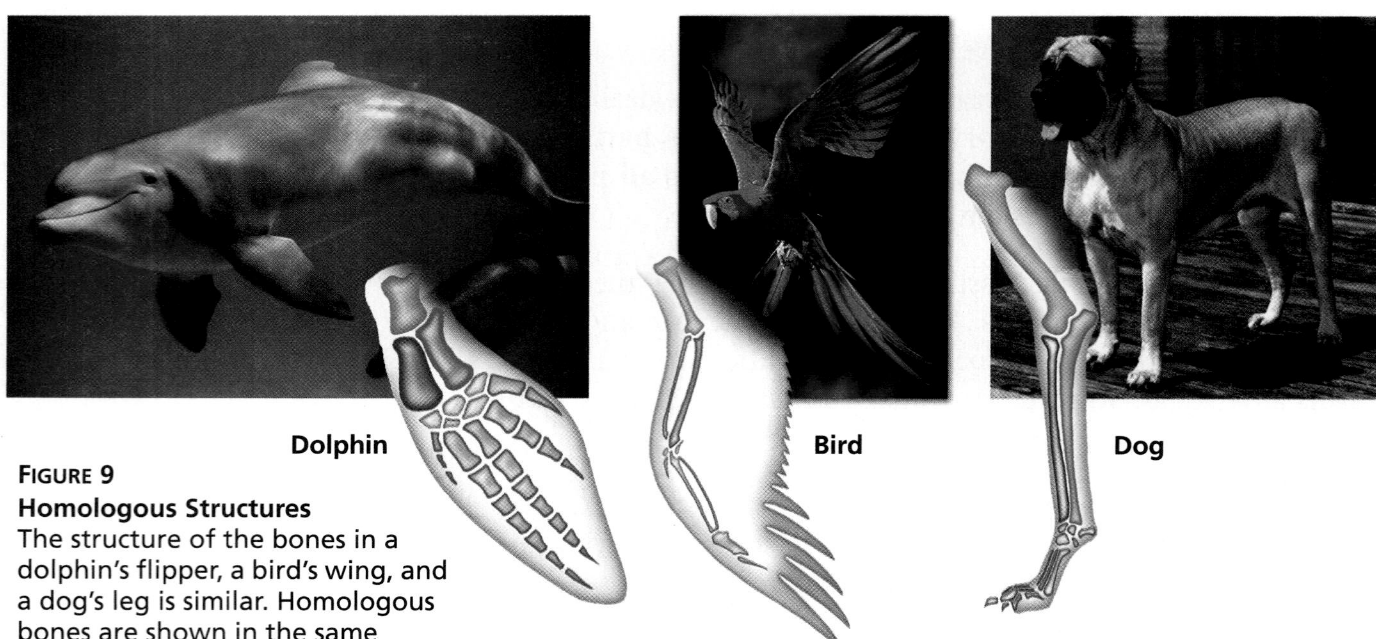

FIGURE 9
Homologous Structures
The structure of the bones in a dolphin's flipper, a bird's wing, and a dog's leg is similar. Homologous bones are shown in the same color. **Interpreting Diagrams** *How are all three orange bones similar?*

Lab zone Skills Activity

Drawing Conclusions

Look at the drawing below of the bones in a crocodile's leg. Compare this drawing to Figure 9. Do you think that crocodiles share a common ancestor with birds, dolphins, and dogs? Support your answer with evidence.

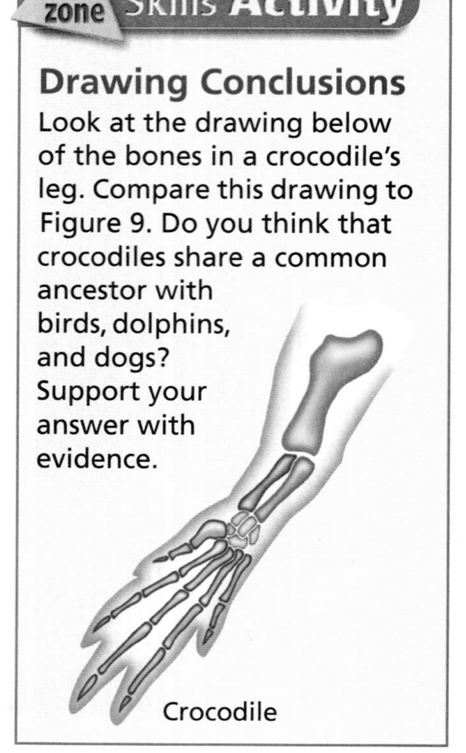

Similarities in Body Structure Long ago, scientists began to compare the body structures of living species to look for clues about evolution. In fact, this is how Darwin came to understand that evolution had occurred on the Galápagos Islands. An organism's body structure is its basic body plan, such as how its bones are arranged. Fishes, amphibians, reptiles, birds, and mammals, for example, all have a similar body structure—an internal skeleton with a backbone. This is why scientists classify all five groups of animals together as vertebrates. All of these groups probably inherited a similar structure from an early vertebrate ancestor that they shared.

Look closely at the structure of the bones in the bird's wing, dolphin's flipper, and dog's leg that are shown in Figure 9. Notice that the bones in the forelimbs of these three animals are arranged in a similar way. These similarities provide evidence that these three organisms all evolved from a common ancestor. Similar structures that related species have inherited from a common ancestor are known as **homologous structures** (hoh MAHL uh gus).

Sometimes scientists find fossils that support the evidence provided by homologous structures. For example, scientists have recently found fossils of ancient whalelike creatures. The fossils show that the ancestors of today's whales had legs and walked on land. This evidence supports other evidence that whales and humans share a common ancestor.

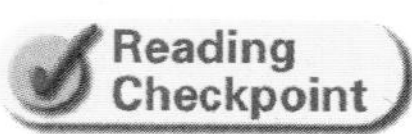

In what way are the body structures of fishes, amphibians, reptiles, and mammals similar?

Inferring Species Relationships

Fossils, early development patterns, and body structure provide evidence that evolution has occurred. Scientists have also used these kinds of evidence to infer how organisms are related to one another. Not too long ago, fossils, embryos, and body structures were the only tools that scientists had to determine how species were related. Today, scientists can also compare the DNA and protein sequences of different species. **Scientists have combined the evidence from DNA, protein structure, fossils, early development, and body structure to determine the evolutionary relationships among species.**

Similarities in DNA Why do some species have similar body structures and development patterns? Scientists infer that the species inherited many of the same genes from a common ancestor. Recently, scientists have begun to compare the genes of different species to determine how closely related the species are.

Recall that genes are made of DNA. By comparing the sequence of nitrogen bases in the DNA of different species, scientists can infer how closely related the two species are. The more similar the DNA sequences, the more closely related the species are. For example, DNA analysis has shown that elephants and tiny elephant shrews, shown in Figure 10, are closely related.

The DNA bases along a gene specify what type of protein will be produced. Therefore, scientists can also compare the order of amino acids in a protein to see how closely related two species are.

Combining Evidence In most cases, evidence from DNA and protein structure has confirmed conclusions based on fossils, embryos, and body structure. For example, recent DNA comparisons show that dogs are more similar to wolves than they are to coyotes. Scientists had already reached this conclusion based on similarities in the structure and development of these three species.

FIGURE 10
DNA and Relationships
Because of its appearance, the tiny elephant shrew was thought to be closely related to mice and other rodents. However, DNA comparisons have shown that the elephant shrew is actually more closely related to elephants.

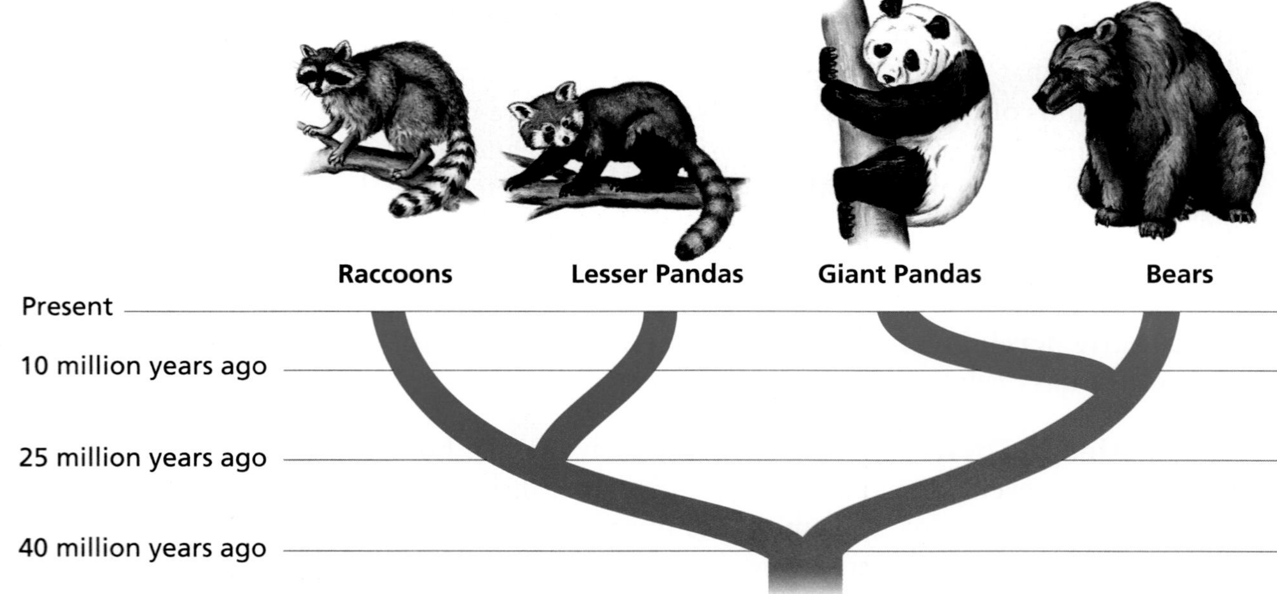

FIGURE 11
A Branching Tree
This branching tree shows how scientists now think that raccoons, lesser pandas, giant pandas, and bears are related.
Interpreting Diagrams *Are giant pandas more closely related to lesser pandas or to bears?*

Sometimes, however, scientists have changed their hypotheses about species relationships. For example, lesser pandas were once thought to be closely related to giant pandas. Recently, however, DNA analysis and other methods have shown that giant pandas and lesser pandas are not closely related. Instead, giant pandas are more closely related to bears, while lesser pandas are more closely related to raccoons.

Branching Trees Scientists use the combined evidence of species relationships to draw branching trees. A **branching tree** is a diagram that shows how scientists think different groups of organisms are related. Figure 11 shows how raccoons, lesser pandas, giant pandas, and bears may be related.

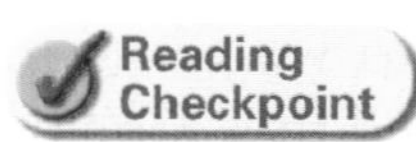

What is a branching tree?

How Do New Species Form?

Natural selection explains how variations can lead to changes in a species. But how could an entirely new species form? **A new species can form when a group of individuals remains isolated from the rest of its species long enough to evolve different traits.** Isolation, or complete separation, occurs when some members of a species become cut off from the rest of the species. Group members may be separated by such things as a river, a volcano, or a mountain range.

Abert's squirrel and the Kaibab squirrel both live in forests in the Southwest. As you can see in Figure 12, the populations of the two kinds of squirrel are separated by the Grand Canyon. The Kaibab and Abert's squirrels belong to the same species, but they have slightly different characteristics. For example, the Kaibab squirrel has a black belly, while Abert's squirrel has a white belly. It is possible that one day Abert's squirrel and the Kaibab squirrel will become so different from each other that they will be separate species.

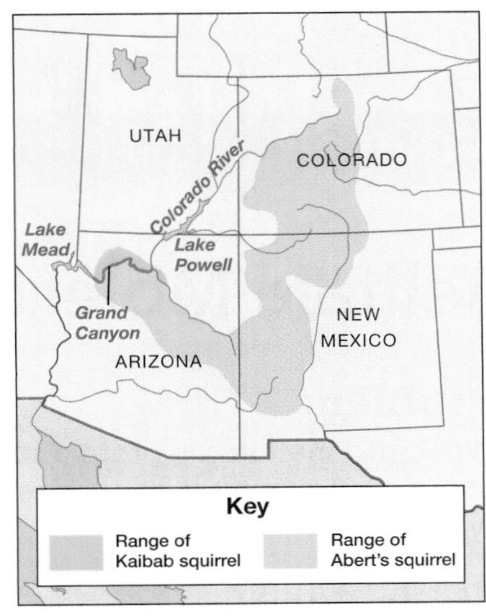

FIGURE 12
Kaibab and Abert's Squirrels
These two kinds of squirrels have been isolated from one another for a long time. Eventually, this isolation may result in two different species.

Section 2 Assessment

Target Reading Skill

Identifying Supporting Evidence Refer to your graphic organizer about the theory of evolution as you answer Question 1 below.

Reviewing Key Concepts

1. a. **Listing** List three kinds of evidence that support the theory of evolution.
   b. **Comparing and Contrasting** What major difference have scientists discovered between today's whales and the fossils of whales' ancient ancestors?
   c. **Drawing Conclusions** How does this difference show that whales and animals with four legs are probably descended from a common ancestor?
2. a. **Identifying** When scientists try to determine how closely related species are, what evidence do they examine?
   b. **Inferring** Of the kinds of evidence you listed above, which are probably the most reliable? Explain your answer.
   c. **Applying Concepts** Insects and birds both have wings. What kinds of evidence might show whether or not insects and birds are closely related? Explain your answer.
3. a. **Reviewing** How can isolation lead to the formation of new species?
   b. **Predicting** A species of snake lives in a forest. A new road separates one group of the snakes from another. Is it likely that these two groups of snakes will become separate species? Why or why not?

Writing in Science

Explaining a Branching Tree Suppose the branching tree in Figure 11 is part of a museum exhibit. Write an explanation of the branching tree for museum visitors. Describe the relationships shown on the tree and identify evidence supporting the relationships.

Lab zone **Skills Lab**

Telltale Molecules

Problem

What information can protein structure reveal about evolutionary relationships among organisms?

Skills Focus

interpreting data, drawing conclusions

Procedure

1. Examine the table below. It shows the sequence of amino acids in one region of a protein, cytochrome c, for six different animals.
2. Predict which of the five other animals is most closely related to the horse. Which animal do you think is most distantly related?
3. Compare the amino acid sequence of the horse to that of the donkey. How many amino acids differ between the two species? Record that number in your notebook.
4. Compare the amino acid sequences of each of the other animals to that of the horse. Record the number of differences in your notebook.

Analyze and Conclude

1. **Interpreting Data** Which animal's amino acid sequence was most similar to that of the horse? What similarities and difference(s) did you observe?
2. **Drawing Conclusions** Based on these data, which species is most closely related to the horse? Which is most distantly related?
3. **Interpreting Data** For the entire protein, the horse's amino acid sequence differs from the other animals' as follows: donkey, 1 difference; rabbit, 6; snake, 22; turtle, 11; and whale, 5. How do the relationships indicated by the entire protein compare with those for the region you examined?
4. **Communicating** Write a paragraph explaining why data about amino acid sequences can provide information about evolutionary relationships among organisms.

More to Explore

Use the amino acid data to construct a branching tree that includes horses, donkeys, and snakes. The tree should show one way that the three species could have evolved from a common ancestor.

Section of Cytochrome c Protein in Animals

Animal	Amino Acid Position														
	39	40	41	42	43	44	45	46	47	48	49	50	51	52	53
Horse	A	B	C	D	E	F	G	H	I	J	K	L	M	N	O
Donkey	A	B	C	D	E	F	G	H	Z	J	K	L	M	N	O
Rabbit	A	B	C	D	E	Y	G	H	Z	J	K	L	M	N	O
Snake	A	B	C	D	E	Y	G	H	Z	J	K	W	M	N	O
Turtle	A	B	C	D	E	V	G	H	Z	J	K	U	M	N	O
Whale	A	B	C	D	E	Y	G	H	Z	J	K	L	M	N	O

Section 3

Integrating Earth Science

The Fossil Record

Reading Preview

Key Concepts

- How do most fossils form?
- How can scientists determine a fossil's age?
- What is the Geologic Time Scale?
- What are some unanswered questions about evolution?

Key Terms

- petrified fossil
- mold
- cast
- relative dating
- radioactive dating
- radioactive element
- half-life
- fossil record
- extinct
- gradualism
- punctuated equilibria

Target Reading Skill

Building Vocabulary After you read the section, write a definition of each Key Term in your own words.

Lab zone Discover Activity

What Can You Learn From Fossils?

1. Look at the fossil in the photograph. Describe the fossil's characteristics in as much detail as you can.
2. From your description in Step 1, try to figure out how the organism lived. How did it move? Where did it live?

Think It Over

Inferring What type of present-day organism do you think is related to the fossil? Why?

The fossil dinosaur below has been nicknamed "Sue." If fossils could talk, Sue might say something like this: "I don't mind that museum visitors call me 'Sue,' but I do get annoyed when they refer to me as 'that old fossil.' I'm a 67-million-year old *Tyrannosaurus rex*, and I should get some respect. I was fearsome. My skull is one and a half meters long, and my longest tooth is more than 30 centimeters. Ah, the stories I could tell! But I'll have to let my bones speak for themselves. Scientists can learn a lot from studying fossils like me."

Of course, fossils can't really talk or think. But fossils such as Sue reveal life's history.

FIGURE 13 Dinosaur Fossil
The dinosaur nicknamed "Sue" was discovered in 1990 in South Dakota. Sue is now in the Field Museum in Chicago.

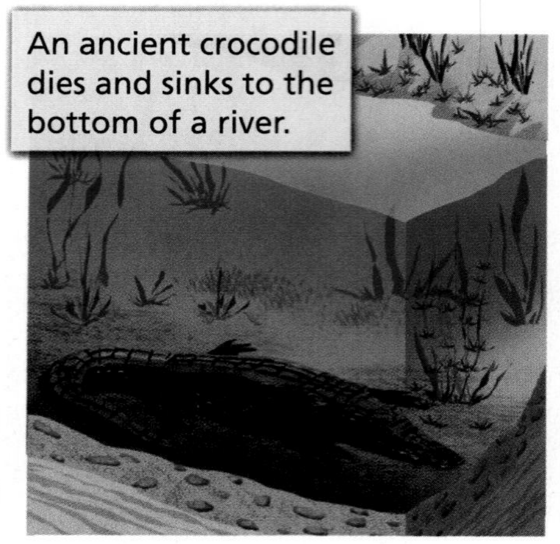

An ancient crocodile dies and sinks to the bottom of a river.

Layers of sediments cover the crocodile's body.

FIGURE 14
Fossil Formation
Most fossils, such as the fossil crocodile shown here, form in sedimentary rock. Relating Cause and Effect *In the process of fossil formation, what materials replace the crocodile's remains?*

How Do Fossils Form?

The formation of any fossil is a rare event. Usually only the hard parts of the organism, such as the bones or shells of animals, form fossils. **Most fossils form when organisms that die become buried in sediments.** Sediments are particles of soil and rock. When a river flows into a lake or ocean, the sediments that the river carries settle to the bottom. Layers of sediments may cover the dead organisms. Over millions of years, the layers may harden to become sedimentary rock. Figure 14 shows how a fossil can form.

Petrified Fossils Some remains that become buried in sediments are actually changed to rock. Minerals dissolved in the water soak into the buried remains. Gradually, the minerals replace the remains, changing them into rock. Fossils that form in this way are called **petrified fossils.**

Molds and Casts Sometimes shells or other hard parts buried by sediments gradually dissolve. An empty space remains in the place that the hard part once occupied. A hollow space in sediment in the shape of an organism or part of an organism is called a **mold.** A mold may become filled with hardened minerals, forming a cast. A **cast** is a copy of the shape of the organism that made the mold.

Preserved Remains Organisms can also be preserved in substances other than sediments. For example, entire organisms, such as huge elephant-like mammoths that lived thousands of years ago, have been preserved in ice.

What is the difference between a mold and a cast?

Lab zone **Try This Activity**

Preservation in Ice

1. Place fresh fruit, such as apple slices, strawberries, and blueberries, in an open plastic container.
2. Completely cover the fruit with water. Put the container in a freezer.
3. Place the same type and amount of fresh fruit in another open container. Leave it somewhere where no one will disturb it.
4. After three days, observe the contents of both containers.

Inferring Use your observations to explain why fossils preserved in ice can include soft, fleshy body parts.

Over millions of years, the sediments harden to become rock. The crocodile is preserved as a fossil.

The rock erodes. The fossil is exposed on the surface of a rock.

For: Fossil Formation activity
Visit: PHSchool.com
Web Code: cep-3053

Determining a Fossil's Age

To understand how living things have changed through time, scientists need to be able to determine the ages of fossils. They can then determine the order in which past events occurred. This information can be used to reconstruct the history of life on Earth.

For example, suppose a scientist is studying two fossils of ancient snails, Snail A and Snail B. The fossils are similar, but they are different enough that they are not the same species. Perhaps, the scientist hypothesizes, Snail A's species changed over time and eventually gave rise to Snail B's species. To help determine whether this hypothesis could be valid, the scientist must first learn which fossil—A or B—is older. **Scientists can determine a fossil's age in two ways: relative dating and radioactive dating.**

Relative Dating Scientists use **relative dating** to determine which of two fossils is older. To understand how relative dating works, imagine that a river has cut down through layers of sedimentary rock to form a canyon. If you look at the canyon walls, you can see the layers of sedimentary rock piled up one on top of another. The layers near the top of the canyon were formed most recently. These layers are the youngest rock layers. The lower down the canyon wall you go, the older the layers are. Therefore, fossils found in layers near the top of the canyon are younger than fossils found near the bottom of the canyon.

Relative dating can only be used when the rock layers have been preserved in their original sequence. Relative dating can help scientists determine whether one fossil is older than another. However, relative dating does not tell scientists the fossil's actual age.

Math Analyzing Data

Radioactive Decay

The half-life of potassium-40, a radioactive element, is 1.3 billion years. This means that half of the potassium-40 in a sample will break down into argon-40 every 1.3 billion years. The graph shows the breakdown of a 1-gram sample of potassium-40 into argon-40 over billions of years.

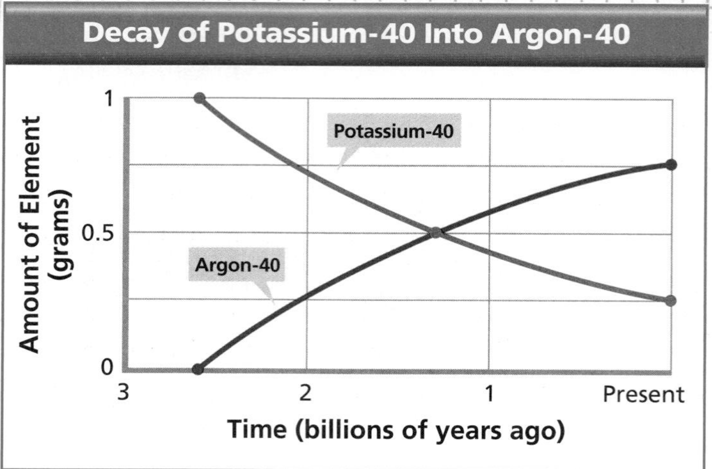

1. **Reading Graphs** What does the red line represent? What does the blue line represent?
2. **Reading Graphs** At 2.6 billion years ago, how much of the sample consisted of potassium 40? How much of the sample consisted of argon-40?
3. **Reading Graphs** At what point in time do the two graph lines cross?
4. **Interpreting Data** At the point where the graph lines cross, how much of the sample consisted of potassium-40? How much consisted of argon-40? Explain why this is the case.

Radioactive Dating A technique called **radioactive dating** allows scientists to determine the actual age of fossils. The rocks that fossils are found near contain **radioactive elements,** which are unstable elements that decay, or break down, into different elements. The **half-life** of a radioactive element is the time it takes for half of the atoms in a sample to decay. The graph in Analyzing Data shows how a sample of potassium-40, a radioactive element, breaks down into argon-40 over time.

Scientists can compare the amount of a radioactive element in a sample to the amount of the element into which it breaks down. This information can be used to calculate the age of the rock, and thus the age of the fossil.

What is a half-life?

What Do Fossils Reveal?

Like pieces in a jigsaw puzzle, fossils can help scientists piece together information about Earth's past. From the fossil record, scientists have learned information about the history of life on Earth. The millions of fossils that scientists have collected are called the **fossil record.**

Extinct Organisms Almost all of the species preserved as fossils are now extinct. A species is **extinct** if no members of that species are still alive. Most of what scientists know about extinct species is based on the fossil record.

The Geologic Time Scale The fossil record provides clues about how and when new groups of organisms evolved. Using radioactive dating, scientists have calculated the ages of many different fossils and rocks. From this information, scientists have created a "calendar" of Earth's history that spans more than 4.6 billion years. Scientists have divided this large time span into smaller units called eras and periods. **This calendar of Earth's history is sometimes called the Geologic Time Scale.**

The largest span of time in the Geologic Time Scale is Precambrian Time, also called the Precambrian (pree KAM bree un). It covers the first 4 billion years of Earth's history. Scientists know very little about the Precambrian because there are few fossils from these ancient times. After the Precambrian, the Geologic Time Scale is divided into three major blocks of time, or eras. Each era is further divided into shorter periods. In Figure 16 on the next two pages, you can see the events that occurred during each time period.

What is the largest span in the Geologic Time Scale?

FIGURE 15
Earth's History as a Clock
Fossils found in rock layers tell the history of life on Earth. The history of life can be compared to 12 hours on a clock.
Interpreting Diagrams *At what time on a 12-hour time scale did plants appear on land?*

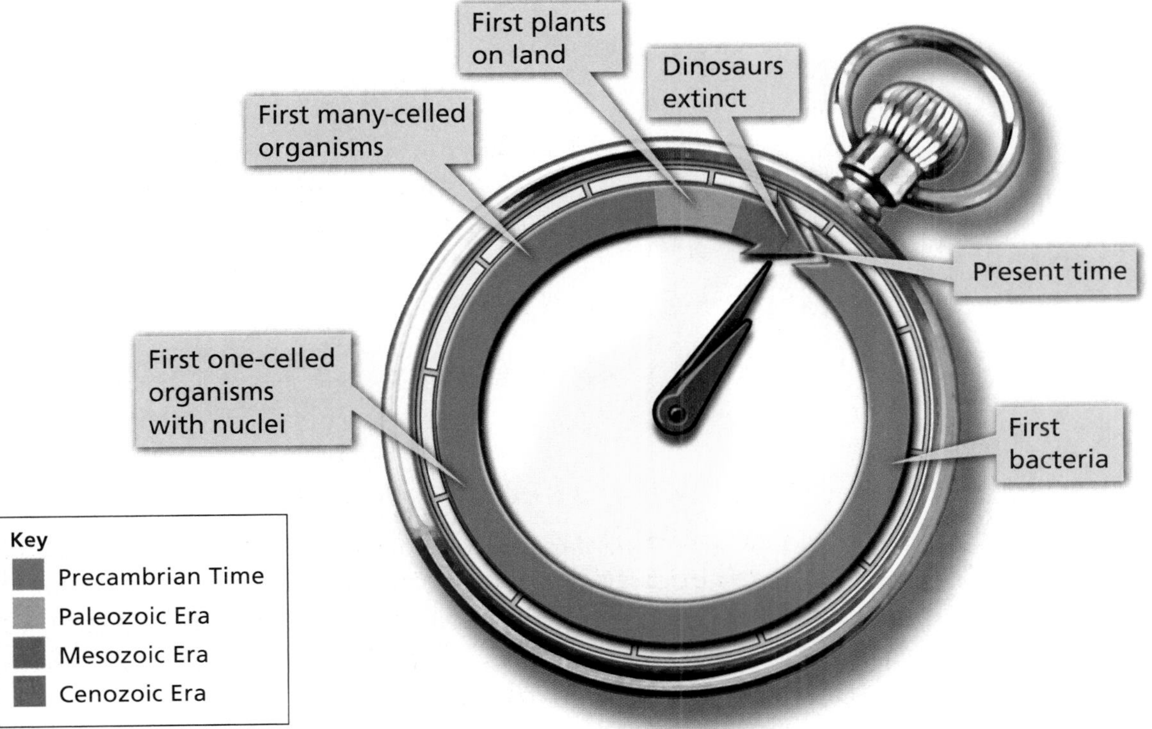

FIGURE 16

The Geologic Time Scale

Sequencing *Which organisms appeared first—amphibians or fishes?*

Precambrian Time

4.6 billion–544 million years ago

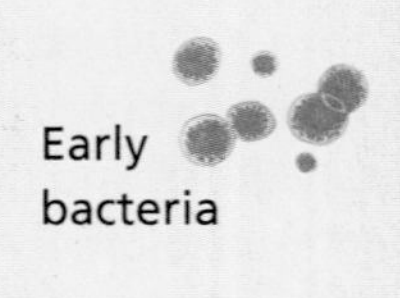
Early bacteria

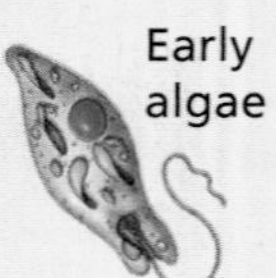
Early algae

Jellyfish-like animal

Sea pen

Precambrian Time begins with the formation of Earth. The first living things — bacteria — appeared in seas 3.5 billion years ago. Algae and fungi evolved 1 billion years ago. Animals first appeared 600 million years ago.

Paleozoic Era

544–245 million years ago

Cambrian

544–505 million years ago

Pikaia

Sponges

Trilobite

Clam

Dinomischus

Invertebrate sea animals such as sponges, snails, clams, and worms evolve.

Ordovician

505–438 million years ago

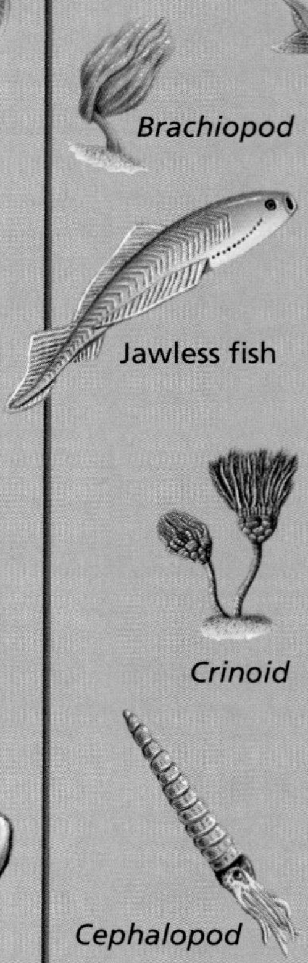

Brachiopod

Jawless fish

Crinoid

Cephalopod

The earliest fishes evolve. Although many new species of animals arise, many become extinct by the end of the period.

Silurian

438–408 million years ago

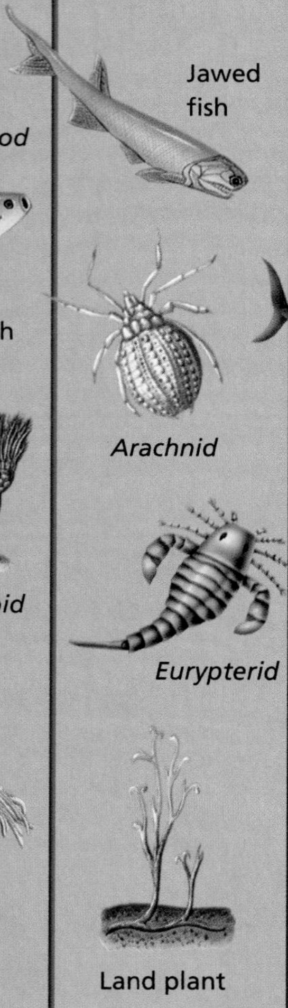

Jawed fish

Arachnid

Eurypterid

Land plant

Land plants and animals evolve. The plants are similar to present-day mosses.

Devonian

408–360 million years ago

Devonian forest

Shark

Lung fish

Bony fish

Many types of fishes live in the seas. Early amphibians evolve. They are fishlike animals that have legs and can breathe air. Ferns and cone-bearing plants appear on land.

Carboniferous

360–286 million years ago

Cockroach

Dragonfly

Coal forest

Amphibian

Tropical forests become widespread. Many different insects and amphibians evolve. The earliest reptiles appear.

Mesozoic Era
245–66 million years ago

Cenozoic Era
66 million years ago to the present

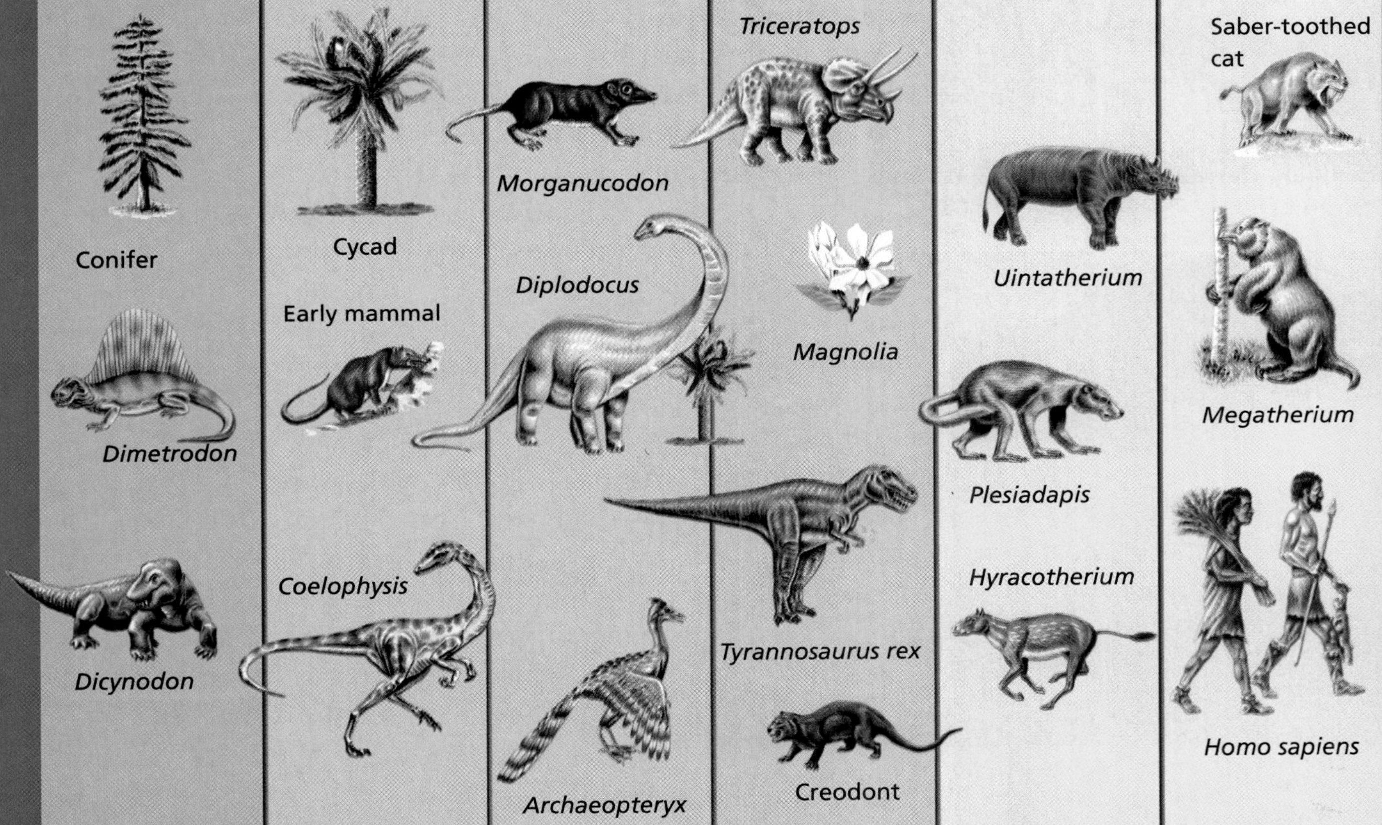

Permian	Triassic	Jurassic	Cretaceous	Tertiary	Quaternary
286–245 million years ago	245–208 million years ago	208–144 million years ago	144–66 million years ago	66–1.8 million years ago	1.8 million years ago to the present
Conifer, *Dimetrodon*, *Dicynodon*	Cycad, Early mammal, *Coelophysis*	*Morganucodon*, *Diplodocus*, *Archaeopteryx*	*Triceratops*, *Magnolia*, *Tyrannosaurus rex*, Creodont	*Uintatherium*, *Plesiadapis*, *Hyracotherium*	Saber-toothed cat, *Megatherium*, *Homo sapiens*
Seed plants, insects, and reptiles become common. Reptile-like mammals appear. At the end of the period, most sea animals and amphibians become extinct.	The first dinosaurs evolve. First turtles and crocodiles appear. Mammals first appear. Cone-bearing trees and palmlike trees dominate forests.	Large dinosaurs roam the world. The first birds appear. Mammals become more common and varied.	The first flowering plants appear. At the end of the period, a mass extinction causes the disappearance of many organisms, including the dinosaurs.	New groups of animals, including the first monkeys and apes, appear. Flowering plants become the most common kinds of plants. First grasses appear.	Mammals, flowering plants, and insects dominate land. Humans appear. Later in the period, many large mammals, including mammoths, become extinct.

FIGURE 17
Mass Extinctions

An asteroid may have caused the mass extinction that occurred about 65 million years ago.

Relating Cause and Effect *How could an asteroid have caused climate change?*

▲ **An asteroid zooms toward Earth.**

The asteroid ▲ hits Earth, sending up clouds of dust.

Many plants and animals die from ▼ the effects of the collision.

Unanswered Questions

The fossil record has provided scientists with a lot of important information about past life on Earth. The fossil record, however, is incomplete, because most organisms died without leaving fossils behind. These gaps in the fossil record leave many questions unanswered. **Two unanswered questions about evolution involve the causes of mass extinctions and the rate at which evolution occurs.**

Mass Extinctions When many types of organisms become extinct at the same time, a mass extinction has occurred. Several mass extinctions have taken place during the history of life. One mass extinction, for example, occurred at the end of the Cretaceous Period, about 65 million years ago. During the Cretaceous mass extinction, many kinds of plants and animals, including the dinosaurs, disappeared forever.

Scientists are not sure what causes mass extinctions, but they hypothesize that major climate changes may be responsible. For example, a climate change may have caused the mass extinction at the end of the Cretaceous Period. An asteroid, which is a rocky mass from space, may have hit Earth, throwing huge clouds of dust and other materials into the air. The dust clouds would have blocked sunlight, making the climate cooler, and killing plants. If there were fewer plants, many animals would have starved. Some scientists, however, think volcanic eruptions, not an asteroid, caused the climate change.

Gradualism Scientists also are not sure how rapidly species change. One theory, called **gradualism,** proposes that evolution occurs slowly but steadily. According to this theory, tiny changes in a species gradually add up to major changes over very long periods of time. This is how Darwin thought evolution occurred.

If the theory of gradualism is correct, the fossil record should include intermediate forms between a fossil organism and its descendants. However, there are often long periods of time in which fossils show little or no change. Then, quite suddenly, fossils appear that are distinctly different. One possible explanation for the lack of intermediate forms is that the fossil record is incomplete. Scientists may eventually find more fossils to fill the gaps.

Punctuated Equilibria The theory of **punctuated equilibria** accounts for the gaps in the fossil record. According to this theory, species evolve quickly during relatively short periods. These periods of rapid change are separated by long periods of little or no change. Today most scientists think that evolution can occur gradually at some times and more rapidly at others.

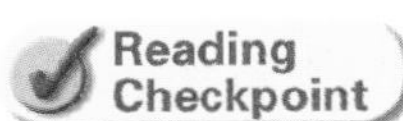

What theory proposes that evolution occurs slowly but steadily?

FIGURE 18
Trilobite
Trilobites were once common in Earth's oceans, but they were destroyed in a mass extinction.

Section 3 Assessment

Target Reading Skill **Building Vocabulary** Use your definitions to help you answer the questions below.

Reviewing Key Concepts

1. a. **Reviewing** What are sediments? How are they involved in the formation of fossils?
   b. **Classifying** Identify three types of fossils.
   c. **Comparing and Contrasting** Which of the major types of fossils do not form in sediments? Describe how this type can form.
2. a. **Identifying** What are the two methods of determining a fossil's age?
   b. **Describing** Describe each method.
   c. **Applying Concepts** Some fossil organisms are frozen rather than preserved in sediment. Which method of dating would you use with frozen fossils? Why?
3. a. **Defining** What is the Geologic Time Scale? Into what smaller units is it divided?
   b. **Interpreting Diagrams** Look at Figure 16. Did the organisms during Precambrian Time have hard body parts?
   c. **Relating Cause and Effect** Give one reason why there are few Precambrian fossils.
4. a. **Reviewing** What are two unanswered questions about evolution?
   b. **Comparing and Contrasting** How are the theories of gradualism and punctuated equilibria different? How are they similar?

Lab zone **At-Home Activity**

Modeling Fossil Formation With an adult family member, spread some mud in a shallow pan. Use your fingertips to make "footprints" across the mud. Let the mud dry and harden. Explain how this is similar to fossil formation.

Chapter 6 Study Guide

1 Darwin's Theory

Key Concepts

- Darwin's important observations included the diversity of living things, the remains of ancient organisms, and the characteristics of organisms on the Galápagos Islands.
- Darwin reasoned that plants or animals that arrived on the Galápagos Islands faced conditions that were different from those on the mainland. Perhaps, Darwin hypothesized, the species gradually changed over many generations and became better adapted to the new conditions.
- Darwin proposed that, over a long period of time, natural selection can lead to change. Helpful variations may gradually accumulate in a species, while unfavorable ones may disappear.

Key Terms

species
fossil
adaptation
evolution
scientific theory
natural selection
variation

2 Evidence of Evolution

Key Concepts

- Fossils, patterns of early development, and similar body structures all provide evidence that organisms have changed over time.
- Scientists have combined the evidence from DNA, protein structure, fossils, early development, and body structure to determine the evolutionary relationships among species.
- A new species can form when a group of individuals remains separated from the rest of its species long enough to evolve different traits.

Key Terms

homologous structures
branching tree

3 The Fossil Record

Key Concepts

- Most fossils form when organisms that die become buried in sediments.
- Scientists can determine a fossil's age in two ways: relative dating and radioactive dating.
- The calendar of Earth's history is sometimes called the Geologic Time Scale.
- Two unanswered questions about evolution involve mass extinctions and the rate at which evolution occurs.

Key Terms

petrified fossil
mold
cast
relative dating
radioactive dating
radioactive element
half-life
fossil record
extinct
gradualism
punctuated equilibria

Review and Assessment

Go Online
PHSchool.com
For: Self-Assessment
Visit: PHSchool.com
Web Code: cea-3050

Organizing Information

Sequencing Copy the flowchart about fossil formation onto a separate sheet of paper. Complete the flowchart by writing a sentence describing each stage in the process of fossil formation. Then add a title. (For more on Sequencing, see the Skills Handbook.)

An organism dies in water.
↓
a. ____?____
↓
b. ____?____
↓
c. ____?____

Reviewing Key Terms

Choose the letter of the best answer.

1. Changes in a species over long periods of time are called
   a. half-life.
   b. evolution.
   c. homologous structures.
   d. developmental stages.
2. A trait that helps an organism survive and reproduce is called a(n)
   a. variation.
   b. adaptation.
   c. species.
   d. selection.
3. Similar structures that related species have inherited from a common ancestor are called
   a. adaptations.
   b. punctuated equilibria.
   c. ancestral structures.
   d. homologous structures.
4. Fossils formed when an organism dissolves and leaves an empty space in a rock are called
   a. casts.
   b. mold.
   c. preserved remains.
   d. petrified fossils.
5. The rate of decay of a radioactive element is measured by its
   a. year.
   b. era.
   c. period.
   d. half-life.

If the statement is true, write *true*. If it is false, change the underlined word or words to make the statement true.

6. Darwin's idea about how evolution occurs is called natural selection.
7. Most members of a species show differences, or variations.
8. A diagram that shows how organisms might be related is called gradualism.
9. The technique of relative dating can be used to determine the actual age of a fossil.
10. According to the theory of punctuated equilibria, evolution occurs slowly but steadily.

Writing in Science

Notebook Entry Imagine that you are a biologist exploring the Galápagos Islands. Write a notebook entry on one of the unusual species you have found on the islands. Include a description of how it is adapted to its environment.

Changes Over Time
Video Preview
Video Field Trip
▶ Video Assessment

Review and Assessment

Checking Concepts

11. What role does the overproduction of organisms play in natural selection?
12. Use an example to explain how natural selection can lead to evolution.
13. Explain how geographic isolation can result in the formation of a new species.
14. On the basis of similar body structures, scientists hypothesize that two species are closely related. What other evidence would the scientists look for to support their hypothesis?
15. Explain why similarities in the early development of different species suggest that the species are related.
16. What is meant by *extinct?* How do scientists obtain information about extinct species?
17. What are mass extinctions? What may cause mass extinction?

Thinking Critically

18. **Relating Cause and Effect** Why did Darwin's visit to the Galápagos Islands have such an important influence on his development of the theory of evolution?
19. **Applying Concepts** Some insects look just like sticks. How could this be an advantage to the insects? How could this trait have evolved through natural selection?
20. **Predicting** Which of the organisms shown below is least likely to become a fossil? Explain your answer.

Snail Dandelion Squirrel

21. **Making Judgments** What type of evidence is the best indicator of how closely two species are related? Explain your anwer.
22. **Comparing and Contrasting** How are selective breeding and natural selection similar? How are they different?

Applying Skills

Use the data in the table below to answer Questions 23–25.

Radioactive carbon-14 decays to nitrogen with a half-life of 5,730 years. The table contains information about the amounts of carbon-14 and nitrogen in three fossils. The table also gives information about the position of each fossil in rock layers.

Fossil	Amount of Carbon-14 in Fossil	Amount of Nitrogen in Fossil	Position of Fossil in Rock Layers
A	1 gram	7 grams	Bottom layer
B	4 grams	4 grams	Top layer
C	2 grams	6 grams	Middle layer

23. **Inferring** Use the positions of the fossils in the rock layers to put the fossils in their probable order from the youngest to the oldest.
24. **Calculating** Calculate the age of each fossil using the data about carbon-14 and nitrogen.
25. **Drawing Conclusions** Do your answers to Questions 23 and 24 agree or disagree with each other? Explain.

Lab zone Chapter Project

Performance Assessment Complete both your timelines. Display your completed timelines for the class. Be prepared to explain why you chose the scale that you did. Also, describe how your timelines are related to each other.

Standardized Test Prep

Test-Taking Tip

Anticipating the Answer

You can sometimes figure out an answer before you look at the answer choices. After you think of your own answer, compare it with the answer choices. Select the answer that most closely matches your own answer. This strategy can be especially useful for questions that test vocabulary. Try to answer the question below before you look at the answer choices.

Sample Question

A well-tested concept that explains a wide range of observations is known as a(n)

A hypothesis.
B controlled experiment.
C scientific theory.
D inference.

Answer

Choice **C** is correct, because the definition of *scientific theory* is "a well-tested concept that explains a wide range of observations." Even though the other answer choices are all scientific processes, none is the correct answer.

Choose the letter of the best answer.

1. The process by which individuals that are better adapted to their environment are more likely to survive and reproduce than other members of the same species is called

A natural selection.
B evolution.
C competition.
D overproduction.

2. Which of the following is the best example of an adaptation that helps an organism survive in its environment?

F green coloring in a lizard living on gray rocks
G a thick coat of fur on an animal that lives in the desert
H extensive root system in a desert plant
J thin, delicate leaves on a plant in a cold climate

3. Which of the following is the weakest evidence supporting a close evolutionary relationship between two animals?

A The bones of a bird's wings are similar to the bones of a dog's legs.
B Human embryos look like turtle embryos in their early development.
C Lesser pandas look like bears.
D The amino acid sequence in mouse hemoglobin is similar to the amino acid sequence in chimpanzee hemoglobin.

Use the diagram below and your knowledge of science to answer Questions 4–5.

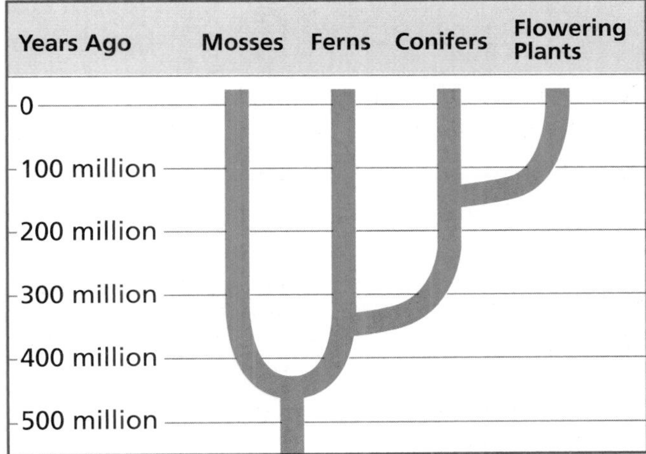

4. About how long ago did mosses first appear?

F 100 million years ago
G 150 million years ago
H 350 million years ago
J 450 million years ago

5. Which group of plants would have DNA that is most similar to the DNA of flowering plants?

A mosses
B ferns
C conifers
D They would all be equally alike.

Constructed Response

6. Relative dating and radioactive dating are two methods for determining the age of a fossil. Compare and contrast these two methods.

Egyptian Art More than 3,000 years ago, an artist drew three dogs chasing a hyena.

Dogs—Loyal Companions

What's your image of a dog?

- A powerful Great Dane?
- A tiny, lively Chihuahua?
- A protective German shepherd guide dog?
- A friendly, lovable mutt?

Most dogs are descendants of the gray wolf, which was originally found throughout Europe, Asia, and North America. Dogs were the first animals to be domesticated, or tamed. As far back as 9,000 years ago, farmers who raised sheep, cattle, and goats tamed dogs to herd and guard the livestock.

After taming dogs, people began to breed them for traits that people valued. Early herding dogs helped shepherds. Speedy hunting dogs learned to chase deer and other game. Strong, sturdy working dogs pulled sleds and even rescued people. Small, quick terriers hunted animals, such as rats. "Toy" dogs were companions to people of wealth and leisure. More recently, sporting dogs were trained to flush out and retrieve birds. Still others were bred to be guard dogs. But perhaps the real reasons people bred dogs were for loyalty and companionship.

Girl with dalmatian

From Wolf to Purebred

About 10,000 years ago, some wolves may have been attracted to human settlements. They may have found it easier to feed on food scraps than to hunt for themselves. Gradually the wolves came to depend on people for food. The wolves, in turn, kept the campsites clean and safe. They ate the garbage and barked to warn of approaching strangers. These wolves were the ancestors of the dogs you know today.

Over time, dogs became more and more a part of human society. People began to breed dogs for the traits needed for tasks such as herding sheep and hunting. Large, aggressive dogs, for example, were bred to be herding dogs, while fast dogs with a keen sense of smell were bred to be hunting dogs. Today, there are hundreds of breeds. They range from the tiny Chihuahua to the massive Saint Bernard, one of which can weigh as much as 50 Chihuahuas.

Today, people breed dogs mostly for their appearance and personality. Physical features such as long ears or a narrow snout are valued in particular breeds of dogs. To create "pure" breeds of dogs, breeders use a method known as inbreeding. Inbreeding involves mating dogs that are genetically very similar. Inbreeding is the surest way to produce dogs with a uniform physical appearance.

One undesirable result of inbreeding is an increase in genetic disorders. Experts estimate that 25 percent of all purebred dogs have a genetic disorder. Dalmatians, for example, often inherit deafness. German shepherds may develop severe hip problems. Mixed-breed dogs, in contrast, are less likely to inherit genetic disorders.

Fur Color in Retrievers
In Labrador retrievers, the allele for dark-colored fur is dominant over the allele for yellow fur.

Most traits that dogs are bred for are controlled by more than one gene. A few traits, however, show simpler inheritance patterns. For example, in Labrador retrievers, a single gene with one dominant and one recessive allele determines whether the dog's fur will be dark or yellow. The allele for dark fur (D) is dominant over the allele for yellow fur (d).

- Construct a Punnett square for a cross between two Labrador retrievers that are both heterozygous for dark fur (Dd).
- Suppose there were eight puppies in the litter. Predict how many would have dark fur and how many would have yellow fur.
- Construct a second Punnett square for a cross between a Labrador retriever with yellow fur (dd) and one with dark fur (Dd). In a litter with six puppies, predict how many would have dark fur and how many would have yellow fur.

Dogs and People

Over thousands of years, people have developed many different breeds of dogs. Each of the dogs shown on the map was bred for a purpose—hunting, herding, guarding, pulling sleds—as well as companionship. Every breed has its own story.

Border Collie
Great Britain, after A.D. 1100
This breed was developed in the counties near the border between England and Scotland for herding sheep. The border collie's ancestors were crossbreeds of local sheepdogs and dogs brought to Scotland by the Vikings.

Russia

Golden Retriever
Great Britain, A.D. 1870s
Lord Tweedmouth developed this breed to help hunters retrieve waterfowl and other small animals.

EUROPE

Dachshund
Germany, A.D. 1600s
These dogs were bred to catch badgers or rats. Their short legs and long body can fit into a badger's burrow. In fact, in German the word *Dachshund* means "badger dog."

Basset Hound
France, A.D. 1500s
Second only to the bloodhound at following a scent, the basset hound has short legs and a compact body that help it run through underbrush.

Greyhound
Egypt, 3000 B.C.
These speedy, slender hounds were bred for chasing prey. Today, greyhounds are famous as racers.

Siberian Husky
Siberia, 1000 B.C.
The Chukchi people of northeastern Siberia used these strong working dogs to pull sleds long distances across the snow.

Pekingese
China, A.D. 700s
These lapdogs were bred as pets in ancient China. One Chinese name for a Pekingese means "lion dog," which refers to the dog's long, golden mane.

Chow Chow
China, 150 B.C.
Chow chows, the working dogs of ancient China, worked as hunters, herders, and guard dogs.

Akita
Japan, A.D. 1600s
This breed was developed in the cold mountains of northern Japan as a guard dog and hunting dog. The Akita is able to hunt in deep snow and is also a powerful swimmer.

Lhasa Apso
Tibet, A.D. 1100
This breed has a long, thick coat that protects it from the cold air of the high Tibetan plateau. In spite of its small size, the Lhasa apso guarded homes and temples.

Social Studies Activity

Draw a timeline that shows the approximate date of origin of different breeds of domestic dogs from 3000 B.C. to the present. Use the information on the map to fill out your timeline. Include information about where each breed was developed.

Picking a Puppy

People look for different traits in the dogs they choose. Here is how one expert selected his dog based on good breeding and personality.

James Herriot, a country veterinarian in Yorkshire, England, had owned several dogs during his lifetime. But he had always wanted a Border terrier. These small, sturdy dogs are descendants of working terrier breeds that lived on the border of England and Scotland. For centuries they were used to hunt foxes, rats, and other small animals. In this story, Herriot and his wife, Helen, follow up on an advertisement for Border terrier puppies.

James Herriot
In several popular books published in the 1970s and 1980s, James Herriot wrote warm, humorous stories about the animals he cared for.

◀ **Border terriers**

She [Helen, his wife] turned to me and spoke agitatedly, "I've got Mrs. Mason on the line now. There's only one pup left out of the litter and there are people coming from as far as eighty miles away to see it. We'll have to hurry. What a long time you've been out there!"

We bolted our lunch and Helen, Rosie, granddaughter Emma and I drove out to Bedale. Mrs. Mason led us into the kitchen and pointed to a tiny brindle creature twisting and writhing under the table.

"That's him," she said.

I reached down and lifted the puppy as he curled his little body round, apparently trying to touch his tail with his nose. But that tail wagged furiously and the pink tongue was busy at my hand. I knew he was ours before my quick examination for hernia and overshot jaw.

The deal was quickly struck and we went outside to inspect the puppy's relations. His mother and grandmother were out there. They lived in little barrels which served as kennels and both of them darted out and stood up at our legs, tails lashing, mouths panting in delight. I felt vastly reassured. With happy, healthy ancestors like those I knew we had every chance of a first rate dog.

As we drove home with the puppy in Emma's arms, the warm thought came to me. The wheel had indeed turned. After nearly fifty years I had my Border terrier.

Language Arts Activity

James Herriot describes this scene using dialog and first-person narrative. The narrative describes Herriot's feelings about a memorable event—finally finding the dog he had wanted for so long. Write a first-person narrative describing a memorable event in your life. You might choose a childhood memory or a personal achievement at school. What emotions did you feel? How did you make your decision? If possible, use dialog in your writing.

Popular Breeds

The popularity of different breeds of dogs changes over time. For example, the line graph shows how the number of poodles registered with the American Kennel Club changed between 1970 and 2000.

Standard poodle and puppy ▶

Math Activity

Use the table below to create your own line graph for Labrador retrievers and cocker spaniels. Which breed was more popular in 1980, Labrador retrievers or cocker spaniels?

How has the number of Labrador retrievers changed from 1970 to 2000? How has the number of cocker spaniels changed over the same time?

Dog Populations

Breed	1970	1980	1990	2000
Poodle	265,879	92,250	71,757	45,868
Labrador Retriever	25,667	52,398	95,768	172,841
Cocker Spaniel	21,811	76,113	105,642	29,393

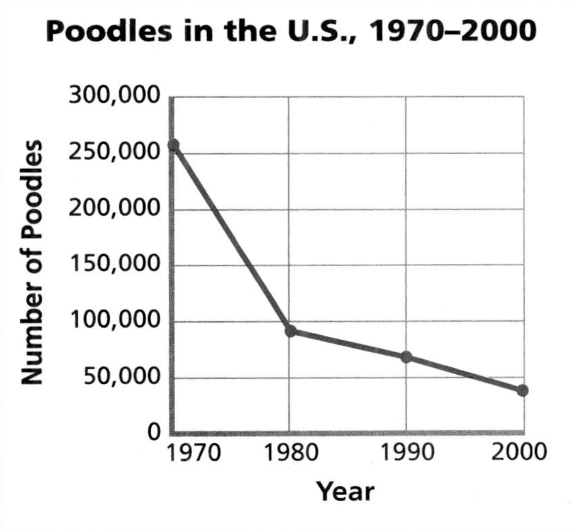

Tie It Together

Best-of-Breed Show

In many places, proud dog owners of all ages bring their animals to compete in dog shows.

Organize your own dog show.

With a partner, choose one specific breed of dog. Pick a breed shown on the map on the previous page, or use library resources to research another breed.

- Find out what the breed looks like, the time and place where it originated, and what traits it was first bred for.
- List your breed's characteristics, height, weight, and coloring.
- Research the breed's personality and behavior.
- Find out your breed's strengths. Learn what weaknesses may develop as a result of inbreeding.
- Make a poster for your breed. Include a drawing or photo and the information that you researched.
- With your class, organize the dog displays into categories of breeds, such as hunting dogs, herding dogs, and toy dogs.

Chapter 7

Viruses, Bacteria, Protists, and Fungi

Chapter Preview

1 Viruses
Discover *Which Lock Does the Key Fit?*
Active Art *Active and Hidden Viruses*
Skills Lab *How Many Viruses Fit on a Pin?*

2 Bacteria
Discover *How Quickly Can Bacteria Multiply?*
Try This *Bacteria for Breakfast*
Analyzing Data *Population Explosion*
Science and History *Bacteria and Foods of the World*
At-Home Activity *Edible Bacteria*

3 Protists
Discover *What Lives in a Drop of Pond Water?*
Active Art *Amoeba and Paramecium*
Try This *Watching Protists*
Skills Activity *Predicting*
At-Home Activity *Algae Scavenger Hunt*

4 Fungi
Discover *Do All Molds Look Alike?*
Try This *Spreading Spores*
Skills Lab *What's for Lunch?*

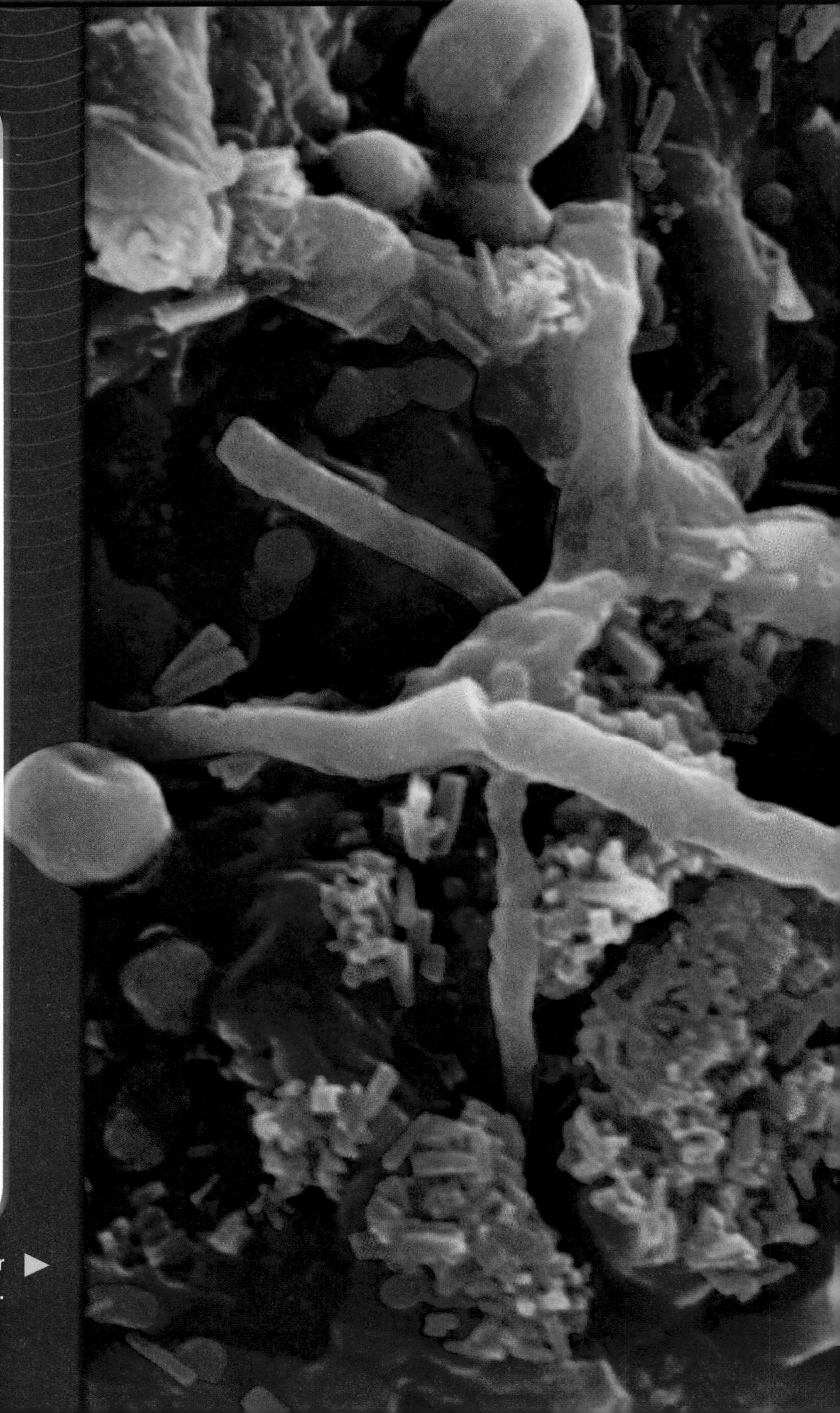

Bacteria (blue and purple rods) and other microorganisms lurk in a kitchen sponge. ▶

Discovery Channel School

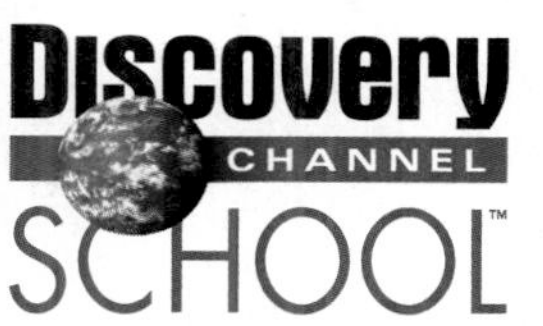

Protists and Fungi

▶ Video Preview
Video Field Trip
Video Assessment

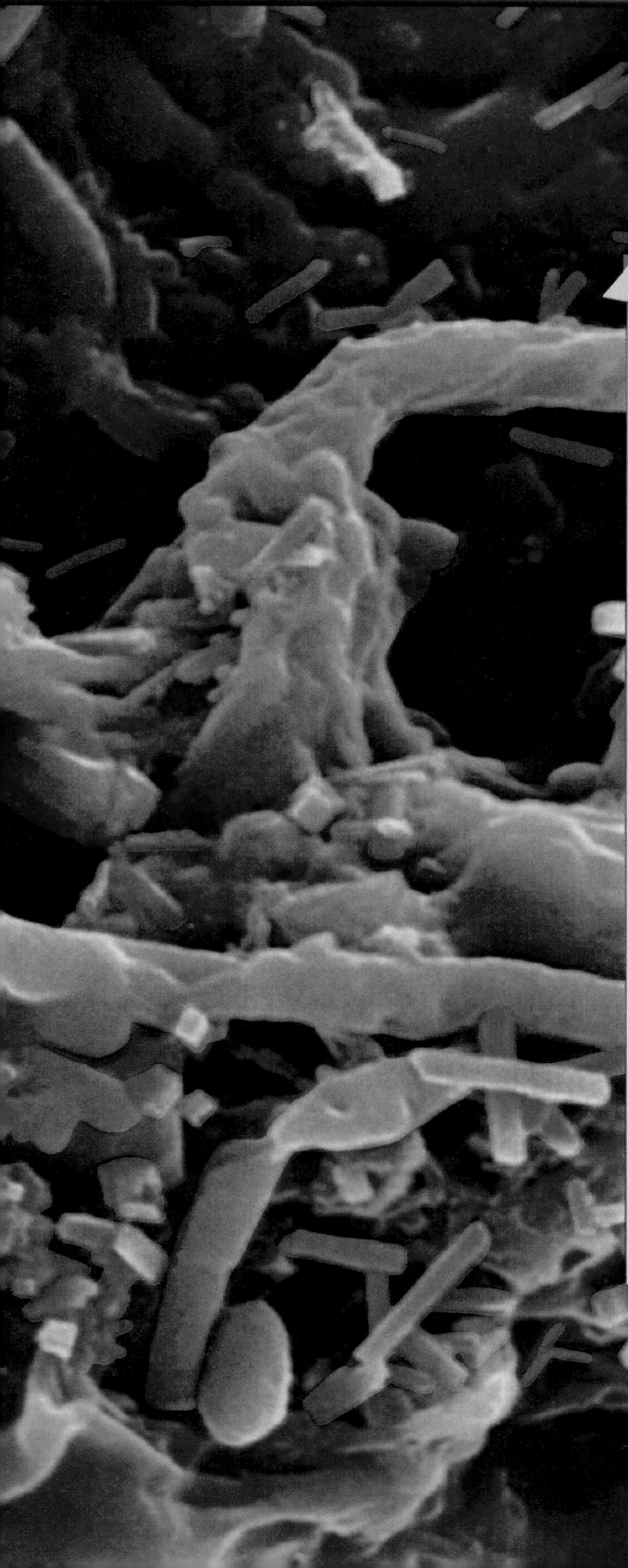

Lab zone™ Chapter **Project**

A Mushroom Farm

The fungi you're most familiar with are probably mushrooms. In some ways, mushrooms resemble plants, often growing near plants or even on them like small umbrellas. But mushrooms are very different from plants in some important ways. In this chapter project, you'll learn about these differences.

Your Goal To determine the conditions needed for mushrooms to grow

To complete this project, you must

- choose one variable and design a way to test how it affects mushroom growth
- make daily observations and record them in a data table
- prepare a poster that describes the results of your experiment
- follow the safety guidelines in Appendix A

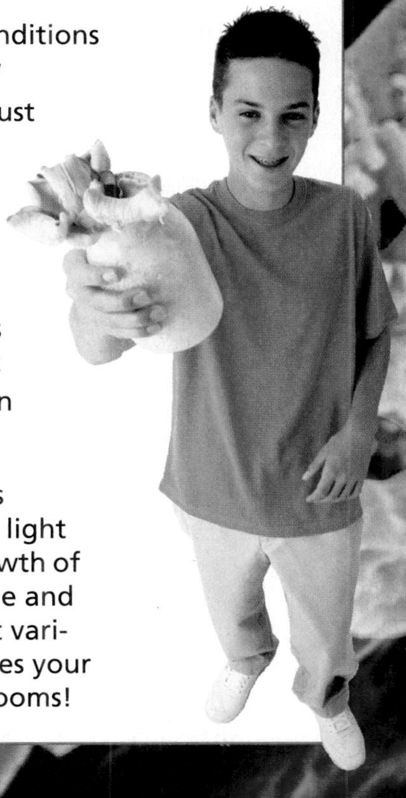

Plan It! List possible hypotheses about the way variables such as light or moisture could affect the growth of mushrooms. Choose one variable and write out a plan for testing that variable. After your teacher approves your plan, start growing your mushrooms!

Section 1

Integrating Health

Viruses

Reading Preview

Key Concepts

- How are viruses like organisms?
- What is the structure of a virus?
- How do viruses multiply?
- How can you treat a viral disease?

Key Terms

- virus
- host
- parasite
- bacteriophage
- vaccine

Target Reading Skill

Sequencing As you read, make two flowcharts that show how active and hidden viruses multiply.

How Active Viruses Multiply

Virus attaches to the surface of a living cell

↓

Virus injects genetic material into cell

↓

Lab zone Discover Activity

Which Lock Does the Key Fit?

1. Your teacher will give you a key.
2. Study the key closely. Think about what shape the keyhole on its lock must have. On a piece of paper, draw the shape of the keyhole.
3. The lock for your key is contained in the group of locks your teacher will provide. Try to match your key to its lock without inserting the key into the keyhole.

Think It Over

Inferring How might a unique "lock" on its surface help a cell protect itself from invading organisms?

It is a dark and quiet night. An enemy spy slips silently across the border. Invisible to the guards, the spy creeps cautiously along the edge of the road, heading toward the command center. Undetected, the spy sneaks by the center's security system and reaches the door. Breaking into the control room, the spy takes command of the central computer. The enemy is in control.

What Is a Virus?

Although this spy story may read like a movie script, it describes events similar to those that can occur in your body. The spy acts very much like a virus invading an organism.

Characteristics of Viruses A **virus** is a tiny, nonliving particle that invades and then multiplies inside a living cell. Viruses are not cells. They do not have the characteristics of organisms. **The only way in which viruses are like organisms is that they can multiply.** Although viruses can multiply, they multiply differently than organisms. Viruses can only multiply when they are inside a living cell.

No organisms are safe from viruses. The organism that a virus multiplies inside is called a host. A **host** is a living thing that provides a source of energy for a virus or an organism. Viruses act like **parasites** (PA ruh syts), organisms that live on or in a host and cause it harm. Almost all viruses destroy their host cells.

The Structure of Viruses Viruses are smaller than cells and vary in size and shape. Some viruses are round. Others are shaped like rods, bricks, threads, or bullets. There are even viruses that have complex, robot-like shapes, such as the bacteriophage in Figure 1. A **bacteriophage** (bak TEER ee oh fayj) is a virus that infects bacteria. In fact, its name means "bacteria eater."

Although viruses may look different from one another, they all have a similar structure. **All viruses have two basic parts: a protein coat that protects the virus and an inner core made of genetic material.** A virus's genetic material contains the instructions for making new viruses. Some viruses are also surrounded by an additional outer membrane, or envelope.

The proteins on the surface of a virus play an important role during the invasion of a host cell. Each virus contains unique surface proteins. The shape of the surface proteins allows the virus to attach to certain cells in the host. Like keys, a virus's proteins fit only into certain "locks," or proteins, on the surface of a host's cells. Figure 2 shows how the lock-and-key action works.

Because the lock-and-key action of a virus is specific, a certain virus can attach only to one or a few types of cells. For example, most cold viruses infect cells only in the nose and throat of humans. These cells are the ones with proteins on their surface that complement or "fit" those on the virus.

What information does a virus's genetic material contain?

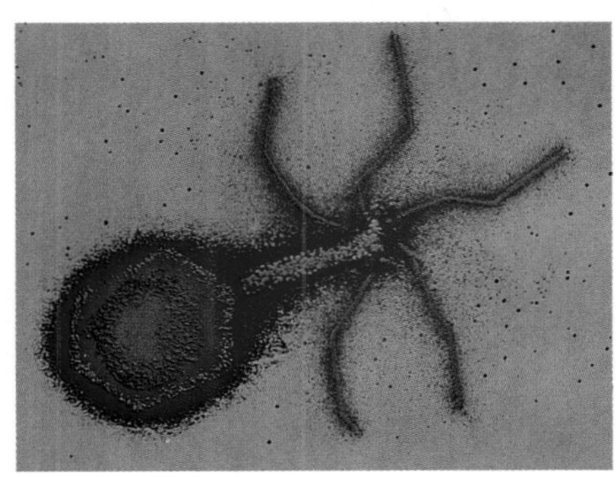

FIGURE 1
Bacteriophage
This robot-like virus infects bacteria.

FIGURE 2
Virus Structure and Infection
All viruses consist of genetic material surrounded by a protein coat. Some viruses, like the ones shown here, are surrounded by an outer membrane envelope. A virus can attach to a cell only if the virus' surface proteins can fit those on the cell.

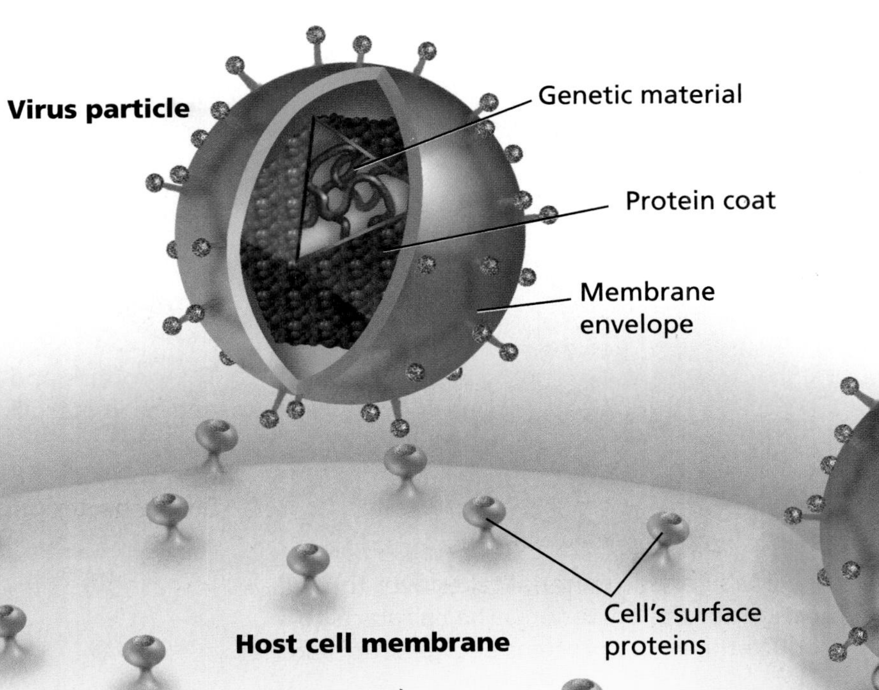

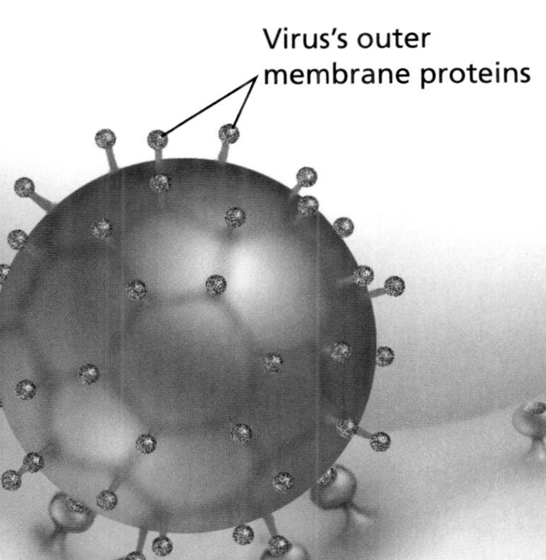

How Viruses Multiply

After a virus attaches to a host cell, it enters the cell. **Once inside a cell, a virus's genetic material takes over many of the cell's functions. It instructs the cell to produce the virus's proteins and genetic material. These proteins and genetic material then assemble into new viruses.** Some viruses take over cell functions immediately. Other viruses wait for a while.

Active Viruses After entering a cell, an active virus immediately goes into action. The virus's genetic material takes over cell functions, and the cell quickly begins to produce the virus's proteins and genetic material. Then these parts assemble into new viruses. Like a photocopy machine left in the "on" position, the invaded cell makes copy after copy of new viruses. When it is full of new viruses, the host cell bursts open, releasing hundreds of new viruses as it dies.

FIGURE 3
Active and Hidden Viruses

Active viruses enter cells and immediately begin to multiply, leading to the quick death of the invaded cells. Hidden viruses "hide" for a while inside host cells before becoming active.

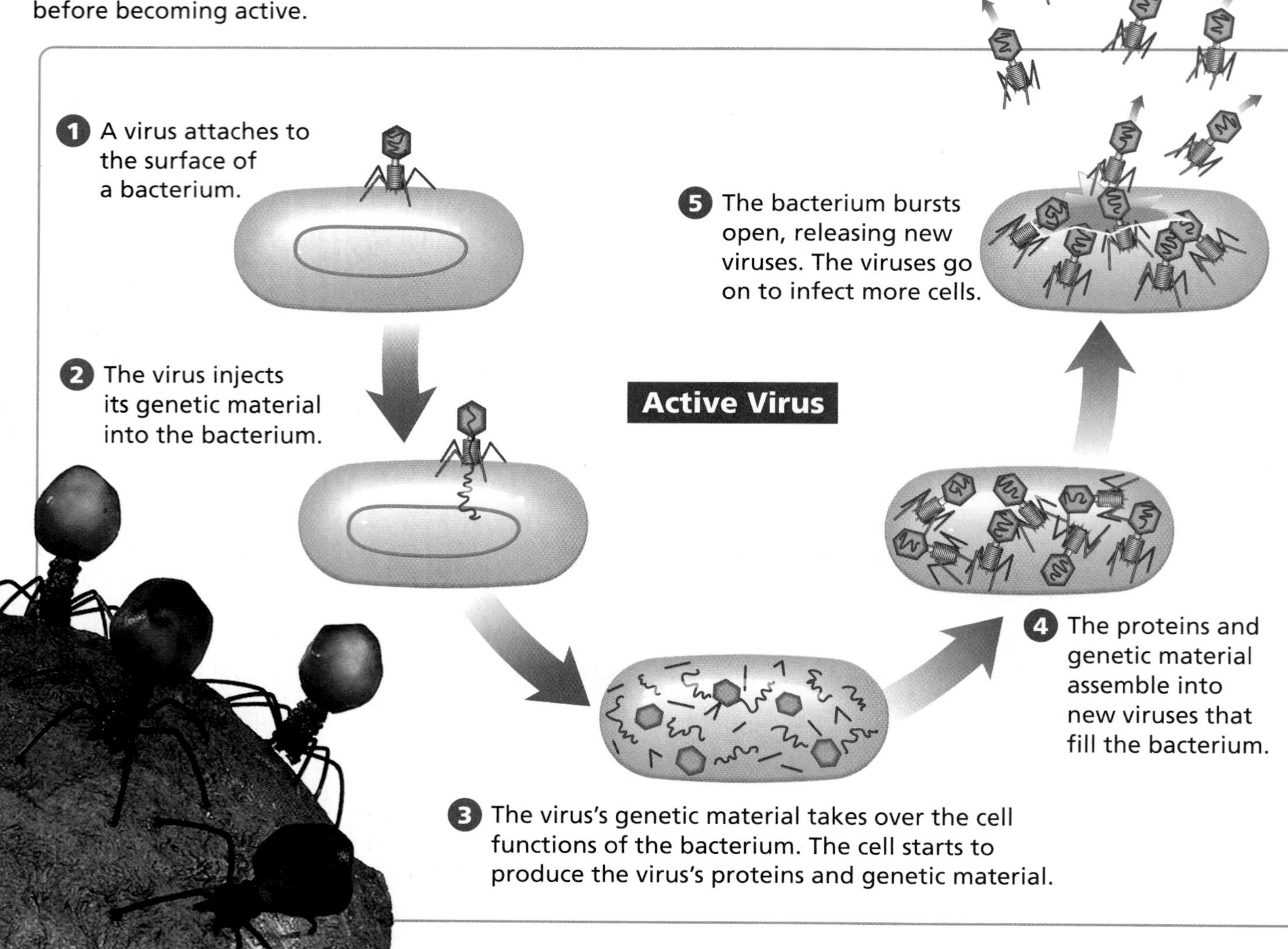

1 A virus attaches to the surface of a bacterium.
2 The virus injects its genetic material into the bacterium.
Active Virus
3 The virus's genetic material takes over the cell functions of the bacterium. The cell starts to produce the virus's proteins and genetic material.
4 The proteins and genetic material assemble into new viruses that fill the bacterium.
5 The bacterium bursts open, releasing new viruses. The viruses go on to infect more cells.

Hidden Viruses Other viruses do not immediately become active. Instead, they "hide" for a while. After a hidden virus enters a host cell, its genetic material becomes part of the cell's genetic material. The virus does not appear to affect the cell's functions and may stay in this inactive state for years. Each time the host cell divides, the virus's genetic material is copied along with the host's genetic material. Then, under certain conditions, the virus's genetic material suddenly becomes active. It takes over the cell's functions in much the same way that active viruses do. Soon, the cell is full of new viruses and bursts open.

The virus that causes cold sores is an example of a hidden virus. It can remain inactive for months or years inside nerve cells in the face. While hidden, the virus causes no symptoms. When it becomes active, the virus causes a swollen, painful sore to form near the mouth. Strong sunlight and stress are two factors that scientists believe may activate a cold sore virus. After an active period, the virus once again "hides" in the nerve cells until it becomes active again.

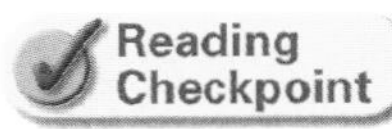

Where in a host cell does a hidden virus "hide" while it is inactive?

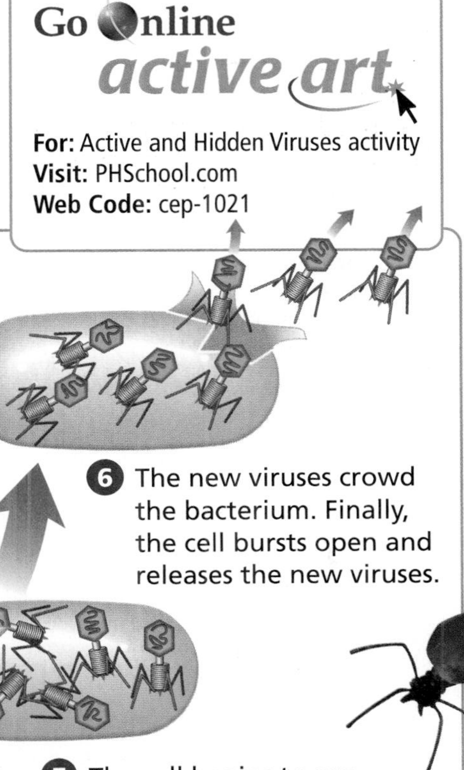

For: Active and Hidden Viruses activity
Visit: PHSchool.com
Web Code: cep-1021

1 A virus attaches to the surface of a bacterium.

2 The virus injects its genetic material into the bacterium.

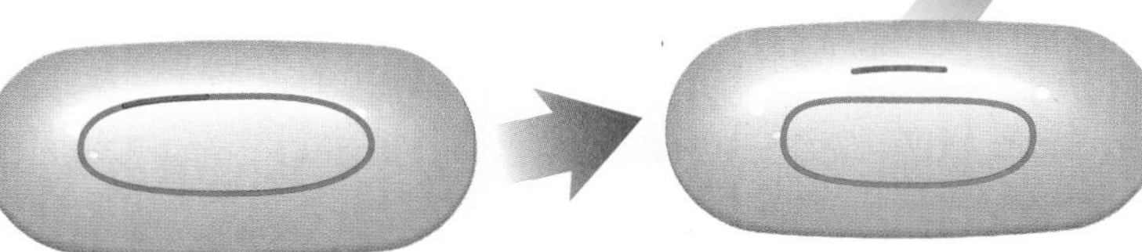

3 The virus's genetic material becomes part of the genetic material of the bacterium.

4 After some time, the virus's genetic material removes itself and becomes active.

5 The cell begins to produce the virus's proteins and genetic material, which assemble into new viruses.

6 The new viruses crowd the bacterium. Finally, the cell bursts open and releases the new viruses.

Viruses and Disease

If you've ever had a cold sore or been sick with the flu, you know that viruses can cause disease. Some diseases, such as colds, are mild—people are sick for a short time but soon recover. Other diseases, such as acquired immunodeficiency syndrome, or AIDS, have much more serious consequences on the body.

Viruses also cause diseases in organisms other than humans. For example, apple trees infected by the apple mosaic virus may produce less fruit. House pets, such as dogs and cats, can get deadly viral diseases, such as rabies and distemper.

The Spread of Viral Diseases Viral diseases can be spread in various ways. For example, some viral diseases can be spread through contact with a contaminated object, while others are spread through the bite of an infected animal. Some viruses, such as cold and flu viruses, can travel in tiny drops of moisture that an infected person sneezes or coughs into the air. Other viruses can spread only through contact with body fluids, such as blood.

Treating Viral Diseases There are currently no cures for viral diseases. However, many over-the-counter medications can help relieve symptoms of a viral infection. While they can make you feel better, these medications can also delay your recovery if you resume your normal routine while you are still sick. The best treatment for viral infections is often bed rest. **Resting, drinking plenty of fluids, and eating well-balanced meals may be all you can do while you recover from a viral disease.**

FIGURE 4
Viral Diseases
Although there is currently no cure for viral diseases, there are ways to treat the symptoms and prevent their transmission.
Relating Cause and Effect *Why does the flu often pass quickly from one family member to another?*

INFLUENZA (Flu)

Symptoms:	High fever; sore throat; headache; cough
How It Spreads:	Contact with contaminated objects; inhaling droplets
Treatment:	Bed rest; fluids
Prevention:	Vaccine (mainly for the high-risk ill, elderly, and young)

CHICKENPOX

Symptoms:	Fever; red, itchy rash
How It Spreads:	Contact with the rash; inhaling droplets
Treatment:	Antiviral drug (for adults)
Prevention:	Vaccine

Chickenpox virus ▶

Preventing Viral Diseases Of course, you'd probably rather not get sick in the first place. An important tool that helps prevent the spread of many viral diseases is vaccines. A **vaccine** is a substance introduced into the body to stimulate the production of chemicals that destroy specific disease-causing viruses and organisms. A viral vaccine may be made from weakened or altered viruses. Because they have been weakened or altered, the viruses in the vaccine do not cause disease. Instead, they trigger the body's natural defenses. In effect, the vaccine puts the body "on alert." If that disease-causing virus ever invades the body, it is destroyed before it can cause disease. You may have been vaccinated against diseases such as polio, measles, and chickenpox.

Another important way to protect against viral diseases is to keep your body healthy. You need to eat nutritious food, as well as get enough sleep, fluids, and exercise. You can also protect yourself by washing your hands often and by not sharing eating or drinking utensils.

Unfortunately, despite your best efforts, you'll probably get viral infections, such as colds, from time to time. When you do get ill, get plenty of rest, and follow your doctor's recommendations. Also, it's very important to try not to infect others.

Why don't vaccines cause disease themselves?

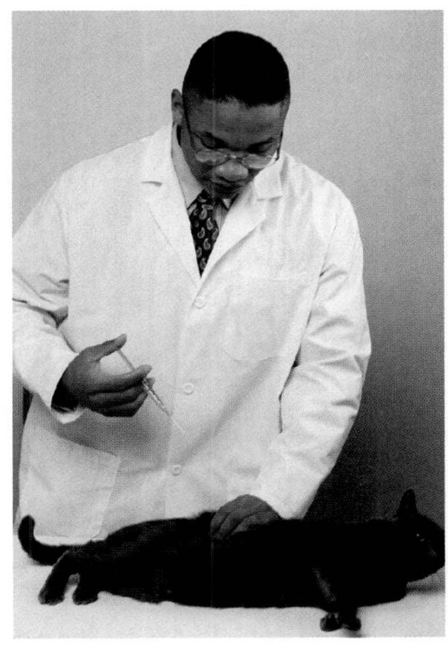

FIGURE 5
Vaccines
Veterinarians can give pets vaccine injections that protect the animals against many viral diseases.

Section 1 Assessment

Target Reading Skill Sequencing Refer to your flowcharts about how viruses multiply as you answer Question 3.

Reviewing Key Concepts

1. a. Defining What is a virus?
   b. Comparing and Contrasting How are viruses similar to organisms?
   c. Inferring Scientists hypothesize that viruses could not have existed on Earth before organisms appeared. Use what you know about viruses to support this hypothesis.
2. a. Identifying What basic structure do all viruses share?
   b. Relating Cause and Effect What role do the proteins in a virus's outer coat play in the invasion of a host cell?
3. a. Reviewing How does an active virus multiply?
   b. Sequencing List the additional steps that occur when a hidden virus multiplies.
   c. Classifying Do you think that the cold virus is an active virus or a hidden virus? Explain.
4. a. Reviewing What is often the best treatment for viral diseases?
   b. Explaining How are vaccines important in preventing viral diseases?

Writing in Science

Public Service Announcement Write a public service announcement for a radio show that teaches young children how to stay healthy during cold and flu season.

Lab zone **Skills Lab**

How Many Viruses Fit on a Pin?

Problem

How can a model help you understand how small viruses are?

Skills Focus

calculating, making models

Materials

- straight pin • long strips of paper • pencil
- meter stick • scissors • tape
- calculator (optional)

Procedure

1. Examine the head of a straight pin. Write a prediction about the number of viruses that could fit on the pinhead. **CAUTION:** *Avoid pushing the pin against anyone's skin.*
2. Assume that the pinhead has a diameter of about 1 mm. If the pinhead were enlarged 10,000 times, then its diameter would measure 10 m. Create a model of the pinhead by cutting and taping together narrow strips of paper to make a strip that is 10 m long. The strip of paper represents the diameter of the enlarged pinhead.
3. Lay the 10-m strip of paper on the floor of your classroom or in the hall. Imagine creating a large circle that had the strip as its diameter. The circle would be the pinhead at the enlarged size. Calculate the area of the enlarged pinhead using this formula:

   $$\text{Area} = \pi \times \text{Radius}^2$$

   Remember that you can find the radius by dividing the diameter by 2.
4. A virus particle may measure 200 nm on each side (1 nm equals a billionth of a meter). If the virus were enlarged 10,000 times, each side would measure 0.002 m. Cut out a square 0.002 m by 0.002 m to serve as a model for a virus. (*Hint*: 0.002 m = 2 mm.)
5. Next, find the area in meters of one virus particle at the enlarged size. Remember that the area of a square equals side × side.
6. Now divide the area of the pinhead that you calculated in Step 3 by the area of one virus particle to find out how many viruses could fit on the pinhead.
7. Exchange your work with a partner, and check each other's calculations.

Analyze and Conclude

1. **Calculating** Approximately how many viruses can fit on the head of a pin?
2. **Predicting** How does your calculation compare with the prediction you made? If the two numbers are very different, explain why your prediction may have been inaccurate.
3. **Making Models** What did you learn about the size of viruses by magnifying both the viruses and pinhead to 10,000 times their actual size?
4. **Communicating** In a paragraph, explain why scientists sometimes make and use enlarged models of very small things such as viruses.

More to Explore

Think of another everyday object that you could use to model some other facts about viruses, such as their shapes or how they infect cells. Describe your model and explain why the object would be a good choice.

These papilloma viruses, which cause warts, are about 50 nm in diameter. ▼

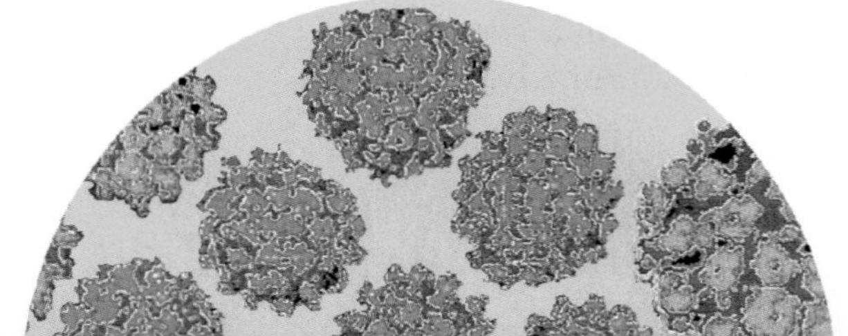

Section 2

Bacteria

Reading Preview

Key Concepts

- How do the cells of bacteria differ from those of eukaryotes?
- What do bacteria need to survive?
- Under what conditions do bacteria thrive and reproduce?
- What positive roles do bacteria play in people's lives?

Key Terms

- bacteria • flagellum
- binary fission
- asexual reproduction
- sexual reproduction
- conjugation • endospore
- pasteurization • decomposer

Target Reading Skill

Building Vocabulary After you read the section, reread the paragraphs that contain definitions of Key Terms. Use all the information you have learned to write a definition of each Key Term in your own words.

Lab zone Discover Activity

How Quickly Can Bacteria Multiply?

1. Your teacher will give you some beans and paper cups. Number the cups 1 through 8. Each bean will represent a bacterial cell.
2. Put one bean into cup 1 to represent the first generation of bacteria. Approximately every 20 minutes, a bacterial cell reproduces by dividing into two cells. Put two beans into cup 2 to represent the second generation of bacteria.

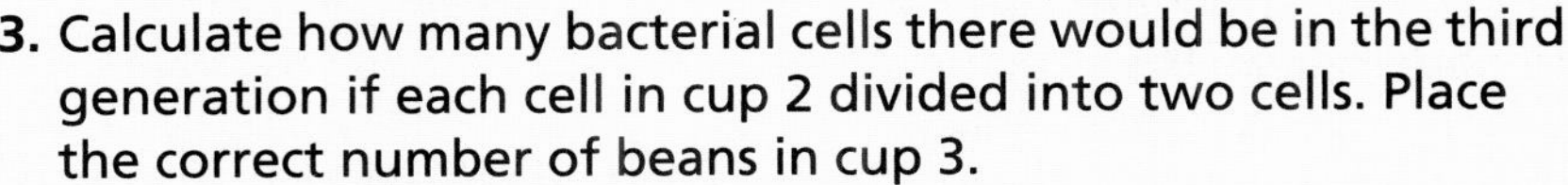

3. Calculate how many bacterial cells there would be in the third generation if each cell in cup 2 divided into two cells. Place the correct number of beans in cup 3.
4. Repeat Step 3 five more times. All the cups should now contain beans. How many cells are in the eighth generation? How much time has elapsed since the first generation?

Think It Over

Inferring Based on this activity, explain why the number of bacteria can increase rapidly in a short period of time.

They thrive in your container of yogurt. They lurk in your kitchen sponge. They coat your skin and swarm inside your nose. You cannot escape them because they live almost everywhere—under rocks, in the ocean, and all over your body. In fact, there are more of these organisms in your mouth than there are people on Earth! You don't notice them because they are very small. These organisms are bacteria.

The Bacterial Cell

Although there are billions of bacteria on Earth, they were not discovered until the late 1600s. A Dutch merchant named Anton van Leeuwenhoek (LAY vun hook) found them by accident. Leeuwenhoek made microscopes as a hobby. One day, while using one of his microscopes to look at scrapings from his teeth, he saw some tiny, wormlike organisms in the sample. However, Leeuwenhoek's microscopes were not powerful enough to see any details inside these organisms.

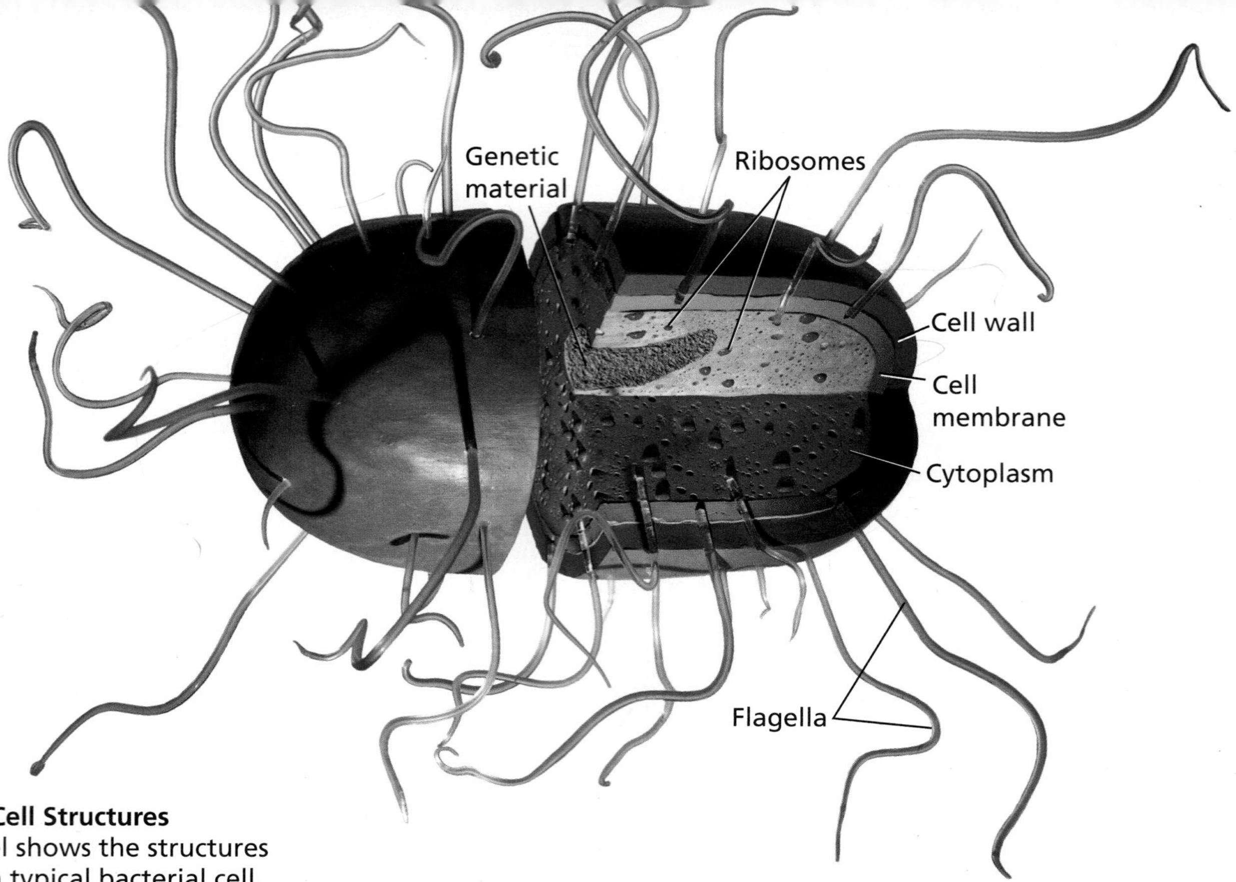

Genetic material
Ribosomes
Cell wall
Cell membrane
Cytoplasm
Flagella

FIGURE 6
Bacterial Cell Structures
This model shows the structures found in a typical bacterial cell.
Relating Diagrams and Photos *What structures does the* Salmonella *bacterium in the photograph use to move?*

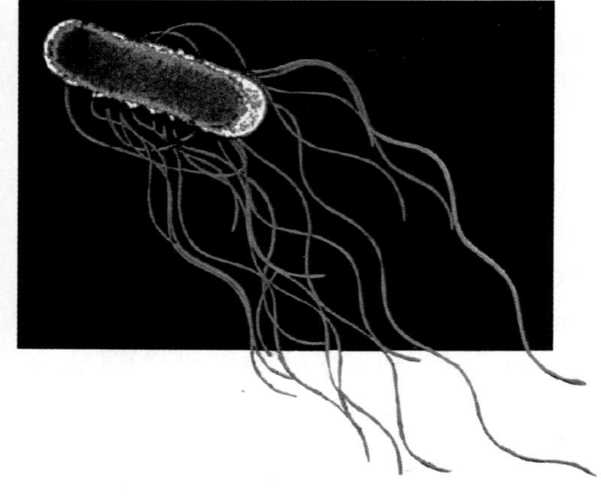

Cell Structures If Leeuwenhoek had owned a modern microscope, he would have seen the single-celled organisms known as **bacteria** (singular *bacterium*) in detail. **Bacteria are prokaryotes. The genetic material in their cells is not contained in a nucleus.** A bacterial cell lacks a nucleus and also lacks many other structures, such as mitochondria and Golgi bodies, that are found in the cells of eukaryotes.

Most bacterial cells, like plant cells, are surrounded by a rigid cell wall. Just inside the cell wall is the cell membrane. The region inside the cell mambrane is called the cytoplasm. Located in the cytoplasm are ribosomes and the genetic material, which looks like a tangled string. If you could untangle the genetic material, you would see that it forms a circular shape.

A bacterial cell may also have a **flagellum** (fluh JEL um) (plural *flagella*), a long, whiplike structure that helps a cell to move. A flagellum moves the cell by spinning in place like a propeller. A bacterial cell can have many flagella, one, or none. Most bacteria that do not have flagella cannot move on their own. Instead, they are carried from place to place by the air, water currents, objects, or other methods.

Cell Sizes Bacteria vary greatly in size. The largest known bacterium is about as big as the period at the end of this sentence. An average bacterium, however, is much smaller. For example, strep throat bacteria are about 0.5 to 1 micrometer in diameter. A micrometer is one millionth of a meter.

Cell Shapes If you observed bacteria under a microscope, you would notice that most bacterial cells have one of three basic shapes: spherical, rodlike, or spiral. The chemical makeup of the cell wall determines the shape of a bacterial cell. The shape of the cell helps scientists identify the type of bacteria. For example, bacteria that cause strep throat are spherical.

Obtaining Food and Energy

From the bacteria that live in soil to those that live in the pores of your skin, all bacteria need certain things to survive. **Bacteria must have a source of food and a way of breaking down the food to release its energy.**

Obtaining Food Some bacteria are autotrophs and make their own food. Autotrophic bacteria make food in one of two ways. Some capture and use the sun's energy as plants do. Others, such as bacteria that live deep in mud, do not use the sun's energy. Instead, these bacteria use the energy from chemical substances in their environment to make their food.

Some bacteria are heterotrophs and cannot make their own food. Instead, these bacteria consume other organisms or the food that other organisms make. Heterotrophic bacteria consume a variety of foods—from milk and meat, which you might also eat, to the decaying leaves on a forest floor.

Respiration Like all organisms, bacteria need a constant supply of energy. This energy comes from breaking down food in the process of respiration. Like many other organisms, most bacteria need oxygen to break down their food. But a few kinds of bacteria do not need oxygen for respiration. In fact, those bacteria die if oxygen is present in their surroundings.

Where does the energy that bacteria need come from?

Lab zone Try This Activity

Bacteria for Breakfast

1. Put on your apron. Add water to plain yogurt to make a thin mixture.
2. With a plastic dropper, place a drop of the mixture on a glass slide.
3. Use another plastic dropper to add one drop of methylene blue dye to the slide. **CAUTION:** *This dye can stain your skin.*
4. Put a coverslip on the slide. Observe the slide under both the low- and high-power lenses of a microscope.

Observing Draw what you see under high power.

FIGURE 7
Obtaining Food
Bacteria obtain food in several ways.

▲ These heterotrophic bacteria, found in yogurt, break down the sugars in milk for food.

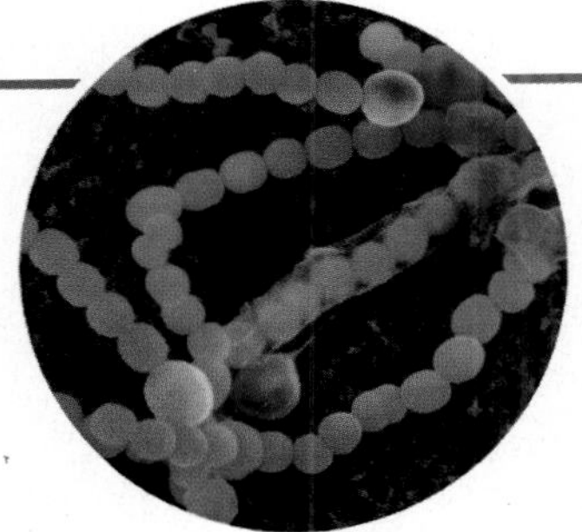

▲ The autotrophic bacteria that cause the green, cloudy scum in some ponds use the sun's energy to make food.

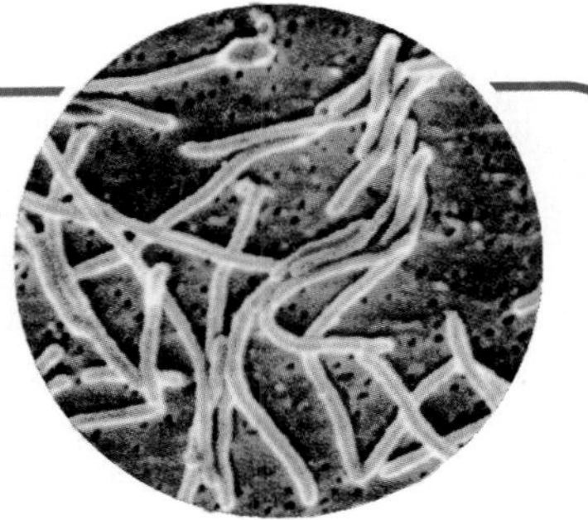

▲ These autotrophic bacteria, found in hot springs, use chemical energy from their environment to make food.

For: More on bacteria
Visit: PHSchool.com
Web Code: ced-1022

Reproduction

When bacteria have plenty of food, the right temperature, and other suitable conditions, they thrive and reproduce frequently. Under these ideal conditions, some bacteria can reproduce as often as once every 20 minutes. So it's a good thing that growing conditions for bacteria are rarely ideal!

Asexual Reproduction Bacteria reproduce by a process called **binary fission,** in which one cell divides to form two identical cells. Binary fission is a form of asexual reproduction. **Asexual reproduction** is a reproductive process that involves only one parent and produces offspring that are identical to the parent. During binary fission, a cell first duplicates its genetic material and then divides into two separate cells. Each new cell gets its own complete copy of the parent cell's genetic material as well as some of the parent's ribosomes and cytoplasm.

Sexual Reproduction Some bacteria may at times undergo a form of sexual reproduction. In **sexual reproduction,** two parents combine their genetic material to produce a new organism, which differs from both parents. During a process called **conjugation** (kahn juh GAY shun), one bacterium transfers some genetic material to another bacterium through a threadlike bridge. After the transfer, the cells separate.

Conjugation results in bacteria with new combinations of genetic material. Then, when these bacteria divide by binary fission, the new combinations of genetic material pass to the offspring. Conjugation does not increase the number of bacteria. However, it does result in bacteria that are genetically different.

◀ **Binary fission**

FIGURE 8
Bacterial Reproduction
In binary fission, one cell divides to form two identical cells. During conjugation, one bacterium transfers genetic material to another bacterium.

Conjugation ▶

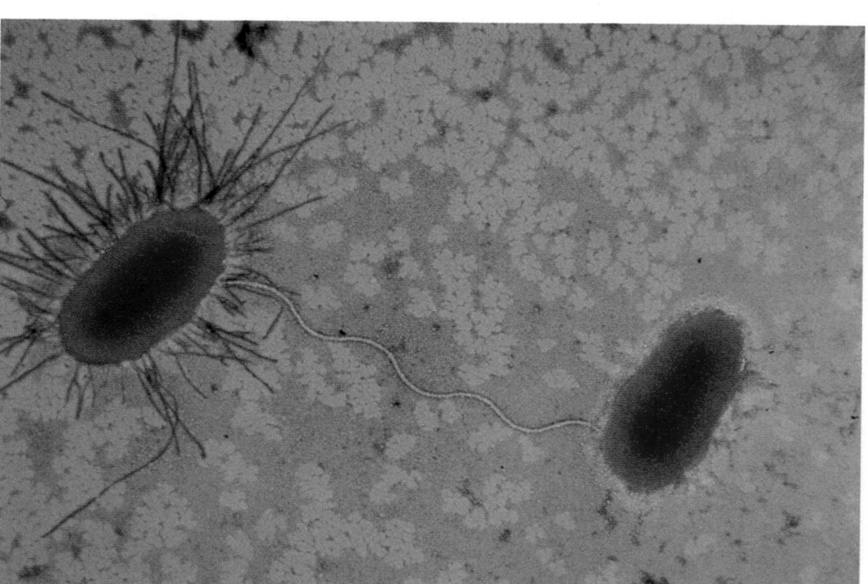

Math Analyzing Data

Population Explosion

Suppose a bacterium reproduces by binary fission every 20 minutes. The new cells survive and reproduce at the same rate. This graph shows how the bacterial population would grow from a single bacterium.

1. **Reading Graphs** What variable is being plotted on the horizontal axis? What is being plotted on the vertical axis?
2. **Interpreting Data** According to the graph, how many cells are there after 20 minutes? After 1 hour? After 2 hours?
3. **Drawing Conclusions** Describe the pattern you see in the way the bacterial population increases over 2 hours.

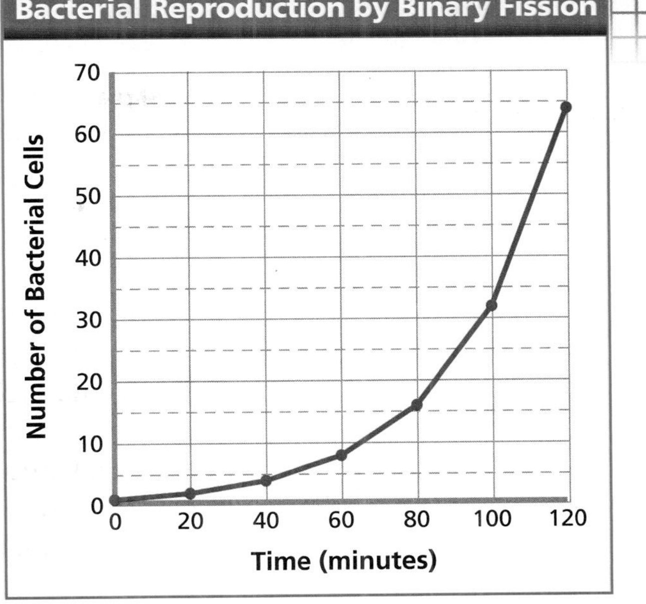

Endospore Formation Sometimes, conditions in the environment become unfavorable for the growth of bacteria. For example, food sources can disappear, water can dry up, or the temperature can fall or rise dramatically. Some bacteria can survive harsh conditions by forming endospores like those in Figure 9. An **endospore** is a small, rounded, thick-walled, resting cell that forms inside a bacterial cell. It contains the cell's genetic material and some of its cytoplasm.

Because endospores can resist freezing, heating, and drying, they can survive for many years. For example, the bacteria that cause botulism, *Clostridium botulinum*, produce heat-resistant endospores that can survive in improperly canned foods. Endospores are also light—a breeze can lift and carry them to new places. If an endospore lands in a place where conditions are suitable, it opens up. Then the bacterium can begin to grow and multiply.

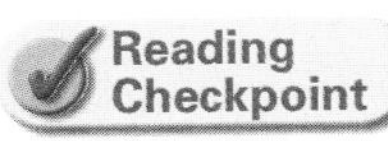

Under what conditions do endospores form?

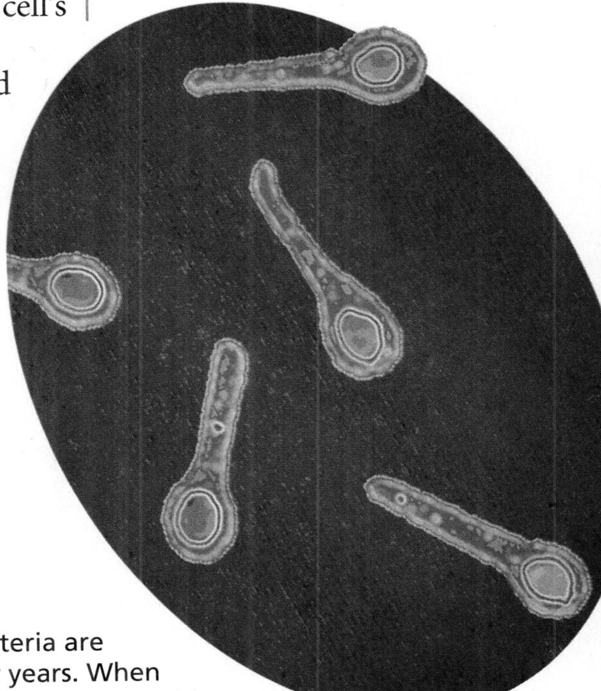

FIGURE 9
Endospores
The red circles within these bacteria are endospores that can survive for years. When conditions in the environment become favorable, the bacteria can begin to grow and multiply.

The Role of Bacteria in Nature

When you hear the word *bacteria*, you may think about getting sick. After all, strep throat, many ear infections, and other diseases are caused by bacteria. However, most bacteria are either harmless or helpful to people. In fact, in many ways, people depend on bacteria. **Bacteria are involved in oxygen and food production, environmental recycling and cleanup, and in health maintenance and medicine production.**

Oxygen Production Would it surprise you to learn that the air you breathe depends in part on bacteria? As autotrophic bacteria use the sun's energy to produce food, they also release oxygen into the air. Billions of years ago, there was little oxygen in Earth's atmosphere. Scientists think that autotrophic bacteria were responsible for first adding oxygen to Earth's atmosphere. Today, the distant offspring of those bacteria help keep oxygen levels in the air stable.

Science and **History**

Bacteria and Foods of the World

Ancient cultures lacked refrigeration and other modern methods of preventing food spoilage. People in these cultures developed ways of using bacteria to preserve foods. You may enjoy some of these foods today.

2300 B.C. Cheese
Ancient Egyptians made cheese from milk. Cheese-making begins when bacteria feed on the sugars in milk. The milk separates into solid curds and liquid whey. The curds are processed into cheeses, which keep longer than milk.

1000 B.C. Pickled Vegetables
The Chinese salted vegetables and packed them in containers. Naturally occurring bacteria fed on the vegetables and produced a sour taste. The salt pulled water out of the vegetables and left them crisp. These vegetables were part of the food rations given to workers who built the Great Wall of China.

500 B.C. Dried Meat
People who lived in the regions around the Mediterranean Sea chopped meat, seasoned it with salt and spices, rolled it, and hung it to dry. Bacteria in the drying meat gave unique flavors to the food. The rolled meat would keep for weeks in cool places.

2500 B.C. 1500 B.C. 500 B.C.

Food Production Do you like cheese, sauerkraut, or pickles? The activities of helpful bacteria produce all of these foods and more. For example, bacteria that grow in apple cider change the cider to vinegar. Bacteria that grow in milk produce dairy products such as buttermilk, yogurt, sour cream, and cheeses.

However, some bacteria cause food to spoil when they break down the food's chemicals. Spoiled food usually smells or tastes foul and can make you very sick. Refrigerating and heating foods are two ways to slow down food spoilage. Another method, called pasteurization, is most often used to treat beverages such as milk and juice. During **pasteurization,** the food is heated to a temperature that is high enough to kill most harmful bacteria without changing the taste of the food. As you might have guessed, this process was named after Louis Pasteur, its inventor.

Writing in Science

Research and Write Find out more about one of these ancient food-production methods and the culture that developed it. Write a report about the importance of the food to the culture.

A.D. 500
Soy Sauce
People in China crushed soybeans into mixtures of wheat, salt, bacteria, and other microorganisms. The microorganisms fed on the proteins in the wheat and soybeans. The salt pulled water out of the mixture. The protein-rich soy paste that remained was used to flavor foods. The soy sauce you may use today is made in a similar manner.

A.D. 1500
Chocolate Beverage
People in the West Indies mixed beans from the cocoa plant with bacteria and other microorganisms and then dried and roasted them. The roasted beans were then brewed to produce a beverage with a chocolate flavor. The drink was served cold with honey, spices, and vanilla.

A.D. 1850
Sourdough Bread
Gold prospectors in California ate sourdough bread. The *Lactobacillus sanfrancisco* bacteria gave the bread its sour taste. Each day before baking, cooks would set aside some dough that contained the bacteria to use in the next day's bread.

A.D. 500 | A.D. 1500 | A.D. 2500

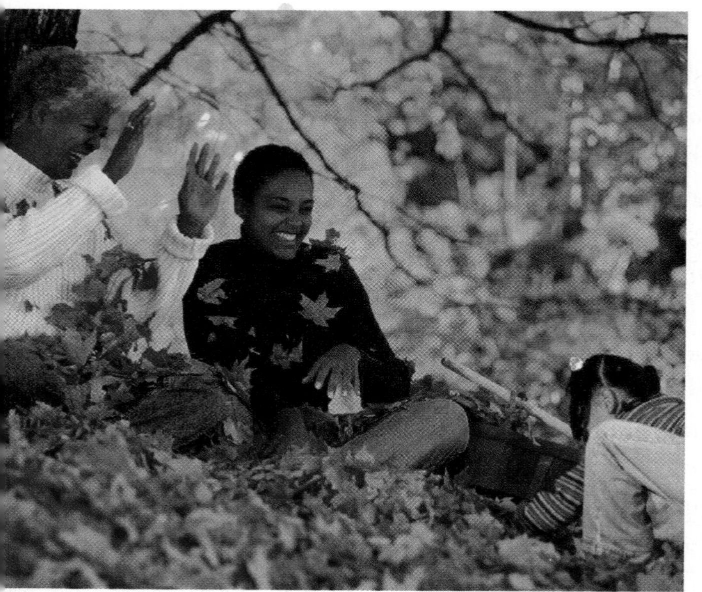

FIGURE 10
Environmental Recycling
Decomposing bacteria are at work recycling the chemicals in these leaves. **Predicting** *What might a forest be like if there were no decomposing bacteria in the soil?*

Environmental Recycling If you recycle glass or plastic, then you have something in common with some heterotrophic bacteria. These bacteria, which live in the soil, are **decomposers**—organisms that break down large chemicals in dead organisms into small chemicals.

Decomposers are "nature's recyclers." They return basic chemicals to the environment for other living things to reuse. For example, the leaves of many trees die in autumn and drop to the ground. Decomposing bacteria spend the next months breaking down the chemicals in the dead leaves. The broken-down chemicals mix with the soil and can then be absorbed by the roots of nearby plants.

Another type of recycling bacteria, called nitrogen-fixing bacteria, help plants survive. Nitrogen-fixing bacteria live in the soil and in swellings on the roots of certain plants, such as peanut, pea, and soybean. These helpful bacteria convert nitrogen gas from the air into nitrogen products that plants need to grow. On their own, plants cannot use nitrogen present in the air. Therefore, nitrogen-fixing bacteria are vital to the plants' survival.

Environmental Cleanup Some bacteria help to clean up Earth's land and water. Can you imagine having a bowl of oil for dinner instead of soup? Well, some bacteria prefer the oil. They convert the poisonous chemicals in oil into harmless substances. Scientists have put these bacteria to work cleaning up oil spills in oceans and gasoline leaks in the soil under gas stations.

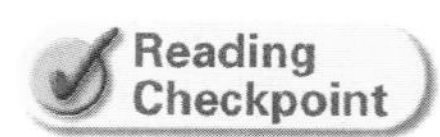

What role do bacterial decomposers play in the environment?

FIGURE 11
Environmental Cleanup
Scientists use bacteria such as these *Ochrobactrum anthropi* to help clean up oil spills.

Health and Medicine Did you know that many of the bacteria living in your body actually keep you healthy? In your digestive system, for example, your intestines teem with bacteria. Some help you digest your food. Some make vitamins that your body needs. Others compete for space with disease-causing organisms, preventing the harmful bacteria from attaching to your intestines and making you sick.

Scientists have put some bacteria to work making medicines and other substances. The first medicine-producing bacteria were made in the 1970s. By manipulating the bacteria's genetic material, scientists engineered bacteria to produce human insulin. Although healthy people can make their own insulin, those with some types of diabetes cannot. Many people with diabetes need to take insulin daily. Thanks to bacteria's fast rate of reproduction, large numbers of insulin-making bacteria can be grown in huge vats. The human insulin they produce is then purified and made into medicine.

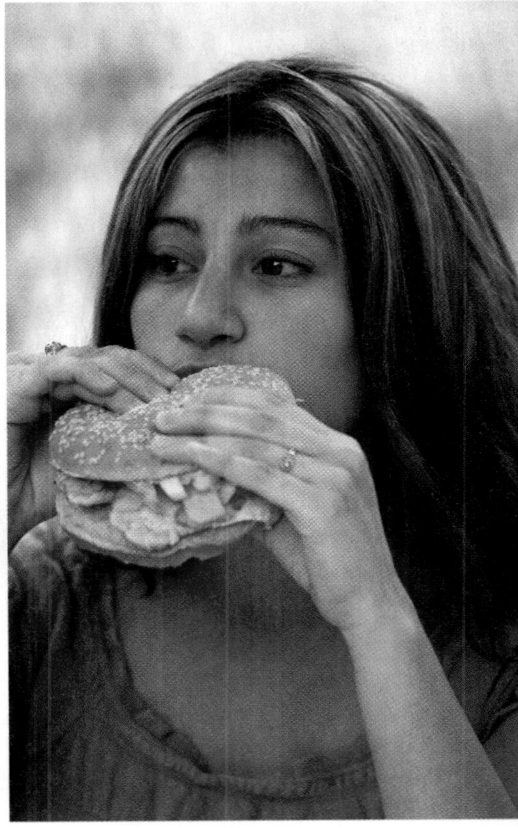

FIGURE 12
Bacteria and Digestion
Bacteria living naturally in your intestines help you digest food.

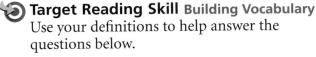

Section 2 Assessment

Target Reading Skill **Building Vocabulary** Use your definitions to help answer the questions below.

Reviewing Key Concepts

1. a. **Reviewing** Where is the genetic material located in a bacterial cell?
   b. **Describing** What is the role of flagella in a bacterial cell?
2. a. **Listing** What are the three ways in which bacteria obtain food?
   b. **Describing** How do bacteria obtain energy to carry out their functions?
   c. **Inferring** You have just discovered a new bacterium that lives inside sealed cans of food. How do you think these bacteria obtain food and energy?
3. a. **Defining** What is binary fission?
   b. **Explaining** Under what conditions do bacteria thrive and reproduce frequently by binary fission?
   c. **Inferring** Why might bacteria that undergo conjugation be better able to survive when conditions become less than ideal?
4. a. **Listing** A friend states that all bacteria are harmful to people. List three reasons why this statement is inaccurate.
   b. **Applying Concepts** In what ways might bacteria contribute to the success of a garden in which pea plants are growing?

Lab zone At-Home Activity

Edible Bacteria With a family member, look around your kitchen for foods that are made using bacteria. Read the food labels to see if bacteria are used in the food's production. Discuss with your family member the helpful roles that bacteria play in people's lives.

Section 3

Protists

Reading Preview

Key Concept

- What are the characteristics of animal-like, plantlike, and funguslike protists?

Key Terms

- protist • protozoan
- pseudopod
- contractile vacuole • cilia
- symbiosis • mutualism
- algae • spore

Target Reading Skill

Outlining As you read, make an outline about protists that you can use for review. Use the red section headings for the main topics and the blue headings for the subtopics.

Protists

I. What is a protist?
II. Animal-like protists
  A. Protozoans with pseudopods
  B.
  C.

Lab zone Discover Activity

What Lives in a Drop of Pond Water?

1. Use a plastic dropper to place a drop of pond water on a microscope slide.
2. Put the slide under your microscope's low-power lens. Focus on the objects you see.
3. Find at least three different objects that you think might be organisms. Observe them for a few minutes.
4. Draw the three organisms in your notebook. Below each sketch, describe the movements or behaviors of the organism. Wash your hands thoroughly when you have finished.

Think It Over

Observing What characteristics did you observe that made you think that each organism was alive?

Look at the objects in Figure 13. What do they look like to you? Jewels? Beads? Stained glass ornaments? You might be surprised to learn that these beautiful, delicate structures are the walls of unicellular organisms called diatoms. Diatoms live in both fresh water and salt water and are an important food source for many marine organisms. They have been called the "jewels of the sea."

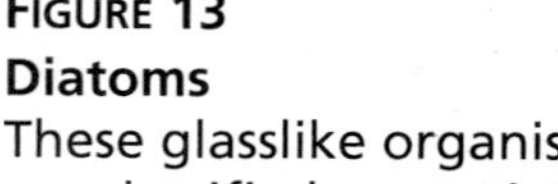

FIGURE 13
Diatoms
These glasslike organisms are classified as protists.

▲ These shells are the remains of unicellular, animal-like protists called foraminifera.

FIGURE 14 Protists

Protists include animal-like, plantlike, and funguslike organisms.

Comparing and Contrasting *In what ways do protists differ from one another?*

▲ This red alga is a multicellular, plantlike protist found on ocean floors.

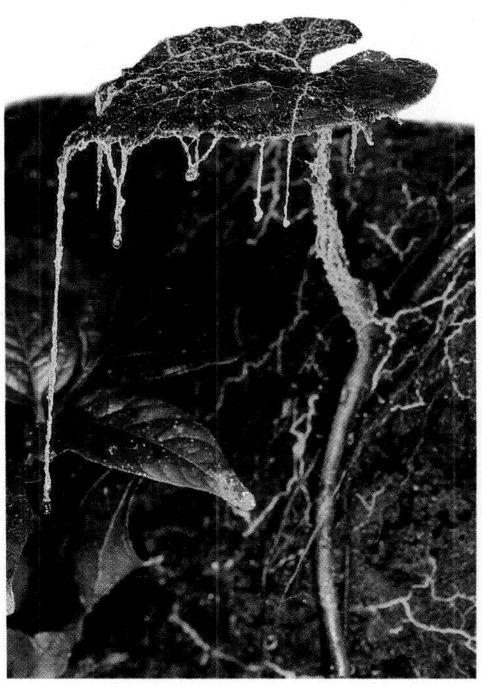

▲ The yellow slime mold oozing off the leaf is a funguslike protist.

What Is a Protist?

Diatoms are only one of the vast varieties of protists. **Protists** are eukaryotes that cannot be classified as animals, plants, or fungi. Because protists are so different from one another, you can think of them as the "odds and ends" kingdom. However, protists do share some characteristics. In addition to being eukaryotes, all protists live in moist surroundings.

The word that best describes protists is *diversity*. For example, most protists are unicellular, but some are multicellular. Some are heterotrophs, some are autotrophs, and others are both. Some protists cannot move, while others zoom around their moist surroundings.

Because of the great variety of protists, scientists have proposed several ways of grouping these organisms. One useful way of grouping protists is to divide them into three categories, based on characteristics they share with organisms in other kingdoms: animal-like protists, plantlike protists, and funguslike protists.

In what kind of environment do all protists live?

Animal-Like Protists

What image pops into your head when you think of an animal? A tiger chasing its prey? A snake slithering onto a rock? Most people immediately associate animals with movement. In fact, movement is often involved with an important characteristic of animals—obtaining food. All animals are heterotrophs that must obtain food by eating other organisms.

Like animals, animal-like protists are heterotrophs, and most are able to move from place to place to obtain food. But unlike animals, animal-like protists, or **protozoans** (proh tuh ZOH unz), are unicellular. Protozoans can be classified into four groups, based on the way they move and live.

FIGURE 15
Amoeba
Amoebas are sarcodines that live in either water or soil. They feed on bacteria and smaller protists.

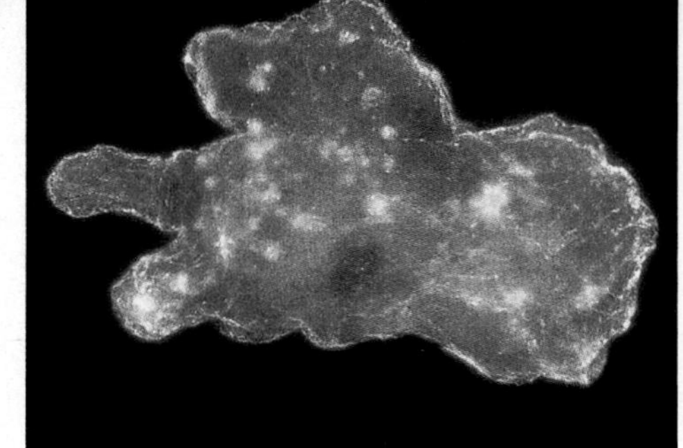

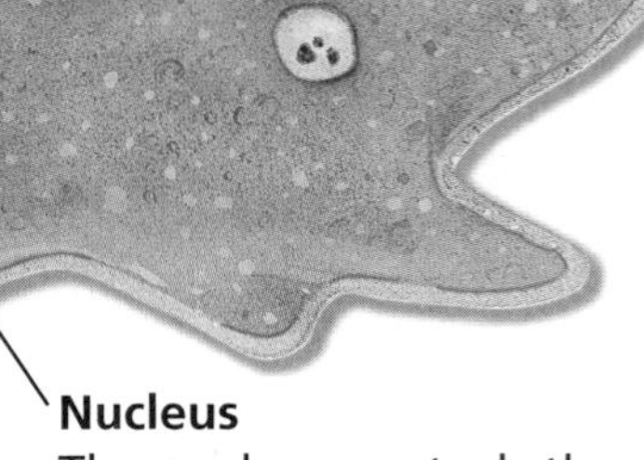
Food Vacuole
When the ends of two pseudopods fuse, they form a food vacuole. Food is broken down inside the food vacuole in the cytoplasm.
Pseudopod
An amoeba uses pseudopods to move and feed. Pseudopods form when cytoplasm flows toward one location and the rest of the amoeba follows.
Nucleus
The nucleus controls the cell's functions and is involved in reproduction. Amoebas usually reproduce by binary fission.
Cytoplasm
Contractile Vacuole
The contractile vacuole collects excess water from the cytoplasm and expels it from the cell.
Cell Membrane
Because the cell membrane is very thin and flexible, an amoeba's shape changes constantly.

Go Online
active art

For: Amoeba and Paramecium activity
Visit: PHSchool.com
Web Code: cep-1031

Protozoans With Pseudopods The amoeba in Figure 15 belongs to the group of protozoans called sarcodines. Sarcodines move and feed by forming **pseudopods** (SOO duh pahdz)—temporary bulges of the cell. The word *pseudopod* means "false foot." Pseudopods form when cytoplasm flows toward one location and the rest of the organism follows. Pseudopods enable sarcodines to move. For example, amoebas use pseudopods to move away from bright light. Sarcodines also use pseudopods to trap food. The organism extends a pseudopod on each side of the food particle. The two pseudopods then join together, trapping the particle inside.

Protozoans that live in fresh water, such as amoebas, have a problem. Small particles, like those of water, pass easily through the cell membrane into the cytoplasm. If excess water were to build up inside the cell, the amoeba would burst. Fortunately, amoebas have a **contractile vacuole** (kun TRAK til VAK yoo ohl), a structure that collects the extra water and then expels it from the cell.

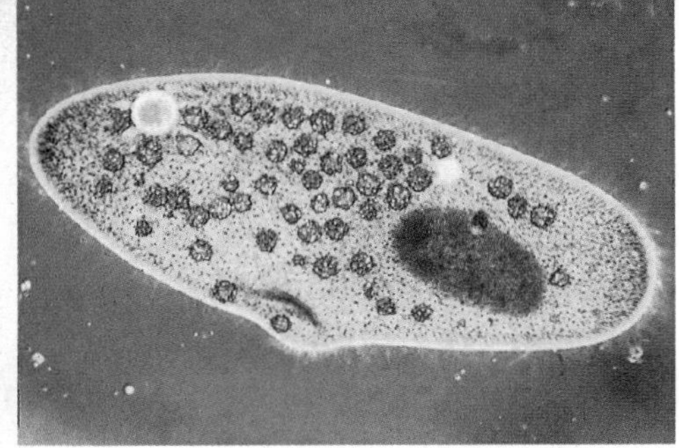

FIGURE 16

Paramecium

Paramecia are ciliates that live mostly in fresh water. Like amoebas, paramecia feed on bacteria and smaller protists.

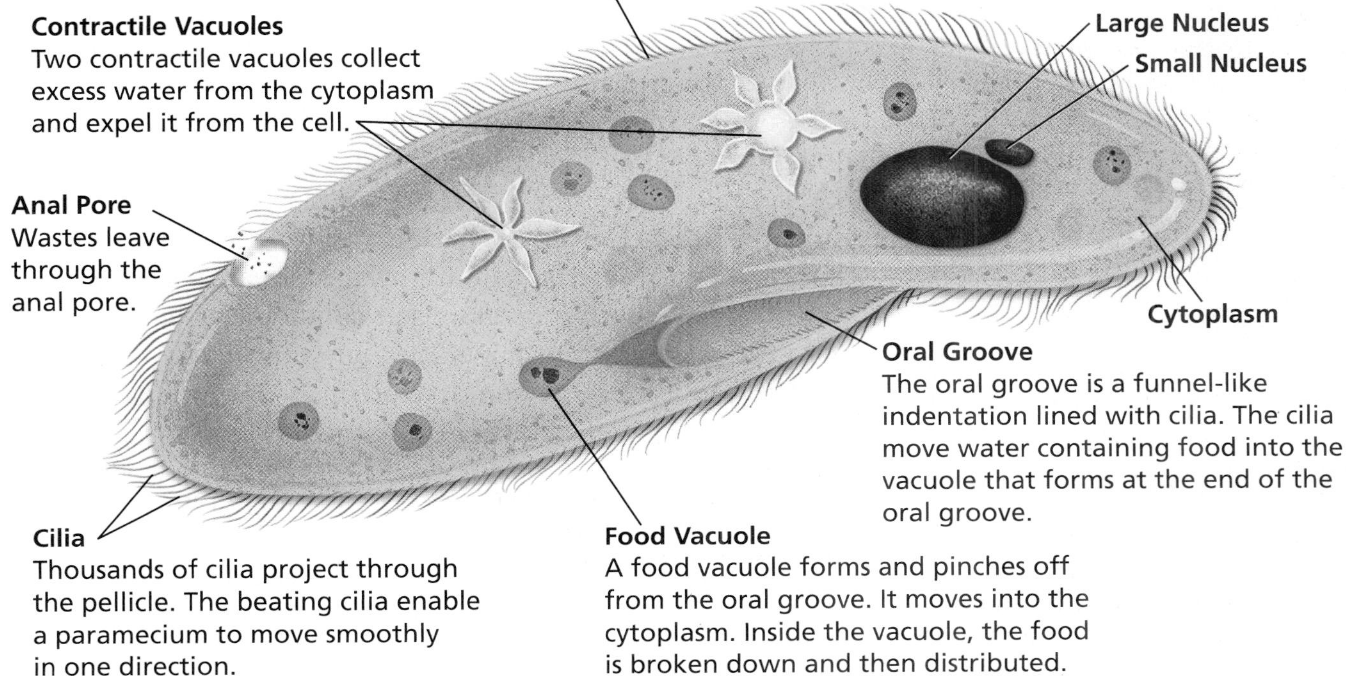

Pellicle
A stiff but flexible covering, called the pellicle, surrounds a paramecium and gives it shape.
Contractile Vacuoles
Two contractile vacuoles collect excess water from the cytoplasm and expel it from the cell.
Large Nucleus
Small Nucleus
Anal Pore
Wastes leave through the anal pore.
Cytoplasm
Oral Groove
The oral groove is a funnel-like indentation lined with cilia. The cilia move water containing food into the vacuole that forms at the end of the oral groove.
Cilia
Thousands of cilia project through the pellicle. The beating cilia enable a paramecium to move smoothly in one direction.
Food Vacuole
A food vacuole forms and pinches off from the oral groove. It moves into the cytoplasm. Inside the vacuole, the food is broken down and then distributed.

Protozoans With Cilia The second group of animal-like protists are the ciliates. Ciliates have structures called **cilia** (SIL ee uh), which are hairlike projections from cells that move with a wavelike motion. Ciliates use their cilia to move and obtain food. Cilia act something like tiny oars to move a ciliate. Their movement sweeps food into the organism.

The cells of ciliates, like the paramecium in Figure 16, are complex. Notice that the paramecium has two contractile vacuoles that expel water from the cell. It also has more than one nucleus. The large nucleus controls the everyday tasks of the cell. The small nucleus functions in reproduction.

Paramecia usually reproduce asexually by binary fission. Sometimes, however, paramecia reproduce by conjugation. This occurs when two paramecia join together and exchange some of their genetic material.

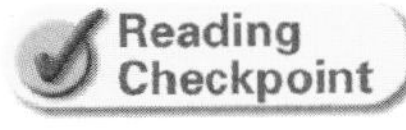

Reading Checkpoint

What are cilia?

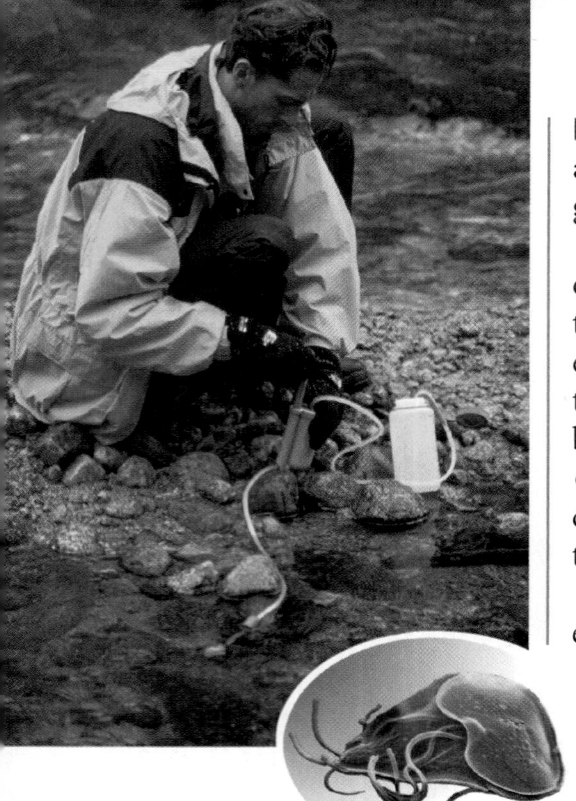

FIGURE 17
Giardia
When people drink from freshwater streams and lakes, they can get hiker's disease. *Giardia intestinalis* (inset) is the protozoan responsible for this disease.
Inferring *Why is it important for hikers to filter stream water?*

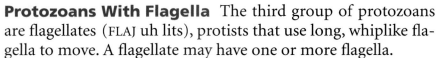

Protozoans With Flagella The third group of protozoans are flagellates (FLAJ uh lits), protists that use long, whiplike flagella to move. A flagellate may have one or more flagella.

Some of these protozoans live inside the bodies of other organisms. For example, one type of flagellate lives in the intestines of termites. There, they digest the wood that the termites eat, producing sugars for themselves and for the termites. In turn, the termites protect the protozoans. The interaction between these two species is an example of **symbiosis** (sim bee OH sis)—a close relationship in which at least one of the species benefits. When both partners benefit from living together, the relationship is a type of symbiosis called **mutualism.**

Sometimes, however, a protozoan harms its host. For example, *Giardia* is a parasite in humans. Wild animals, such as beavers, deposit *Giardia* in freshwater streams, rivers, and lakes. When a person drinks water containing *Giardia*, these protozoans attach to the person's intestine, where they feed and reproduce. The person develops a serious intestinal condition commonly called hiker's disease.

Protozoans That Are Parasites The fourth type of protozoans are characterized more by the way they live than by the way they move. They are all parasites that feed on the cells and body fluids of their hosts. These protozoans move in a variety of ways. Some have flagella, and some depend on hosts for transport. One even produces a layer of slime that allows it to slide from place to place!

Many of these parasites have more than one host. For example, *Plasmodium* is a protozoan that causes malaria, a disease of the blood. Two hosts are involved in *Plasmodium's* life cycle—humans and a species of mosquitoes found in tropical areas. The disease spreads when a healthy mosquito bites a person with malaria, becomes infected, and then bites a healthy person. Symptoms of malaria include high fevers that alternate with severe chills. These symptoms can last for weeks, then disappear, only to reappear a few months later.

What is symbiosis?

FIGURE 18
Malaria Mosquito
Anopheles mosquitoes can carry the parasitic protozoan *Plasmodium*, which causes malaria in people.

Plantlike Protists

Plantlike protists, which are commonly called **algae** (AL jee), are extremely diverse. **Like plants, algae are autotrophs.** Most are able to use the sun's energy to make their own food.

Algae play a significant role in many environments. For example, algae that live near the surface of ponds, lakes, and oceans are an important food source for other organisms in the water. In addition, much of the oxygen in Earth's atmosphere is made by these algae.

Algae vary greatly in size. Some algae are unicellular, while others are multicellular. Still others are groups of unicellular organisms that live together in colonies. Colonies can contain from a few cells up to thousands of cells. In a colony, most cells carry out all functions. But, some cells may become specialized to perform certain functions, such as reproduction.

Algae exist in a wide variety of colors because they contain many types of pigments. You may recall that pigments are chemicals that produce color. Depending on their pigments, algae can be green, yellow, red, brown, orange, or even black.

Diatoms Diatoms are unicellular protists with beautiful glasslike cell walls. Some float near the surface of lakes or oceans. Others attach to objects such as rocks in shallow water. Diatoms are a food source for heterotrophs in the water. Many diatoms can move by oozing chemicals out of slits in their cell walls. They then glide in the slime.

When diatoms die, their cell walls collect on the bottoms of oceans and lakes. Over time, they form layers of a coarse substance called diatomaceous (dy uh tuh MAY shus) earth. Diatomaceous earth makes a good polishing agent and is used in household scouring products. It is even used as an insecticide—the diatoms' sharp cell walls puncture the bodies of insects.

Dinoflagellates Dinoflagellates (dy noh FLAJ uh lits) are unicellular algae surrounded by stiff plates that look like a suit of armor. Because they have different amounts of green, orange, and other pigments, dinoflagellates exist in a variety of colors.

All dinoflagellates have two flagella held in grooves between their plates. When the flagella beat, the dinoflagellates twirl like toy tops as they move through the water. Many glow in the dark. They light up the ocean's surface when disturbed by a passing boat or swimmer.

Lab zone **Try This Activity**

Watching Protists

In this activity you will watch the interaction between paramecium, an animal-like protist, and *Chlorella*, a plantlike protist.

1. Use a plastic dropper to place 1 drop of paramecium culture on a microscope slide. Add some cotton fibers to slow down the paramecia.
2. Use the microscope's low-power objective to find some paramecia.
3. Add 1 drop of *Chlorella* to the paramecium culture on your slide.
4. Switch to high power and locate a paramecium. Observe what happens. Then wash your hands.

Inferring What evidence do you have that paramecia are heterotrophs? That *Chlorella* are autotrophs?

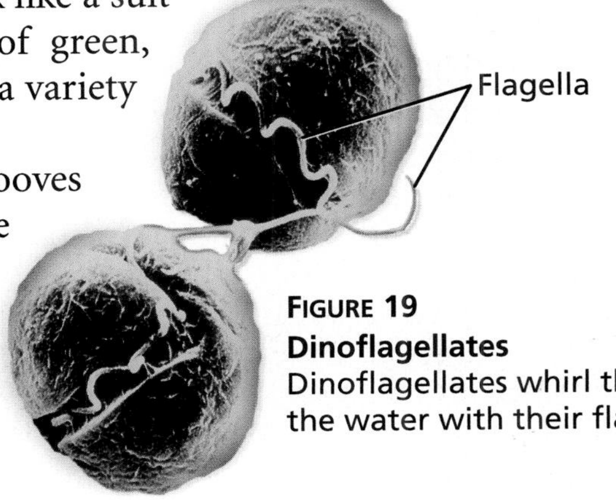

Flagella

FIGURE 19
Dinoflagellates
Dinoflagellates whirl through the water with their flagella.

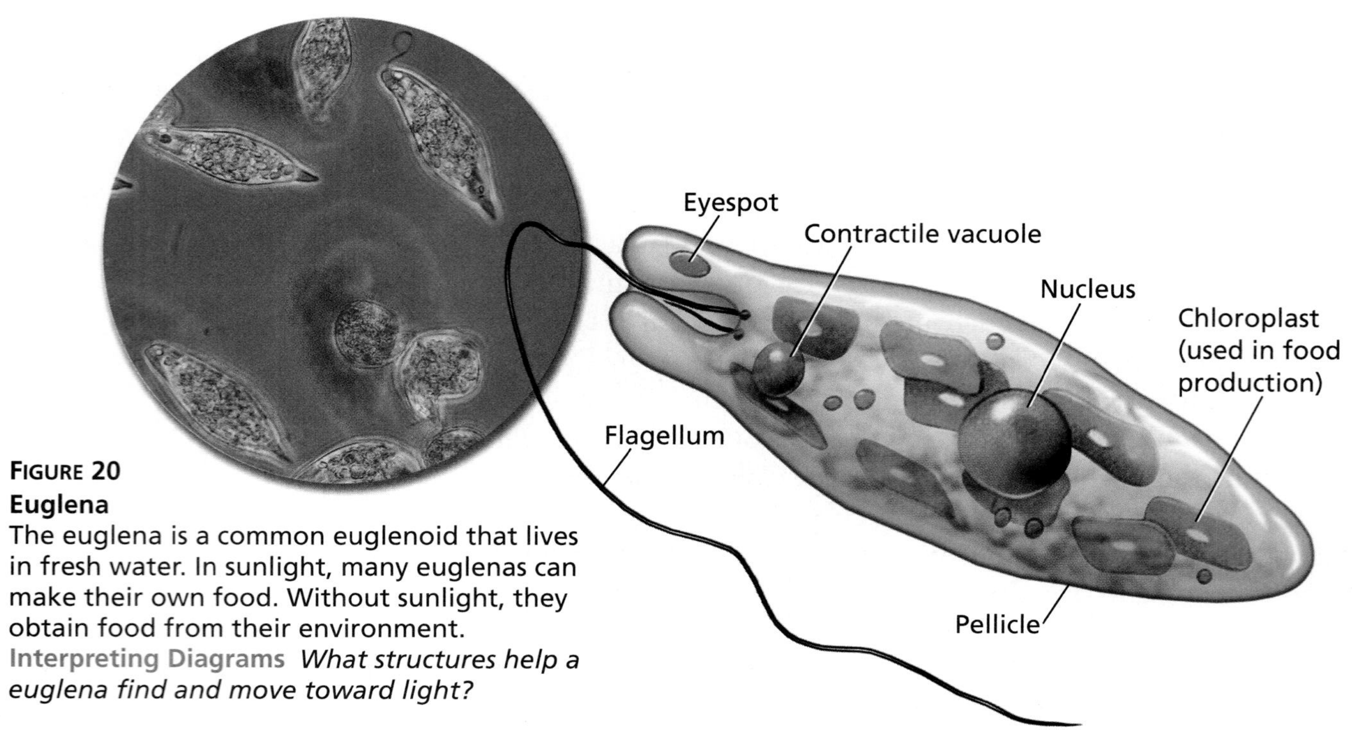

FIGURE 20
Euglena
The euglena is a common euglenoid that lives in fresh water. In sunlight, many euglenas can make their own food. Without sunlight, they obtain food from their environment.
Interpreting Diagrams *What structures help a euglena find and move toward light?*

Euglenoids Euglenoids (yoo GLEE noydz) are green, unicellular algae that are found mostly in fresh water. Unlike other algae, euglenoids have one animal-like characteristic—they can be heterotrophs under certain conditions. When sunlight is available, most euglenoids are autotrophs that produce their own food. However, when sunlight is not available, euglenoids will act like heterotrophs by obtaining food from their environment. Some euglenoids live entirely as heterotrophs.

In Figure 20, you see a euglena, which is a common euglenoid. Notice the long, whiplike flagellum that helps the organism move. Locate the eyespot near the flagellum. Although the eyespot is not really an eye, it contains pigments. These pigments are sensitive to light and help the euglena recognize the direction of a light source. You can imagine how important this response is to an organism that needs light to make food.

Red Algae Almost all red algae are multicellular seaweeds. Divers have found red algae growing more than 260 meters below the ocean's surface. Their red pigments are especially good at absorbing the small amount of light that is able to reach deep ocean waters.

People use red algae in a variety of ways. Carrageenan (ka ruh JEE nun) and agar, substances extracted from red algae, are used in products such as ice cream and hair conditioner. For people in many Asian cultures, red algae is a nutrient-rich food that is eaten fresh, dried, or toasted.

Lab zone Skills Activity

Predicting

Predict what will happen when you pour a culture of euglena into a petri dish, and then cover half the dish with aluminum foil. Give a reason for your prediction.

Then carry out the experiment with a culture of euglena in a plastic petri dish. Cover half the dish with aluminum foil. After 10 minutes, uncover the dish. What do you observe? Was your prediction correct? Explain why euglena behave this way.

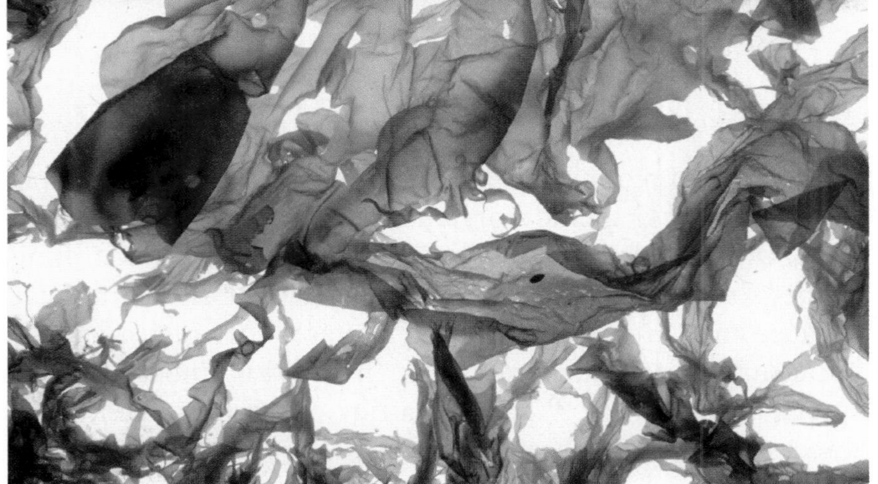

FIGURE 21
Green Algae
Green algae range in size from unicellular organisms to multicellular seaweeds. This multicellular sea lettuce, *Ulva*, lives in oceans.

Green Algae Green algae, which contain green pigments, are quite diverse. Most green algae are unicellular. Some, however, form colonies, and a few are multicellular. Most green algae live in either fresh water or salt water. The few that live on land are found on rocks, in the crevices of tree bark, or in moist soils.

Green algae are actually very closely related to plants that live on land. Green algae and plants contain the same type of chlorophyll and share other important similarities. In fact, some scientists think that green algae belong in the plant kingdom.

Brown Algae Many of the organisms that are commonly called seaweeds are brown algae. In addition to their brown pigment, brown algae also contain green, yellow, and orange pigments. As you can see in Figure 22, a typical brown alga has many plantlike structures. Holdfasts anchor the alga to rocks. Stalks support the blades, which are the leaflike structures of the alga. Many brown algae also have gas-filled sacs called bladders that allow the algae to float upright in the water.

Brown algae flourish in cool, rocky waters. Brown algae called rockweed live along the Atlantic coast of North America. Giant kelps, which can grow as long as 100 meters, live in some Pacific coastal waters. The giant kelps form large underwater "forests" where many organisms, including sea otters and abalone, live.

Some people eat brown algae. In addition, substances called algins are extracted from brown algae and used as thickeners in puddings and other foods.

What color pigments can brown algae contain?

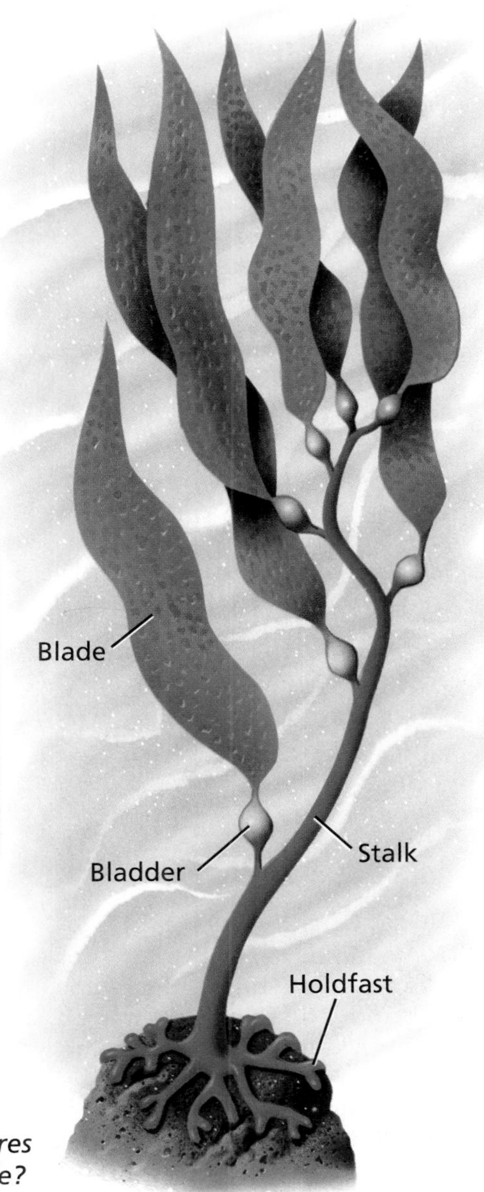

FIGURE 22 Brown Algae
Giant kelps are brown algae that have many plantlike structures.
Interpreting Diagrams *What plant structures do the kelp's holdfasts and blades resemble?*

Funguslike Protists

The third group of protists are the funguslike protists. You may recall that fungi include organisms such as mushrooms and yeast. Until you learn more about fungi, you can think of fungi as the "sort of like" organisms. Fungi are "sort of like" animals because they are heterotrophs. They are "sort of like" plants because their cells have cell walls. In addition, most fungi use spores to reproduce. A **spore** is a tiny cell that is able to grow into a new organism.

Like fungi, funguslike protists are heterotrophs, have cell walls, and use spores to reproduce. All funguslike protists are able to move at some point in their lives. The three types of funguslike protists are slime molds, water molds, and downy mildews.

Slime Molds Slime molds are often brilliantly colored. They live on forest floors and other moist, shady places. They ooze along the surfaces of decaying materials, feeding on bacteria and other microorganisms. Some slime molds are so small that you need a microscope to see them. Others may cover an area of several meters!

Slime molds begin their life cycle as tiny, individual amoeba-like cells. The cells use pseudopods to feed and creep around. Later, the cells grow bigger or join together to form a giant, jellylike mass. In some species, the giant mass is multicellular and forms when food is scarce. In others, the giant mass is actually a giant cell with many nuclei.

The mass oozes along as a single unit. When environmental conditions become harsh, spore-producing structures grow out of the mass and release spores. Eventually the spores develop into a new generation of slime molds.

FIGURE 23
Slime Molds
The chocolate tube slime mold first forms a tapioca-like mass (top). When conditions become harsh, the mass grows spore-producing stalks (right). The stalks, or "chocolate tubes," are covered with millions of brown spores.

Water Molds and Downy Mildews Most water molds and downy mildews live in water or moist places. These organisms often grow as tiny threads that look like fuzz. Figure 24 shows a fish attacked by a water mold and a leaf covered by downy mildew.

Water molds and downy mildews attack many food crops, such as potatoes, corn, and grapes. A water mold impacted history when it destroyed the Irish potato crops in 1845 and 1846. The loss of these crops led to a famine. More than one million people in Ireland died, and many others moved to the United States and other countries.

▲ Water mold on fish

In what environments are water molds found?

▼ Downy mildew on grape leaf

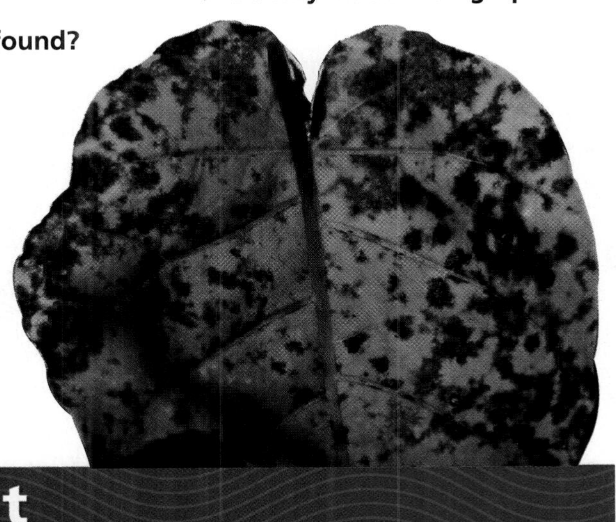

FIGURE 24
Water Molds and Downy Mildews
Many water molds are decomposers of dead aquatic organisms. Others are parasites of fish and other animals. Downy mildews are parasites of many food crops.

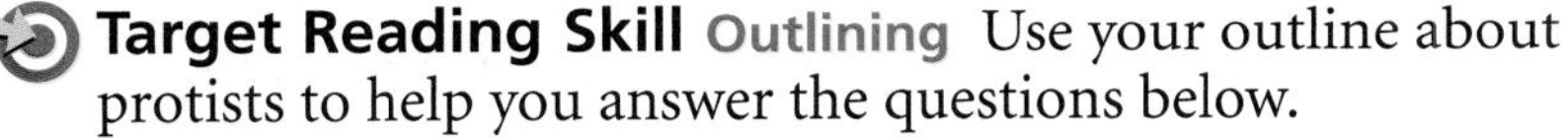

Target Reading Skill **Outlining** Use your outline about protists to help you answer the questions below.

Reviewing Key Concepts

1. a. **Listing** List the four types of animal-like protists. How does each type move or live?
   b. **Comparing and Contrasting** How are these four types of protists similar to animals? How are they different?
   c. **Classifying** You observe an animal-like protist under the microscope. It has no hairlike or whiplike structures. It moves by forming temporary bulges of cytoplasm. How would you classify this protist?
2. a. **Reviewing** In what way are diatoms, dinoflagellates, and other plantlike protists similar to plants?
   b. **Making Generalizations** Why is sunlight important to plantlike protists?
   c. **Making Judgments** Would you classify euglena as an animal-like protist or as a plantlike protist? Explain.
3. a. **Listing** What are the three types of funguslike protists?
   b. **Describing** In what ways are funguslike protists similar to fungi?

Lab zone At-Home Activity

Algae Scavenger Hunt Look around your house with a family member to find products that contain substances made from algae. Look at both food and nonfood items. Before you begin, tell your family member that substances such as diatomaceous earth, algin, and carrageenan are products that come from algae. Make a list of the products and the algae-based ingredient they contain. Share your list with the class.

Section 4

Fungi

Reading Preview

Key Concepts

- What characteristics do fungi share?
- How do fungi reproduce?
- What roles do fungi play in nature?

Key Terms

- fungi • hyphae
- fruiting body • budding
- lichen

Target Reading Skill

Asking Questions Before you read, preview the red headings. In a graphic organizer like the one below, ask a *what* or *how* question for each heading. As you read, write answers to your questions.

Fungi

Question	Answer
What are fungi?	Fungi are . . .

Lab zone Discover Activity

Do All Molds Look Alike?

1. Your teacher will give you two sealed, clear plastic bags—one containing moldy bread and another containing moldy fruit. **CAUTION:** *Do not open the sealed bags at any time.*
2. In your notebook, describe what you see.
3. Next, use a hand lens to examine each mold. Sketch each mold in your notebook and list its characteristics.
4. Return the sealed bags to your teacher. Wash your hands.

Think It Over

Observing How are the molds similar? How are they different?

A speck of dust lands on a cricket's back. But this is no ordinary dust—it is alive! Tiny glistening threads emerge from the dust and begin to grow into the cricket's moist body. As they grow, the threads release chemicals that slowly dissolve the cricket's tissues. Soon, the cricket's body is little more than a hollow shell filled with a tangle of the threads. Then the threads begin to grow up and out of the dead cricket, producing long stalks with knobs at their tips. When a knob breaks open, it will release thousands of dustlike specks, which the wind can carry to new victims.

A killer fungus has attacked this bush cricket.

What Are Fungi?

The strange cricket-killing organism is a member of the fungi kingdom. Although you may not have heard of a cricket-killing fungus before, you are probably familiar with other kinds of fungi. For example, the molds that grow on stale bread and the mushrooms that sprout in yards are all fungi.

Most **fungi** share several important characteristics. **Fungi are eukaryotes that have cell walls, are heterotrophs that feed by absorbing their food, and use spores to reproduce.** In addition, fungi need moist, warm places in which to grow. They thrive on moist foods, damp tree barks, lawns coated with dew, and even wet bathroom tiles.

FIGURE 25
Structure of a Mushroom
The hyphae in the stalk and cap of a mushroom are packed tightly to form firm structures. Underground hyphae are arranged loosely.
Inferring *What function might underground hyphae perform?*

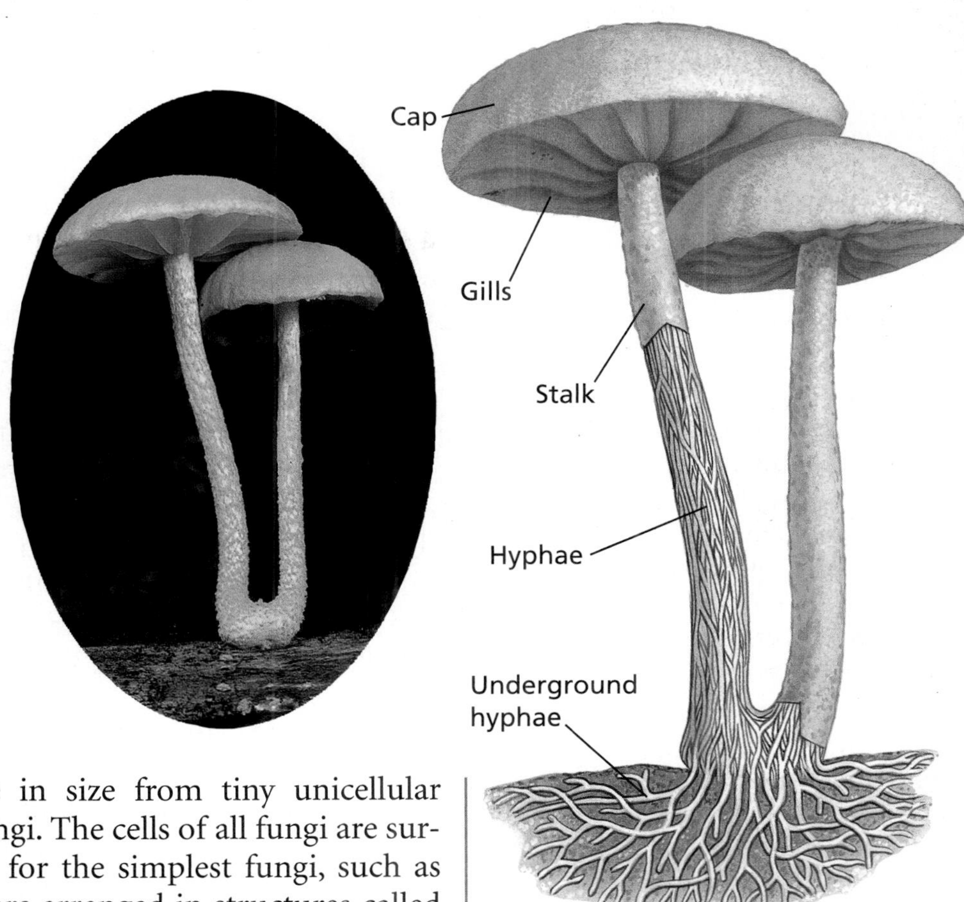

Cell Structure Fungi range in size from tiny unicellular yeasts to large multicellular fungi. The cells of all fungi are surrounded by cell walls. Except for the simplest fungi, such as yeast, the cells of most fungi are arranged in structures called hyphae. **Hyphae** (HY fee) (singular hypha) are the branching, threadlike tubes that make up the bodies of multicellular fungi. The hyphae of some fungi are continuous threads of cytoplasm that contain many nuclei. Substances move quickly and freely through the hyphae.

What a fungus looks like depends on how its hyphae are arranged. In some fungi, the threadlike hyphae are loosely tangled. Fuzzy-looking molds that grow on old foods have loosely tangled hyphae. Other fungi have tightly packed hyphae. The stalks and caps of mushrooms are made of hyphae packed so tightly that they appear solid. Underground, however, a mushroom's hyphae form a loose, threadlike maze in the soil.

Obtaining Food Fungi absorb food through hyphae that grow into a food source. First, the fungus grows hyphae into the food source. Then digestive chemicals ooze from the hyphae into the food. The chemicals break down the food into small substances that can be absorbed by the hyphae. As an analogy, imagine yourself sinking your fingers down into a chocolate cake and dripping digestive chemicals out of your fingertips. Then imagine your fingers absorbing the digested particles of the cake!

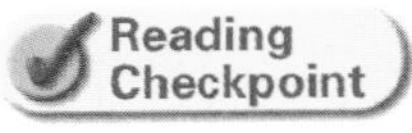

What do the bodies of multicellular fungi consist of?

FIGURE 26
Mold Growing on Food Source
The mold *Penicillium* often grows on old fruits such as oranges. Some of its hyphae grow deep into the food source.

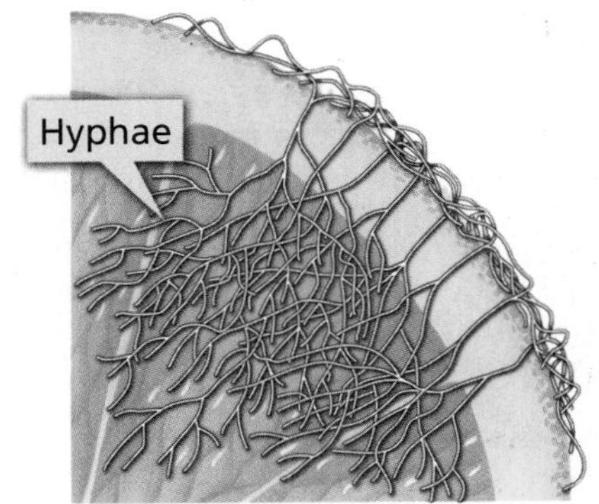

Lab zone Try This Activity

Spreading Spores

In this activity, you will make a model of a fruiting body.

1. Break a cotton ball into five equal pieces. Roll each piece into a tiny ball.
2. Insert the cotton balls into a balloon.
3. Repeat Steps 1 and 2 until the balloon is almost full.
4. Inflate the balloon. Tie a knot in its neck. Tape the knotted end of the balloon to a stick.
5. Stand the stick upright in a mound of modeling clay.
6. Pop the balloon with a pin. Observe what happens.

Making Models Draw a diagram of the model you made. Label the stalk, the spore case, and the spores. Use your model to explain why fungi are found just about everywhere.

Reproduction in Fungi

Like it or not, fungi are everywhere. The way they reproduce guarantees their survival and spread. **Fungi usually reproduce by making spores. The lightweight spores are surrounded by a protective covering and can be carried easily through air or water to new sites.** Fungi produce millions of spores, more than can ever survive. Only a few spores will fall where conditions are right for them to grow.

Fungi produce spores in reproductive structures called **fruiting bodies.** The appearances of fruiting bodies vary among different fungi. For some fungi, such as mushrooms, the part of the fungus that you see is the fruiting body. In other fungi, such as bread molds, the fruiting bodies are tiny, stalklike hyphae that grow upward from the rest of the hyphae. A knoblike spore case at the tip of each stalk contains the spores.

Asexual Reproduction Most fungi reproduce both asexually and sexually. When there is adequate moisture and food, the fungi make spores asexually. Cells at the tips of their hyphae divide to form spores. The spores grow into fungi that are genetically identical to the parent.

Unicellular yeast cells undergo a form of asexual reproduction called **budding.** In budding, no spores are produced. Instead, a small yeast cell grows from the body of a parent cell in a way somewhat similar to the way a bud forms on a tree branch. The new cell then breaks away and lives on its own.

Sexual Reproduction Most fungi can also reproduce sexually, especially when growing conditions become unfavorable. In sexual reproduction, the hyphae of two fungi grow together and genetic material is exchanged. Eventually, a new reproductive structure grows from the joined hyphae and produces spores. The spores develop into fungi that differ genetically from either parent.

Classification of Fungi Figure 28 shows three major groups of fungi. The groups are named for the appearance of their reproductive structures. Additional groups include water species that produce spores with flagella and those that form tight associations with plant roots.

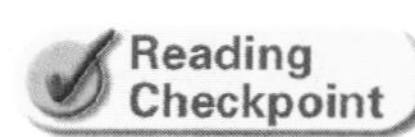

What is budding?

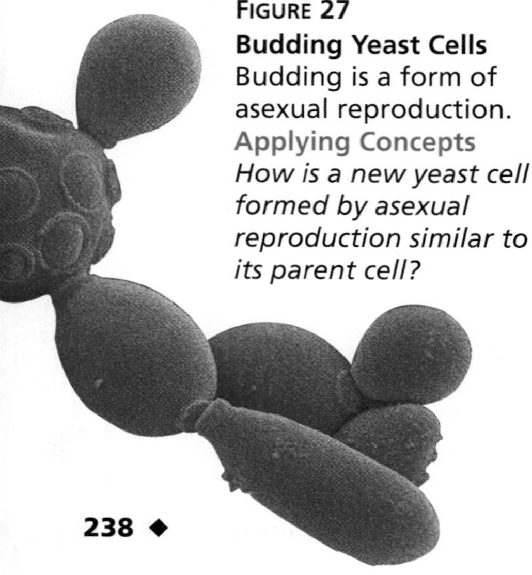

FIGURE 27
Budding Yeast Cells
Budding is a form of asexual reproduction.
Applying Concepts *How is a new yeast cell formed by asexual reproduction similar to its parent cell?*

The Role of Fungi in Nature

Fungi affect humans and other organisms in many ways. **Many fungi provide foods for people. Fungi play important roles as decomposers and recyclers on Earth. Some fungi cause disease while others fight disease. Still other fungi live in symbiosis with other organisms.**

Discovery
CHANNEL
SCHOOL
Protists and Fungi
Video Preview
▶Video Field Trip
Video Assessment

Food and Fungi Yeasts, molds, and mushrooms are important food sources. Bakers add yeast to bread dough to make it rise. Yeast cells use the sugar in the dough for food and produce carbon dioxide gas as they feed. The gas forms bubbles, which cause the dough to rise. You see these bubbles as holes in a slice of bread. Molds are used to make foods such as some cheeses. The blue streaks in blue cheese, for example, are actually growths of *Penicillium roqueforti*. People enjoy eating mushrooms in salads and on pizza. You should never pick or eat wild mushrooms, however, because some mushrooms are extremely poisonous.

FIGURE 28

Classification of Fungi

Three major groups of fungi include sac fungi, club fungi, and zygote fungi.

Sac Fungi ▶
Sac fungi produce spores in structures that look like long sacs, such as these. The largest group of fungi, they include yeasts, morels, and truffles.

▲ Club Fungi
Club fungi produce spores in tiny clublike structures. This group includes mushrooms, rusts, and puffballs, such as these.

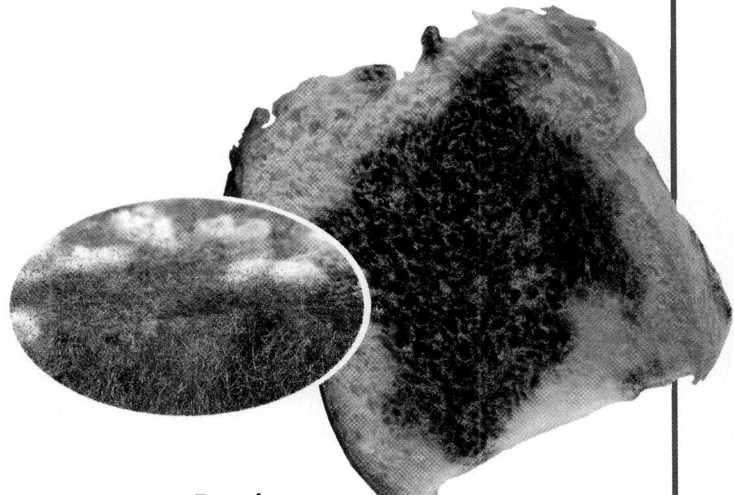

▲ Zygote Fungi
Zygote fungi produce very resistant spores. This group includes many common fruit and bread molds, like this *Rhizopus*.

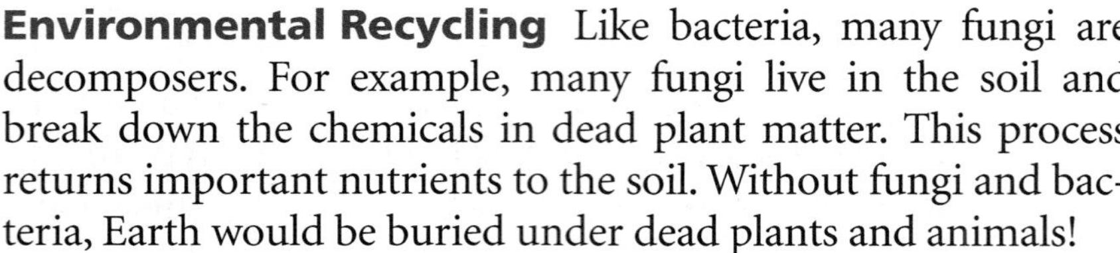

Environmental Recycling Like bacteria, many fungi are decomposers. For example, many fungi live in the soil and break down the chemicals in dead plant matter. This process returns important nutrients to the soil. Without fungi and bacteria, Earth would be buried under dead plants and animals!

Disease-Fighting Fungi In 1928, a Scottish biologist named Alexander Fleming was examining petri dishes in which he was growing bacteria. To his surprise, Fleming noticed a spot of a bluish-green mold growing in one dish. Curiously, no bacteria were growing near the mold. Fleming hypothesized that the mold, a fungus named *Penicillium*, produced a substance that killed the bacteria near it.

Fleming's work contributed to the development of the first antibiotic, penicillin. Since the discovery of penicillin, many antibiotics have been isolated from both fungi and bacteria.

Disease-Causing Fungi Many fungi are parasites that cause serious diseases in plants. The sac fungus that causes Dutch elm disease is responsible for killing millions of elm trees in North America and Europe. Corn smut and wheat rust are two club fungi that cause diseases in important food crops. Fungal plant diseases also affect other crops, including rice, cotton, and soybeans, resulting in huge crop losses every year.

Some fungi cause diseases in humans. Athlete's foot fungus causes an itchy irritation in the damp places between toes. Ringworm, another fungal disease, causes an itchy, circular rash on the skin. Because the fungi that cause these diseases produce spores at the site of infection, the diseases can spread easily from person to person. Both diseases can be treated with antifungal medications.

FIGURE 29
Fungus–Plant Root Associations
An extensive system of fungal hyphae has grown in association with the roots of the pine seedling in the middle.
Classifying *What type of symbiosis do these two organisms exhibit?*

Roots of the pine seedling
Hyphae of fungus

Fungus-Plant Root Associations Some fungi help plants grow larger and healthier when their hyphae grow into, or on, the plant's roots. The hyphae spread out underground and absorb water and nutrients from the soil for the plant. With more water and nutrients, the plant grows larger than it would have grown without its fungal partner. The plant is not the only partner that benefits. The fungi get to feed on the extra food that the plant makes and stores.

Most plants have fungal partners. Many plants are so dependent on the fungi that they cannot survive without them. For example, orchid seeds cannot develop without their fungal partners.

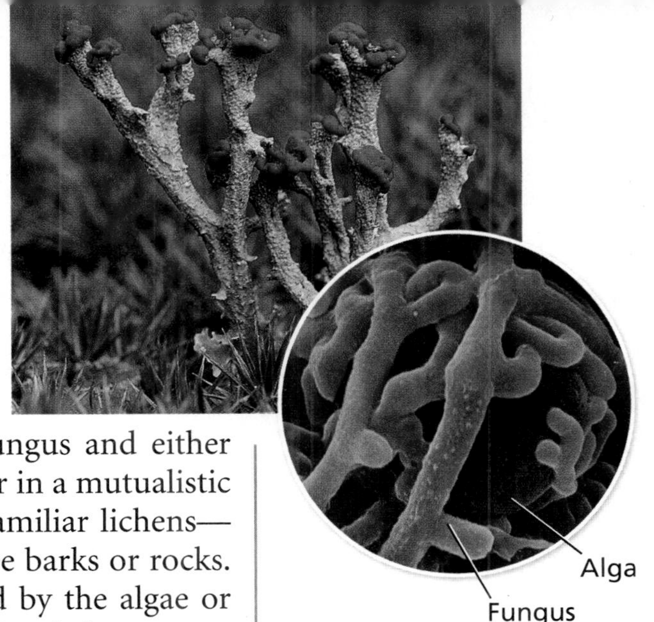

FIGURE 30
Lichens
The British soldier lichen consists of a fungus and an alga. The inset shows how entwined the alga is among the fungus's hyphae.

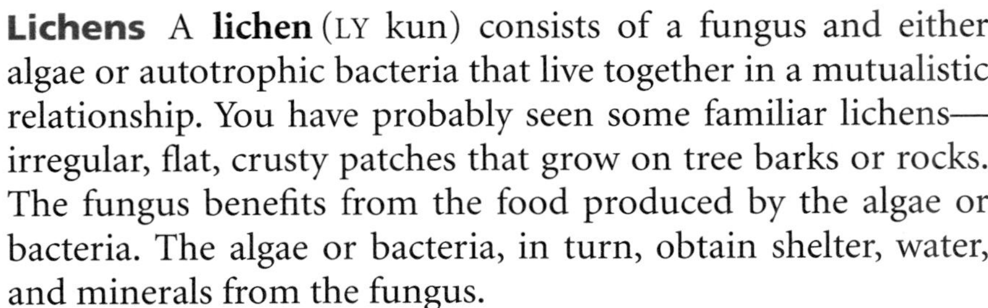

Lichens A **lichen** (LY kun) consists of a fungus and either algae or autotrophic bacteria that live together in a mutualistic relationship. You have probably seen some familiar lichens—irregular, flat, crusty patches that grow on tree barks or rocks. The fungus benefits from the food produced by the algae or bacteria. The algae or bacteria, in turn, obtain shelter, water, and minerals from the fungus.

Lichens are often called "pioneer" organisms because they are the first organisms to appear on the bare rocks in an area after a volcanic eruption, fire, or rock slide has occurred. Over time, the lichens break down the rock into soil in which other organisms can grow. Lichens are also useful as indicators of air pollution. Many species of lichens are very sensitive to pollutants and die when pollution levels rise. By monitoring the growth of lichens, scientists can assess the air quality in an area.

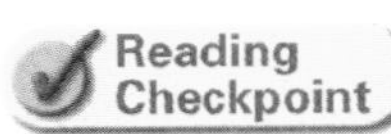

What two organisms make up a lichen?

For: Links on fungi
Visit: www.SciLinks.org
Web Code: scn-0133

Section 4 Assessment

Target Reading Skill **Asking Questions** Use the answers to the questions you wrote about the headings to help you answer the questions below.

Reviewing Key Concepts

1. a. **Listing** List three characteristics that a bread mold shares with a mushroom.
   b. **Comparing and Contrasting** How are the cells of a bread mold arranged? How are the cells of a mushroom arranged?
   c. **Summarizing** How does the cell structure of a fungus help it obtain food?
2. a. **Reviewing** What role do spores play in the reproduction of fungi?
   b. **Sequencing** Outline the steps by which fungi produce spores by sexual reproduction.
   c. **Inferring** Why is it advantageous to a fungus to produce millions of spores?
3. a. **Identifying** Name six roles that fungi play in nature.
   b. **Predicting** Suppose all the fungi in a forest disappeared. What do you think the forest would be like without fungi?

Writing in Science

Wanted Poster Design a "Wanted" poster for a mold that has been ruining food in your kitchen. Present the mold as a "criminal of the kitchen." Include detailed descriptions of the mold's physical characteristics, what it needs to grow, how it grows, and any other details that will help your family identify this mold. Propose ways to prevent new molds from growing in your kitchen.

What's for Lunch?

Problem

How does the presence of sugar or salt affect the activity of yeast?

Skills Focus

measuring, inferring, drawing conclusions

Materials

- 5 small plastic narrow-necked bottles
- 5 round balloons • 5 plastic straws
- dry powdered yeast • sugar • salt
- warm water (40°–45°C) • marking pen
- beaker • graduated cylinder • metric ruler
- string

Procedure 

1. Copy the data table into your notebook. Then read over the entire procedure to see how you will test the activity of the yeast cells in bottles A through E. Write a prediction about what will happen in each bottle.

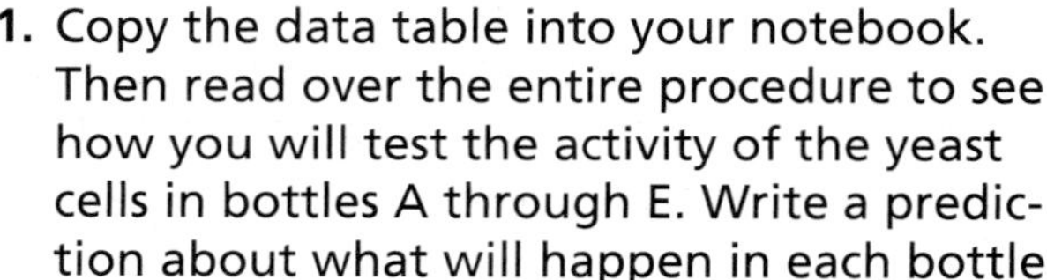

2. Gently stretch each of the balloons so that they will inflate easily.
3. Using the marking pen, label the bottles *A, B, C, D,* and *E.*
4. Use a beaker to fill each bottle with the same amount of warm water. **CAUTION:** *Glass is fragile. Handle the beaker gently to avoid breakage. Do not touch broken glass.*
5. Put 25 mL of salt into bottle B.
6. Put 25 mL of sugar into bottles C and E.
7. Put 50 mL of sugar into bottle D.
8. Put 6 mL of powdered yeast into bottle A, and stir the mixture with a clean straw. Remove the straw and discard it.
9. Immediately place a balloon over the opening of bottle A. Make sure that the balloon opening fits very tightly around the neck of the bottle.
10. Repeat Steps 8 and 9 for bottle B, bottle C, and bottle D.

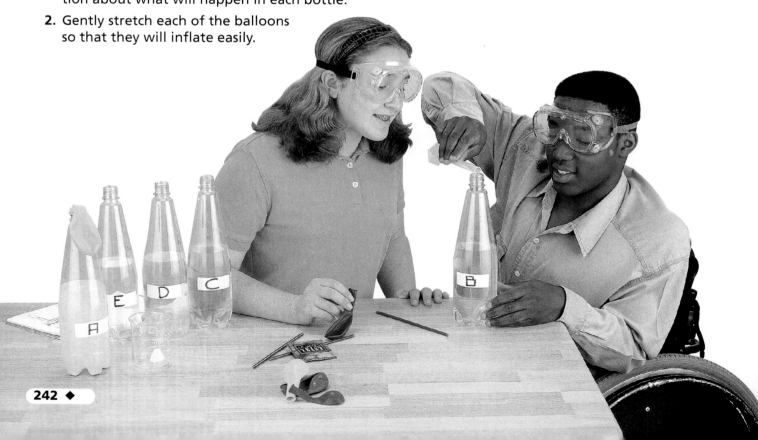

Data Table						
Bottle	Prediction	Observations	Circumference			
			10 min	20 min	30 min	40 min
A (Yeast alone)						
B (Yeast and 25 mL of salt)						
C (Yeast and 25 mL of sugar)						
D (Yeast and 50 mL of sugar)						
E (No yeast and 25 mL of sugar)						

11. Place a balloon over bottle E without adding yeast to the bottle.
12. Place the five bottles in a warm spot away from drafts. Every ten minutes for 40 minutes, measure the circumference of each balloon by placing a string around the balloon at its widest point. Include your measurements in the data table.

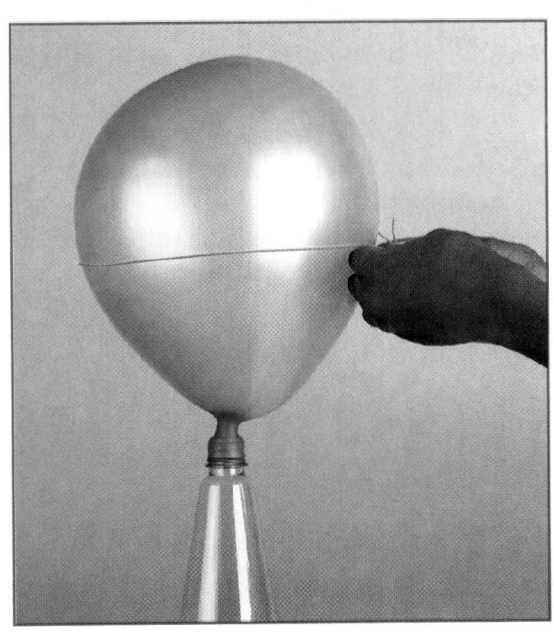

Analyze and Conclude

1. **Measuring** Which balloons changed in size during this lab? How did they change?
2. **Inferring** Explain why the balloon changed size in some bottles and not in others. What caused that change in size?
3. **Interpreting Data** What did the results from bottle C show, compared with the results from bottle D? Why was it important to include bottle E in this investigation?
4. **Drawing Conclusions** Do yeast use salt or sugar as a food source? How do you know?
5. **Communicating** In a paragraph, summarize what you learned about yeast from this investigation. Be sure to support each of your conclusions with the evidence you gathered.

Design an Experiment

Develop a hypothesis about whether temperature affects the activity of yeast cells. Then design an experiment to test your hypothesis. *Obtain your teacher's permission before carrying out your investigation.*

For: Data sharing
Visit: PHSchool.com
Web Code: ced-1033

Chapter 7 Study Guide

1 Viruses

Key Concepts

- The only way in which viruses are like organisms is that they can multiply.
- All viruses have two basic parts: an outer coat that protects the virus and an inner core made of genetic material.
- Once inside a cell, a virus's genetic material takes over many of the cell's functions. The genetic material instructs the cell to produce the virus's proteins and genetic material. These proteins and genetic material then assemble into new viruses.
- Resting, drinking plenty of fluids, and eating well-balanced meals may be all you can do while you recover from a viral disease.

Key Terms

virus
host
parasite
bacteriophage

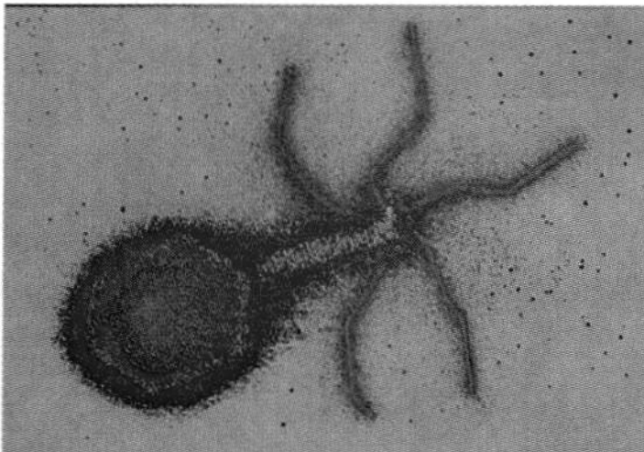

2 Bacteria

Key Concepts

- Bacteria are prokaryotes. The genetic material in their cells is not contained in a nucleus.
- Bacteria must have a source of food and a way of breaking down the food to release its energy.
- When bacteria have plenty of food, the right temperature, and other suitable conditions, they thrive and reproduce frequently.
- Bacteria are involved in oxygen and food production, environmental recycling and cleanup, and in health maintenance and medicine production.

Key Terms

bacteria	conjugation
flagellum	endospore
binary fission	pasteurization
asexual reproduction	decomposer
sexual reproduction	

3 Protists

Key Concepts

- Like animals, animal-like protists are heterotrophs, and most are able to move from place to place to obtain food.
- Like plants, algae are autotrophs.
- Like fungi, funguslike protists are heterotrophs, have cell walls, and use spores to reproduce.

Key Terms

protist	symbiosis
protozoan	mutualism
pseudopod	algae
contractile vacuole	spore
cilia	

4 Fungi

Key Concepts

- Fungi are eukaryotes that have cell walls, are heterotrophs that feed by absorbing their food, and use spores to reproduce.
- Fungi usually reproduce by making spores. The lightweight spores are surrounded by a protective covering and can be carried easily through air or water to new sites.
- Many fungi provide foods for people. Fungi play important roles as decomposers and recyclers on Earth. Some fungi cause disease while others fight disease. Still other fungi live in symbiosis with other organisms.

Key Terms

fungi	budding
hyphae	lichen
fruiting body	

Review and Assessment

For: Self-Assessment
Visit: PHSchool.com
Web Code: cha-2070

Organizing Information

Comparing and Contrasting Copy the Venn diagram comparing viruses and bacteria onto a separate sheet of paper. Then complete it and add a title. (For more information on Comparing and Contrasting, see the Skills Handbook.)

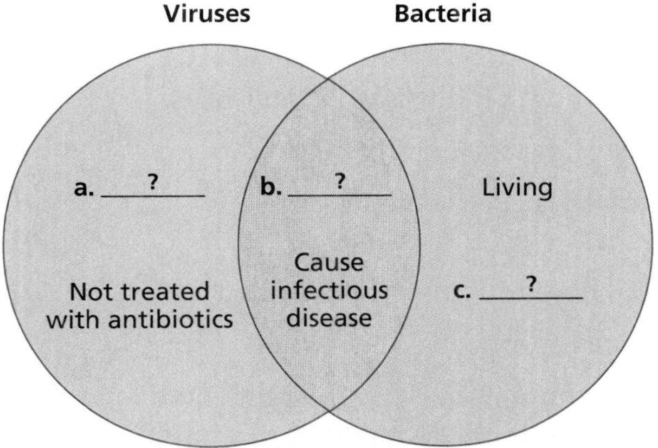

Reviewing Key Terms

Choose the letter of the best answer.

1. Bacteriophages are viruses that attack and destroy
   a. other viruses.
   b. bacteria.
   c. plants.
   d. humans.
2. Which part of a virus determines which host cells it can infect?
   a. nucleus
   b. ribosomes
   c. flagellum
   d. surface proteins
3. Most bacteria are surrounded by a rigid protective structure called the
   a. cell wall.
   b. cell membrane.
   c. protein coat.
   d. flagellum.
4. Which of the following characteristics describes all protists?
   a. They are unicellular.
   b. They can be seen with the unaided eye.
   c. Their cells have nuclei.
   d. They are unable to move on their own.
5. A lichen is a symbiotic association between
   a. fungi and plant roots.
   b. algae and fungi.
   c. algae and bacteria.
   d. protozoans and algae.

If the statement is true, write *true*. If it is false, change the underlined word or words to make the statement true.

6. Active viruses enter a cell and immediately begin to multiply.
7. During conjugation, one bacterium transfers genetic material to another bacterial cell.
8. Plantlike protists are called protozoans.
9. Bacteria form endospores to survive unfavorable conditions in their surroundings.
10. Most fungi are made up of threadlike structures called spores.

Writing in Science

Informational Pamphlet Create a pamphlet to teach young children about fungi. Explain where fungi live, how they feed, and the roles they play. Include illustrations as well.

Protists and Fungi

Video Preview
Video Field Trip
▶ Video Assessment

Review and Assessment

Checking Concepts

11. Explain why a certain virus will attach to only one type or a few types of cells.
12. Describe how a hidden virus multiplies.
13. Describe how bacteria reproduce.
14. How do the bacteria that live in your intestines help you?
15. Explain how antibiotics kill bacteria.
16. How does an amoeba obtain food?
17. Compare how animal-like, plantlike, and funguslike protists obtain food.
18. How does sexual reproduction occur in fungi?

Thinking Critically

19. **Comparing and Contrasting** Describe the similarities and differences between active and hidden viruses.
20. **Problem Solving** Bacteria will grow in the laboratory on a gelatin-like substance called agar. Viruses will not grow on agar. If you needed to grow viruses in the laboratory, what kind of substance would you have to use? Explain your reasoning.
21. **Comparing and Contrasting** Identify the organisms below. Describe the method by which each obtains food.

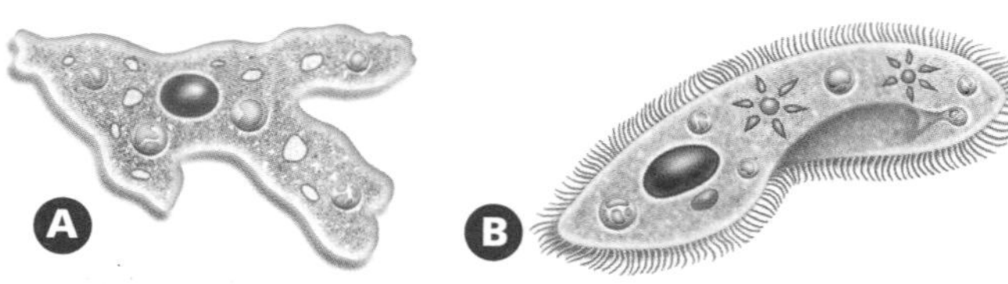

22. **Predicting** If all algae suddenly disappeared from Earth's waters, what would happen to living things on Earth? Explain your answer.
23. **Making Judgments** You see an advertisement for a new, powerful fungicide guaranteed to kill most fungi on contact. What should people take into consideration before choosing to buy this fungicide?

Applying Skills

Use the graph to answer Questions 24–27.

When yeast is added to bread dough, the yeast cells produce carbon dioxide, which causes the dough to rise. The graph below shows how temperature affects the amount of carbon dioxide that is produced.

Temperature and Carbon Dioxide Production

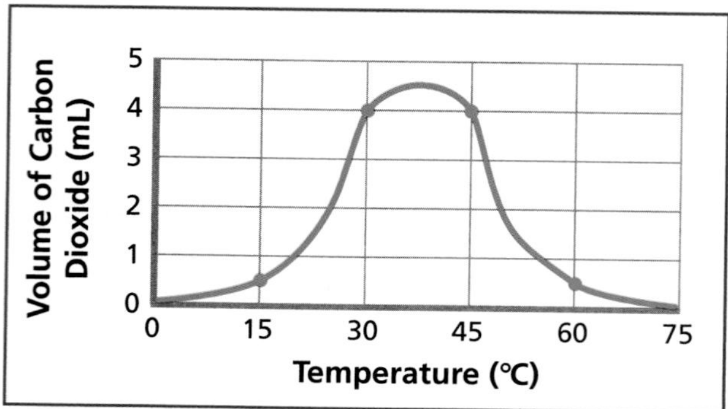

24. **Interpreting Data** Based on the graph, at what temperature does yeast produce the most carbon dioxide?
25. **Inferring** Use the graph to explain why yeast is dissolved in warm water, rather than in cold water, when it is used to make bread.
26. **Predicting** Based on the graph, would you expect bread dough to rise if it were placed in a refrigerator (which is kept at about 2°C to 5°C)? Explain.
27. **Drawing Conclusions** Explain how temperature affects the amount of carbon dioxide that the yeast cells produce.

Lab zone Chapter Project

Performance Assessment Create a poster that summarizes your experiment for the class. In your poster, include your hypothesis and describe the conditions that produced the best mushroom growth. Use diagrams and graphs to display your results. Did the project raise any new questions about mushrooms for you? If so, how could you answer those questions?

Standardized Test Prep

Test-Taking Tip

Answering a Constructed-Response Question

A constructed-response question asks you to compose an answer in paragraph form. Read the question carefully and note the type of information your response should contain. Your answer should address all the specific points the question asks for. Before you begin writing, you can create an outline to organize the information for your response.

Sample Question

Describe four ways that infectious diseases can spread. Give an example of a disease that spreads by each method.

Answer

The question asks for a specific number of descriptions—four. You also are asked to provide an example for each description. You might begin your answer by listing the four ways infectious diseases spread. Then you could go on to explain each item in your list in further detail. You should end each description with an example.

Choose the letter of the best answer.

1. Which of the following statements about a paramecium is correct?
- **A** It has two contractile vacuoles that remove excess water from the cytoplasm.
- **B** It uses cilia to move.
- **C** It has two nuclei.
- **D** all of the above

2. Which of the following statements about fungus reproduction is true?
- **F** Fungi reproduce sexually by budding.
- **G** Fungi reproduce by making spores.
- **H** Fungi reproduce asexually when two hyphae join together and exchange genetic material.
- **J** Fungi do not reproduce sexually.

3. What will most likely happen after the virus in the diagram attaches to the bacterial cell?

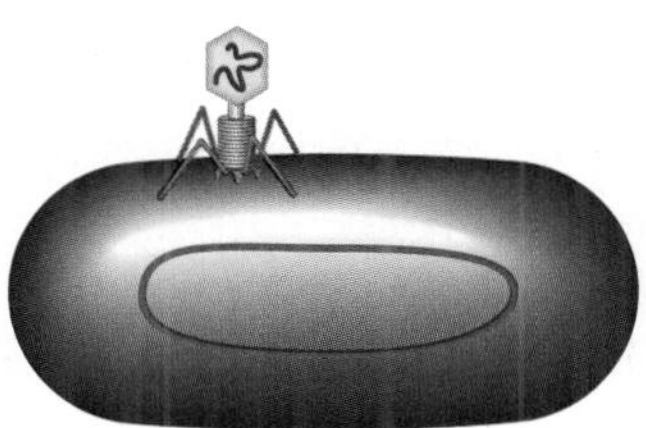

- **A** The virus will inject its proteins into the bacterial cell.
- **B** The virus will inject its genetic material into the bacterial cell.
- **C** The bacterial cell will inject its proteins into the virus.
- **D** The bacterial cell will inject its genetic material into the virus.

4. Which of the following statements about viruses is *not* true?
- **F** Viruses can multiply only inside a living cell.
- **G** Viruses have genetic material.
- **H** Virus particles are smaller than bacterial cells.
- **J** Diseases caused by viruses can be cured by antibiotics.

5. Paola grew a new culture of bacteria and measured the population's growth over time. The number of bacteria increased sharply over the first few hours but then tapered off. Which of the following statements about these observations is true?
- **A** The initial conditions for bacterial growth were favorable.
- **B** The number of bacteria increased as the bacteria reproduced asexually.
- **C** After a period of time, the bacteria started to run out of food, space, and other resources.
- **D** all of the above

Constructed Response

6. Compare and contrast viruses and bacteria with respect to their sizes, structures, and methods of reproduction.

Chapter 8 Plants

Chapter Preview

1. **The Plant Kingdom**
   Discover *What Do Leaves Reveal About Plants?*
   Active Art *Plant Cell Structures*
   Analyzing Data *Water Loss in Plants*

2. **Plants Without Seeds**
   Discover *Will Mosses Absorb Water?*
   Try This *Examining a Fern*
   Skills Lab *Masses of Mosses*

3. **The Characteristics of Seed Plants**
   Discover *Which Plant Part Is It?*
   Try This *The In-Seed Story*
   Skills Activity *Calculating*

4. **Gymnosperms and Angiosperms**
   Discover *Are All Leaves Alike?*
   Try This *The Scoop on Cones*
   Active Art *The Structure of a Flower*
   Math Skills *Multiples*
   Skills Lab *A Close Look at Flowers*

5. **Plant Responses and Growth**
   Discover *Can a Plant Respond to Touch?*
   At-Home Activity *Sun Seekers*

Interactive Textbook

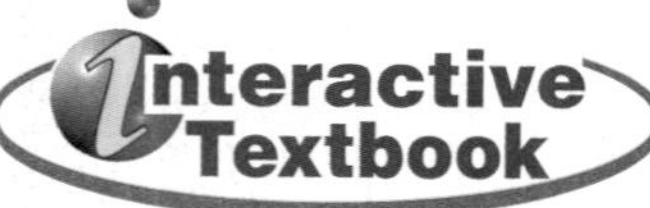

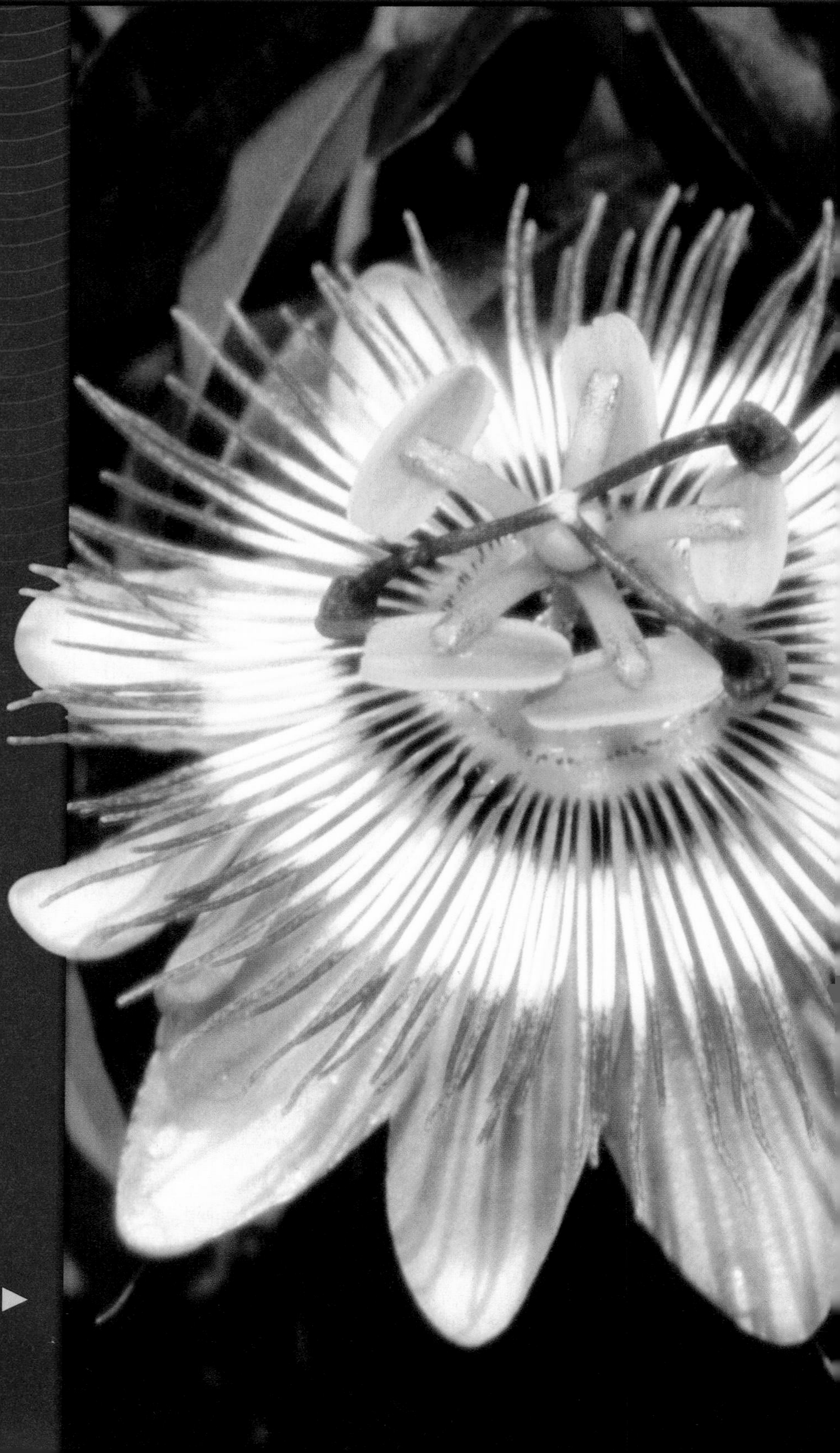

The *Passiflora* plant produces delicate, highly scented flowers.

Discovery Channel School

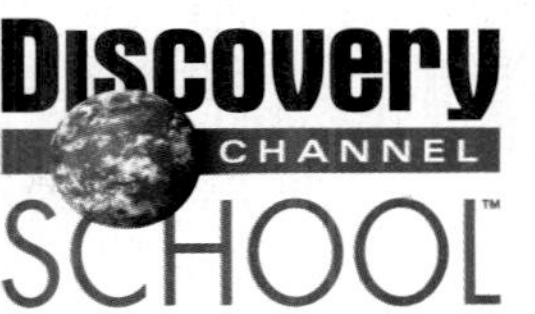

Seed Plants

▶ Video Preview
Video Field Trip
Video Assessment

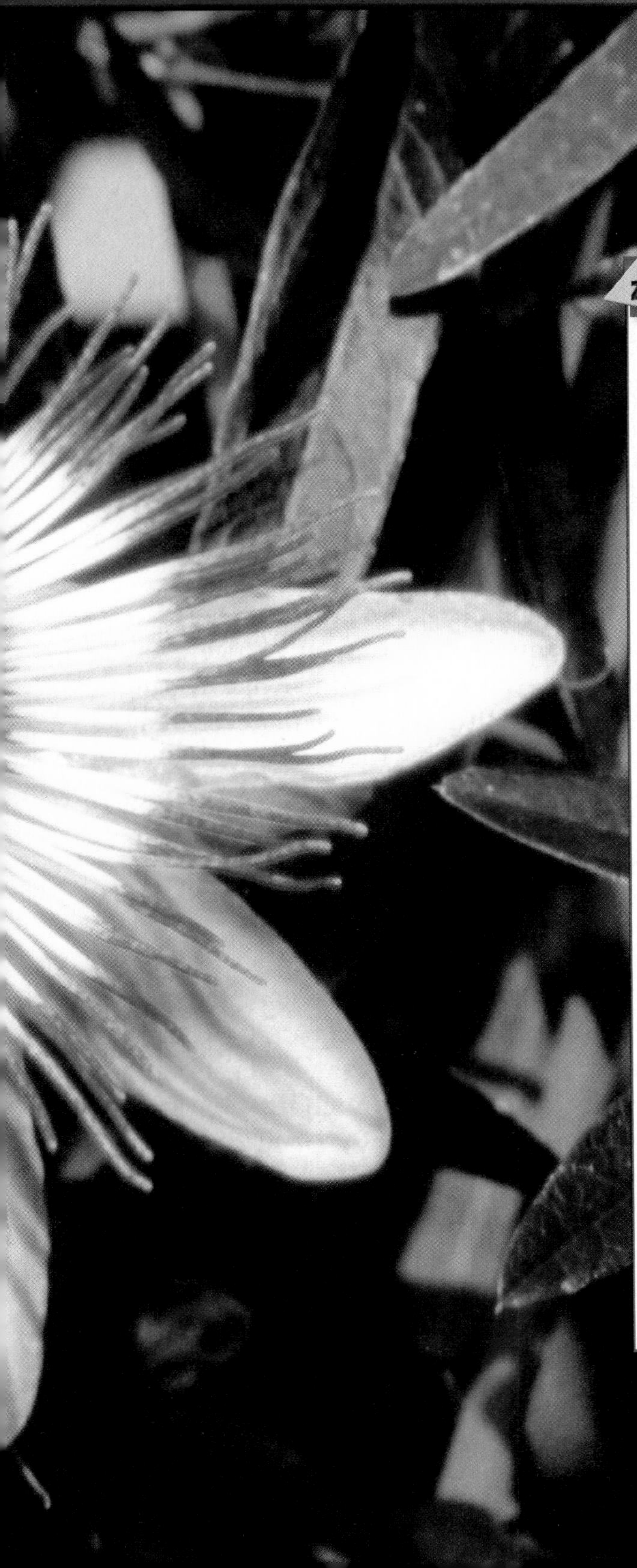

Lab zone™ Chapter **Project**

Design and Build an Interactive Exhibit

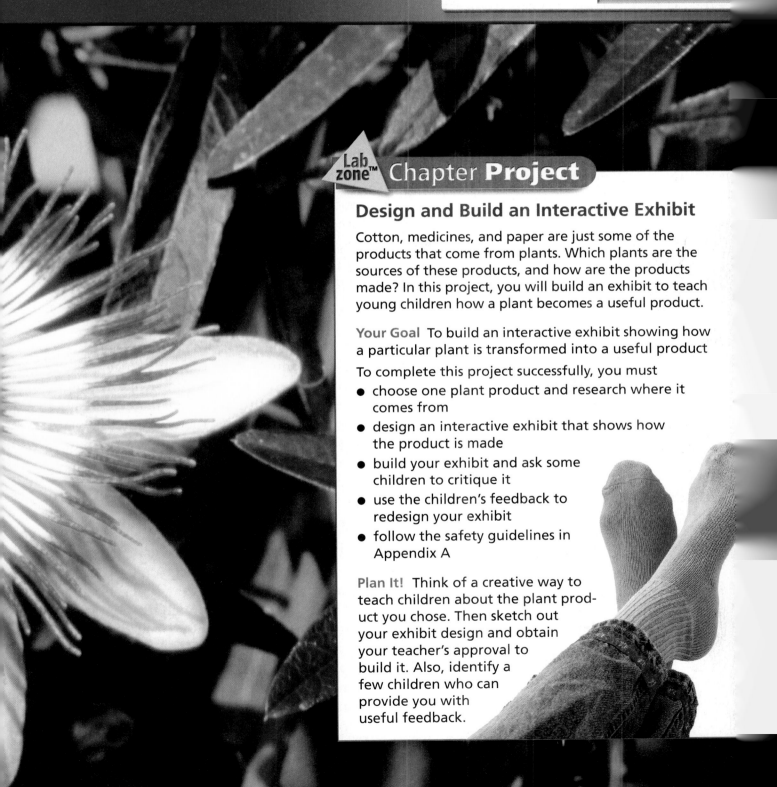

Cotton, medicines, and paper are just some of the products that come from plants. Which plants are the sources of these products, and how are the products made? In this project, you will build an exhibit to teach young children how a plant becomes a useful product.

Your Goal To build an interactive exhibit showing how a particular plant is transformed into a useful product

To complete this project successfully, you must

- choose one plant product and research where it comes from
- design an interactive exhibit that shows how the product is made
- build your exhibit and ask some children to critique it
- use the children's feedback to redesign your exhibit
- follow the safety guidelines in Appendix A

Plan It! Think of a creative way to teach children about the plant product you chose. Then sketch out your exhibit design and obtain your teacher's approval to build it. Also, identify a few children who can provide you with useful feedback.

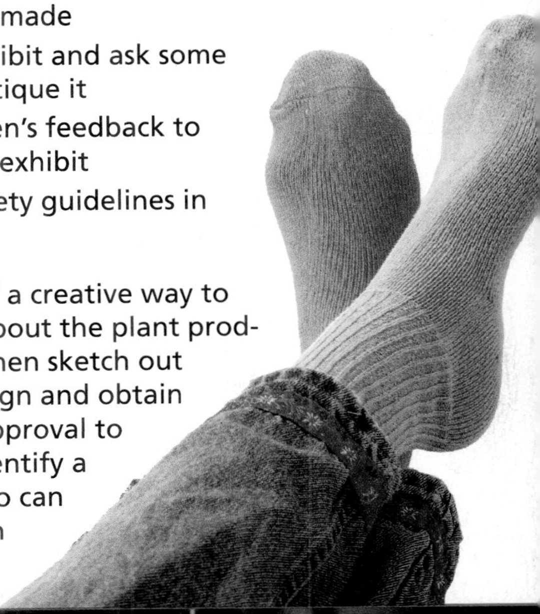

Section 1

The Plant Kingdom

Reading Preview

Key Concepts

- What characteristics do all plants share?
- What do plants need to live successfully on land?
- How do nonvascular plants and vascular plants differ?
- What are the different stages of a plant's life cycle?

Key Terms

- cuticle
- vascular tissue
- zygote
- nonvascular plant
- vascular plant
- sporophyte
- gametophyte

Target Reading Skill

Building Vocabulary A definition states the meaning of a word or phrase by telling about its most important feature or function. After you read the section, reread the paragraphs that contain definitions of Key Terms. Use all the information you have learned to write a definition of each Key Term in your own words.

Lab zone Discover Activity

What Do Leaves Reveal About Plants?

1. Your teacher will give you two leaves from plants that grow in two very different environments: a desert and an area with average rainfall.
2. Carefully observe the color, size, shape, and texture of the leaves. Touch the surfaces of each leaf. Examine each leaf with a hand lens. Record your observations in your notebook.
3. When you have finished, wash your hands thoroughly with soap and water.

Think It Over

Inferring Use your observations to determine which plant lives in the desert and which does not. Explain.

There are some very strange plants in the world. There are plants that trap animals, plants that bloom only once every thirty years, and plants with flowers that smell like rotting meat. You probably don't see such unusual plants every day. But you probably do see plants every day. You encounter plants whenever you see moss on a tree trunk, run across a lawn, or pick ripe tomatoes from a garden. And all plants, both the unfamiliar and the familiar, have a lot in common.

What Is a Plant?

Members of the plant kingdom share several characteristics. **Nearly all plants are autotrophs, organisms that produce their own food. All plants are eukaryotes that contain many cells. In addition, all plant cells are surrounded by cell walls.**

Plants are autotrophs. You can think of a plant as a sun-powered, food-making factory. Sunlight provides the energy for this food-making process, photosynthesis.

You don't need a microscope to see plants because they are multicellular. Like many other multicellular organisms, plant cells are organized into tissues. Recall that tissues are groups of similar cells that perform a specific function. Plants vary greatly in size. Both the tiniest moss and the tallest redwood tree are plants.

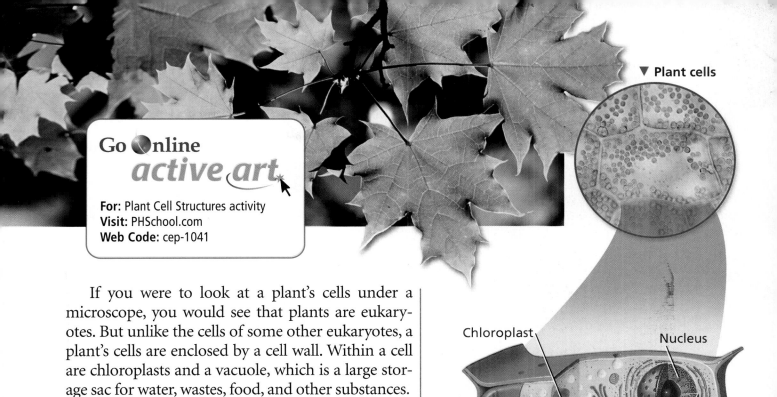

Go Online active art

For: Plant Cell Structures activity
Visit: PHSchool.com
Web Code: cep-1041

If you were to look at a plant's cells under a microscope, you would see that plants are eukaryotes. But unlike the cells of some other eukaryotes, a plant's cells are enclosed by a cell wall. Within a cell are chloroplasts and a vacuole, which is a large storage sac for water, wastes, food, and other substances.

▼ Plant cells

Chloroplast
Nucleus
Cell wall
Vacuole
Cell membrane

▲ Single plant cell

FIGURE 1
Plant Cell Structures
Like all plants, this maple tree is multicellular. Plants have eukaryotic cells that are enclosed by a cell wall. **Relating Diagrams and Photos** *Which cell structures can you see in the inset photograph of plant cells?*

Adaptations for Living on Land

Most plants live on land. How is living on land different from living in water? Imagine multicellular green algae floating in the ocean. The algae obtain water and other materials directly from the water around them. The water holds their bodies up toward sunlight. When algae reproduce, sperm cells can swim to egg cells.

Now imagine plants living on land. What adaptations must they have to meet their needs without water all around them? **For plants to survive on land, they must have ways to obtain water and other nutrients from their surroundings, retain water, transport materials in their bodies, support their bodies, and reproduce.**

Obtaining Water and Other Nutrients

Recall that all organisms need water to survive. Obtaining water is easy for algae because water surrounds them. To live on land, though, plants need adaptations for obtaining water from the soil. Plants must also have ways of obtaining other nutrients from the soil.

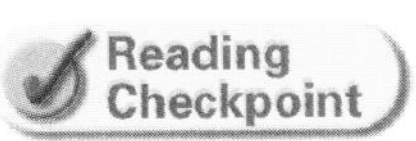

Why is obtaining water easy for algae?

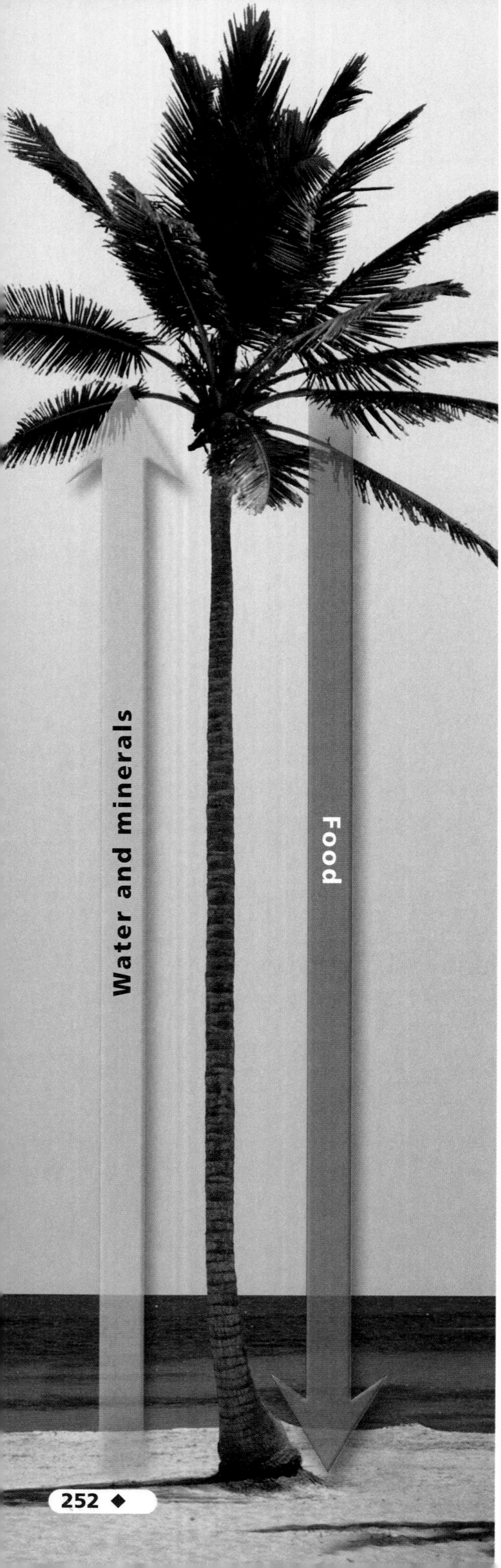

Retaining Water Plants must have ways of holding onto the water they obtain. Otherwise, they could easily dry out due to evaporation. When there is more water in plant cells than in the air, the water leaves the plant and enters the air. One adaptation that helps a plant reduce water loss is a waxy, waterproof layer called the **cuticle** that covers the leaves of most plants.

Transporting Materials A plant needs to transport water, minerals, food, and other materials from one part of its body to another. In general, water and minerals are taken up by the bottom part of the plant, while food is made in the top part. But all of the plant's cells need water, minerals, and food.

In small plants, materials can simply move from one cell to the next. But larger plants need a more efficient way to transport materials farther, from one part of the plant to another. These plants have transport tissue called vascular tissue. **Vascular tissue** is a system of tubelike structures inside a plant through which water, minerals, and food move.

Support A plant on land must support its own body. It's easier for small, low-growing plants to support themselves. But for larger plants to survive, the plant's food-making parts must be exposed to as much sunlight as possible. Rigid cell walls and vascular tissue strengthen and support the large bodies of these plants.

Reproduction All plants undergo sexual reproduction that involves fertilization, the joining of a sperm cell with an egg cell. The fertilized egg is called a **zygote.** For algae and some plants, fertilization can only occur if there is water in the environment. This is because the sperm cells of these plants swim through the water to the egg cells. Other plants, however, have an adaptation that makes it possible for fertilization to occur in dry environments.

Why do plants need adaptations to prevent water loss?

FIGURE 2
Transport and Support
For this tall coconut palm to survive, it must transport water, minerals, and food over long distances. It must also support its body so its leaves are exposed to sunlight.

Water and minerals

Food

Math Analyzing Data

Water Loss in Plants

The graph shows how much water a certain plant loses during the hours shown.

1. **Reading Graphs** What variable is plotted along each axis?
2. **Interpreting Data** According to the graph, during what part of the day did the plant lose the most water? The least water?
3. **Drawing Conclusions** What could account for the pattern of water loss shown?
4. **Predicting** How would you expect the graph to look from 10 P.M. to 8 A.M.? Explain your reasoning.

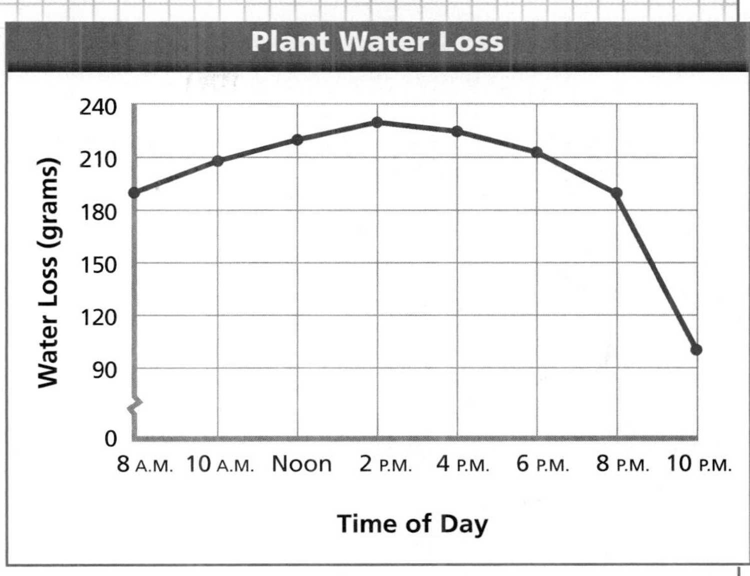

Classifying Plants

Hundreds of thousands of plant species exist in the world today. **Scientists informally group plants into two major groups—nonvascular plants and vascular plants.**

Nonvascular Plants Plants that lack a well-developed system of tubes for transporting water and other materials are known as **nonvascular plants.** Nonvascular plants are low-growing and do not have roots for absorbing water from the ground. Instead, they obtain water and materials directly from their surroundings. The materials then simply pass from cell to cell. This means that materials do not travel very far or very quickly. This slow method of transport helps explain why most nonvascular plants live in damp, shady places.

Most nonvascular plants have only thin cell walls to provide support. This is one reason why these plants cannot grow more than a few centimeters tall.

Vascular Plants Plants with true vascular tissue are called **vascular plants.** Vascular plants are better suited to life in dry areas than are nonvascular plants. Their well-developed vascular tissue solves the problem of transport, moving materials quickly and efficiently throughout the plant's body.

Vascular tissue also provides strength, stability, and support to a plant. Thus, vascular plants are able to grow quite tall.

FIGURE 3
Ancient and Modern Plants
Fossils of ancient plants help scientists understand the origin of plants. These fossils are of two plants that lived about 300 million years ago. Notice the similarities between the fossils and modern-day horsetails (above) and ferns (top right).

Origin of Plants Which organisms were the ancestors of today's plants? In search of answers, biologists studied fossils, the traces of ancient life forms preserved in rock and other substances. The oldest plant fossils are about 400 million years old. The fossils show that even at that early date, plants already had many adaptations for life on land, including vascular tissue.

Better clues to the origin of plants came from comparing the chemicals in modern plants to those in other organisms. In particular, biologists studied the green pigment chlorophyll, found in the chloroplasts of plants, algae, and some bacteria. Land plants and green algae contain the same forms of chlorophyll. This evidence led biologists to infer that ancient green algae were the ancestors of today's land plants. Further comparisons of genetic material clearly showed that plants and green algae are very closely related. In fact, some scientists think that green algae should be classified in the plant kingdom.

What are the most likely ancestors of today's plants?

Complex Life Cycles

Plants have complex life cycles that include two different stages, the sporophyte stage and the gametophyte stage. In the **sporophyte** (SPOH ruh fyt) stage, the plant produces spores, tiny cells that can grow into new organisms. A spore develops into the plant's other stage, called the gametophyte. In the **gametophyte** (guh MEE tuh fyt) stage, the plant produces two kinds of sex cells: sperm cells and egg cells.

Figure 4 shows a typical plant life cycle. A sperm cell and egg cell join to form a zygote. The zygote then develops into a sporophyte. The sporophyte produces spores, which develop into the gametophyte. Then the gametophyte produces sperm cells and egg cells, and the cycle starts again. The sporophyte of a plant usually looks quite different from the gametophyte.

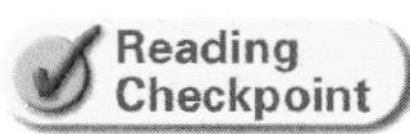

During which stage does a plant produce spores?

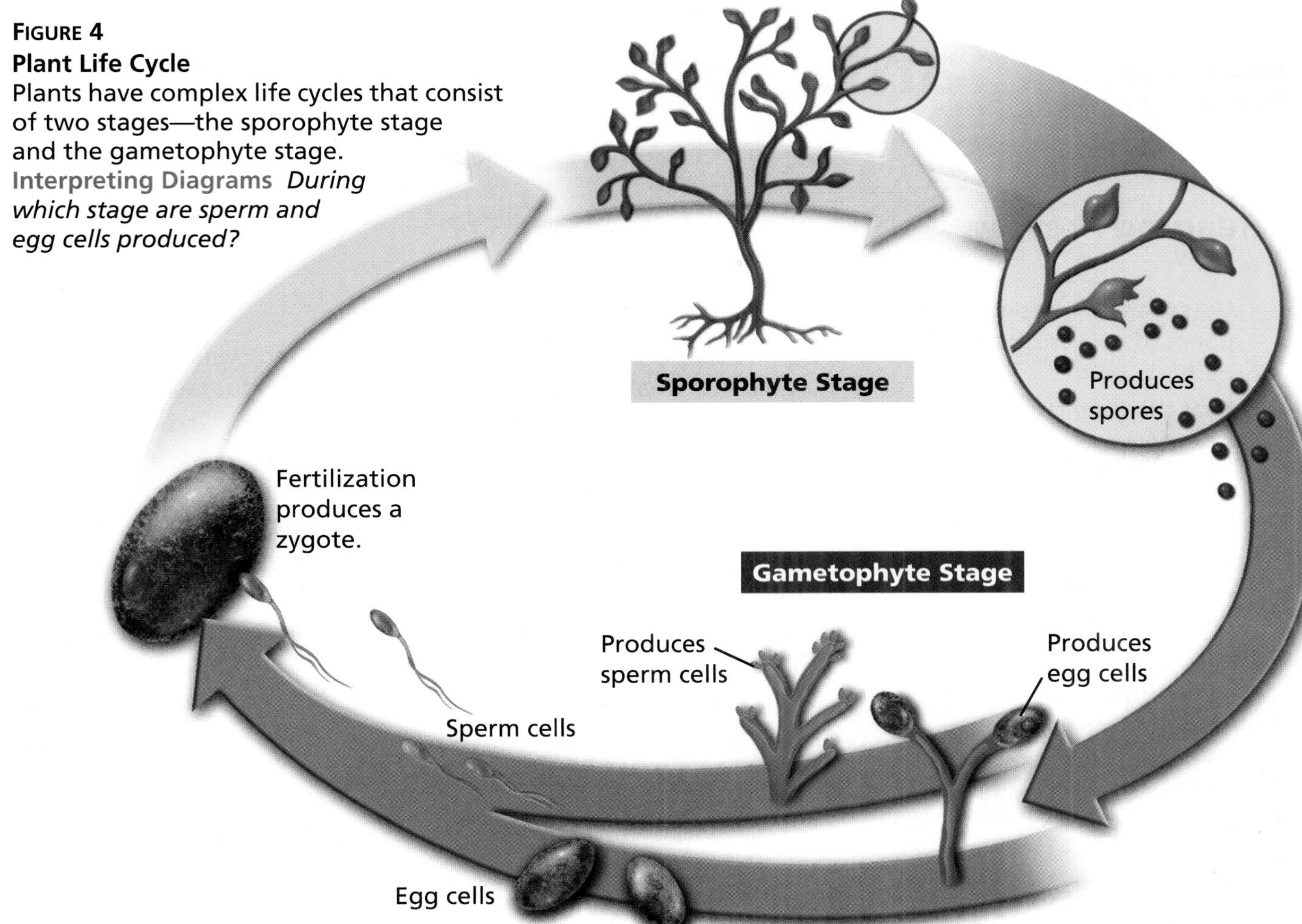

FIGURE 4
Plant Life Cycle
Plants have complex life cycles that consist of two stages—the sporophyte stage and the gametophyte stage.
Interpreting Diagrams *During which stage are sperm and egg cells produced?*

Section 1 Assessment

Target Reading Skill **Building Vocabulary** Use your sentences to help you answer the questions below.

Reviewing Key Concepts

1. a. **Listing** List three characteristics of plants.
   b. **Comparing and Contrasting** Describe three ways that plant cells differ from the cells of some other eukaryotes.
   c. **Predicting** How might a plant cell be affected if it lacked chloroplasts?
2. a. **Identifying** What are five adaptations that plants need to survive on land?
   b. **Inferring** Why is a cuticle a useful adaptation in plants but not in algae?
3. a. **Reviewing** How do vascular plants differ from nonvascular plants?
   b. **Explaining** Explain why vascular plants are better suited to life in dry areas.
   c. **Classifying** Would you expect a tall desert plant to be a vascular plant? Explain.
4. a. **Describing** What are the two major stages of a plant's life cycle?
   b. **Sequencing** Describe in order the major events in the life cycle of a plant, starting with a zygote.

Writing in Science

Video Script You are narrating a video called *Living on Land*, which is written from the perspective of a plant. Write a one-page script for your narration. Be sure to discuss the challenges that life on land poses for plants and how they meet their needs.

Section 2

Plants Without Seeds

Reading Preview

Key Concept

- What characteristics do the three groups of nonvascular plants share?
- What characteristics do the three groups of seedless vascular plants share?

Key Terms

- rhizoid
- frond

Target Reading Skill

Identifying Main Ideas As you read this section, write the main idea—the biggest or most important idea—in a graphic organizer like the one below. Then write three supporting details that give examples of the main idea.

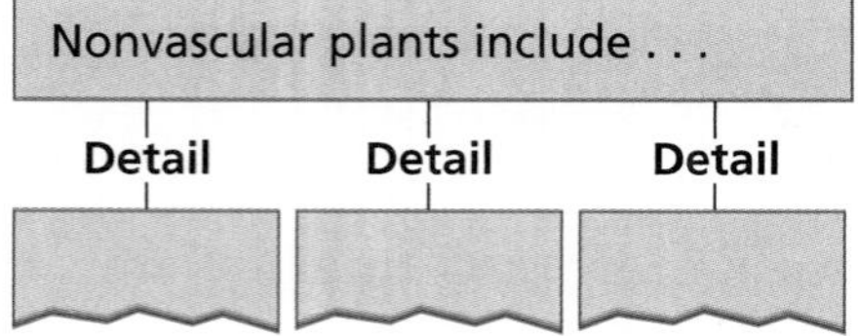

Lab zone Discover Activity

Will Mosses Absorb Water?

1. Place 20 mL of sand into a plastic graduated cylinder. Place 20 mL of peat moss into a second plastic graduated cylinder.
2. Predict what would happen if you were to pour 10 mL of water slowly into each graduated cylinder and then wait five minutes.
3. To test your prediction, add 10 mL of water slowly to the sand. Then add 10 mL of water to the moss. After five minutes, record your observations.

Think It Over

Predicting How did your prediction compare with your results? What did you learn about moss from this investigation?

Imagine you are hiking in the forest. You see many ferns along the trail. You walk a little farther and stop to rest near a stream. Here, you see mosses everywhere—on the forest floor, on rocks, and along the banks of the stream. Although ferns and mosses look very different, they have something in common. They reproduce without forming seeds.

Nonvascular Plants

Mosses are a type of seedless plant that have no vascular tissue. **There are three major groups of nonvascular plants: mosses, liverworts, and hornworts. These low-growing plants live in moist areas where they can absorb water and other nutrients directly from their environment.** The watery surroundings also enable sperm cells to swim to egg cells.

Mosses With more than 10,000 species, mosses are the most diverse group of nonvascular plants. You have probably seen mosses growing in sidewalk cracks, on tree trunks, and in other damp, shady spots.

Figure 5 shows the structure of a moss plant. The familiar green, fuzzy moss is the gametophyte generation of the plant. Structures that look like tiny leaves grow off a small, stemlike structure. Thin, rootlike structures called **rhizoids** anchor the moss and absorb water and nutrients from the soil. The sporophyte generation grows out of the gametophyte. It consists of a slender stalk with a capsule at the end. The capsule contains spores.

Liverworts There are more than 8,000 species of liverworts. Liverworts are often found growing as a thick crust on moist rocks or soil along the sides of a stream. This group of plants is named for the shape of the plant's leaflike gametophyte, which looks somewhat like a human liver. *Wort* is an old English word for "plant." Liverworts have sporophytes that are too small to see.

Hornworts There are fewer than 100 species of hornworts. Unlike mosses or liverworts, hornworts are seldom found on rocks or tree trunks. Instead, hornworts usually live in moist soil, often mixed in with grass plants. Hornworts are named for the slender, curved structures that grow out of the gametophytes. These hornlike structures are the sporophytes.

Reading Checkpoint What does a hornwort sporophyte look like?

For: Links on nonvascular plants
Visit: www.SciLinks.org
Web Code: scn-0143

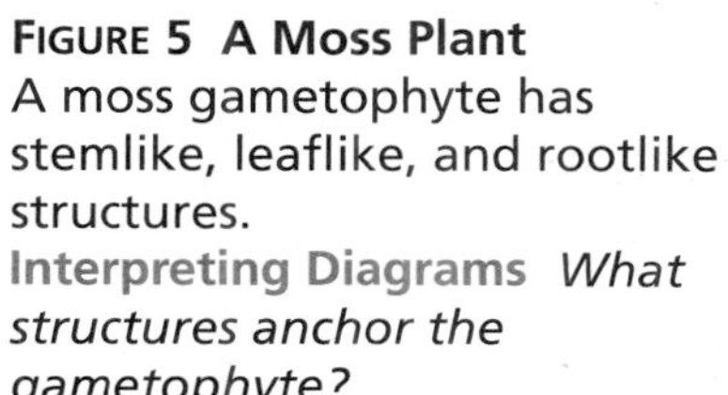

FIGURE 5 A Moss Plant
A moss gametophyte has stemlike, leaflike, and rootlike structures.
Interpreting Diagrams *What structures anchor the gametophyte?*

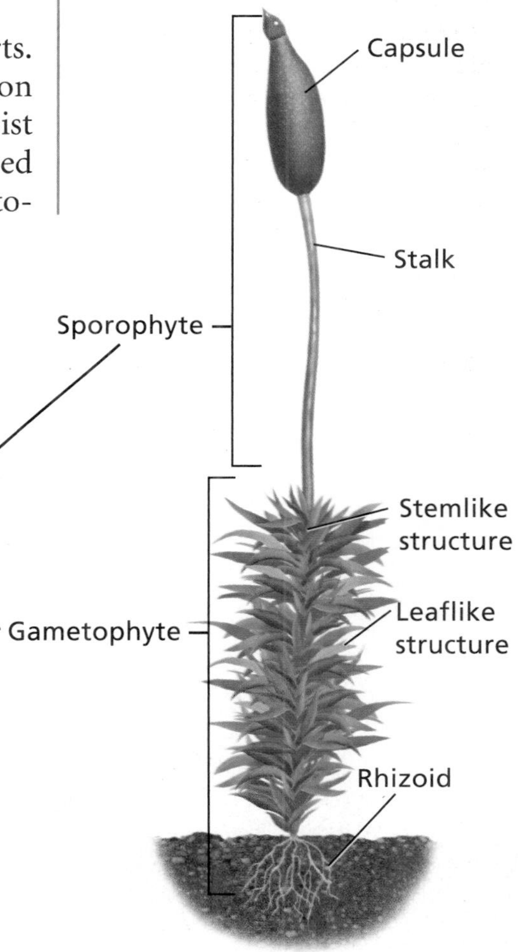

Capsule
Stalk
Sporophyte
Stemlike structure
Leaflike structure
Gametophyte
Rhizoid

Moss plants growing on rock ▶

Seedless Vascular Plants

Figure 6 shows what an ancient forest on Earth might have looked like 340 million years ago. Among the plants were huge, tree-sized ferns as well as trees with branches that grew in a series of circles along the trunk. Other trees resembled giant sticks with leaves up to one meter long. When the leaves dropped off, they left diamond-shaped scars. These tall, odd-looking trees were the ancestors of three groups of plants that are alive today—ferns, horsetails, and club mosses. They are seedless plants that have vascular tissue.

FIGURE 6
An Ancient Forest
Giant ferns, horsetails, and club mosses dominated ancient forests on Earth.

Characteristics of Seedless Vascular Plants

Seedless vascular plants share two characteristics. **Ferns, club mosses, and horsetails have true vascular tissue, and they do not produce seeds. Instead of seeds, these plants reproduce by releasing spores.**

Unlike mosses, seedless vascular plants can grow tall because their vascular tissue provides an effective way of transporting materials. The cells making up their vascular tissue have strong cell walls. Therefore, vascular tissue also provides vascular plants with strength and stability.

Like mosses, seedless vascular plants need to grow in moist surroundings. This is because the plants release spores into their surroundings, where they grow into gametophytes. When the gametophytes produce egg cells and sperm cells, there must be enough water available for fertilization.

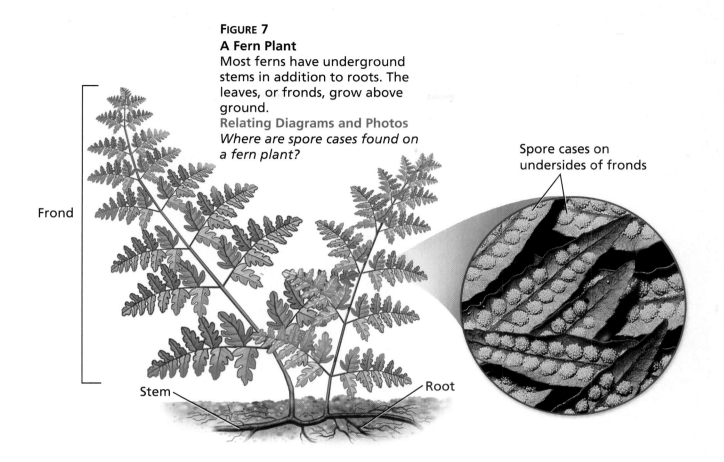

FIGURE 7
A Fern Plant
Most ferns have underground stems in addition to roots. The leaves, or fronds, grow above ground.
Relating Diagrams and Photos *Where are spore cases found on a fern plant?*

Ferns There are more than 12,000 species of ferns alive today. Like other vascular plants, ferns have true stems, roots, and leaves. The stems of most ferns are underground. Leaves grow upward from the top side of the stems, while roots grow downward from the bottom of the stems. The roots anchor the fern to the ground and absorb water and nutrients from the soil. These substances enter the root's vascular tissue and travel through the tissue into the stems and leaves.

Figure 7 shows a fern's structure. Notice that the fern's leaves, or **fronds,** are divided into many smaller parts that look like small leaves. The upper surface of each frond is coated with a cuticle that helps the plant retain water.

The familiar fern, with its visible fronds, is the sporophyte stage of the plant. On the underside of mature fronds, spores develop in tiny spore cases. Wind and water can carry the spores great distances. If a spore lands in moist, shaded soil, it develops into a gametophyte. Fern gametophytes are tiny plants that grow low to the ground.

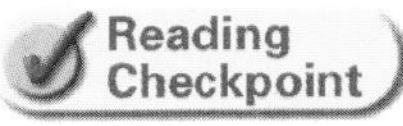

How are seedless vascular plants like mosses?

Lab zone Try This Activity

Examining a Fern

1. Your teacher will give you a fern plant to observe.
2. Draw a diagram of the plant and label the structures that you see.
3. Use a hand lens to observe the top and lower surfaces of the leaf. Run a finger over both surfaces.
4. With a plastic dropper, add a few drops of water to the top surface of the leaf. Note what happens.

Inferring Use your observations to explain how ferns are adapted to life on land.

Horsetails There are very few species of horsetails on Earth today. As you can see in Figure 8, the stems of horsetails are jointed. Long, coarse, needle-like branches grow in a circle around each joint. Small leaves grow flat against the stem just above each joint. The whorled pattern of growth somewhat resembles the appearance of a horse's tail. The stems contain silica, a gritty substance also found in sand. During colonial times, Americans used the plants to scrub their pots and pans. Another name for horsetails is scouring rushes.

Club Mosses Like ferns, club mosses have true stems, roots, and leaves. They also have a similar life cycle. However, there are only a few hundred species of club mosses alive today.

Do not be confused by the name *club mosses*. Unlike true mosses, club mosses have vascular tissue. The plant, which looks a little like the small branch of a pine tree, is sometimes called ground pine or princess pine. Club mosses usually grow in moist woodlands and near streams.

FIGURE 8
Horsetails and Club Mosses
Horsetails (left) have branches and leaves that grow in a circle around each joint. Club mosses (right) look like tiny pine trees.
Inferring *Which grow taller—true mosses or club mosses?*

Where do club mosses usually grow?

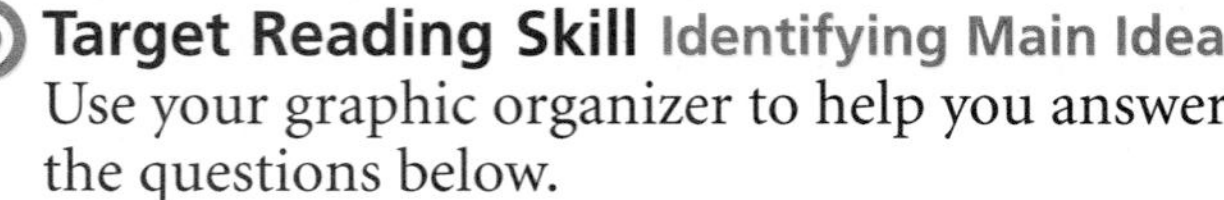

Target Reading Skill Identifying Main Ideas Use your graphic organizer to help you answer the questions below.

Reviewing Key Concepts

1. a. Describing What two characteristics do mosses, liverworts, and hornworts share?
   b. Relating Cause and Effect How are these two characteristics related?
   c. Comparing and Contrasting In what ways are mosses, liverworts, and hornworts similar? In what ways do they differ?
2. a. Listing What two characteristics do ferns, horsetails, and club mosses share?
   b. Comparing and Contrasting In what ways do ferns, horsetails, and club mosses differ from true mosses? In what way are they similar to mosses?
   c. Inferring Although ferns have vascular tissue, they still must live in moist, shady environments. Explain why.

Writing in Science

Product Label Create a product label to be attached to pots of fern plants for sale at a garden shop. Describe the structure of ferns and growing instructions. Include other helpful information or diagrams.

Lab zone **Skills Lab**

Masses of Mosses

Problem

How is a moss plant adapted to carry out its life activities?

Skills Focus

observing, measuring

Materials

- clump of moss
- hand lens
- metric ruler
- toothpicks
- plastic dropper
- water

Procedure  

1. Your teacher will give you a clump of moss. Examine the clump from all sides. Draw a diagram of what you see. Measure the size of the overall clump and the main parts of the clump. Record your observations.
2. Using toothpicks, gently separate five individual moss plants from the clump. Be sure to pull them totally apart so that you can observe each plant separately. If the moss plants start to dry out as you are working, moisten them with a few drops of water.
3. Measure the length of the leaflike, stemlike, and rootlike structures on each plant. If brown stalks and capsules are present, measure them. Find the average length of each structure.
4. Make a drawing of a single moss plant. Label the parts, give their sizes, and record the color of each part. When you are finished observing the moss, return it to your teacher. Wash your hands thoroughly.
5. Obtain class averages for the sizes of the structures you measured in Step 3. Also, if the moss that you observed had brown stalks and capsules, share your observations about those structures.

Analyze and Conclude

1. **Observing** Describe the overall appearance of the moss clump, including its color, size, and texture.
2. **Measuring** What was the typical size of the leaflike portion of the moss plants, the typical height of the stemlike portion, and the typical length of the rootlike portion?
3. **Inferring** In which part(s) of the moss does photosynthesis occur? How do you know?
4. **Communicating** Write a paragraph explaining what you learned about mosses from this investigation. Include explanations of why mosses cannot grow tall and why they live in moist environments.

More to Explore

Select a moss plant with stalks and capsules. Use toothpicks to release some of the spores, which can be as small as dust particles. Examine the spores under a microscope. Create a labeled drawing of what you see.

Section 3

The Characteristics of Seed Plants

Reading Preview

Key Concepts

- What characteristics do seed plants share?
- How do seeds become new plants?
- What are the main functions of roots, stems, and leaves?

Key Terms

- phloem • xylem • pollen
- seed • embryo • cotyledon
- germination • root cap
- cambium • transpiration

Target Reading Skill

Outlining As you read, make an outline about seed plants that you can use for review. Use the red headings for the main ideas and the blue headings for the supporting ideas.

The Characteristics of Seed Plants

I. What is a seed plant?
  A. Vascular tissue
  B.
II. How seeds become new plants
  A.
  B.

Lab zone Discover Activity

Which Plant Part Is It?

1. With a partner, carefully observe the items of food your teacher gives you.
2. Make a list of the food items.
3. For each food item, write the name of the plant part—root, stem, or leaf—from which you think it is obtained.

Think It Over

Classifying Classify the items into groups depending on the plant part from which the food is obtained. Compare your groupings with those of your classmates.

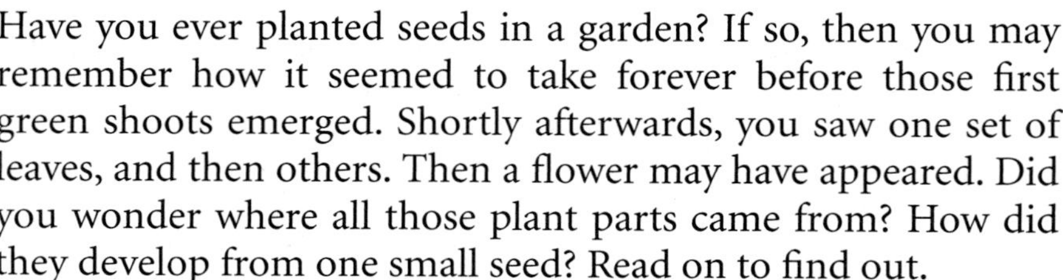

Have you ever planted seeds in a garden? If so, then you may remember how it seemed to take forever before those first green shoots emerged. Shortly afterwards, you saw one set of leaves, and then others. Then a flower may have appeared. Did you wonder where all those plant parts came from? How did they develop from one small seed? Read on to find out.

What Is a Seed Plant?

The plant growing in your garden was a seed plant. So are most of the other plants around you. In fact, seed plants outnumber seedless plants by more than ten to one. You eat many seed plants—rice, peas, and squash, for example. You wear clothes made from seed plants, such as cotton and flax. You may live in a home built from seed plants—oak, pine, or maple trees. In addition, seed plants produce much of the oxygen you breathe.

Seed plants share two important characteristics. They have vascular tissue, and they use pollen and seeds to reproduce. In addition, all seed plants have body plans that include roots, stems, and leaves. Like seedless plants, seed plants have complex life cycles that include the sporophyte and the gametophyte stages. In seed plants, the plants that you see are the sporophytes. The gametophytes are microscopic.

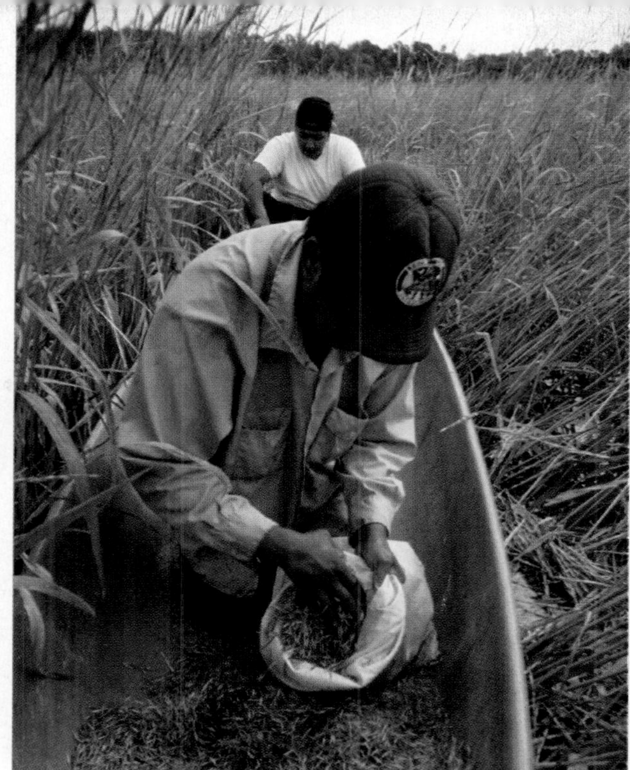

FIGURE 9
Harvesting Wild Rice
Like all seed plants, wild rice plants have vascular tissue and use seeds to reproduce. The seeds develop in shallow bodies of water, and the plants grow up above the water's surface. These men are harvesting the mature rice grains.

Vascular Tissue Most seed plants live on land. Recall that land plants face many challenges, including standing upright and supplying all their cells with food and water. Like ferns, seed plants meet these two challenges with vascular tissue. The thick walls of the cells in the vascular tissue help support the plants. In addition, food, water, and nutrients are transported throughout the plants in vascular tissue.

There are two types of vascular tissue. **Phloem** (FLOH um) is the vascular tissue through which food moves. When food is made in the leaves, it enters the phloem and travels to other parts of the plant. Water and minerals, on the other hand, travel in the vascular tissue called **xylem** (ZY lum). The roots absorb water and minerals from the soil. These materials enter the root's xylem and move upward into the stems and leaves.

Pollen and Seeds Unlike seedless plants, seed plants can live in a wide variety of environments. Recall that seedless plants need water in their surroundings for fertilization to occur. Seed plants do not need water for sperm to swim to the eggs. Instead, seed plants produce **pollen,** tiny structures that contain the cells that will later become sperm cells. Pollen delivers sperm cells directly near the eggs. After sperm cells fertilize the eggs, seeds develop. A **seed** is a structure that contains a young plant inside a protective covering. Seeds protect the young plant from drying out.

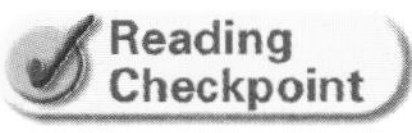

What material travels in phloem? What materials travel in xylem?

FIGURE 10
Seed Structure

The structures of three different seeds are shown here. Inferring *How is the stored food used?*

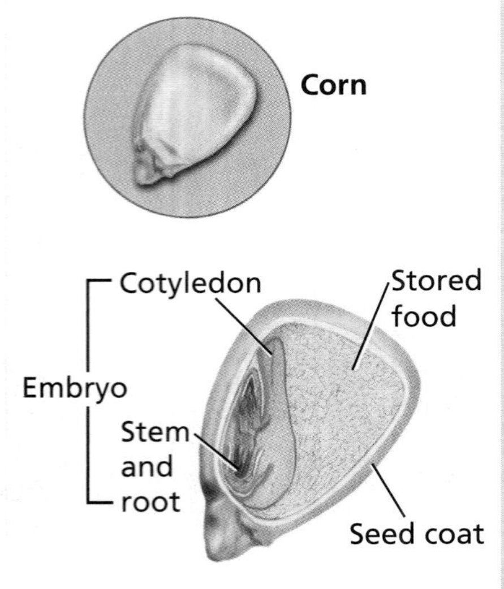

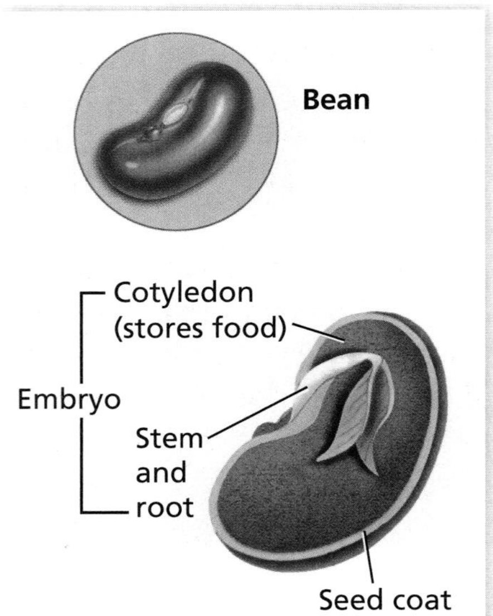

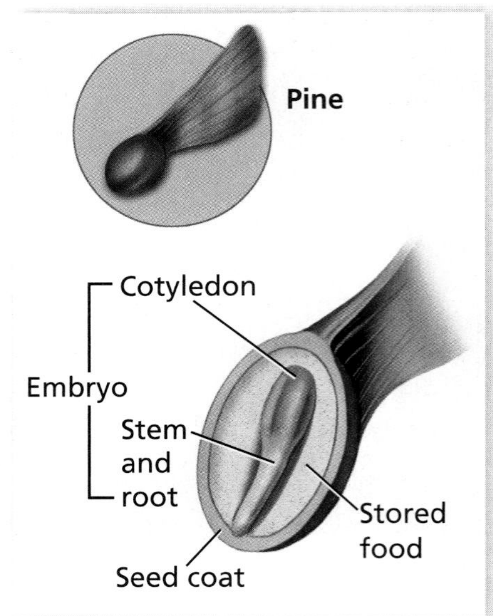

How Seeds Become New Plants

All seeds share important similarities. **Inside a seed is a partially developed plant. If a seed lands in an area where conditions are favorable, the plant sprouts out of the seed and begins to grow.**

Seed Structure A seed has three main parts—an embryo, stored food, and a seed coat. The young plant that develops from the zygote, or fertilized egg, is called the **embryo.** The embryo already has the beginnings of roots, stems, and leaves. In the seeds of most plants, the embryo stops growing when it is quite small. When the embryo begins to grow again, it uses the food stored in the seed until it can make its own food by photosynthesis. In all seeds, the embryo has one or more seed leaves, or **cotyledons** (kaht uh LEED unz). In some seeds, food is stored in the cotyledons. In others, food is stored outside the embryo. Figure 10 compares the structure of corn, bean, and pine seeds.

The outer covering of a seed is called the seed coat. Some familiar seed coats are the "skins" on lima beans and peanuts. The seed coat acts like plastic wrap, protecting the embryo and its food from drying out. This allows a seed to remain inactive for a long time. In many plants, the seeds are surrounded by a structure called a fruit.

Lab zone **Try This Activity**

The In-Seed Story

1. Your teacher will give you a hand lens and two different seeds that have been soaked in water.
2. Carefully observe the outside of each seed. Draw what you see.
3. Gently remove the coverings of the seeds. Then carefully separate the parts of each seed. Use a hand lens to examine the inside of each seed. Draw what you see.

Observing Based on your observations, label the parts of each seed. Then describe the function of each part next to its label.

Seed Dispersal After seeds have formed, they are usually scattered, sometimes far from where they were produced. The scattering of seeds is called seed dispersal. Seeds are dispersed in many ways. One method involves other organisms. For example, some animals eat fruits, such as cherries or grapes. The seeds inside the fruits pass through the animal's digestive system and are deposited in new areas. Other seeds are enclosed in barblike structures that hook onto an animal's fur or a person's clothes. The structures then fall off the fur or clothes in a new area.

A second means of dispersal is water. Water can disperse seeds that fall into oceans and rivers. A third dispersal method involves wind. Wind disperses lightweight seeds that often have structures to catch the wind, such as those of dandelions and maple trees. Finally, some plants eject their seeds in a way that might remind you of popping popcorn. The force scatters the seeds in many directions.

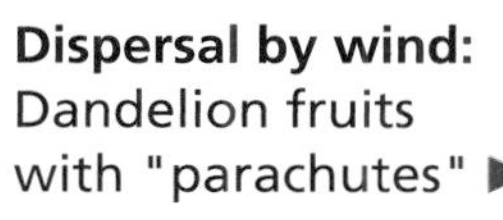

Dispersal by wind: Dandelion fruits with "parachutes" ▶

FIGURE 11
Seed Dispersal
The seeds of these plants are enclosed in fruits with adaptations that help them disperse.

◀ **Dispersal by animals:** Barblike fruits

Dispersal by water: Floating coconut palm fruit ▶

Germination After a seed is dispersed, it may remain inactive for a while before it germinates. **Germination** (jur muh NAY shun) occurs when the embryo begins to grow again and pushes out of the seed. Germination begins when the seed absorbs water from the environment. Then the embryo uses its stored food to begin to grow. As shown in Figure 12, the embryo's roots first grow downward; then its stem and leaves grow upward. Once you can see a plant's leaves, the plant is called a seedling.

A seed that is dispersed far from its parent plant has a better chance of survival. When a seed does not have to compete with its parent for light, water, and nutrients, it has a better chance of becoming a seedling.

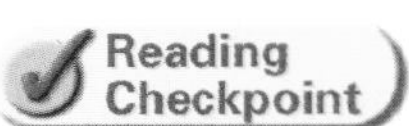

What must happen in order for germination to begin?

Roots

Have you ever tried to pull a dandelion out of the soil? It's not easy, is it? That is because most roots are good anchors. Roots have three main functions. **Roots anchor a plant in the ground, absorb water and minerals from the soil, and sometimes store food.** The more root area a plant has, the more water and minerals it can absorb.

Types of Roots The two main types of root systems are shown in Figure 13. A fibrous root system consists of many similarly sized roots that form a dense, tangled mass. Plants with fibrous roots take much soil with them when you pull them out of the ground. Lawn grass, corn, and onions have fibrous root systems. In contrast, a taproot system has one long, thick main root. Many smaller roots branch off the main root. A plant with a taproot system is hard to pull out of the ground. Carrots, dandelions, and cacti have taproots.

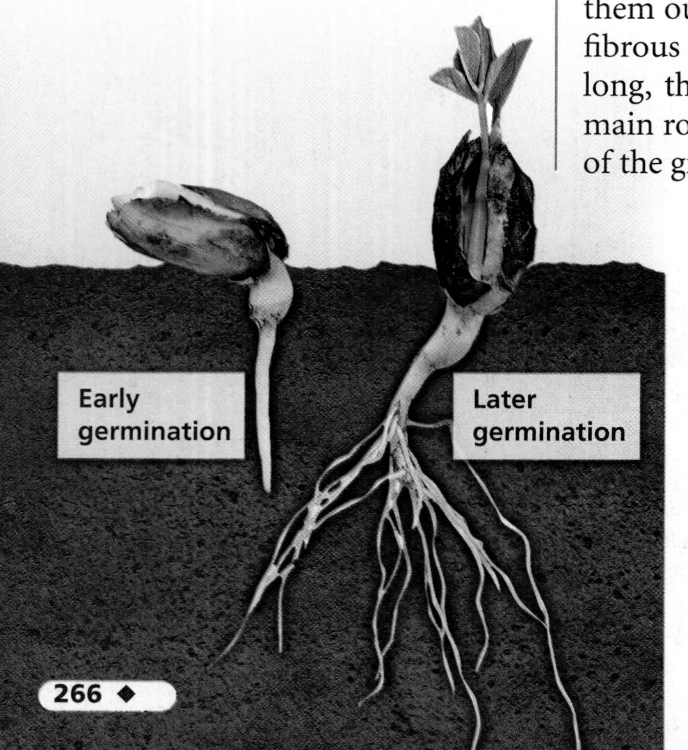

FIGURE 12
Germination
The embryo in this peanut seed uses its stored food to germinate. First, the embryo's roots grow downward. Then, its stem and leaves begin to grow upward.

The Structure of a Root In Figure 13, you can see the structure of a typical root. Notice that the tip of the root is rounded and is covered by a structure called the root cap. The **root cap** protects the root from injury from rocks as the root grows through the soil. Behind the root cap are the cells that divide to form new root cells.

Root hairs grow out of the root's surface. These tiny hairs can enter the spaces between soil particles, where they absorb water and minerals. By increasing the surface area of the root that touches the soil, root hairs help the plant absorb large amounts of substances. The root hairs also help to anchor the plant in the soil.

Locate the vascular tissue in the center of the root. The water and nutrients that are absorbed from the soil quickly move into the xylem. From there, these substances are transported upward to the plant's stems and leaves.

Phloem transports food manufactured in the leaves to the root. The root tissues may then use the food for growth or store it for future use by the plant.

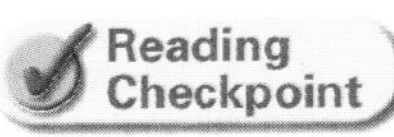

What is a root cap?

FIGURE 13
Root Structure

Some plants have fibrous roots while others have taproots. A root's structure is adapted for absorbing water and minerals from the soil.
Relating Cause and Effect *How do root hairs help absorb water and minerals?*

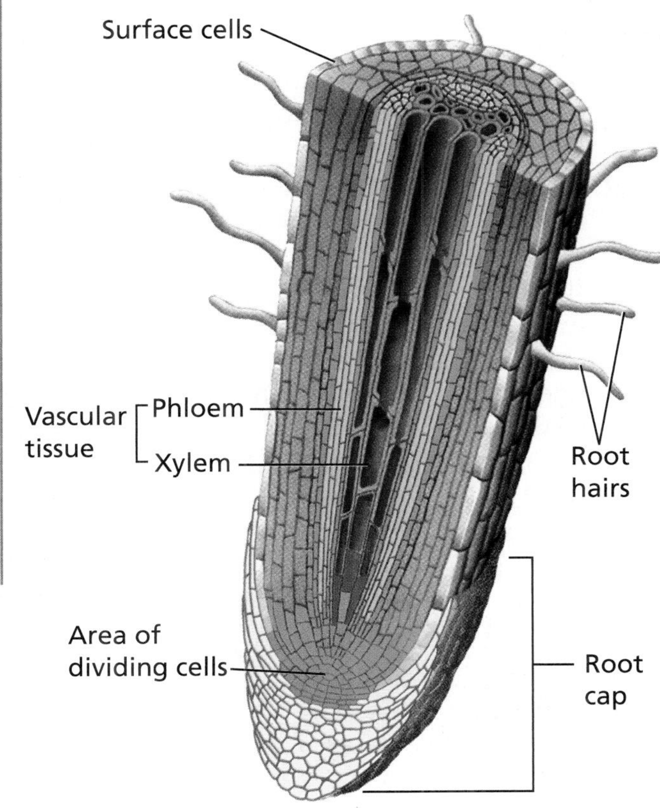

Fibrous root system: Onion

Taproot system: Dandelion

Lab zone Skills Activity

Calculating

In this activity, you will calculate the speed at which water moves up a celery stalk.

1. Pour about 1 cm of water into a tall plastic container. Stir in several drops of red food coloring.
2. Place the freshly cut end of a celery stalk in the water. Lean the stalk against the container's side.
3. After 20 minutes, remove the celery. Use a metric ruler to measure the height of the water in the stalk.
4. Use the measurement and the following formula to calculate how fast the water moved up the stalk.

$$\text{Speed} = \frac{\text{Height}}{\text{Time}}$$

Based on your calculation, predict how far the water would move in 2 hours. Then test your prediction.

Stems

The stem of a plant has two main functions. **The stem carries substances between the plant's roots and leaves. The stem also provides support for the plant and holds up the leaves so they are exposed to the sun.** In addition, some stems, such as those of asparagus, store food.

The Structure of a Stem Stems can be either herbaceous (hur BAY shus) or woody. Herbaceous stems contain no wood and are often soft. Coneflowers and pepper plants have herbaceous stems. In contrast, woody stems are hard and rigid. Maple trees and roses have woody stems.

Both herbaceous and woody stems consist of phloem and xylem tissue as well as many other supporting cells. Figure 14 shows the inner structure of one type of herbaceous stem.

As you can see in Figure 15, a woody stem contains several layers of tissue. The outermost layer is bark. Bark includes an outer protective layer and an inner layer of living phloem, which transports food through the stem. Next is a layer of cells called the **cambium** (KAM bee um), which divide to produce new phloem and xylem. It is xylem that makes up most of what you call "wood." Sapwood is active xylem that transports water and minerals through the stem. The older, darker, heartwood is inactive but provides support.

What function does the bark of a woody stem perform?

FIGURE 14
A Herbaceous Stem

Herbaceous stems, like those on these coneflowers, are often soft. The inset shows the inner structure of one type of herbaceous stem.

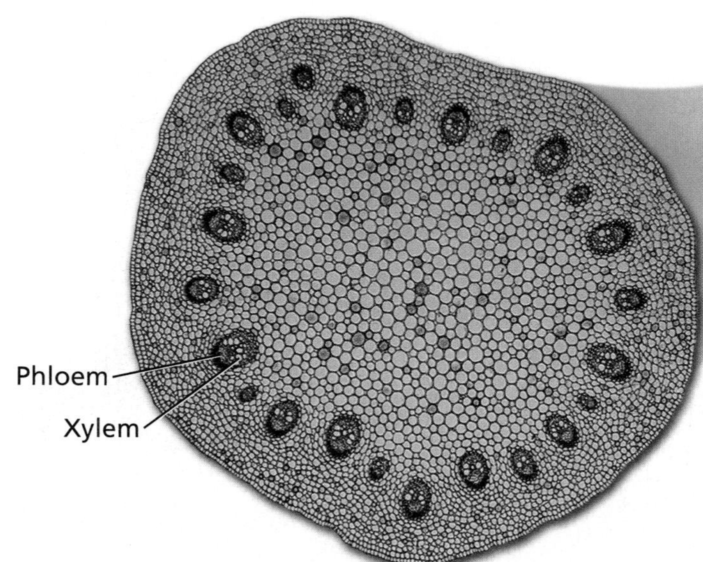

Annual Rings Have you ever looked at a tree stump and seen a pattern of circles that looks something like a target? These circles are called annual rings because they represent a tree's yearly growth. Annual rings are made of xylem. Xylem cells that form in the spring are large and have thin walls because they grow rapidly. They produce a wide, light brown ring. Xylem cells that form in the summer grow slowly and, therefore, are small and have thick walls. They produce a thin, dark ring. One pair of light and dark rings represents one year's growth. You can estimate a tree's age by counting its annual rings.

The width of a tree's annual rings can provide important clues about past weather conditions, such as rainfall. In rainy years, more xylem is produced, so the tree's annual rings are wide. In dry years, rings are narrow. By examining annual rings from some trees in the southwestern United States, scientists were able to infer that severe droughts occurred in the years 840, 1067, 1379, and 1632.

FIGURE 15
A Woody Stem

Trees like these maples have woody stems. A typical woody stem is made up of many layers. The layers of xylem form annual rings that can reveal the age of the tree and the growing conditions it has experienced.
Interpreting Diagrams *Where is the cambium located?*

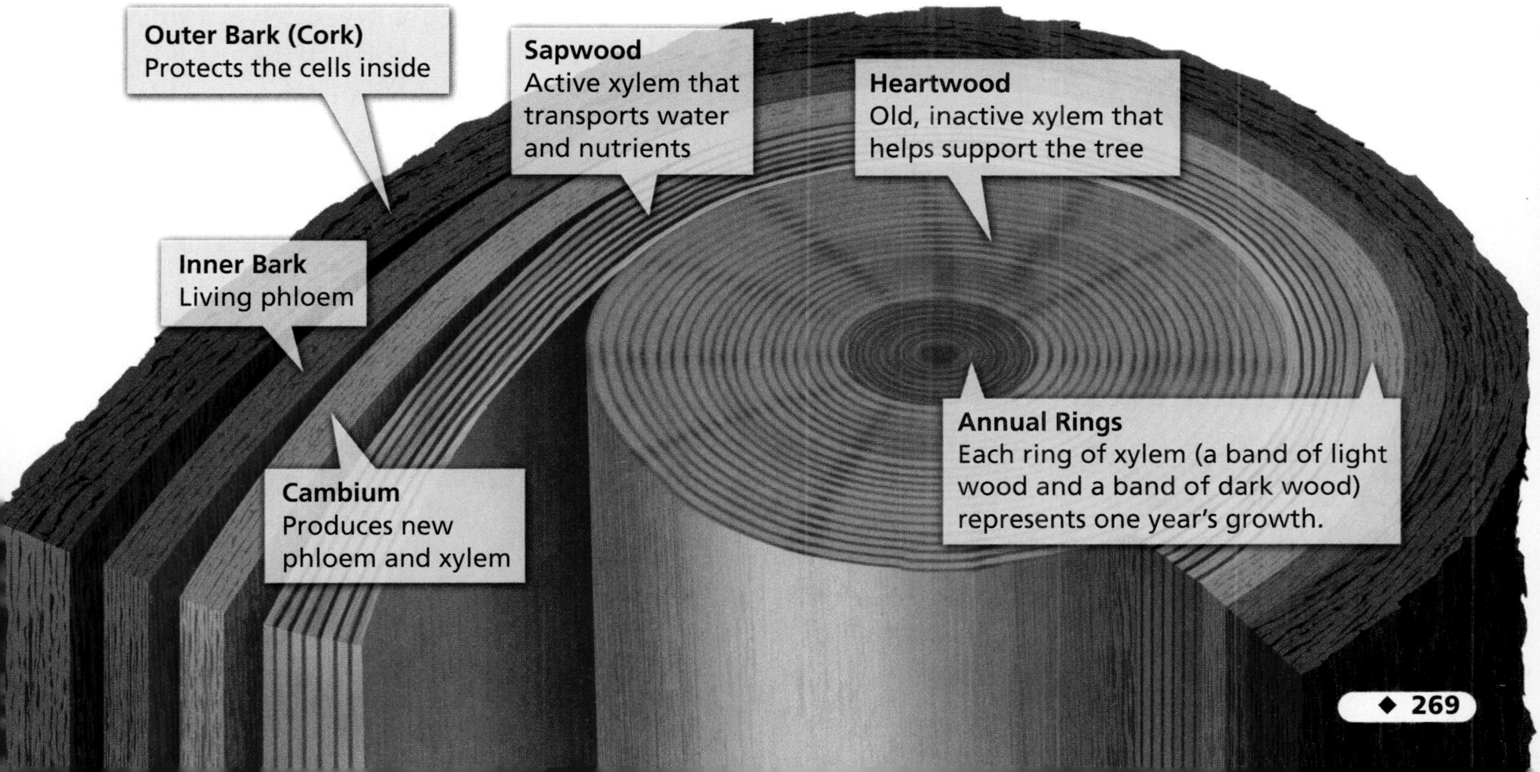

Outer Bark (Cork)
Protects the cells inside

Sapwood
Active xylem that transports water and nutrients

Heartwood
Old, inactive xylem that helps support the tree

Inner Bark
Living phloem

Cambium
Produces new phloem and xylem

Annual Rings
Each ring of xylem (a band of light wood and a band of dark wood) represents one year's growth.

FIGURE 16

The Structure of a Leaf

A leaf is a well-adapted food factory. Each structure helps the leaf produce food.

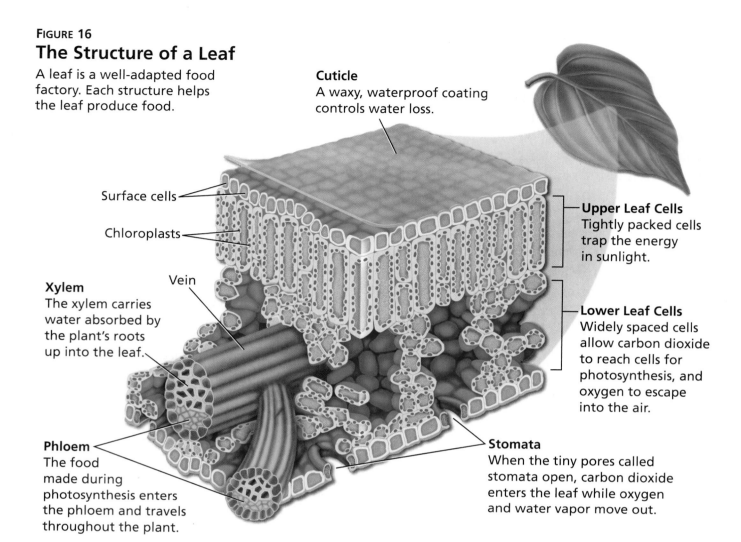

Cuticle
A waxy, waterproof coating controls water loss.

Surface cells

Chloroplasts

Upper Leaf Cells
Tightly packed cells trap the energy in sunlight.

Vein

Xylem
The xylem carries water absorbed by the plant's roots up into the leaf.

Lower Leaf Cells
Widely spaced cells allow carbon dioxide to reach cells for photosynthesis, and oxygen to escape into the air.

Phloem
The food made during photosynthesis enters the phloem and travels throughout the plant.

Stomata
When the tiny pores called stomata open, carbon dioxide enters the leaf while oxygen and water vapor move out.

Leaves

Leaves vary greatly in size and shape. Pine trees, for example, have needle-shaped leaves. Birch trees have small rounded leaves with jagged edges. Regardless of their shape, leaves play an important role in a plant. **Leaves capture the sun's energy and carry out the food-making process of photosynthesis.**

The Structure of a Leaf If you were to cut through a leaf and look at the edge under a microscope, you would see the structures in Figure 16. The leaf's top and bottom surface layers protect the cells inside. Between the layers of cells are veins that contain xylem and phloem.

The surface layers of the leaf have stomata, the pores that open and close to control when gases enter and leave the leaf. The Greek word *stoma* means "mouth"—and stomata do look like tiny mouths, as you can see in Figure 17. When the stomata are open, carbon dioxide enters the leaf, and oxygen and water vapor exit.

For: More on leaves
Visit: PHSchool.com
Web Code: ced-1051

The Leaf and Photosynthesis The structure of a leaf is ideal for carrying out photosynthesis. The cells that contain the most chloroplasts are located near the leaf's upper surface, where they get the most light. Recall that the chlorophyll in the chloroplasts traps the sun's energy.

Carbon dioxide enters the leaf through open stomata. Water, which is absorbed by the plant's roots, travels up the stem to the leaf through the xylem. During photosynthesis, sugar and oxygen are produced from the carbon dioxide and water. Oxygen passes out of the leaf through the open stomata. The sugar enters the phloem and then travels throughout the plant.

Controlling Water Loss Because such a large area of a leaf is exposed to the air, water can quickly evaporate, or be lost, from a leaf into the air. The process by which water evaporates from a plant's leaves is called **transpiration.** A plant can lose a lot of water through transpiration. A corn plant, for example, can lose almost 4 liters of water on a hot summer day. Without a way to slow down the process of transpiration, a plant would shrivel up and die.

Fortunately, plants have ways to slow down transpiration. One way that plants retain water is by closing the stomata. The stomata often close when leaves start to dry out.

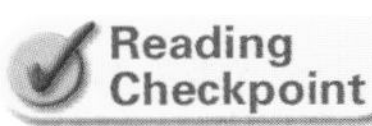

How does water get into a leaf?

FIGURE 17
Stomata
Stomata open (top) and close (bottom) to control when gases enter and exit the leaf.
Relating Cause and Effect *What gases enter and exit when the stomata open?*

Section 3 Assessment

Target Reading Skill **Outlining** Use the information in your outline about seed plants to help you answer the questions below.

Reviewing Key Concepts

1. a. **Reviewing** What two characteristics do all seed plants share?
   b. **Relating Cause and Effect** What characteristics enable seed plants to live in a wide variety of environments? Explain.
2. a. **Listing** Name the three main parts of a seed.
   b. **Sequencing** List the steps in the sequence in which they must occur for a seed to grow into a new plant.
   c. **Applying Concepts** If a cherry seed were to take root right below its parent tree, what three challenges might the cherry seedling face?
3. a. **Identifying** What are the main functions of a plant's roots, stems, and leaves?
   b. **Comparing and Contrasting** What type of tissue carries water from the roots to the rest of the plant? What type of tissue carries food away from the leaves?
   c. **Applying Concepts** How are the structures of a tree's roots and leaves well-suited for their roles in supplying the tree with water and sugar?

Writing in Science

Product Label Write a "packaging label" for a seed. Include a name and description for each part of the seed. Be sure to describe the role of each part in producing a new plant.

Section 4

Gymnosperms and Angiosperms

Reading Preview

Key Concepts

- What are the characteristics of gymnosperms and how do they reproduce?
- What are the characteristics of angiosperms and their flowers?
- How do angiosperms reproduce?
- What are the two types of angiosperms?

Key Terms

- gymnosperm • cone • ovule
- pollination • angiosperm
- flower • sepal • petal
- stamen • pistil • ovary
- fruit • monocot • dicot

Target Reading Skill

Building Vocabulary Using a word in a sentence helps you think about how best to explain the word. After you read the section, reread the paragraphs that contain definitions of Key Terms. Use all the information you have learned to write a meaningful sentence using each Key Term.

For: Links on gymnosperms
Visit: www.SciLinks.org
Web Code: scn-0152

Lab zone Discover Activity

Are All Leaves Alike?

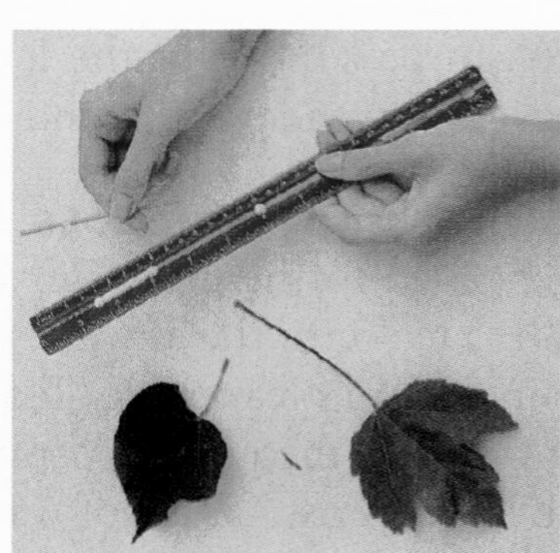

1. Your teacher will give you a hand lens, a ruler, and the leaves from some seed plants.
2. Using the hand lens, examine each leaf. Sketch each leaf in your notebook.
3. Measure the length and width of each leaf. Record your measurements in your notebook.

Think It Over

Classifying Divide the leaves into two groups on the basis of your observations. Explain why you grouped the leaves as you did.

Here's a question for you: What do pine cones and apples have in common? The answer is that they are both the parts of plants that contain seeds. Plants that produce seeds are known as seed plants. Pine trees and apple trees are both seed plants but belong to two different groups—gymnosperms and angiosperms.

Gymnosperms

Pine trees belong to the group of seed plants known as gymnosperms. A **gymnosperm** (JIM nuh spurm) is a seed plant that produces naked seeds. The seeds of gymnosperms are referred to as "naked" because they are not enclosed by a protective fruit.

Every gymnosperm produces naked seeds. In addition, many gymnosperms have needle-like or scalelike leaves, and deep-growing root systems. Gymnosperms are the oldest type of seed plant. According to fossil evidence, gymnosperms first appeared on Earth about 360 million years ago. Fossils also indicate that there were many more species of gymnosperms on Earth in the past than there are today. Four groups of gymnosperms exist today.

FIGURE 18

Types of Gymnosperms

Gymnosperms are the oldest seed plants. Cycads, conifers, ginkgoes, and gnetophytes are the only groups that exist today.

Gnetophyte: ▲ *Welwitschia*

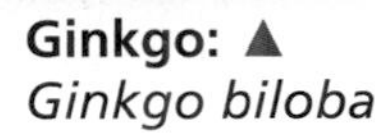

Ginkgo: ▲ *Ginkgo biloba*

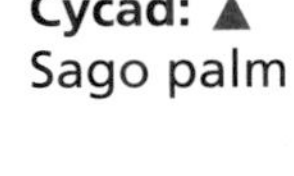

Cycad: ▲ Sago palm

Conifer: ▶ Giant sequoia

Cycads About 175 million years ago, the majority of plants were cycads. Today, cycads (SY kadz) grow mainly in tropical and subtropical areas. Cycads look like palm trees with cones. A cycad cone can grow as large as a football.

Conifers Conifers (KAHN uh furz), or cone-bearing plants, are the largest and most diverse group of gymnosperms today. Most conifers, such as pines, sequoias, and junipers, are evergreens—plants that keep their leaves, or needles, year-round. When needles drop off, they are replaced by new ones.

Ginkgoes Ginkgoes (GING kohz) also grew hundreds of millions of years ago, but today, only one species of ginkgo, *Ginkgo biloba*, exists. It probably survived only because the Chinese and Japanese cared for it in their gardens. Today, ginkgo trees are planted along city streets because they can tolerate air pollution.

Gnetophytes Gnetophytes (NEE tuh fyts) live in hot deserts and in tropical rain forests. Some gnetophytes are trees, some are shrubs, and others are vines. The *Welwitschia* shown in Figure 18 grows in the deserts of West Africa and can live for more than 1,000 years.

Reading Checkpoint **What are the four types of gymnosperms?**

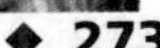

Reproduction in Gymnosperms

Most gymnosperms have reproductive structures called **cones.** Cones are covered with scales. Most gymnosperms produce two types of cones: male cones and female cones. Usually, a single plant produces both male and female cones. In some types of gymnosperms, however, individual trees produce either male cones or female cones. A few types of gymnosperms produce no cones at all.

In Figure 19, you can see the male and female cones of a Ponderosa pine. Male cones produce tiny grains of pollen—the male gametophyte. Pollen contains the cells that will later become sperm cells. Each scale on a male cone produces thousands of pollen grains.

The female gametophyte develops in structures called ovules. An **ovule** (OH vyool) is a structure that contains an egg cell. Female cones contain at least one ovule at the base of each scale. After fertilization occurs, the ovule develops into a seed.

You can follow the process of gymnosperm reproduction in Figure 19. **First, pollen falls from a male cone onto a female cone. In time, a sperm cell and an egg cell join together in an ovule on the female cone.** After fertilization occurs, the seed develops on the scale of the female cone.

Pollination The transfer of pollen from a male reproductive structure to a female reproductive structure is called **pollination.** In gymnosperms, wind often carries the pollen from the male cones to the female cones. The pollen collects in a sticky substance produced by each ovule.

Fertilization Once pollination has occurred, the ovule closes and seals in the pollen. The scales also close, and a sperm cell fertilizes an egg cell inside each ovule. The fertilized egg then develops into the embryo part of the seed.

Seed Development Female cones remain on the tree while the seeds mature. As the seeds develop, the female cone increases in size. It can take up to two years for the seeds of some gymnosperms to mature. Male cones, however, usually fall off the tree after they have shed their pollen.

Seed Dispersal When the seeds are mature, the scales open. The wind shakes the seeds out of the cone and carries them away. Only a few seeds will land in suitable places and grow into new plants.

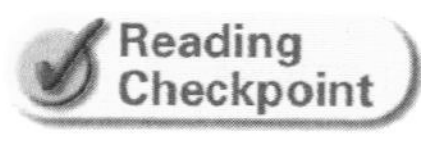

What is pollen and where is it produced?

Lab zone Try This Activity

The Scoop on Cones

In this activity, you will observe the structure of a female cone.

1. Use a hand lens to look closely at the female cone. Gently shake the cone over a piece of white paper. Observe what happens.
2. Break off one scale from the cone. Examine its base. If the scale contains a seed, remove the seed.
3. With a hand lens, examine the seed from Step 2 or examine a seed that fell on the paper in Step 1.
4. Wash your hands.

Inferring How does the structure of the cone protect the seeds?

FIGURE 19

The Life Cycle of a Gymnosperm

Ponderosa pines have a typical life cycle for a gymnosperm. Follow the steps of pollination, fertilization, seed development, and dispersal in the pine tree. **Interpreting Diagrams** *Where do the pine seeds develop?*

1 A pine tree produces male and female cones.

2A A male cone produces pollen grains, which contain cells that will mature into sperm cells.

Scale on male cone

Scale on female cone

Egg cells

Ovule

2B Each scale on a female cone has two ovules at its base.

3 In time, two egg cells form inside each ovule.

4 The wind scatters pollen grains. Some become trapped in a sticky substance produced by the ovule.

5 The ovule closes, and a pollen grain produces a tube that grows into the ovule. A sperm cell moves through the tube and fertilizes the egg cell.

6 The ovule develops into a seed. The fertilized egg becomes the seed's embryo. Other parts of the ovule develop into the seed coat and the seed's stored food.

7 Wind disperses the pine seeds. A seed grows into a seedling and then into a tree.

Angiosperms

You probably associate the word *flower* with a sweet-smelling plant growing in a garden. You certainly wouldn't think of something that smells like rotting meat. But that's exactly what the corpse flower, or rafflesia, smells like. You won't be seeing rafflesia in your local florist shop any time soon.

Rafflesia belongs to the group of seed plants known as **angiosperms** (AN jee uh spurmz). **All angiosperms, or flowering plants, share two important traits. First, they produce flowers. Second, in contrast to gymnosperms, which produce uncovered seeds, angiosperms produce seeds that are enclosed in fruits.**

Angiosperms live almost everywhere on Earth. They grow in frozen areas in the Arctic, tropical jungles, barren deserts, and at the ocean's edge.

Where do angiosperms live?

FIGURE 20 Rafflesia
Rafflesia plants grow in the jungles of Southeast Asia. The giant flowers measure about 1 meter across and weigh about 7 kilograms!
Classifying *What kind of seeds do Rafflesia plants produce—uncovered seeds or seeds enclosed in fruits?*

The Structure of Flowers

Flowers come in all sorts of shapes, sizes, and colors. But, despite their differences, all flowers have the same function—reproduction. A **flower** is the reproductive structure of an angiosperm. Figure 21 shows the parts of a typical flower. As you read about the parts, keep in mind that some flowers lack one or more of the parts. For example, some flowers have only male reproductive parts, and some flowers lack petals.

Sepals and Petals When a flower is still a bud, it is enclosed by leaflike structures called **sepals** (SEE pulz). Sepals protect the developing flower and are often green in color. When the sepals fold back, they reveal the flower's colorful, leaflike **petals.** The petals are generally the most colorful parts of a flower. The shape, size, and number of petals vary greatly from flower to flower.

Stamens Within the petals are the flower's male and female reproductive parts. The **stamens** (STAY munz) are the male reproductive parts. Locate the stamens inside the flower in Figure 21. The thin stalk of the stamen is called the filament. Pollen is produced in the anther, at the top of the filament.

FIGURE 21

The Structure of a Flower

Like most flowers, this lily contains both male and female reproductive structures.

Pistils
Pistils are the female reproductive parts of a flower. A pistil consists of a sticky stigma, a slender tube called the style, and a hollow structure, called the ovary, at the base.

Stamens
Stamens are the male reproductive parts of a flower. Pollen is produced in the anther, at the top of the stalklike filament.

Sepals
Sepals are the small, leaflike parts of a flower. The sepals protect the developing flower.

Petals
Petals are usually the most colorful parts of a flower. Pollinators are attracted by the petals' colors and scent.

Go Online *active art*

For: The Structure of a Flower activity
Visit: PHSchool.com
Web Code: cep-1053

Pistils The female parts, or **pistils** (PIS tulz), are found in the center of most flowers. Some flowers have two or more pistils; others have only one. The sticky tip of the pistil is called the stigma. A slender tube, called a style, connects the stigma to a hollow structure at the base of the flower. This hollow structure is the **ovary,** which protects the seeds as they develop. An ovary contains one or more ovules.

Pollinators The colors and shapes of most petals and the scents produced by most flowers attract insects and other animals. These organisms ensure that pollination occurs. Pollinators include birds, bats, and insects such as bees and flies. The rafflesia flower you read about at the beginning of the section is pollinated by flies. The flies are attracted by the strong smell of rotting meat.

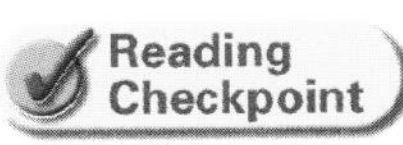

What are the male and female parts of a flower?

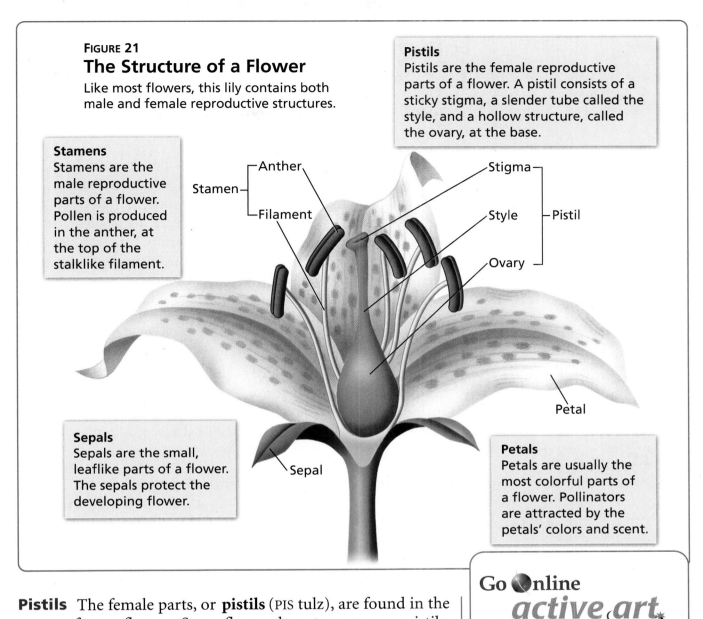

Reproduction in Angiosperms

You can follow the process of angiosperm reproduction in Figure 23. **First, pollen falls on a flower's stigma. In time, the sperm cell and egg cell join together in the flower's ovule. The zygote develops into the embryo part of the seed.**

Pollination A flower is pollinated when a grain of pollen falls on the stigma. Like gymnosperms, some angiosperms are pollinated by the wind. But most angiosperms rely on birds, bats, or insects for pollination. Nectar, a sugar-rich food, is located deep inside a flower. When an animal enters a flower to obtain the nectar, it brushes against the anthers and becomes coated with pollen. Some of the pollen can drop onto the flower's stigma as the animal leaves the flower. The pollen can also be brushed onto the sticky stigma of the next flower the animal visits.

Fertilization If the pollen falls on the stigma of a similar plant, fertilization can occur. A sperm cell joins with an egg cell inside an ovule within the ovary at the base of the flower. The zygote then begins to develop into the seed's embryo. Other parts of the ovule develop into the rest of the seed.

Fruit Development and Seed Dispersal As the seed develops after fertilization, the ovary changes into a **fruit**—a ripened ovary and other structures that enclose one or more seeds. Apples and cherries are fruits. So are many foods you usually call vegetables, such as tomatoes and squash. Fruits are the means by which angiosperm seeds are dispersed. Animals that eat fruits help to disperse their seeds.

Reading Checkpoint What flower part develops into a fruit?

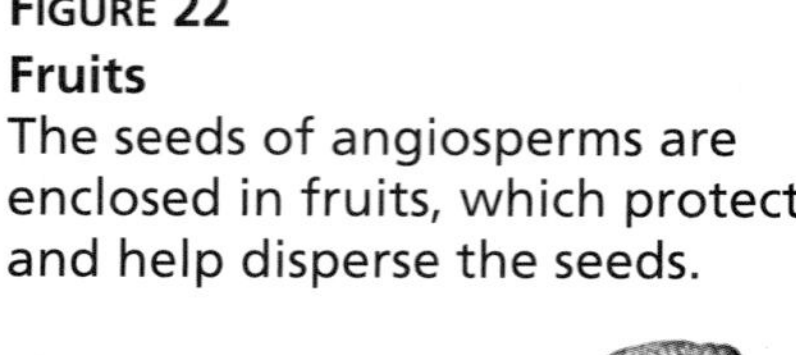

FIGURE 22
Fruits
The seeds of angiosperms are enclosed in fruits, which protect and help disperse the seeds.

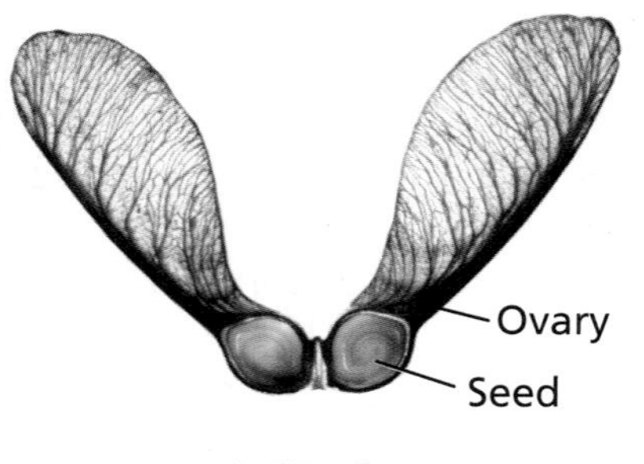

▲ **Maple**

▲ **Lemon**

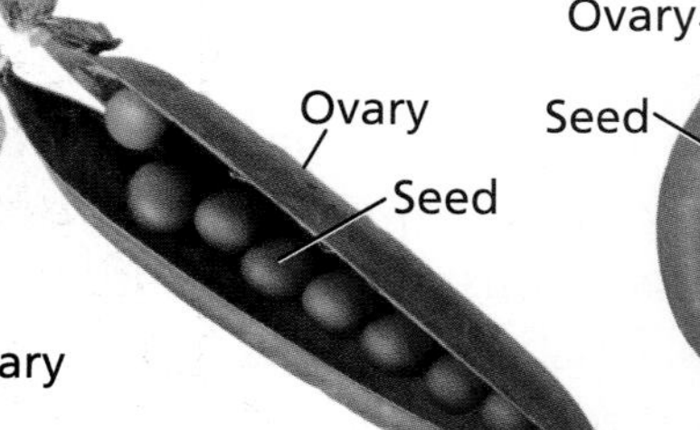

▲ **Pea**

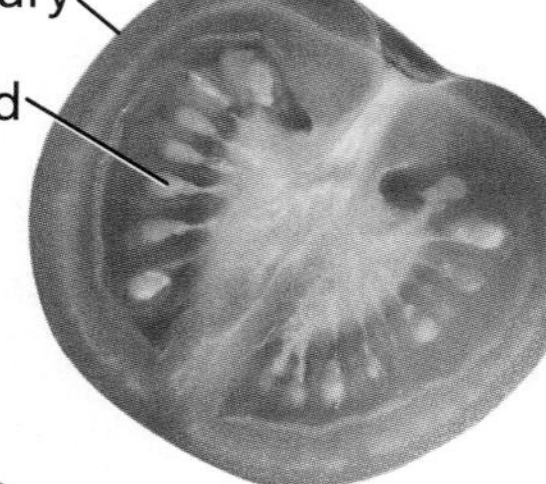

▲ **Tomato**

Figure 23

The Life Cycle of an Angiosperm

All angiosperms have a similar life cycle. Follow the steps of pollination, fertilization, seed development, and dispersal in this apple tree.
Interpreting Diagrams *What plant part does the ovule develop into?*

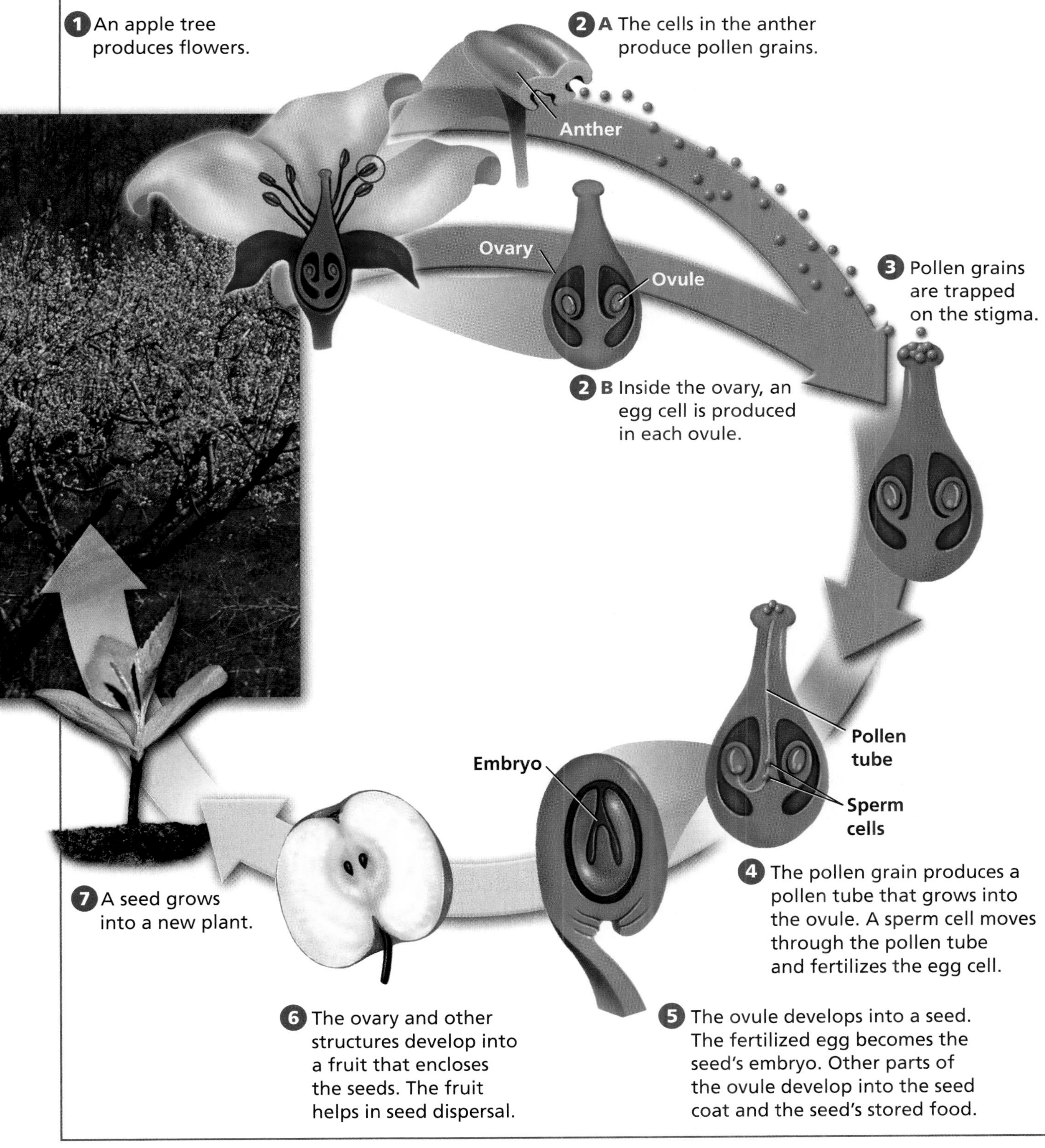

1 An apple tree produces flowers.
2 A The cells in the anther produce pollen grains.
Anther
Ovary
Ovule
3 Pollen grains are trapped on the stigma.
2 B Inside the ovary, an egg cell is produced in each ovule.
Pollen tube
Sperm cells
Embryo
4 The pollen grain produces a pollen tube that grows into the ovule. A sperm cell moves through the pollen tube and fertilizes the egg cell.
7 A seed grows into a new plant.
6 The ovary and other structures develop into a fruit that encloses the seeds. The fruit helps in seed dispersal.
5 The ovule develops into a seed. The fertilized egg becomes the seed's embryo. Other parts of the ovule develop into the seed coat and the seed's stored food.

FIGURE 24
Monocots and Dicots
Monocots and dicots differ in the number of cotyledons, the pattern of veins and vascular tissue, and the number of petals.
Interpreting Tables *How do monocot and dicot leaves differ?*

Comparing Monocots and Dicots

Plant Part	Monocots	Dicots
Seed	One cotyledon	Two cotyledons
Leaf	Parallel veins	Branching veins
Stem	Bundles of vascular tissue scattered throughout stem	Bundles of vascular tissue arranged in a ring
Flower	Flower parts in threes	Flower parts in fours or fives

Types of Angiosperms

Angiosperms are divided into two major groups: monocots and dicots. "Cot" is short for *cotyledon.* Recall that in some seeds, the cotyledon, or seed leaf, provides food for the embryo. *Mono* means "one" and *di* means "two." **Monocots** are angiosperms that have only one seed leaf. **Dicots,** on the other hand, produce seeds with two seed leaves. In Figure 24, you can compare the characteristics of monocots and dicots.

Monocots Grasses, including corn, wheat, and rice, and plants such as lilies and tulips are monocots. The flowers of a monocot usually have either three petals or a multiple of three petals. Monocots usually have long, slender leaves with veins that run parallel to one another like train rails. The bundles of vascular tissue in monocot stems are usually scattered randomly throughout the stem.

Dicots Dicots include plants such as roses and violets, as well as dandelions. Both oak and maple trees are dicots, as are food plants such as beans and apples. The flowers of dicots often have either four or five petals or multiples of these numbers. The leaves are usually wide, with veins that branch many times. Dicot stems usually have bundles of vascular tissue arranged in a ring.

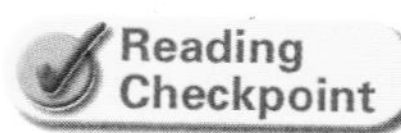

How do the petals of monocots and dicots differ in number?

Math Skills

Multiples

Is a flower with 6 petals a monocot? To answer this question, you need to determine if 6 is a multiple of 3. A number is a multiple of 3 if there is a nonzero whole number that, when multiplied by 3, gives you that number.

In this case, 6 is a multiple of 3 because you can multiply 2 (a nonzero whole number) by 3 to get 6.

$$2 \times 3 = 6$$

Therefore, a flower with 6 petals is a monocot. Other multiples of 3 include 9 and 12.

Practice Problem Which of these numbers are multiples of 4?

6, 10, 12, 16

Seed Plants in Everyday Life

Products from seed plants are all around you. Gymnosperms, especially conifers, provide useful products such as paper and the lumber used to build homes. Conifers are also used to produce turpentine, the rayon fibers in clothes, and the rosin used by baseball pitchers, gymnasts, and musicians.

Angiosperms are an important source of food, clothing, and medicine for other organisms. Plant-eating animals eat various parts of flowering plants, including stems, leaves, and flowers. People eat vegetables, fruits, and cereals, all of which are angiosperms. People also make clothing and other products from angiosperms. For example, cotton fibers come from cotton plants. The sap of rubber trees is used to make rubber for tires and other products. The wood of maple, cherry, and oak trees is often used to make furniture.

What are two products made from gymnosperms?

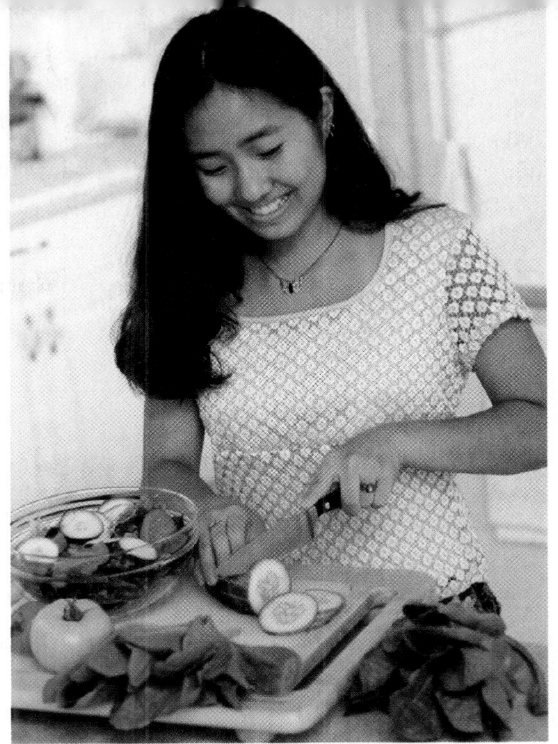

FIGURE 25
Food From Seed Plants
The cucumbers, tomatoes, and spinach in this salad are all angiosperms.

Section 4 Assessment

Target Reading Skill Building Vocabulary
Use your sentences to help you answer the questions below.

Reviewing Key Concepts

1. a. Listing What characteristics do all gymnosperms share? What other characteristics do many gymnosperms have?
   b. Describing What is a cone? What role do cones play in gymnosperm reproduction?
   c. Sequencing Briefly describe the steps in the reproduction of a gymnosperm.
2. a. Reviewing What two characteristics do all angiosperms share?
   b. Identifying What is the function of an angiosperm's flowers?
3. a. Reviewing On what part of a flower must pollen land for pollination to occur?
   b. Sequencing Briefly describe the steps in the reproduction of an angiosperm, from pollination to seed dispersal.
4. a. Listing Name the two major groups of angiosperms.
   b. Comparing and Contrasting How do the seeds, leaves, stems, and flowers of these two groups differ?
   c. Classifying A plant's leaves have parallel veins, and each of its flowers has six petals. To which group does it belong? Explain.

Math Practice

5. Multiples Which of the following numbers are multiples of 3? Which of the numbers are multiples of 4?

   5, 6, 8, 10, 12, 15

6. Multiples Suppose you found a flower with 12 petals. Would you know from the number of petals whether the flower is a monocot or a dicot? Explain.

Lab zone **Skills Lab**

A Close Look at Flowers

Problem

What is the function of a flower, and what roles do its different parts play?

Skills Focus

observing, inferring, measuring

Materials

- paper towels
- plastic dropper
- hand lens
- microscope
- slide
- large flower
- coverslip
- scalpel
- tape
- water
- metric ruler
- lens paper

Procedure 

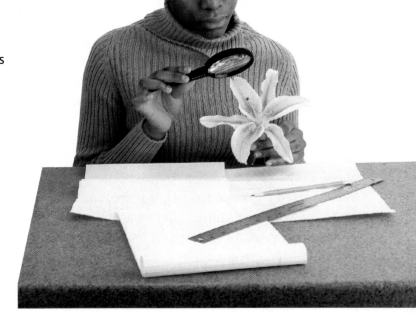

PART 1 The Outer Parts of the Flower

1. Tape four paper towel sheets on your work area. Obtain a flower from your teacher. While handling the flower gently, observe its shape and color. Use the ruler to measure it. Notice whether the petals have any spots or other markings. Does the flower have a scent? Record your observations with sketches and descriptions.
2. Observe the sepals. How many are there? How do they relate to the rest of the flower? (*Hint:* The sepals are often green, but not always.) Record your observations.
3. Use a scalpel to carefully cut off the sepals without damaging the structures beneath them. **CAUTION:** *Scalpels are sharp. Cut in a direction away from yourself and others.*
4. Observe the petals. How many are there? Are all the petals the same, or are they different? Record your observations.

PART 2 The Male Part of the Flower

5. Carefully pull off the petals to examine the male part of the flower. Try not to damage the structures beneath the petals.
6. Observe the stamens. How many are there? How are they shaped? How tall are they? Record your observations.
7. Use a scalpel to carefully cut the stamens away from the rest of the flower without damaging the structures beneath them. Lay the stamens on the paper towel.
8. Obtain a clean slide and coverslip. Hold a stamen over the slide, and gently tap some pollen grains from the anther onto the slide. Add a drop of water to the pollen. Then place the coverslip over the water and pollen.
9. Observe the pollen under both the low-power objective and the high-power objective of a microscope. Draw and label a pollen grain.

PART 3 The Female Part of the Flower

10. Use a scalpel to cut the pistil away from the rest of the flower. Measure the height of the pistil. Examine its shape. Observe the top of the pistil. Determine if that surface will stick to and lift a tiny piece of lens paper. Record your observations.
11. Lay the pistil on the paper towel. Holding it firmly at its base, use a scalpel to cut the pistil in half at its widest point, as shown in the diagram below. **CAUTION:** *Cut away from your fingers.* How many compartments do you see? How many ovules do you see? Record your observations.

Analyze and Conclude

1. Observing Based on your observations, describe how the sepals, petals, stamens, and pistils of a flower are arranged.
2. Inferring How are the sepals, petals, stamens, and pistil involved in the function of this flower?
3. Measuring Based on your measurements of the heights of the pistil and stamens, how do you think the flower you examined is pollinated? Use additional observations to support your answer.
4. Classifying Did you find any patterns in the number of sepals, petals, stamens, or other structures in your flower? If so, describe that pattern. Is your flower a monocot or a dicot?
5. Communicating Write a paragraph explaining all you can learn about a plant by examining one of its flowers. Use your observations in this lab to support your conclusions.

More to Explore

Some kinds of flowers do not have all the parts found in the flower in this lab. Obtain a different flower. Find out which parts that flower has, and which parts are missing. *Obtain your teacher's permission before carrying out your investigation.*

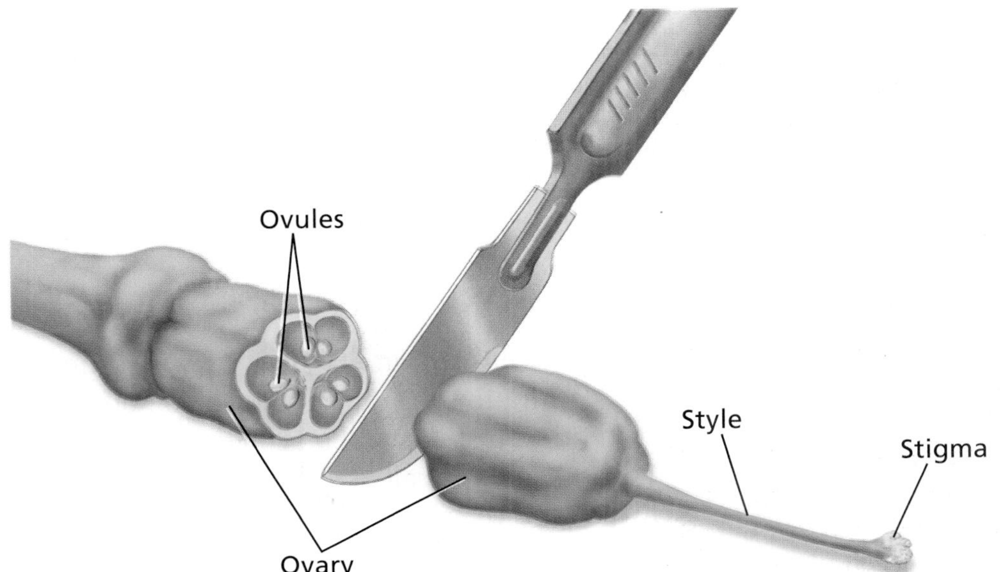

Integrating Chemistry

Plant Responses and Growth

Reading Preview

Key Concepts

- What are three stimuli that produce plant responses?
- How do plants respond to seasonal changes?
- How long do different angiosperms live?

Key Terms

- tropism • hormone
- auxin • photoperiodism
- short-day plant
- long-day plant
- critical night length
- day-neutral plant • dormancy
- annual • biennial • perennial

Target Reading Skill

Relating Cause and Effect As you read through the paragraphs under the heading Hormones and Tropisms, identify four effects of plant hormones. Write the information in a graphic organizer like the one below.

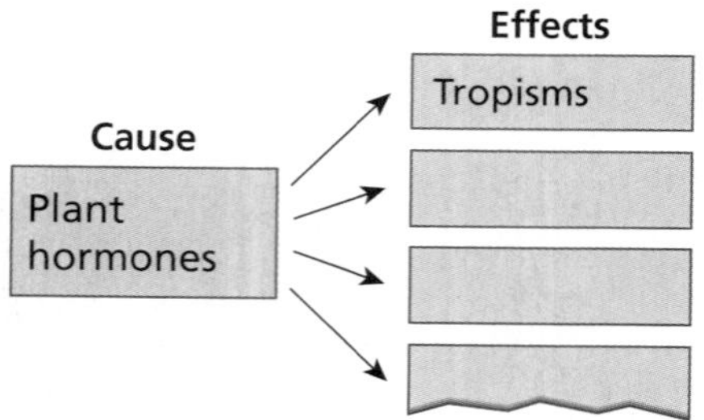

For: Links on plant responses
Visit: www.SciLinks.org
Web Code: scn-0154

Lab zone Discover Activity

Can a Plant Respond to Touch?

1. Your teacher will give you two plants. Observe the first plant. Gently touch a leaf with the tip of a pencil. Observe what happens over the next three minutes. Record your observations.
2. Repeat Step 1 with the second plant. Record your observations.
3. Wash your hands with soap and water.

Think It Over

Inferring What advantage might a plant have if its leaves responded to touch?

The bladderwort is a freshwater plant with small yellow flowers. Attached to its floating stems are open structures called bladders. When a water flea touches a sensitive hair on a bladder, the bladder flicks open. Faster than you can blink, the water flea is sucked inside, and the bladder snaps shut. The plant then digests the trapped flea.

A bladderwort responds quickly—faster than many animals respond to a similar stimulus. You may be surprised to learn that some plants have lightning-quick responses. In fact, you might have thought that plants do not respond to stimuli at all. But plants do respond to some stimuli, although they usually do so more slowly than the bladderwort.

Tropisms

Animals usually respond to stimuli by moving. Unlike animals, plants commonly respond by growing either toward or away from a stimulus. A plant's growth response toward or away from a stimulus is called a **tropism** (TROH piz um). If a plant grows toward the stimulus, it is said to show a positive tropism. If a plant grows away from a stimulus, it shows a negative tropism. **Touch, light, and gravity are three important stimuli to which plants show growth responses, or tropisms.**

Touch Some plants, such as bladderworts, show a response to touch called thigmotropism. The prefix *thigmo-* comes from a Greek word that means "touch." The stems of many vines, such as grapes and morning glories, show a positive thigmotropism. As the vines grow, they coil around any object that they touch.

Light Have you ever noticed plants on a windowsill with their leaves and stems facing the sun? All plants exhibit a response to light called phototropism. The leaves, stems, and flowers of plants grow toward light, showing a positive phototropism. By growing towards the light, a plant receives more energy for photosynthesis.

Gravity Plants also respond to gravity. This response is called gravitropism. Roots show positive gravitropism—they grow downward. Stems, on the other hand, show negative gravitropism—they grow upward.

Hormones and Tropisms Plants are able to respond to touch, light, and gravity because they produce hormones. A **hormone** produced by a plant is a chemical that affects how the plant grows and develops.

One important plant hormone is named **auxin** (AWK sin). Auxin speeds up the rate at which a plant's cells grow. Auxin controls a plant's response to light. When light shines on one side of a plant's stem, auxin builds up in the shaded side of the stem. The cells on the shaded side begin to grow faster. Eventually, the cells on the stem's shaded side are longer than those on its sunny side. So the stem bends toward the light.

In addition to tropisms, plant hormones also control many other plant activities. Some of these activities are germination, the formation of flowers, stems, and leaves, the shedding of leaves, and the development and ripening of fruit.

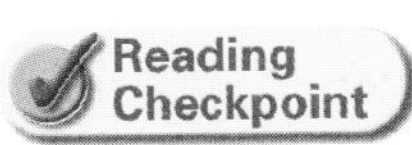

What is one role that the plant hormone auxin plays?

FIGURE 26

Tropisms

Touch, light, and gravity are three stimuli to which plants show growth responses, or tropisms.

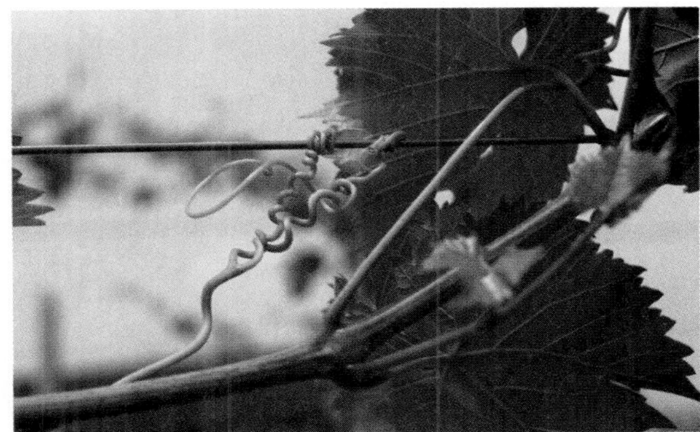

▲ **Touch** A vine coiling around a wire shows positive thigmotropism.

▲ **Light** A plant's stems and flowers growing toward light show positive phototropism.

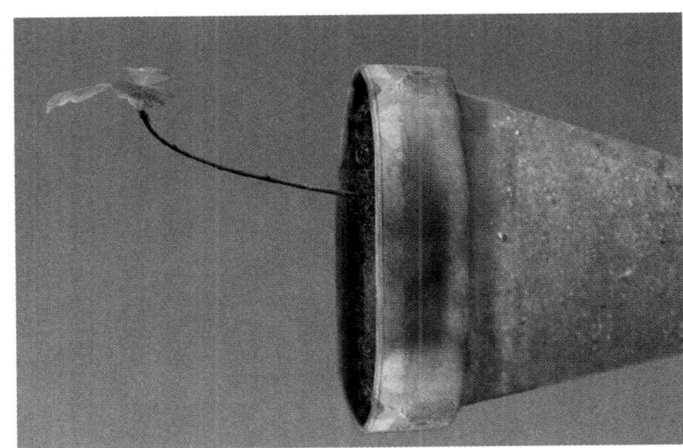

▲ **Gravity** A plant's stem growing upward, against the pull of gravity, shows negative gravitropism.

Short-Day Plant	
Longer than critical night length	Shorter than critical night length
Chrysanthemum	Chrysanthemum

Long-Day Plant	
Longer than critical night length	Shorter than critical night length
Iris	Iris

FIGURE 27
Short-Day and Long-Day Plants
A short-day plant flowers when nights are longer than the critical night length. A long-day plant flowers when nights are shorter than the critical night length.
Applying Concepts *Is an iris or chrysanthemum more likely to flower in early summer?*

Seasonal Changes

People have long observed that plants respond to the changing seasons. Some plants bloom in early spring, while others don't bloom until summer. The leaves on some trees change color in autumn and then fall off by winter. **Plant responses to seasonal changes include photoperiodism and dormancy.**

Photoperiodism What environmental factor triggers a plant to flower? The amount of darkness a plant receives determines the time of flowering in many plants. A plant's response to seasonal changes in length of night and day is called **photoperiodism.**

Plants differ in how they respond to the length of nights. **Short-day plants** flower when nights are *longer* than a critical length. **Long-day plants** flower when nights are *shorter* than a critical length. This critical length, called the **critical night length,** is the number of hours of darkness that determines whether or not a plant will flower. For example, if a short-day plant has a critical night length of 11 hours, it will flower only when nights are longer than 11 hours.

Short-day plants bloom in the fall or winter, when nights are growing longer. Chrysanthemums and poinsettias are short-day plants. In contrast, long-day plants flower in the spring or summer, when nights are getting shorter. Long-day plants include irises and lettuce.

Other plants, such as dandelions, rice, and tomatoes, are **day-neutral plants.** Their flowering cycle is not sensitive to periods of light and dark.

Dormancy As winter draws near, many plants prepare to go into a state of dormancy. **Dormancy** is a period when an organism's growth or activity stops. Dormancy helps plants survive freezing temperatures and the lack of liquid water.

With many trees, the first change is that the leaves begin to turn color. Cooler weather and shorter days cause the leaves to stop making chlorophyll. As chlorophyll breaks down, yellow and orange pigments become visible. In addition, the plant begins to produce new red pigments. The brilliant colors of autumn leaves result.

Over the next few weeks, all of the remaining sugar and water are transported out of the tree's leaves. The leaves then fall to the ground, and the tree is ready for winter.

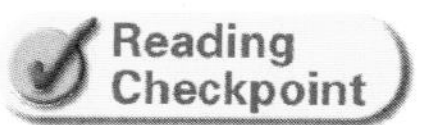

What is dormancy?

Life Spans of Angiosperms

Angiosperms are classified as annuals, biennials, or perennials based on the length of their life cycles. Flowering plants that complete a life cycle within one growing season are called **annuals.** Most annuals have herbaceous stems. Annuals include marigolds, petunias, wheat, and cucumbers.

Angiosperms that complete their life cycle in two years are called **biennials** (by EN ee ulz). In the first year, biennials germinate and grow roots, very short stems, and leaves. During their second year, biennials lengthen their stems, grow new leaves, and then produce flowers and seeds. Once the flowers produce seeds, the plant dies. Parsley, celery, and foxglove are biennials.

Flowering plants that live for more than two years are called **perennials.** Most perennials flower every year. Some perennials, such as peonies, have herbaceous stems. The leaves and stems of these plants die each winter, and new ones are produced each spring. Most perennials, however, have woody stems that live through the winter. Maple trees are examples of woody perennials.

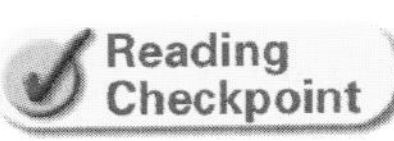

How long does a biennial live?

▲ **Annual:** Morning glory

◀ **Biennial:** Foxglove

Perennial: Peony ▶

FIGURE 28
Life Spans of Angiosperms
Annuals live for one year. Biennials live for two years, and perennials live for many years.

Section 5 Assessment

Target Reading Skill **Relating Cause and Effect** Refer to your graphic organizer about plant hormones to help you answer Question 1.

Reviewing Key Concepts

1. a. **Describing** Describe three tropisms that take place in plants.
   b. **Explaining** How does auxin control a plant's response to light?
   c. **Developing Hypotheses** The stems of your morning glory plants have wrapped around your garden fence. Explain why this has occurred.
2. a. **Defining** What is photoperiodism? What is winter dormancy?
   b. **Comparing and Contrasting** How do short-day plants and long-day plants differ?
   c. **Sequencing** List in order the changes that a tree undergoes as winter approaches.
3. a. **Defining** How do annuals, biennials, and perennials differ?
   b. **Applying Concepts** Is the grass that grows on most lawns an annual, a biennial, or a perennial? Explain.

Lab zone At-Home Activity

Sun Seekers With a family member, soak some corn seeds or lima bean seeds in water overnight. Then push them gently into some soil in a paper cup until they are just covered. Keep the soil moist. When you see the stems break through the soil, place the cup in a sunny window. After a few days, explain to your family member why the plants grew in the direction they did.

Chapter 8 Study Guide

1 The Plant Kingdom

Key Concepts

- Nearly all plants are autotrophs. All plants are eukaryotes that contain many cells, all of which are surrounded by cell walls.
- Land plants must have ways to obtain water and other nutrients from their surroundings, retain water, transport materials in their bodies, support their bodies, and reproduce.
- Scientists informally group plants as nonvascular plants and vascular plants.
- Plants have complex life cycles that include the sporophyte stage and the gametophyte stage.

Key Terms

cuticle
vascular tissue
zygote
nonvascular plant
vascular plant
sporophyte
gametophyte

2 Plants Without Seeds

Key Concepts

- Mosses, liverworts, and hornworts are low-growing plants that live in moist environments where they can absorb water and other nutrients directly from their environment.
- Ferns, horsetails, and club mosses have vascular tissue and do not produce seeds. They reproduce by releasing spores.

Key Terms

rhizoid
frond

3 The Characteristics of Seed Plants

Key Concepts

- Seed plants have vascular tissue and use pollen and seeds to reproduce.
- If a seed lands in an area where conditions are favorable, it can begin to develop into a plant.
- Roots anchor a plant in the ground and absorb water and minerals. Stems carry substances between roots and leaves, provide support, and hold up the leaves. Leaves capture the sun's energy for photosynthesis.

Key Terms

phloem
xylem
pollen
seed
embryo
cotyledon
germination
root cap
cambium
transpiration

4 Gymnosperms and Angiosperms

Key Concepts

- Every gymnosperm produces naked seeds. In addition, many gymnosperms have needle-like or scalelike leaves, and deep-growing roots.
- During gymnosperm reproduction, pollen falls from a male cone onto a female cone. In time, sperm and egg cells join in an ovule on the female cone.
- All angiosperms produce flowers and fruits.
- All flowers function in reproduction.
- During angiosperm reproduction, pollen falls on a flower's stigma. In time, sperm and egg cells join in the flower's ovule.
- Angiosperms are divided into two major groups: monocots and dicots.

Key Terms

gymnosperm
cone
ovule
pollination
angiosperm
flower
sepal
petal
stamen
pistil
ovary
fruit
monocot
dicot

5 Plant Responses and Growth

Key Concepts

- Plant tropisms include responses to touch, light, and gravity.
- Plant responses to seasonal changes include photoperiodism and dormancy.
- Angiosperms are classified as annuals, biennials, or perennials.

Key Terms

tropism
hormone
auxin
photoperiodism
short-day plant
long-day plant
critical night length
day-neutral plant
dormancy
annual
biennial
perennial

Review and Assessment

Go Online
PHSchool.com
For: Self-Assessment
Visit: PHSchool.com
Web Code: cha-2080

Organizing Information

Concept Mapping Copy the concept map about seed plants onto a sheet of paper. Then complete it and add a title. (For more on Concept Mapping, see the Skills Handbook.)

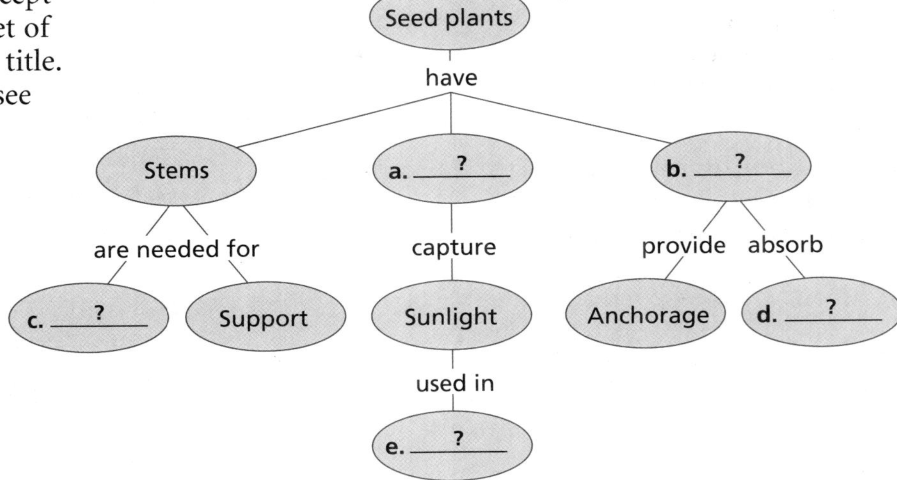

Reviewing Key Terms

Choose the letter of the best answer.

1. The familiar green, fuzzy moss is the
   a. frond.
   b. rhizoid.
   c. gametophyte.
   d. sporophyte.
2. The leaves of ferns are called
   a. rhizoids.
   b. sporophytes.
   c. fronds.
   d. cuticles.
3. The process by which a seed sprouts is called
   a. pollination.
   b. fertilization.
   c. dispersal.
   d. germination.
4. In woody stems, new xylem cells are produced by the
   a. bark.
   b. cambium.
   c. phloem.
   d. pith.
5. What kind of tropism do roots display when they grow downward into the soil?
   a. positive gravitropism
   b. negative gravitropism
   c. phototropism
   d. thigmotropism

If the statement is true, write *true*. If it is false, change the underlined word or words to make the statement true.

6. <u>Vascular tissue</u> is a system of tubelike structures through which water and food move.
7. <u>Stems</u> anchor plants in the soil.
8. The needles of a pine tree are actually its <u>leaves</u>.
9. <u>Gymnosperm</u> seeds are dispersed in fruits.
10. Flowering plants that live for more than two years are called <u>annuals</u>.

Writing in Science

Firsthand Account Write a story from the viewpoint of a seedling. Describe how you were dispersed as a seed and how you grew into a seedling.

Seed Plants
Video Preview
Video Field Trip
▶ Video Assessment

Review and Assessment

Checking Concepts

11. Name one adaptation that distinguishes plants from algae.
12. In what ways do mosses and club mosses differ from each other? In what ways are they similar?
13. Describe four different ways that seeds can be dispersed.
14. Explain the role that stomata play in leaves.
15. Describe the structure of a female cone.
16. What role does a fruit play in an angiosperm's life cycle?
17. What role do plant hormones play in phototropism?

Thinking Critically

18. **Comparing and Contrasting** How does the sporophyte generation of a plant differ from the gametophyte generation?
19. **Applying Concepts** A friend tells you that he has seen moss plants that are about 2 meters tall. Is your friend correct? Explain.
20. **Relating Cause and Effect** When a strip of bark is removed all the way around the trunk of a tree, the tree dies. Explain why.
21. **Predicting** Pesticides are designed to kill harmful insects. Sometimes, however, pesticides kill helpful insects as well. What effect could this have on angiosperms?
22. **Comparing and Contrasting** Which of the plants below is a monocot? Which is a dicot? Explain your conclusions.

Math Practice

23. **Multiples** Use what you know about multiples to determine which flower is a monocot and which is a dicot: a flower with nine petals; a flower with ten petals. Explain.

Applying Skills

Use the data in the graph below to answer Questions 24–26.

A scientist measured transpiration in an ash tree over an 18-hour period. She also measured how much water the tree's roots took up in the same period.

Transpiration and Water Uptake

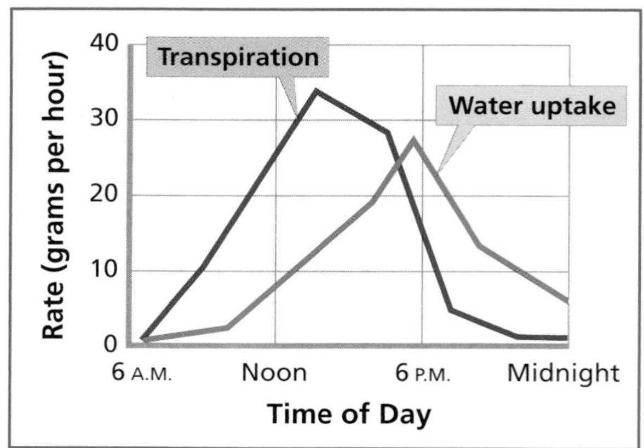

24. **Interpreting Data** At what time is the rate of transpiration highest? At what time is the rate of water uptake highest?
25. **Inferring** Why do you think the transpiration rate increases and decreases as it does during the 18-hour period?
26. **Drawing Conclusions** Based on the graph, what is one conclusion you can reach about the pattern of water loss and gain in the ash tree?

Lab zone Chapter Project

Performance Assessment Present your exhibit to your classmates. Describe your original exhibit and how you changed it based on the feedback you received. Explain what you learned by doing this project. What factors are most important in creating a successful educational exhibit for children?

Standardized Test Prep

Test-Taking Tip

Interpreting a Diagram

On standardized tests, you may be asked to answer questions about a diagram that represents a process. Examine the parts of the diagram. Make sure you understand the meaning of labels and direction of arrows. Think about what happens at each stage of the process. Study the diagram of a plant life cycle below and answer the sample question.

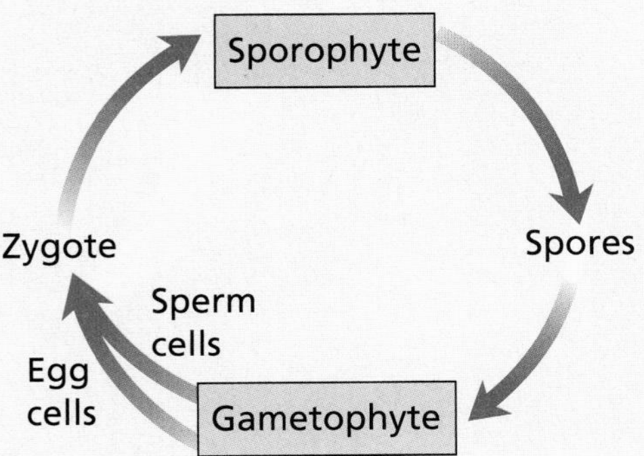

Sample Question

A spore develops into a

A sporophyte.
B gametophyte.
C sperm cell.
D egg cell.

Answer

Choice **B** is correct. The arrows in the diagram show that spores develop into gametophytes. Choice **A** is incorrect because it is the sporophyte that produces the spores. Choice **C** and **D** can be eliminated because sperm and egg cells are produced by the gametophyte.

Choose the letter of the best answer.

1. Based on the diagram above, which of these statements about a plant's life cycle is true?
A Plants spend part of their lives producing spores.
B Plants spend part of their lives producing sperm and egg cells.
C A zygote develops into the spore-producing stage of the plant.
D all of the above

2. Which statement below best explains why mosses and liverworts cannot grow tall?
F They have no rootlike structures.
G Taller plants in their surroundings release chemicals that slow down their growth.
H They cannot take in enough oxygen from their surroundings.
J They do not have true vascular tissue.

3. The diagram below shows the parts of a flower. In which flower part is pollen produced?

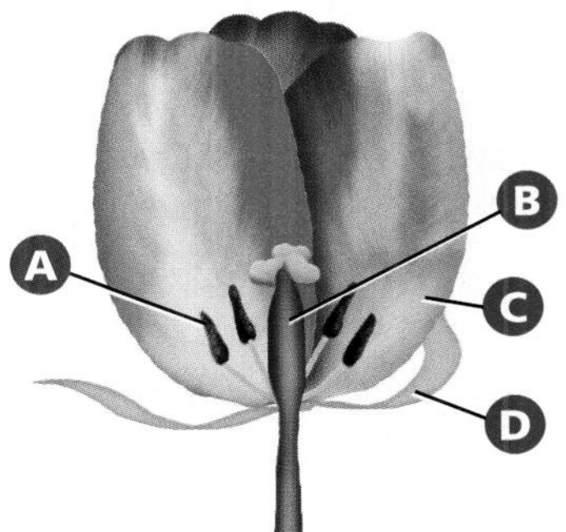

A part A
B part B
C part C
D part D

4. Which would a student expect to find when examining a dicot?
F one cotyledon
G flower parts in multiples of threes
H stems with bundles of vascular tissue arranged in a ring
J leaves with parallel veins

5. Which of the following statements is true about gymnosperms and angiosperms?
A Both gymnosperms and angiosperms produce flowers.
B Gymnosperms produce flowers, while angiosperms produce cones.
C Most gymnosperms have broad leaves, while angiosperms do not.
D Angiosperm seeds are enclosed within fruits, while gymnosperm seeds are not.

Constructed Response

6. Describe three adaptations that plants have for living on land. Explain why each adaptation is important for a plant to survive on land.

Chapter 9

Sponges, Cnidarians, and Worms

Chapter Preview

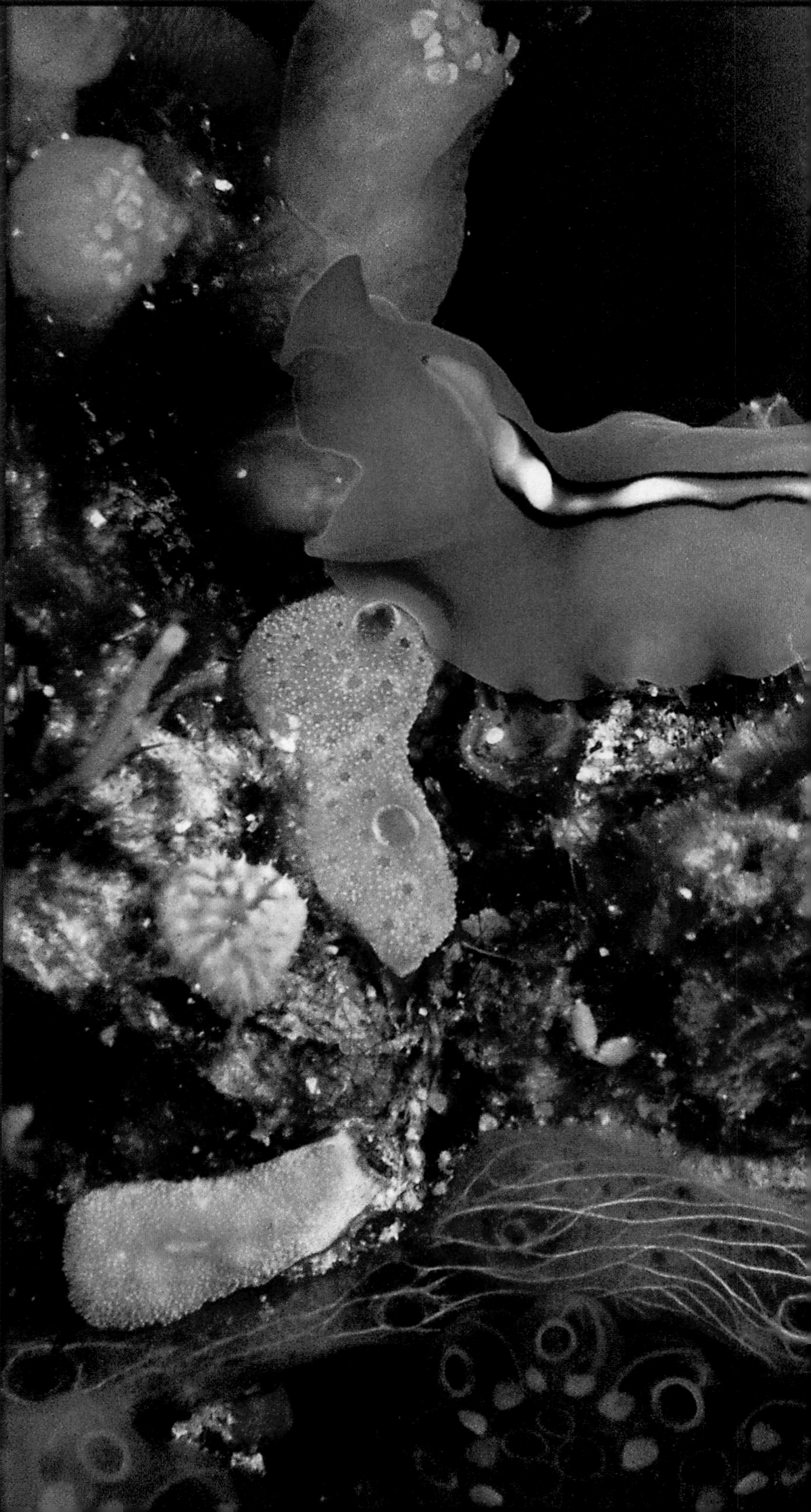

A purple flatworm glides along the ocean bottom.

Sponges, Cnidarians, and Worms

▶ Video Preview
Video Field Trip
Video Assessment

Lab zone™ Chapter **Project**

Design and Build an Animal Habitat

Do all animals require the same things to survive? In this project, you will research what it takes to keep a class pet healthy, and then build a habitat to carry out that objective.

Your Goal To research, design, and build a habitat that will keep an animal healthy for two weeks

To complete this project, you must

- research the needs of your animal
- brainstorm various designs for a habitat that meets your animal's needs and allows you to observe its behavior
- select materials and build a prototype of your design
- test your design by having your animal live in the habitat for two weeks
- follow the safety guidelines in Appendix A

Plan It! Choose your animal. Research where it lives, and what types of climate and food it needs. Use this information to design your habitat. Brainstorm some design ideas and make sketches. Select materials to build the habitat. After your teacher approves your design, build and test the habitat.

Section 1

What Is an Animal?

Reading Preview

Key Concepts

- How are animal bodies typically organized?
- What are four major functions of animals?
- How are animals classified?

Key Terms

- cell • tissue • organ
- adaptation
- sexual reproduction
- fertilization
- asexual reproduction
- phylum • vertebrate
- invertebrate

Target Reading Skill

Asking Questions Before you read, preview the red headings. In a graphic organizer like the one below, ask a *what* or *how* question for each heading. As you read, write the answers to your questions.

Structure of Animals

Question	Answer
What is a cell?	A cell is . . .

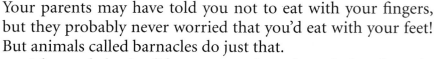

Lab zone Discover Activity

Is It an Animal?

1. Carefully examine each of the organisms that your teacher gives you.
2. Decide which ones are animals. For each organism, write down the reasons for your decision. Wash your hands after handling each of the organisms.

Think It Over

Forming Operational Definitions
Use your notes about each organism to write a definition of "animal."

Your parents may have told you not to eat with your fingers, but they probably never worried that you'd eat with your feet! But animals called barnacles do just that.

A barnacle begins life as a many-legged speck that floats in the ocean. After a while, it settles its head down on a hard surface and fixes itself in place. Then it builds a hard cone around its body. To feed, the barnacle flicks its feathery feet in and out of the cone, as shown below. The feet trap tiny organisms, or living things, that float in the water.

A barnacle may look like a rock, but it is actually an animal. Animals are many-celled organisms that feed on other organisms.

A barnacle feeding (inset) ▲ and many barnacles at rest (right)

Structure of Animals

Animals are composed of many cells. A **cell** is the basic unit of structure and function in living things. **The cells of most animals are organized into higher levels of structure, including tissues, organs, and systems.** A group of similar cells that perform a specific function is called a **tissue.** One type of tissue is nerve tissue, which carries messages in the form of electrical signals from one part of the body to another. Another type of tissue is bone tissue, a hard tissue that gives bones strength.

Tissues may combine to form an **organ,** which is a group of several different tissues. For example, a frog's thigh bone is composed of bone tissue, nerve tissue, and blood. An organ performs a more complex function than each tissue could perform alone.

Groups of structures that perform the broadest functions of an animal are called systems. One example of a system is the skeletal system of a frog shown in Figure 1.

For: Links on the animal kingdom
Visit: www.SciLinks.org
Web Code: scn-0211

Reading Checkpoint **What is an organ?**

FIGURE 1
Levels of Organization
A frog's skeletal system has different levels of organization.
Interpreting Diagrams *List the four levels of organization in order from smallest to largest.*

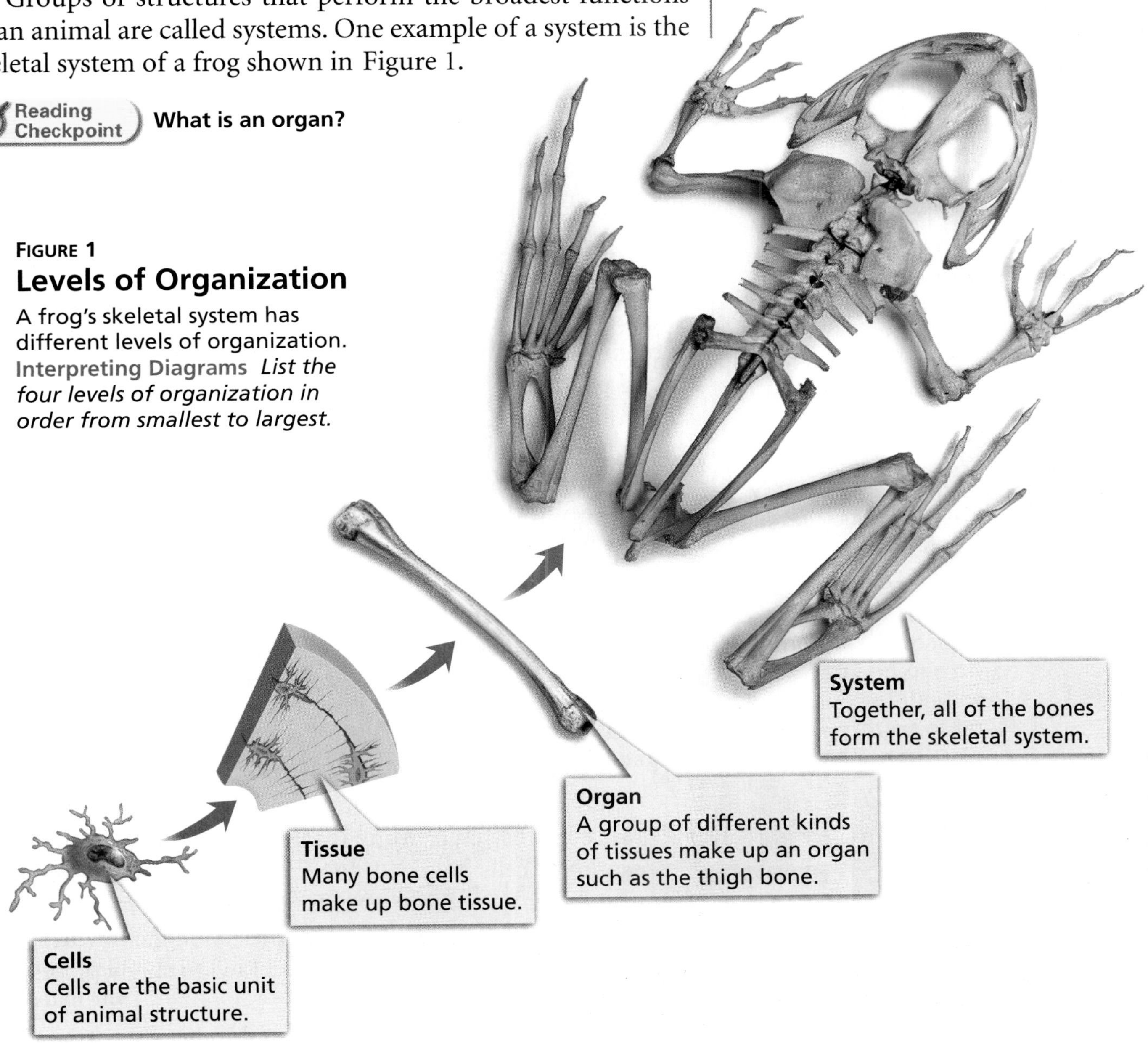

Cells
Cells are the basic unit of animal structure.

Tissue
Many bone cells make up bone tissue.

Organ
A group of different kinds of tissues make up an organ such as the thigh bone.

System
Together, all of the bones form the skeletal system.

FIGURE 2
Obtaining Food
This tarantula uses its fangs to kill a grasshopper.

Functions of Animals

From tiny worms to giant whales, animals are diverse. Animals vary not only in size but also in body structure, outward appearance, and the environments in which they live. Despite their diversity, however, all animals carry out the same basic functions. **The major functions of animals are to obtain food and oxygen, keep internal conditions stable, move, and reproduce.** Structures or behaviors that allow animals to perform these basic functions in their environments are called **adaptations.**

Obtaining Food and Oxygen An animal cannot make food for itself—it obtains food by eating other organisms. Animals may feed on plants, other animals, or a combination of plants and animals. They have adaptations that allow them to eat particular kinds of food. For example, the tarantula shown in Figure 2 has an adaptation called fangs—structures it uses to pierce other animals and suck up their juices.

Food provides animals with raw materials for growth and with energy for their bodies' activities, such as breathing and moving. Most animals take food into a cavity inside their bodies. Inside this cavity the food is digested, or broken down into substances that the animal's body can absorb and use. To release energy from food, the body's cells need oxygen. Some animals, like birds, get oxygen from air. Others, like fish, get oxygen from water.

FIGURE 3
Keeping Cool
This dog is keeping cool by getting wet and panting.

Keeping Conditions Stable Animals must maintain a stable environment within their bodies. If this balance is lost, the animal cannot survive for long. For example, cells that get too hot start to die. Therefore, animals in hot environments are adapted, meaning they have adaptations, to keep their bodies cool. Earthworms stay in moist soil during hot days, lizards crawl to shady places, and dogs pant.

Movement All animals move in some way at some point in their lives. Most animals move freely from place to place throughout their lives; for example, by swimming, walking, or hopping. Other animals, such as oysters and barnacles, move from place to place only during the earliest stage of their lives. After they find a good place to attach, these animals stay in one place.

Animal movement is usually related to meeting the basic needs of survival and reproduction. Barnacles wave feathery structures through the water and trap tiny food particles. Some geese fly thousands of miles each spring to the place where they lay eggs. And you've probably seen a cat claw its way up a tree trunk to escape from a barking dog.

Reproduction Because no individual animal lives forever, animals must reproduce. Most animals reproduce sexually. **Sexual reproduction** is the process by which a new organism develops from the joining of two sex cells—a male sperm cell and a female egg cell. The joining of an egg cell and a sperm cell is called **fertilization.** Sperm and egg cells carry information about the characteristics of the parents that produced them, such as size and color. New individuals resulting from sexual reproduction have a combination of characteristics from both parents.

Some animals can reproduce asexually as well as sexually. **Asexual reproduction** is the process by which a single organism produces a new organism identical to itself. For example, animals called sea anemones sometimes split down the middle, producing two identical organisms.

What is asexual reproduction?

Lab zone Try This Activity

Get Moving

Design an animal with a new and different way of moving. Your design should help your animal obtain food or get out of danger.

1. Make and label a drawing that shows how the animal would move.
2. Using clay, aluminum cans, construction paper, pipe cleaners, and whatever other materials are available, create a three-dimensional model of your animal.
3. Compare your animal to those of other classmates. What are some similarities? What are some differences?

Making Models What features of your design help your animal obtain food or escape danger?

FIGURE 4
Owl Family
Baby owls are produced by sexual reproduction. **Classifying** *Which kind of reproduction involves fertilization?*

Classification of Animals

Biologists have already identified more than 1.5 million species, or distinct types, of animals. Each year they discover more. Classifying, or sorting animals into categories, helps biologists make sense of this diversity. Biologists have classified animals into about 35 major groups, each of which is called a **phylum** (FY lum) (plural *phyla*). In Figure 5 you can see some animals from the largest phyla. Notice that the phyla are arranged like branches on a tree.

FIGURE 5
Major Animal Groups
This branching tree shows one hypothesis of how the major animal groups are related.
Interpreting Diagrams *Are flatworms more closely related to roundworms or mollusks?*

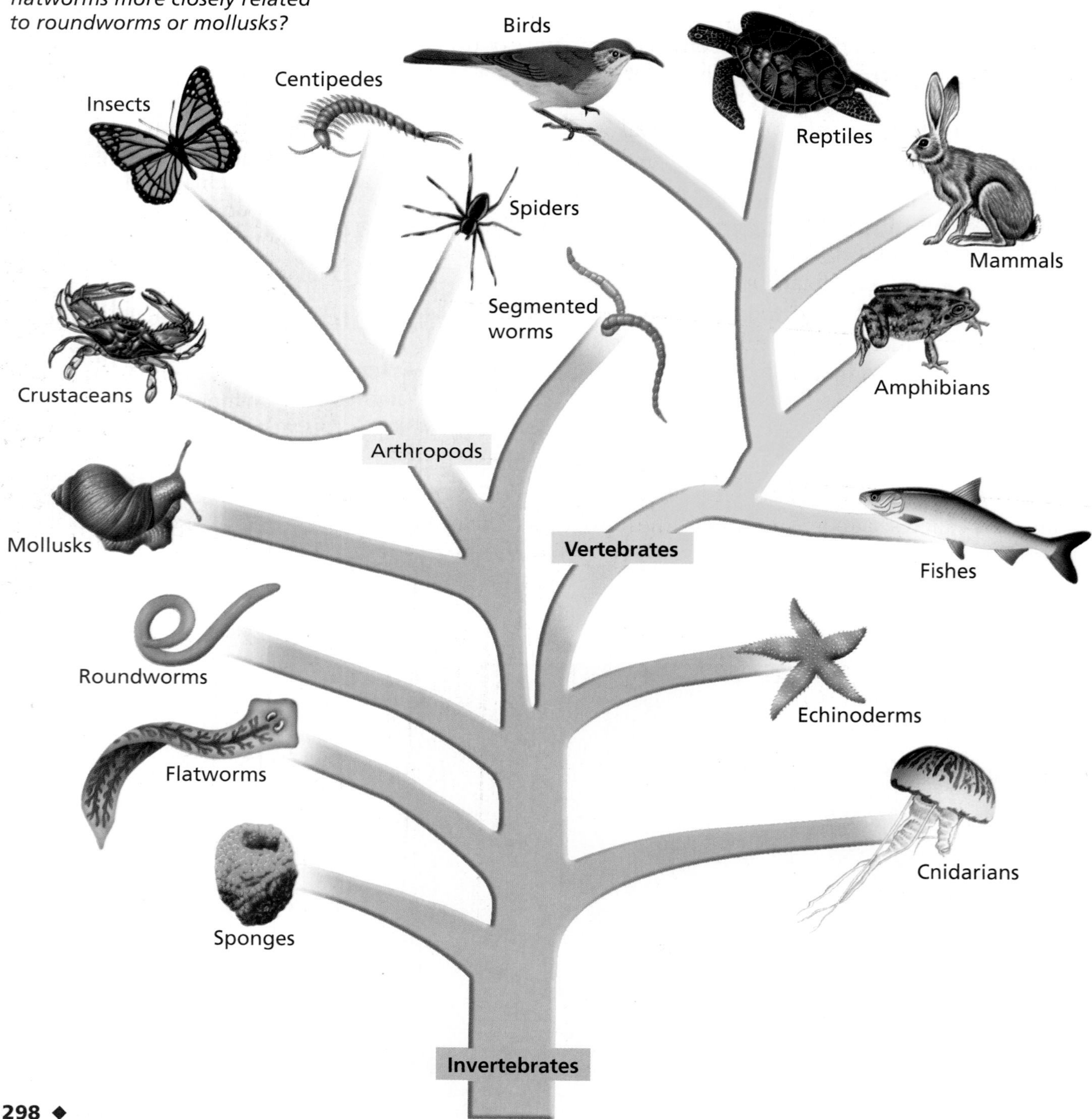

The branching pattern of the tree in Figure 5 shows how many biologists think the major groups of animals are related. For example, you can see that segmented worms are more closely related to arthropods than to sponges from their positions on the tree.

A branching tree can also show how biologists think animal life has evolved, or changed over time. This process has resulted in all the different phyla that exist today. Biologists do not know the exact way in which evolution took place. Instead, they can only make inferences on the basis of the best evidence available. Biologists hypothesize that all animals arose from single-celled ancestors.

Animals are classified according to how they are related to other animals. These relationships are determined by an animal's body structure, the way the animal develops, and its DNA. DNA is a chemical in cells that controls an organism's inherited characteristics. All **vertebrates,** or animals with a backbone, are classified in only one phylum. All the other animal phyla contain **invertebrates,** or animals without backbones. Of all the types of animals, about 97 percent are invertebrates!

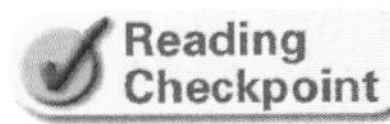

What is a phylum?

FIGURE 6
Discovering New Species
This biologist is surveying the leaves of rain forest plants, looking for new insect species.

Section 1 Assessment

Target Reading Skill **Asking Questions** Use the answers to the questions you wrote about the headings to help you answer the questions below.

Reviewing Key Concepts

1. a. **Defining** What is the basic unit of structure and function in an animal?
   b. **Sequencing** Arrange in order from simplest to most complex structure: tissue, system, cell, organ.
2. a. **Reviewing** What are four major functions of animals?
   b. **Summarizing** How do animals obtain food?
   c. **Drawing Conclusions** Why is movement important for animals?
3. a. **Defining** What is a vertebrate?
   b. **Classifying** How do biologists classify animals?
   c. **Interpreting Diagrams** According to the branching tree shown in Figure 5, are reptiles more closely related to mammals or to fishes? Explain your answer.

Writing in Science

Functional Description Write a few paragraphs about how your classroom pet or a pet at home performs the basic functions of an animal.

Section 2

Integrating Mathematics

Animal Symmetry

Reading Preview

Key Concepts

- What is symmetry?
- What can you infer about an animal based on its symmetry?

Key Terms

- bilateral symmetry
- radial symmetry

Target Reading Skill

Comparing and Contrasting
As you read, compare and contrast the characteristics of animals with bilateral symmetry and radial symmetry in a Venn diagram like the one below. Write the similarities where the circles overlap, and write the differences on the left and right sides.

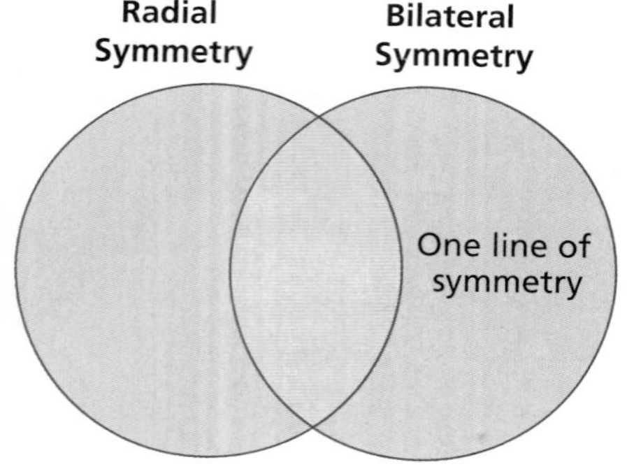

Lab zone Discover Activity

How Many Ways Can You Fold It?

1. Trace the triangle onto a sheet of paper and cut it out. Then draw a circle by tracing the rim of a glass or other round object. Cut out the circle.
2. Fold the triangle so that one half matches the other. Do the same with the circle.
3. See how many different ways you can fold each figure so that the two halves are identical.

Think It Over
Classifying Name an animal whose body shape can be folded in the same number of ways as the triangle.

Have you ever stopped to look at a butterfly perched on a flower? You probably noticed that bright colors and dark lines criss-cross its wings, making a pretty pattern. Did you also see that the pattern on the left side of the butterfly is a mirror image of the pattern on the right?

The Mathematics of Symmetry

As you can see from the photo of the butterfly in Figure 7, a butterfly's body has two halves. Each half looks like a reflection of the other. **This balanced arrangement of parts, called symmetry, is characteristic of many animals.** A butterfly's symmetry contributes to its pleasing appearance. But, more important, the balanced wings help the butterfly to fly easily.

FIGURE 7
Butterfly Halves
This butterfly's body has two mirror-image halves.
Applying Concepts *What is this balanced arrangement called?*

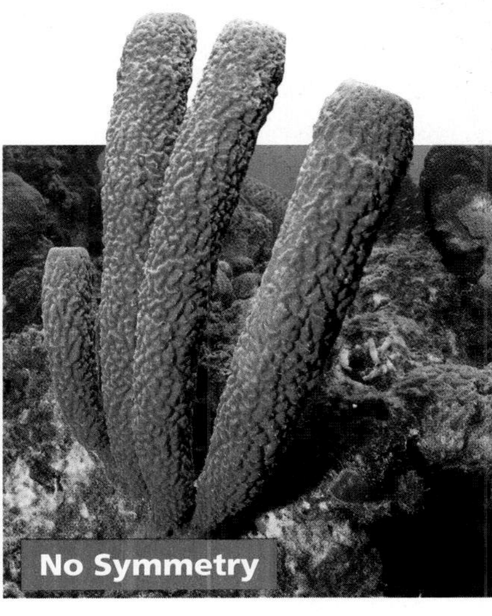

FIGURE 8
Types of Symmetry
Animals have either bilateral or radial symmetry, except for most sponges, which usually have no symmetry.

Animals have different types of symmetry, as shown in Figure 8. In the case of a fish, you can draw a line lengthwise down the middle of its body. This line is called a line of symmetry. An object has **bilateral symmetry** if there is just one line that divides it into halves that are mirror images. In contrast, objects with **radial symmetry** have many lines of symmetry that all go through a central point. For example, the sea star is circular if you look at it from the top. Any line drawn through its center can divide the sea star into two symmetrical halves. A few animals, such as most sponges, have no symmetry.

How many lines divide an animal with bilateral symmetry into halves?

Symmetry and Daily Life

Animals without symmetry tend to have simple body plans. In contrast, the bodies of animals with bilateral symmetry or radial symmetry are complex. **Depending on their symmetry, animals share some general characteristics.**

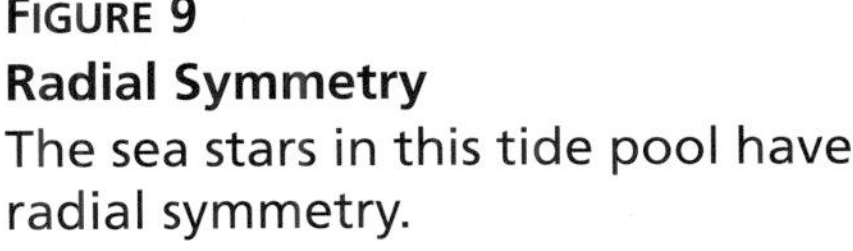
FIGURE 9
Radial Symmetry
The sea stars in this tide pool have radial symmetry.

Animals With Radial Symmetry The external body parts of animals with radial symmetry are equally spaced around a central point, like spokes on a bicycle wheel. Because of the circular arrangement of their parts, animals with radial symmetry, such as sea stars, jellyfishes, and sea urchins, do not have distinct front or back ends.

Animals with radial symmetry have several characteristics in common. All of them live in water. Most of them do not move very fast. They stay in one spot, are moved along by water currents, or creep along the bottom.

FIGURE 10
Bilateral Symmetry
Animals with bilateral symmetry, like this tiger, have a front end with sense organs that pick up information.

Animals With Bilateral Symmetry Most animals you know have bilateral symmetry, including yourself! In general, animals with bilateral symmetry are larger and more complex than those with radial symmetry. They have a front end that typically goes first as the animal moves along. These animals move more quickly and efficiently than most animals with radial symmetry. This is partly because bilateral symmetry allows for a streamlined body. In addition, most animals with bilateral symmetry have sense organs in their front ends that pick up information about what is in front of them. For example, a tiger has eyes, ears, a nose, and whiskers on its head. Swift movement and sense organs help animals with bilateral symmetry obtain food and avoid enemies.

For: Links on animal symmetry
Visit: www.SciLinks.org
Web Code: scn-0212

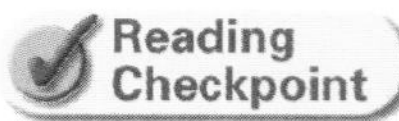

Where are the sense organs of an animal with bilateral symmetry typically found?

Section 2 Assessment

Target Reading Skill **Comparing and Contrasting**
Use the information in your Venn diagram about symmetry to help you answer Question 1 below.

Reviewing Key Concepts

1. a. **Reviewing** What is symmetry?
   b. **Comparing and Contrasting** How are bilateral symmetry and radial symmetry alike? How are they different?
   c. **Applying Concepts** What kind of symmetry does a grasshopper have? Explain.
2. a. **Identifying** What general characteristics do animals with radial symmetry share?
   b. **Summarizing** What four body characteristics do animals with bilateral symmetry usually have?
   c. **Making Generalizations** How would having sense organs in front be helpful to an animal?

Lab zone **At-Home Activity**

Front-End Advantages With a family member, observe as many different animals as possible in a yard or at a park. Look in lots of different places, such as in the grass, under rocks, and in the air. Explain the advantages an animal with a distinct front end has. Tell the person what this type of body arrangement is called.

Section 3

Sponges and Cnidarians

Reading Preview

Key Concepts

- What are the main characteristics of sponges?
- What are the main characteristics of cnidarians?
- Why are coral reefs important?

Key Terms

- larva
- cnidarian
- polyp
- medusa
- colony
- coral reef

Target Reading Skill

Comparing and Contrasting
As you read, compare and contrast sponges and cnidarians by completing a table like this one.

Sponges and Cnidarians

Feature	Sponge	Cnidarian
Body structure	Hollow bag with pores	
Cell type that traps food		
Method(s) of repro-duction		

Lab zone Discover Activity

How Do Natural and Synthetic Sponges Compare?

1. Examine a natural sponge, and then use a hand lens or a microscope to take a closer look. Look carefully at the holes in the sponge. Draw what you see through the lens.
2. Cut out a small piece of sponge and examine it with a hand lens. Draw what you see.
3. Repeat Steps 1 and 2 with a synthetic kitchen sponge.

Think It Over
Observing What are three ways a natural and a synthetic sponge are similar? What are three ways they are different?

Eagerly but carefully, you and the others in your group put on scuba gear as you prepare to dive into the ocean. Over the side of the boat you go. As you descend through the water, you see many kinds of fishes. When you get to the bottom, you notice other organisms, too. Some are as strange as creatures from a science fiction movie. A few of these unusual organisms may be invertebrate animals called sponges.

Sponges don't look or act like most animals you know. In fact, they are so different that for a long time, people thought that sponges were plants. Like plants, adult sponges stay in one place. But unlike most plants, sponges take food into their bodies.

◀ Diver investigating a barrel sponge

Sponges

Sponges live all over the world—mostly in oceans, but also in freshwater rivers and lakes. Adult sponges are attached to hard surfaces underwater. Water currents carry food and oxygen to them and take away their waste products. Water currents also play a role in their reproduction and help transport their young to new places to live.

Body Structure **Sponges are invertebrate animals that usually have no body symmetry and never have tissues or organs.** A sponge looks something like a hollow bag with a large opening at one end and many tiny pores covering its surface. In fact, the name of the phylum to which sponges belong—phylum Porifera—means "having pores."

Look at Figure 11. A sponge's body has different kinds of cells and structures for different functions. For example, most sponges have spikes. The network of spikes throughout the sponge supports its soft body, keeping it upright in the water. The spikes also help a sponge defend itself against an animal that might eat it, which is called a predator. The spikes can be as sharp as needles. Even so, some fish eat sponges.

For: Structure of a Sponge activity
Visit: PHSchool.com
Web Code: cep-2013

FIGURE 11
Structure of a Sponge

Structures surrounding the central cavity of a sponge are adapted for different functions.
Interpreting Diagrams *Which kind of cell in the sponge digests and distributes food?*

Collar Cell
The collar cells have whiplike structures that beat back and forth, moving water through the sponge and trapping food.

Pore
Water moves into the central cavity through small pores all over the sponge's body. It exits from a large hole at the top.

Spike
Thin spikes form a rigid frame that helps support and protect the sponge's body.

Jelly-like Cell
Among the spikes are jelly-like cells that digest and distribute food, remove wastes, and form sperm or egg cells.

FIGURE 12

Reproduction of a Sponge

The sexual reproduction of sponges involves a larval stage that moves. Adult sponges stay in one place.

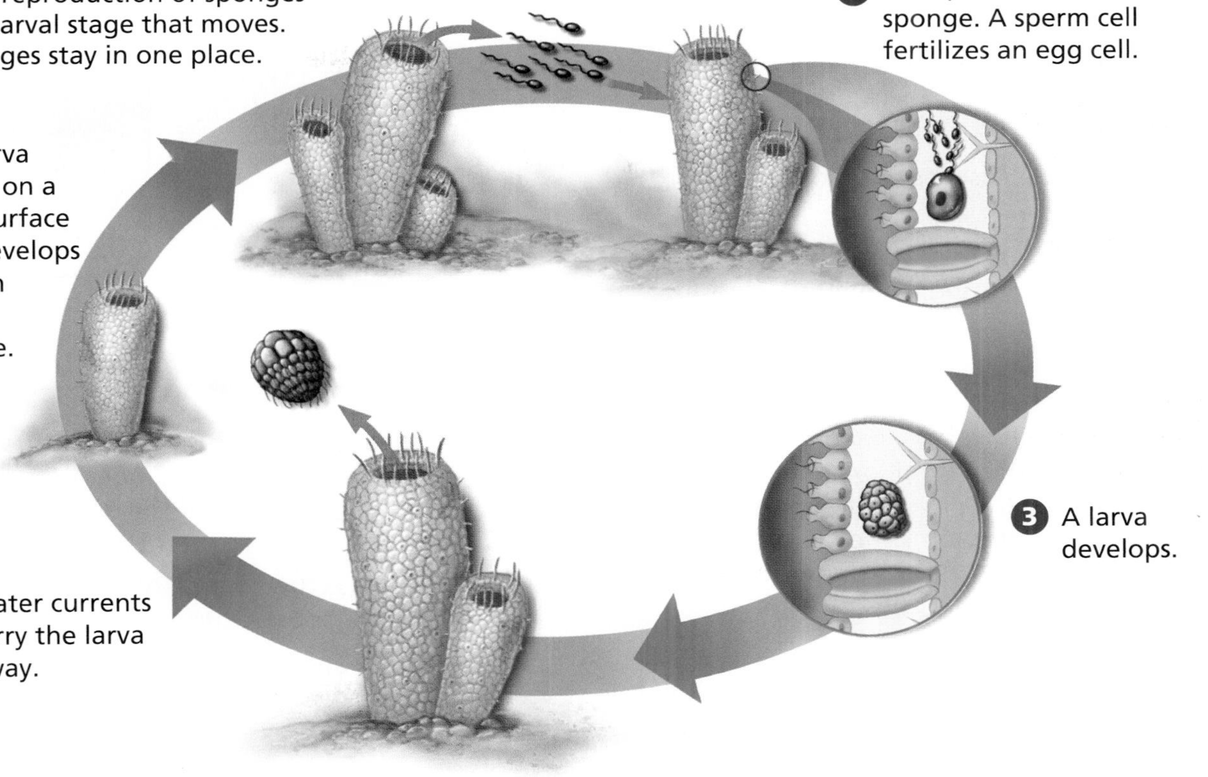

1 An adult sponge releases sperm cells.

2 The sperm enter another sponge. A sperm cell fertilizes an egg cell.

3 A larva develops.

4 Water currents carry the larva away.

5 The larva settles on a hard surface and develops into an adult sponge.

Obtaining Food and Oxygen A sponge eats tiny single-celled organisms. The sponge filters these organisms from the water moving through it. The collar cells that line the central cavity trap the tiny organisms. Jelly-like cells inside the sponge then digest, or break down, the food. Larger sponges can filter thousands of liters of water per day!

A sponge gets its oxygen from water, too. After the water moves through a sponge's pores, it passes over cells inside the sponge. Oxygen in the water then moves into the sponge's cells.

Reproduction Sponges reproduce both asexually and sexually. Budding is one form of asexual reproduction in sponges. In budding, small new sponges grow from the sides of an adult sponge. Eventually, the buds break free and begin life on their own.

Sponges reproduce sexually, too, but they do not have separate sexes. A sponge produces both sperm cells and egg cells. The sperm cells are released into the water. They enter another sponge and fertilize its eggs, as shown in Figure 12. After fertilization, a larva develops. A **larva** (plural *larvae*) is an immature form of an animal that looks very different from the adult.

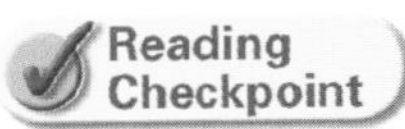

What is a larva?

Math Skills

Calculating a Rate

To calculate the rate of water flow in a sponge, divide the volume of water that the sponge filters by the time it takes the water to pass through the sponge.

$$\text{Flow rate} = \frac{\text{Volume of water}}{\text{Time}}$$

For example, a marble-sized sponge filters 15.6 liters of water in a day. How many liters does it filter per hour?

$$\frac{15.6 \text{ L}}{24 \text{ h}} = 0.65 \text{ L/h}$$

Practice Problem In 4 days, a sponge filters 1,200 L. What is its rate of water flow per day?

Lab zone **Consumer Lab**

Soak It Up!

Problem
Which sponge absorbs the most water?

Skills Focus
observing, predicting, communicating

Materials
- damp piece of cellulose sponge
- damp piece of natural sponge
- damp piece of foam sponge
- balance
- large bowl of tap water
- graduated cylinder
- beaker
- paper towel

Procedure   

1. Copy the data table on a separate sheet.
2. Examine the size of the pores in each sponge. Record your observations.
3. Make a prediction about which sponge will absorb the most water. Record your prediction and give a reason.
4. Place a damp piece of cellulose sponge on a balance and measure its mass. Record the mass in the data table. Remove the sponge from the balance.
5. Repeat Step 4 with the natural sponge and then the foam sponge.
6. Submerge the cellulose sponge in a bowl of water. Squeeze it several times to remove all air bubbles. Release the sponge and let it absorb water. Then remove the sponge and place it in the beaker.
7. Squeeze out as much water as possible from the sponge into the beaker. *(Hint:* Squeeze and twist the sponge until no more drops of water come out.)
8. Pour the water from the beaker into the graduated cylinder. Measure the volume of water and record the volume in the data table. Pour the water from the graduated cylinder back into the bowl. Dry the graduated cylinder and beaker with a paper towel.

Data Table				
Type of Sponge	Mass of Damp Sponge	Size of Pores	Volume of Absorbed Water	
			Total (mL)	Per Gram (mL/g)
Cellulose				
Natural				
Foam				

9. Repeat Steps 6–8 using the natural sponge and then the foam sponge. When you are finished, squeeze all the water from your sponges, and return them to your teacher.
10. Calculate the volume of water absorbed per gram of sponge, using this formula:

$$\frac{\textbf{Volume of absorbed water}}{\textbf{Mass of damp sponge}} = \textbf{Volume absorbed per gram}$$

Analyze and Conclude
1. **Observing** Which sponge absorbed the most water per gram of sponge? The least? Was your prediction confirmed?
2. **Drawing Conclusions** What can you conclude about the relationship between pore size and the ability of the sponge to absorb water?
3. **Predicting** How would the volume of absorbed water change if each of the sponges had twice the mass of the sponges you studied? Explain.
4. **Communicating** Natural sponges can cost more than cellulose and foam sponges. Consider that information and the results of your investigation. Which sponge would you recommend to consumers for absorbing water spills? Explain your choice.

Design an Experiment
Design an experiment to test the prediction you made in Question 3 above. Write your hypothesis as an "If ... then ..." statement. *Obtain your teacher's permission before carrying out your investigation.*

Cnidarians

Some other animals you might notice on an underwater dive are jellyfishes, corals, and sea anemones. These animals are **cnidarians** (ny DEHR ee unz), invertebrates that have stinging cells and take food into a central body cavity. **Cnidarians use stinging cells to capture food and defend themselves.**

Body Structure Cnidarians have two different body plans, which you can see in Figure 13. Notice that one form looks something like a vase and the other form looks like an upside-down bowl. Both body plans have radial symmetry, a central hollow cavity, and tentacles that contain stinging cells.

The vase-shaped body plan is called a **polyp** (PAHL ip). The sea anemone you see in Figure 13 is a polyp. A polyp's mouth opens at the top and its tentacles spread out from around the mouth. Most polyps are adapted for a life attached to an underwater surface.

The bowl-shaped body plan is called a **medusa** (muh DOO suh). The jellyfish you see in Figure 13 is a medusa. A medusa, unlike a polyp, is adapted for a swimming life. Medusas have mouths that open downward and tentacles that trail down. Some cnidarians go through both a polyp stage and a medusa stage during their lives. Others are either polyps or medusas for their entire lives.

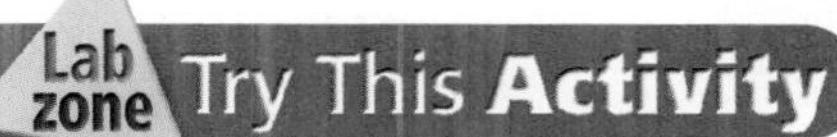

Hydra Doing?

1. Put a drop of water containing hydras in a small unbreakable bowl or petri dish. Allow it to sit for about 15 minutes.
2. Use a hand lens to examine the hydras as they swim. Then gently touch the tentacles of a hydra with the end of a toothpick. Watch what happens.
3. Return the hydras to your teacher. Wash your hands.

Classifying Is a hydra a polyp or a medusa? Describe its method of movement.

FIGURE 13
Cnidarian Body Plans

Cnidarians have two basic body forms, the vase-shaped polyp and the bowl-shaped medusa. **Comparing and Contrasting** *Contrast the location of the mouth in the polyp and the medusa.*

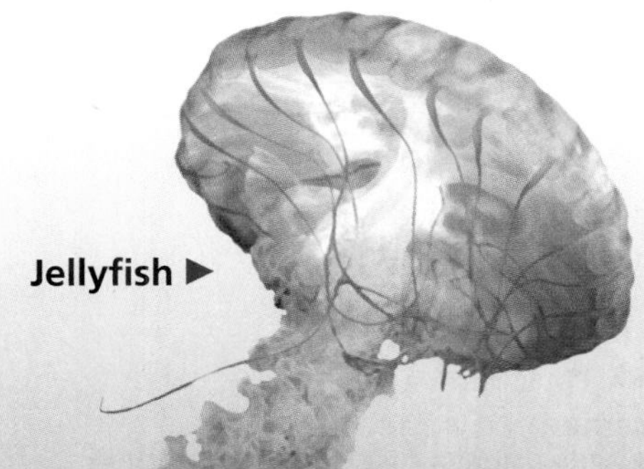

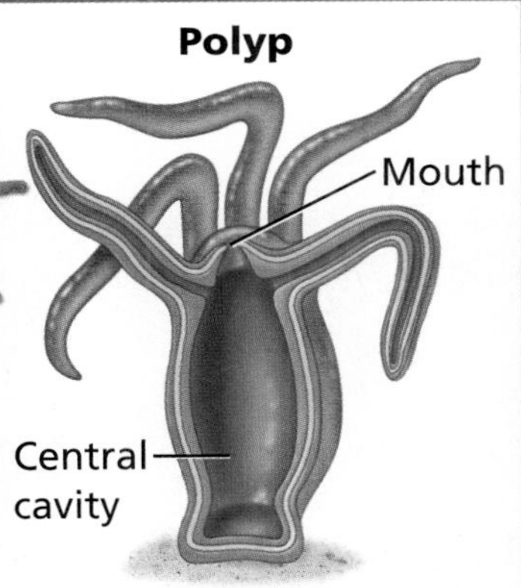

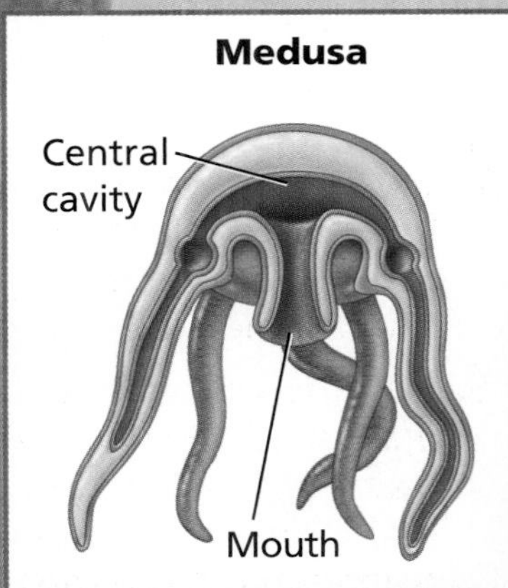

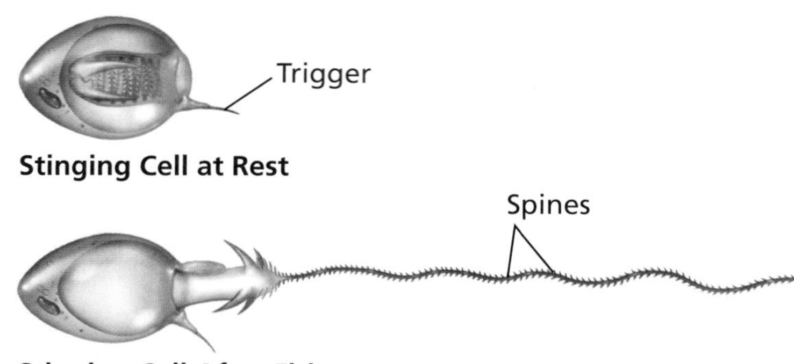

FIGURE 14
Cnidarian Attack!
A stinging cell fires when its trigger brushes against prey, such as a fish.

Obtaining Food Both polyps and medusas obtain food in the same way. Cnidarians use stinging cells to catch the animals they eat, which are called prey. You can see a stinging cell in Figure 14. The cell contains a threadlike structure, which has many sharp spines. When the stinging cell touches prey, this threadlike structure explodes out of the cell and into the prey. Some stinging cells also release venom into the prey. When the prey becomes helpless, the cnidarian uses its tentacles to pull the prey into its mouth. From there, the prey passes into a hollow central body cavity, where it is digested. Undigested food is expelled through the mouth.

Movement Unlike adult sponges, many cnidarians can move to escape danger and to obtain food. Some cnidarians have muscle-like tissues that allow them to move in different ways. Jellyfishes swim through the water, and hydras turn slow somersaults. Sea anemones stretch out, shrink down, bend slowly from side to side, and often move slowly from place to place. A cnidarian's movements are directed by nerve cells that are spread out like a basketball net. This nerve net helps a cnidarian respond quickly to danger and to nearby food.

FIGURE 15
Movement of a Medusa
A medusa's nerve net signals the top part of the medusa's body to contract and relax. As the top of its body contracts, the medusa moves upward through the water.

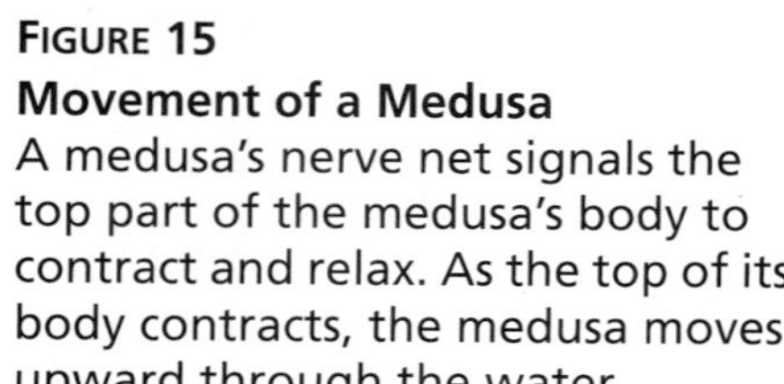

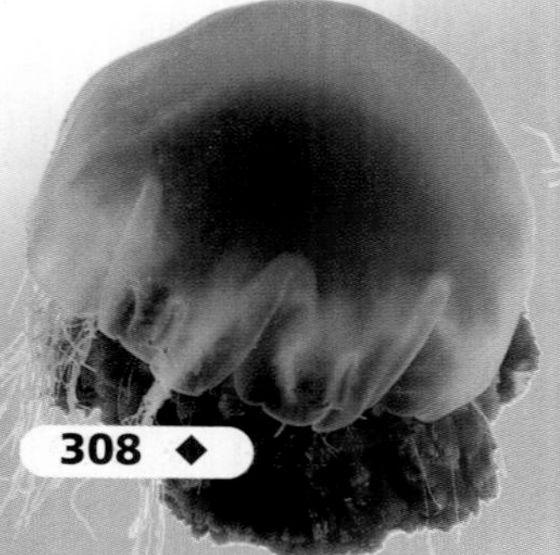

Male medusa

Sperm

Eggs

Female medusa

Polyp

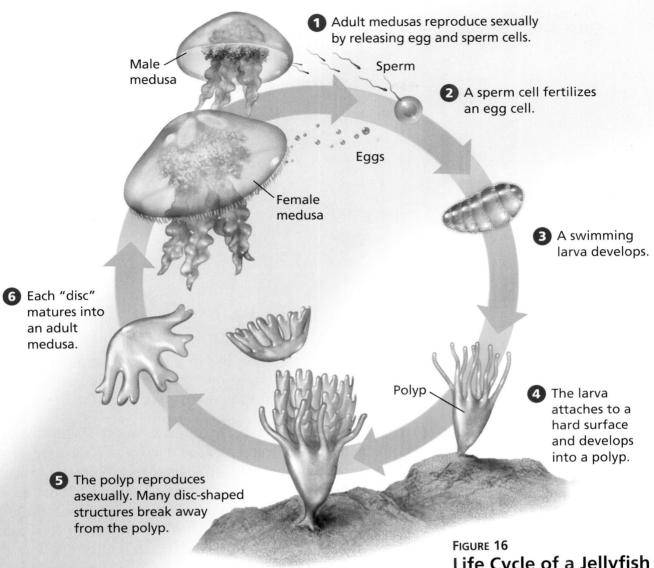

1 Adult medusas reproduce sexually by releasing egg and sperm cells.

2 A sperm cell fertilizes an egg cell.

3 A swimming larva develops.

4 The larva attaches to a hard surface and develops into a polyp.

5 The polyp reproduces asexually. Many disc-shaped structures break away from the polyp.

6 Each "disc" matures into an adult medusa.

FIGURE 16
Life Cycle of a Jellyfish
The life cycle of a moon jelly has both a polyp and a medusa stage, and both asexual reproduction and sexual reproduction.
Interpreting Diagrams *Which form of the moon jelly (polyp or medusa) shows a form of asexual reproduction? Explain.*

Reproduction Cnidarians reproduce both asexually and sexually. For polyps such as hydras, corals, and sea anemones, budding is the most common form of asexual reproduction. Amazingly, some polyps just pull apart, forming two new polyps. Both kinds of asexual reproduction allow the numbers of polyps to increase rapidly in a short time.

Sexual reproduction in cnidarians occurs in a variety of ways. Some species of cnidarians have both sexes within one individual. In others, the sexes are separate individuals. Many cnidarians have life cycles, or a sequence of different stages of development. In Figure 16, you can see the life cycle of a moon jelly, which involves both asexual and sexual reproduction.

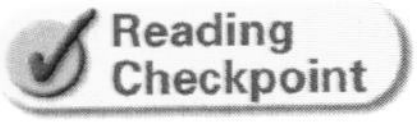

What are two examples of asexual reproduction seen in polyps?

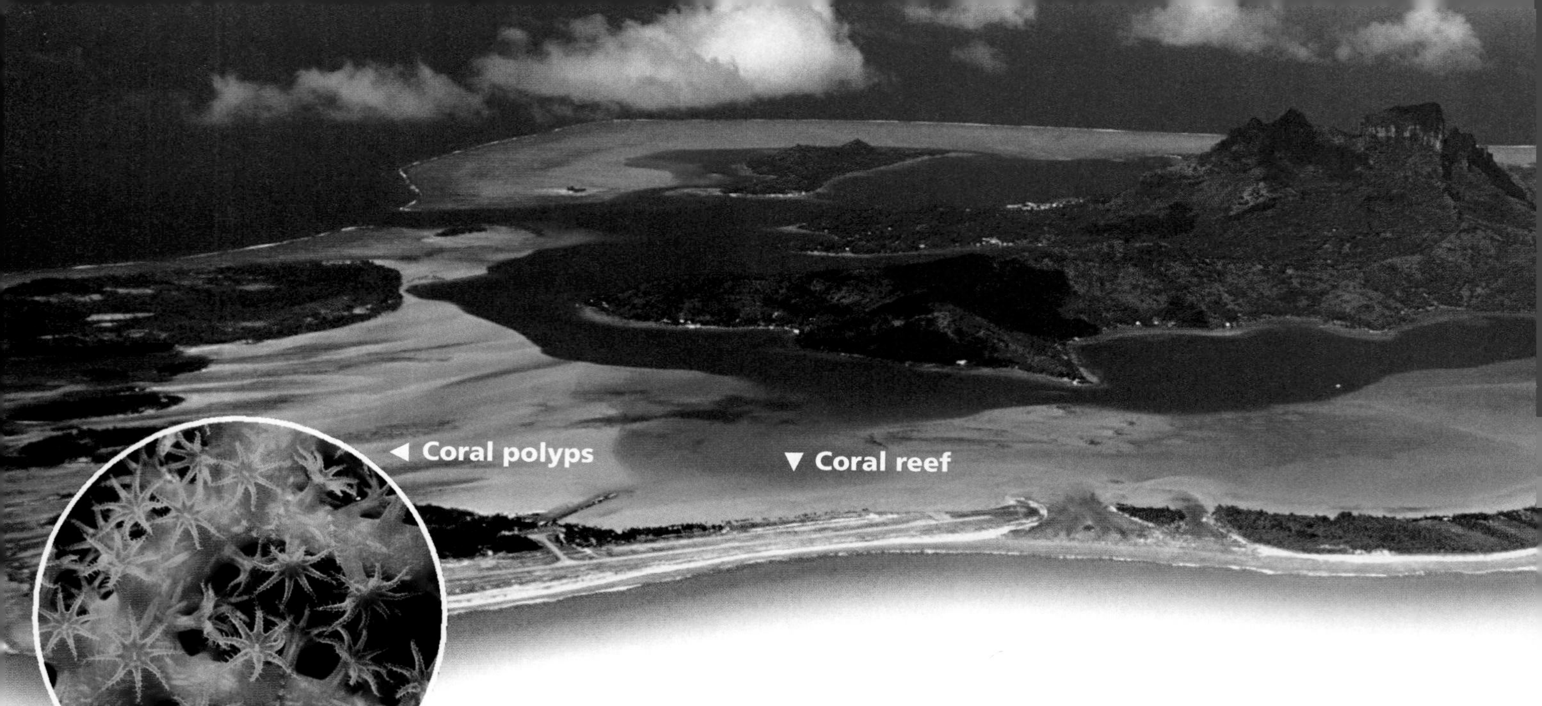

◀ Coral polyps

▼ Coral reef

FIGURE 17
Coral Reef
The massive reef surrounding this tropical island is made from the skeletal remains of the tiny cnidarians called coral (inset).

Life in a Colony

Many cnidarians spend their lives as individuals, but not all. Some species of cnidarians live in a **colony,** a group of many individual animals. Stony corals and the Portuguese man-of-war are two examples of colonies of cnidarians.

Stony Corals Coral reefs are found in warm, shallow ocean waters, mainly in tropical regions of the world. They may seem to be made of stone, but are not. A **coral reef** is built by cnidarians. At the beginning of its life, a coral polyp attaches to a solid surface. A broken shell, a sunken ship, or a rock will do just fine. After attaching to the solid surface, the coral polyp produces a hard, stony skeleton around its soft body.

The coral polyp reproduces asexually, and then its offspring reproduce asexually, too. Over time, that polyp may give rise to thousands more, each with a hard skeleton. When the polyps die, their skeletons remain behind. Over thousands of years, as live corals add their skeletons to those that have died, rocklike reefs grow up from the sea floor. The top layer of the reef is covered with hundreds of thousands of still-living coral polyps.

Coral reefs are home to more species of fishes and invertebrates than any other environment on Earth. Hundreds of sponge species live among the corals, constantly filtering water through their bodies. Worms burrow into the coral reef. Giant clams lie with their huge shells slightly open. Shrimp and crabs edge out of hiding places below the corals. At night, bright blue damselfish settle into pockets in the coral. At dawn and dusk, sea turtles, sea snakes, and sharks all visit the reef, hunting for prey. These living things interact in complex ways, creating a rich and beautiful environment.

FIGURE 18
Portuguese Man-of-War
The Portuguese man-of-war is a tightly coordinated colony of polyps and medusas.

Portuguese Man-of-War Sometimes the association of individual animals in a colony is so tight that the colony acts like a single animal. The Portuguese man-of-war contains as many as 1,000 individuals that function together as one unit.

At the top of the Portuguese man-of-war is a gas-filled chamber that allows the colony to float on the surface of the ocean. Various polyps with different functions drift below. Some polyps catch prey for the colony with stinging cells. Others digest the prey. Still other polyps are adapted for reproduction.

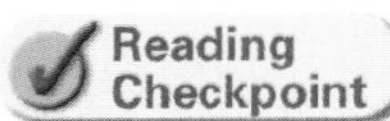
What are two examples of colonies of cnidarians?

Section 3 Assessment

Target Reading Skill **Comparing and Contrasting** Use your table to quiz a partner about how sponges and cnidarians trap food. How do their methods for trapping food differ?

Reviewing Key Concepts

1. a. **Describing** What are the characteristics of a sponge?
   b. **Comparing and Contrasting** How are the cells of a sponge alike? How are they different?
2. a. **Identifying** What is one type of cell that all cnidarians have?
   b. **Sequencing** What steps are involved in how a cnidarian obtains food?
   c. **Inferring** How might a cnidarian protect itself?
3. a. **Identifying** What is a coral reef?
   b. **Summarizing** How is a coral reef built?
   c. **Making Judgments** Why is it important to protect coral reefs?

Math Practice

4. **Calculating a Rate** A very large sponge can filter 1,500 liters of water in a day. How much water can it filter per hour?

Coral Reefs in Danger

Coral reefs off the coasts of many nations are in danger. Although coral reefs are as hard as rocks, the coral animals themselves are quite delicate. Recreational divers can damage the fragile reefs. Is it possible to protect the reefs while still allowing divers to explore them?

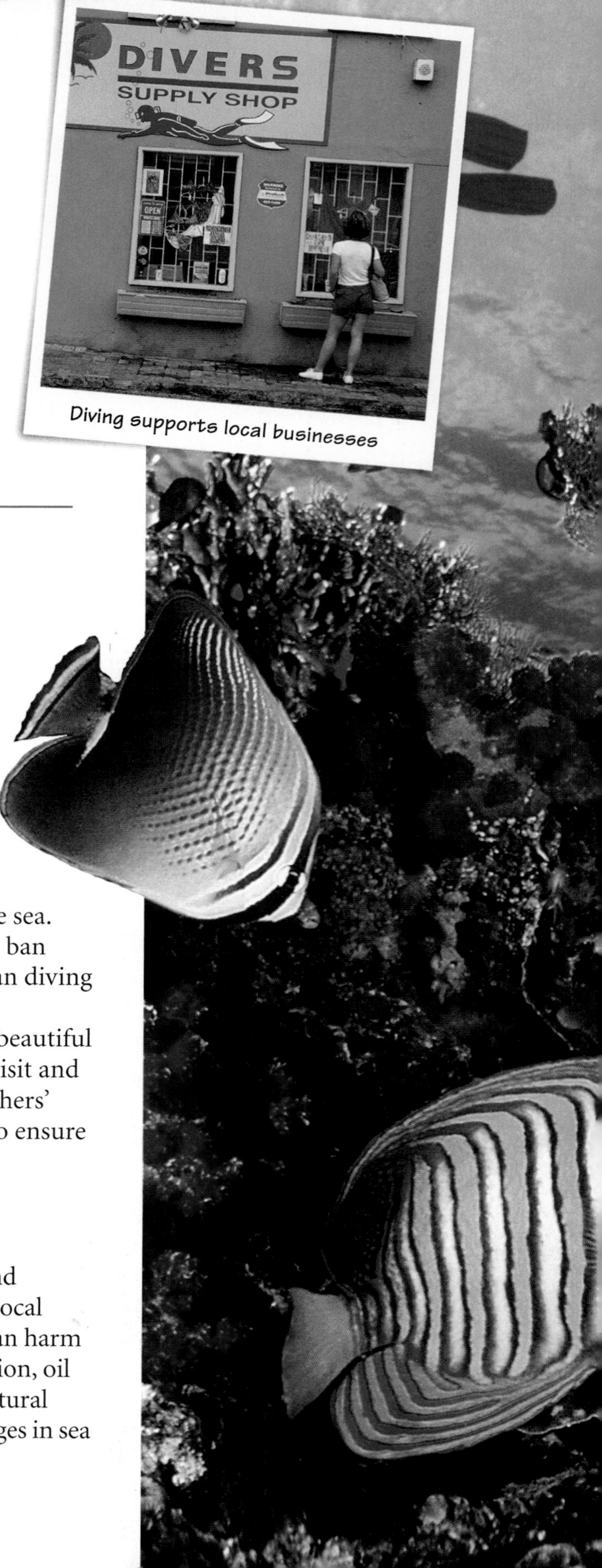

Diving supports local businesses

The Issues

What's the Harm in Diving?

More than 1.5 million recreational divers live in the United States. With so many divers it is hard to guarantee that no harm will occur to coral reefs. Divers can cause significant damage by standing on or even touching these fragile reefs. Harm to the reefs is even more likely to occur when divers collect coral for their own enjoyment or to sell for profit. You can see brightly colored coral from the sea in jewelry and in decorations.

Should Reefs Be Further Protected?

The United States government has passed laws making it illegal, under most circumstances, to remove coral from the sea. Because a few divers break these laws, some people want to ban diving altogether. However, many divers say it's unfair to ban diving just because of a few lawbreakers.

Many divers consider coral reefs the most exciting and beautiful places in the ocean to explore. As divers and other people visit and learn more about these delicate coral reefs, they increase others' awareness of them. Public awareness may be the best way to ensure that these rich environments are protected.

More Than a Diving Issue

Coral reefs are major tourist attractions that bring money and jobs to people in local communities. If diving were banned, local businesses would suffer significantly. Also, although divers can harm coral reefs, other human activities that result in ocean pollution, oil spills, and illegal fishing can also cause harm. In addition, natural events, such as tropical storms, changes in sea level, and changes in sea temperature, can also damage the fragile reefs.

Reefs house and protect many species of sea animals, including sponges, shrimp, sea turtles, and fishes.

What Would You Do?

1. Identify the Problem
In your own words, explain the controversy surrounding diving near coral reefs.

2. Analyze the Options
List the arguments on each side of the issue. Note the pros and cons. How well would each position protect the reefs? Who might be harmed or inconvenienced?

3. Find a Solution
Write a newspaper editorial stating your position on whether diving should be allowed near coral reefs. State your position and reasons clearly.

Go Online
PHSchool.com

For: More on coral reefs
Visit: PHSchool.com
Web Code: ceh-2010

Section 4

Worms

Reading Preview

Key Concepts

- What are the three main phyla of worms?
- What are the main characteristics of each phylum of worms?

Key Terms

- parasite • host
- free-living organism
- scavenger • anus
- closed circulatory system

Target Reading Skill

Using Prior Knowledge Before you read, write what you know about worms in a graphic organizer like the one below. As you read, write what you learn.

What You Know
1. Worms are long and skinny. 2.

What You Learned
1. 2.

Lab zone Discover Activity

What Does a Flatworm Look Like?

1. Your teacher will give you a planarian, a kind of flatworm. Pick the worm up with the tip of a small paintbrush. Place it carefully in a container. Use a dropper to cover the planarian with spring water.
2. Observe the planarian with a hand lens for a few minutes. Describe how the planarian moves. Draw a picture of the planarian.
3. Return the planarian to your teacher, and wash your hands.

Think It Over

Observing How does a planarian differ from a sponge?

You might think that all worms are small, slimy, and wriggly. But many worms do not fit that description. Some worms are almost three meters long and are as thick as your arm. Others look like glowing, furry blobs. Worms may glide through water or climb around with paddle-like bristles. Still others are very small and live underwater in tubes cemented to rocks.

Characteristics of Worms

There are many kinds of worms, all with their own characteristics. **Biologists classify worms into three major phyla—flatworms, roundworms, and segmented worms.** Flatworms belong to the phylum Platyhelminthes (plat ee HEL minth eez); roundworms belong to the phylum Nematoda; segmented worms belong to the phylum Annelida.

FIGURE 19
Giant Earthworm
A giant Gippsland earthworm can grow to be more than 1 meter long. It is one of approximately 1,000 earthworm species found in Australia.

FIGURE 20
Three Phyla of Worms
The three major phyla of worms are flatworms, roundworms, and segmented worms.
Observing *How are the body shapes of these three types of worms similar?*

Flatworm ▲
Long, flat body

Roundworm ▲
Long, round body

Segmented Worm ▲
Long, round body made up of linked segments

Body Structure All worms are invertebrates that have long, narrow bodies without legs. In Figure 20, you can compare the body shapes of three types of worms. Unlike sponges or cnidarians, worms have bilateral symmetry. Therefore, they have head and tail ends. In addition, they all have tissues, organs, and body systems.

Nervous System Worms are the simplest organisms with a brain, which is a knot of nerve tissue located in the head end. Because a worm's brain and some of its sense organs are located in its head end, the worm can detect objects, food, mates, and predators quickly. It can respond quickly, too. Sense organs that are sensitive to light, touch, and vibrations pick up information from the environment. The brain interprets that information and directs the animal's response. For example, if an earthworm on the surface of the ground senses the vibrations of a footstep, the worm will quickly return to its underground burrow.

Reproduction Both sexual and asexual reproduction are found in the worm phyla. In many species of worms, there are separate male and female animals, as in humans. In other species of worms, each individual has both male and female sex organs. A worm with both male and female sex organs does not usually fertilize its own eggs. Instead, two individuals mate and exchange sperm. Many worms reproduce asexually by methods such as breaking into pieces. In fact, if you cut some kinds of worms into several pieces, a whole new worm will grow from each piece.

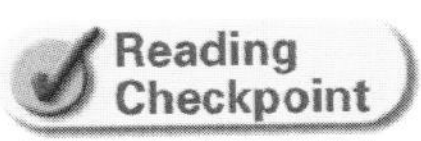

What type of symmetry do worms have?

FIGURE 21
Planarian
Planarians are free-living flatworms that live in ponds, streams, and oceans.
Comparing and Contrasting *How does a free-living organism differ from a parasite?*

Flatworms

As you'd expect from their name, flatworms are flat. They include such organisms as tapeworms, planarians, and flukes. Although tapeworms can grow to be 10 to 12 meters long, some other flatworms are almost too small to be seen. All flatworms share certain characteristics. **Flatworms are flat and as soft as jelly.**

Many flatworms are parasites. A **parasite** is an organism that lives inside or on another organism. The parasite takes its food from its **host,** the organism in or on which it lives. Parasites may rob their hosts of food and make them weak. They may injure the host's tissues or organs, but they rarely kill their host. All tapeworms and flukes are parasites.

In contrast, some flatworms are free-living. A **free-living organism** does not live in or on other organisms. Free-living flatworms may glide over the rocks in ponds, slide over damp soil, or swim slowly through the ocean like ruffled, brightly patterned leaves.

Planarians Planarians are free-living flatworms. Planarians are **scavengers**—they feed on dead or decaying material. But they are also predators and will attack any animal smaller than they are. A planarian feeds like a vacuum cleaner. The planarian glides onto its food and inserts a feeding tube into it. Digestive juices flow out of the planarian and into the food. These juices begin to break down the food while it is still outside the worm's body. Then the planarian sucks up the partly digested bits. Digestion is completed within a cavity inside the planarian. Undigested food exits through the feeding tube.

For: More on worms
Visit: PHSchool.com
Web Code: ced-2014

If you look at the head of the planarian shown in Figure 21, you can see two dots. These dots are called eyespots. The eyespots can detect light but cannot see a detailed image as human eyes can. A planarian's head also has cells that pick up odors. Planarians rely mainly on smell, not light, to locate food.

Tapeworms Tapeworms are one kind of parasitic flatworm. A tapeworm's body is adapted to absorbing food from the host's digestive system. Some kinds of tapeworms can live in human hosts. Many tapeworms live in more than one host during their lifetime. You can see the life cycle of the dog tapeworm in Figure 22. Notice that this tapeworm has two different hosts—a dog and a rabbit.

How does a scavenger obtain food?

FIGURE 22

Life Cycle of a Dog Tapeworm

The tapeworm is a parasite that lives in more than one host during its life cycle.

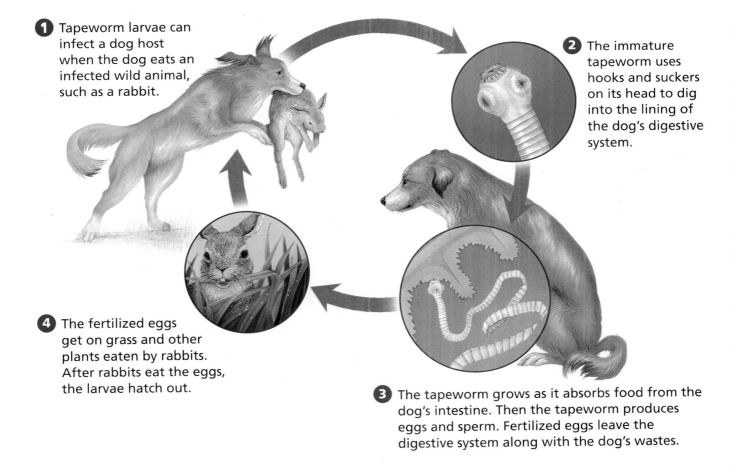

1. Tapeworm larvae can infect a dog host when the dog eats an infected wild animal, such as a rabbit.
2. The immature tapeworm uses hooks and suckers on its head to dig into the lining of the dog's digestive system.
3. The tapeworm grows as it absorbs food from the dog's intestine. Then the tapeworm produces eggs and sperm. Fertilized eggs leave the digestive system along with the dog's wastes.
4. The fertilized eggs get on grass and other plants eaten by rabbits. After rabbits eat the eggs, the larvae hatch out.

FIGURE 23
A Roundworm
The transparent body of this roundworm has been stained for better viewing under a microscope.

Roundworms

The next time you walk along a beach, consider that about a million roundworms live in each square meter of damp sand. Roundworms can live in nearly any moist environment—including forest soils, Antarctic sands, and pools of super-hot water. Most roundworms are tiny and difficult to see, but they may be the most abundant animals on Earth. Some species are free-living and some are parasites.

Unlike flatworms, roundworms have cylindrical bodies. They look like tiny strands of cooked spaghetti that are pointed at each end. **Unlike cnidarians or flatworms, roundworms have a digestive system that is like a tube, open at both ends.** Food travels in one direction through the roundworm's digestive system. Food enters at the animal's mouth, and wastes exit through an opening, called the **anus,** at the far end of the tube.

A one-way digestive system is efficient. It is something like an assembly line, with a different part of the digestive process happening at each place along the line. Digestion happens in orderly stages. First, food is broken down by digestive juices. Then the digested food is absorbed into the animal's body. Finally, wastes are eliminated. This type of digestive system enables the animal's body to absorb a large amount of the needed substances in foods.

What is each opening at opposite ends of a roundworm's digestive tube called?

Math Analyzing Data

Roundworm Numbers

Biologists counted all the roundworms living in a plot of soil. Then they calculated the percentage that lives in different centimeter depths of soil. Their results are graphed to the right.

1. **Reading Graphs** Where in the soil was the largest percentage of roundworms found?
2. **Calculating** What is the total percentage of roundworms found in the first 3-cm depth of soil?
3. **Drawing Conclusions** What is the relationship between the depth of the soil and the abundance of roundworms in the soil?

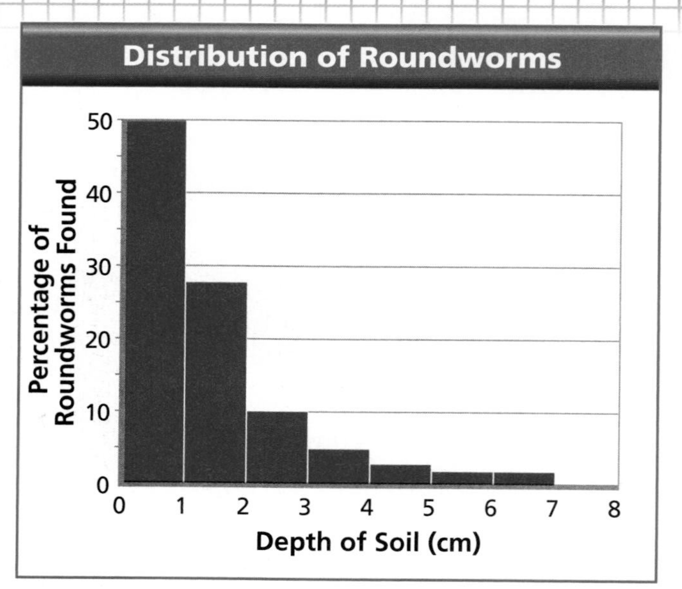

Segmented Worms

If you have ever dug in a garden, you have probably seen earthworms wriggling through the moist soil. Earthworms are segmented worms. So are leeches and some sea-floor worms.

Body Structure When you look at an earthworm, you see a body made up of a series of rings separated by grooves, something like a vacuum cleaner hose. **Earthworms and other segmented worms have bodies made up of many linked sections called segments.** On the outside, the segments look nearly identical, as you can see in Figure 24. On the inside, some organs are repeated in most segments. For example, each segment has tubes that remove wastes. Other organs, however, such as the earthworm's reproductive organs, are found only in certain segments.

All segmented worms have a long string of nerve tissue called a nerve cord and a digestive tube that run the length of the worm's body. Like roundworms, segmented worms have a one-way digestive system with two openings.

Circulatory System Segmented worms have a closed circulatory system. In a **closed circulatory system,** blood moves only within a connected network of tubes called blood vessels. In contrast, some animals, such as snails and lobsters, have an open circulatory system in which blood leaves the blood vessels and sloshes around inside the body. In both cases the blood carries oxygen and food to cells. But a closed circulatory system can move blood around an animal's body much more quickly than an open circulatory system can.

FIGURE 24
Structure of an Earthworm
An earthworm's body is divided into more than 100 segments. Some organs are repeated in most of those segments. Other organs exist in only a few segments.
Interpreting Diagrams *Name an example of a body system that runs through all of the worm's segments.*

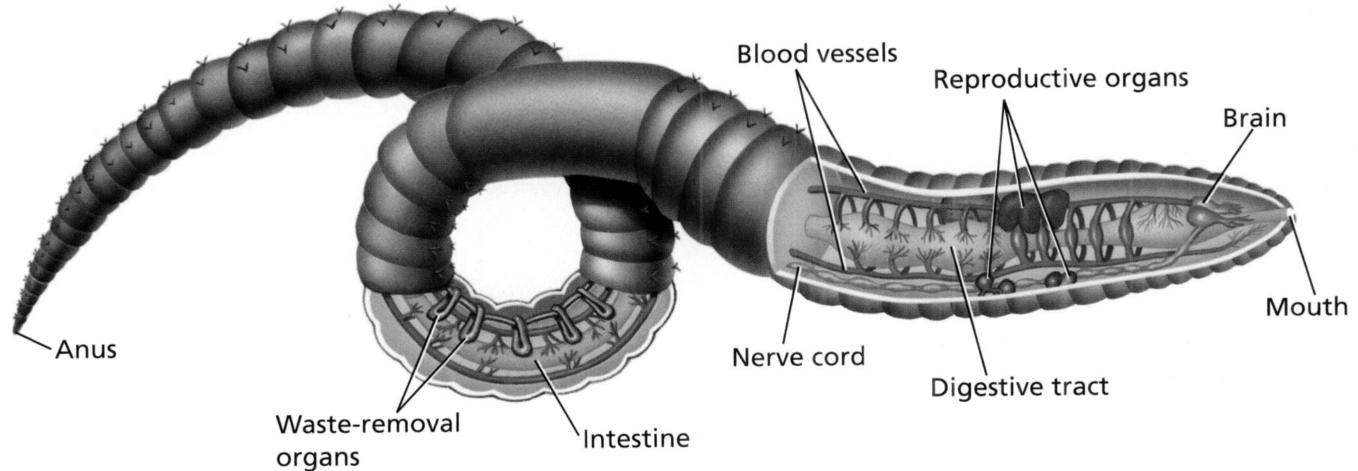

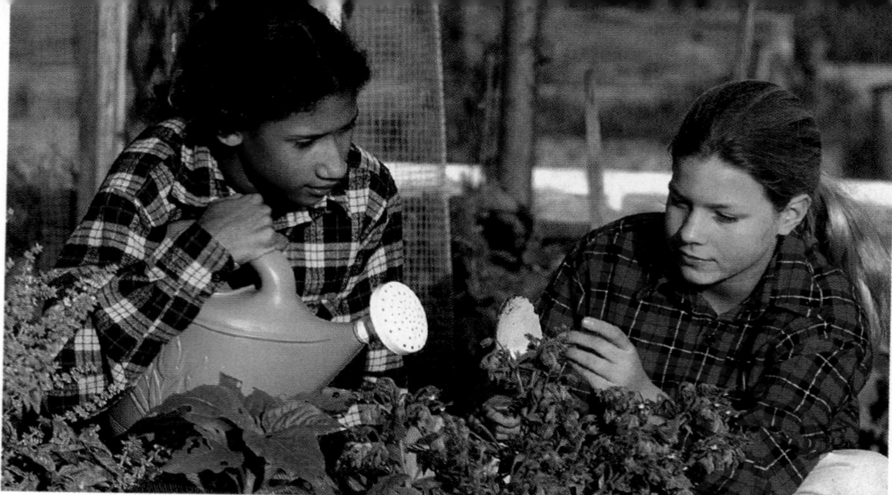

FIGURE 25
Earthworms and Garden Health
You are likely to find earthworms when you dig in garden soil.

Earthworms in the Environment Like many segmented worms, earthworms tunnel for a living. On damp nights or rainy days, they come up out of their burrows. They crawl on the surface of the ground, seeking leaves and other decaying matter that they will drag underground and eat. Staying in moist soil or damp air is important because this keeps the worm's skin moist. An earthworm obtains oxygen through moisture on its skin.

Did you know that earthworms are among the most helpful inhabitants of garden and farm soil? They benefit people by improving the soil in which plants grow. Earthworm tunnels loosen the soil, allowing air, water, and plant roots to move through it. Earthworm droppings make the soil more fertile.

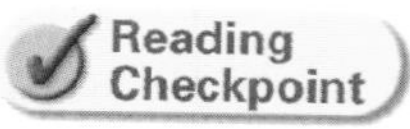

Why must earthworms stay moist?

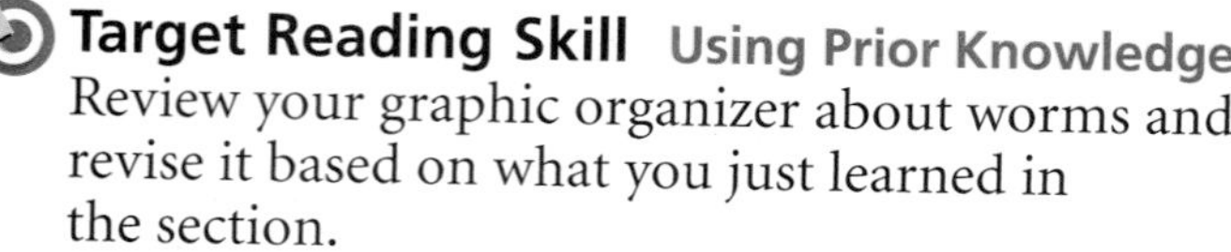

Target Reading Skill **Using Prior Knowledge** Review your graphic organizer about worms and revise it based on what you just learned in the section.

Reviewing Key Concepts

1. a. **Listing** What are the three main phyla of worms?
   b. **Describing** What are the common characteristics of the bodies of all worms?
   c. **Explaining** How do worms get information about their environments?
2. a. **Reviewing** What are the main differences among the three main phyla of worms?
   b. **Classifying** Suppose you use a microscope to look at a tiny worm. What characteristics would you look for to classify it?
   c. **Comparing and Contrasting** Compare and contrast the types of digestive systems found in worms.

Writing in Science

Interview Suppose that worms can talk, and that you are an editor for *Worm* magazine. You have been assigned to interview a tapeworm about its feeding habits. Write a transcript of your interview—your questions and the worm's answers.

Lab zone **Skills Lab**

Earthworm Responses

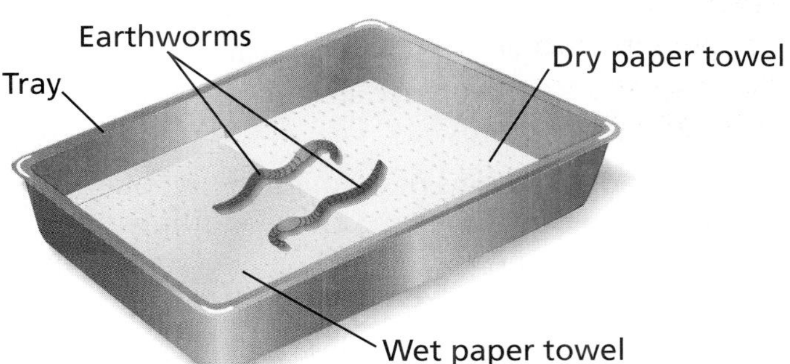

Problem

Do earthworms prefer dry or moist conditions? Do they prefer light or dark conditions?

Skills Focus

observing, interpreting data

Materials

- plastic dropper
- water
- cardboard
- clock or watch
- paper towels
- flashlight
- 2 earthworms
- storage container
- tray

Procedure 

1. Which environment do you think earthworms prefer—dry or moist? Record your hypothesis in your notebook.
2. Use the dropper to sprinkle water on the worms. Keep the worms moist at all times.
3. Fold a dry paper towel and place it on the bottom of one side of your tray. Fold a moistened paper towel and place it on the other side.
4. Moisten your hands. Then place the earthworms in the center of the tray. Make sure that half of each earthworm's body rests on the moist paper towel and half rests on the dry towel. Handle the worms gently.
5. Cover the tray with the piece of cardboard. After five minutes, remove the cardboard and observe whether the worms are on the moist or dry surface. Record your observations.
6. Repeat Steps 4 and 5.
7. Return the earthworms to their storage container. Moisten the earthworms with water.
8. Which do you think earthworms prefer—strong light or darkness? Record your hypothesis in your notebook.
9. Cover the whole surface of the tray with a moistened paper towel.
10. Place the earthworms in the center of the tray. Cover half of the tray with cardboard. Shine a flashlight onto the other half.
11. After five minutes, note the locations of the worms. Record your observations.
12. Repeat Steps 10 and 11.
13. Moisten the earthworms and put them in the location designated by your teacher. Wash your hands after handling the worms.

Analyze and Conclude

1. **Observing** Which environment did the worms prefer—moist or dry? Bright or dark?
2. **Interpreting Data** Did the worms' behavior support your hypotheses?
3. **Communicating** Explain in a paragraph what knowledge or experiences helped you develop your hypotheses at the beginning of the experiments.

Design an Experiment

Do earthworms prefer a smooth or rough surface? Write your hypothesis. Then design an experiment to answer the question. *Obtain your teacher's permission before carrying out your investigation.*

Chapter 9 Study Guide

1 What Is an Animal?

Key Concepts

- The cells of most animals are organized into higher levels of structure, including tissues, organs, and systems.
- The major functions of animals are to obtain food and oxygen, keep internal conditions stable, move, and reproduce.
- Animals are classified according to how they are related to other animals. These relationships are determined by an animal's body structure, the way an animal develops, and its DNA.

Key Terms

cell
tissue
organ
adaptation
sexual reproduction
fertilization
asexual reproduction
phylum
vertebrate
invertebrate

2 Animal Symmetry

Key Concepts

- The balanced arrangement of parts, called symmetry, is characteristic of many animals.
- Depending on their symmetry, animals share some general characteristics.

Key Terms

bilateral symmetry
radial symmetry

3 Sponges and Cnidarians

Key Concepts

- Sponges are invertebrate animals that usually have no body symmetry and never have tissues or organs.
- Cnidarians use stinging cells to capture food and defend themselves.
- Coral reefs are home to more species of fishes and invertebrates than any other environment on Earth.

Key Terms

larva
cnidarian
polyp
medusa
colony
coral reef

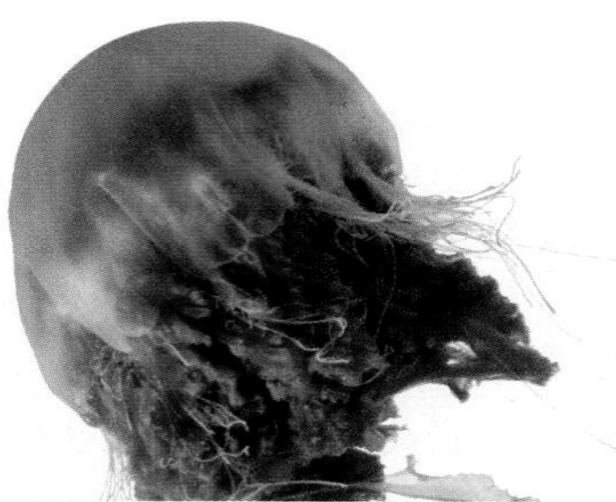

4 Worms

Key Concepts

- Biologists classify worms into three major phyla—flatworms, roundworms, and segmented worms.
- Flatworms are flat and soft as jelly.
- Unlike cnidarians or flatworms, roundworms have a digestive system that is like a tube, open at both ends.
- Earthworms and other segmented worms have bodies made up of many linked sections called segments.

Key Terms

parasite
host
free-living organism
scavenger
anus
closed circulatory system

Review and Assessment

Go Online
PHSchool.com
For: Self-Assessment
Visit: PHSchool.com
Web Code: cea-2010

Organizing Information

Sequencing Copy the cycle diagram about the life of a sponge onto a sheet of paper. Then complete it and add a title.

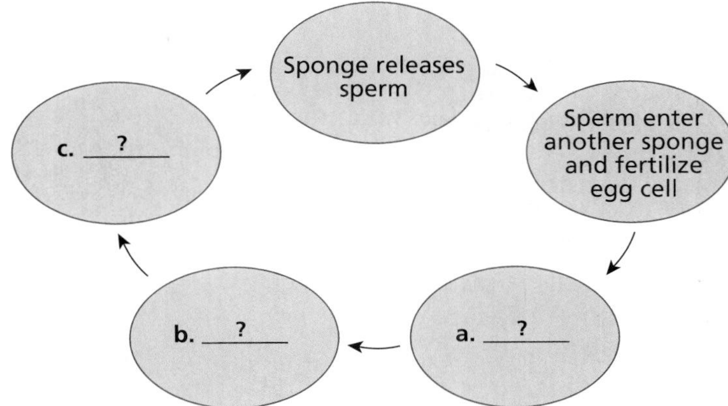

Reviewing Key Terms

Choose the letter of the best answer.

1. The highest level of organization in an animal is a(n)
   a. cell. **b.** tissue.
   c. organ. **d.** system.
2. An animal without a backbone is called a(n)
   a. vertebrate.
   b. invertebrate.
   c. larva.
   d. parasite.
3. An animal with many lines of symmetry
   a. has bilateral symmetry.
   b. has radial symmetry.
   c. has no symmetry.
   d. has a distinct head and tail end.
4. Which animal is a medusa?
   a. coral
   b. moon jelly
   c. planarian
   d. sea anemone
5. An organism that does not live in or on another organism is called a
   a. scavenger.
   b. parasite.
   c. free-living organism.
   d. host.

If the statement is true, write *true*. If it is false, change the underlined word or words to make the statement true.

6. A tissue is a group of <u>organs</u> that work together to perform a job.
7. Fishes have <u>bilateral symmetry</u>.
8. Budding is a form of <u>sexual reproduction</u>.
9. A <u>polyp</u> is an immature form of an animal that looks very different from the adult form.
10. Some tapeworms are <u>parasites</u> of dogs.

Writing in Science

Letter Suppose that you have just come back from a trip to a coral reef. Write a letter to a friend that compares corals and jellyfish. Be sure to explain how the two animals are alike and how they are different.

Sponges, Cnidarians, and Worms
Video Preview
Video Field Trip
▶ Video Assessment

Review and Assessment

Checking Concepts

11. Explain the relationship among cells, tissues, and organs.

12. What are four key functions of animals?

13. What advantages does an animal with bilateral symmetry have over an animal with radial symmetry?

14. Compare and contrast a medusa and a polyp.

15. Are humans parasitic or free-living organisms? Explain.

16. Explain what a one-way digestive system is.

Thinking Critically

17. Making Judgments Suppose you check out a book from the library called *Earth's Animals.* You notice that all the animals in the book are vertebrates. Is this title a good one? Explain your reasoning.

18. Classifying Classify each of the following animals as having radial symmetry, bilateral symmetry, or no symmetry: sea anemones, sponges, fishes, humans, and butterflies.

19. Comparing and Contrasting Compare and contrast the ways in which a sponge, a planarian, and a roundworm digest their food.

20. Relating Cause and Effect If a disease killed off many of the earthworms in a garden, how might the plants growing in the soil be affected? Explain.

21. Classifying Which of the animals below is a roundworm? A sponge? A cnidarian? Describe the major characteristics of the members of these three phyla.

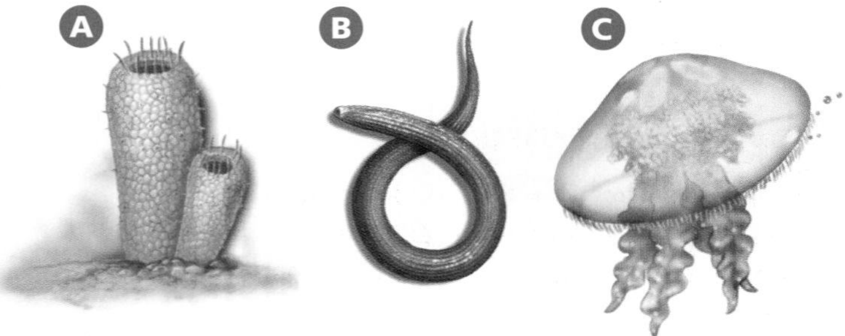

Math Practice

22. Calculating a Rate In 24 hours, 110 L of water pass through a sponge. What is the rate of water flow?

Applying Skills

Use the tables to answer Questions 23–25.

A scientist used a pesticide on one field and left a nearby field untreated. Next, she marked off five plots of equal size in each field. Then she dug up a cubic meter of soil beneath each plot and counted the earthworms in the soil. The tables below show her data.

Field With Pesticide

Plot	Worms per Cubic Meter
A	730
B	254
C	319
D	428
E	451

Untreated Field

Plot	Worms per Cubic Meter
F	901
G	620
H	811
I	576
J	704

23. Controlling Variables Identify the manipulated and responding variables in this experiment.

24. Calculating Calculate the average number of worms per cubic meter in the field treated with pesticide. Then do the same for the untreated field.

25. Drawing Conclusions How did this pesticide affect the number of worms?

Lab zone Chapter Project

Performance Assessment Write a summary explaining what you have learned about your animal. Describe its habitat, the food it eats, its behavior, and any surprising observations that you made. Then introduce your animal to your classmates and share what you have discovered.

Standardized Test Prep

Test-Taking Tip

Sequencing Events

A test question may ask you to order a series of events. For example, you may be given several sequences and asked to determine which is correct, or identify which event comes before another. After you read the question, try to identify the correct sequence of events before you read the answer choices.

Sample Question

Which of the following best describes stages in the sexual life cycle of a sponge in the correct order?

A larva, fertilization, egg, adult
B adult, larva, egg, fertilization
C adult, bud, bud breaks free
D larva, adult, egg, fertilization

Answer

The correct answer is **D**. You can eliminate **C** because it uses terms that describe asexual reproduction. Of the remaining choices, **A** cannot be correct because eggs do not follow fertilization, but must be present before fertilization can occur. **B** cannot be correct because larvae cannot produce eggs.

Choose the letter of the best answer.

1. What is the correct sequence in which a stinging cell reacts to the touch of another organism?
A trigger brushes against prey, stinging cell fires, barbs snare prey
B barbs snare prey, stinging cell fires, barbs release prey
C prey is paralyzed, venom enters prey, stinging cell fires
D tentacles pull prey to mouth, prey is ingested, stinging cell fires

2. Which of the following is true of a one-way digestive system?
F It is found in all parasites.
G It has two openings.
H It has one opening.
J It is found in all parasites and has one opening.

3. Of the four animals shown below, which has the same symmetry as a jellyfish?

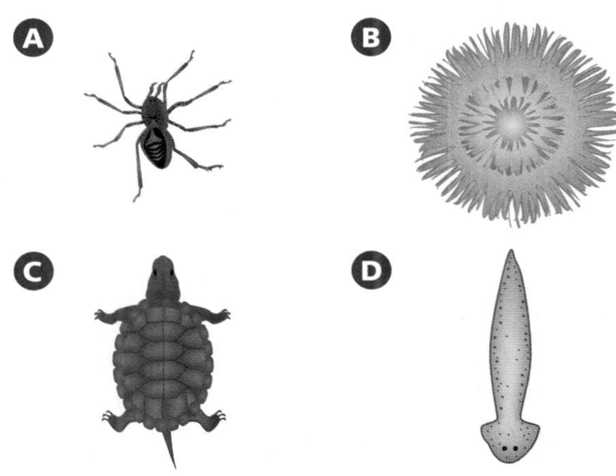

4. Imagine that the animals illustrated above are real and are resting on this page. Predict which of the animals would travel toward the top of the page if they began moving in a straight line.
F animals A and D
G animals A and B
H animals B and D
J animals A and C

5. The following terms can all be used to describe a tapeworm *except*
A parasite
B invertebrate
C flatworm
D medusa

Constructed Response

6. Compare and contrast the feeding process of a sponge with that of an earthworm. How are their feeding processes similar? How are they different?

Chapter 10

Mollusks, Arthropods, and Echinoderms

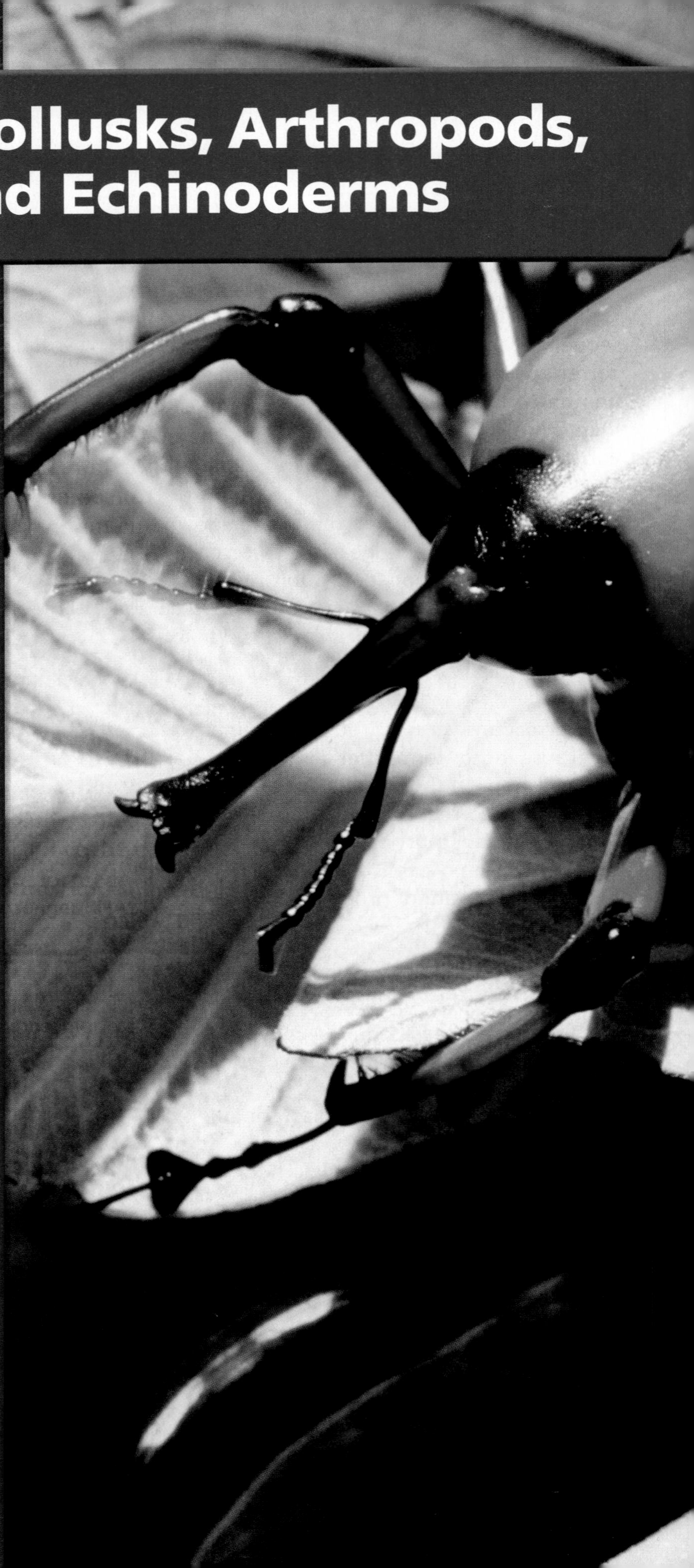

Chapter Preview

1 Mollusks
Discover *How Can You Classify Shells?*
Skills Activity *Classifying*
Skills Lab *A Snail's Pace*

2 Arthropods
Discover *Will It Bend and Move?*
Try This *Pill Bugs—Wet or Dry?*
Analyzing Data *Lyme Disease Cases*

3 Insects
Discover *What Characteristics Do Insects Share?*
Skills Activity *Graphing*
Skills Lab *What's Living in the Soil?*

4 Insect Ecology
Discover *What Materials Carry Pollen Best?*
Math Skills *Percentage*
Tech & Design in History *Products From Insects*
Technology and Society *Battling Pest Insects*

5 Echinoderms
Discover *How Do Sea Stars Hold On?*
Active Art *A Water Vascular System*

Interactive Textbook

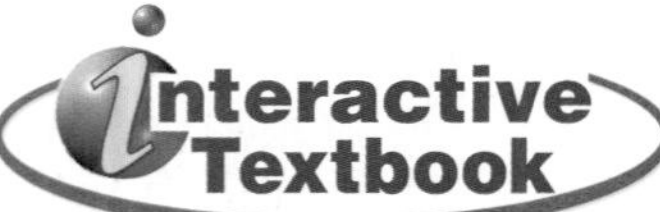

This weevil from Southeast Asia uses its impressive front legs to court females. ▶

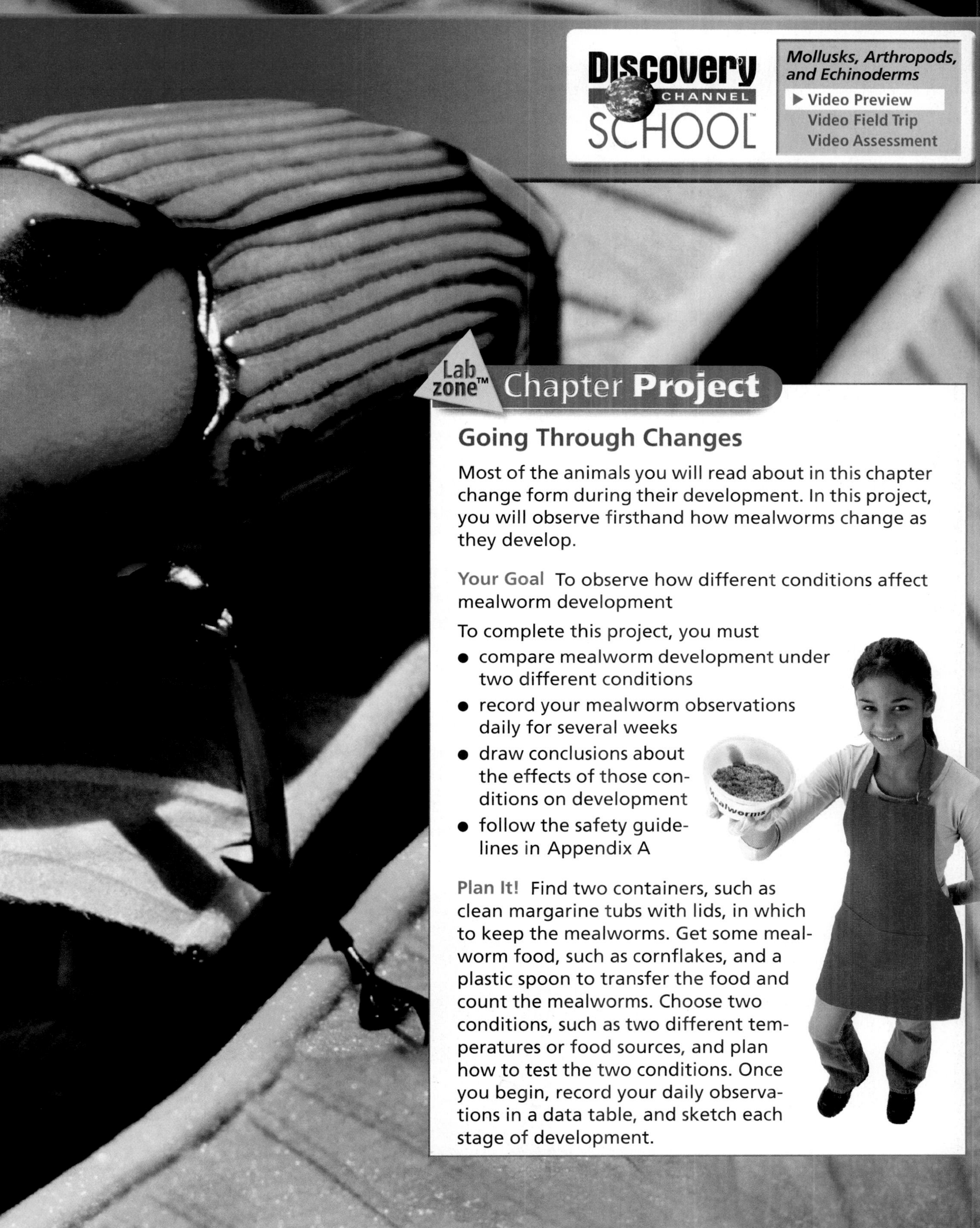

Lab zone™ Chapter **Project**

Going Through Changes

Most of the animals you will read about in this chapter change form during their development. In this project, you will observe firsthand how mealworms change as they develop.

Your Goal To observe how different conditions affect mealworm development

To complete this project, you must

- compare mealworm development under two different conditions
- record your mealworm observations daily for several weeks
- draw conclusions about the effects of those conditions on development
- follow the safety guidelines in Appendix A

Plan It! Find two containers, such as clean margarine tubs with lids, in which to keep the mealworms. Get some mealworm food, such as cornflakes, and a plastic spoon to transfer the food and count the mealworms. Choose two conditions, such as two different temperatures or food sources, and plan how to test the two conditions. Once you begin, record your daily observations in a data table, and sketch each stage of development.

Section 1

Mollusks

Reading Preview

Key Concepts

- What are the main characteristics of mollusks?
- What are the major groups of mollusks and how do they differ?

Key Terms

- mollusk
- open circulatory system • gill
- gastropod • herbivore
- carnivore • radula • bivalve
- omnivore • cephalopod

Target Reading Skill

Comparing and Contrasting
When you compare and contrast things, you explain how they are alike and different. As you read, compare and contrast three groups of mollusks by completing a table like the one below.

Characteristics of Mollusks

Type of Mollusk	How They Obtain Food	How They Move
Gastropod		
Bivalve		
Cephalopod		

Lab zone Discover Activity

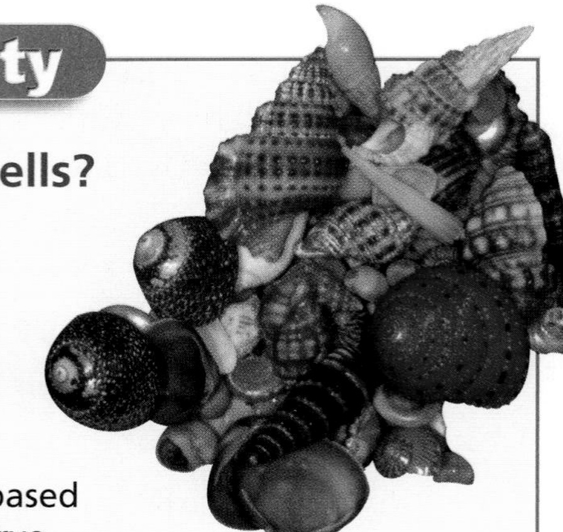

How Can You Classify Shells?

1. Your teacher will give you an assortment of shells.
2. Examine each shell carefully. Look at the shape and color of the shells and feel their inner and outer surfaces.
3. Classify the shells into groups based on the characteristics you observe.

Think It Over
Inferring How might it help an animal to have a shell? How might it be a disadvantage?

From the shells of clams, Native Americans in the Northeast once carved purple and white beads called wampum. They wove these beads into belts with complex designs that often had special, solemn significance. A wampum belt might record a group's history. When warring groups made peace, they exchanged weavings made of wampum. Iroquois women would honor a new chief with gifts of wampum strings.

The soft bodies inside the shells used to make wampum were a major source of food for Native Americans. Today, clams and similar animals, such as scallops and oysters, are still valuable sources of food for people in many parts of the world.

◀ Wampum string and clamshell

Characteristics of Mollusks

Clams, oysters, and scallops are all mollusks (phylum Mollusca). Snails and squids are mollusks, too. **Mollusks** are invertebrates with soft, unsegmented bodies that are often protected by a hard outer shell. **In addition to a soft body often covered by a shell, a mollusk has a thin layer of tissue called a mantle that covers its internal organs, and an organ called a foot.** In many mollusks, the mantle produces the hard shell. Depending on the type of mollusk, the foot has different functions—crawling, digging, or catching prey.

Body Structure Like segmented worms, mollusks have bilateral symmetry and a digestive system with two openings. However, unlike segmented worms, the body parts of mollusks are not usually repeated. Instead, the internal organs are located together in one area, as shown in Figure 1.

Circulatory System Most groups of mollusks have an **open circulatory system,** in which the blood is not always inside blood vessels. The heart pumps blood into a short vessel that opens into the body spaces containing the internal organs. The blood sloshes over the organs and returns eventually to the heart.

Obtaining Oxygen Most mollusks that live in water have **gills,** organs that remove oxygen from the water. The gills have tiny, hairlike structures called cilia and a rich supply of blood vessels. The cilia move back and forth, making water flow over the gills. The gills remove the oxygen from the water and the oxygen moves into the blood. At the same time, carbon dioxide, a waste gas, moves out of the blood and into the water.

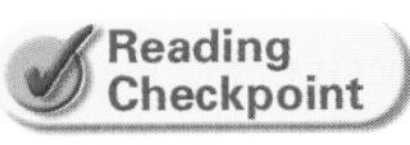

Which organs of a mollusk obtain oxygen from water?

FIGURE 1

Comparing Mollusks

Although they don't look much alike at first, a snail, a clam, and a squid have the same basic body structures.

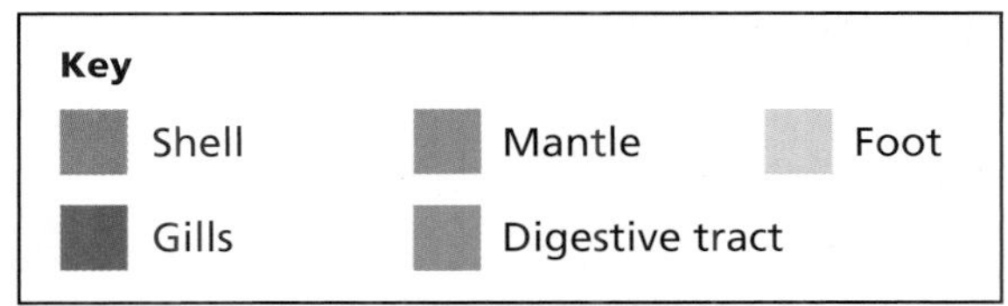

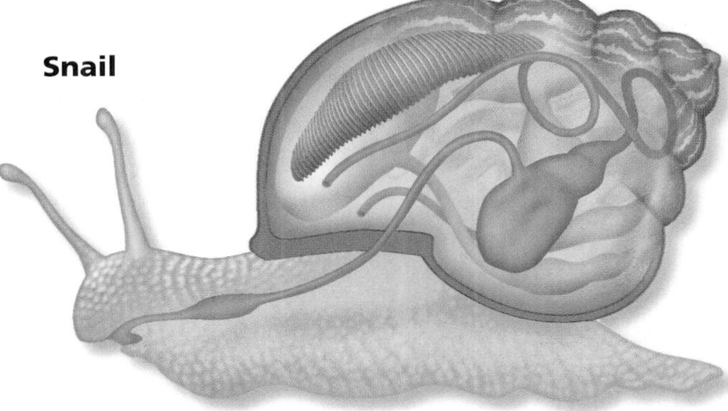

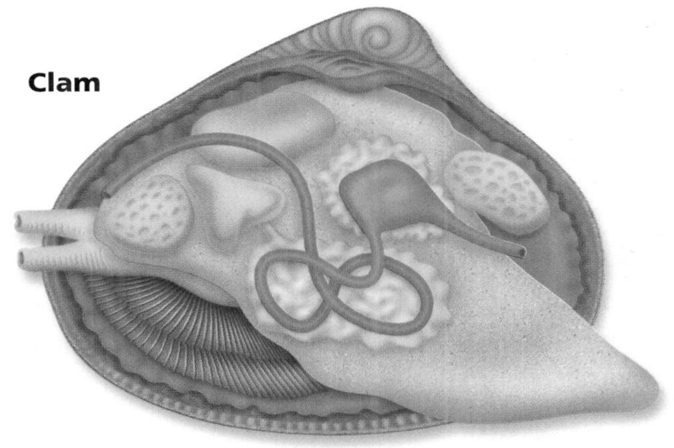

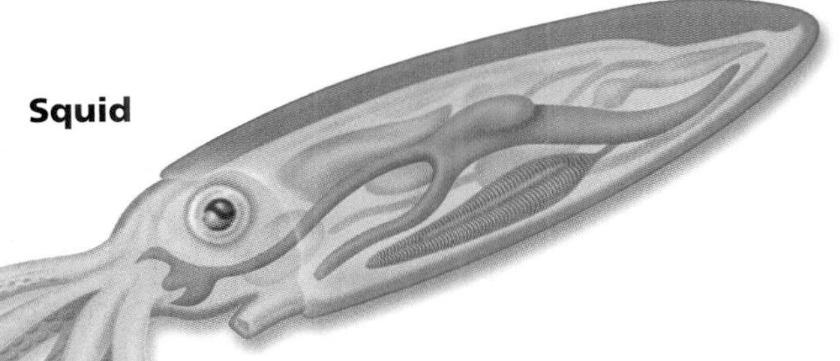

FIGURE 2
Gastropods
Although the land snail has a shell and the sea slug does not, both are gastropods.

Snails and Slugs

Biologists classify mollusks into groups based on their physical characteristics. These characteristics include the presence of a shell, the type of shell, the type of foot, and the type of nervous system. **The three major groups of mollusks are gastropods, bivalves, and cephalopods.**

The **gastropods** are the largest group of mollusks. They include snails and slugs, like the ones shown in Figure 2, and live nearly everywhere on Earth. They live in oceans, on rocky shores, in fresh water, and on land. **Gastropods have a single external shell or no shell at all.**

Obtaining Food Like all organisms, gastropods need food. Some gastropods are **herbivores,** animals that eat only plants. Some are scavengers that eat decaying material. Still others are **carnivores,** animals that eat only other animals.

But no matter what they eat, gastropods use an organ called a **radula** (RAJ oo luh), a flexible ribbon of tiny teeth, to obtain food. Herbivores use the radula like sandpaper to tear through plant tissues. Carnivores use their radulas in different ways. For example, a gastropod called an oyster drill uses its radula to bore a hole through an oyster's shell. Then it scrapes up the oyster's soft body tissues.

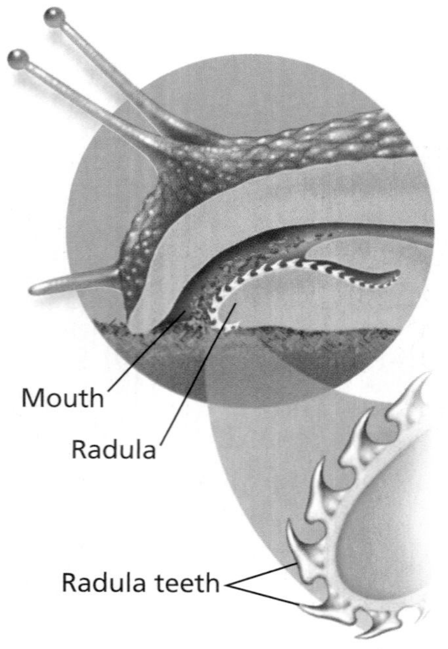

FIGURE 3
The Radula of a Snail
A snail has a food-gathering organ called a radula, which tears and scrapes up food.

Movement A gastropod usually moves by creeping along on a broad foot. The foot may ooze a carpet of slippery mucus, which you may have seen if you've ever watched a snail move. The mucus makes it easier for the gastropod to move.

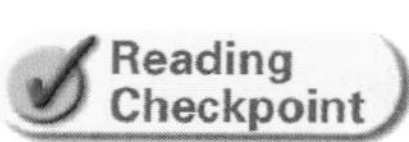

What is the function of a radula?

Two-Shelled Mollusks

A second group of mollusks, **bivalves,** includes oysters, clams, scallops, and mussels. **Bivalves are mollusks that have two shells held together by hinges and strong muscles.** They are found in all kinds of watery environments.

Obtaining Food Like gastropods, bivalves need food. But unlike gastropods, bivalves do not have radulas. Instead, most are filter feeders that strain tiny organisms from water. Bivalves capture food as water flows over their gills. Food particles stick to mucus that covers the gills. The cilia on the gills then move the food particles into the bivalve's mouth. Most bivalves are **omnivores,** animals that eat both plants and animals.

Movement Like gastropods, bivalves don't move quickly. The larvae of most bivalves float or swim through the water. But the adults stay in one place or use their foot to move very slowly. For example, oysters and mussels attach themselves to rocks or other underwater surfaces. Clams, in contrast, move. Look at Figure 4 to see how a clam digs into mud.

Protection Sometimes an object such as a grain of sand gets stuck between a bivalve's mantle and shell. The object irritates the soft mantle. Just as you might put smooth tape around rough bicycle handlebars to protect your hands, the bivalve's mantle produces a smooth, pearly coat to cover the irritating object. Sometimes a pearl forms eventually around the object. Some oysters make beautiful pearls that are used in jewelry.

Lab zone Skills Activity

Classifying

While wading in a stream, you step on a small animal with a hard covering. As you examine the animal, you discover that it has a soft body inside its shell. It may be a mollusk. What characteristics would you look for to classify the animal into a group of mollusks?

FIGURE 4
How a Clam Digs
A razor clam digs into the mud by changing the shape of its foot.
Predicting *How might the clam use its foot to move back up?*

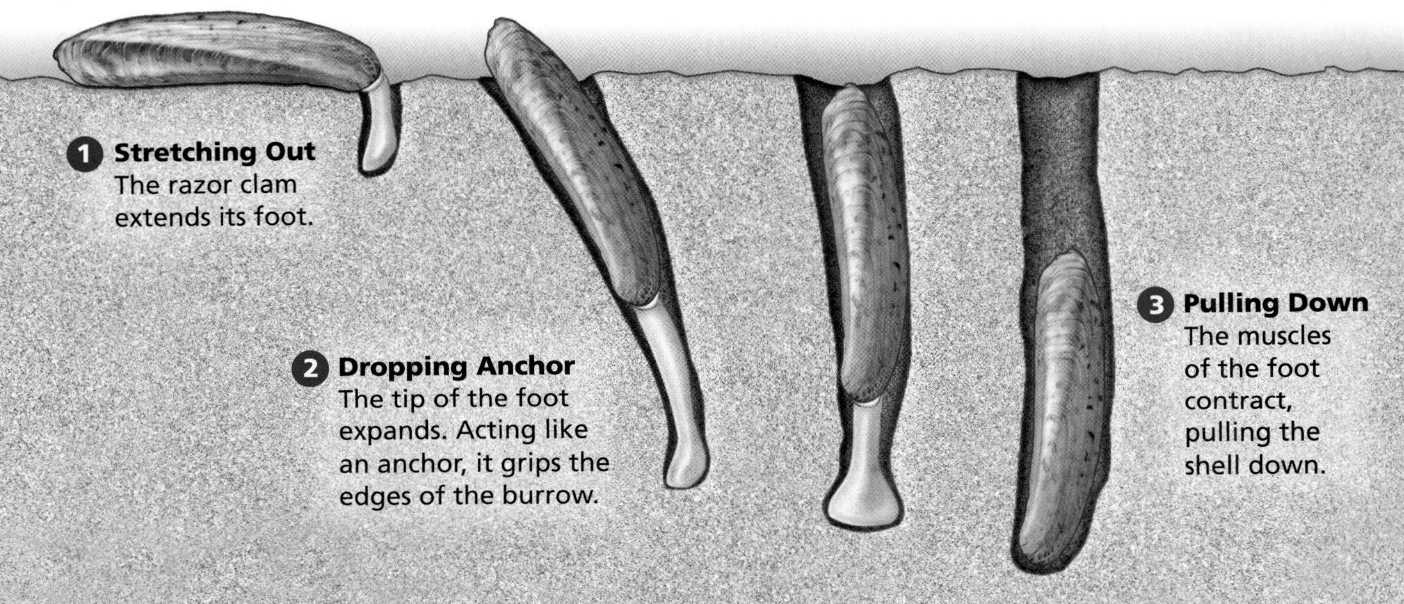

1 Stretching Out
The razor clam extends its foot.
2 Dropping Anchor
The tip of the foot expands. Acting like an anchor, it grips the edges of the burrow.
3 Pulling Down
The muscles of the foot contract, pulling the shell down.

Octopuses and Their Relatives

Octopuses and squids are **cephalopods** (SEF uh luh pahdz). So are nautiluses and cuttlefishes. **A cephalopod is an ocean-dwelling mollusk whose foot is adapted to form tentacles around its mouth.** Unlike bivalves, not all cephalopods have shells. For example, nautiluses have an external shell, squids and cuttlefish have a small shell within the body, and octopuses have no shells. Cephalopods are the only mollusks with a closed circulatory system.

Obtaining Food Cephalopods are carnivores. A cephalopod captures prey using its muscular tentacles. Then it crushes the prey in a beak and scrapes and cuts the flesh with its radula.

A cephalopod's tentacles contain sensitive suckers, which you can see on the octopus in Figure 5. The suckers receive sensations of taste as well as touch. A cephalopod doesn't have to touch something to taste it because the suckers respond to chemicals in the water. For example, when an octopus feels beneath a rock, its tentacles may find a crab by taste before touching it.

FIGURE 5
Three Cephalopods

A nautilus, an octopus, and a squid are all cephalopods. In cephalopods, the foot is adapted to form tentacles.
Drawing Conclusions *Why is* cephalopod, *which is Greek for "head foot," a good name for members of this group?*

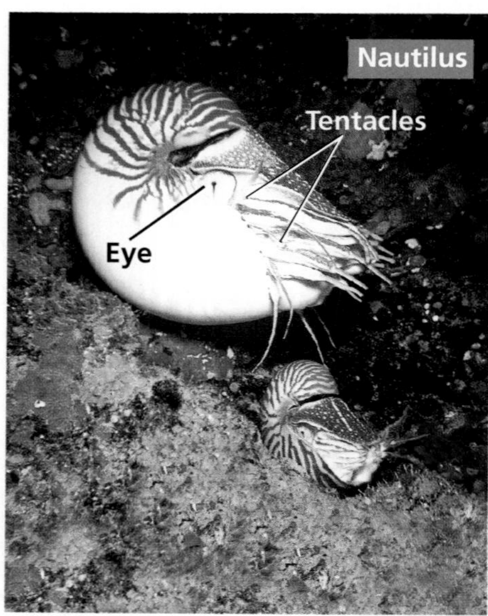

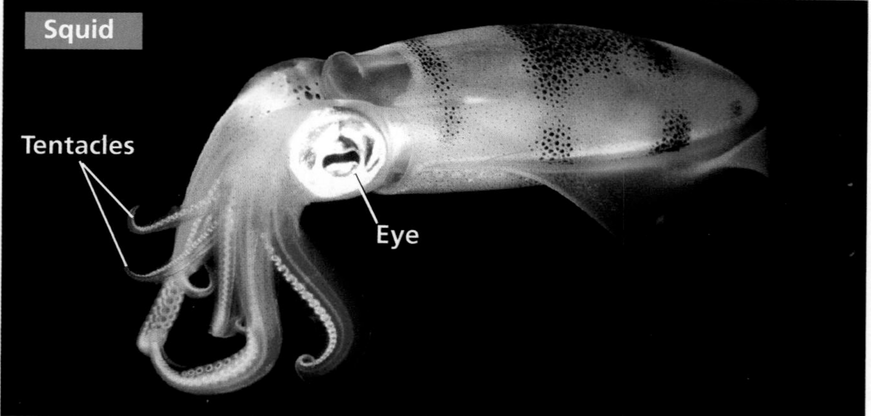

Nervous System Cephalopods have large eyes and excellent vision. They also have the most complex nervous system of any invertebrate. Cephalopods have large brains and can remember things they have learned. For example, in captivity, octopuses can learn when to expect deliveries of food. Some even figure out how to escape from their tanks.

Movement Cephalopods swim by jet propulsion. They squeeze a current of water out of the mantle cavity and through a tube. Then, like rockets, they shoot off in the opposite direction. By turning the tube around, they can reverse direction.

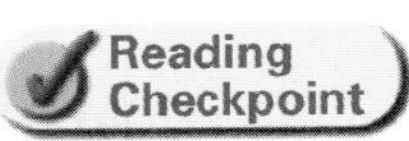

What does the foot of a cephalopod look like?

FIGURE 6
An Escaping Octopus
This octopus has figured out how to escape from a jar through a tiny hole in the lid.

Section 1 Assessment

Target Reading Skill **Comparing and Contrasting** Use the information in your table about mollusks to help you answer Question 2 below.

Reviewing Key Concepts

1. a. **Listing** List the characteristics of a mollusk.
   b. **Explaining** How is a mollusk's mantle related to its shell?
   c. **Predicting** What would happen to a mollusk if the cilia on its gills did not work? Explain.
2. a. **Identifying** What are three groups of mollusks?
   b. **Classifying** What are the characteristics of the three groups of mollusks?
   c. **Comparing and Contrasting** How are the foot structures of a snail, a clam, and an octopus similar? How are they different?

Lab zone At-Home Activity

Edible Mollusks Visit a local supermarket with a family member and identify any mollusks that are being sold as food. Be sure to look in places other than the fish counter, such as the canned-foods section. Discuss the parts of the mollusks that are used for food and the parts that are not edible.

Lab zone Skills Lab

A Snail's Pace

Problem

How do changes in the temperature of the environment affect the activity level of a snail?

Skills Focus

interpreting data, predicting

Materials

- freshwater snail
- thermometer
- ruler
- plastic petri dish
- graph paper, 2 sheets
- timer
- spring water at three temperatures: cool (9–13°C); medium (18–22°C); warm (27–31°C)

Procedure    

1. Create a data table for recording the water temperatures and the distance the snail travels at each temperature.
2. On one sheet of graph paper labeled *Snail,* trace a circle using the base of an empty petri dish. Divide and label the circle as shown in the illustration. On a second sheet of graph paper labeled *Data,* draw three more circles like the one in the illustration.
3. Place the petri dish over the circle on the Snail page, fill it with cool water, and record the water temperature. Then place the snail in the water just above the "S" in the circle. Handle the snail gently.
4. For five minutes, observe the snail. Record its movements by drawing a line that shows its path in the first circle on the Data page.
5. Find the distance the snail moved by measuring the line you drew. You may need to measure all the parts of the line and add them together. Record the distance in your data table.
6. Repeat Steps 3 through 5, first with medium-temperature water and then with warm water. Record the snail's paths in the second circle and third circle on the Data page.
7. Return the snail to your teacher when you are done. Wash your hands thoroughly.
8. For each temperature, compute the class average for distance traveled.

Analyze and Conclude

1. **Graphing** Make a bar graph showing the class average for each temperature.
2. **Interpreting Data** How does a snail's activity level change as temperature increases?
3. **Predicting** Do you think the pattern you found would continue at higher temperatures? Explain.
4. **Communicating** Write an e-mail to a friend describing how you conducted your experiment, any problems you ran into, and your results. Did your results help answer the question posed at the beginning of the lab? Explain your results to your friend.

Design an Experiment

Design an experiment to measure how different kinds of natural surfaces beneath the snail affect its rate of movement. Obtain three surface materials, such as fine sand, medium-grain gravel, and coarse gravel. Explain how you would modify the procedure. *Obtain your teacher's permission before carrying out your investigation.*

Section 2

Arthropods

Reading Preview

Key Concepts

- What are the four major groups of arthropods and what are their characteristics?
- How do crustaceans, arachnids, and centipedes and millpedes differ?

Key Terms

- arthropod
- exoskeleton
- molting
- antenna
- crustacean
- metamorphosis
- arachnid
- abdomen

Target Reading Skill

Asking Questions Before you read, preview the red headings. In a graphic organizer like the one below, ask a *what* or a *how* question for each heading. As you read, write the answers to your questions.

Characteristics of Arthropods

Question	Answer
What is an arthropod?	

Lab zone Discover Activity

Will It Bend and Move?

1. Have a partner roll a piece of cardboard around your arm to form a tube that covers your elbow. Your partner should put three pieces of tape around the tube to hold it closed—one at each end and one in the middle.
2. With the tube in place, try to write your name on a piece of paper. Then try to scratch your head.
3. Keep the tube on your arm for 10 minutes. Observe how the tube affects your ability to do things.

Think It Over

Inferring Insects and many other animals have rigid skeletons on the outside of their bodies. Why do their skeletons need joints?

At dusk near the edge of a meadow, a grasshopper leaps through the grass. Nearby, a hungry spider waits in its web. The grasshopper leaps into the web. It's caught! As the grasshopper struggles to free itself, the spider rushes toward it. Quickly, the spider wraps the grasshopper in silk. The grasshopper cannot escape. Soon it will become a tasty meal for the spider.

The spider and grasshopper are both **arthropods,** or members of the arthropod phylum (phylum Arthropoda). Animals such as crabs, lobsters, centipedes, and scorpions are also arthropods.

FIGURE 7
A Spider at Work
This spider wraps its prey, a grasshopper, in silk. Both animals are arthropods.

FIGURE 8
Arthropod Characteristics
This Sally lightfoot crab shows the tough exoskeleton, the segmented body, and the jointed appendages that are characteristic of arthropods.

Characteristics of Arthropods

Arthropods are classified into four major groups. **The major groups of arthropods are crustaceans, arachnids, centipedes and millipedes, and insects.** All arthropods share certain characteristics. **Arthropods are invertebrates that have an external skeleton, a segmented body, and jointed attachments called appendages.** Wings, mouthparts, and legs are all appendages. Jointed appendages are such a distinctive characteristic that arthropods are named for it. *Arthros* means "joint" in Greek, and *podos* means "foot" or "leg."

Arthropods share some characteristics with many other animals, too. They have bilateral symmetry, an open circulatory system, and a digestive system with two openings. In addition, most arthropods reproduce sexually.

Outer Skeleton If you were an arthropod, you would have a waterproof covering. This waxy covering is called an **exoskeleton,** or outer skeleton. It protects the animal and helps prevent evaporation of water. Water animals are surrounded by water, but land animals need a way to keep from drying out. Arthropods may have been the first animals to live on land. Their exoskeletons probably enabled them to do this because they keep the arthropods from drying out.

As an arthropod grows larger, its exoskeleton cannot expand. The growing arthropod is trapped within its exoskeleton, like a knight in armor that is too small. Arthropods solve this problem by occasionally shedding their exoskeletons and growing new ones that are larger. The process of shedding an outgrown exoskeleton is called **molting.** After an arthropod has molted, its new skeleton is soft for a time. During that time, the arthropod has less protection from danger than it does after its new skeleton has hardened.

FIGURE 9
A Molting Cicada
This cicada has just molted. You can see its old exoskeleton hanging on the leaf just below it.
Applying Concepts *Why must arthropods molt?*

Characteristic	Crustaceans	Arachnids	Centipedes and Millipedes	Insects
Number of body sections	2 or 3	2	2	3
Pairs of legs	5 or more	4	Many	3
Pairs of antennae	2	None	1	1

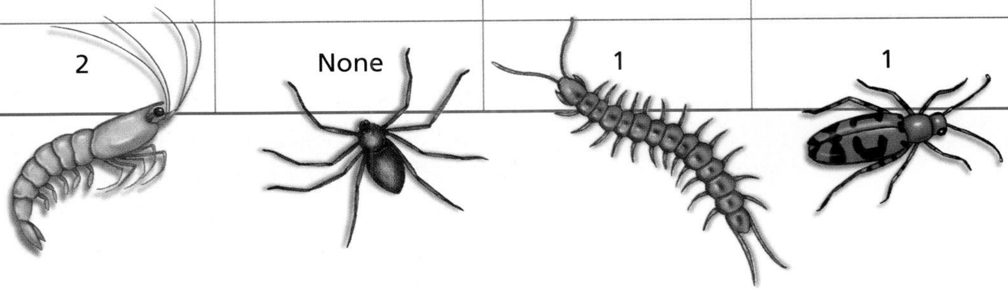

Comparisons of the Largest Arthropod Groups

FIGURE 10
Members of the largest arthropod groups differ in several characteristics. **Interpreting Tables** *Which group of arthropods has no antennae?*

Segmented Body The bodies of arthropods are segmented. A segmented body plan is easiest to see in centipedes and millipedes, which have bodies made up of many identical-looking segments. In fact, their bodies look something like the bodies of earthworms. You can also see segments on the tails of shrimp and lobsters. In some groups of arthropods, several body segments become joined into distinct sections. An arthropod may have up to three sections—a head, a midsection, and a hind section.

Jointed Appendages Just as your fingers are appendages attached to your palms, many arthropods have jointed appendages attached to their bodies. The joints in the appendages give the animal flexibility and enable it to move. If you did the Discover activity, you saw how important joints are for allowing movement. Arthropod appendages tend to be highly specialized tools used for moving, obtaining food, reproducing, and sensing the environment. For example, arthropods use legs to walk and wings to fly. In addition, most arthropods have appendages called antennae (singular *antenna*). An **antenna** is an appendage attached to the head that contains sense organs.

Diversity Scientists have identified more species of arthropods—over one million—than all other species of animals combined! There are probably many others that have not yet been discovered. Look at Figure 10 to compare some characteristics of the four major groups of arthropods.

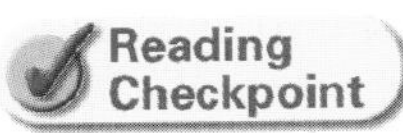

What does an antenna do?

For: Links on arthropods
Visit: www.SciLinks.org
Web Code: scn-0222

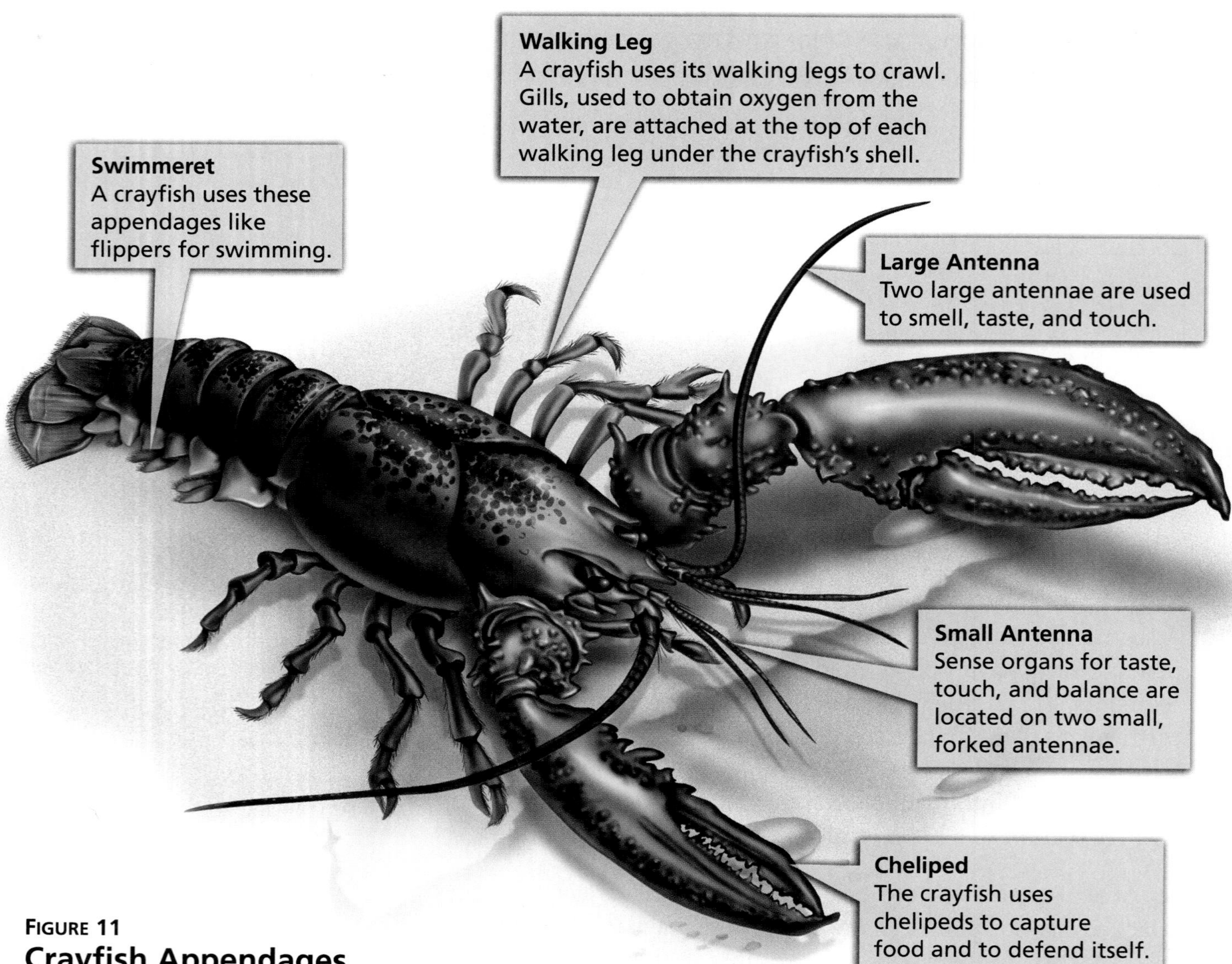

Walking Leg
A crayfish uses its walking legs to crawl. Gills, used to obtain oxygen from the water, are attached at the top of each walking leg under the crayfish's shell.
Swimmeret
A crayfish uses these appendages like flippers for swimming.
Large Antenna
Two large antennae are used to smell, taste, and touch.
Small Antenna
Sense organs for taste, touch, and balance are located on two small, forked antennae.
Cheliped
The crayfish uses chelipeds to capture food and to defend itself.

FIGURE 11
Crayfish Appendages
A crayfish's appendages are as varied as the tools on a Swiss army knife. The appendages are adapted for different functions.
Interpreting Diagrams *What functions do the chelipeds serve?*

Crustaceans

If you've ever eaten shrimp cocktail or crab cakes, you've dined on **crustaceans** (krus TAY shunz). Crayfish and lobsters are other familiar crustaceans. Crustaceans thrive in freshwater lakes and rivers, and even in puddles that last a long time. You can find them in the deepest parts of oceans and along coastlines. A few, like the pill bug, live in damp places on land.

Body Structure Crustaceans share certain characteristics. **A crustacean is an arthropod that has two or three body sections, five or more pairs of legs, and two pairs of antennae.** Each crustacean body segment has a pair of legs or another type of appendage attached to it. The various types of appendages function differently, as you can see in Figure 11.

The appendages attached to the head of a crayfish include two pairs of antennae that are used for smelling, tasting, touching, and keeping balance. The crayfish uses most of its leg appendages for walking. However, it uses its first pair of legs, called chelipeds, for obtaining food and defending itself.

Obtaining Oxygen and Food Because crustaceans live in watery environments, most have gills to obtain oxygen. The gills are located beneath the shell of a crustacean. Water containing oxygen reaches the gills as a crustacean moves along in its environment.

Crustaceans obtain food in many ways. Some are scavengers that eat dead plants and animals. Others are predators, eating animals they have killed. The pistol shrimp is a predator with an appendage that moves with such force that it stuns its prey. Krill, which are shrimplike crustaceans that live in cold ocean waters, are herbivores that eat plantlike microorganisms. In turn, krill are eaten by predators such as fishes, penguins, seals, and even great blue whales, the world's largest animals.

Life Cycle Most crustaceans, such as crabs, barnacles, and shrimp, begin their lives as microscopic, swimming larvae. The bodies of these larvae do not resemble those of adults. Crustacean larvae develop into adults by **metamorphosis** (met uh MAWR fuh sis), a process in which an animal's body undergoes dramatic changes in form during its life cycle.

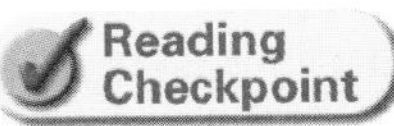

What organs does a crustacean use to obtain oxygen?

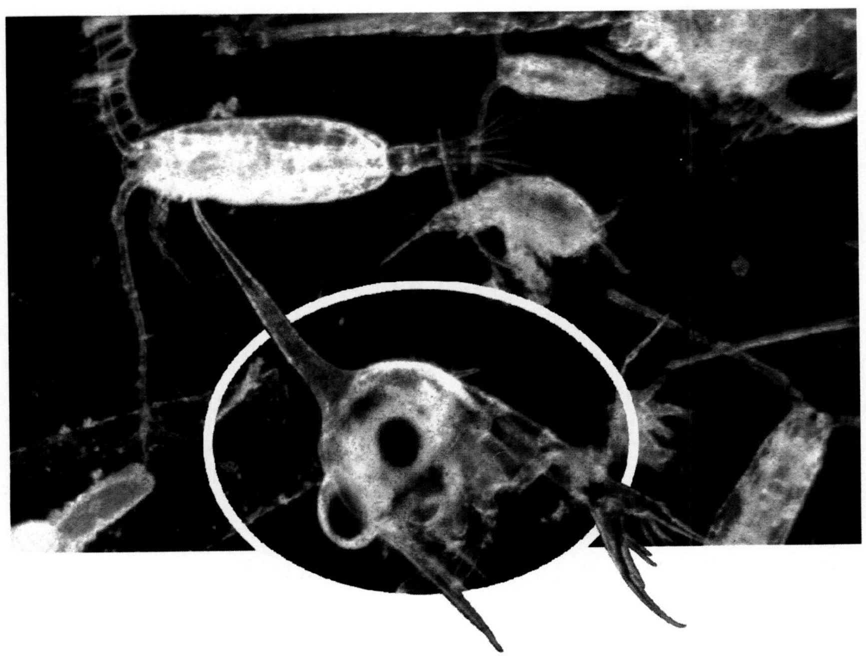

FIGURE 12
Crab Larva
This larva of a crab floats in the ocean with other microscopic animals.

Lab zone Try This **Activity**

Pill Bugs—Wet or Dry?

1. Line a box with aluminum foil. Tape down two paper towels side by side in the box. Tape a strip of masking tape between the two towels. Moisten one of the paper towels. Keep the other towel dry.

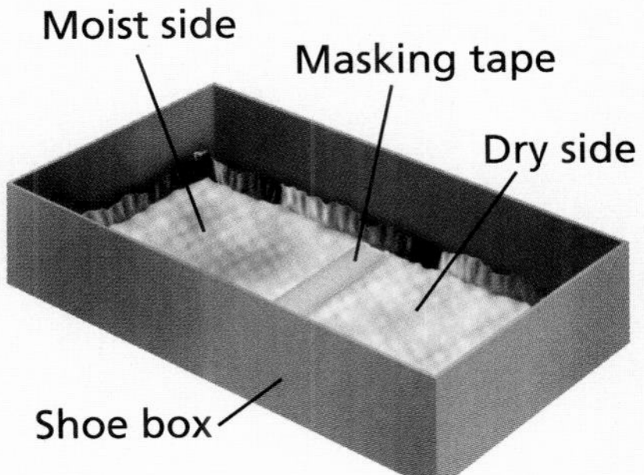

2. Put ten pill bugs on the masking tape. Then put a lid on the box.
3. After 5 minutes, lift the lid and count the pill bugs on the dry towel, the moist towel, and the masking tape. Record your results in a data table.
4. Repeat Steps 2 and 3 two more times. Then average the results of the three trials. Wash your hands after handling the pill bugs.

Interpreting Data Do pill bugs prefer a moist or a dry environment?

FIGURE 13
Red Knee Tarantula
This red knee tarantula lives in an underground burrow. The spider uses fangs to inject venom into its prey.

Arachnids

Spiders, mites, ticks, and scorpions are the **arachnids** (uh RAK nidz) that people most often meet. **Arachnids are arthropods with two body sections, four pairs of legs, and no antennae.** Their first body section is a combined head and midsection. The hind section, called the **abdomen,** is the other section. The abdomen contains the reproductive organs and part of the digestive system.

Spiders Spiders are probably the most familiar, most feared, and most fascinating kind of arachnid. All spiders are predators, and most of them eat insects. Some, such as tarantulas and wolf spiders, run down their prey. Others, such as golden garden spiders, spin sticky webs to trap their prey.

Spiders have hollow fangs through which they inject venom into their prey. Spider venom turns the tissues of the prey into mush. Later the spider uses its fangs like drinking straws, and sucks in the food. In spite of what some people might think, spiders rarely bite people. When spiders do bite, their bites are often painful but not life-threatening. However, the bite of a brown recluse or a black widow may require hospital care.

FIGURE 14
Dust Mite
This microscopic dust mite feeds on dead skin and hair shed by humans. Classifying *Would you describe the mite as a carnivore, scavenger, or filter feeder? Why?*

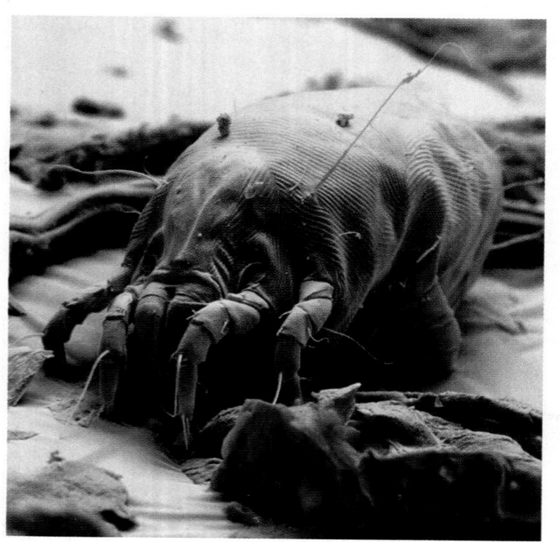

Mites If chiggers have ever given you an itchy rash, you've had an unpleasant encounter with tiny arachnids called mites. Chiggers and many other mites are parasites. Ear mites, for example, give dogs and cats itchy ears. Mites are everywhere. Even the cleanest houses have microscopic dust mites. If you are allergic to dust, you may actually be allergic to the exoskeletons of dust mites. In addition to living in dry areas, mites also live in fresh water and in the ocean.

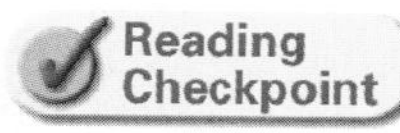

What kind of arachnid is a chigger?

FIGURE 15
Scorpion
A scorpion is a carnivore that injects venom from a stinger at the end of its abdomen.

Scorpions Scorpions live mainly in hot climates, and are usually active at night. During the day, scorpions hide in cool places—under rocks and logs, or in holes in the ground, for example. At the end of its abdomen, a scorpion has a spinelike stinger. The scorpion uses the stinger to inject venom into its prey, which is usually a spider or an insect.

Ticks Ticks are parasites that live on the outside of a host animal's body. Nearly every kind of land animal has a species of tick that sucks its blood. Some ticks that attack humans can carry diseases. Lyme disease, for example, is spread by the bite of an infected deer tick. You can see an enlarged deer tick to the right. In reality, a deer tick is just a few millimeters long.

◀ **Deer tick**

Math Analyzing Data

Lyme Disease Cases

The graph shows the numbers of cases of Lyme disease by age group reported by Connecticut during one year. Use the graph to answer the questions.

1. **Reading Graphs** What variable is plotted on the *y*-axis? What does the first bar tell you?
2. **Interpreting Data** Which age group is least at risk for Lyme disease? Explain.
3. **Interpreting Data** Which two age groups are most at risk?
4. **Calculating** Suppose a particular school in Connecticut has 1,000 students ranging in age from 10 to 19. About how many of these students would you expect to get Lyme disease per year?

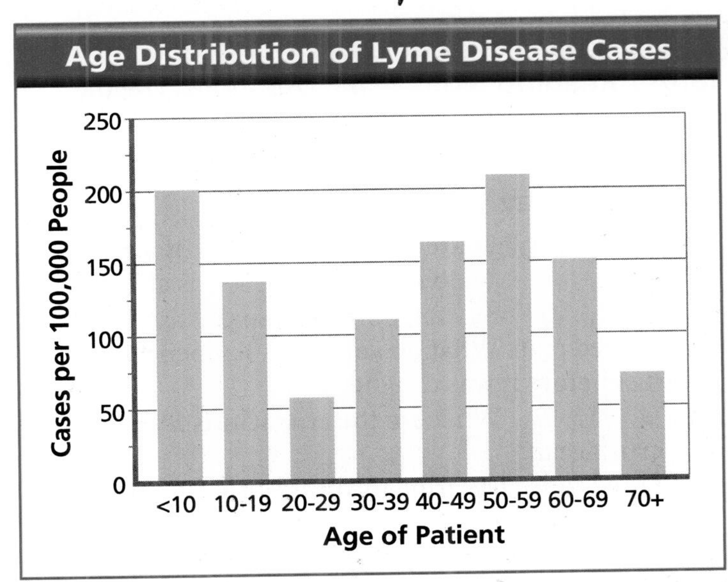

FIGURE 16
Centipede and Millipede
Both centipedes and millipedes have many pairs of legs.
Interpreting Photographs *How many pairs of legs does each segment of the centipede have?*

Centipedes and Millipedes

Centipedes and millipedes are arthropods with two body sections and many pairs of legs. The two body sections are a head with one pair of antennae, and a long abdomen with many segments. Centipedes have one pair of legs attached to each segment. Some centipedes have more than 100 segments. In fact, the word *centipede* means "hundred feet." Centipedes are swift predators that inject venom into their prey.

Millipedes, which may have more than 80 segments, have two pairs of legs on each segment—more legs than any other arthropod. Though *millipede* means "thousand feet," they don't have quite that many legs. Most millipedes are scavengers that graze on partly decayed leaves. When they are disturbed, millipedes can curl up into a ball, protected by their tough exoskeleton. Some will also squirt an awful-smelling liquid at a potential predator.

Section 2 Assessment

Target Reading Skill Asking Questions Use the answers to the questions you wrote about the headings to help you answer the questions below.

Reviewing Key Concepts

1. a. Naming What are the major groups of arthropods?
   b. Summarizing How are all arthropods alike?
   c. Applying Concepts Some restaurants serve soft-shelled crab. What do you think happened to the crab just before it was caught?
2. a. Identifying What are the characteristics of a crustacean?
   b. Reviewing Describe the body structure of an arachnid.
   c. Comparing and Contrasting How are centipedes and millipedes alike? How are they different?

Writing in Science

Observation Write about an arthropod that you have observed. Describe details about its physical appearance, its movements, and any other behaviors that you observed.

Section 3

Insects

Reading Preview

Key Concepts

- What are the main characteristics of insects?
- What is one way insects are adapted to obtain particular types of food?
- What are two types of metamorphosis that insects undergo?

Key Terms

- insect • thorax
- complete metamorphosis
- pupa
- gradual metamorphosis
- nymph

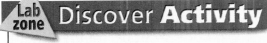

Target Reading Skill

Sequencing A sequence is the order in which a series of events or steps in a process occurs. As you read, make a cycle diagram that shows the steps in the complete metamorphosis of an insect. Write each step in a separate circle.

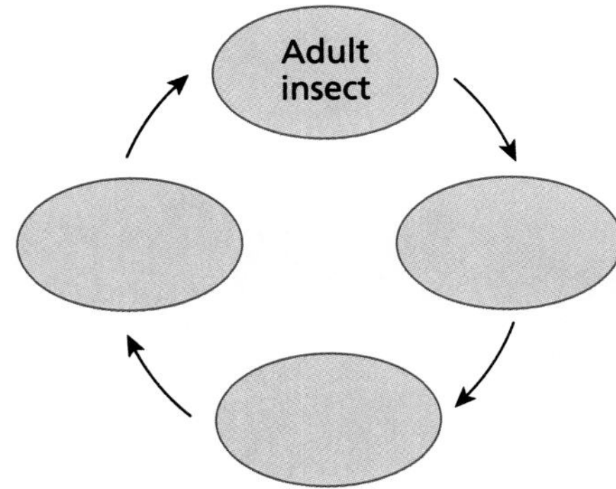

Lab zone Discover Activity

What Characteristics Do Insects Share?

1. Your teacher will give you a collection of insects. Observe the insects carefully.
2. Note the physical characteristics of each insect's body covering. Count the number of body sections.
3. Count the number of legs, wings, and antennae on each insect. Then return the insects to your teacher and wash your hands.

Think It Over

Inferring Compare the legs and the wings of two different species of insect. How is each insect adapted to move?

What do you do if you want to avoid being noticed? You keep perfectly quiet and you don't do anything that will attract attention. You might even wear clothes that help you to blend into the environment—a tactic called camouflage. The thorn insect is a master of camouflage. Not only does it look like a thorn, but it acts like one, too, staying quite still unless a predator like a bird comes too close. Then it springs away to safety.

Other kinds of insects have different camouflage tactics. For example, some caterpillars look like bird droppings, and others look and act like twigs. Plant hoppers may gather in clusters that look like yellow blossoms. And many kinds of moths resemble dead leaves.

Thorn insect ▶

Lab zone Skills Activity

Graphing

Use the data to make a circle graph that shows the percentage of total insect species in each group. (See the Skills Handbook.)

Insect Groups

Group	Number of Species
Ants, bees, and wasps	115,000
Beetles and weevils	350,000
Butterflies and moths	178,000
Flies and mosquitoes	110,000
Other insect groups	147,000

Body Structure

Moths are **insects,** as are caterpillers, plant hoppers, dragonflies, cockroaches, and bees. You can identify insects, like other arthropods, by counting their body sections and legs. **Insects are arthropods with three body sections, six legs, one pair of antennae, and usually one or two pairs of wings.** The three body sections are the head, thorax, and abdomen, as you can see in Figure 17.

Head Most of an insect's sense organs, such as the eyes and antennae, are located on the head. Insects usually have two large compound eyes. These eyes contain many lenses, which are structures that focus light to form images. Compound eyes are especially keen at seeing movement. Most insects also have small simple eyes that can distinguish between light and darkness.

Thorax An insect's midsection, or **thorax,** is the section to which wings and legs are attached. Most species of insects can fly once they are adults. Insects are the only invertebrates that can fly. By flying, insects can travel long distances to find mates, food, and new places to live. Being able to fly also enables insects to escape from many predators.

Abdomen Inside the abdomen are many of the insect's internal organs. Small holes on the outside of the abdomen lead to a system of tubes inside the insect. These tubes allow air, which contains oxygen, to enter the body. The oxygen in the air travels directly to the insect's cells.

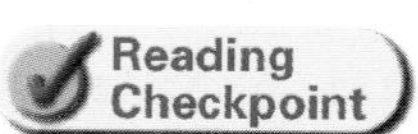

What are the three sections of an insect's body?

FIGURE 17
Structure of a Grasshopper
A grasshopper's body, like that of every insect, has three sections.

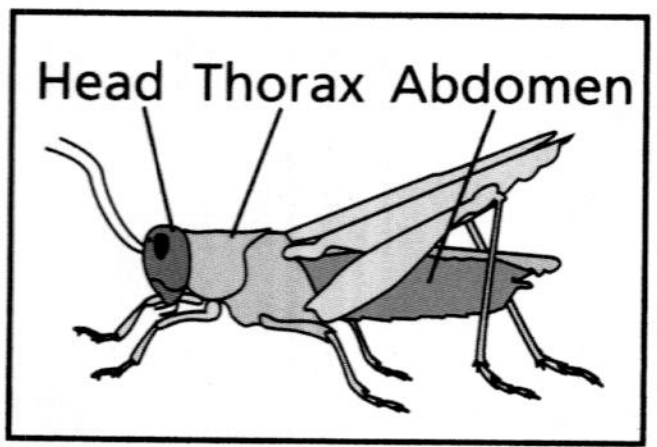

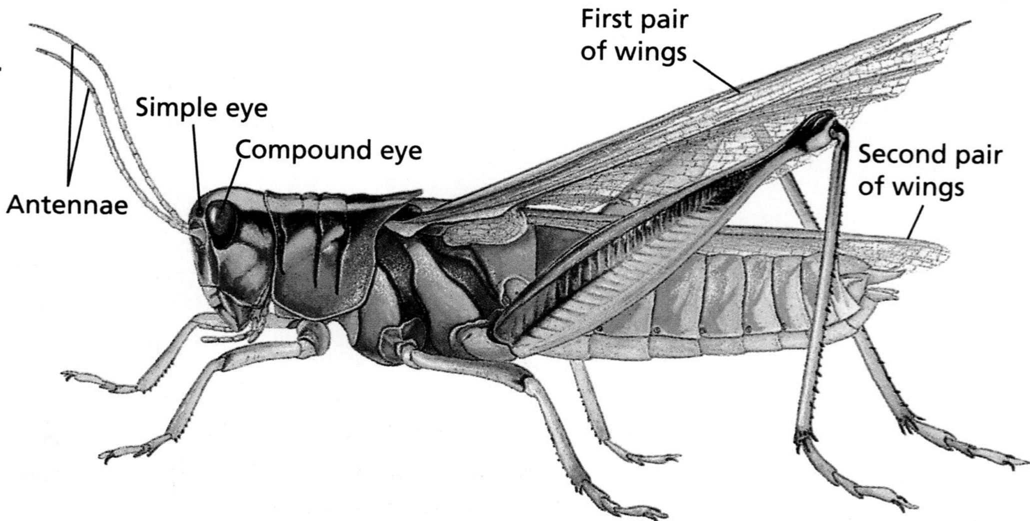

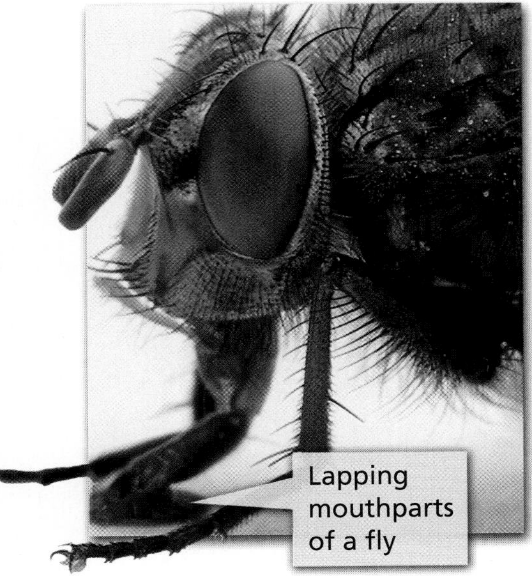

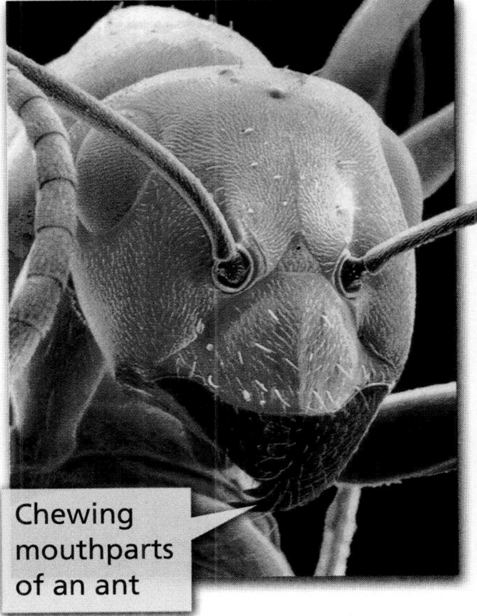

FIGURE 18
Diversity of Mouthparts
The mouthparts of this fly, butterfly, and wood ant are very different in their structure.
Inferring *Could a butterfly eat an ant's food? Explain.*

Obtaining Food

The rule seems to be this: If it is living, or if it once was living, some kind of insect will eat it. You probably know that many insects eat parts of plants, such as leaves or nectar. But insects also eat products that are made from plants, such as paper. If you open a very old book, watch for book lice. These tiny insects live in old books, chewing crooked tunnels through the pages.

Insects may feed on animals, too. Some, like fleas and mosquitoes, feed on the blood of living animals. Others, like dung beetles, feed on animal droppings. Still others, like burying beetles, feed on the decaying bodies of dead animals.

An insect's mouthparts are adapted for a highly specific way of getting food. You can see some of these adaptations in Figure 18. Some flies have a sponge-like mouthpart that they use to lap up decaying flesh. A butterfly's mouthparts are shaped like a coiled tube, which can be uncoiled and used like a drinking straw to suck up nectar from flowers. Most ants have sharp-edged mouthparts that can cut through seeds, wood, and other foods.

How does a butterfly obtain food?

Life Cycle

Insects begin life as tiny, hard-shelled, fertilized eggs. After they hatch, insects begin a process of metamorphosis that eventually produces an adult insect. **Each insect species undergoes either complete metamorphosis or gradual metamorphosis.**

For: More on insect metamorphosis
Visit: PHSchool.com
Web Code: ced-2023

FIGURE 19

Insect Metamorphosis

Depending on the species, most insects develop into adults through complete metamorphosis or gradual metamorphosis.

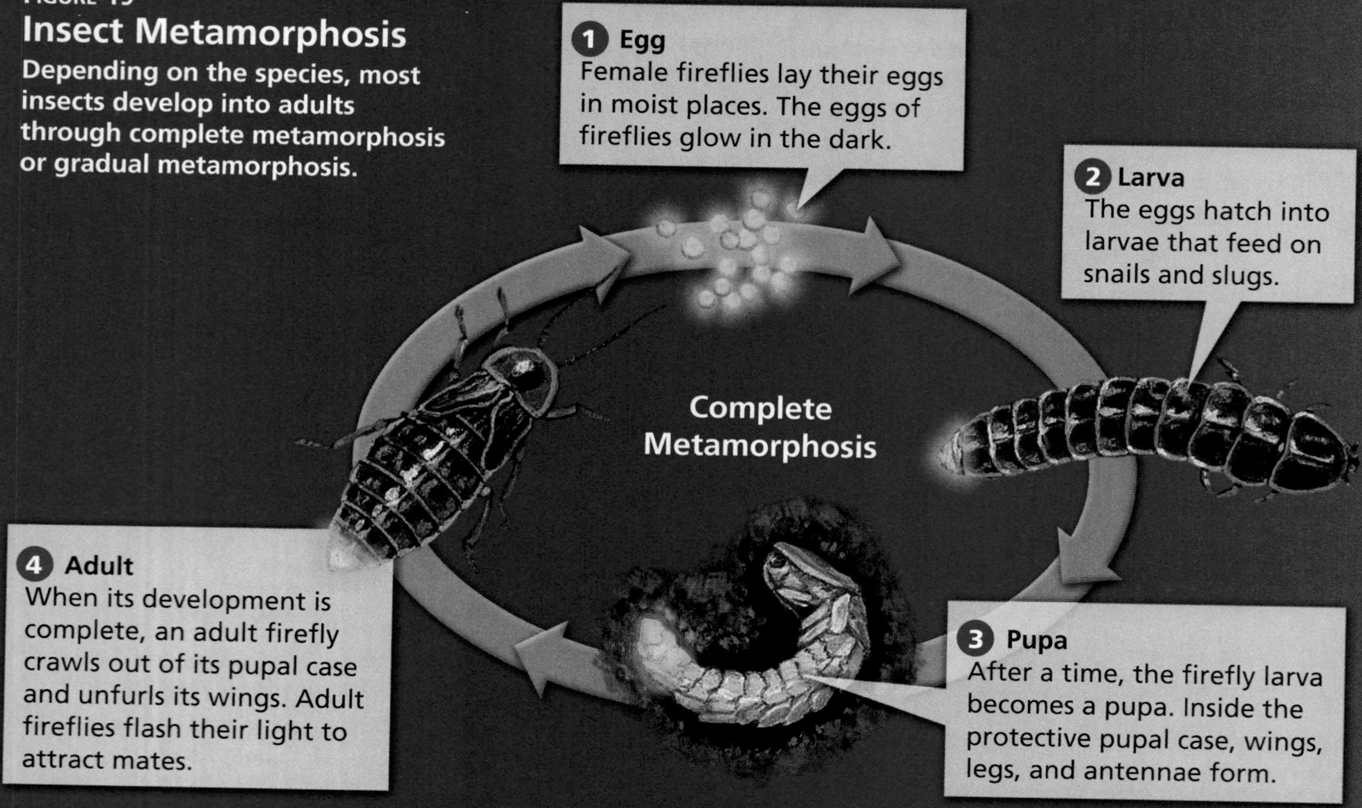

1 Egg
Female fireflies lay their eggs in moist places. The eggs of fireflies glow in the dark.

2 Larva
The eggs hatch into larvae that feed on snails and slugs.

Complete Metamorphosis

4 Adult
When its development is complete, an adult firefly crawls out of its pupal case and unfurls its wings. Adult fireflies flash their light to attract mates.

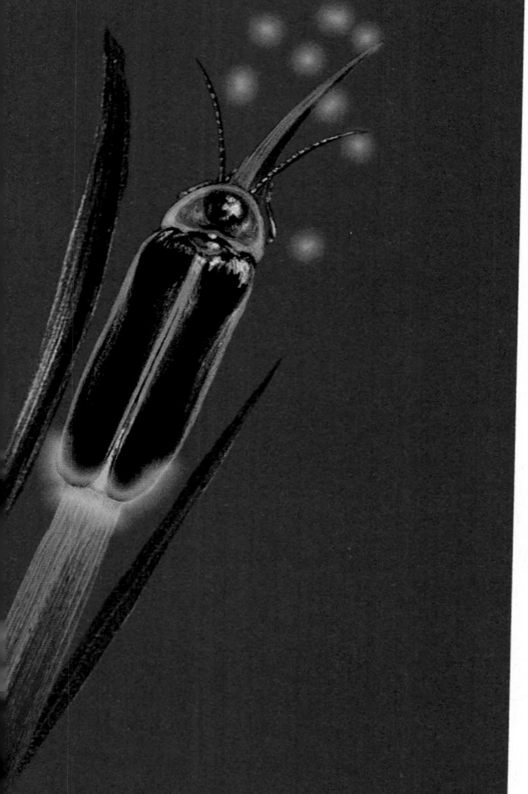

3 Pupa
After a time, the firefly larva becomes a pupa. Inside the protective pupal case, wings, legs, and antennae form.

Complete Metamorphosis In Figure 19 you can see that an insect with **complete metamorphosis** has four different stages: egg, larva, pupa, and adult. Eggs hatch into larvae. The larvae, such as the caterpillars of butterflies and the grubs of beetles, usually look something like worms. Larvae are specialized for eating and growing. After a time, a larva enters the next stage of the process and becomes a **pupa** (PYOO puh). As a pupa, the insect is enclosed in a protective covering.

Although the pupa does not eat and moves very little, it is not resting. Major changes in body structure are taking place in this stage, as the pupa becomes an adult insect. Beetles, butterflies, flies, and ants all undergo complete metamorphosis.

Gradual Metamorphosis In contrast, the second type of metamorphosis, called **gradual metamorphosis**, has no distinct larval stage. An egg hatches into a stage called a **nymph** (nimf), which usually looks like the adult insect without wings. A nymph may molt several times before becoming an adult. Grasshoppers, termites, cockroaches, and dragonflies go through gradual metamorphosis.

What is gradual metamorphosis?

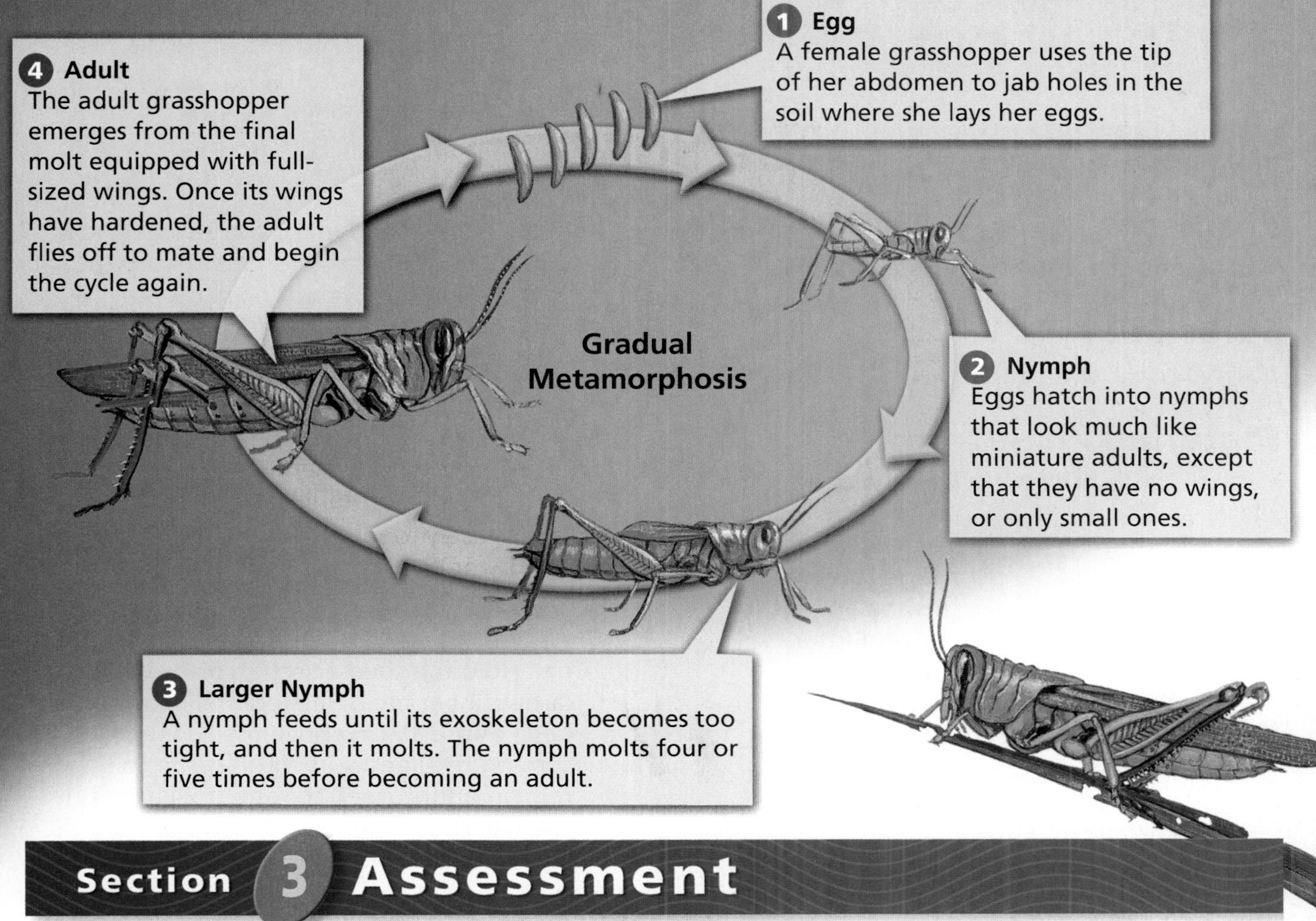

1 Egg
A female grasshopper uses the tip of her abdomen to jab holes in the soil where she lays her eggs.
4 Adult
The adult grasshopper emerges from the final molt equipped with full-sized wings. Once its wings have hardened, the adult flies off to mate and begin the cycle again.
Gradual Metamorphosis
2 Nymph
Eggs hatch into nymphs that look much like miniature adults, except that they have no wings, or only small ones.
3 Larger Nymph
A nymph feeds until its exoskeleton becomes too tight, and then it molts. The nymph molts four or five times before becoming an adult.

Section 3 Assessment

Target Reading Skill **Sequencing** Refer to your cycle diagram about complete metamorphosis as you answer Question 3.

Reviewing Key Concepts

1. a. Identifying What characteristics do insects share?

b. Interpreting Diagrams Look at Figure 17. To which body section are a grasshopper's wings attached?

c. Making Generalizations Suppose the adaptation of wings was suddenly lost in all insects. Predict what would happen to the number and diversity of insects.

2. a. Naming Name a type of insect that has chewing mouthparts.

b. Reviewing What are three ways that the mouthparts of insects are adapted for obtaining food?

3. a. Listing List the stages of gradual metamorphosis and the stages of complete metamorphosis.

b. Interpreting Diagrams Look at Figure 19. How are complete metamorphosis and gradual metamorphosis different?

c. Applying Concepts Why is a nymph more likely than a larva to eat the same food as its parents?

Lab zone At-Home Activity

Bug Hunt Walk with a family member in your backyard or neighborhood. Search the undersides of leaves, under woodchips or rocks, and other likely places for insects. Show your family member what distinguishes an insect from other kinds of arthropods.

What's Living in the Soil?

Problem

What kinds of animals live in soil and leaf litter?

Skills Focus

observing, classifying

Materials

- 2-liter plastic bottle
- large scissors
- trowel
- cheesecloth
- large rubber band
- gooseneck lamp
- hand lens
- large, wide-mouthed jar
- small jar
- coarse steel wool
- fresh sample of soil and leaf litter

Procedure

1. Select a location where your equipment can be set up and remain undisturbed for about 24 hours. At that location, place the small jar inside the center of the large jar as shown in the photograph on page 61.
2. Use scissors to cut a large plastic bottle in half. **CAUTION:** *Cut in a direction away from yourself and others.* Turn the top half of the bottle upside down to serve as a funnel.
3. Insert a small amount of coarse steel wool into the mouth of the funnel to keep the soil from falling out. Do not pack the steel wool too tightly. Leave spaces for small organisms to crawl through. Place the funnel into the large jar as shown in the photograph.
4. Using the trowel, fill the funnel with soil and surface leaf litter. When you finish, wash your hands thoroughly.
5. Look closely to see whether the soil and litter are dry or wet. Record your observation.
6. Make a cover for your sample by placing a piece of cheesecloth over the top of the funnel. Hold the cheesecloth in place with a large rubber band. Immediately position a lamp about 15 cm above the funnel, and turn on the light. Allow this setup to remain undisturbed for about 24 hours. **CAUTION:** *Hot light bulbs can cause burns. Do not touch the bulb.*
7. When you are ready to make your observations, turn off the lamp. Leave the funnel and jar in place while making your observations. Use a hand lens to examine each organism in the jar. **CAUTION:** *Do not touch any of the organisms.*
8. Use a data table like the one shown to sketch each type of organism and to record other observations. Be sure to include evidence that will help you classify the organisms. (*Hint:* Remember that some animals may be at different stages of metamorphosis.)
9. Examine the soil and leaf litter, and record whether this material is dry or wet.
10. When you are finished, follow your teacher's directions about returning the organisms to the soil. Wash your hands with soap.

Data Table				
Sketch of Organism	Number Found	Size	Important Characteristics	Probable Phylum

Analyze and Conclude

1. **Observing** Describe the conditions of the soil environment at the beginning and end of the lab. What caused the change?
2. **Classifying** What types of animals did you collect in the small jar? What characteristics did you use to identify each type of animal? Which types of animals were the most common?
3. **Developing Hypotheses** Why do you think the animals moved down the funnel away from the soil?
4. **Inferring** Using what you have learned about arthropods and other animals, make an inference about the role that each animal you collected plays in the environment.
5. **Communicating** Develop a field guide that categorizes and describes the types of animals you found in your soil sample. Include sketches and brief descriptions of the animals.

Design an Experiment

What kinds of organisms might live in other soil types—for example, soil at the edge of a pond, dry sandy soil, or commercially prepared potting soil? Design an experiment to answer this question.

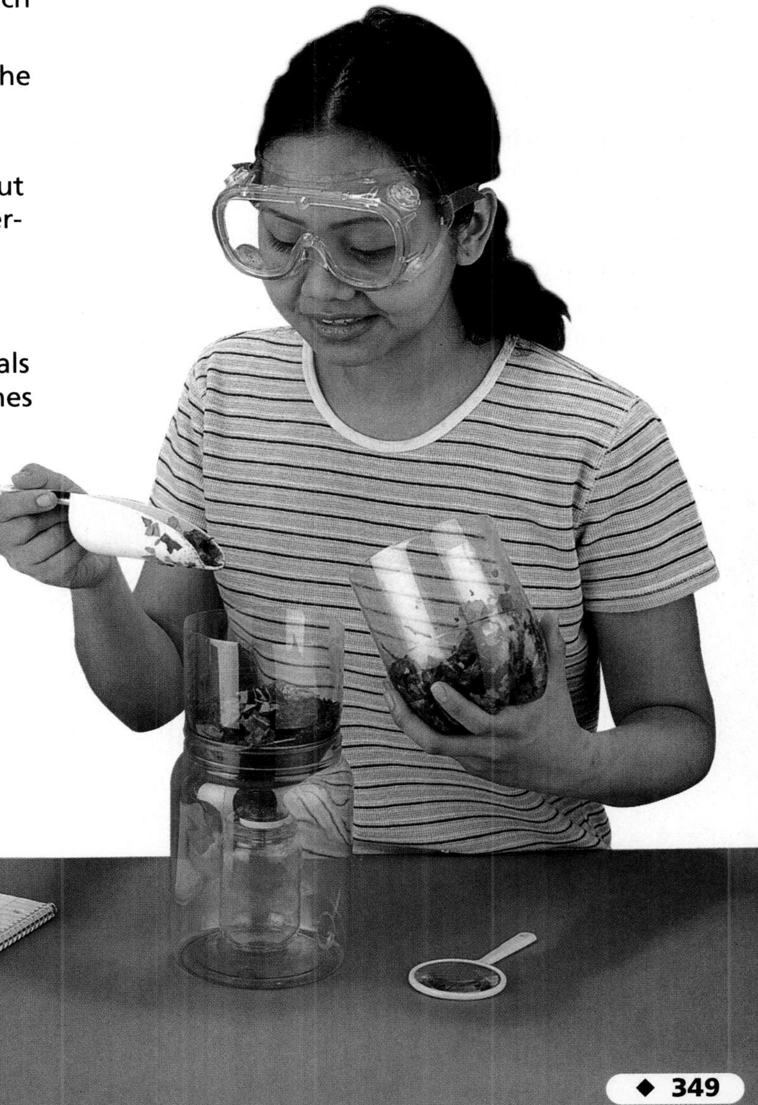

Section 4

Integrating Environmental Science

Insect Ecology

Reading Preview

Key Concepts

- Why are insects important in food chains?
- What are two other ways insects interact with their environments?
- What are some ways used to control insect pests?

Key Terms

- food chain • ecology
- producer • consumer
- decomposer • pollinator
- pesticide
- biological control

Target Reading Skill

Building Vocabulary Using a word in a sentence helps you think about how best to explain the word. After you read the section, reread the paragraphs that contain definitions of Key Terms. Use all the information you have learned to write a meaningful sentence using the Key Term.

Lab zone Discover Activity

What Materials Carry Pollen Best?

1. Use an eraser to transfer some pollen between two flowers your teacher gives you.
2. Next, use a cotton swab to do the same. Did the eraser or cotton swab transfer pollen better?

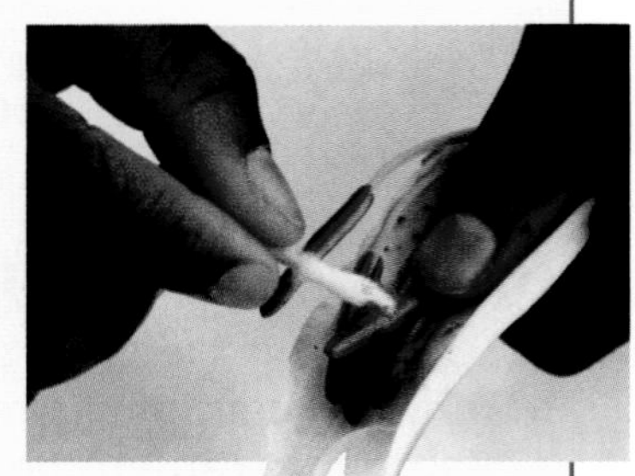

Think It Over

Inferring How might its ability to transfer pollen between flowers affect an insect's role in the environment?

In a meadow, a caterpillar munches the leaves of a plant. Later that day, a bird eats the caterpillar. Years later, after the bird has died, a beetle eats the dead bird. The plant, caterpillar, bird, and beetle are all part of one food chain. A **food chain** is a series of events in which one organism eats another and obtains energy. The study of food chains and other ways that organisms interact with their environment is called **ecology.**

Insects and the Food Chain

A food chain starts with a **producer**—an organism that makes its own food. Most producers, such as grass and other plants, use energy from sunlight to make their food. In a food chain, producers are food for consumers. A **consumer** is an organism that obtains energy by eating other organisms. Some consumers, like caterpillars, eat producers, and some eat other consumers. Decomposers, such as carrion beetles, also play a role in food chains. A **decomposer** breaks down the wastes and dead bodies of other organisms. In a food chain insects may play the roles of consumer and decomposer. In addition, some insects are prey for other consumers.

Insects as Consumers of Plants The roles of insects in a food chain are shown in Figure 20. **Insects play key roles in food chains because of the many different ways that they obtain food and then become food for other animals.**

Many insects are consumers of plants. Perhaps you have tried growing tomato plants and seen how fat green caterpillars ate up the leaves. In fact, insects eat about 20 percent of the crops grown for humans. Insects eat most species of wild plants, too. Some insects eat the leaves of plants, while others eat the sap, bark, roots, and other parts of plants.

Insects as Prey Insects play another role in food chains—they are prey for many animals. That is, other consumers eat insects. Many fishes and birds eat insects to survive. For example, the main source of food for trout and bass is insects. Indeed, that's why people use lures called "flies" to catch fishes like these. The lures look like the mayflies and stoneflies these fishes normally eat. Some species of birds feed their young, called chicks, only insects. And the chicks are big eaters! A single swallow chick, for example, may consume about 200,000 insects before it leaves the nest.

Math Skills

Percentage

A percentage is a ratio that compares a number to 100. If 25 percent of 900,000 insect species eat other insects, how many insect-eating species are there? Set up a proportion and solve it.

$$\frac{\text{Insect-eating species}}{\text{900,000 insect species}} = \frac{25\%}{100\%}$$

$$\text{Insect-eating species} = 225{,}000$$

Practice Problem A swallow chick eats 200,000 insects. If 12 percent of the insects are beetles, how many beetles does it eat?

FIGURE 20

Insects in a Food Chain

In a food chain, some insects are consumers of plants. Some insects are prey for other consumers. Other insects are decomposers.

Insects as Decomposers This carrion beetle feeds on the tissues of a dead bird.

Insects as Prey Caterpillars and other insects are consumed by other types of animals, such as birds.

Insects as Consumers This caterpillar is one of many types of insects that consume plant material.

For: Links on insects
Visit: www.SciLinks.org
Web Code: scn-0224

Insects as Decomposers In a food chain some insects play the role of decomposers by breaking down the wastes and bodies of dead organisms. For example, in some tropical food chains, termites may break down up to one third of the dead wood, leaves, and grass produced there every year. In other food chains, flies and dung beetles break down animal droppings, called manure. By doing this, the buildup of manure from large animals is prevented.

The substances that insect decomposers break down enrich the soil. In addition, insect decomposers may burrow and nest in the ground. By doing so, these insects expose soil to oxygen from the air and mix up the nutrients in the soil.

• Tech & Design in History •

Products From Insects

Over the last few thousand years, insects have supplied humans with some important products.

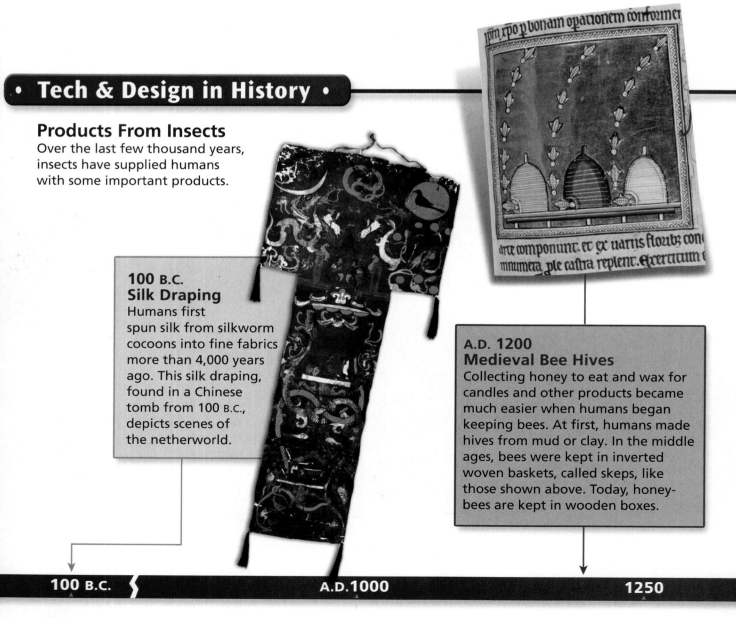

100 B.C.
Silk Draping
Humans first spun silk from silkworm cocoons into fine fabrics more than 4,000 years ago. This silk draping, found in a Chinese tomb from 100 B.C., depicts scenes of the netherworld.

A.D. 1200
Medieval Bee Hives
Collecting honey to eat and wax for candles and other products became much easier when humans began keeping bees. At first, humans made hives from mud or clay. In the middle ages, bees were kept in inverted woven baskets, called skeps, like those shown above. Today, honeybees are kept in wooden boxes.

100 B.C. | A.D.1000 | 1250

Insects as Food for Humans Did you know that insects were an important source of nutrition for prehistoric humans? Even today, insects are collected and eaten by people in many parts of the world. In some Mexican villages, dried grasshoppers are ground up and mixed with flour to make tortillas. In other parts of the world, the larvae of certain species of beetles are roasted over an open fire. Ants, crickets, and cicadas are just a few of the other types of insects eaten by humans.

Maybe you are thinking, "Yuck! I'd never eat an insect." Even if you'd never allow an insect on your dinner plate, you are likely to have used the products of insects in other aspects of your daily life. You can see some of the major uses of insect products through history in the timeline below.

What is an animal that breaks down wastes and dead organisms called?

Writing in Science

Research and Write
Research one of the products described in the timeline below. Then write an advertisement for the product. Include information about the species of insect used to develop the product, and details about how the product is made.

1518
Cochineal Dye
Explorer Hernando Cortez reported the use of the red dye, cochineal, in Mexico. The dye is extracted from a tiny cactus-eating insect called the cochineal scale. Today, humans use the dye to color some textiles, foods, and cosmetics.

1920s
Shellac Records
Humans make shellac from a waxy substance secreted by the lac scale insect. Shellac has been used to seal furniture, polish floors, and coat records. Shellac was especially important to the record industry in the 1920s and 1930s (until synthetic vinyl came along in the 1940s).

1980s
Firefly Light
Since the 1980s, scientists have used the light-producing chemicals from fireflies in many applications, including the study of genes and diseases.

1500 — 1750 — 2000

FIGURE 21
A Bee as a Pollinator
This bee is getting dusted with yellow pollen as it drinks nectar from the flower. **Observing** *On which of the bee's structures can you observe pollen grains?*

Other Interactions

Besides eating and being eaten, insects interact in other ways with the living things in their environments. **Two ways insects interact with other living things are by moving pollen among plants and by spreading disease-causing organisms.**

Pollen Carriers Have you ever seen a bee crawling into a flower on a warm summer day? Have you wondered what it is doing? The bee is helping itself to the plant's nectar and pollen, which are food for bees. But plants also need to share their pollen with other plants. Pollen contains cells that become sperm cells, allowing plants to reproduce. When the bee crawls into a flower to obtain its food, it gets dusted with pollen, as shown in Figure 21. Then, as the bee enters the next flower, some of the pollen on its body is left in the second flower. An animal that carries pollen among plants is called a **pollinator.** Bees are pollinators, and so are many beetles and flies. Without pollinators, some plants cannot reproduce.

Disease Carriers Not all interactions between insects and other living things have happy endings. While some insects transfer pollen, others spread diseases to both plants and animals, including humans. Insects that spread diseases include some mosquitoes and fleas. These insects often have sucking mouthparts that pierce the skin of their prey, providing an opening for the disease-causing organisms to enter. Diseases that are carried by insects include malaria, which is spread by mosquitoes. Malaria causes high fevers and can be treated with medicines today.

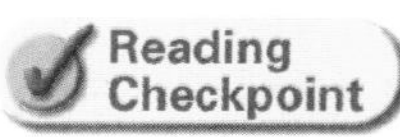

What is a pollinator?

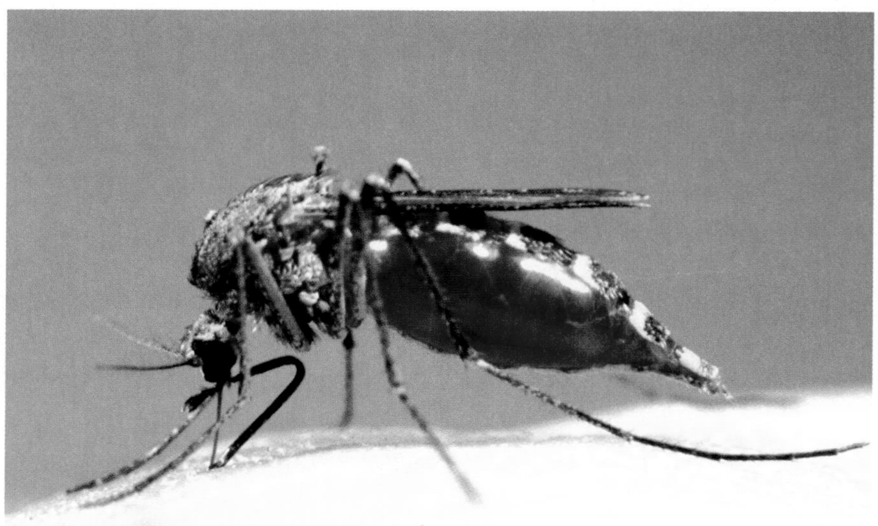

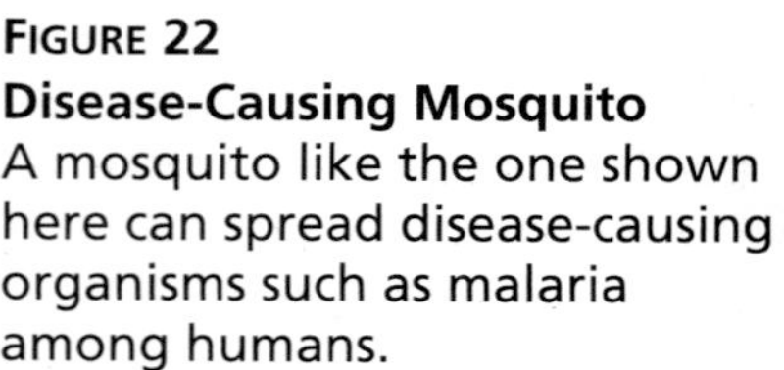

FIGURE 22
Disease-Causing Mosquito
A mosquito like the one shown here can spread disease-causing organisms such as malaria among humans.

Controlling Pests

Some insects are harmful, even though they don't spread diseases. Harmful insects are called pests. **To try to control pests, people use chemicals, traps, and living things, including other insects.** Chemicals that kill pests are called **pesticides.** However, pesticides also kill pollinators, such as bees, and can harm other animals.

What are the alternatives to pesticides? Biologists are using their knowledge of insect ecology to develop new pest controls. One such control is a trap that attracts mosquitoes in a way similar to how humans attract mosquitoes. Another control is to surround crops with wild plants that are bad-tasting or even poisonous to the harmful insect.

People may prefer to use biological controls. A **biological control** is a natural predator or disease released into an area to fight a harmful insect. For example, ladybugs, which eat other insects, have been introduced to some areas where crops grow to control aphids. Aphids are tiny insects that damage plants by sucking plant sap.

FIGURE 23
Biological Control
Ladybugs are used as biological control agents against aphids. Here, one ladybug consumes its prey.

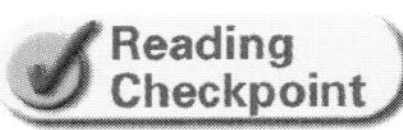

What is a chemical intended to kill pest insects called?

Section 4 Assessment

Target Reading Skill Building Vocabulary
Use your sentences to help answer the questions.

Reviewing Key Concepts

1. a. Defining What is a food chain?
   b. Interpreting Photographs What three roles do insects play in the food chain shown in Figure 20?
2. a. Reviewing Besides their role in food chains, what are two other ways insects interact with their environment?
   b. Summarizing What effect do pollinators have on their environment?
   c. Predicting What would a world without pollinators be like?
3. a. Reviewing How can insect pests be controlled?
   b. Comparing and Contrasting How are the effects of using biological controls similar to the effects of using pesticides? How are they different?
   c. Applying Concepts Some insect species are harmful only in areas of the world where they do not normally live but have been accidentally released. Why might this be?

Math Practice

4. Percentage Suppose 33 percent of the 50 tons of wood produced in one year by a forest is consumed by termites and other insects. How many tons do the insects eat?

Technology and Society • Tech & Design •

Battling Pest Insects

It's hard to believe that insects can cause much harm. But some species, such as the cotton boll weevil, can devastate crops. Boll weevils eat cotton bolls, the part of the plant that produces cotton fibers. Other insects, such as some mosquitoes, spread diseases. To control insect pests, people often use pesticides—chemicals or substances that kill insects or alter their life processes.

How Pesticides Work
Pesticides kill insects in a variety of ways. People may select one or more pesticides to attack a particular pest.

What Are Pesticides?

Since ancient times, people have used substances such as sulfur to kill pests. In the 1900s, people began developing new chemicals to battle harmful insects. Today, most pesticides used in the United States are synthetic—made by people in laboratories. On average, it takes about 15 years and about 20 million dollars to develop a new pesticide. That time includes obtaining approval from the Environmental Protection Agency, which oversees pesticide use. Once on the market, pesticides can work to kill insects in a variety of ways. They might attack the physical, chemical, or biological processes of the pests.

Attack the Gut
Pesticides that contain certain bacteria and viruses can attack the gut lining, killing the insect.

Paralyze the Nervous System
Pesticides that interfere with signals in the brain can cause convulsions, paralysis, and death.

Boll weevil on a cotton boll

Problems With Pesticides

Using pesticides has increased food production worldwide. However, the technology of pesticides has drawbacks. Pesticides that kill harmful insects can also kill helpful insects, such as bees. In large doses, these chemicals are also toxic to humans and pets. Even low levels of chemicals can build up and affect animals in the food chain. Rain can carry pesticides into rivers and lakes and pollute water supplies. The best pesticides target only pests and do not stay in the environment for a long time.

Applying the Pesticide
One way to apply pesticides is by using an airplane to spray crops.

Destroy the Exoskeleton
Pesticides can cause the exoskeleton to become so thin that the insect dies while molting. Pesticides can also absorb the waxy coating, leading to water loss and death.

Disrupt the Life Cycle
Certain pesticides prevent larvae from maturing into adults.

Interfere With Reproduction
Pesticides that are oils can smother and kill insect eggs. Other pesticides sterilize adult insects.

Weigh the Impact

1. **Identify the Need**
   Why do people use pesticides?

2. **Research**
   Using the Internet, research different insects affecting major crops in your state. Choose one pest insect. Find out the methods used in controlling it. Are there alternatives to pesticides?

3. **Write**
   Write a proposal to your governor for insect control in your state. Use your research and notes to explain how your method works.

For: More on pesticides
Visit: PHSchool.com
Web Code: ceh-2020

Section 5

Echinoderms

Reading Preview

Key Concepts

- What are the main characteristics of echinoderms?
- What are the major groups of echinoderms?

Key Terms

- echinoderm
- endoskeleton
- water vascular system
- tube feet

Target Reading Skill

Previewing Visuals When you preview, you look ahead at the material to be read. Preview Figure 24. Then write two questions that you have about the diagram in a graphic organizer like the one below. As you read, answer your questions.

Water Vascular System

Q. What are tube feet?
A.
Q.

Lab zone **Discover Activity**

How Do Sea Stars Hold On?

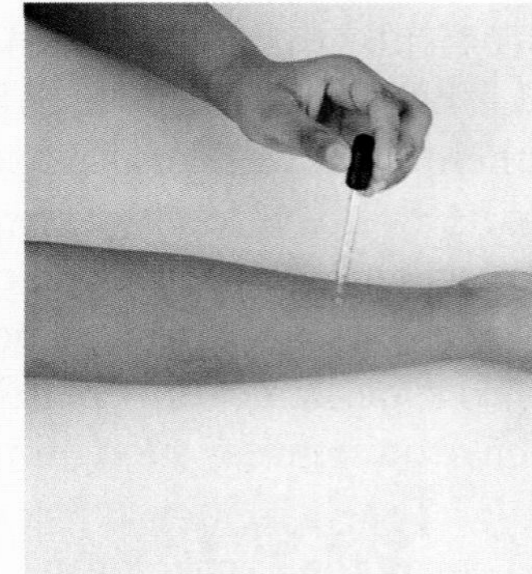

1. Use a plastic dropper and water to model how a sea star moves and clings to surfaces. Fill the dropper with water, and then squeeze out most of the water.
2. Squeeze the last drop of water onto the inside of your arm. Then, while squeezing the bulb, touch the tip of the dropper into the water drop. With the dropper tip against your skin, release the bulb.
3. Hold the dropper by the tube and lift it slowly, paying attention to what happens to your skin.

Think It Over

Predicting Besides moving and clinging to surfaces, what might sea stars use their suction structures for?

While exploring a rocky beach one day, you see what looks like a dill pickle at the bottom of a tide pool. You think it might be a plant or a rock covered with green slime. But as you look more closely, the pickle begins to crawl very slowly. This amazing creature is a sea cucumber, a relative of sea stars.

Characteristics of Echinoderms

Sea cucumbers, sea stars, sea urchins, and sand dollars are all **echinoderms** (ee KY noh durmz), members of the phylum Echinodermata. **Echinoderms are invertebrates with an internal skeleton and a system of fluid-filled tubes called a water vascular system.** All echinoderms live in salt water.

Body Structure The skin of most echinoderms is stretched over an internal skeleton, or **endoskeleton,** made of hardened plates. These plates give the animal a bumpy texture. Adult echinoderms have a unique kind of radial symmetry in which the body parts, usually in multiples of five, are arranged like spokes on a wheel.

Movement The internal system of fluid-filled tubes in echinoderms is called the **water vascular system.** You can see a sea star's water vascular system in Figure 24. Portions of the tubes in this system can contract, or squeeze together, forcing water into structures called **tube feet.** This process is something like how you move water around in a water balloon by squeezing different parts of the balloon.

The tube feet stick out from the echinoderm's sides or underside. The ends of tube feet are sticky. When filled with water, they act like small, sticky suction cups. The stickiness and suction enable the tube feet to grip the surface beneath the echinoderm. Most echinoderms use their tube feet to move along slowly and to capture food.

Reproduction and Life Cycle Almost all echinoderms are either male or female. Eggs are usually fertilized in the water, after a female releases her eggs and a male releases his sperm. The fertilized eggs develop into tiny, swimming larvae that look very different from the adults. The larvae eventually undergo metamorphosis and become adult echinoderms.

Reading Checkpoint **What are the functions of an echinoderm's tube feet?**

For: Water Vascular System activity
Visit: PHSchool.com
Web Code: cep-2025

FIGURE 24
A Water Vascular System
Echinoderms, such as this sea star, have a water vascular system that helps them move and catch food.
Interpreting Diagrams *Where does water enter the water vascular system?*

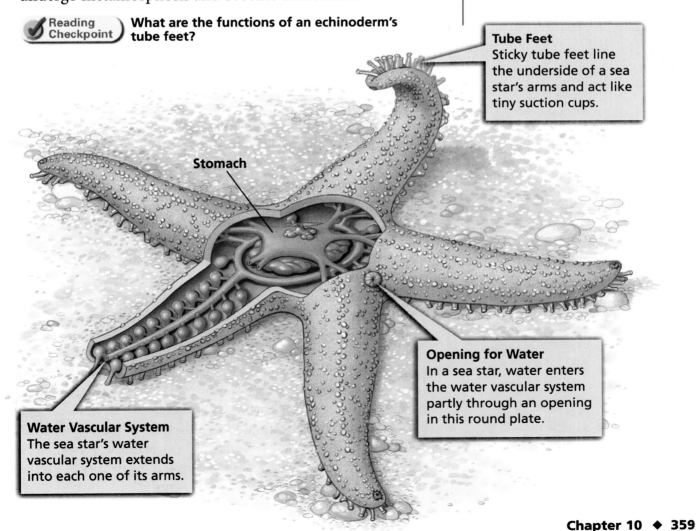

Tube Feet
Sticky tube feet line the underside of a sea star's arms and act like tiny suction cups.

Stomach

Opening for Water
In a sea star, water enters the water vascular system partly through an opening in this round plate.

Water Vascular System
The sea star's water vascular system extends into each one of its arms.

◀ Sea star eating a clam

▲ Brittle stars slithering on the ocean floor

Figure 25
Diversity of Echinoderms
Echinoderms are diverse in their appearance, but all have radial symmetry and are found in the ocean. **Interpreting Photographs** *Why is echinoderm, which means "spiny skinned," a good name for this group?*

Diversity of Echinoderms

There are four major groups of echinoderms: sea stars, brittle stars, sea urchins, and sea cucumbers. The members of these groups share many characteristics, but look quite different. They also have different ways of feeding and moving.

Sea Stars Sea stars are predators that eat mollusks, crabs, and even other echinoderms. Sea stars use their tube feet to move across the ocean bottom. They also use their tube feet to capture prey. A sea star will grasp a clam with all five arms. Then it pulls on the tightly closed shells with its tube feet. When the shells open, the sea star forces its stomach out through its mouth and into the opening between the clam's shells. Digestive chemicals break down the clam's tissues, and the sea star sucks in the partially digested body of its prey.

Brittle Stars Unlike a sea star's arms, a brittle star's arms are long and slender, with flexible joints. The tube feet, which have no suction cups, are used for catching food but not for moving. Instead, brittle stars slither along the ocean bottom by waving their long arms in a snakelike motion against the ocean floor.

Sea Urchins Unlike sea stars and brittle stars, sea urchins have no arms. Moveable spines cover and protect their bodies, so they look something like a pincushion. These spines cover a central shell that is made of plates joined together. To move, sea urchins use bands of tube feet that extend out between the spines. They scrape and cut their food, such as seaweed, with five teethlike structures that they project from their mouths.

▲ Sea urchins eating seaweed

▲ Sea cucumber crawling on the ocean floor

Sea Cucumbers As you might expect from their name, sea cucumbers look a little bit like the cucumbers you eat. These animals can be red, brown, blue, or green. Underneath their leather-like skin, their bodies are soft, flexible, and muscular. Sea cucumbers have rows of tube feet on their underside, enabling them to crawl slowly along the ocean floor where they live. At one end of a sea cucumber is a mouth surrounded by tentacles. The sea cucumber, which is a filter feeder, can lengthen its tentacles to sweep food toward its mouth.

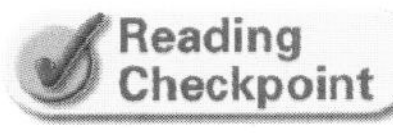

How does a sea cucumber move?

Section 5 Assessment

Target Reading Skill **Previewing Visuals** Refer to your questions and answers about Figure 24 to help you answer Question 1 below.

Reviewing Key Concepts

1. a. **Reviewing** What characteristics do echinoderms have?
   b. **Summarizing** How does an echinoderm use its tube feet to grip a surface?
   c. **Inferring** Why is movement using tube feet slow?
2. a. **Identifying** Identify the four major groups of echinoderms.
   b. **Comparing and Contrasting** Compare and contrast how sea stars and sea urchins feed.
   c. **Predicting** Would a sea star be able to eat clams without using its tube feet? Explain.

Writing in Science

Comparison Paragraph In a paragraph, compare and contrast how sea stars, brittle stars, and sea urchins move.

Chapter 10

Study Guide

1 Mollusks

Key Concepts

- In addition to a soft body often covered by a shell, a mollusk has a thin layer of tissue called a mantle that covers its internal organs, and an organ called a foot.
- The three major groups of mollusks are gastropods, bivalves, and cephalopods.
- Gastropods are mollusks that have a single external shell or no shell at all.
- Bivalves are mollusks that have two shells held together by hinges and strong muscles.
- A cephalopod is an ocean-dwelling mollusk whose foot is adapted to form tentacles around its mouth.

Key Terms

mollusk
open circulatory system
gill
gastropod
herbivore
carnivore
radula
bivalve
omnivore
cephalopod

2 Arthropods

Key Concepts

- The major groups of arthropods are crustaceans, arachnids, centipedes and millipedes, and insects.
- Arthropods are invertebrates that have an external skeleton, a segmented body, and jointed attachments called appendages.
- A crustacean is an arthropod that has two or three body sections, five or more pairs of legs, and two pairs of antennae.
- Arachnids are arthropods with two body sections, four pairs of legs, and no antennae.
- Centipedes and millipedes are arthropods with two body sections and many pairs of legs.

Key Terms

arthropod
exoskeleton
molting
antenna
crustacean
metamorphosis
arachnid
abdomen

3 Insects

Key Concepts

- Insects are arthropods with three body sections, six legs, one pair of antennae, and usually one or two pairs of wings.
- An insect's mouthparts are adapted for a highly specific way of getting food.
- Each insect species undergoes either complete metamorphosis or gradual metamorphosis.

Key Terms

insect
thorax
complete metamorphosis
pupa
gradual metamorphosis
nymph

4 Insect Ecology

Key Concepts

- Insects play key roles in food chains because of the many different ways that they obtain food and then become food for other animals.
- Two ways insects interact with other living things are by moving pollen among plants and by spreading disease-causing organisms.
- To try to control pests, people use chemicals, traps, and living things, including other insects.

Key Terms

food chain
ecology
producer
consumer
decomposer
pollinator
pesticide
biological control

5 Echinoderms

Key Concepts

- Echinoderms are invertebrates with an internal skeleton and a system of fluid-filled tubes called a water vascular system.
- There are four major groups of echinoderms: sea stars, brittle stars, sea urchins, and sea cucumbers.

Key Terms

echinoderm
endoskeleton
water vascular system
tube feet

Review and Assessment

For: Self-Assessment
Visit: PHSchool.com
Web Code: cea-2020

Organizing Information

Concept Mapping Copy the concept map about the classification of arthropods onto a sheet of paper. Then complete it and add a title. (For more on Concept Mapping, see the Skills Handbook.)

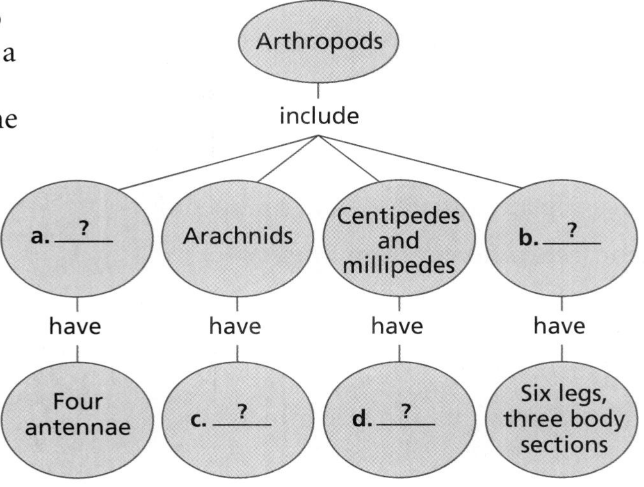

Reviewing Key Terms

Choose the letter of the best answer.

1. An animal that eats other animals is a(n)
   a. carnivore. **b.** omnivore.
   c. filter feeder. **d.** herbivore.
2. Mollusks with two shells are known as
   a. cephalopods. **b.** gastropods.
   c. bivalves. **d.** sea stars.
3. An arthropod's antennae are located on its
   a. head. **b.** thorax.
   c. abdomen. **d.** mantle.
4. To obtain oxygen from their environments, mollusks and crustaceans use which organ?
   a. radula **b.** lungs
   c. gills **d.** legs
5. The shedding of an outgrown exoskeleton is called
   a. complete metamorphosis.
   b. incomplete metamorphosis.
   c. molting.
   d. reproduction.
6. At which stage of development would an insect be enclosed in a cocoon?
   a. egg **b.** larva
   c. pupa **d.** adult
7. One example of a biological control is
   a. catching pest insects in traps.
   b. making and selling honey by raising bees in hives.
   c. killing pest insects with pesticides.
   d. introducing a pest insect's natural predator.
8. An echinoderm has
   a. a radula.
   b. tube feet.
   c. antennae.
   d. an exoskeleton.

Writing in Science

News Report As a television reporter, you are covering a story about a giant squid that has washed up on the local beach. Write a short news story describing the discovery. Be sure to describe how scientists classified the animal as a squid.

Mollusks, Arthropods, and Echinoderms
Video Preview
Video Field Trip
▶ Video Assessment

Review and Assessment

Checking Concepts

9. Explain how a snail uses its radula.
10. How is a cephalopod's nervous system different from that of other mollusks?
11. Describe four things that a crayfish can do with its appendages.
12. How are centipedes different from millipedes?
13. How are insects different from other arthropods?
14. Identify two reasons why insects sometimes must be controlled.
15. How is an echinoderm's radial symmetry different from that of a jellyfish?

Thinking Critically

16. **Comparing and Contrasting** Compare and contrast bivalves and cephalopods.
17. **Classifying** Which phylum does each of the animals below belong to? Explain your answer.

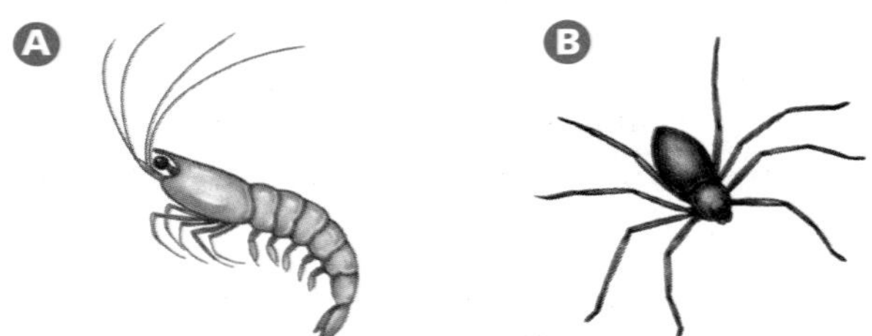

18. **Applying Concepts** Explain why the development of a lion, which grows larger as it changes from a tiny cub to a 90 kg adult, is not metamorphosis.
19. **Drawing Conclusions** A rancher imports dung beetles from Africa to help control manure build-up from cattle. Later, he observes that the pastures are producing more grass for the cattle to eat. What conclusion could the rancher draw about the dung beetles?
20. **Making Judgments** Do you think pesticides should be used to kill insect pests? Explain.
21. **Comparing and Contrasting** How is a spider's method of obtaining food similar to that of a sea star? How is it different?

Math Practice

22. **Percentage** Of approximately 150,000 species of mollusks, 27 percent are gastropods. About how many species of gastropods are there?

Applying Skills

Use the data table to answer Questions 23–25.

The following data appeared in a book on insects.

Flight Characteristics

Type of Insect	Wing Beats (per second)	Flight Speed (kilometers per hour)
Hummingbird moth	85	17.8
Bumblebee	250	10.3
Housefly	190	7.1

23. **Graphing** Use the data to make two bar graphs: one showing the three insect wing-beat rates and another showing the flight speeds.
24. **Interpreting Data** Which of the three insects has the highest wing-beat rate? Which insect flies the fastest?
25. **Drawing Conclusions** Based on the data, is there a relationship between the rate at which an insect beats its wings and the speed at which it flies? Explain. What factors besides wing-beat rate might affect flight speed?

Lab zone Chapter Project

Performance Assessment Prepare a display to show how you set up your experiment and what your results were. Construct and display graphs to show the data you collected. Include pictures of the mealworms in each stage of development. Write your conclusion of how the experimental conditions affected the growth and development of the mealworms. Also suggest some possible explanations for your results.

Standardized Test Prep

Test-Taking Tip

Interpreting Graphs

Before you answer a question about a line graph, read all of its labels. The labels on the axes tell you what variables are being compared. On the graph below, the variables are temperature and the number of cricket chirps (sounds).

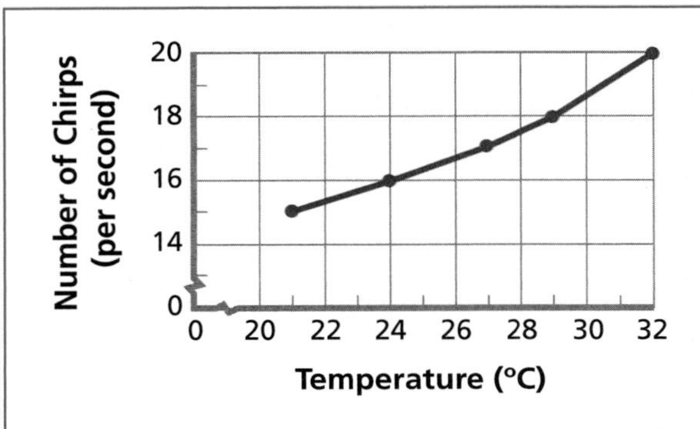

Sample Question

How is the number of cricket chirps related to temperature?

A The number of chirps increases as the temperature decreases.
B The number of chirps stays the same as the temperature increases.
C The number of chirps increases as the temperature increases.
D The graph does not show a relationship.

Answer

The correct answer is **C**. The plotted line reveals that as the temperature increases, the number of chirps also increases. Therefore, **A, B,** and **D** can not be correct.

Choose the letter of the best answer.

1. An animal that has a soft, unsegmented body surrounded by a hard outer shell is most likely
   A an earthworm.
   B a cnidarian.
   C a mollusk.
   D an arthropod.

2. Which animal feature most likely evolved as an adaptation to provide direct protection from a predator's attack?
   F a snail's radula
   G a sea urchin's spines
   H a crayfish's antennae
   J an insect's thorax

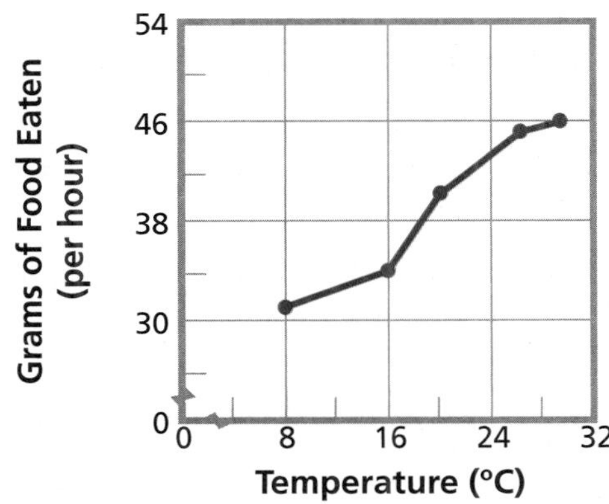

3. Examine the information in the graph above. Which is the best title for the graph?
   A Effect of Caterpillar Feeding Rate on Temperature
   B Caterpillar Behavior and Temperature
   C Respiration Rate and Temperature
   D Relationship of Temperature and Caterpillar Feeding Rate

4. What is the most reasonable prediction for what the feeding rate would be at 32°C?
   F 60 g/hr
   G 46 g/hr
   H 40 g/hr
   J 0 g/hr

Constructed Response

5. In a certain small country, mosquitoes are very common. The mosquitoes spread a disease that is deadly to humans. The government decides to spray the entire country with a pesticide that will kill all mosquitoes and other flying insects as well. How is this action likely to affect the food chain?

Chapter 11

Fishes, Amphibians, and Reptiles

Chapter Preview

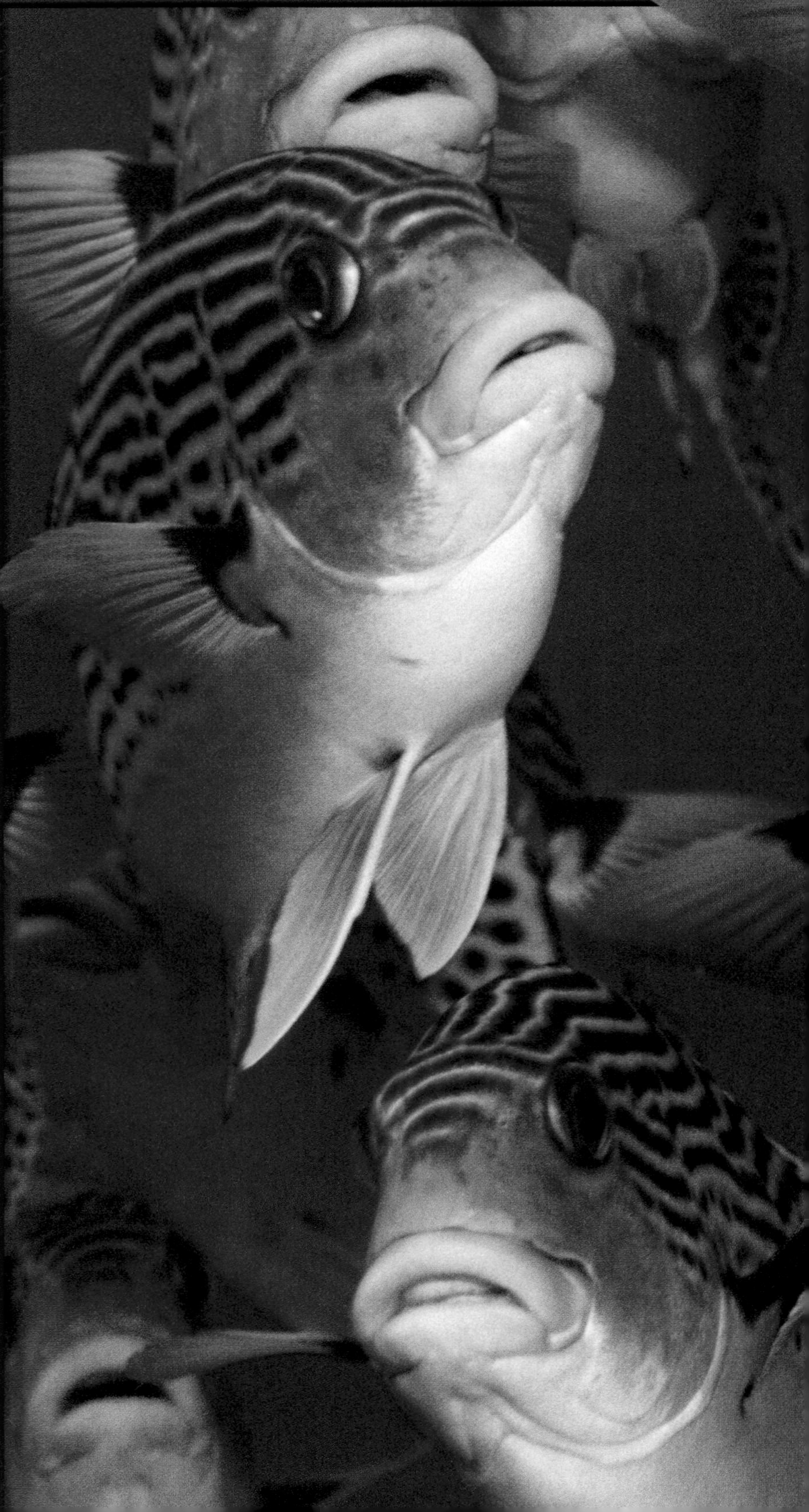

The fishes in this school are named "sweetlips." ▶

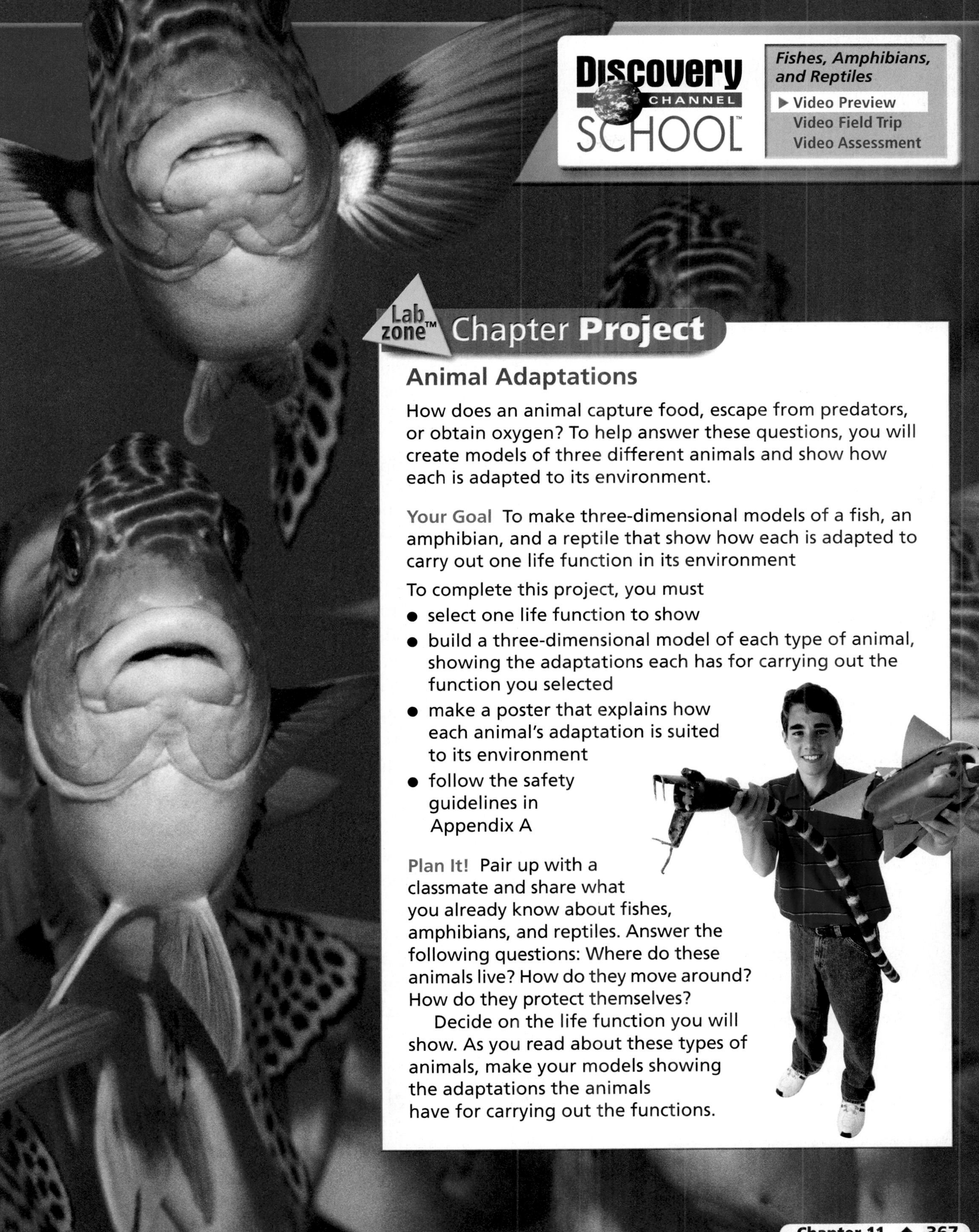

Lab zone™ Chapter **Project**

Animal Adaptations

How does an animal capture food, escape from predators, or obtain oxygen? To help answer these questions, you will create models of three different animals and show how each is adapted to its environment.

Your Goal To make three-dimensional models of a fish, an amphibian, and a reptile that show how each is adapted to carry out one life function in its environment

To complete this project, you must

- select one life function to show
- build a three-dimensional model of each type of animal, showing the adaptations each has for carrying out the function you selected
- make a poster that explains how each animal's adaptation is suited to its environment
- follow the safety guidelines in Appendix A

Plan It! Pair up with a classmate and share what you already know about fishes, amphibians, and reptiles. Answer the following questions: Where do these animals live? How do they move around? How do they protect themselves?

Decide on the life function you will show. As you read about these types of animals, make your models showing the adaptations the animals have for carrying out the functions.

Section 1

What Is a Vertebrate?

Reading Preview

Key Concepts

- What characterisics do chordates share?
- What characteristic do all vertebrates have?
- How do vertebrates differ in the way they control body temperature?

Key Terms

- chordate
- notochord
- vertebra
- ectotherm
- endotherm

Target Reading Skill

Building Vocabulary A definition states the meaning of a word or phrase by telling about its most important feature or function. After you read the section, reread the paragraphs that contain definitions of Key Terms. Use all the information you have learned to write a definition of each Key Term in your own words.

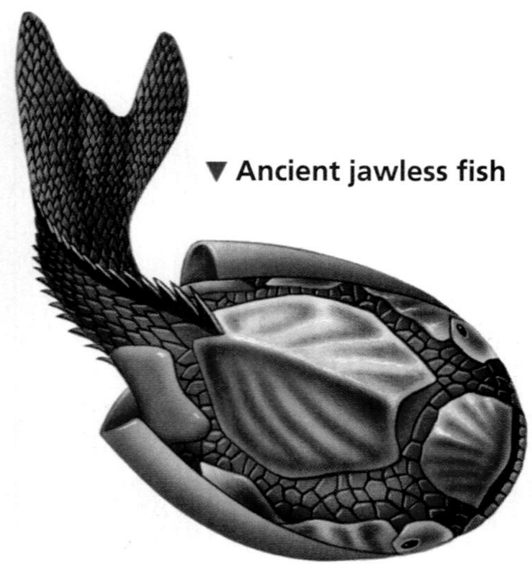

▼ Ancient jawless fish

Lab zone **Discover Activity**

How Is an Umbrella Like a Skeleton?

1. Open an umbrella. Turn it upside down and examine how it is made.
2. Now close the umbrella and watch how the braces and ribs collapse.
3. Think of what would happen if you removed the ribs from the umbrella and then tried to use it during a rainstorm.

Think It Over

Inferring What is the function of the ribs of an umbrella? How are the ribs of the umbrella similar to the bones in your skeleton? How are they different?

Look backward in time, into an ocean 530 million years ago. There you see a strange-looking creature—a jawless fish—that is about as long as your index finger. The creature is swimming with a side-to-side motion, like a flag flapping in the wind. Its tail fin is broad and flat. Tiny armorlike plates cover its small body. Its eyes are set wide apart. If you could see inside the animal, you would notice that it has a backbone. You are looking at one of the earliest vertebrates at home in an ancient sea.

Characteristics of Chordates

Vertebrates like the ancient jawless fish are a subgroup in the phylum Chordata. All members of this phylum are called **chordates** (KAWR dayts). Most chordates, including fishes, amphibians, such as frogs, and reptiles, such as snakes, are vertebrates. So are birds and mammals. But a few chordates are invertebrates. **At some point in their lives, chordates will have a notochord, a nerve cord that runs down their back, and slits in their throat area.**

Notochord The phylum name Chordata comes from the **notochord,** a flexible rod that supports a chordate's back. Some chordates, like the lancelet shown in Figure 1, have notochords all their lives. In contrast, in vertebrates, part or all of the notochord is replaced by a backbone.

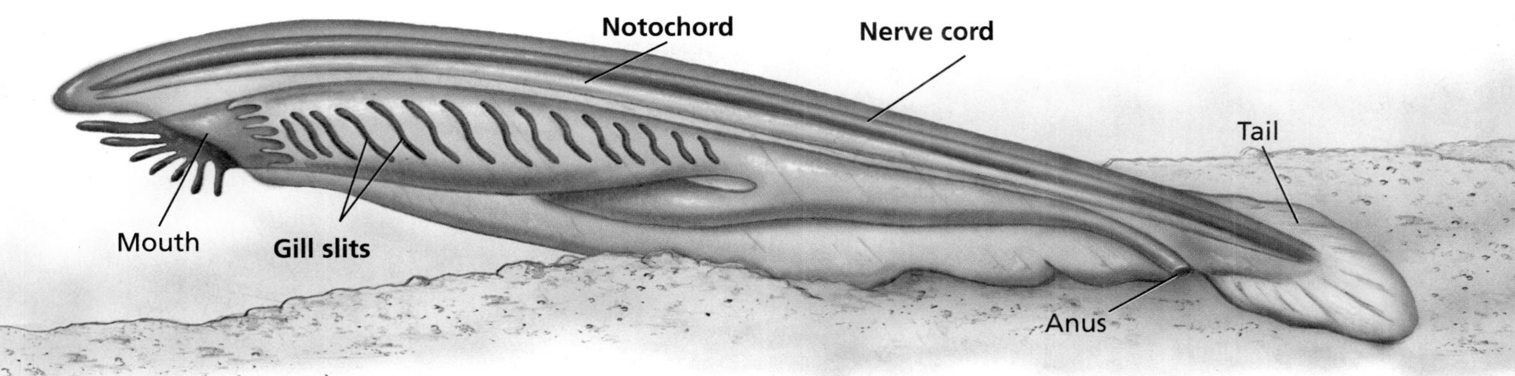

FIGURE 1
Characteristics of a Lancelet
This lancelet shows the characteristics of a chordate: a notochord that helps support its body, a nerve cord down its back, and gill slits.

Nerve Cord in Back In addition to having a notochord, all chordates have a nerve cord that runs down their back. Your spinal cord is such a nerve cord. The nerve cord is the connection between the brain and the nerves, on which messages travel back and forth. Many other groups of animals—arthropods and segmented worms, for example—have nerve cords, but their nerve cords do not run down their backs.

Slits in Throat Area At some point in their lives, chordates have slits in their throat area called pharyngeal (fuh RIN jee ul) slits, or gill slits. Some chordates, including fishes, keep these slits as part of their gills for their entire lives. But in many vertebrates, including humans, pharyngeal slits disappear before birth.

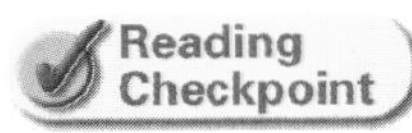

What is a notochord?

Characteristics of Vertebrates

Most chordates are vertebrates. In addition to the characteristics shared by all chordates, vertebrates share certain other characteristics. **A vertebrate has a backbone that is part of an internal skeleton.** This endoskeleton supports the body and allows it to move.

Backbone A vertebrate's backbone, which is also called a spine, runs down the center of its back. You can see in Figure 2 that the backbone is formed by many similar bones called **vertebrae** (singular *vertebra*). The vertebrae are lined up in a row like beads on a string. Joints, or movable connections between the vertebrae, give the spine flexibility. You can bend over and tie your shoes because your backbone has flexibility. Each vertebra has a hole in it that allows the spinal cord to pass through it. The spinal cord fits into the vertebrae like fingers fit into rings.

FIGURE 2
The Backbone of a Lizard
The backbone of this gila monster has flexibility. **Predicting** *Could the backbone bend if the vertebrae did not have joints?*

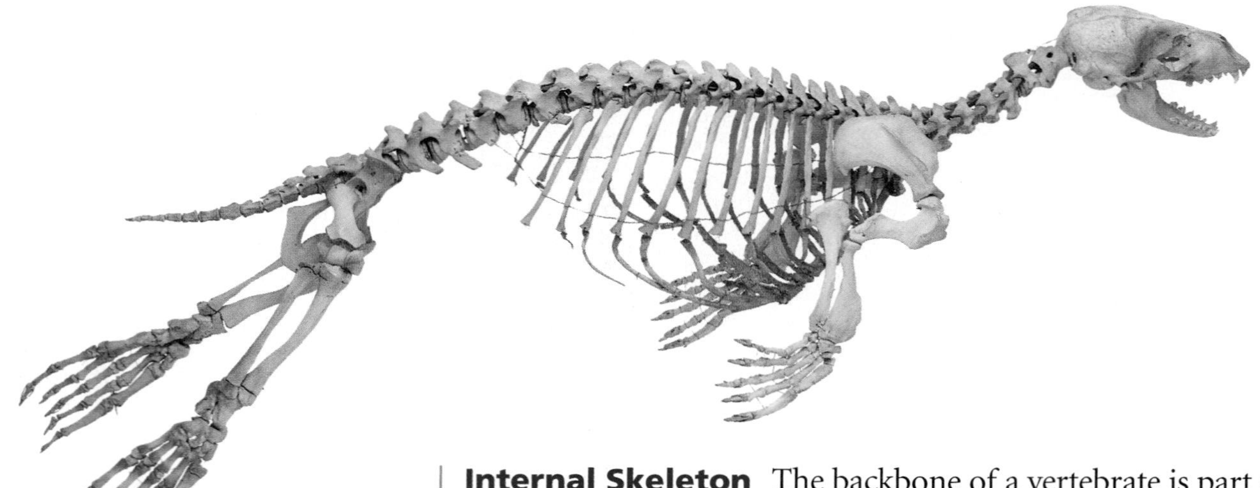

FIGURE 3
The Skeleton of a Seal
This seal's skeleton has adaptations for swimming. Long, flat bones support the flippers. The flat skull helps the seal move smoothly through the water.

Internal Skeleton The backbone of a vertebrate is part of its endoskeleton. This endoskeleton protects the internal organs of the body, helps give the body shape, and gives muscles a place to attach. In addition to the backbone, a vertebrate's endoskeleton includes the skull and ribs. The skull protects the brain. The ribs attach to the vertebrae and protect the heart, lungs, and other internal organs. Many vertebrates, like the seal shown in Figure 3, also have arm and leg bones adapted for movement.

A vertebrate's endoskeleton has several characteristics. Unlike an arthropod's exoskeleton, an endoskeleton doesn't need to be replaced as the animal grows. It also forms an internal frame that supports the body against the downward pull of gravity, while allowing easy movement. Because of these characteristics, vertebrates can grow bigger than animals with exoskeletons or no skeletons at all.

What does an endoskeleton protect?

Keeping Conditions Stable

One characteristic that differs among the major groups of vertebrates is the way they control their body temperature. **The body temperature of most fishes, amphibians, and reptiles is close to the temperature of their environment. In contrast, birds and mammals have a stable body temperature that is often warmer than their environment.**

Ectotherms Fishes, amphibians, and reptiles are ectotherms. An **ectotherm** is an animal whose body does not produce much internal heat. Its body temperature changes depending on the temperature of its environment. For example, when a turtle is lying on a sunny riverbank, it has a higher body temperature than when it is swimming in a cool river. Ectotherms are sometimes called "coldblooded." This term is misleading because their blood is often quite warm.

For: Links on vertebrates
Visit: www.SciLinks.org
Web Code: scn-0231

Endotherms In contrast to a turtle, a beaver would have the same body temperature whether it is in cool water or on warm land. The beaver is an example of an **endotherm**—an animal whose body regulates its own temperature by controlling the internal heat it produces. An endotherm's body temperature usually does not change much, even when the temperature of its environment changes. Birds and mammals, such as beavers, are endotherms.

Endotherms also have other adaptations, such as sweat glands and fur or feathers, for maintaining their body temperature. On hot days, some endotherms sweat. As the sweat evaporates, the animal is cooled. On cool days, fur or feathers keep endotherms warm. Because endotherms can keep their body temperatures stable, they can live in a greater variety of environments than ectotherms can.

FIGURE 4
Temperature Regulation
On a cool, sunny morning, a woma python raises its body temperature by basking in the sun. In contrast, an emperor penguin stays warm by producing internal heat.
Inferring *Which animal is an endotherm?*

Section 1 Assessment

Target Reading Skill **Building Vocabulary** Use your definitions to help answer the questions.

Reviewing Key Concepts

1. a. **Listing** List three characteristics of chordates.
   b. **Comparing and Contrasting** In chordates, how does the notochord of a vertebrate differ from that of an invertebrate?
   c. **Explaining** An earthworm has a nerve cord that runs along its body. Is an earthworm a chordate? Explain.
2. a. **Identifying** What characteristic do only vertebrates have?
   b. **Describing** Describe a backbone.
   c. **Relating Cause and Effect** What gives a backbone flexibility?
3. a. **Summarizing** What is the difference between an ectotherm and an endotherm?
   b. **Making Generalizations** Would an ectotherm or an endotherm be more active on a cold night? Explain your answer.

Lab zone At-Home Activity

Bumpy Back Rub Have members of your family feel the tops of the vertebrae running down the center of their backs. Then have them feel the hard skull beneath the skin on their foreheads. Tell them about the functions of the backbone and skull.

Soaking Up Those Rays

Problem

How do some lizards control their body temperatures in the extreme heat of a desert?

Skills Focus

interpreting data, predicting

Materials

- paper
- pencil

Procedure

1. The data below were collected by scientists studying how lizards control their body temperature. Examine the data.
2. Copy the data table into your notebook.
3. Organize the data in the diagrams by filling in the table, putting the appropriate information in each column. Begin by writing a brief description of each type of lizard behavior.
4. Complete the data table using the information in the diagrams.

Analyze and Conclude

1. **Interpreting Data** Describe how the lizard's body temperature changed between 6 A.M. and 9 P.M.
2. **Inferring** What are three sources of heat that caused the lizard's body temperature to rise during the day?
3. **Interpreting Data** During the hottest part of the day, what were the air and ground temperatures? Why do you think the lizard's temperature remained below 40°C?
4. **Predicting** Predict what the lizard's body temperature would have been from 9 P.M. to 6 A.M. Explain your prediction.
5. **Predicting** Predict what would happen to your own body temperature if you spent a brief period outdoors in the desert at noon. Predict what your temperature would be if you spent time in a burrow at 7 P.M. Explain your predictions.

6 A.M.–7 A.M.
Emerging from burrow
Air temperature **20°C**
Ground temperature **28°C**
Body temperature **25°C**

7 A.M.–9 A.M.
Basking (lying on ground in sun)
Air temperature **27°C**
Ground temperature **29°C**
Body temperature **32.6°C**

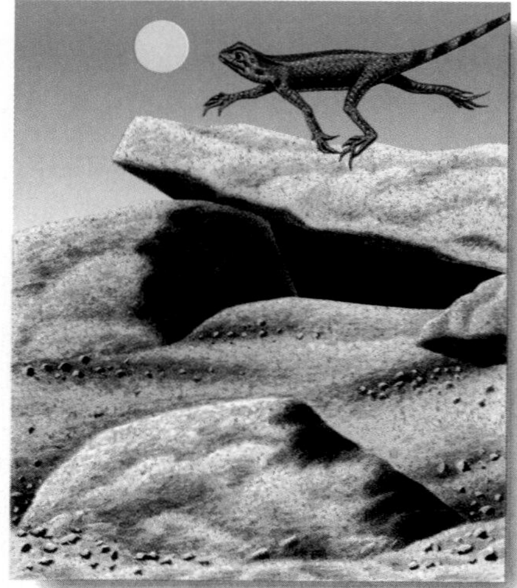

9 A.M.–12 NOON
Active (moving about)
Air temperature **27°C**
Ground temperature **30.8°C**
Body temperature **36.6°C**

Data Table					
Activity	Description of Activity	Time of Day	Air Temperature (°C)	Ground Temperature (°C)	Body Temperature (°C)
1. Emerging					
2. Basking					
3. Active					
4. Retreat					
5. Stilting					
6. Retreat					

6. **Drawing Conclusions** Based on what you learned from the data, explain why it is misleading to say that an ectotherm is a "cold-blooded" animal.
7. **Communicating** Write a paragraph explaining why it is helpful to organize data in a data table before you try to interpret the data.

More to Explore

Make a bar graph of the temperature data. Explain what the graph shows you. How does this graph help you interpret the data about how lizards control their body temperature in the extreme heat of a desert?

.

12 NOON–2:30 P.M.
Retreat to burrow
Air temperature **40.3°C**
Ground temperature **53.8°C**
Body temperature **39.5°C**

2:30 P.M.–6 P.M.
Stilting (belly off ground)
Air temperature **34.2°C**
Ground temperature **47.4°C**
Body temperature **39.5°C**

6 P.M.–9 P.M.
Retreat to burrow
Air temperature **25°C**
Ground temperature **26°C**
Body temperature **25°C**

Section 2

Fishes

Reading Preview

Key Concepts

- What are the characteristics of most fishes?
- What are the major groups of fishes and how do they differ?

Key Terms

- fish • cartilage • swim bladder

Target Reading Skill

Previewing Visuals Before you read, preview Figure 12. Then write two questions that you have about the diagram in a graphic organizer like the one below. As you read, answer your questions.

Structure of a Fish

Q. What is a swim bladder?
A.
Q.

Lab zone Discover Activity

How Does Water Flow Over a Fish's Gills?

1. Closely observe a fish in an aquarium for a few minutes. Note how frequently the fish opens its mouth.
2. Notice the flaps on each side of the fish's head behind its eyes. Observe how the flaps open and close.
3. Observe the movements of the mouth and the flaps at the same time. Note any relationship between the movements of these two structures.

Think It Over

Observing What do the flaps on the sides of the fish do when the fish opens its mouth? What role do you think these two structures play in a fish's life?

In the warm waters of a coral reef, a large spotted fish called a graysby hovers in the water, barely moving. A smaller striped fish called a goby swims up to the graysby. Then, like a vacuum cleaner moving over a rug, the goby swims slowly over the larger fish, eating dead skin and tiny parasites. The goby even cleans inside the graysby's mouth and gills. Both fishes benefit from this cleaning. The graysby gets rid of unwanted materials, and the goby gets a meal.

Gobies cleaning a graysby ▶

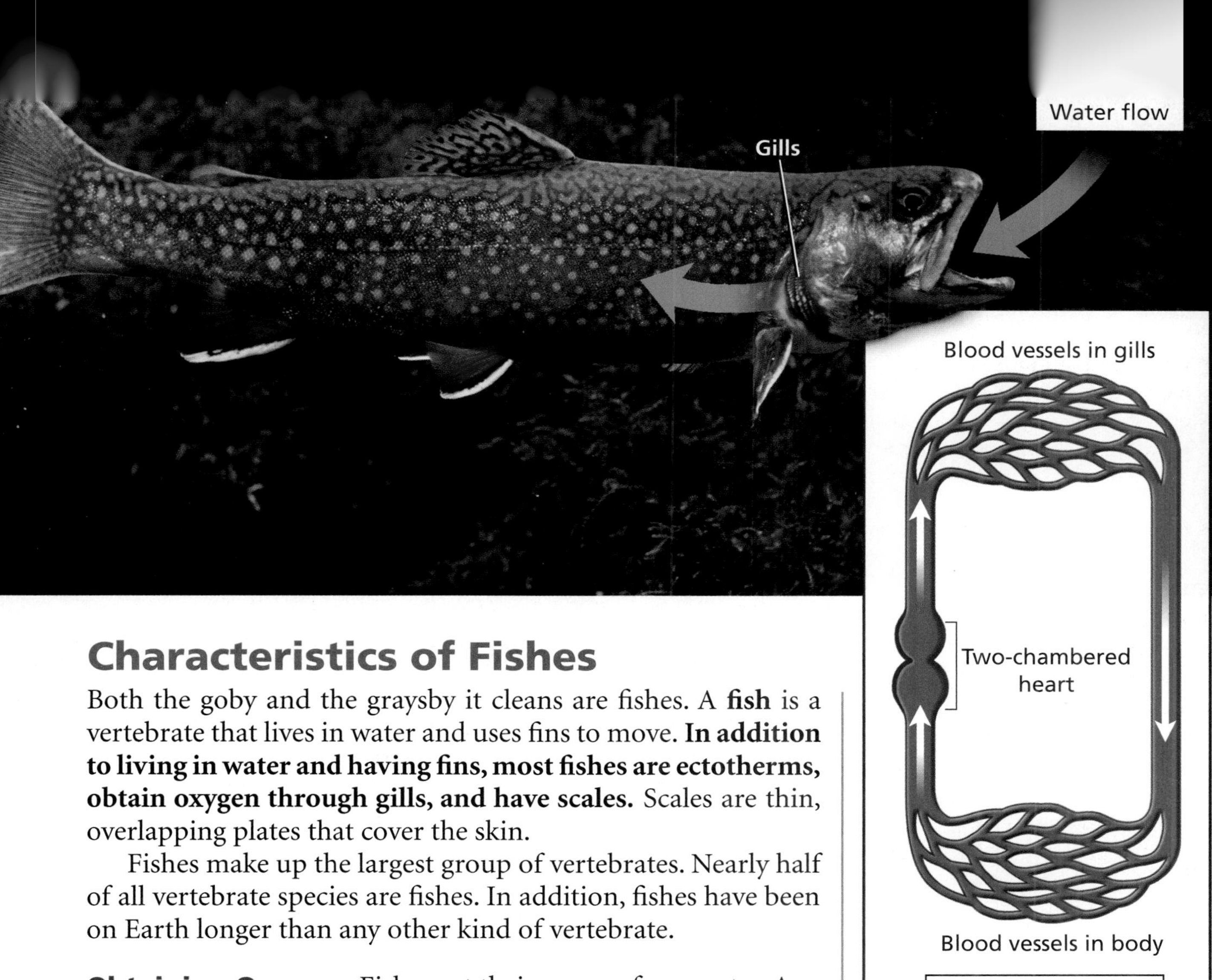

Characteristics of Fishes

Both the goby and the graysby it cleans are fishes. A **fish** is a vertebrate that lives in water and uses fins to move. **In addition to living in water and having fins, most fishes are ectotherms, obtain oxygen through gills, and have scales.** Scales are thin, overlapping plates that cover the skin.

Fishes make up the largest group of vertebrates. Nearly half of all vertebrate species are fishes. In addition, fishes have been on Earth longer than any other kind of vertebrate.

Obtaining Oxygen Fishes get their oxygen from water. As a fish swims, it opens its mouth and takes a gulp of water, as you observed if you did the Discover Activity. The water, which contains oxygen, moves through openings in the fish's throat region that lead to the gills. Gills, which look like tiny feathers, have many blood vessels within them. As water flows over the gills, oxygen moves from the water into the fish's blood. At the same time, carbon dioxide, a waste product, moves out of the blood and into the water. After flowing over the gills, the water flows out of the fish through slits beneath the gills.

Circulatory System From the gills, the blood travels throughout the fish's body, supplying the body cells with oxygen. Like all vertebrates, fishes have a closed circulatory system. The heart of a fish has two chambers, or inner spaces. The heart of a fish pumps blood in one loop—from the heart to the gills, from the gills to the rest of the body, and back to the heart. You can trace this path in Figure 5.

FIGURE 5
Respiration and Circulation
Water flows into the mouth of this fish and then over its gills. Oxygen moves into the blood and is delivered to the cells of the fish.
Interpreting Diagrams *Where does oxygen get into the blood of a fish?*

▲ Skeleton

FIGURE 6
Fins of an Angelfish
The skeleton of a fish shows that the fins have bony support. The fins of this angelfish act like paddles as the fish moves through the water.

Movement Fins help fishes swim. Look at the fins on the angelfish in Figure 6. Each fin has a thin membrane stretched across bony supports. Like a canoe paddle, a fin provides a large surface to push against the water. The push allows for faster movement through the water. If you have ever swum wearing a pair of swim fins, you probably noticed how fast you moved through the water. Most of the movements of fishes are related to obtaining food, but some are related to reproduction.

Reproduction Most fishes have external fertilization. In external fertilization, the eggs are fertilized outside the female's body. The male hovers close to the female and spreads a cloud of sperm cells over the eggs she releases. The young develop outside the female's body.

In contrast, some fishes, such as sharks and guppies, have internal fertilization. In internal fertilization, eggs are fertilized inside the female's body. The young develop inside her body. When they are mature enough to live on their own, she gives birth to them.

Reading Checkpoint **What is the structure of a fin?**

FIGURE 7
Trout Eggs
Young brook trout fish are developing in these eggs on the bottom of a stream.

Nervous System The nervous system and sense organs of fishes help them find food and avoid predators. Most fishes can see much better in water than you can. Keen senses of touch, smell, and taste also help fishes capture food. Some fishes have taste organs in unusual places. For example, the catfish shown in Figure 8 tastes with its whiskers.

FIGURE 8
A Catfish
The whiskers of a catfish have many taste buds. To find food, the catfish drags its whiskers along muddy lake or river bottoms.

Jawless Fishes

Fishes have lived on Earth longer than any other kind of vertebrate. Fishes are organized into three main groups based on the structures of their mouths and the types of skeletons they have. **The major groups of fishes are jawless fishes, cartilaginous fishes, and bony fishes.**

Jawless fishes are unlike other fishes in that they have no jaws and no scales. Jaws are hinged bony structures that allow animals to open and close their mouths. Instead of jaws, jawless fishes have mouths containing structures for scraping, stabbing, and sucking their food. Their skeletons are made of **cartilage,** a tissue that is more flexible than bone.

Hagfishes and lampreys are the only kinds of jawless fishes that exist today. Hagfishes look like large, slimy worms. They crawl into the bodies of dead or dying fishes and use their rough tongues to scrape decaying tissues. Many lampreys are parasites of other fishes. They attach their mouths to healthy fishes and then suck in the tissues and blood of their victims. If you look at the lamprey's mouth in Figure 9, you can probably imagine the damage it can do.

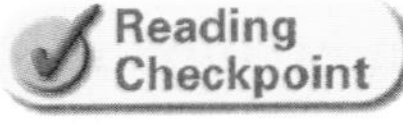

What material makes up the skeleton of a jawless fish?

FIGURE 9
A Lamprey
Lampreys have eel-shaped bodies. They use sharp teeth and suction-cup mouths to feed on other fishes. **Classifying** *To which group of fishes do lampreys belong?*

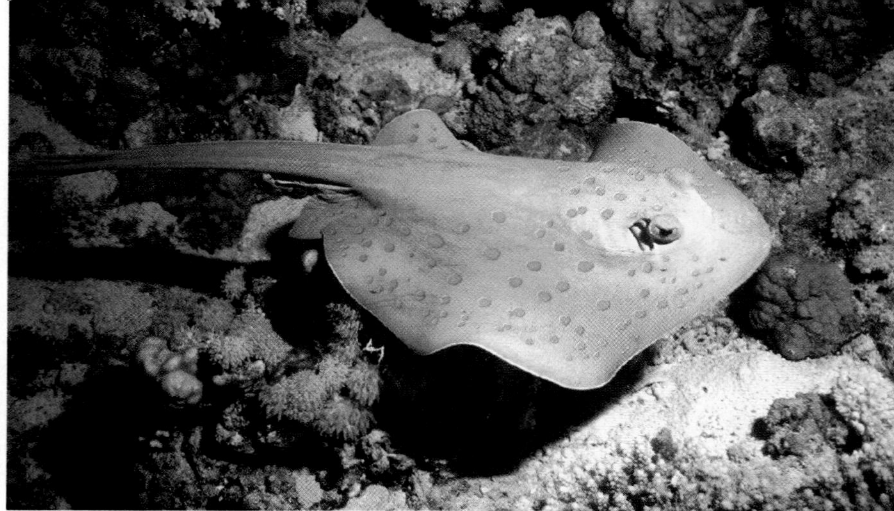

FIGURE 10
Blue-Spotted Ray
This ray is a cartilaginous fish that lives on the ocean floor.

Cartilaginous Fishes

Sharks, rays, and skates are cartilaginous (kahr tuh LAJ uh nuhs) fishes. **The cartilaginous fishes have jaws and scales, and skeletons made of cartilage.** The pointed, toothlike scales that cover their bodies give their skin a texture that is rougher than sandpaper.

Obtaining Oxygen Most sharks cannot pump water over their gills. Instead, they rely on swimming or currents to keep water moving across their gills. For example, when sharks sleep, they position themselves in currents that send water over their gills.

Rays and skates are not as active as sharks. They spend a lot of time partially buried in the sand of the ocean floor. During this time, they take in water through small holes located behind their eyes. Water leaves through gill openings on their undersides.

Obtaining Food Cartilaginous fishes are usually carnivores. Rays and skates hunt on the ocean floor, crushing mollusks, crustaceans, and small fishes with their teeth. Sharks will attack and eat nearly anything that smells like food. They can smell and taste even a tiny amount of blood—as little as one drop in 115 liters of water! Although sharks have a keen sense of smell their eyesight is poor. Because they see poorly, sometimes they swallow strange objects. Indeed, one shark was found to have a raincoat and an automobile license plate in its stomach.

The mouth of a shark contains jagged teeth arranged in rows. Most sharks use only the first couple of rows for feeding. The remaining rows are replacements. If a shark loses a front-row tooth, a tooth behind it moves up to replace it.

FIGURE 11
Great White Shark
This great white shark has a familiar shark trait—many sharp teeth.

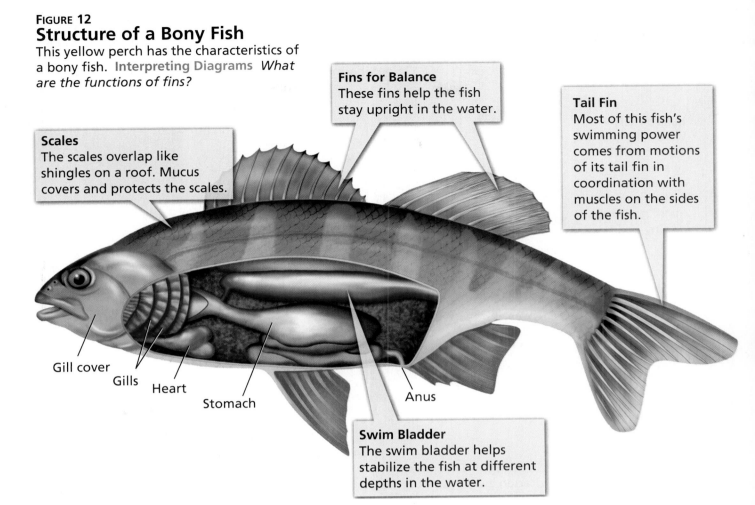

FIGURE 12
Structure of a Bony Fish

This yellow perch has the characteristics of a bony fish. **Interpreting Diagrams** *What are the functions of fins?*

Fins for Balance
These fins help the fish stay upright in the water.

Tail Fin
Most of this fish's swimming power comes from motions of its tail fin in coordination with muscles on the sides of the fish.

Scales
The scales overlap like shingles on a roof. Mucus covers and protects the scales.

Gill cover

Gills

Heart

Stomach

Anus

Swim Bladder
The swim bladder helps stabilize the fish at different depths in the water.

Bony Fishes

Most familiar kinds of fishes, such as trout, tuna, and goldfishes, are bony fishes. **A bony fish has jaws, scales, a pocket on each side of the head that holds the gills, and a skeleton made of hard bones.** Each gill pocket is covered by a flap that opens to release water.

The major structures of a bony fish are shown in Figure 12. Notice that a bony fish has an organ called a **swim bladder,** which is an internal, gas-filled sac that helps the fish stay stable at different depths in the water. Gas levels in the swim bladder are adjusted after the fish reaches its desired depth. By adjusting these levels, the fish can stay at a depth without using a lot of energy.

Bony fishes make up about 95 percent of all fish species. They live in both salt water and fresh water. Some live in the dark depths of the ocean. Others thrive in light-filled waters, such as those around coral reefs. Figure 13 on the next page shows some of the great variety of bony fishes.

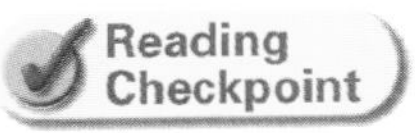

Which organ helps a bony fish maintain its position in the water?

Lab zone Skills Activity

Observing

Put on your goggles and disposable gloves. Place a preserved fish on newspaper on your desk and examine it closely. Note its size and shape, and the number and locations of its fins. Lift the gill cover and observe the gills with a hand lens. Use your observations to make a diagram of the fish. Wash your hands when you are finished.

FIGURE 13

Diversity of Bony Fishes

These photographs show just a few species of bony fishes.

Anemone Fish ▶
A sea anemone's tentacles can be deadly to other fishes, but they don't harm the anemone fish.

Balloonfish ▶
When threatened, a balloonfish swallows large amounts of water or air to make itself into a spiny ball.

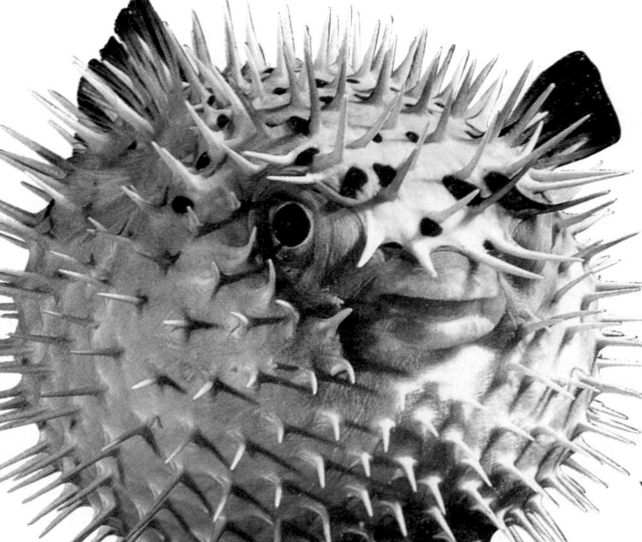

▼ Sockeye Salmon
Sockeye salmon are Pacific Ocean fishes that migrate from ocean to inland lakes to reproduce.

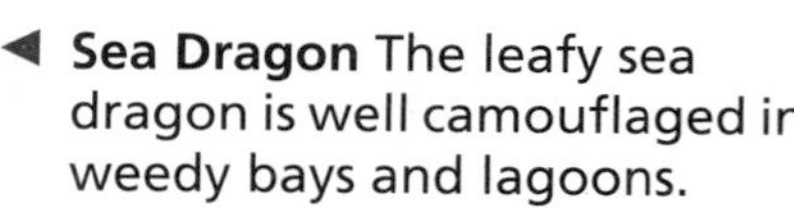

◀ Sea Dragon The leafy sea dragon is well camouflaged in weedy bays and lagoons.

Section 2 Assessment

Target Reading Skill Previewing Visuals Use the information in your graphic organizer about the structure of a fish to quiz a partner.

Reviewing Key Concepts

1. a. Reviewing What are the main characteristics of fishes?
   b. Explaining Why do fishes have gills?
   c. Applying Concepts What would happen to a goldfish that could not open its mouth? Explain.
2. a. Identifying What are three major groups of fishes?
   b. Classifying Into which group of fishes would you classify a fish with jaws and a skeleton made of cartilage?
   c. Comparing and Contrasting How do sharks and hagfishes obtain food?

Writing in Science

Wanted Poster Design a "Wanted" poster for a lamprey. Present the lamprey as a "criminal of the ocean." Include the lamprey's physical characteristics, feeding habits, and any other details that will allow people to track down this fish.

Lab zone **Skills Lab**

Home Sweet Home

Problem

What features does an aquarium need for fish to survive in it?

Skills Focus

observing, making models

Materials

- gravel
- metric ruler
- guppies
- snails
- guppy food
- dip net
- tap water
- thermometer
- water plants
- aquarium filter
- aquarium heater
- rectangular aquarium tank (15 to 20 liters) with cover

Procedure

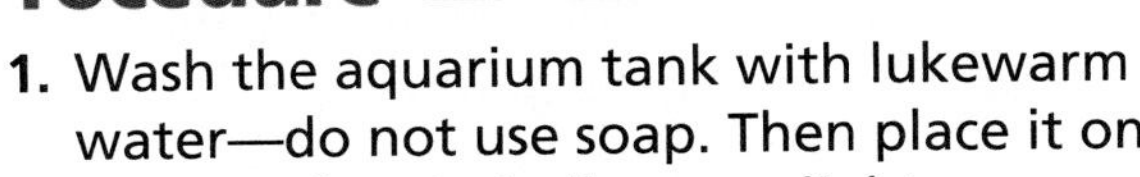

1. Wash the aquarium tank with lukewarm water—do not use soap. Then place it on a flat surface in indirect sunlight.
2. Rinse the gravel and spread it over the bottom of the tank to a depth of about 3 cm.
3. Fill the tank about two-thirds full with tap water. Position several water plants in the tank by gently pushing their roots into the gravel. Wash your hands after handling the plants.
4. Add more water until the level is about 5 cm from the top.
5. Place the filter in the water and turn it on. Insert an aquarium heater into the tank and turn it on. Set the temperature to 25°C. **CAUTION:** *Do not touch electrical equipment with wet hands.*
6. Allow the water to "age" by letting it stand for two days. Aging allows the chlorine to evaporate.
7. When the water has aged and is at the proper temperature, add guppies and snails to the tank. Include one guppy and one snail for each 4 liters of water. Cover the aquarium. Wash your hands after handling the animals.
8. Observe the aquarium every day for two weeks. Feed the guppies a small amount of food daily. Look for evidence that the fishes and snails have adapted to their new environment. Also look for the ways they carry out their life activities, such as feeding and respiration. Record your observations.
9. Use a dip net to keep the gravel layer clean and to remove any dead plants or animals.

Analyze and Conclude

1. **Observing** How does the aquarium meet the following needs of the organisms living in it: (a) oxygen supply, (b) proper temperature, and (c) food?
2. **Inferring** What happens to the oxygen that the fishes take in from the water in this aquarium? How is that oxygen replaced?
3. **Making Models** How is an aquarium like a guppy's natural environment? How is it different?
4. **Communicating** Write an e-mail to a friend or relative in which you summarize the record you made during the two weeks you observed the aquarium.

Design an Experiment

Write a one-page procedure for adding a second kind of fish to the aquarium. Include a list of questions that you would need to have answered before you could carry out your plan successfully. (Success would be marked by both types of fishes surviving together in the tank.) *Obtain your teacher's permission before carrying out your investigation.*

Section 3

Amphibians

Reading Preview

Key Concepts

- What are the main characteristics of amphibians?
- What are some adaptations of adult amphibians for living on land?

Key Terms

- amphibian
- tadpole
- lung
- atrium
- ventricle
- habitat

Target Reading Skill

Sequencing As you read, make a cycle diagram like the one below that shows the different stages of a frog's metamorphosis during its life cycle. Write each step of the process in a separate circle.

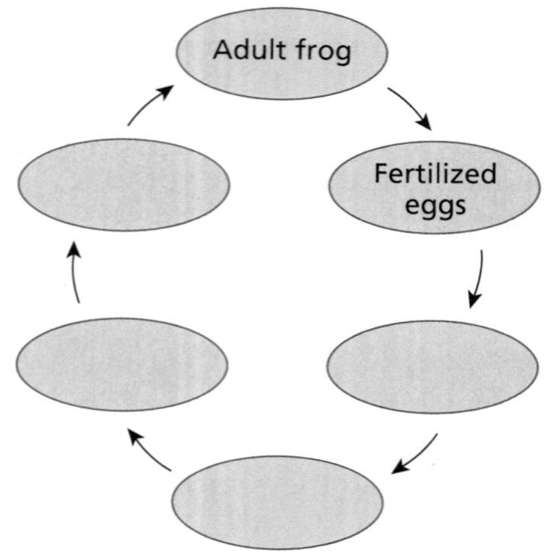

Lab zone Discover Activity

What's the Advantage of Being Green?

1. Count out 20 dried yellow peas and 20 green ones. Mix them up in a paper cup.
2. Cover your eyes. Have your partner gently scatter the peas onto a large sheet of green paper.
3. Uncover your eyes. Have your partner keep time while you pick up as many peas, one at a time, as you can find in 15 seconds.
4. When 15 seconds are up, count how many peas of each color you picked up.
5. Repeat Steps 2 through 4, but this time you scatter the peas and keep time while your partner picks up the peas.
6. Compare your results with those of your partner and your classmates.

Think It Over

Inferring Many frogs are green, as are their environments. What advantage does a frog have in being green?

What's that sound coming from the pond? Even 1 kilometer away you can hear the shrill calls of frogs called spring peepers on this damp spring night. By the time you reach the pond, the calls are ear-splitting. You might think that the frogs must be huge to make such a loud sound. But each frog is smaller than the first joint of your thumb! In the beam of your flashlight, you see the puffed-up throats of the males, vibrating with each call. Female peepers bound across roads and swim across streams to mate with the noisy males.

What Is an Amphibian?

A frog is one kind of amphibian; toads and salamanders are other kinds. An **amphibian** is a vertebrate that is ectothermic and spends its early life in water. Indeed, the word *amphibian* means "double life," and amphibians have exactly that. **After beginning their lives in water, most amphibians spend their adulthood on land, returning to water to reproduce.**

Spring peeper ▶

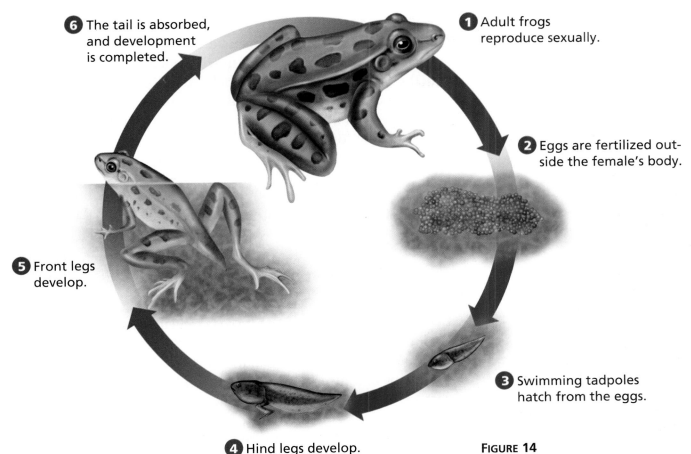

6 The tail is absorbed, and development is completed.

1 Adult frogs reproduce sexually.

2 Eggs are fertilized outside the female's body.

3 Swimming tadpoles hatch from the eggs.

4 Hind legs develop.

5 Front legs develop.

FIGURE 14
Life Cycle of a Frog
During its metamorphosis from tadpole to adult, a frog's body undergoes a series of dramatic changes. **Applying Concepts** *How do these changes prepare a frog for living on land?*

Groups of Amphibians The two major groups of amphibians are salamanders and frogs and toads. You can distinguish between the groups by the presence of a tail in the adults. Salamanders keep their tails in adulthood, while almost all frogs and toads do not.

Reproduction and Development Amphibians have a life cycle that suits the "double lives" they lead. Eggs are fertilized internally in most salamanders and externally in most frogs and toads. Fertilized eggs develop in water. After a few days, larvae wriggle out of a jelly that coats the eggs and begin a free-swimming, fishlike life.

The larvae of most amphibians grow and eventually undergo metamorphosis. You can trace the process of frog metamorphosis in Figure 14. The larva of a frog or a toad is called a **tadpole.**

Unlike tadpoles, the larvae of salamanders look like adults. Most salamander larvae undergo a metamorphosis in which they lose their gills. However, the changes are not as dramatic as those that happen during a frog or toad's metamorphosis.

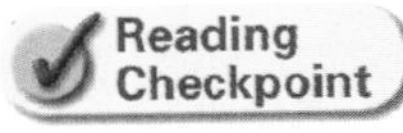

What is a frog larva called?

For: More on the frog life cycle
Visit: PHSchool.com
Web Code: ced-2033

Living on Land

Once an amphibian becomes an adult and moves onto land, its survival needs change. It must now get its oxygen from the air, not the water. Fins no longer help it move. **The respiratory and circulatory systems of adult amphibians are adapted for life on land. In addition, adult amphibians have adaptations for obtaining food and moving.**

Obtaining Oxygen Amphibian larvae use gills to obtain oxygen from the water they live in. During metamorphosis, most amphibians lose their gills and develop lungs. **Lungs** are organs of air-breathing vertebrates in which oxygen gas and carbon dioxide gas are exchanged between the air and the blood. Oxygen and carbon dioxide are also exchanged through the thin, moist skins of adult amphibians.

Circulatory System A tadpole's circulatory system has a single loop and a heart with two chambers, like that of a fish. In contrast, the circulatory system of many adult amphibians has two loops and a heart with three chambers. You can trace the path of blood through an amphibian in Figure 15. The two upper chambers of the heart, called **atria** (singular *atrium*), receive blood. One atrium receives oxygen-rich blood from the lungs, and the other receives oxygen-poor blood from the rest of the body. From the atria, blood moves into the lower chamber, the **ventricle,** which pumps blood out to the lungs and body. Oxygen-rich and oxygen-poor blood mix in the ventricle.

For: Respiration and Circulation activity
Visit: PHSchool.com
Web Code: cep-2032

Blood vessels in lungs
Three-chambered heart
Right atrium
Left atrium
Ventricle
Blood vessels in body
Key
Oxygen-rich blood
Oxygen-poor blood

FIGURE 15
Respiration and Circulation
This adult salamander has lungs and a double-loop circulatory system. **Interpreting Diagrams** *What kind of blood is in the ventricle?*

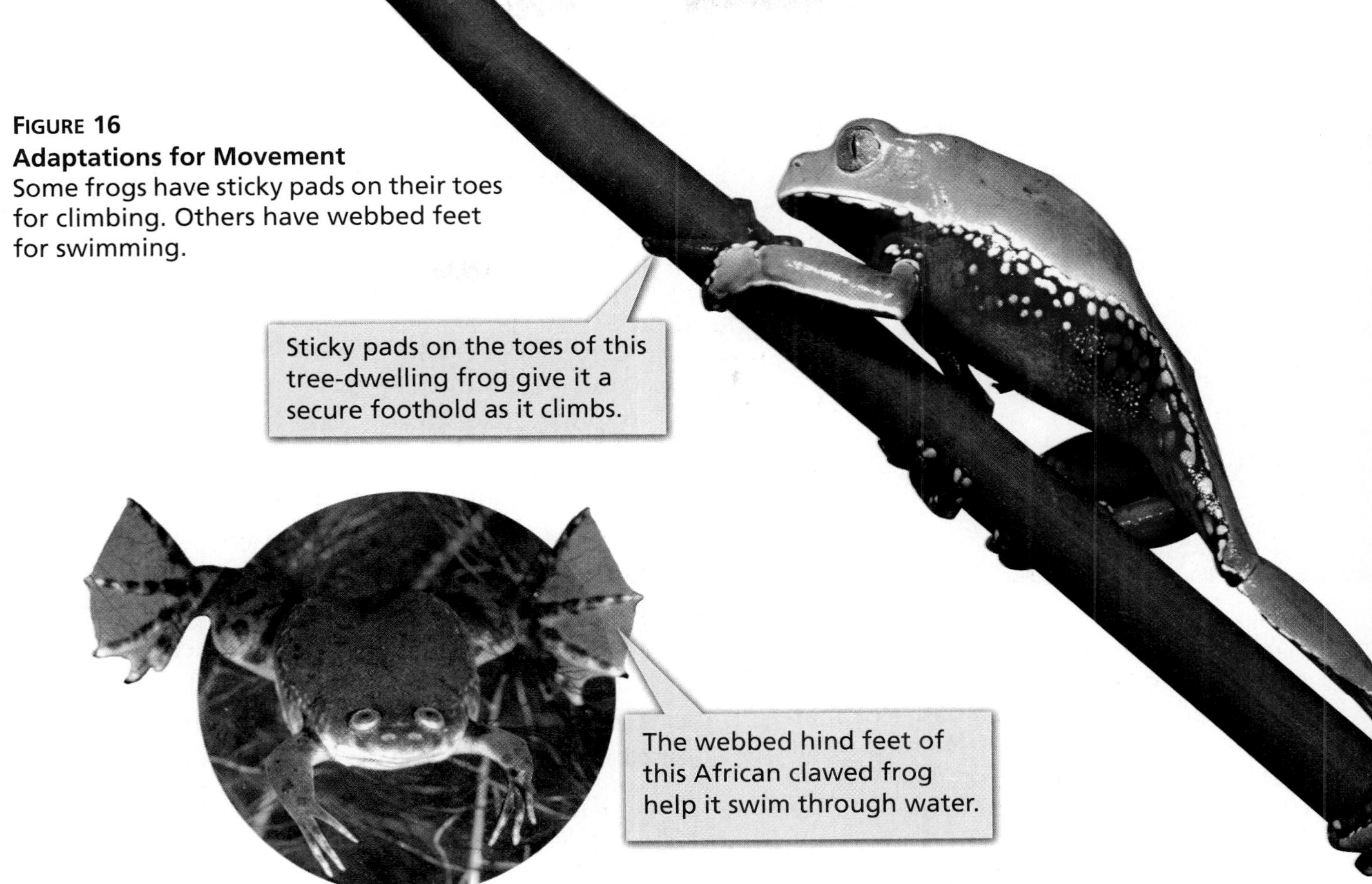

Sticky pads on the toes of this tree-dwelling frog give it a secure foothold as it climbs.
The webbed hind feet of this African clawed frog help it swim through water.

FIGURE 16
Adaptations for Movement
Some frogs have sticky pads on their toes for climbing. Others have webbed feet for swimming.

Obtaining Food Although most tadpoles are herbivores, most adult salamanders, frogs, and toads are carnivores that feed on small animals. Frogs and toads usually wait for their prey to come close. But salamanders, unlike frogs and toads, actively stalk and ambush their prey.

Frogs and toads have camouflage that helps them obtain food. Most frogs and toads are brownish-green, making them hard to see in their environment. In the Discover Activity, you learned that it is hard to see something green against a green background.

Movement A vertebrate that lives on land needs a strong skeleton to support its body against the pull of gravity. In addition, a land animal needs some way of moving. Fins work in water, but they don't work on land. Most adult amphibians have strong skeletons and muscular limbs adapted for moving on land.

Salamanders usually crawl in their environments, but frogs and toads have adaptations for other kinds of movements. Perhaps you've tried to catch a frog or a toad only to have it leap away from you. The legs of frogs and toads have adaptations for leaping. Leaping requires powerful hind-leg muscles and a skeleton that can absorb the shock of landing. The feet of frogs and toads have adaptations, too, as you can see in Figure 16.

Lab zone Try This Activity

Webbing Along

1. Fill a sink or pail with water.
2. Spread your fingers and put your hand into the water just far enough so that only your fingers are under water. Drag your fingers back and forth through the water.
3. Now dry your hand and cover it with a small plastic bag. Secure the bag around your wrist with a rubber band.
4. Repeat Step 2. Note any difference in the way in which your fingers push the water.

Making Models Use your model to explain how a frog's webbed feet help it move through water.

Figure 17
Golden Frog
Golden frogs, like the one shown here, are rarely seen anymore in their native habitat—the rain forests of Panama. **Relating Cause and Effect** *What are two possible causes for the decrease in the number of golden frogs?*

Amphibians in Danger Worldwide, amphibian populations are decreasing. One reason for the decrease is the destruction of amphibian habitats. An animal's **habitat** is the specific environment in which it lives. When a swamp is filled in or a forest is cut, an area that was moist becomes drier. Few amphibians can survive for long in dry, sunny areas. But habitat destruction does not account for the whole problem of population decrease. Amphibians are declining even in areas where their habitats have not been damaged. Because their skins are delicate and their eggs lack shells, amphibians are especially sensitive to changes in their environment. Poisons in the environment, such as pesticides and other chemicals, can pollute the waters that amphibians need to live and reproduce. Even small amounts of these chemicals can weaken adult amphibians, kill amphibian eggs, or cause tadpoles to become deformed.

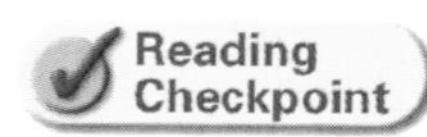

What is a habitat?

Section 3 Assessment

Target Reading Skill **Sequencing** Review your cycle diagram about frog metamorphosis with a partner. Add any necessary information.

Reviewing Key Concepts

1. a. **Defining** What is an amphibian?
   b. **Summarizing** What are three main characteristics of amphibians?
   c. **Comparing and Contrasting** How is the metamorphosis of a salamander different from the metamorphosis of a frog?
2. a. **Reviewing** What are four adaptations of adult amphibians for living on land?
   b. **Describing** What are three adaptations frogs and toads have for moving? How does each adaptation help the amphibian survive in its environment?
   c. **Sequencing** How does blood move in the circulatory system of an amphibian? (*Hint:* Start with blood leaving the ventricle of the heart.)

Writing in Science

Web Site Design the home page of a Web site that introduces people to amphibians. First, come up with a catchy title for your Web site. Then, design your home page, the first page people will see. Consider these questions as you come up with your design: What information will you include? What will the illustrations or photos show? What links to specific topics relating to amphibians will you have?

Section 4

Reptiles

Reading Preview

Key Concepts

- What are some adaptations that allow reptiles to live on land?
- What are the characteristics of each of the three main groups of reptiles?
- What adaptation helped dinosaurs survive before they became extinct?

Key Terms

- reptile
- kidney
- urine
- amniotic egg

Target Reading Skill

Identifying Main Ideas As you read the information under the heading titled Adaptations for Life on Land, write the main idea in a graphic organizer like the one below. Then write three supporting details that give examples of the main idea.

Main Idea

Reptiles are adapted to conserve water.

Detail	Detail	Detail

Lab zone Discover Activity

How Do Snakes Feed?

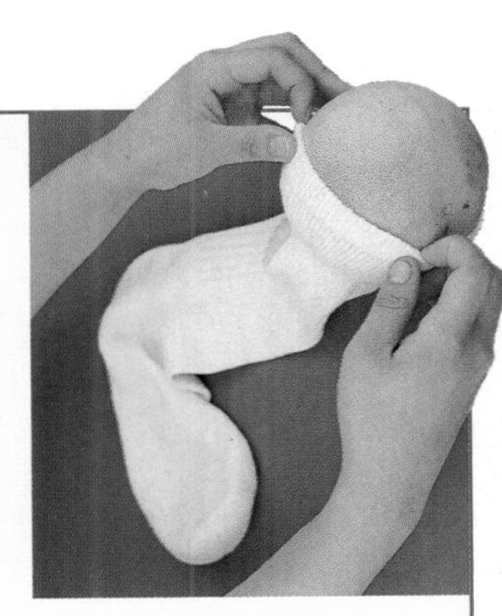

1. To model how a snake feeds, stretch a sock cuff over a grapefruit "prey" by first pulling on one side and then on the other. Work the grapefruit down into the "stomach." A snake's jawbones can spread apart like the sock cuff.
2. Remove the grapefruit and put a rubber band around the sock about 8 centimeters below the opening. The rubber band represents the firmly joined jawbones of a lizard. Now try to repeat Step 1.

Think It Over

Inferring What is the advantage of having jawbones like a snake's?

The king cobra of Southeast Asia is the world's longest venomous snake. It can grow to more than 4 meters long. When it encounters a predator, a king cobra flattens its neck and rears up. Its ropelike body sways back and forth, and its tongue flicks in and out.

A king cobra's fearsome behavior in response to a predator contrasts with the gentle way it treats its eggs. King cobras are one of the few snakes that build nests. The female builds a nest of grass and leaves on the forest floor. She lays her eggs inside the nest and guards them until they hatch.

King cobra ▶

Figure 18
A Desert Tortoise
The tough, scaly skin of this desert tortoise helps it survive in a dry environment.

Adaptations for Life on Land

Like other reptiles, king cobras lay their eggs on land rather than in water. A **reptile** is an ectothermic vertebrate that has lungs and scaly skin. In addition to snakes such as the king cobra, lizards, turtles, and alligators are also reptiles. Unlike amphibians, reptiles can spend their entire lives on dry land.

The ancestors of modern reptiles were the first vertebrates adapted to life completely out of water. Reptiles get their oxygen from air and breathe entirely with lungs. Reptiles that live in water, such as sea turtles, evolved from reptiles that lived on land. So, even though they live in water, they still breathe with lungs and come ashore to lay eggs.

You can think of a land animal as a pocket of water held within a bag of skin. To thrive on land, an animal must have adaptations that keep the water within the "bag" from evaporating in the dry air. **The skin, kidneys, and eggs of reptiles are adapted to conserve water.**

Skin and Kidneys Unlike amphibians, which have thin, moist skin, reptiles have dry, tough skins covered with scales. This scaly skin protects reptiles and helps keep water in their bodies. Another adaptation that helps keep water inside a reptile's body is its **kidneys,** which are organs that filter wastes from the blood. The wastes are then excreted in a watery fluid called **urine.** The kidneys of reptiles concentrate the urine so that the reptiles lose very little water.

What are two functions of a reptile's skin?

For: More on reptiles
Visit: PHSchool.com
Web Code: ced-2034

An Egg With a Shell Reptiles have internal fertilization and lay their eggs on land. While still inside a female's body, fertilized eggs are covered with membranes and a leathery shell. Unlike an amphibian's egg, a reptile's egg has a shell and membranes that protect the developing embryo and help keep it from drying out. An egg with a shell and internal membranes that keep the embryo moist is called an **amniotic egg.** Pores in the shell let oxygen gas in and carbon dioxide gas out.

Look at Figure 19 to see the membranes of a reptile's egg. One membrane holds a liquid that surrounds the embryo. The liquid protects the embryo and keeps it moist. A second membrane holds the yolk, or food for the embryo. A third membrane holds the embryo's wastes. Oxygen and carbon dioxide are exchanged across the fourth membrane.

FIGURE 19

The Amniotic Egg

The membranes and shell of an amniotic egg protect the developing embryo. **Relating Cause and Effect** *Which parts of an amniotic egg help keep the embryo from drying out?*

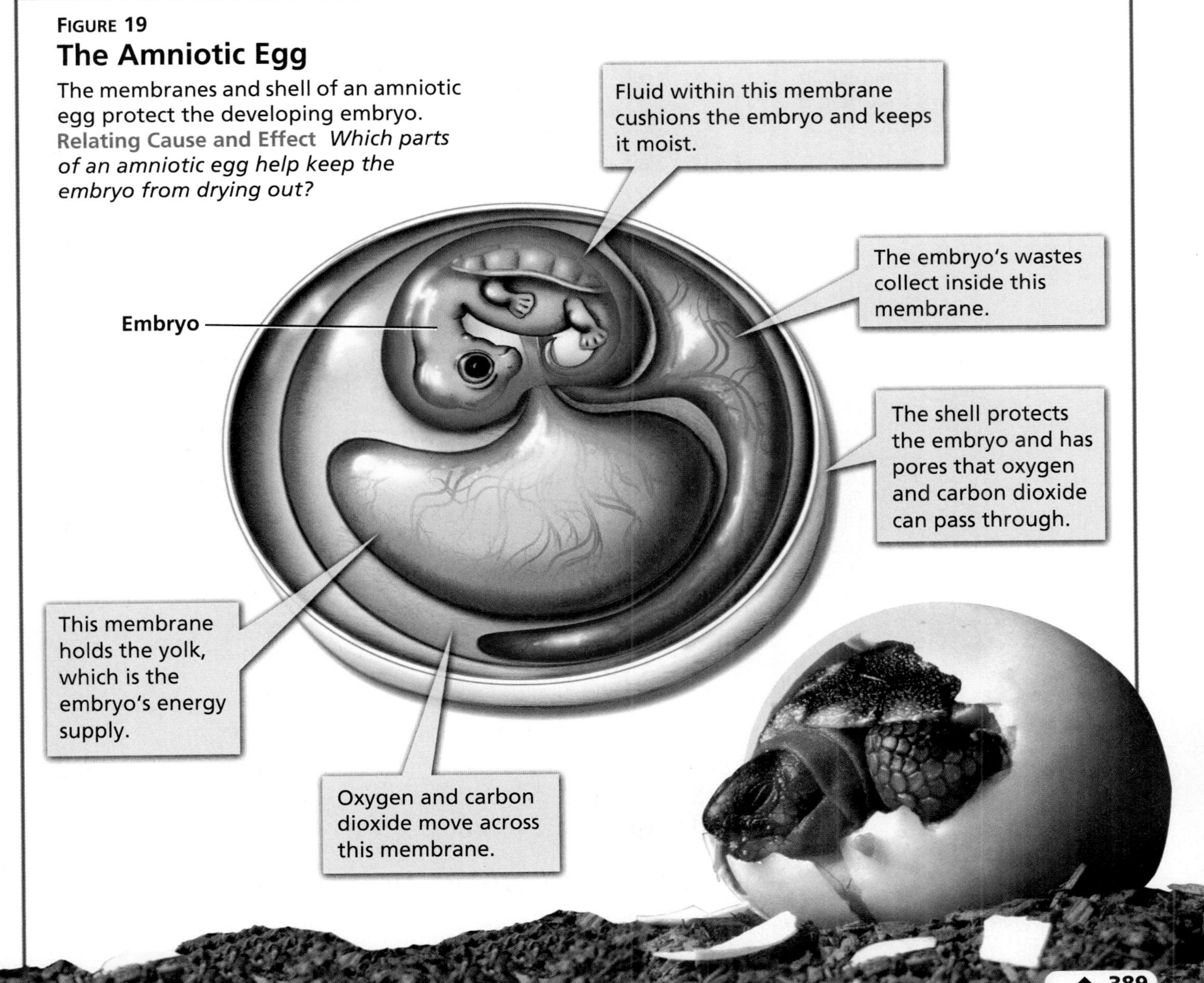
Fluid within this membrane cushions the embryo and keeps it moist.
The embryo's wastes collect inside this membrane.
Embryo
The shell protects the embryo and has pores that oxygen and carbon dioxide can pass through.
This membrane holds the yolk, which is the embryo's energy supply.
Oxygen and carbon dioxide move across this membrane.

Lizards and Snakes

Most reptiles alive today are either lizards or snakes. These two groups of reptiles share some important characteristics. **Both lizards and snakes are reptiles that have skin covered with overlapping scales.** As they grow, they shed their skin and scales, replacing the worn ones with new ones. Most lizards and snakes live in warm areas.

Lizards differ from snakes in an obvious way. Lizards have four legs, usually with claws on the toes, and snakes have no legs. In addition, lizards have long tails, external ears, movable eyelids, and two lungs. In contrast, snakes have streamlined bodies, no external ears, and no eyelids, and most have only one lung. You can see the characteristics of a lizard in Figure 20.

FIGURE 20

Characteristics of a Lizard

This lizard, a Jackson's chameleon, has many adaptations that help it survive in its environment.

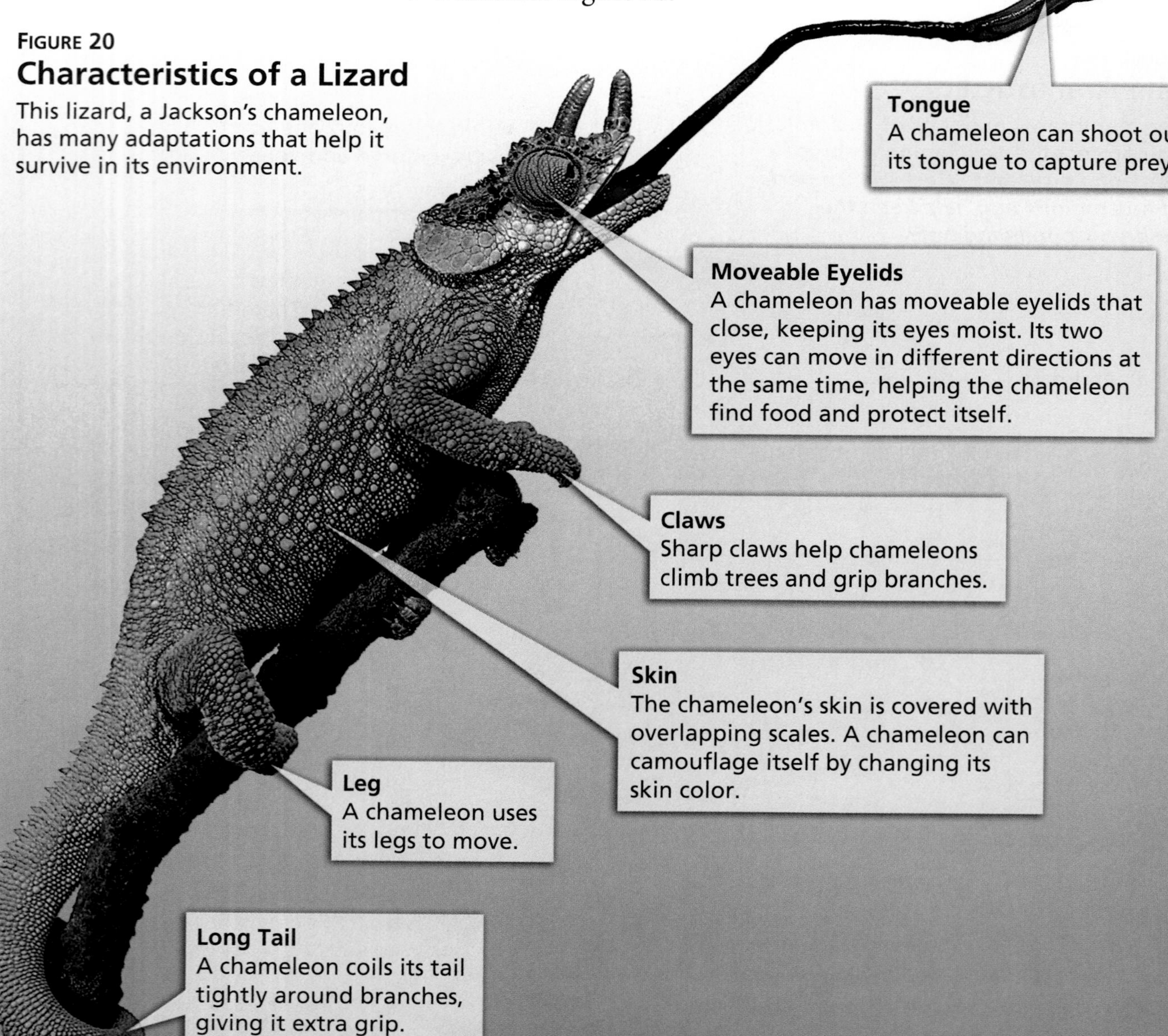

Tongue
A chameleon can shoot out its tongue to capture prey.
Moveable Eyelids
A chameleon has moveable eyelids that close, keeping its eyes moist. Its two eyes can move in different directions at the same time, helping the chameleon find food and protect itself.
Claws
Sharp claws help chameleons climb trees and grip branches.
Skin
The chameleon's skin is covered with overlapping scales. A chameleon can camouflage itself by changing its skin color.
Leg
A chameleon uses its legs to move.
Long Tail
A chameleon coils its tail tightly around branches, giving it extra grip.

FIGURE 21
An Egg-Eating Snake
The jawbones of this snake's skull have moved to let the snake swallow an egg. **Making Generalizations** *How are snakes different from lizards?*

Obtaining Food A few lizards are herbivores that eat leaves. Most lizards, however, are carnivores that capture their prey by jumping at it. While some large lizards will eat frogs and birds, most smaller lizards are adapted to hunt insects. For example, chameleons have sticky tongues adapted for snaring insects.

All snakes are carnivores. Most snakes feed on small animals, such as mice, but some eat large prey. If you did the Discover Activity, you learned that a snake's jawbones can spread wide apart. In addition, the bones of a snake's skull can move to let the snake swallow an animal larger in diameter than itself. Snakes capture their prey in different ways. For example, some snakes have long, curved front teeth for hooking slippery prey. Other snakes, such as rattlesnakes and copperheads, have venom glands attached to hollow teeth called fangs. When these snakes bite their prey, venom flows down through the fangs and enters the prey.

Movement While lizards walk and run using their legs, snakes cannot move in this way. If you've ever seen a snake slither across the ground, you know that when it moves, its long, thin body bends into curves. Snakes move by contracting, or shortening, bands of muscles that are connected to their ribs and their backbones. Alternate contractions of muscles on the right and left sides produce a slithering side-to-side motion. Instead of slithering, sidewinder snakes, like the one shown in Figure 22, lift up their bodies as they move.

How do lizards move?

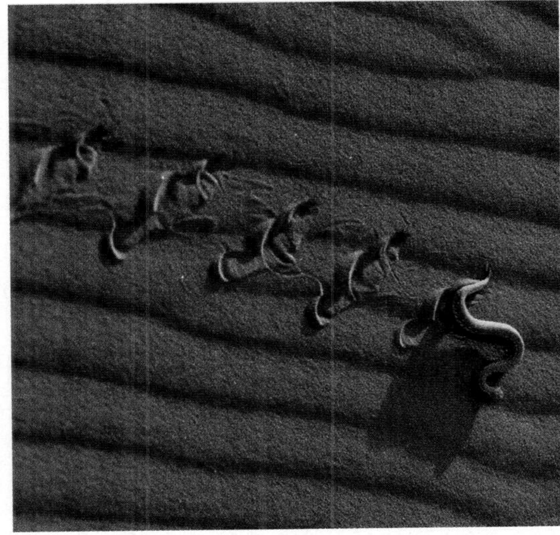

FIGURE 22
A Sidewinder Snake
This sidewinder snake lifts loops of its body off the desert sand as it moves along. Only a small part of its body touches the sand at one time.

FIGURE 23
Alligator and Crocodile
Alligators and crocodiles are the largest reptiles still living on earth. They are similar in many ways, including appearance.
Comparing and Contrasting *How can you tell the difference between an alligator and a crocodile?*

Alligators and Crocodiles

If you walk along a lake in Florida, you just might see an alligator swimming silently in the water. Most of its body lies beneath the surface, but you can see its large, bulging eyes above the surface. Alligators, crocodiles, and their relatives are the largest living reptiles. **Both alligators and crocodiles are large, carnivorous reptiles that care for their young.** So, how do you tell an alligator from a crocodile? Alligators have broad, rounded snouts, with only a few teeth visible when their mouths are shut. In contrast, crocodiles have pointed snouts, with most of their teeth visible when their mouths are shut.

Obtaining Food Alligators and crocodiles are carnivores that often hunt at night. They have several adaptations for capturing prey. They use their strong, muscular tails to swim rapidly. Their jaws are equipped with many large, sharp, and pointed teeth. Their jaw muscles are extremely strong when biting down. Although alligators will eat dogs, raccoons, and deer, they usually do not attack humans.

Reproduction Unlike most other reptiles, crocodiles and alligators care for their eggs and newly hatched young. After laying eggs, the female stays near the nest. From time to time, she comes out of the water and crawls over the nest to keep it moist. After the tiny alligators or crocodiles hatch, the female scoops them up in her huge mouth. She carries them from the nest to a nursery area in the water where they will be safer. For as long as a year, she will stay near her young until they can feed and protect themselves.

When do alligators and crocodiles hunt?

Math Analyzing Data

The Sex Ratio of Newly Hatched Alligators

The temperature of the developing eggs of the American alligator affects the sex ratio of the young. (Sex ratio is the number of females compared with the number of males.) The graph on the right shows the numbers of young of each sex that hatched from eggs in which the young developed at different temperatures.

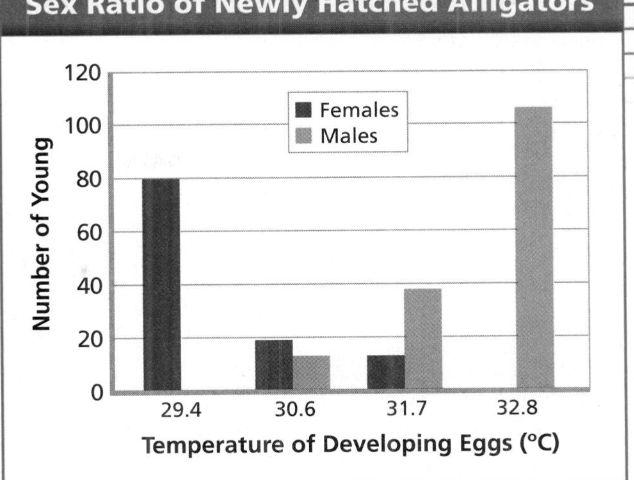

1. **Reading Graphs** At which temperature(s) did only females hatch?
2. **Drawing Conclusions** What effect does the temperature of developing eggs have on the sex of the baby alligators?
3. **Calculating** If 100 eggs developed at 31.7°C, about how many of the young would be male?

Turtles

Turtles live in the ocean, in fresh water, and on land. Turtles that live on land are commonly called "tortoises." **A turtle is a reptile whose body is covered by a protective shell that includes the ribs and the backbone.** The bony plates of the shell are covered by large scales made from the same material as the skin's scales. Some turtles have shells that can cover the whole body. Most turtles can draw the head, legs, and tail inside the shell for protection. Turtle shells may be hard or as soft as pancakes.

Turtles feed in a variety of ways, but all have a sharp-edged beak instead of teeth for tearing food. Some turtles are carnivores, such as the largest turtles, the leatherbacks. Leatherbacks feed mainly on jellyfishes. Their tough skin protects them from the effects of the stinging cells. Other turtles, such as the Galápagos tortoise, are herbivores. They feed mainly on cacti, using their beaks to scrape off the prickly spines before swallowing the cactus.

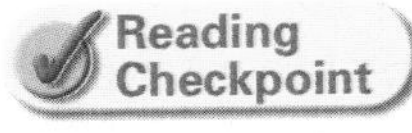

What are turtles that live on land called?

FIGURE 24
A Galápagos Tortoise
The Galápagos tortoise lives on land, where it eats mainly cacti.

FIGURE 25
Brachiosaurus
Brachiosaurus grew to be more than 22.5 meters long—longer than two school buses put together end to end. **Inferring** *What advantage did a long neck give* Brachiosaurus*?*

Extinct Reptiles—The Dinosaurs

Millions of years ago, huge turtles and fish-eating reptiles swam in the oceans. Flying reptiles soared through the skies. Snakes and lizards basked on warm rocks. And there were dinosaurs of every description. Unlike today's reptiles, some dinosaurs may have been endothermic. Some dinosaurs, such as *Brachiosaurus* in Figure 25, were the largest land animals that ever lived.

Dinosaurs were the earliest vertebrates that had legs positioned directly beneath their bodies. This adaptation allowed them to move more easily than animals such as salamanders and lizards, whose legs stick out from the sides of their bodies. Most herbivorous dinosaurs, such as *Brachiosaurus*, walked on four legs. Most carnivores, such as the huge *Tyrannosaurus rex*, ran on two legs.

Dinosaurs became extinct, or disappeared from Earth, about 65 million years ago. No one is certain why. Today, it's only in movies that dinosaurs shake the ground with their footsteps. But the descendants of dinosaurs may still exist. Some biologists think that birds descended from certain small dinosaurs.

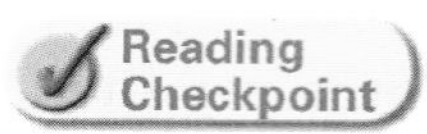

Give an example of a dinosaur that ran on two legs.

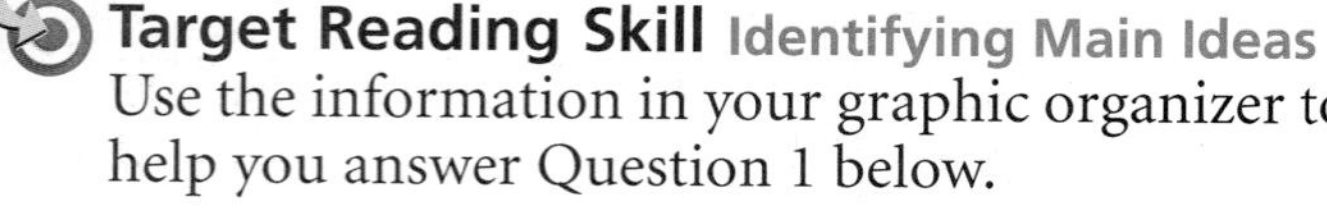

Target Reading Skill **Identifying Main Ideas** Use the information in your graphic organizer to help you answer Question 1 below.

Reviewing Key Concepts

1. a. **Defining** What is a reptile?
   b. **Explaining** What are three adaptations that allow reptiles to survive on land?
   c. **Predicting** What might happen to a reptile egg if part of its shell were removed?
2. a. **Identifying** What are the three main groups of reptiles?
   b. **Classifying** A gecko is a small reptile that has no shell protecting its body. It uses its legs to climb trees. Into which reptile group would you classify the gecko?
   c. **Comparing and Contrasting** Compare and contrast how alligators and turtles obtain food.
3. a. **Reviewing** When did the dinosaurs become extinct?
   b. **Interpreting Diagrams** What adaptation did the dinosaur in Figure 25 have that helped it survive?
   c. **Inferring** What advantage might a dinosaur that was an endotherm have had over other reptiles?

Writing in Science

Product Label Write a "packaging label" that will be pasted onto the eggshell of a reptile. Include on your label a list of the contents of the shell and a one-paragraph description of the egg's ability to survive in a dry environment.

Section 5

Integrating Earth Science

Vertebrate History in Rocks

Reading Preview

Key Concepts

- Where are fossils most frequently found?
- What can scientists learn from studying fossils?

Key Terms

- fossil
- sedimentary rock
- paleontologist

Target Reading Skill

Asking Questions Before you read, preview the red headings. In a graphic organizer like the one below, ask *what* and *how* questions for each heading. As you read, write the answers to your questions.

Vertebrate History in Rocks

Question	Answer
How do fossils form?	Fossils form by . . .

Lab zone Discover Activity

What Can You Tell From an Imprint?

1. Flatten some modeling clay into a thin sheet on a piece of paper.
2. Firmly press two or three small objects into different areas of the clay. The objects might include such things as a key, a feather, a postage stamp, or a flower. Don't let anyone see the objects you are using.
3. Carefully remove the objects from the clay, leaving only the objects' imprints.
4. Exchange your imprints with a partner. Try to identify the objects that made the imprints.

Think It Over

Observing What types of objects made the clearest imprints? If those imprints were fossils, what could you learn about the objects by looking at their "fossils"? What couldn't you learn?

Millions of years ago, in an ancient pond, some fishes died and their bodies settled into the mud on the bottom. Soon heavy rains fell, and more mud washed into the pond, covering the fishes. The soft tissues of the fishes decayed, but their bones remained. After many thousands of years, the mud hardened into rock, and the bones became the fossils shown here.

Fossilized fishes ▶

For: Links on fossils
Visit: www.SciLinks.org
Web Code: scn-0235

What Are Fossils?

A **fossil** is the hardened remains or other evidence of a living thing that existed a long time ago. Sometimes a fossil is an imprint in rock, such as an animal's footprint or the outline of a leaf. Other fossils are the remains of bones, shells, skeletons, or other parts of living things. Fossils are made when a chemical process takes place over time, during which an organism's tissues are replaced by hard minerals. Because most living tissues decay rapidly, only a very few organisms are preserved as fossils.

Fossils are found most frequently in sedimentary rock. Hardened layers of sediments make up **sedimentary rock.** Sediments contain particles of clay, sand, mud, or silt.

Science and **History**

Discovering Vertebrate Fossils

People have been discovering fossils since ancient times. Here are some especially important fossil discoveries.

1822 Dinosaur Tooth
In a quarry near Lewes, England, Mary Ann Mantell discovered a strange-looking tooth embedded in stone. Her husband Gideon drew the picture of the tooth shown here. The tooth belonged to the dinosaur *Iguanodon*.

1677 Dinosaur-Bone Illustration
Robert Plot, the head of a museum in England, published a book that had an illustration of a huge fossilized thighbone. Plot thought that the bone belonged to a giant human, but it probably was the thighbone of a dinosaur.

1811 Sea Reptile
Along the cliffs near Lyme Regis, England, 12-year-old Mary Anning discovered the fossilized remains of the giant sea reptile now called *Ichthyosaurus*. Mary became one of England's first professional fossil collectors.

1670 | 1760 | 1820

How do sediments build up into layers? Have you ever washed a dirty soccer ball and seen sand and mud settle in the sink? If you washed a dozen soccer balls, the sink bottom would be covered with layers of sediments. Sediments build up in many ways. For example, wind can blow a thick layer of sand onto dunes. Sediments can also form when muddy water stands in an area for a long time. Muddy sediment in the water eventually settles to the bottom and builds up.

Over a very long time, layers of sediments can be pressed and cemented together to form rock. As sedimentary rock forms, traces of living things that have been trapped in the sediments are sometimes preserved as fossils.

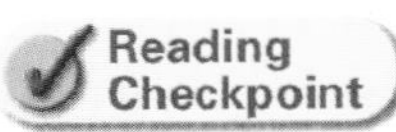

How does sedimentary rock form?

Writing in Science

Research and Write If you could interview the person who discovered one of the fossils, what questions would you ask about the fossil and how it was found? Write a list of those questions. Then use reference materials to try to find the answers to some of them.

1861
Bird Bones
A worker in a stone quarry in Germany found *Archaeopteryx*, a feathered, birdlike animal that also had many reptile characteristics.

1902
Tyrannosaurus
A tip from a local rancher sent Barnum Brown, a fossil hunter, to a barren, rocky area near Jordan, Montana. There Brown found the first relatively complete skeleton of *Tyrannosaurus rex*.

1964 *Deinonychus*
In Montana, paleontologist John Ostrom discovered the remains of a small dinosaur, *Deinonychus*. This dinosaur was probably a predator that could move rapidly. This fossil led scientists to hypothesize that dinosaurs may have been endotherms.

1991
Dinosaur Eggs in China
Digging beneath the ground, a farmer on Green Dragon Mountain in China uncovered what may be the largest nest of fossil dinosaur eggs ever found. A paleontologist chips carefully to remove one of the eggs from the rock.

1880 1940 2000

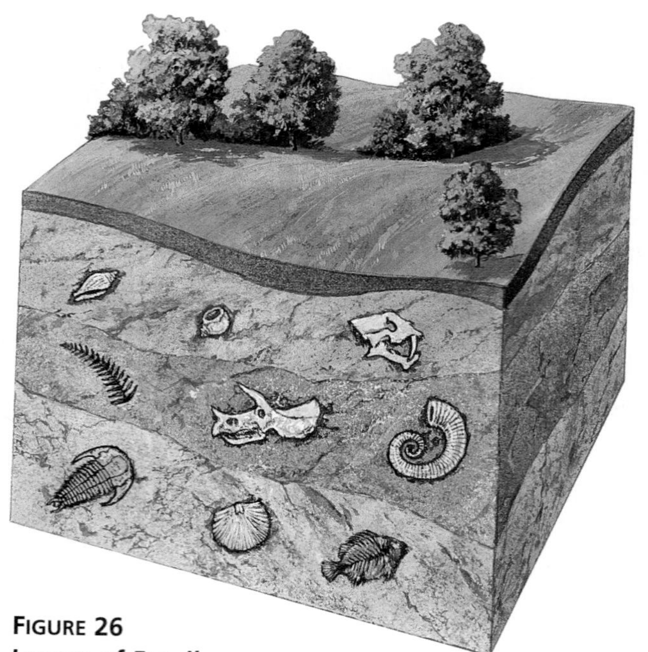

FIGURE 26
Layers of Fossils
Fossils most often form in layers of sedimentary rock.
Interpreting Diagrams *Which rock layer probably contains the oldest fossils?*

Interpretation of Fossils

What information can scientists learn from fossils? **Paleontologists** (pay lee un TAHL uh jists), the scientists who study extinct organisms, examine fossil structure and make comparisons to present-day organisms. **By studying fossils, paleontologists can infer how animals changed over time.** One important piece of information that paleontologists can learn from a fossil is its approximate age.

A Fossil's Age One method for estimating a fossil's age takes advantage of the process in which sediments form. Think about sediments settling out of water—the lowest layers are deposited first, and newer sediments settle on top of the older layers. Therefore, fossils in higher layers of rock are often younger than fossils in lower layers.

However, rock layers can become tilted or even turned upside down by events such as earthquakes. So, a fossil's position in rock is not always a good indication of its age. Scientists usually rely on other methods to help determine a fossil's age. For example, fossils—and the rocks in which they are found—contain some radioactive chemical elements. These radioactive elements decay, or change into other chemical elements, over a known period of time. The more there is of the decayed form of the element, the older the fossil.

Using Fossils Paleontologists have used fossils to determine a likely pattern of how vertebrates changed over time. You can see in Figure 27 that this pattern of vertebrate evolution looks something like a branching tree. Fossils show that the first vertebrates to live on Earth were fishes. Fishes first appeared on Earth about 530 million years ago. Amphibians, which appeared on Earth about 380 million years ago, are descended from fishes. Then, about 320 million years ago, amphibians gave rise to reptiles. Both mammals and birds, which you will learn about in the next chapter, are descended from reptiles. Based on the age of the oldest mammal fossils, mammals first lived on Earth about 220 million years ago. Birds were the latest group of vertebrates to arise. Their oldest fossils show that birds first appeared on Earth 150 million years ago.

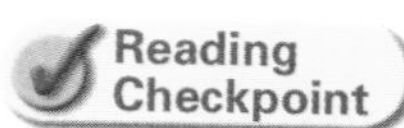

What is a paleontologist?

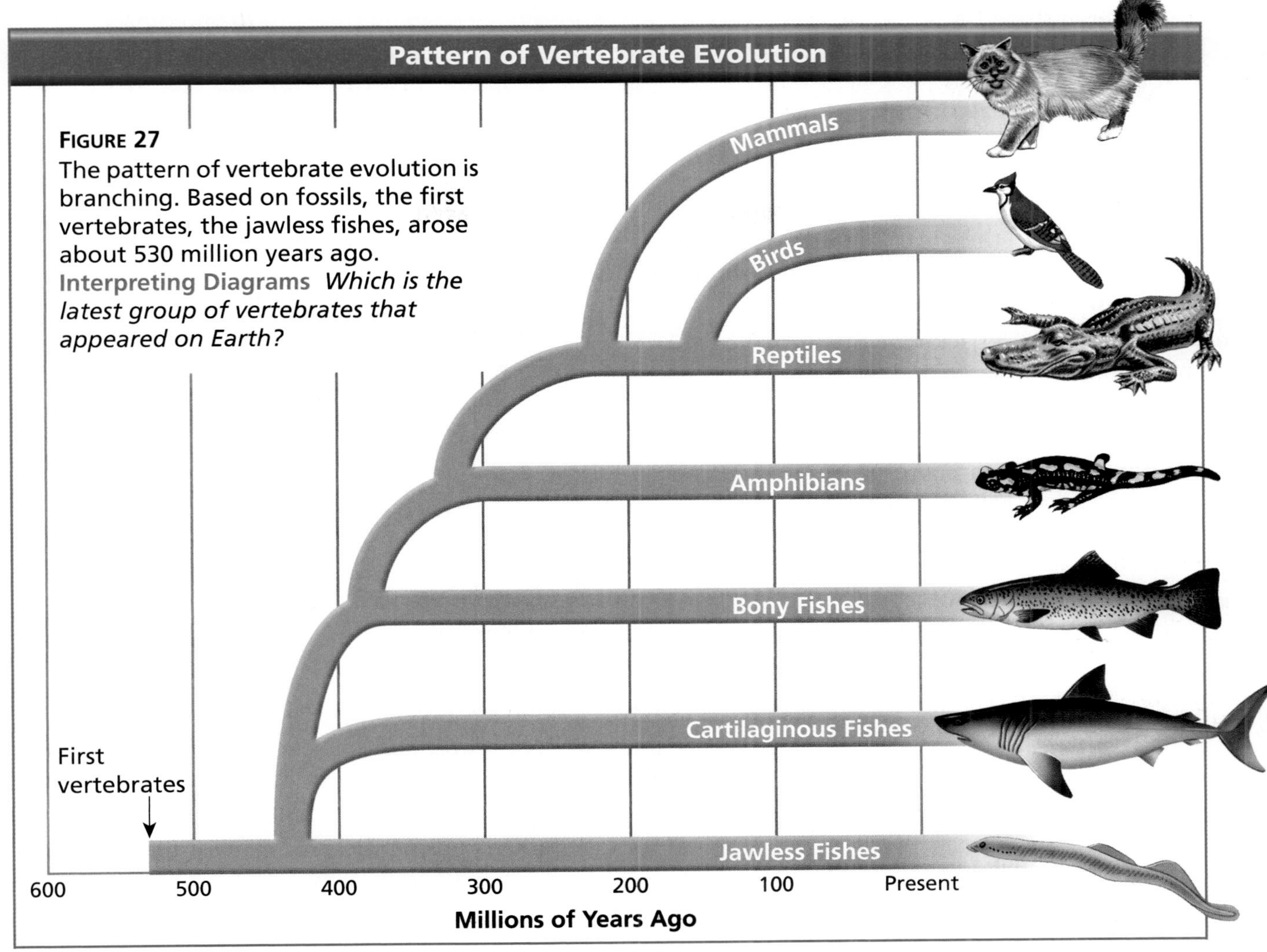

FIGURE 27
The pattern of vertebrate evolution is branching. Based on fossils, the first vertebrates, the jawless fishes, arose about 530 million years ago.
Interpreting Diagrams *Which is the latest group of vertebrates that appeared on Earth?*

Section 5 Assessment

Target Reading Skill **Asking Questions** Use your graphic organizer to answer the questions below.

Reviewing Key Concepts

1. a. **Identifying** Where are fossils most often found?
   b. **Describing** What are some types of fossils?
   c. **Inferring** How might a small fish that dies in a muddy pool become a fossil?
2. a. **Reviewing** What can be learned from studying fossils?
   b. **Summarizing** How does the measurement of radioactive elements help scientists calculate a fossil's age?
   c. **Interpreting Diagrams** Look at Figure 27. About how much time passed between the first appearance of vertebrates and the time birds appeared?

Lab zone At-Home Activity

Sedimentary Newspaper? If your family keeps newspapers in a stack, check the dates of the newspapers in the stack with a family member. Are the newspapers in any kind of order? If the oldest ones are on the bottom and the newest are on the top, you can relate this to the way in which sediments are laid down. Ask family members to imagine that two fossils were trapped in different newspapers. Explain which fossil would probably be older.

Chapter 11 Study Guide

1 What Is a Vertebrate?

Key Concepts

- At some point in their lives, chordates will have a notochord, a nerve cord that runs down their back, and slits in their throat area.
- A vertebrate has a backbone that is part of an internal skeleton.
- The body temperature of most fishes, amphibians, and reptiles is close to the temperature of their environment. In contrast, birds and mammals have a stable body temperature that is often warmer than their environment.

Key Terms

chordate
notochord
vertebra
ectotherm
endotherm

2 Fishes

Key Concepts

- In addition to living in water and having fins, most fishes are ectotherms, obtain oxygen through gills, and have scales.
- The major groups of fishes are jawless fishes, cartilaginous fishes, and bony fishes.
- Jawless fishes are unlike other fishes in that they have no jaws and no scales.
- Cartilaginous fishes have jaws and scales, and skeletons made of cartilage.
- A bony fish has jaws, scales, a pocket on each side of the head that holds the gills, and a skeleton made of hard bone.

Key Terms

fish
cartilage
swim bladder

3 Amphibians

Key Concepts

- After beginning their lives in water, most amphibians spend their adulthood on land, returning to water to reproduce.
- The respiratory and circulatory systems of adult amphibians are adapted for life on land. In addition, adult amphibians have adaptations for obtaining food and moving.

Key Terms

amphibian
tadpole
lung
atrium
ventricle
habitat

4 Reptiles

Key Concepts

- The skin, kidneys, and eggs of reptiles are adapted to conserve water.
- Both lizards and snakes are reptiles that have skin covered with overlapping scales.
- Both alligators and crocodiles are large, carnivorous reptiles that care for their young.
- A turtle is a reptile whose body is covered by a protective shell that includes the ribs and the backbone.
- Dinosaurs were the earliest vertebrates that had legs positioned directly beneath their bodies.

Key Terms

reptile
urine
kidney
amniotic egg

5 Vertebrate History in Rocks

Key Concepts

- Fossils are found most frequently in sedimentary rock.
- By studying fossils, paleontologists can infer how a species changed over time.

Key Terms

fossil
paleontologist
sedimentary rock

Review and Assessment

Go Online
PHSchool.com
For: Self-Assessment
Visit: PHSchool.com
Web Code: cea-2030

Organizing Information

Identifying Main Ideas Copy the graphic organizer about amphibians onto a sheet of paper. Then complete it.

Main Idea

The larvae of amphibians are adapted for life in water, and adult amphibians are adapted for life on land.

Detail	Detail	Detail
a. ___?___	b. ___?___	c. ___?___

Reviewing Key Terms

Choose the letter of the best answer.

1. Vertebrates are a subgroup of
   a. chordates.
   b. fishes.
   c. amphibians.
   d. reptiles.
2. A fish
   a. is an endotherm.
   b. has fins.
   c. has lungs.
   d. has a three-chambered heart.
3. A tadpole is the larva of a
   a. fish.
   b. salamander.
   c. frog or toad.
   d. lizard or snake.
4. A reptile
   a. is an endotherm.
   b. lays eggs.
   c. has a swim bladder.
   d. has a thin skin.
5. Layers of clay, sand, mud, or silt harden and become
   a. radioactive chemicals.
   b. sedimentary rock.
   c. fossils.
   d. dinosaur bones.

If the statement is true, write *true.* If it is false, change the underlined word or words to make the statement true.

6. A notochord is replaced by a backbone in many vertebrates.
7. A bony fish uses its gills to stabilize its position in the water.
8. Amphibians obtain oxygen through gills and have scales.
9. An amniotic egg is a characteristic of reptiles.
10. Paleontologists are scientists who study fossils.

Writing in Science

Description Suppose you are a journalist for a nature magazine and you have spent a week observing crocodiles. Write a paragraph describing how crocodiles obtain their food.

Review and Assessment

Checking Concepts

11. Describe the main characteristics of chordates.

12. How do fishes reproduce?

13. Describe the life cycle of a frog.

14. How is the circulatory system of an adult amphibian different from that of a fish?

15. Describe the adaptations of an adult amphibian for obtaining oxygen from the air.

16. How does a snake move?

17. Explain how the structure of a reptile's egg protects the embryo inside.

18. Describe two methods that scientists use to determine the age of a fossil.

Thinking Critically

19. **Relating Cause and Effect** Explain why an endoskeleton allows vertebrates to grow larger than animals without endoskeletons.

20. **Interpreting Diagrams** How does blood move in the circulatory system shown below?

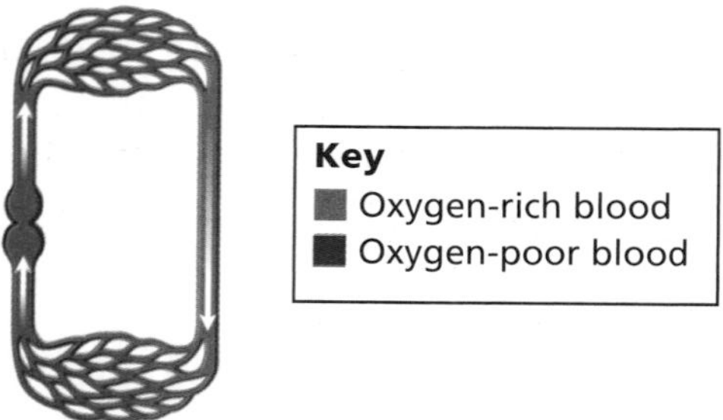

21. **Applying Concepts** Imagine that you are in a hot desert with a wet paper towel. You must keep the towel from drying out. What strategy can you copy from reptiles to keep the towel from drying out?

22. **Inferring** A scientist discovers a fossilized fish with a body streamlined for fast movement, a large tail fin, and sharp, pointed teeth. What could the scientist infer about the type of food that this fish ate and how it obtained its food? On what evidence is the inference based?

Applying Skills

Use the graph to answer Questions 23–25.

A scientist performed an experiment on five goldfishes to test the effect of water temperature on "breathing rate"—the rate at which the fishes open and close their gill covers. The graph shows the data that the scientist obtained at four different temperatures.

Fish Breathing Rate at Different Temperatures

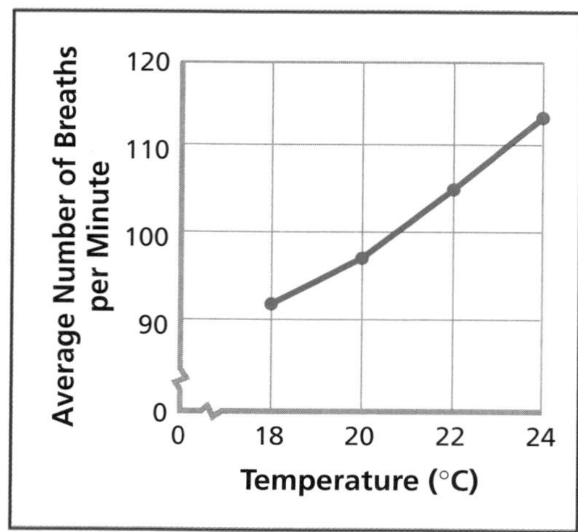

23. **Controlling Variables** Identify the manipulated variable and the responding variable in this experiment.

24. **Interpreting Data** How does the breathing rate at 18°C compare to the breathing rate at 22°C?

25. **Drawing Conclusions** Based on the data shown, what is the relationship between water temperature and fish breathing rate?

Lab zone Chapter Project

Performance Assessment Display your models in a creative and interesting way—for example, show the models in action and show details of the animals' habitats. Also display your poster. List all the adaptations you learned from your classmates' presentations. How did constructing a three-dimensional model help you understand the characteristics of these groups?

Standardized Test Prep

Test-Taking Tip

Interpreting Data Tables

Before you answer a question about a data table, read the title and the headings of the columns and rows. The title identifies the type of data the table contains. The headings reveal how the data are organized. For example, the table below shows that jawless fishes have skeletons made of cartilage. Read the questions about the table before you spend too much time studying the data.

Characteristics of Fishes

Group	Skeleton	Jaws	Scales
Jawless Fishes	Cartilage	None	None
Cartilaginous Fishes	Cartilage	Yes	Yes
Bony Fishes	Bone	Yes	Yes

Sample Question

Axel has found a fish washed up on the beach that has scales and a skeleton made of cartilage. According to the table, what kind of fish is it?

A a jawless fish
B a cartilaginous fish
C a bony fish
D The fish cannot be classified using this table.

Answer

The correct answer is **B.** Choices **A, C,** and **D** cannot be correct because only cartilaginous fishes have a cartilaginous skeleton and scales.

Choose the letter of the best answer.

1. If you monitored the body temperature of a snake in four different air temperatures, what would you notice about its body temperature?
A It rises or falls with the air temperature.
B It always stays at about 37°C .
C It is higher than the air temperature.
D It is lower than the air temperature.

Characteristics of Observed Animals

Animal	Skeleton	Scales	Outer Covering of Egg
1	Bone	None	Clear jelly
2	Bone	Yes	Leathery shell
3	Bone	Yes	Thin, moist membrane
4	Cartilage	Yes	No eggs observed

2. A scientist observed four different animals and recorded her data in the table shown above. Which of the animals is most likely a reptile?
F Animals 1 and 3
G Animal 2
H Animal 3
J Animal 4

3. Based on the data in the table above, what kind of animal can you infer Animal 3 might be?
A amphibian
B bony fish
C cartilaginous fish
D reptile

4. Suppose you are conducting an experiment that requires you to handle live bullfrogs. Which laboratory safety procedure should you carry out at the conclusion of each work session?
F Carefully clean the bullfrog's container.
G Put on gloves.
H Wash your hands thoroughly.
J Turn the heat on.

Constructed Response

5. Explain why amphibians can be said to have a "double life." Be sure to include details describing the two different phases in the life of a typical amphibian.

Chapter 12

Birds and Mammals

Chapter Preview

1 Birds
Discover *What Are Feathers Like?*
Active Art *Respiration and Circulation*
Try This *"Eggs-amination"*
At-Home Activity *Count Down*
Skills Lab *Looking at an Owl's Leftovers*

2 The Physics of Bird Flight
Discover *What Lifts Airplanes and Birds Into the Air?*
Try This *It's Plane to See*

3 Mammals
Discover *What Are Mammals' Teeth Like?*
Try This *Insulated Mammals*
Analyzing Data *Mammal Diversity*
At-Home Activity *Mammals' Milk*
Consumer Lab *Keeping Warm*

Interactive Textbook

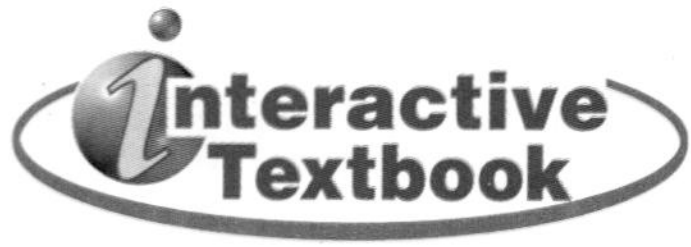

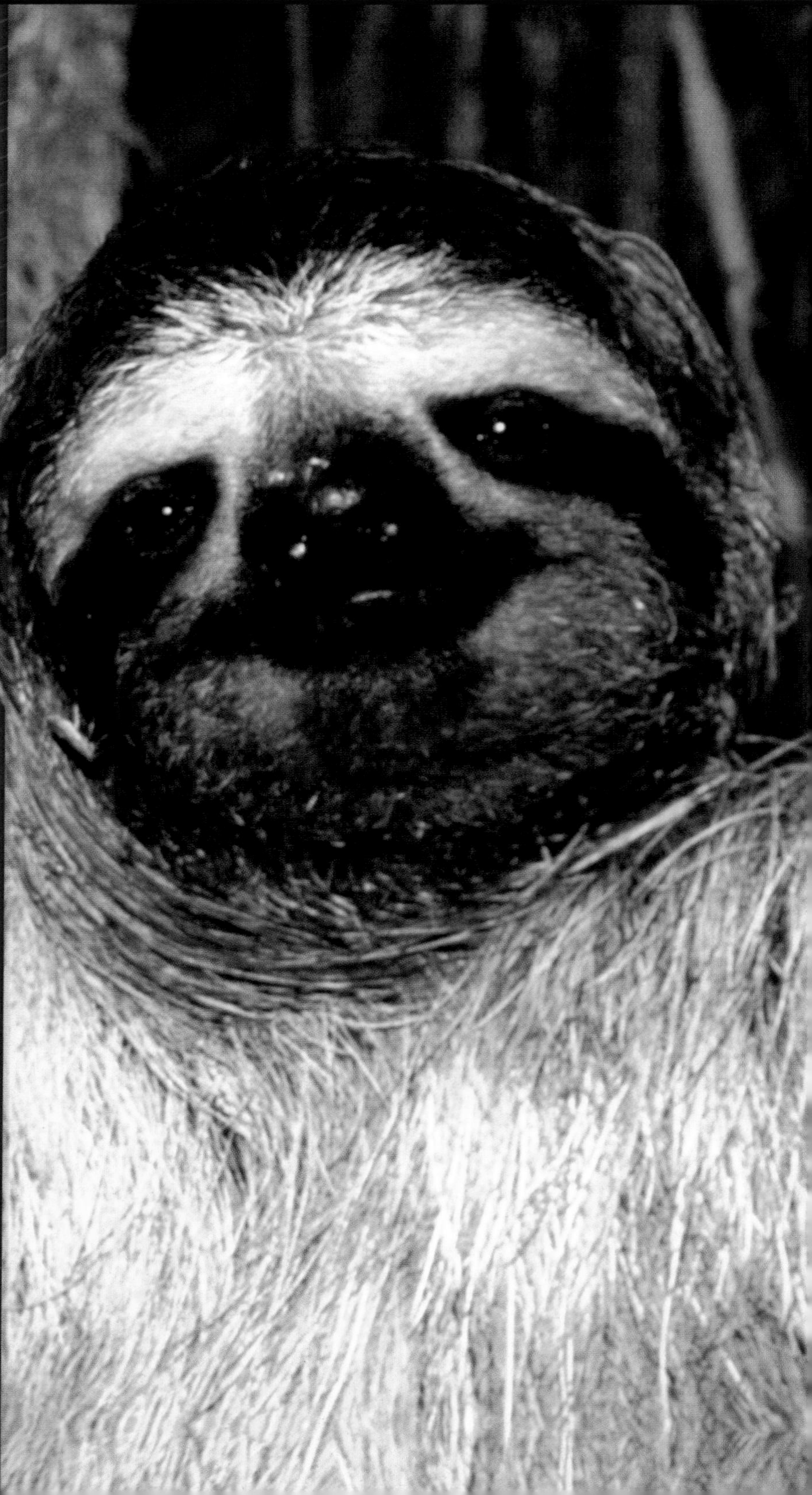

A three-toed sloth hangs from a tree branch in Costa Rica.

Birds and Mammals

▶ Video Preview
Video Field Trip
Video Assessment

Lab zone™ Chapter Project

Bird Watch

One of the best ways to learn about animals is to watch them in action. In this project, you'll watch birds and other animals that visit a bird feeder. You will discover how they eat and interact. What you observe may raise new questions for you to answer.

Your Goal To make detailed observations of the birds and other animals that appear at a bird feeder

To complete this project, you must

- observe the feeder regularly for at least two weeks and use a field guide to identify the kinds of birds that visit the feeder
- make detailed observations of how the birds at your feeder eat
- describe the most common kinds of bird behavior
- follow the safety guidelines in Appendix A

Plan It! Begin by sharing knowledge about the birds in your area with some classmates. What kinds of birds can you expect to see? What types of foods do birds eat? Then, using this knowledge, start observing your feeder. Record all your observations in detail in your notebook. After completing your observations, you will interpret your data and observations and make graphs and charts for your display.

Section 1

Birds

Reading Preview

Key Concepts

- What are the main characteristics of birds?
- How are birds adapted to their environments?

Key Terms

- bird
- contour feather
- down feather
- crop
- gizzard

Target Reading Skill

Previewing Visuals When you preview, you look ahead at the material to be read. Preview Figure 1. Then write two questions that you have about the diagram in a graphic organizer like the one below. As you read, answer your questions.

Adaptations for Flight

Q. How are birds adapted for flight?
A.
Q.

Lab zone Discover Activity

What Are Feathers Like?

1. Observe the overall shape and structure of a feather. Then use a hand lens to examine the many hairlike barbs that project out from the feather's central shaft.
2. Gently separate two barbs in the middle of the feather. Rub the separated edges with your fingertip. How do they feel?
3. Use the hand lens to examine the edges of the two separated barbs. Draw a diagram of what you observe.
4. Rejoin the two separated barbs by gently pulling outward from the shaft. Then wash your hands.

Think It Over

Observing Once the barbs have been separated, is it easy to rejoin them? How might this be an advantage to the bird?

One day in 1861, in a limestone quarry in what is now Germany, Hermann von Meyer was inspecting rocks. Meyer, a fossil hunter, spotted something dark in a rock. It was the blackened imprint of a feather! Excited, he began searching for a fossil of an entire bird. He eventually found it—a skeleton surrounded by the imprint of many feathers. The fossil was given the scientific name *Archaeopteryx* (ahr kee AHP tur iks), meaning "ancient winged thing."

Paleontologists think that *Archaeopteryx* lived about 145 million years ago. *Archaeopteryx* didn't look much like the birds you know. It looked more like a reptile with wings. Unlike any modern bird, *Archaeopteryx* had a long, bony tail and a mouth full of teeth. But, unlike a reptile, it had feathers and wings. Paleontologists think that *Archaeopteryx* and modern birds descended from some kind of reptile, possibly a dinosaur.

A model of *Archaeopteryx*

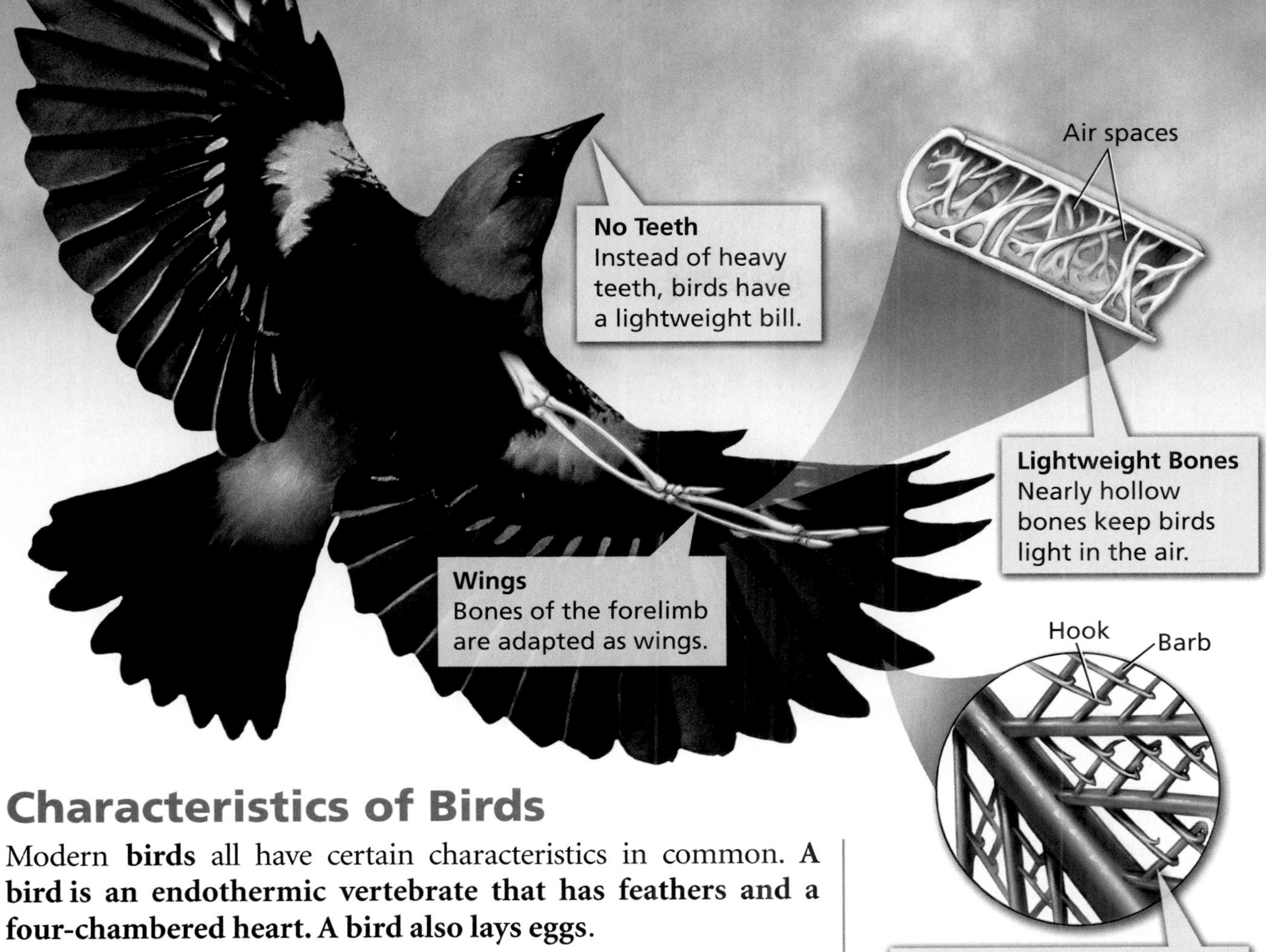
No Teeth
Instead of heavy teeth, birds have a lightweight bill.
Air spaces
Lightweight Bones
Nearly hollow bones keep birds light in the air.
Wings
Bones of the forelimb are adapted as wings.
Hook
Barb
Contour Feathers
A series of hooks links the barbs of a feather together, keeping the feather smooth.

FIGURE 1

Adaptations for Flight

The bodies of most birds have adaptations for flight.
Interpreting Diagrams *Which of these adaptations make birds light?*

Characteristics of Birds

Modern **birds** all have certain characteristics in common. **A bird is an endothermic vertebrate that has feathers and a four-chambered heart. A bird also lays eggs.**

Adaptations for Flight The bodies of most birds are adapted for flight, as you can see in Figure 1. Many of a bird's bones are nearly hollow, making the bird lightweight. In addition, the bones of a bird's forelimbs form wings. Flying birds have large chest muscles that move the wings. Finally, feathers help birds fly. Birds are the only animals with feathers.

Feathers are not all the same. If you have ever picked up a feather, it was probably a contour feather. A **contour feather** is one of the large feathers that give shape to a bird's body. The long contour feathers that extend beyond the body on the wings and tail are called flight feathers. When a bird flies, these feathers help it balance and steer. You can see in Figure 1 that a contour feather consists of a central shaft and many small hairlike projections, called barbs. Hooks hold the barbs together. When birds fly, their barbs may pull apart, "unzipping" their feathers. Birds often pull the feathers through their bills to "zip" the barbs back together again.

In addition to contour feathers, birds have short, fluffy **down feathers** that are specialized to trap heat and keep the bird warm. Down feathers are found right next to the bird's skin, at the base of the contour feathers. Down feathers are soft and flexible, unlike contour feathers.

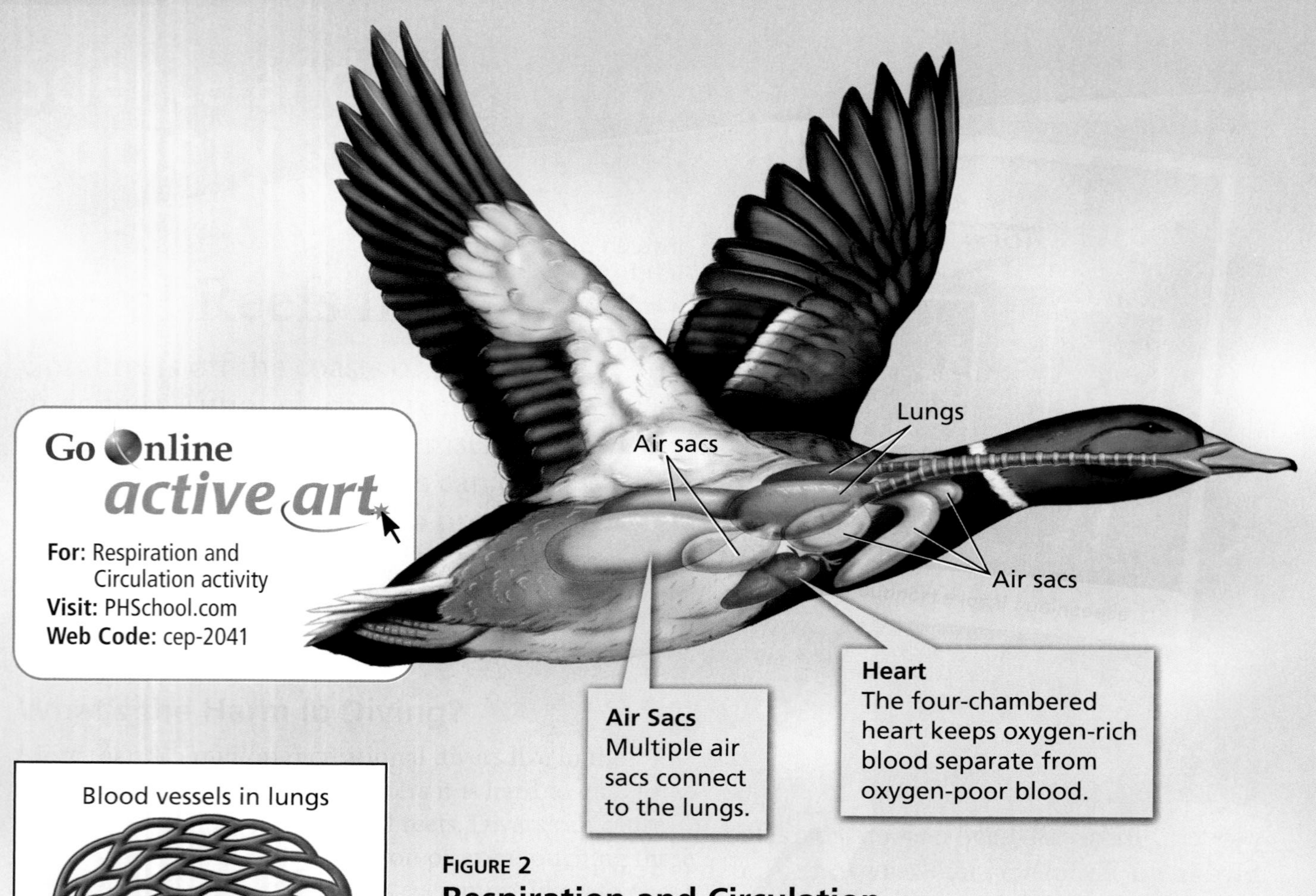

Blood vessels in lungs

Four-chambered heart

Right atrium

Left atrium

Right ventricle

Left ventricle

Blood vessels in body

Key
- Oxygen-rich blood
- Oxygen-poor blood

FIGURE 2
Respiration and Circulation
Air sacs and a four-chambered heart help birds obtain oxygen and move it to their cells.
Applying Concepts *Why is a four-chambered heart efficient?*

Obtaining Oxygen Flying uses a lot of energy. Therefore, cells must receive plenty of oxygen to release the energy contained in food. Birds have a highly efficient way to get oxygen into their bodies and to their cells. Birds have a system of air sacs in their bodies. This system connects to the lungs. The air sacs enable birds to obtain more oxygen from each breath of air than other animals can.

The circulatory systems of birds are also efficient at getting oxygen to the cells. Birds have hearts with four chambers—two atria and two ventricles. Trace the path of blood through a bird's two-loop circulatory system in Figure 2. The right side of a bird's heart pumps oxygen-poor blood to the lungs, where oxygen is picked up. Oxygen-rich blood returns to the left side of the heart, which pumps it to the cells.

The advantage of a four-chambered heart over a three-chambered heart is that oxygen-rich blood does not mix with oxygen-poor blood. Therefore, blood carried to the cells of the body has plenty of oxygen.

Obtaining Food Birds must obtain a lot of food to provide the energy needed for flight. To capture, grip, and handle food, birds mainly use their bills. Bills are shaped to help birds feed quickly and efficiently. For example, the pointy, curved bill of a hawk acts like a meat hook to pull off bits of its prey. In contrast, a duck's bill acts like a kitchen strainer, separating out seeds and tiny animals from muddy pond water.

After a bird eats its food, digestion begins. Each organ in a bird's digestive system is adapted to process food. Many birds have an internal storage tank, or **crop,** for storing food inside the body after swallowing it. Find the crop in Figure 3. The crop is connected to the stomach.

The stomach has two parts. In the first part, food is bathed in chemicals that begin to break it down. Then the food moves to a thick-walled, muscular part of the stomach called the **gizzard.** The gizzard squeezes and grinds the partially digested food. Remember that birds do not have teeth. The gizzard does the same grinding function for birds that your teeth do for you. The gizzard may contain small stones that the bird has swallowed. These stones help grind the food by rubbing against it and crushing it.

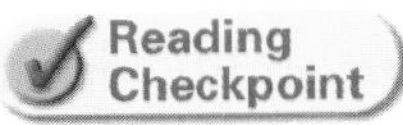

What is a gizzard?

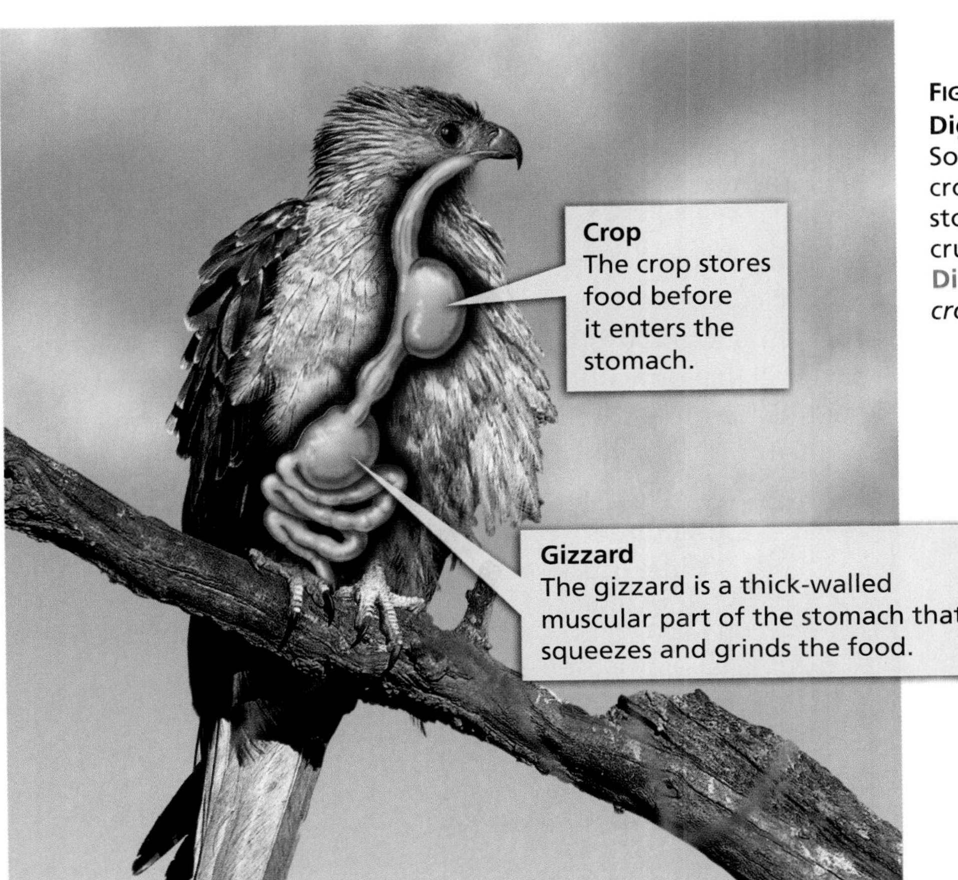

Crop
The crop stores food before it enters the stomach.
Gizzard
The gizzard is a thick-walled muscular part of the stomach that squeezes and grinds the food.

FIGURE 3
Digestive System of a Hawk
Some birds like this hawk have a crop and a gizzard. The crop stores food, and the gizzard crushes food. **Interpreting Diagrams** *Does food reach the crop or the gizzard first?*

FIGURE 4
Keeping Warm
A pine grosbeak puffs out its feathers to trap air in the layer of down feathers next to its skin.

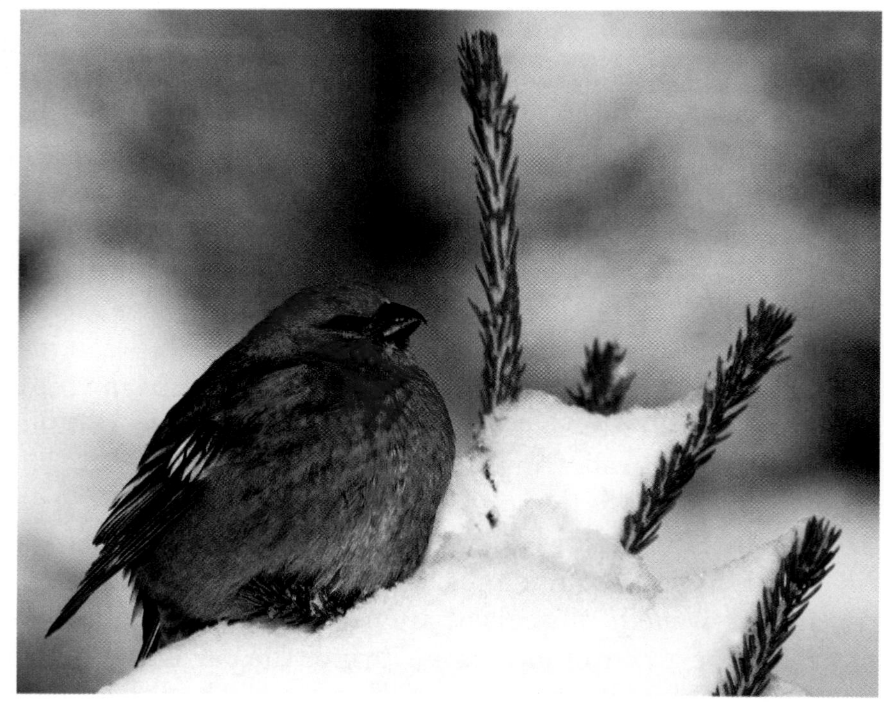

Keeping Conditions Stable Like all animals, birds use their food for energy. You know that birds need energy for flight. Because birds are endotherms, they also need a lot of energy to maintain their body temperature. Each day, an average bird eats food equal to about a quarter of its body weight. When people say, "You're eating like a bird," they usually mean that you're eating very little. But if you were actually eating as much as a bird does, you would be eating huge meals. You might be eating as many as 100 hamburger patties in one day!

To maintain their body temperature, birds use feathers as well as energy from food. As you read earlier, down feathers are specialized to trap heat. They are found right next to a bird's skin. In Figure 4, you can see what a down feather looks like. Unlike contour feathers, down feathers are soft and flexible. So, they mingle and overlap, trapping air. Air is a good insulator—a material that does not conduct heat well and therefore helps prevent heat from escaping. By trapping a blanket of warm air next to the bird's skin, down feathers slow the rate at which the skin loses heat. In effect, down feathers cover a bird in lightweight long underwear. Humans use down feathers from the eider duck to insulate jackets, sleeping bags, and bedding.

FIGURE 5
A Down-Filled Jacket
Wearing a jacket stuffed with down feathers helps this boy stay warm.
Applying Concepts *Why is his down jacket so puffy?*

Reproduction and Caring for Young Like reptiles, birds have internal fertilization and lay eggs. Bird eggs are similar to reptile eggs except that their shells are harder. In most bird species, the female lays the eggs in a nest that has been prepared by one or both parents.

Bird eggs will only develop at a temperature close to the body temperature of the parent bird. Thus, a parent bird usually incubates the eggs by sitting on them to keep them warm. In some species, incubating the eggs is the job of just one parent. For example, female robins incubate their eggs. In other species, such as pigeons, the parents take turns incubating the eggs. Chicks may take from 12 to 80 days to develop, depending on the species.

When it is ready to hatch, a chick pecks its way out of the eggshell. Some newly hatched chicks, such as ducks, chickens, and partridges are covered with down and can run about soon after they have hatched. Other chicks, such as baby blue jays and robins, are featherless, blind, and so weak they can barely lift their heads to beg for food. Most parent birds feed and protect their young at least until they are able to fly.

How is a bird egg different from a reptile egg?

Lab zone Try This **Activity**

"Eggs-amination"

1. Observe the surface of a chicken egg with a hand lens. Then gently crack the egg into a bowl. Do not break the yolk.
2. Note the membrane attached to the inside of the shell. Then look at the blunt end of the egg. What do you see?
3. Fill one part of the egg–shell with water. What do you observe?
4. Find the egg yolk. What is its function?
5. Look for a small white spot on the yolk. This marks the spot where the embryo would have developed if the egg had been fertilized.
6. Wash your hands with soap.

Observing Draw a labeled diagram of the egg that names each structure and describes its function.

FIGURE 6
Parental Care
The partridge chicks (above) find their own food from the day they hatch. In contrast, the blue jay chicks (right) are featherless, blind, and totally dependent on their parents for food for several weeks.

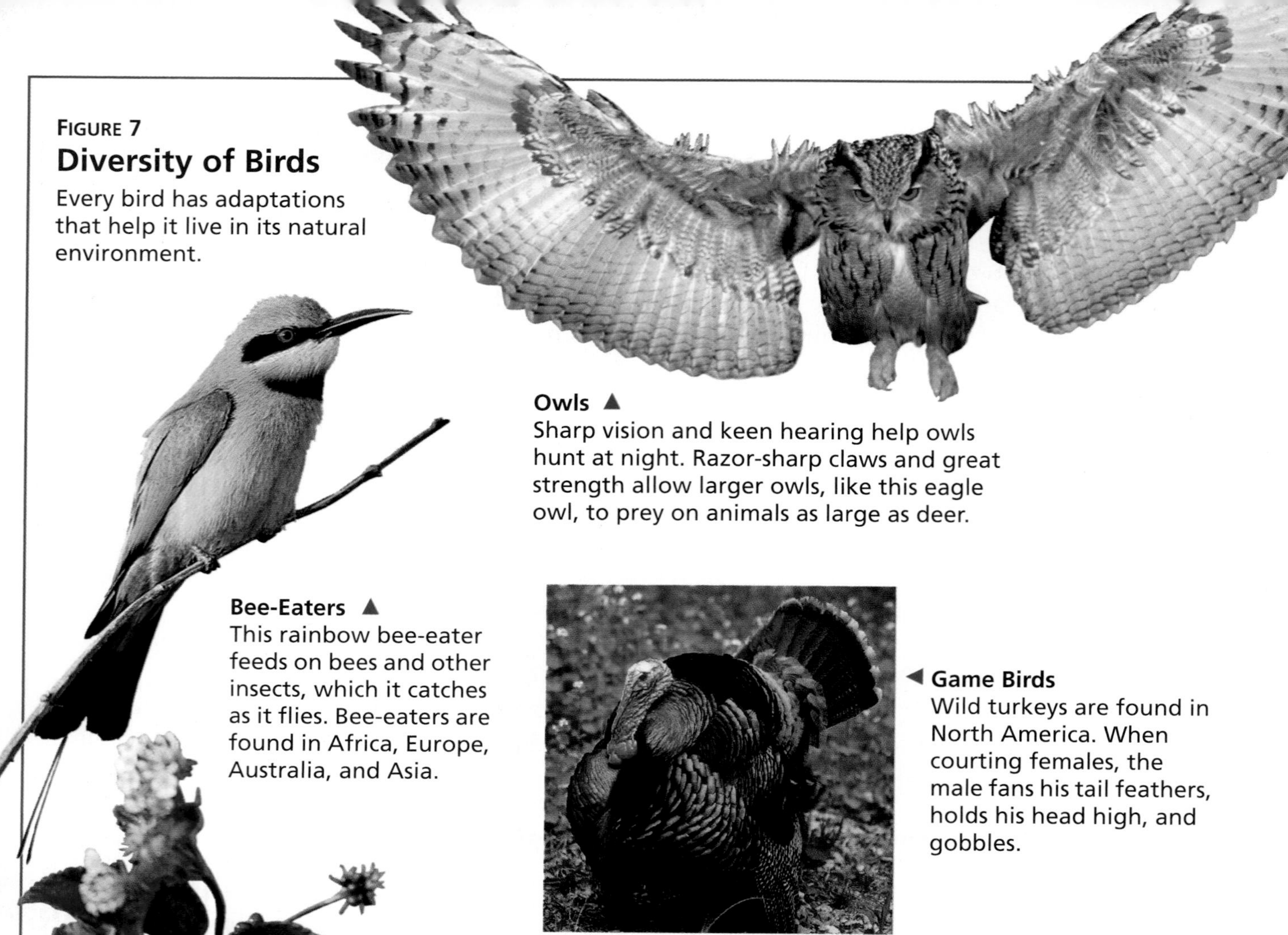

FIGURE 7
Diversity of Birds
Every bird has adaptations that help it live in its natural environment.

Owls ▲
Sharp vision and keen hearing help owls hunt at night. Razor-sharp claws and great strength allow larger owls, like this eagle owl, to prey on animals as large as deer.

Bee-Eaters ▲
This rainbow bee-eater feeds on bees and other insects, which it catches as it flies. Bee-eaters are found in Africa, Europe, Australia, and Asia.

◀ Game Birds
Wild turkeys are found in North America. When courting females, the male fans his tail feathers, holds his head high, and gobbles.

Birds in the Environment

With almost 10,000 species, birds are the most diverse land-dwelling vertebrates. **Birds are adapted for living in diverse environments. You can see some of these adaptations in the shapes of their legs, claws, and bills.** For example, the long legs and toes of wading birds, such as herons, cranes, and spoonbills, make wading easy. The claws of perching birds, such as goldfinches and mockingbirds, can lock onto a branch or other perch. The bills of woodpeckers are tools for chipping into the wood of trees. Birds also have adaptations for finding mates and caring for their young.

Birds play an important role in the environment. Nectar-eating birds, like hummingbirds, are pollinators. Seed-eating birds, like sparrows, carry the seeds of plants to new places. This happens when the birds eat the fruits or seeds of a plant, fly to a new location, and then eliminate some of the seeds in digestive wastes. In addition, birds are some of the chief predators of animals that may be pests. Hawks and owls eat rats and mice, while many perching birds feed on insect pests.

Ostriches ▼
The ostrich, found in Africa, is the largest living bird. It cannot fly, but it can run at speeds greater than 60 kilometers per hour. Its speed helps it escape from predators.

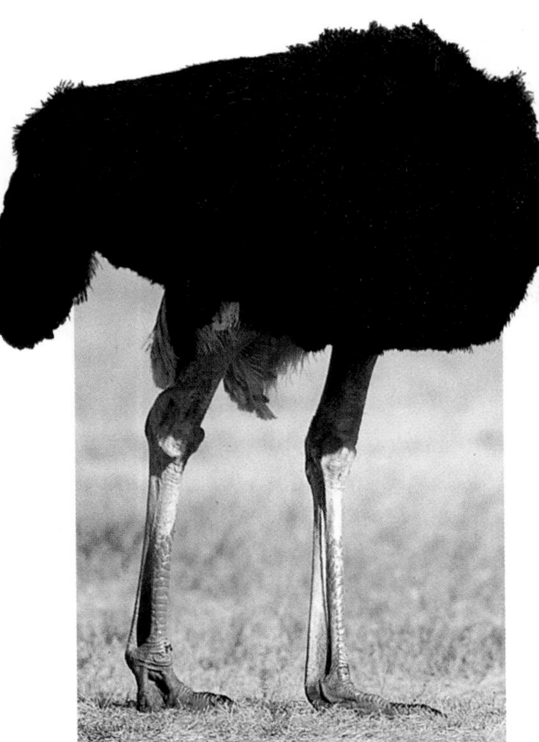

◀ Long-Legged Waders
The roseate spoonbill is found in the southern United States and throughout much of South America. The spoonbill catches small animals by sweeping its long, flattened bill back and forth under water.

Perching Birds ▶
Perching birds represent more than half of all the bird species in the world. The painted bunting, a seed-eating bird, lives in the southern United States and northern Mexico.

Section 1 Assessment

Target Reading Skill Previewing Visuals Refer to your questions and answers about Figure 1 to help you answer Question 1 below.

Reviewing Key Concepts

1. a. Identifying What characteristics do birds share?
   b. Explaining How is a bird's body adapted for flight?
   c. Relating Cause and Effect Why do birds need so much oxygen? What adaptation helps them obtain oxygen?
2. a. Listing What are three types of adaptations that allow birds to survive in diverse environments?
   b. Summarizing What are three roles birds play in the environment?
   c. Comparing and Contrasting Look at Figure 7. Compare and contrast the adaptations of an eagle owl and a roseate spoonbill for obtaining food.

Lab zone At-Home **Activity**

Count Down With the help of a family member, look for products in your home that contain down feathers. (*Hint:* Don't forget to check closets!) What kinds of items contain down feathers? What common purpose do these items have? Explain to your family member what down feathers look like and where they are found on a bird.

Lab zone **Skills Lab**

Looking at an Owl's Leftovers

Problem

What can you learn about owls' diets from studying the pellets that they cough up?

Skills Focus

observing, drawing conclusions

Materials

- owl pellet
- hand lens
- dissecting needle
- metric ruler
- forceps

Procedure   

1. An owl pellet is a collection of undigested materials that an owl coughs up after a meal. Write a hypothesis describing what items you expect an owl pellet to contain. List the reasons for your hypothesis.
2. Use a hand lens to observe the outside of an owl pellet. Record your observations.
3. Use one hand to grasp the owl pellet with forceps. Hold a dissecting needle in your other hand, and use it to gently separate the pellet into pieces. **CAUTION:** *Dissecting needles are sharp. Never cut material toward you; always cut away from your body.*
4. Using the forceps and dissecting needle, carefully separate the bones from the rest of the pellet. Remove any fur that might be attached to bones.
5. Group similar bones together in separate piles. Observe the skulls, and draw them. Record the number of skulls, their length, and the number, shape, and color of the teeth.
6. Use the chart on the right to determine what kinds of skulls you found. If any skulls do not match the chart exactly, record which animal skulls they resemble most.

Skull Identification Key	
Shrew 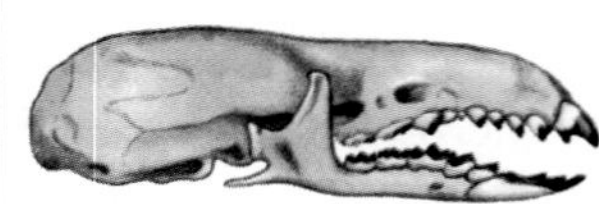	Upper jaw has at least 18 teeth; tips of the teeth are reddish brown. Skull length is 23 mm or less.
House mouse 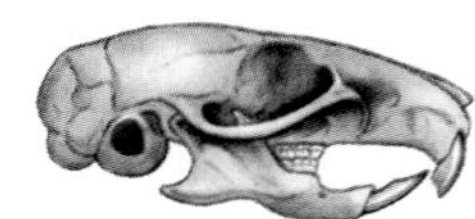	Upper jaw has two biting teeth and extends past lower jaw. Skull length is 22 mm or less.
Meadow vole 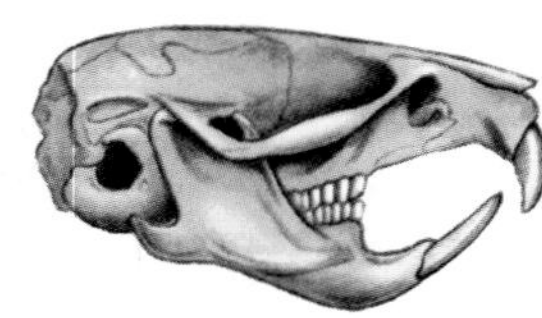	Upper jaw has two biting teeth that are smooth, not grooved. Skull length is 23 mm or more.
Mole 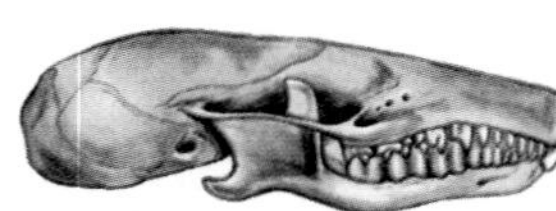	Upper jaw has at least 18 teeth. Skull length is 23 mm or more.
Rat 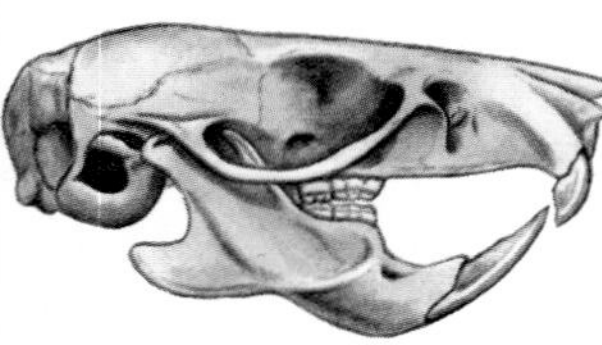	Upper jaw has two biting teeth. Upper jaw extends past lower jaw. Skull length is 22 mm or more.

7. Try to fit together any of the remaining bones to form complete or partial skeletons. Sketch your results.
8. Wash your hands thoroughly with soap when you are finished.

Analyze and Conclude

1. **Observing** How many animals' remains were in the pellet? What observations led you to that conclusion?
2. **Drawing Conclusions** Combine your results with the results of your classmates. Based on your class's data, which three animals were eaten most frequently? How do these results compare to your hypothesis?
3. **Calculating** Owls cough up about two pellets a day. Based on your class's data, what can you conclude about the number of animals an owl might eat in one month?
4. **Communicating** In this lab, you were able to examine only the part of the owl's diet that it did not digest. In a paragraph, explain how this fact might affect your confidence in the conclusions you reached.

Design an Experiment

Design an experiment to determine how an owl's diet varies at different times of the year. Give an example of a hypothesis you could test with such an experiment. What variables would you control? Before carrying out your experiment, obtain your teacher's approval of your plan.

Section 2

The Physics of Bird Flight

Reading Preview

Key Concepts

- What causes a bird to rise in the air?
- How may birds fly?

Key Term

- lift

Target Reading Skill

Relating Cause and Effect A cause makes something happen. An effect is what happens. As you read, identify the physical properties of a bird's wing that cause lift. Write them in a graphic organizer like the one below.

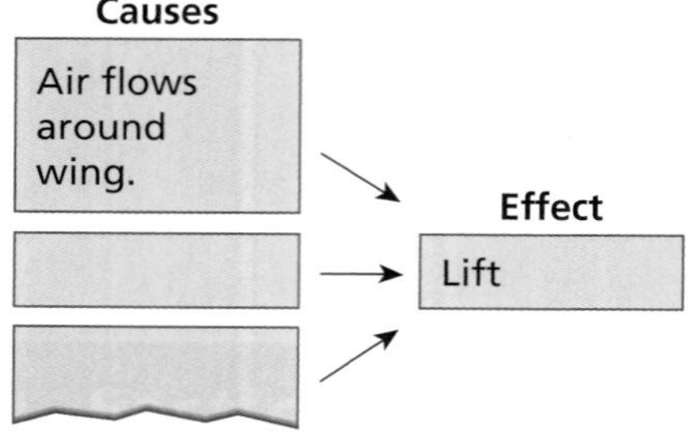

Lab zone Discover Activity

What Lifts Airplanes and Birds Into the Air?

1. Cut a strip of notebook paper 5 centimeters wide and 28 centimeters long. Insert about 5 centimeters of the paper strip into the middle of a book. The rest of the paper strip should hang over the edge.
2. Hold the book up so that the paper is below your mouth.
3. Blow gently across the top of the paper and watch what happens to the paper. Then blow harder.

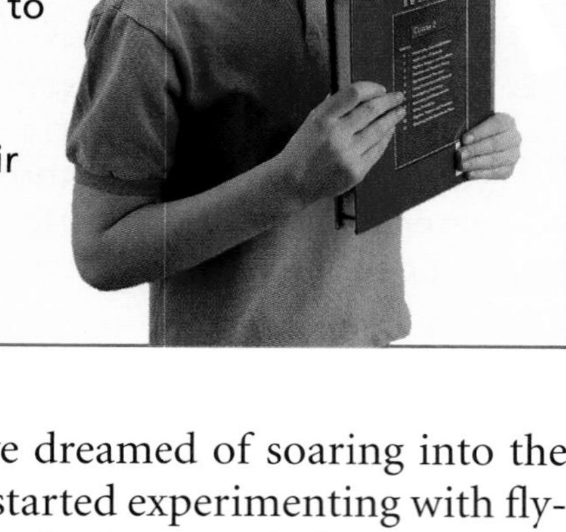

Think It Over

Predicting If a strong current of air flowed across the top of a bird's outstretched wing, what might happen to the bird?

From ancient times, people have dreamed of soaring into the air like birds. When people first started experimenting with flying machines, they tried to glue feathers to their arms or to strap on feathered wings. Many failures, crash-landings, and broken bones later, these people had learned that feathers by themselves weren't the secret of flight.

Staying in the Air

All objects on land are surrounded by an invisible ocean of air. Air is a mixture of gas molecules that exert pressure on the objects they surround. Although you cannot see air pressure, you can see the results of air pressure. For example, when you blow into a balloon, it gets larger. The pressure of the air molecules pushing on the sides of the balloon makes it expand.

FIGURE 8
Bird Feather
Contour feathers give a smooth shape to a bird's body and wings. This smooth shape is helpful for flight.

Faster-moving air above wing exerts less pressure.

Air flow

Slower-moving air below wing exerts more pressure.

Lift

FIGURE 9

Wing Shape and Lift

The air pressure pushing up on the lower surface of this pelican's wing is greater than the pressure pushing down on its upper surface.

Relating Cause and Effect *How does the difference in pressure help a bird fly?*

Movement and Air Pressure Air does not have to be inside a balloon to exert pressure. Moving air exerts pressure, too. The faster air moves, the less pressure it exerts. You saw this in the Discover Activity. The air blowing across the top of the paper was in motion. This moving air exerted less pressure on the paper than the air beneath it, so the paper rose.

Air Movement Around a Wing Like the paper, a flying bird's wing is surrounded by air molecules that exert pressure on the wing's surfaces. The wing allows air to flow smoothly over and under it. When a bird is between wing beats, the angle and shape of the wing cause the air to move faster above the wing than below it, as shown in Figure 9. The faster-moving air above the bird's wing exerts less pressure than the slower-moving air below it. **The difference in pressure above and below the wings as a bird moves through the air produces an upward force that causes the bird to rise.** That upward force is called **lift.**

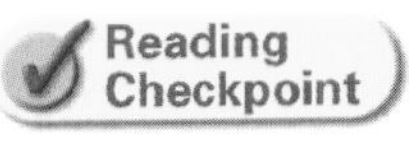

As air moves faster, what happens to the pressure it exerts?

FIGURE 10

Types of Flight

Flapping, soaring and gliding, and diving are three types of flight. **Applying Concepts** *Which type of flight requires the most energy? Explain.*

Flapping allows these macaws to lift off and move forward through the air.

Birds in Flight

Before a bird can use lift to fly, it must have some way of getting off the ground. To get into the air, a bird pushes off with its legs and moves forward at the same time. The bird must move forward to make air move over its wings. Sharply pulling down its wings provides the power that pushes the bird forward. The forward motion creates lift. When birds are in the air, they fly in a variety of ways. **Three types of bird flight are flapping, soaring and gliding, and diving.**

Flapping Once in flight, all birds continue to flap their wings at least part of the time. To flap, a bird must sharply pull down its wings as it did when it pushed off the ground. Most small birds, such as sparrows, depend heavily on flapping flight. Canada geese and many other birds that travel long distances also use flapping flight. Flapping requires a lot of energy.

Soaring and Gliding Unlike flapping flight, soaring and gliding flight involve little wing movement. Birds soar and glide with their wings extended. When soaring, birds use rising currents of warm air to move upward. In contrast, when gliding, birds use falling currents of cool air to move downward. Soaring and gliding use less energy than flapping because they require less wing movement.

Sometimes birds fly using a combination of soaring and gliding. They "take the elevator up" by flying into a current of warm, rising air. The birds stretch their wings out and circle round and round, moving upward within the current of rising air. As the warm air rises it starts to cool. Finally, the air stops rising. At this point the bird begins gliding downward until it reaches another "up elevator" of rising air.

Lab zone Try This Activity

It's Plane to See

1. Work with a partner to design a paper airplane with wings shaped like those of a bird. You can use any of these materials: paper, tape, glue, paper clips, string, rubber bands, and staples. Draw a sketch of your design.
2. Construct your "birdplane" and make one or two trial flights. If necessary, modify your design and try again.
3. Compare your design with those of other groups. Which designs were most successful?

Making Models In what ways was the flight of your airplane like the flight of a bird? In what ways was it different?

By soaring and gliding, this bald eagle moves up, down, and forward using very little energy.

This pelican is beginning its dive toward a meal of fish.

Diving A type of flight that doesn't use lift is diving. Birds that hunt their prey from the sky may use diving flight. For example, a brown pelican flies above the ocean, looking for schools of fish under the water's surface. Once it spots the fish, the pelican dives with great speed. As it dives, the pelican pulls its wings in close to its body. Pulling in the wings changes the pelican's body shape. The new body shape produces no lift at all. Without lift, the pelican falls from the sky headfirst into the ocean and hits the fish with enough force to stun them.

Some hawks and falcons dive from high in the sky towards their prey, too. Peregrine falcons can clock speeds up to 300 kilometers per hour while diving for pigeons or other prey.

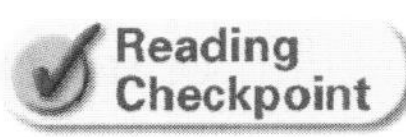

Which type of bird flight is the fastest?

For: More on bird adaptations
Visit: PHSchool.com
Web Code: ced-2042

Section 2 Assessment

Target Reading Skill **Relating Cause and Effect** Refer to your graphic organizer about lift to help you answer Question 1 below.

Reviewing Key Concepts

1. a. **Defining** What is lift?
   b. **Explaining** What effect does lift have on a flying bird?
   c. **Applying Concepts** What causes lift in an airplane?
2. a. **Identifying** What are three types of bird flight?
   b. **Summarizing** How does a bird take off from the ground to fly?
   c. **Comparing and Contrasting** How are soaring and gliding alike? How are they different?

Writing in Science

Advertisement You have been hired by an outdoor adventure company to write an exciting ad for one of their birdwatching hikes. In the ad, describe several interesting birds and types of bird flight that people will see on the hike.

Section 3

Mammals

Reading Preview

Key Concepts

- What characteristics do all mammals share?
- What are the main groups of mammals and how do they differ?

Key Terms

- mammal • mammary gland
- diaphragm • monotreme
- marsupial • gestation period
- placental mammal • placenta

Target Reading Skill

Building Vocabulary A definition states the meaning of a word or phrase by telling about its most important feature or function. After you read the section, reread the paragraphs that contain definitions of Key Terms. Use all the information you have learned to write a definition of each Key Term in your own words.

Lab zone Discover Activity

What Are Mammals' Teeth Like?

1. Wash your hands before you begin. Then, with a small mirror, examine the shapes of your teeth. Observe the incisors (the front teeth); the pointed canine teeth; the premolars behind the canine teeth; and the molars, which are the large teeth in the very back.
2. Compare and contrast the structures of the different kinds of teeth.
3. Use your tongue to feel the cutting surfaces of the different kinds of teeth in your mouth.
4. Bite off a piece of cracker and chew it. Observe the teeth that you use to bite and chew. Wash your hands when you are finished.

Think It Over

Inferring What is the advantage of having teeth with different shapes?

High in the Himalaya Mountains of Tibet, several yaks inch their way, single file, along a narrow cliff path. The cliff plunges thousands of meters to the valley below, so one false step can mean disaster. But the sure-footed yaks, carrying heavy loads of grain, slowly but steadily cross the cliff and make their way through the mountains.

People who live in the mountains of central Asia have depended on yaks for thousands of years. Not only do yaks carry materials for trade, they also pull plows and provide milk. Mountain villagers weave blankets from yak hair and make shoes and ropes from yak hides.

The yak is a member of the group of vertebrates called **mammals.** Today about 4,000 different species of mammals exist. Some, like the yak and wildebeest, you may never have seen. But others, such as dogs, cats, and mice are very familiar to you. What characteristics do mammals share?

▲ Himalayan yak

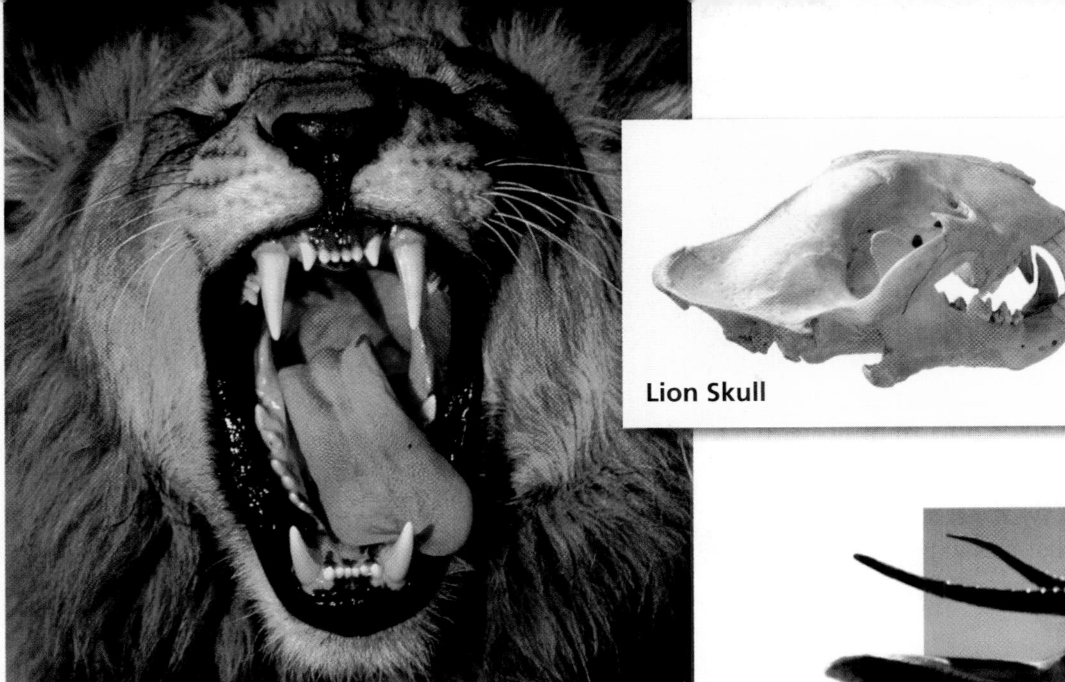

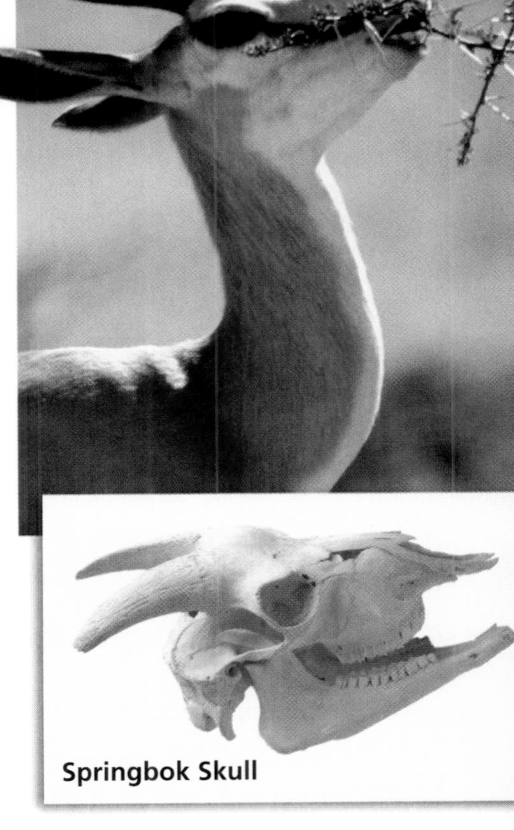

FIGURE 11
Teeth of Different Shapes
Lions have sharp, pointed canines. Springboks have broad molars.
Inferring *What kind of diet does each of these mammals eat?*

Characteristics of Mammals

All mammals are endothermic vertebrates that have a four-chambered heart and skin covered with fur or hair. Most mammals are born alive, and every young mammal is fed with milk produced by organs in its mother's body. These organs are called **mammary glands.** The word *mammal,* in fact, comes from the term *mammary.*

Obtaining Food In addition to their other characteristics, most mammals have teeth. Their teeth are adapted to chew their food, breaking it into small bits that make digestion easier. Most mammals have teeth with four different shapes. If you did the Discover Activity, you observed these shapes. Incisors are flat-edged teeth used to bite off and cut food. Canines are pointed teeth that stab food and tear into it. Premolars and molars have broad, flat upper surfaces for grinding and shredding food.

The size, shape, and hardness of a mammal's teeth reflect its diet. For example, the canines of carnivores are especially large and sharp. Large carnivores, such as the lion in Figure 11, use their canines to hold their prey while they kill it. In contrast, herbivores, such as a springbok, have molars for grinding and mashing plants.

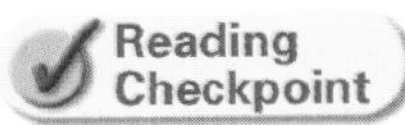

Which teeth stab and tear into food?

Figure 12
Fur and Hair
A hippo has hardly any hair. In contrast, a wolf has a thick coat of fur.
Inferring *What can you infer about the environment each animal lives in?*

Obtaining Oxygen To release energy, food must combine with oxygen inside cells. Therefore, a mammal must have an efficient way to get oxygen into the body and to the cells that need it. Like reptiles and birds, all mammals breathe with lungs. Mammals breathe in and out because of the combined action of rib muscles and a large muscle called the **diaphragm** (DY uh fram). The diaphragm is located at the bottom of the ribs. The lungs have a huge, moist surface area where oxygen can move into the blood.

Like birds, mammals have a four-chambered heart and a two-loop circulatory system. This efficient system takes oxygen to the cells.

Keeping Conditions Stable Like birds, mammals are endotherms. They need the energy in food to keep a steady internal temperature. In addition, all mammals have fur or hair at some point in their lives that helps them keep their internal temperature stable. The amount of fur or hair that covers a mammal's skin varies greatly. Each strand of fur or hair is composed of dead cells strengthened with the same tough material that strengthens feathers. In general, animals that live in cold regions, like the wolf shown in Figure 12, have more fur than animals from warmer environments.

Fur is not the only adaptation that allows mammals to live in cold climates. Mammals also have a layer of fat beneath their skin. Like fur and feathers, fat is an insulator.

Lab zone **Try This Activity**

Insulated Mammals

Discover whether or not fat is an effective insulator.

1. Put on a pair of rubber gloves.
2. Spread a thick coating of solid white shortening on the outside of one of the gloves. Leave the other glove uncoated.
3. Put both hands in a bucket or sink filled with cold water.

Inferring Which hand got cold faster? Explain how this activity relates to mammalian adaptations.

Movement In addition to adaptations for living in cold environments, mammals have adaptations that allow them to move in more ways than members of any other group of vertebrates. Most mammals walk or run on four limbs, but some have specialized ways of moving. For example, kangaroos hop, orangutans swing by their arms from branch to branch, and "flying" squirrels can spread their limbs and glide down from high perches. Bats have wings adapted from their front limbs. Whales, dolphins, and other sea mammals lack hind limbs, but their front limbs are adapted as flippers for swimming in water. These specialized ways of moving allow mammals to survive in many habitats.

FIGURE 13
A Swinging Orangutan
This young orangutan can grasp branches with its limbs and swing from place to place.

Nervous System A mammal's nervous system coordinates its movements. In addition, the nervous system receives information about the environment. The brains of mammals enable them to learn, remember, and behave in complex ways. For example, in order for squirrels to eat nuts, they must crack the nutshell to get to the meat inside. Squirrels learn to use different methods to crack different kinds of nuts, depending on where the weak point in each kind of shell is located.

The senses of mammals are highly developed and adapted for the ways a species lives. Tarsiers, which are active at night, have huge eyes that enable them to see in the dark. Bats use a keen sense of hearing to navigate in the dark and catch prey. Dogs, cats, and bears often use smell to track their prey. Other mammals, such as antelopes, can smell approaching predators in time to flee.

What are three ways that mammals can move?

FIGURE 14
The Senses of Seals
Seals can see under water in near darkness. Their long whiskers help them obtain food by detecting the movements of their prey.

For: Links on mammals
Visit: www.SciLinks.org
Web Code: scn-0243

Diversity of Mammals

Mammals are a very diverse group. Look at the spiny anteater and the kangaroo shown on this page. Both are mammals that feed their young milk. But, in other ways, they are different. **There are three main groups of mammals—monotremes, marsupials, and placental mammals. The groups differ in how their young develop.**

Figure 15
A Spiny Anteater
The young of this spiny anteater, a monotreme, hatch from eggs.

Monotremes Egg-laying mammals are called **monotremes.** There are just three species of monotremes—two species of spiny anteaters and the duck-billed platypus. A female spiny anteater lays one to three leathery-shelled eggs directly into a pouch on her belly. After the young hatch, they stay in the pouch for six to eight weeks. There they drink milk that seeps out of pores on the mother's skin. In contrast, the duck-billed platypus lays her eggs in an underground nest. The tiny young feed by lapping at the milk that oozes from slits onto the fur of their mother's belly.

Marsupials Koalas, kangaroos, and opossums are some of the better-known marsupials. **Marsupials** are mammals whose young are born at an early stage of development, and they usually continue to develop in a pouch on their mother's body.

Marsupials have a very short **gestation period,** the length of time between fertilization and birth. For example, opossums have a gestation period of about 13 days. Newborn marsupials are tiny—some opossums are less than 1 centimeter long at birth! When they are born, marsupials are blind, hairless, and pink. They crawl along the wet fur of their mother's belly until they reach her pouch. Once inside, they find one of her nipples and attach to it. They remain in the pouch until they have grown enough to peer out of the pouch opening.

Figure 16
Kangaroos
This gray kangaroo, a marsupial, carries her offspring in a pouch.
Classifying *How do marsupials differ from monotremes?*

Placental Mammals Unlike a monotreme or a marsupial, a **placental mammal** develops inside its mother's body until its body systems can function independently. The name of this group comes from the **placenta,** an organ in pregnant female mammals that passes materials between the mother and the developing embryo. Food and oxygen pass from the mother to her young. Wastes pass from the young to the mother, who eliminates them. An umbilical cord connects the young to the mother's placenta. Most mammals, including humans, are placental mammals. Gestation periods of placental mammals are generally longer than those of marsupials. Usually, the larger the placental mammal, the longer the gestation period. The gestation period for an elephant, for example, averages about 21 months, but for a mouse, it's only about 20 days.

Placental mammals are classified into groups on the basis of characteristics such as how they eat and how their bodies move. You can see the diversity of placental mammals in Figure 18 on the next page.

What is a placenta?

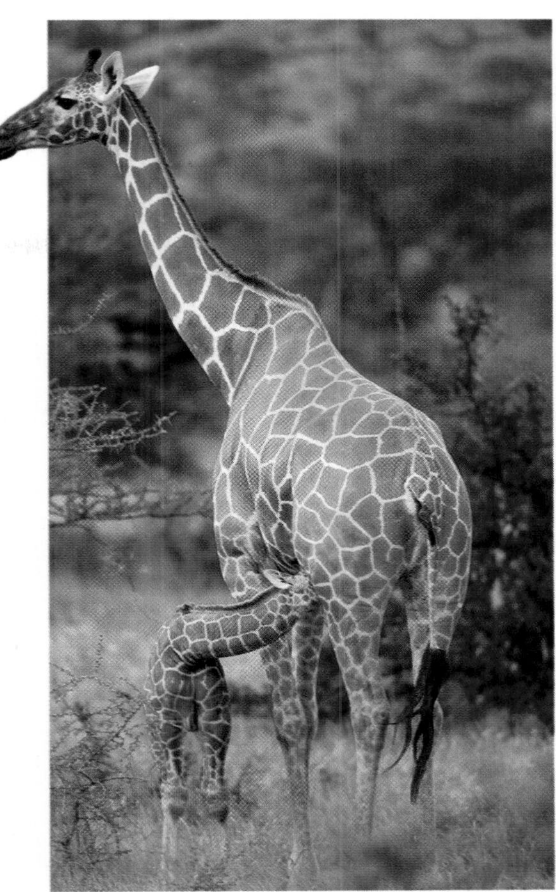

FIGURE 17 **Mother and Baby Giraffe** This baby giraffe, a placental mammal, feeds on milk produced by its mother.

Math Analyzing Data

Mammal Diversity

This circle graph shows the percentage of species of some types of mammals.

1. **Reading Graphs** What percentage of species are bats?
2. **Calculating** What percentage of species are not bats?
3. **Graphing** Suppose you used the data shown in the circle graph to make a bar graph. Which bar would be tallest?
4. **Predicting** What total should all the percentages in the pie chart add up to? Why?

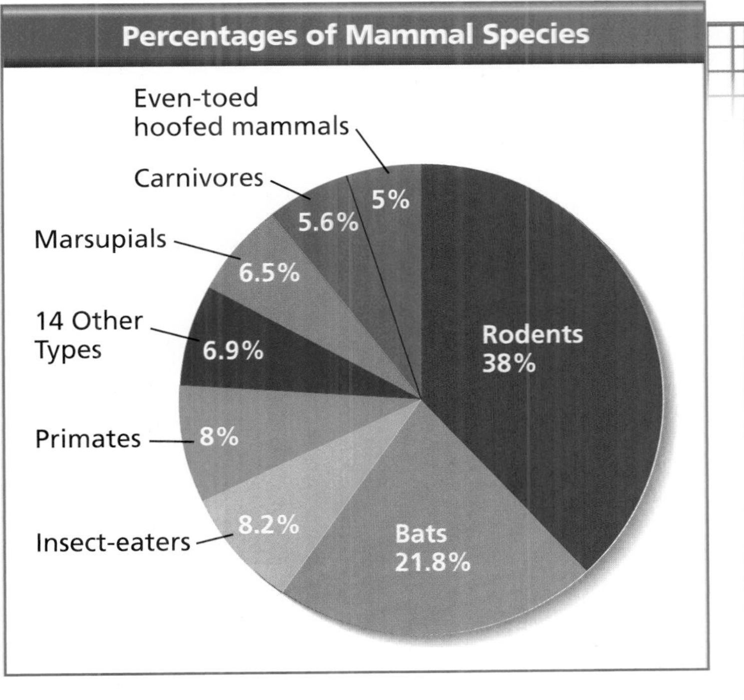

Figure 18

Diversity of Placental Mammals

From tiny moles to huge elephants, placental mammals are diverse. They are grouped on the basis of how they eat and move as well as other characteristics.

Rabbits and Hares ▶
Leaping mammals like this black-tailed jack rabbit have long hind legs specialized for spectacular jumps. Rabbits and hares have long, curved incisors for gnawing.

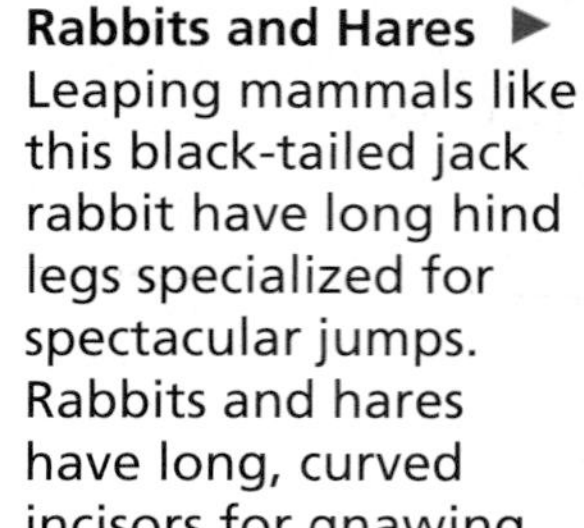

Carnivores ▶
This river otter belongs to the group known as carnivores. Dogs, raccoons, and seals are other members of this group. Most carnivores have large canine teeth and clawed toes that help them catch and eat their prey.

Marine Mammals ▲
Whales, manatees, and these Atlantic spotted dolphins are ocean-dwelling mammals with a body shape adapted for swimming.

Rodents ▶
Rodents are gnawing mammals such as mice, rats, beavers, and the capybaras shown here. The incisor teeth of most rodents keep growing throughout their lives but are constantly worn down by gnawing.

Mammals With Trunks ▲
Elephants' noses are long trunks that they use for collecting food and water.

Insect-Eaters ▲
Moles and their relatives have sharp cutting surfaces on all of their teeth. This star-nosed mole spends much of its time searching for prey with its sensitive, tentacled snout.

◄ Flying Mammals
The wings of bats are made of a thin skin that stretches from their wrists to the tips of their long finger bones.

◄ Toothless Mammals
Armadillos, such as the one shown here, are toothless mammals. So are sloths. Although a few members of this group have small teeth, most have none.

Hoofed Mammals ▲
Some mammals with hooves have an even number of toes and some have an odd number of toes. Cows, deer, and pigs all have an even number of toes. Horses and zebras have an odd number of toes.

Primates ▼
This group of mammals with large brains and eyes that face forward includes humans, monkeys, and apes such as this chimpanzee.

FIGURE 19
Parental Care by Dall's Sheep
Young mammals usually require much parental care. On a rocky slope in Alaska, this Dall's sheep, a placental mammal, keeps a close watch on her lamb.

Caring for Young Whether a monotreme, a marsupial, or a placental mammal, young mammals are usually quite helpless for a long time after being born. Many are born without a coat of insulating fur. Their eyes are often sealed and may not open for weeks. For example, black bear cubs are surprisingly tiny when they are born. The blind, nearly hairless cubs have a mass of only 240 to 330 grams—about the same mass as a grapefruit. The mass of an adult black bear, in contrast, ranges from about 120 to 150 kilograms—about 500 times as much as a newborn cub!

Young mammals usually stay with their mother or both parents for an extended time. After black bear cubs learn to walk, they follow their mother about for the next year, learning how to be a bear. They learn things that are important to their survival, such as which mushrooms and berries are good to eat and how to rip apart a rotten log and find good-tasting grubs within it. During the winter, when black bears go through a period of inactivity, the young bears stay with their mother. The following spring, she will usually force them to live independently.

Why are most young mammals dependent on one or both parents after they are born?

Section 3 Assessment

Target Reading Skill Building Vocabulary Use your definitions to help answer the questions below.

Reviewing Key Concepts

1. a. Defining What characteristics do mammals share?
   b. Describing Describe the adaptation that most mammals have for obtaining food.
   c. Relating Cause and Effect What enables mammals to live in colder environments than reptiles? Explain.
2. a. Reviewing What are the three main groups of mammals?
   b. Explaining How do monotremes, marsupials, and placental mammals differ?
   c. Interpreting Photographs Look at Figure 18. Describe the adaptations for movement of marine mammals and flying mammals.

Lab zone At-Home Activity

Mammals' Milk With a family member, examine the nutrition label on a container of whole milk. What types of nutrients does whole milk contain? Discuss why milk is an ideal source of food for young, growing mammals.

Lab zone **Consumer Lab**

Keeping Warm

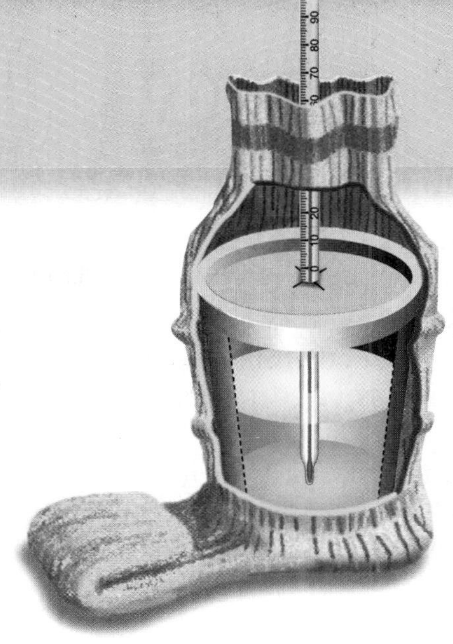

Problem

Do wool products provide insulation from the cold? How well does wool insulate when it is wet?

Skills Focus

graphing, interpreting data

Materials

- tap water, hot
- scissors
- beaker, 1-L
- 3 thermometers
- clock or watch
- graph paper
- a pair of wool socks
- tap water, room temperature
- 3 containers, 250-mL, with lids

Procedure    

1. Put one container into a dry woolen sock. Soak a second sock with water at room temperature, wring it out so it's not dripping, and then slide the second container into the wet sock. Both containers should stand upright. Leave the third container uncovered.
2. Create a data table in your notebook, listing the containers in the first column. Provide four more columns in which to record the water temperatures during the experiment.
3. Use scissors to carefully cut a small "X" in the center of each lid. Make the X just large enough for a thermometer to pass through.
4. Fill a beaker with about 800 mL of hot tap water. Then pour hot water nearly to the top of each of the three containers. **CAUTION:** *Avoid spilling hot water on yourself or others.*
5. Place a lid on each of the containers, and insert a thermometer into the water through the hole in each lid. Gather the socks around the thermometers above the first two containers so that the containers are completely covered.
6. Immediately measure the temperature of the water in each container, and record it in your data table. Take temperature readings every 5 minutes for at least 15 minutes.

Analyze and Conclude

1. **Graphing** Graph your results using a different color to represent each container. Graph time in minutes on the horizontal axis and temperature on the vertical axis.
2. **Interpreting Data** Compare the temperature changes in the three containers. Relate your findings to the insulation characteristics of mammal skin coverings.
3. **Communicating** Suppose a company claims that its wool socks keep you warm even if they get wet. Do your findings support this claim? Write a letter to the company explaining why or why not.

Design an Experiment

Design an experiment to compare how wool's insulating properties compare with those of other natural materials (such as cotton) or manufactured materials (such as acrylic). Obtain your teacher's permission before carrying out your investigation.

For: Data sharing
Visit: PHSchool.com
Web Code: ced-2043

Chapter 12 Study Guide

1 Birds

Key Concepts

- A bird is an endothermic vertebrate that has feathers and a four-chambered heart. A bird also lays eggs.
- Birds are adapted for living in diverse environments. You can see some of these adaptations in the shapes of their legs, claws, and bills.

Key Terms

bird
contour feather
down feather
crop
gizzard

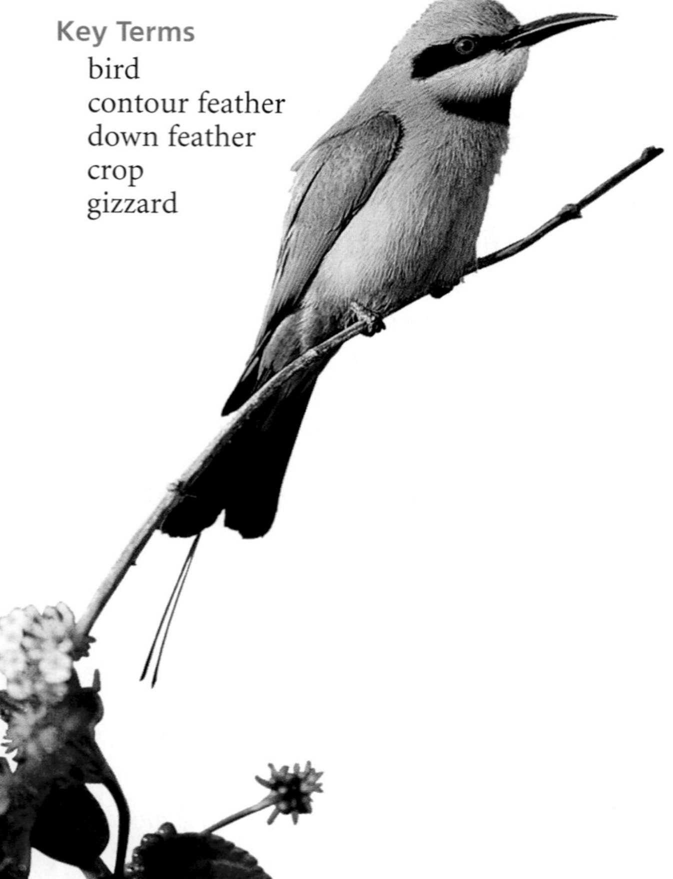

2 The Physics of Bird Flight

Key Concepts

- The difference in pressure above and below the wings as the bird moves through the air produces an upward force that causes the bird to rise.
- Three types of bird flight are flapping, soaring and gliding, and diving.

Key Term

lift

3 Mammals

Key Concepts

- All mammals are endothermic vertebrates that have a four-chambered heart and skin covered with fur or hair. Most mammals are born alive, and every young mammal is fed with milk produced by organs in its mother's body.
- There are three main groups of mammals—monotremes, marsupials, and placental mammals. The groups differ in how their young develop.

Key Terms

mammal
mammary gland
diaphragm
monotreme
marsupial
gestation period
placental mammal
placenta

Review and Assessment

For: Self-Assessment
Visit: PHSchool.com
Web Code: cea-2040

Organizing Information

Comparing and Contrasting Copy the table comparing mammal groups onto a sheet of paper. Then fill in the empty spaces and add a title.

Characteristic	Monotremes	Marsupials	Placental Mammals
How Young Begin Life	a. ___?___	b. ___?___	c. ___?___
How Young Are Fed	milk from pores or slits on mother's skin	d. ___?___	e. ___?___
Example	f. ___?___	g. ___?___	h. ___?___

Reviewing Key Terms

Choose the letter of the best answer.

1. Birds are the only animals with
   a. scales.
   b. wings.
   c. feathers.
   d. a four-chambered heart.
2. The gizzard of a bird
   a. stores air.
   b. removes oxygen from air.
   c. helps a bird fly.
   d. grinds food.
3. An organ that produces milk to feed the young is called a
   a. mammary gland.
   b. placenta.
   c. pouch.
   d. egg.
4. Which muscle helps mammals move air into and out of their lungs?
   a. air muscle
   b. diaphragm
   c. placenta
   d. gestation
5. A monotreme differs from a placental mammal because it
   a. has fur.
   b. has a placenta.
   c. lays eggs.
   d. feeds its young milk.

If the statement is true, write *true*. If it is false, change the underlined word or words to make the statement true.

6. Down feathers give shape to a bird's body.
7. A bird's crop stores food.
8. The upward force on a bird's moving wing is called lift.
9. The function of contour feathers is similar to the function of fur.
10. A diaphragm is the length of time between fertilization and birth.

Writing in Science

Cause and Effect Paragraph Which adaptations improve a bird's ability to fly? Write a paragraph in which you describe the effects of adaptations you learned about on the ability of a bird to fly. Be sure to include a topic sentence.

Birds and Mammals

Video Preview
Video Field Trip
▶ Video Assessment

Review and Assessment

Checking Concepts

11. Explain how the skeleton of a bird is adapted for flight.
12. What adaptations help a bird obtain enough oxygen for flight? Explain.
13. Why is a bird's circulatory system efficient? Explain.
14. What causes lift?
15. Explain how soaring and gliding birds such as vultures use air currents in their flight.
16. How does the structure of an incisor relate to its function?
17. Identify and explain two ways in which mammals are adapted to live in climates that are very cold.
18. What is the function of a mammal's nervous system?

Thinking Critically

19. **Making Generalizations** What is the general relationship between whether an animal is an endotherm and whether it has a four-chambered heart? Relate this to the animal's need for energy.
20. **Relating Cause and Effect** Look at the diagram below. Explain how lift occurs and what effect it has on the bird.

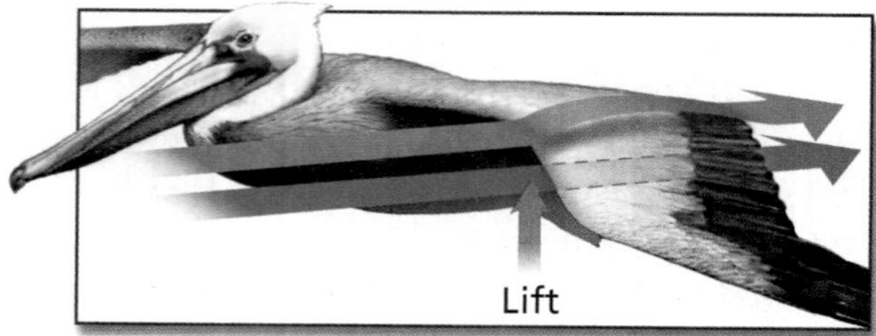

21. **Applying Concepts** Why do whales, polar bears, and seals have a thick layer of fat?
22. **Predicting** If a rodent were fed a diet consisting only of soft food that it did not need to gnaw, what might its front teeth look like after several months? Explain.

Applying Skills

Use the information in the table to answer Questions 23–25.

The data table below shows the approximate gestation period of several mammals and the approximate length of time that those mammals care for their young after birth.

Mammal	Gestation Period	Time Spent Caring for Young After Birth
Deer mouse	0.75 month	1 month
Chimpanzee	8 months	24 months
Harp seal	11 months	0.75 month
Elephant	21 months	24 months
Bobcat	2 months	8 months

23. **Graphing** Decide which kind of graph would be best for showing the data in the table. Then construct two graphs—one for gestation period and the other for time spent caring for young.
24. **Interpreting Data** Which mammals listed in the table care for their young for the longest time? The shortest time?
25. **Drawing Conclusions** How are the size of the mammal and the length of time it cares for its young related? Which animal is the exception to this pattern?

Lab zone Chapter Project

Performance Assessment When you present your bird-watch project, display your graphs, charts, and pictures. Describe the ways in which birds eat and the interesting examples of bird behavior you observed. Then, analyze how successful the project was. Was the bird feeder located in a good place for attracting and observing birds? Did many birds come to the feeder? If not, why might this have happened? What are the advantages and limitations of using field guides for identifying birds?

Standardized Test Prep

Test-Taking Tip

Answering a Constructed Response Question

Be sure you understand the question before you begin. For example, are you being asked to write a description or to compare and contrast two items? Consider what information you should include in order to give a complete answer that addresses all the specific points asked for in the question. Your answer should also be organized. Take the time to decide how to best sequence the information in your response.

Sample Question

Both birds and mammals are endotherms. Compare and contrast how the two different groups of animals maintain their body temperatures. Consider the physical characteristics of each group in your response.

Answer

You might begin your answer with a brief review of the word *endotherm* and then continue by stating the similarities and differences in how birds and mammals maintain their body temperatures. Give specific examples that support your answer. For instance, if you state that birds and mammals have different body coverings to help keep them warm, you would state that down feathers help insulate a bird, whereas fur or hair helps insulate a mammal.

Choose the letter of the best answer.

1. Of the following structures found in a bird, which one's main function is to store food?
   A stomach
   B gizzard
   C crop
   D bill

2. Which characteristics do birds and mammals share?
   F Both are endothermic vertebrates.
   G Both have fur or hair.
   H Both have a three-chambered heart.
   J Both are vertebrates that produce milk.

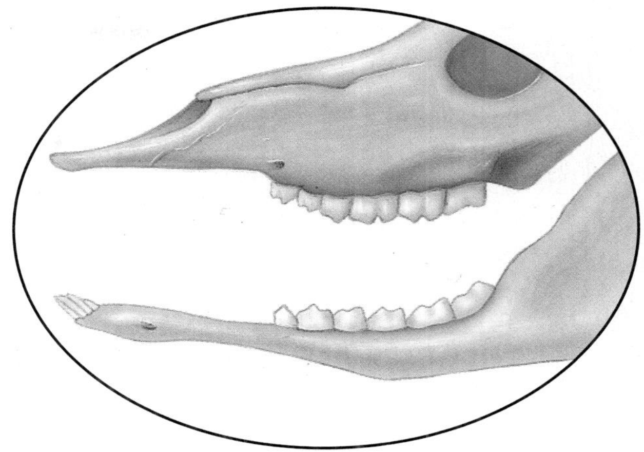

3. The diagram above shows the jawbone and teeth of an animal. The front of the mouth faces left. Which of the following best describes the teeth?
   A many sharp canines
   B broad molars at the back of the mouth
   C molars at the front of the mouth
   D flat incisors at the back of the mouth

4. Based on the kinds of teeth you observe in the diagram above, make your best inference about what this animal might be.
   F bird
   G cow
   H rabbit
   J bear

5. Which of the following best describes the function of the placenta?
   A to deliver oxygen to the body's cells
   B to store food inside the body before swallowing and digesting it
   C to direct and coordinate a mammal's complex movements
   D to pass materials between a mother and her offspring before it is born

Constructed Response

6. Describe how birds care for their eggs and newly hatched young. Your answer should include information about why this care is necessary.

Chapter 13

Animal Behavior

Chapter Preview

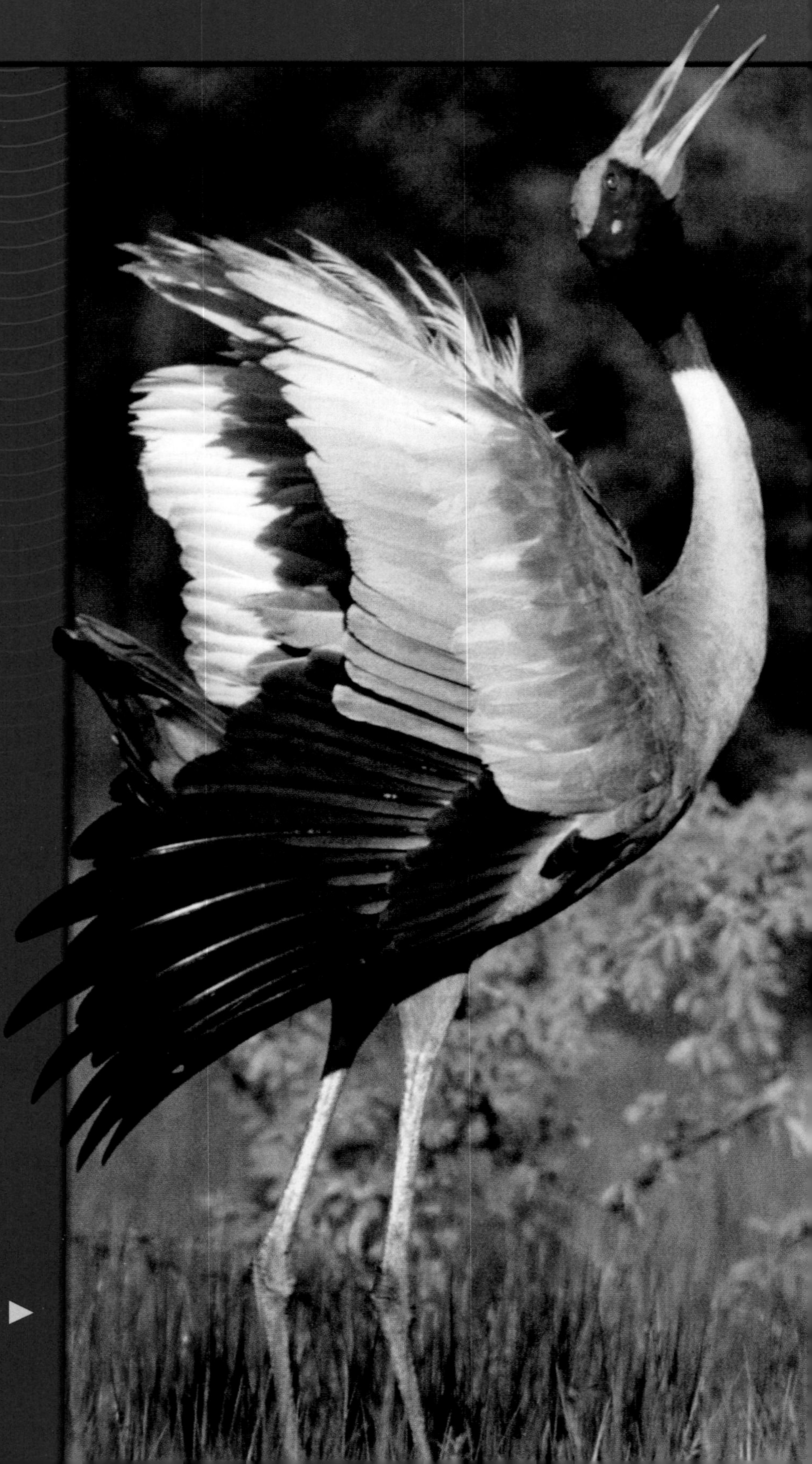

This pair of Sarus cranes is engaged in an elaborate courtship dance. ▶

Animal Behavior

▶ Video Preview
Video Field Trip
Video Assessment

Lab zone™ Chapter **Project**

Learning New Tricks

As you learn about animal behavior in this chapter, you will have a chance to study an animal on your own. Your challenge will be to teach the animal a new behavior.

Your Goal To monitor an animal's learning process as you teach it a new skill

To complete this project, you must

- observe an animal to learn about its behavior patterns
- choose a new skill for the animal to learn, and develop a plan that uses rewards to teach it the skill
- monitor the animal's learning over a specific period of time
- follow the safety guidelines in Appendix A

Plan It! Choose an animal to train. The animal could be a family pet, a neighbor's pet, or another animal approved by your teacher. Begin by observing the animal carefully to learn about its natural behaviors. Then think about an appropriate new skill to teach the animal. Write up a training plan to teach it the new skill. Be sure to have your teacher approve your training plan before you begin.

Section 1

What Is Behavior?

Reading Preview

Key Concepts

- What causes animal behavior?
- What are instincts?
- What are four types of learned behaviors?

Key Terms

- behavior
- stimulus
- response
- instinct
- learning
- imprinting
- conditioning
- trial-and-error learning
- insight learning

Target Reading Skill

Outlining As you read, make an outline about behavior. Use the red headings for the main topics and the blue headings for the subtopics.

Understanding Behavior

I. Behavior of animals
  A. Behavior as response
  B.
II. Behavior by instinct
III.
  A.
  B.
  C.
  D.

Lab zone Discover Activity

What Behaviors Can You Observe?

1. Observe the behavior of a small vertebrate, such as a gerbil or a goldfish, for a few minutes. Write down your observations.
2. Place some food near the animal and observe the animal's behavior.
3. If there are other animals in the cage or aquarium, observe how the animals interact—for example, do they groom each other or ignore each other?
4. Note any other events that seem to make the animal change its behavior.

Think It Over

Predicting What are some circumstances under which you would expect an animal's behavior to change suddenly?

A male anole—a kind of lizard—stands in a patch of sun. As another male approaches, the first anole begins to lower and raise its head and chest in a series of quick push-ups. From beneath its neck a dewlap, a bright red flap of skin, flares out and then collapses, over and over. The anoles stare at one another, looking like miniature dinosaurs about to do battle. The first anole seems to be saying, "This area belongs to me. You'll have to leave or fight!"

FIGURE 1
Dewlap Display
These two anoles are displaying their dewlaps in a dispute over space.

FIGURE 2
A Moth's Startling "Eyes"
Certain moths have markings on their underwings that resemble eyes. When the moth is poked by a predator, it raises its forewings to reveal the "eyes." **Predicting** *How is this behavior important to the moth's survival?*

The Behavior of Animals

The dewlap display by anole lizards is one example of behavior. An animal's **behavior** consists of all the actions it performs. For example, behaviors include actions an animal takes to obtain food, avoid predators, and find a mate. Like body structures, the behaviors of animals are adaptations that have evolved over long periods of time.

Most behavior is a complex process in which different parts of an animal's body work together. Consider what happens when a water current carries a small animal to a hydra's tentacles. After stinging cells on the tentacles catch the prey, the tentacles bend toward the hydra's mouth. At the same time, the hydra's mouth opens to receive the food.

Behavior as Response In the previous situation, the touch of the prey on the tentacles acts as a stimulus to the hydra. A **stimulus** (plural *stimuli*) is a signal that causes an organism to react in some way. The organism's reaction to the stimulus is called a **response.** The hydra's response to the prey is to sting it. **All animal behaviors are caused by stimuli.**

Some stimuli, such as prey brushing a hydra's tentacles, are outside the animal. Other stimuli, such as hunger, come from inside. An animal's response may include external actions or internal changes (such as a faster heartbeat), or both.

The Functions of Behavior Most behaviors help an animal survive or reproduce. When an animal looks for food or hides to avoid a predator, it is doing something that helps it stay alive. When animals search for mates and build nests for their young, they are behaving in ways that help them reproduce.

What is a stimulus?

For: Links on animal behavior
Visit: www.SciLinks.org
Web Code: scn-0251

FIGURE 3
A Web Built by Instinct
Most spiders know by instinct how to build elaborate webs.

Lab zone Skills Activity

Predicting

Hawks, which have short necks, prey on gull chicks. Geese, which have long necks, do not prey on the chicks. When newly hatched gull chicks see any bird's shadow, they instinctively crouch down. As the chicks become older, they continue to crouch when they see the shadow of a hawk, but they learn not to crouch when they see a goose's shadow. Predict how older gull chicks will behave when they see bird shadows shaped like A, B, and C. Explain your prediction.

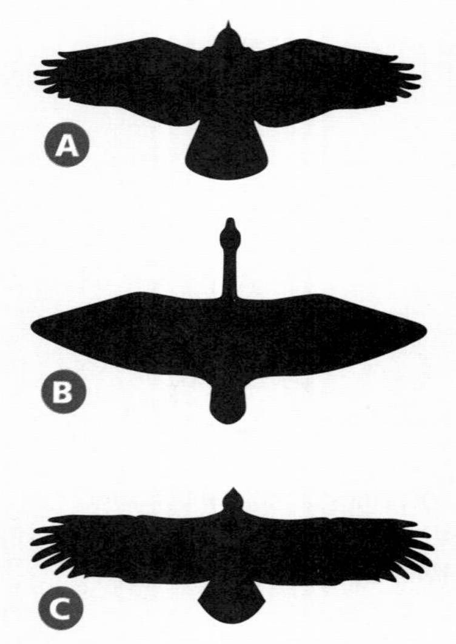

Behavior by Instinct

Animals perform some behaviors by **instinct,** without being taught. **An instinct is a response to a stimulus that is inborn and that an animal performs correctly the first time.** For example, a newborn kangaroo instinctively crawls into its mother's pouch and attaches itself to a nipple. Without this instinct, baby kangaroos could not obtain the milk they need to survive.

Some instincts are fairly simple. Earthworms, for example, crawl away from bright light. Other instincts are complex. Spiders spin complicated webs on their first try without making mistakes in the pattern. Most birds build their nests without ever being taught how.

What is an instinct?

Learned Behavior

Recall the first time you rode a bicycle. It probably took a few tries before you did it well—you had to learn how. **Learning** is the process that leads to changes in behavior based on practice or experience. In general, the larger an animal's brain, the more the animal can learn. **Learned behaviors include imprinting, conditioning, trial-and-error learning, and insight learning.** Because learned behaviors result from an animal's experience, they are not usually done perfectly the first time.

All learned behaviors depend in part on inherited traits that have passed from parents to offspring. For example, lion cubs inherit physical features and instincts that are necessary for hunting. They are born with claws that help them capture prey. They also are born with the instinct to pounce on any object that attracts their attention. However, only through experience can they learn how to master hunting skills.

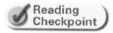

Imprinting Imprinting is a learned behavior. In **imprinting,** certain newly hatched birds and newborn mammals recognize and follow the first moving object they see. This object is usually the mother of the young animals. Imprinting involves a combination of instinct and learning. The young animal has an instinct to follow a moving object, but is not born knowing what its parent looks like. The young animal learns from experience what object to follow.

Once imprinting takes place, it cannot be changed. That is true even if the young animal has imprinted on something other than its mother. Young animals have imprinted on moving toys and even humans. Konrad Lorenz, an Austrian scientist, conducted experiments in which he, rather than the mother, was the first moving object that newly hatched birds saw. Figure 4 shows the result of one such experiment. Even as adults, the ducks followed Lorenz around.

Imprinting is valuable for two reasons. First, it keeps young animals close to their mothers, who know where to find food and how to avoid predators. Second, imprinting allows young animals to learn what other animals of their own species look like. This ability protects the animals while they are young. In later life, this ability is important when the animals search for mates.

FIGURE 4
Imprinting
Konrad Lorenz got these ducks to imprint on him by making himself the first moving object they ever saw.
Relating Cause and Effect *Why are the ducks following the swimmer?*

FIGURE 5
Conditioning
Pavlov followed specific steps to condition a dog to salivate at the sound of a bell.
Predicting *Predict what the dog would do if it heard a bell ringing in another part of the house.*

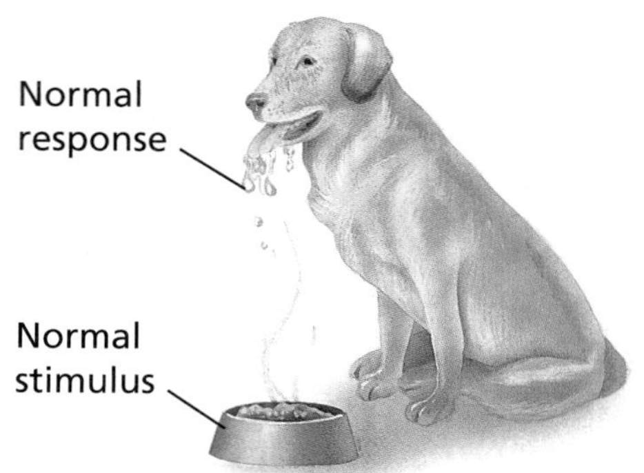

❶ When a hungry dog sees or smells food, it produces saliva. Dogs do not usually salivate in response to other stimuli, such as the sound of a ringing bell.

❷ For many days, Pavlov rang a bell every time that he fed the dog. The dog learned to associate the ringing of the bell with the sight and smell of food.

❸ Thus, when Pavlov rang a bell but did not give the dog food, the dog still produced saliva. The new stimulus produced the response that normally only food would produce.

Conditioning When a dog sees its owner approaching with a leash, the dog may jump up, eager to go for a walk. The dog has learned to associate the leash with a pleasant event—a brisk walk. Learning that a particular stimulus or response leads to a good or a bad outcome is called **conditioning.**

Pets are often trained using a form of conditioning. Suppose you want to train a puppy to come when you call it. The desired response is the puppy coming to you when it hears your call. The good outcome you will use is a food reward: a dog biscuit.

Here is how the conditioning works. At first, the puppy rarely comes when you call. But every now and then, the puppy runs to you in response to your call. Each time the puppy comes when you call, you give it a dog biscuit. Your puppy will soon learn to associate the desired response—coming when called—with the good outcome of a food reward. To get the reward, the puppy learns to come every time you call. After a while, the puppy will come to you even if you don't give it a dog biscuit.

During the early 1900s, the Russian scientist Ivan Pavlov performed experiments involving one kind of conditioning. Figure 5 shows the steps that Pavlov followed in his experiments.

Animal Behavior

Video Preview
▶ Video Field Trip
Video Assessment

Math Analyzing Data

"A-maze-ing" Mice

A scientist conducted an experiment to find out whether mice would learn to run a maze more quickly if they were given rewards. She set up two identical mazes. In one maze, cheese was placed at the end of the correct route through the maze. No cheese was placed in the second maze. Use the graph below to answer the questions.

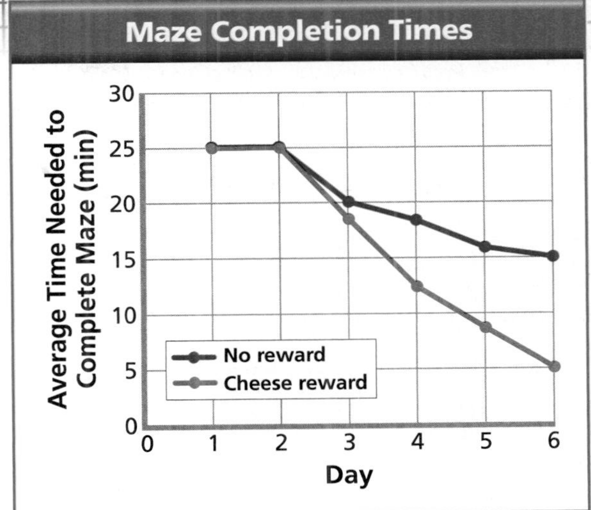

1. **Reading Graphs** On Day 1, what was the average time it took mice with a cheese reward to complete the maze?
2. **Calculating** On Day 6, how much faster did mice with a reward complete the maze than mice without a reward?
3. **Interpreting Data** What was the manipulated variable in this experiment? Explain.
4. **Drawing Conclusions** Was the rate of learning faster for mice with the cheese reward or without the cheese reward? Explain.

Trial-and-Error Learning One form of conditioning is trial-and-error learning. In **trial-and-error learning,** an animal learns to perform a behavior more and more skillfully. Through repeated practice, an animal learns to repeat behaviors that result in rewards and avoid behaviors that result in punishment. When you learned to ride a bicycle, you did it by trial-and-error. You may have wobbled at first, but eventually you got better. You learned to move in ways that adjusted your balance and kept you from falling over.

Many animals learn by trial-and-error which methods are best for obtaining food. They also learn which methods to avoid. Think of what happens when a predator tries to attack a skunk. The skunk sprays the predator with a substance that stings and smells awful. In the future, the predator is likely to avoid skunks. The predator has learned to associate the sight of a skunk with its terrible spray.

FIGURE 6
Trial-and-Error Learning
After several failed attempts, this squirrel has finally figured out how to jump onto a hummingbird feeder, balance itself, and drink the water.

FIGURE 7
Insight Learning
Using insight, this raven has figured out how to bring meat hanging from a string close enough to eat.

Insight Learning The first time you try out a new video game, you may not need someone to explain how to play it. Instead, you may use what you already know about other video games to figure out how the new one works. When you solve a problem or learn how to do something new by applying what you already know, without a period of trial-and-error, you are using **insight learning.**

Insight learning is most common in primates, such as gorillas, chimpanzees, and humans. For example, chimpanzees use twigs to probe into the nests of termites and other insects that they eat. The chimps use insight to bend or chew their twig "tools" into a shape that will best fit the holes.

In addition to primates, other kinds of animals have also shown insight learning. For example, you may be surprised to learn that the raven shown in Figure 7 is using insight learning to obtain food. The raven uses its beak to draw up a loop of string. Then, it holds the loop under its foot and draws up a second loop, and so on. Soon the food is within reach.

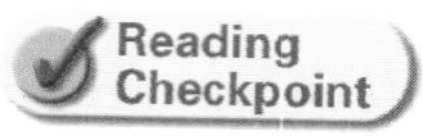

Give two examples of animals showing insight learning.

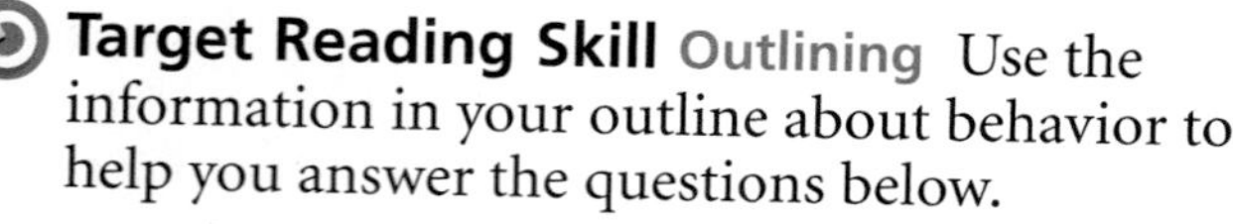

Section 1 Assessment

Target Reading Skill Outlining Use the information in your outline about behavior to help you answer the questions below.

Reviewing Key Concepts

1. a. **Defining** What are signals that cause behavior called?
   b. **Describing** What is meant by *response?* Describe an example of a response.
   c. **Relating Cause and Effect** What are the functions of behavior? Think about the response you described. What function did that response serve?
2. a. **Listing** What are instincts? List two examples.
   b. **Inferring** Would instincts get better with practice? Explain.
   c. **Developing Hypotheses** Why do you think instincts are particularly important for newborn animals?
3. a. **Identifying** Identify the types of learned behaviors.
   b. **Reviewing** Describe what happens during imprinting.
   c. **Predicting** Right after hatching, before seeing anything else, a duckling sees a child riding a tricycle. What will probably happen the next time the child rides the tricycle in front of the duckling? Explain.

Writing in Science

List of Questions Suppose you could travel back in time and interview Dr. Pavlov and Dr. Lorenz. Formulate a list of five questions you would ask each scientist about his research on animal learning.

Lab zone **Design Your Own Lab**

Become a Learning Detective

Problem

What are some factors that make it easier for people to learn new things?

Skills Focus

calculating, posing questions, designing experiments

Materials

- paper
- pencil

Design a Plan

1. Look over the two lists of words shown in the diagram on this page. Researchers use groups of words like these to investigate how people learn. Notice the way the two groups differ. The words in List A have no meanings in ordinary English. List B contains familiar but unrelated words.
2. What do you think will happen if people try to learn the words in each list? Write a hypothesis about which list will be easier to learn. How much easier will it be to learn that list?
3. With a partner, design an experiment to test your hypothesis. Brainstorm a list of the variables you will need to control in order to make the results of your experiment reliable. Then write out your plan and present it to your teacher.
4. If necessary, revise your plan according to your teacher's instructions. Then perform your experiment using people your teacher has approved as test subjects. Keep careful records of your results.

List A	List B
zop	bug
rud	rag
tig	den
wab	hot
hev	fur
paf	wax
mel	beg
kib	cut
col	sip
nug	job

Analyze and Conclude

1. **Calculating** Find the average (mean) number of words people learned from each list. How do the results compare with your hypothesis?
2. **Posing Questions** What factors may have made one list easier to learn than the other? What other questions can you ask about your data?
3. **Designing Experiments** Look back at your experimental plan. Think about how well you were able to carry it out in the actual experiment. What difficulties did you encounter? What improvements could you make, either in your plan or in the way you carried it out?
4. **Communicating** Share your results with the rest of the class. How do the results of the different experiments in your class compare? What factors might explain the similarities or differences?

More to Explore

Plan an experiment to investigate how long people remember what they learn. Develop a hypothesis, and design an experiment to test your hypothesis.

Section 2

Patterns of Behavior

Reading Preview

Key Concepts

- What are three main ways animals communicate?
- What are some examples of competitive behaviors and cooperative behaviors?
- What is a cyclic behavior?

Key Terms

- pheromone • aggression
- territory • courtship behavior
- society • circadian rhythm
- hibernation • migration

Target Reading Skill

Using Prior Knowledge Your prior knowledge is what you already know before you read about a topic. Before you read, write what you know about the different ways animals communicate in a graphic organizer like the one below. As you read, write what you learn.

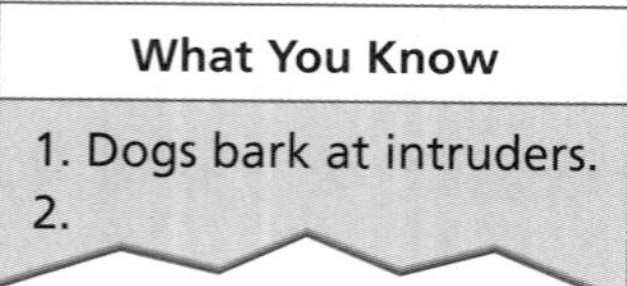

What You Know
1. Dogs bark at intruders.
2.

Lab zone Discover Activity

What Can You Express Without Words?

1. Use facial expressions and body movements, but no words, to show surprise or another emotion to your partner.
2. By observing your behavior, your partner should infer what you are communicating. Your partner should also note the behavior clues that led to this inference.
3. Now your partner should try to communicate a feeling or situation to you without words. Infer what your partner is trying to communicate, and note the behavior clues that led to your inference.

Think It Over

Forming Operational Definitions Write your own definition of *communication*. How did this activity change your idea of communication?

Oh no—ants have gotten into the sugar! As you watch in dismay, a stream of ants moves along the kitchen counter. They are heading right for the sugar bowl. Using their sense of smell, the ants follow a chemical trail that was first laid down by the ant that discovered the sugar. Each ant adds to the trail by depositing a tiny droplet of scent onto the counter. The droplet quickly evaporates, making an invisible cloud of scent above the path of the ants. The ants hold their antennae forward and use them to sniff their way to the sugar bowl. Then they turn around and follow the same chemical signal back to their nest.

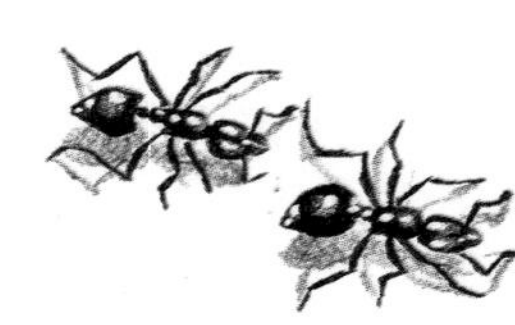

Communication

You've just read that ants can communicate the location of foods using scent. Animal communication comes in many forms. Perhaps you've seen a cat hissing and arching its back. It is using sound and body posture to communicate a message that seems to say, "Back off!" **Animals use mostly sounds, scents, and body movements to communicate with one another.** An animal's ability to communicate helps it interact with other animals.

Animals communicate many kinds of messages using sound. Some animals use sound to attract mates. Female crickets, for example, are attracted to the sound of a male's chirping. Animals may also communicate warnings with sound. When it sees a coyote or other predator approaching, a prairie dog makes a yipping sound that warns other prairie dogs to take cover in their burrows. The wolf in Figure 8 is warning wolves outside its pack to keep away.

Animals also communicate with chemical scents. A chemical released by one animal that affects the behavior of another animal of the same species is called a **pheromone** (FEHR uh mohn). For example, perhaps you have seen a male house cat spraying a tree. The musky scent he leaves contains pheromones that advertise his presence to other cats in the neighborhood. The scent trail that leads the ants to the sugar bowl in Figure 9 is also made of pheromones.

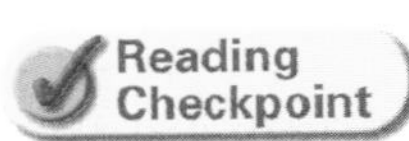

What is a pheromone?

FIGURE 8
Howling Wolf
Wolves in a pack may howl all together to warn other packs to stay away.

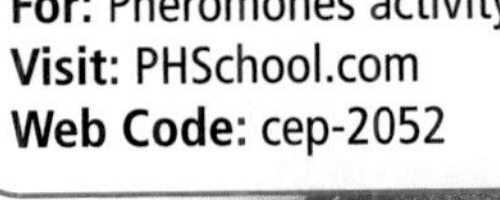

For: Pheromones activity
Visit: PHSchool.com
Web Code: cep-2052

FIGURE 9
Follow the Pheromone Trail
These ants are finding their way to the sugar by following a pheromone trail. The first ant to find the sugar began the trail, and each ant added to its strength. **Applying Concepts** *What form of communication is a pheromone trail?*

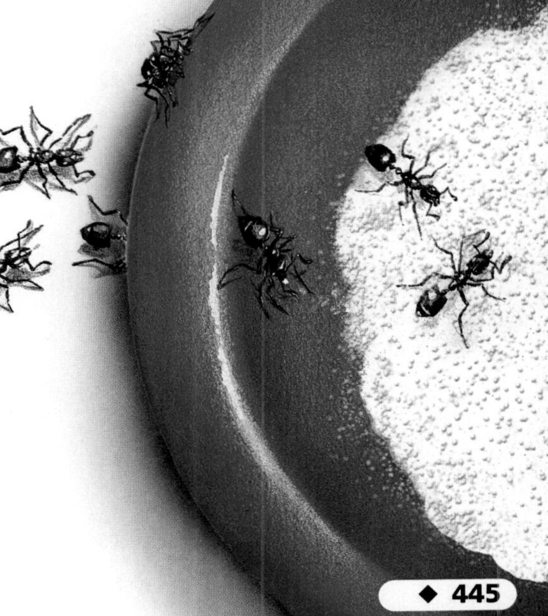

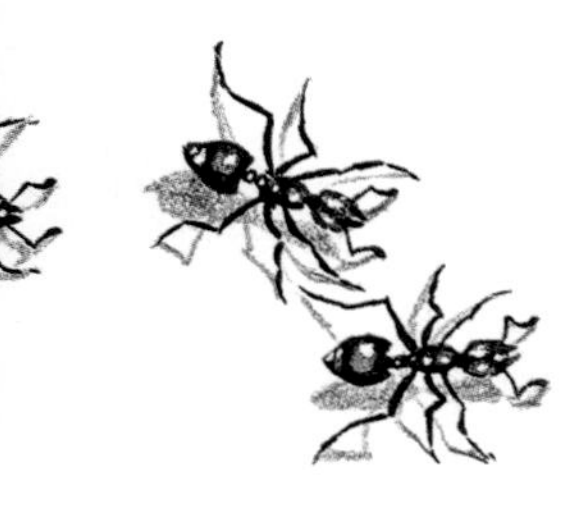

FIGURE 10
Boxing Hares
These Arctic hares are resolving their conflict by boxing. **Inferring** *What event might have led to this behavior?*

Competitive Behavior

Have you ever fed ducks in the park or pigeons on the street? Then you have probably seen how they fight over every crumb. These animals compete because there usually isn't enough food to go around. **Animals compete with one another for limited resources, such as food, water, space, shelter, and mates.**

Competition can occur among different species of animals. For example, a pride of lions may try to steal a prey from a troop of hyenas that has just killed the prey. Competition can also occur between members of the same species. A female aphid, a type of insect, kicks and shoves another female aphid while competing for the best leaf on which to lay eggs.

FIGURE 11
Aggressive Gorilla
This lowland gorilla needs no words to say, "Stay away!"

Showing Aggression When they compete, animals may display aggression. **Aggression** is a threatening behavior that one animal uses to gain control over another. Before a pride of lions settles down to eat its prey, individual lions show aggression by snapping, clawing, and snarling. First, the most aggressive members of the pride eat their fill. Then, the less aggressive and younger members of the pride get a chance to feed on the leftovers.

Aggression between members of the same species hardly ever results in the injury or death of any of the competitors. Typically, the loser communicates, "I give up" with its behavior. For example, to protect themselves from the aggressive attacks of older dogs, puppies often roll over on their backs, showing their bellies. This signal calms the older dog. The puppy can then creep away.

Establishing a Territory On an early spring day, a male oriole fills the warm air with song. You may think the bird is singing just because it is a nice day. But in fact, he is alerting other orioles that he is the "owner" of a particular territory. A **territory** is an area that is occupied and defended by an animal or group of animals. If another animal of the same species enters the territory, the owner will attack the newcomer and try to drive it away. Birds use songs and aggressive behaviors to maintain their territories. Other animals may use calls, scratches, droppings, or pheromones.

By establishing a territory, an animal protects its access to resources such as food and possible mates. A territory also provides a safe area. Within it, animals can raise their young without competition from other members of their species. In most songbird species, and in many other animal species, a male cannot attract a mate unless he has a territory.

Attracting a Mate A male and female salamander swim gracefully in the water, moving around one another. They are engaging in **courtship behavior,** which is behavior in which males and females of the same species prepare for mating. Courtship behavior ensures that the males and females of the same species recognize one another, so that mating and reproduction can take place. Courtship behavior is typically also competitive. For example, in some species, several males may perform courtship behaviors for a single female. She then chooses one of them to mate with.

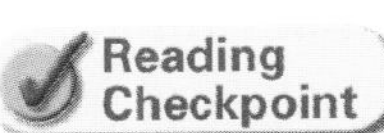

How does having a territory help an animal survive?

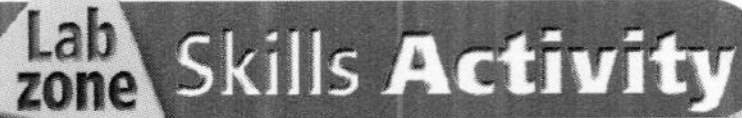

Developing Hypotheses

The three-spined stickleback is a kind of fish in which the males' undersides turn red during the mating season. The males readily attack other male sticklebacks that enter their territory. In the laboratory, a biologist notices that males also show aggressive behavior whenever a red object passes their tank. What do you think is the stimulus for the stickleback's aggressive display in the wild? How could you test your hypothesis? Explain.

FIGURE 12
Kingfisher Courtship
These common kingfishers are engaged in courtship. The male on the left is offering the female a gift of food—a freshly caught fish.

FIGURE 13
Safety in Groups
When a predator threatens, musk oxen form a horn-rimmed circle with their young sheltered in the center. **Predicting** *Would a potential predator be more or less likely to attack a group arranged in this way? Explain.*

Group Behavior

Not all animal behaviors are competitive. **Living in groups enables animals to cooperate.** Although many animals live alone and only rarely meet one of their own kind, other animals live in groups. Some fishes form schools, and some insects live in large groups. Hoofed mammals, such as bison and wild horses, often form herds. Living in a group usually helps animals survive. For example, group members may protect one another or work together to find food.

How can group members help one another? If an elephant gets stuck in a mudhole, for example, other members of its herd will dig it out. When animals such as lions hunt in a group, they usually can kill larger prey than a single hunter can.

Safety in Groups Living in groups often protects animals against predators. Fishes that swim in schools are often safer than fishes that swim alone. It is harder for predators to see and select an individual fish in a group. In a herd, some animals may watch for danger while others feed.

Animals in a group sometimes cooperate in fighting off a predator. For example, the North American musk oxen shown in Figure 13 make a defensive circle against a predator, such as a wolf. Their young calves are sheltered in the middle of the circle. The adult musk oxen stand with their horns lowered, ready to charge. The predator often gives up rather than face a whole herd of angry musk oxen.

Animal Societies Some animals, including ants, termites, honeybees, naked mole rats, and pistol shrimp, live in groups called societies. A **society** is a group of closely related animals of the same species that work together in a highly organized way. In a society, there is a division of labor—different individuals perform different tasks. In a honeybee society, for example, there are thousands of worker bees that take on different tasks in the beehive. Some workers feed larvae. Some bring back nectar and pollen from flowers as food for the hive. Other worker bees guard the entrance to the hive.

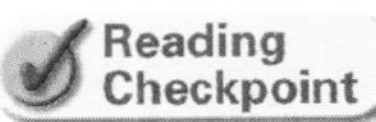

What is a society?

Lab zone Try This Activity

Worker Bees

1. Make a paper chain by cutting paper strips for loops and gluing or taping the loops together. After 5 minutes, count the loops in the chain.
2. Now work in a small group to make a paper chain. Decide how to divide up the work before beginning. After 5 minutes, count the loops in the chain.

Calculating Find the difference between the number of loops in your individual and group chains. For Step 2, calculate the number of loops made per person by dividing the total number of loops by the number of people in your group. Was it more productive to work individually or as a group?

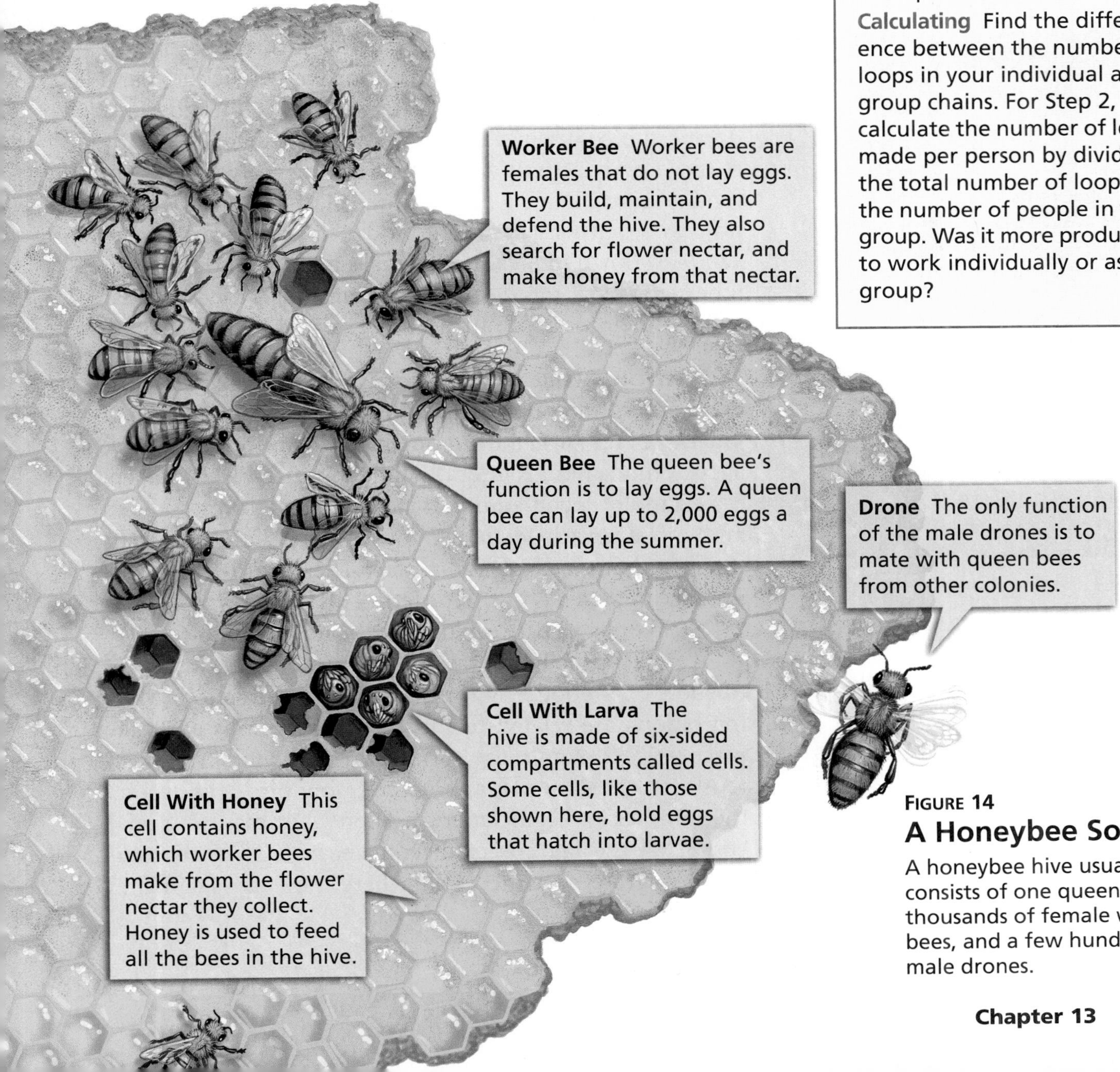

Worker Bee Worker bees are females that do not lay eggs. They build, maintain, and defend the hive. They also search for flower nectar, and make honey from that nectar.

Queen Bee The queen bee's function is to lay eggs. A queen bee can lay up to 2,000 eggs a day during the summer.

Drone The only function of the male drones is to mate with queen bees from other colonies.

Cell With Larva The hive is made of six-sided compartments called cells. Some cells, like those shown here, hold eggs that hatch into larvae.

Cell With Honey This cell contains honey, which worker bees make from the flower nectar they collect. Honey is used to feed all the bees in the hive.

FIGURE 14
A Honeybee Society
A honeybee hive usually consists of one queen bee, thousands of female worker bees, and a few hundred male drones.

Behavior Cycles

Some animal behaviors, called cyclic behaviors, occur in regular, predictable patterns. **Cyclic behaviors usually change over the course of a day or a season.**

Daily Cycles Behavior cycles that occur over a period of approximately one day are called **circadian rhythms** (sur KAY dee un). For example, blowflies search for food during the day and rest at night. In contrast, field mice are active during the night and rest by day. Animals that are active during the day can take advantage of sunlight, which makes food easy to see. On the other hand, animals that are active at night do not encounter predators that are active during the day.

FIGURE 15
Hibernation
This common dormouse is hibernating for the winter.
Inferring *Why is hibernation during the winter a useful adaptation for animals?*

Hibernation Other behavior cycles are related to seasons. For example, some animals, such as woodchucks and chipmunks, are active during warm seasons but hibernate during the cold winter. **Hibernation** is a state of greatly reduced body activity that occurs during the winter when food is scarce. During hibernation, all of an animal's body processes, such as breathing and heartbeat, slow down. This slowdown reduces the animal's need for food. In fact, hibernating animals do not eat. Their bodies use stored fat to meet their reduced nutrition needs.

Migration While many animals live their lives in one area, others migrate. **Migration** is the regular, seasonal journey of an animal from one place to another and back again. Some animals migrate short distances. Dall's sheep, for example, spend summers near the tops of mountains and move lower down for the winters. Other animals migrate thousands of kilometers. The record-holder for distance migrated is the Arctic tern. This bird flies more than 17,000 kilometers between the North and South poles.

Animals usually migrate to an area that provides a lot of food or a good environment for reproduction. Most migrations are related to the changing seasons and take place twice a year, in the spring and in the fall. American redstarts, for example, are insect-eating birds that spend the summer in North America. There, they mate and raise young. In the fall, insects become scarce. Then the redstarts migrate south to areas where they can again find plenty of food.

FIGURE 16
Migration
Golden plovers migrate to South America for the winter, and back to North America in the summer to reproduce.

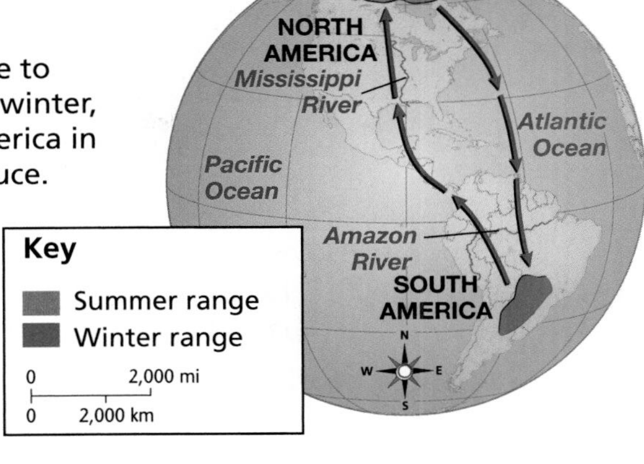

Scientists are still learning about how migrating animals find their way. But they have discovered that animals use sight, taste, and other senses, including some that humans do not have. Some birds and sea turtles, for example, have a magnetic sense that acts something like a compass needle. Migrating birds also seem to navigate by using the positions of the sun, moon, and stars, as sailors have always done. Salmon use scent and taste to locate the streams where they were born, and return there to mate.

What happens to an animal during hibernation?

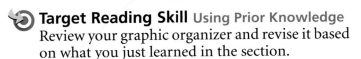

Section 2 Assessment

Target Reading Skill Using Prior Knowledge Review your graphic organizer and revise it based on what you just learned in the section.

Reviewing Key Concepts

1. a. **Reviewing** What are three main ways animals communicate?
   b. **Explaining** When house cats spray a tree with their scent, are they communicating? Explain.
   c. **Developing Hypotheses** What are some advantages of using pheromones to communicate instead of using sound?
2. a. **Listing** List examples of competitive behavior and cooperative behavior.
   b. **Explaining** Explain how competition is involved in establishing a territory.
   c. **Predicting** What might happen when a male mockingbird flies into the territory of another male mockingbird?
3. a. **Reviewing** What are behaviors that change over the course of a day or a season called?
   b. **Comparing and Contrasting** How are circadian rhythm and hibernation the same? How are they different?

Lab zone At-Home Activity

Animal Signs With a family member, spend some time making detailed observations of the behavior of an animal—a pet, an insect, a bird, or another animal. Watch the animal for signs of aggressive behavior or other communication. Try to figure out why the animal is behaving aggressively or what it is trying to communicate.

One for All

Problem

How does an ant society show organization and cooperative behavior?

Skills Focus

observing, inferring

Materials

- large glass jar
- sandy soil
- shallow pan
- water
- wire screen
- sponge
- 20–30 ants
- hand lens
- bread crumbs
- sugar
- black paper
- tape
- glass-marking pencil
- forceps
- large, thick rubber band

Procedure    

1. Read over the entire lab to preview the kinds of observations you will be making. Copy the data table into your notebook. You may also want to leave space for sketches.
2. Mark the outside of a large jar with four evenly spaced vertical lines, as shown in the photograph on the next page. Label the sections with the letters A, B, C, and D. You can use these labels to identify the sections of soil on and below the surface.
3. Fill the jar about three-fourths full with soil. Place the jar in a shallow pan of water to prevent any ants from escaping. Place a wet sponge on the surface of the soil as a water source for the ants.
4. Observe the condition of the soil, both on the surface and along the sides of the jar. Record your observations.
5. Add the ants to the jar. Immediately cover the jar with the wire screen, using the rubber band to hold the screen firmly in place.
6. Observe the ants for at least 10 minutes. Look for differences in the appearance of adult ants, and look for eggs, larvae, and pupae. Examine both individual behavior and interactions between the ants.
7. Remove the screen cover and add small amounts of bread crumbs and sugar to the soil surface. Close the cover. Observe the ants for at least 10 more minutes.
8. Create dark conditions for the ants by covering the jar with black paper above the water line. Remove the paper only when you are making your observations.
9. Observe the ant colony every day for two weeks. Remove the dark paper, and make and record your observations. Look at the soil as well as the ants, and always examine the food. If any food has started to mold, use forceps to remove it. Place the moldy food in a plastic bag, seal the bag, and throw it away. Add more food as necessary, and keep the sponge moist. When you finish your observations, replace the dark paper.
10. At the end of the lab, follow your teacher's directions for returning the ants.

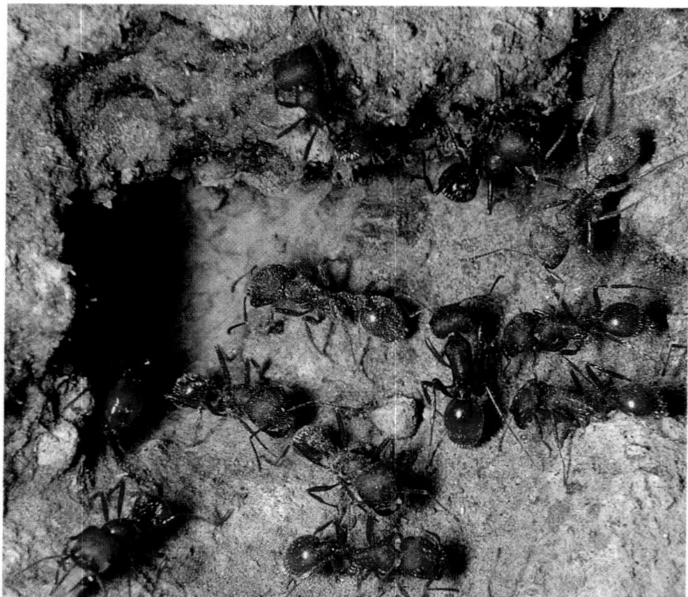

Data Table				
Date	Section A	Section B	Section C	Section D

Analyze and Conclude

1. **Observing** Describe the various types of ants you observed. What differences, if any, did you observe in their behavior? What evidence did you see of different kinds of ants performing different tasks?
2. **Inferring** How do the different behaviors you observed contribute to the survival of the colony?
3. **Inferring** How did the soil change over the period of your observations? What caused those changes? How do you know?
4. **Communicating** What kinds of environmental conditions do you think ant colonies need to thrive outdoors? Use the evidence you obtained in this lab to write a paragraph that supports your answer.

Design an Experiment

Design an experiment to investigate how an ant colony responds when there is a change in the ants' environment, such as the introduction of a new type of food. *Obtain your teacher's permission before carrying out your investigation.*

Section 3

• Tech & Design •

Tracking Migrations

Reading Preview

Key Concepts

- How do electronic technologies help scientists track animals?
- What are the benefits of tracking animal migrations?

Key Terms

- transmitter
- receiver
- satellite

Target Reading Skill

Comparing and Contrasting As you read, compare and contrast three types of animal tags by completing a table like the one below.

Animal Tags

Feature	Simple Banding	Radio	Satellite
Kind of Signal	None		
Cost			
Weight			

Lab zone Discover Activity

How Can You Track Animals?

1. On a sheet of graph paper, sketch a map of your classroom.
2. Your teacher will produce a set of "signals" from a tracking device on an animal. Record the location of each signal on your map. Sketch the path of the animal you just tracked.
3. Your teacher will produce a second set of tracking signals. Record the location of each signal, then draw the animal's path. Compare the two pathways.

Think It Over

Inferring What does this activity show about actual animal tracking?

Have you ever changed your mind because of new information? Scientists who study manatees have done just that. The information came from a signaling device on a manatee.

Florida manatees are marine mammals that spend their winters in Florida and migrate north for the summer. Scientists once thought that the manatees didn't go any farther north than Virginia. Then they attached signaling devices to manatees to track their migration. They were quite surprised when they picked up a signal from a manatee swimming off the coast of Rhode Island, which is far north of Virginia.

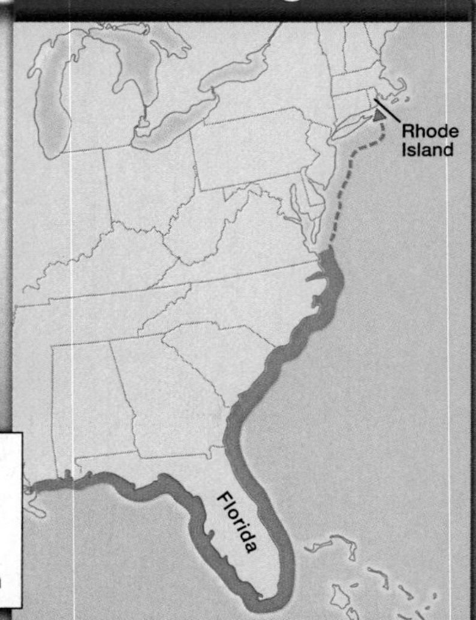

FIGURE 17
Florida Manatee Migration
This map shows the long distance that at least one Florida manatee migrated one summer. Electronic tags like the one shown at the far right are used to track migrating manatees.

Technologies for Tracking

In the fall of 1803, American naturalist John James Audubon wondered whether migrating birds returned to the same place each year. So he tied a string around the leg of a bird before it flew south. The following spring, Audubon saw the bird with the string. He learned that the bird had indeed come back.

Scientists today still attach tags, such as metal bands, to track the movement of animals. But metal bands are not always useful tags. That is because the tagged animals have to be caught again for the scientists to get any data. Unfortunately, most tagged animals are never seen again.

Recent technologies have helped solve this problem. **Electronic tags give off repeating signals that are picked up by radio devices or satellites. Scientists can track the locations and movements of the tagged animals without recapturing them.** These electronic tags can provide a great deal of data. However, they are much more expensive than the "low-tech" tags that aren't electronic. Also, because of their weight, electronic tags may harm some animals by slowing them down.

FIGURE 18
Banded Puffin
Bands like the ones around the ankles of this Atlantic puffin are low-tech tags. **Inferring** *Why is a metal band tag useful?*

Radio Tracking Tracking an animal by radio involves two devices. A **transmitter** attached to the animal sends out a signal in the form of radio waves, just as a radio station does. A scientist might place the transmitter around an animal's ankle, neck, wing, or fin. A **receiver** picks up the signal, just like your radio at home picks up a station's signal. The receiver is usually in a truck or an airplane. To keep track of the signal, the scientist follows the animal in the truck or plane.

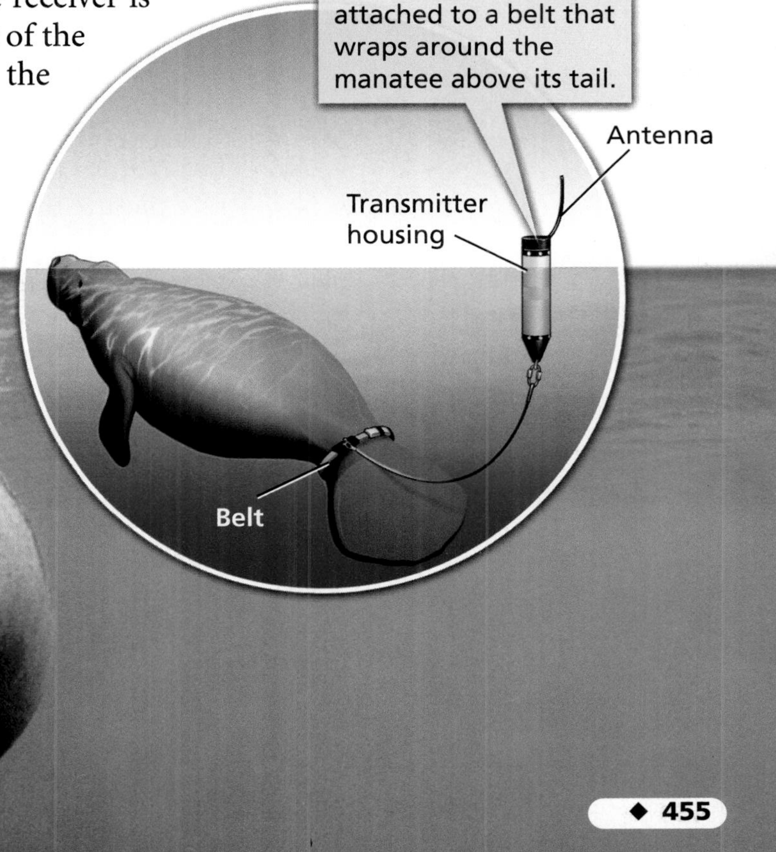

A radio transmitter is attached to a belt that wraps around the manatee above its tail.
Antenna
Transmitter housing
Belt

FIGURE 19
Tracking Caribou
Scientists are fitting this caribou with a collar containing a satellite transmitter. **Inferring** *Why would it be difficult to track caribou without a satellite receiver?*

Satellite Tracking Receivers can be placed in satellites as well as in airplanes and trucks. A **satellite** is an instrument in orbit thousands of kilometers above Earth. Networks, or groups, of satellites are used to track animals. Each satellite in a network picks up electronic signals from a transmitter on an animal. Together, the signals from all the satellites determine the precise location of the animal.

Satellites can also track an animal's path as it moves. Satellite tracking is especially useful because the scientists do not have to follow after the animal. Satellite networks have tracked the migrations of many types of animals, including caribou, sea turtles, whales, seals, elephants, bald eagles, and ospreys.

Why Tracking Is Important

Electronic tracking tags are giving scientists a complete, accurate picture of migration patterns. For example, when scientists used radio transmitters to track one herd of caribou, they learned two important things. First, they learned that the herd moves over a larger area than previously thought. Second, they learned that each year the herd returns to about the same place to give birth to its young. This information would have been difficult to obtain with "low tech" tags.

Tracking migrations is an important tool to better understand and protect species. For example, Florida manatees are an endangered species, and therefore they need protection. Radio tracking showed that Florida manatees may travel as far north as Rhode Island when they migrate. This information suggests that the manatees may need protection along much of the Atlantic Coast of the United States. Previously, protection efforts focused mainly in the Florida area.

For: Links on migration
Visit: www.SciLinks.com
Web Code: scn-0253

Technologies for tracking animals may also help people whose work or recreation affects animals. For example, suppose officials at a state park want to protect a group of migrating animals during the spring. The officials plan to ban fishing or boating for the entire spring season. Detailed migration information, however, might give the officials a better choice. They might be able to decrease the length of time the ban is in effect, or ban fishing and boating only in those few areas visited by the animals.

FIGURE 20
Caribou Migration
These caribou are migrating across Alaska on the same path used by caribou for thousands of years.

Reading Checkpoint **What information did tracking provide biologists about a caribou herd?**

Section 3 Assessment

Target Reading Skill

Comparing and Contrasting Use the information in your table about animal tags to help you answer Question 1 below.

Reviewing Key Concepts

1. a. **Identifying** What are two methods of electronic animal tracking?
   b. **Comparing and Contrasting** How are electronic tracking methods similar? How are they different?
   c. **Making Judgments** Are electronic tags better than traditional tags?
2. a. **Reviewing** What are the benefits of tracking migrations?
   b. **Applying Concepts** Migrating birds are sometimes killed by crashing into cellular telephone towers. How could tracking bird migrations help people protect the birds?
   c. **Making Judgments** Should governments spend more money tracking migrations? Defend your position.

Writing in Science

Persuasive Letter Suppose you are a scientist who needs money to study the migrations of an endangered sea turtle species. Write a letter justifying why you need money for electronic tags.

Chapter 13 Study Guide

1 What Is Behavior?

Key Concepts

- All animal behaviors are caused by stimuli.
- An instinct is a response to a stimulus that is inborn and that an animal performs correctly the first time.
- Learned behaviors include imprinting, conditioning, trial-and-error learning, and insight learning.

Key Terms

behavior
stimulus
response
instinct
learning
imprinting
conditioning
trial-and-error learning
insight learning

2 Patterns of Behavior

Key Concepts

- Animals use mostly sounds, scents, and body movements to communicate with one another.
- Animals compete with one another for limited resources, such as food, water, space, shelter, and mates.
- Living in groups enables animals to cooperate.
- Cyclic behaviors usually change over the course of a day or a season.

Key Terms

pheromone
aggression
territory
courtship behavior
society
circadian rhythm
hibernation
migration

3 Tracking Migrations

Key Concepts

- Electronic tags give off repeating signals that are picked up by radio devices or satellites. Scientists can track the locations and movements of the tagged animals without recapturing them.
- Tracking migrations is an important tool to better understand and protect species.

Key Terms

transmitter
receiver
satellite

Review and Assessment

For: Self-Assessment
Visit: PHSchool.com
Web Code: cea-2050

Organizing Information

Concept Mapping Copy the concept map about behavior onto a separate sheet of paper. Then complete the map and add a title. (For more on Concept Mapping, see the Skills Handbook.)

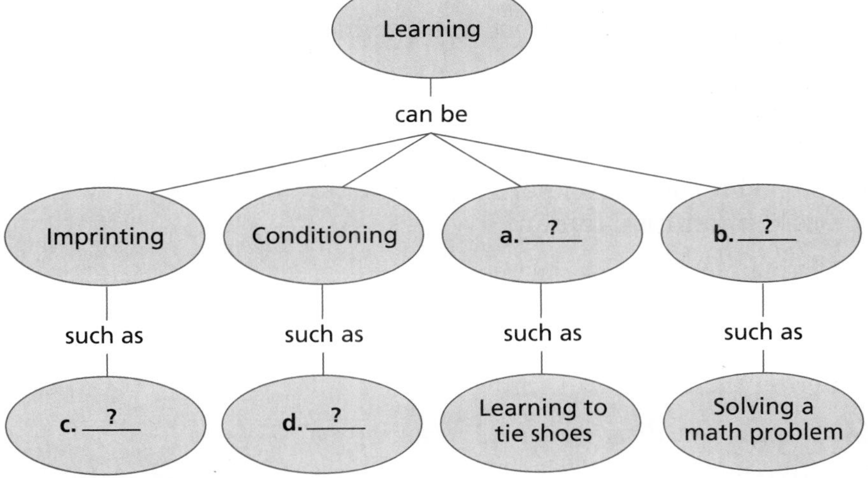

Reviewing Key Terms

Choose the letter of the best answer.

1. An organism's reaction to a signal is called
   a. a response. **b.** a stimulus.
   c. aggression. **d.** learning.
2. A process that leads to a change in behavior based on practice is called
   a. instinct. **b.** response.
   c. learning. **d.** behavior.
3. Learning that a particular stimulus or response leads to a good or a bad outcome is called
   a. instinct.
   b. imprinting.
   c. conditioning.
   d. insight learning.
4. A chemical released by one animal that affects the behavior of another animal of the same species is called a(n)
   a. stimulus.
   b. instinct.
   c. pheromone.
   d. circadian rhythm.
5. A threatening behavior that one animal uses to gain control over another is called
   a. courtship behavior.
   b. aggression.
   c. conditioning.
   d. cyclic behavior.
6. When a bird travels from its winter home in South America to its nesting area in New York, this is called
   a. learning.
   b. conditioning.
   c. migration.
   d. territorial behavior.
7. An instrument in orbit thousands of kilometers above Earth is called a
   a. pheromone. **b.** transmitter.
   c. receiver. **d.** satellite.

Writing in Science

Health Article Write a magazine article describing how dogs can be trained. Explain how trained dogs might assist people with special needs.

Animal Behavior
Video Preview
Video Field Trip
▶ Video Assessment

Review and Assessment

Checking Concepts

8. What are the functions of behavior?
9. Explain how both instinct and learning are involved in imprinting.
10. Explain what trial-and-error learning is. Describe an example.
11. What are pheromones? Explain how they are used in communication.
12. Explain how territorial behavior and courtship behavior are related.
13. Describe two examples of how living in a group can benefit an animal.
14. What is one disadvantage of tracking an animal by radio rather than by satellite?

Thinking Critically

15. **Inferring** Look at the photograph below. On its first try, this weaver bird is building a nest of grass with a hole at the bottom just the right size for the bird to enter. What kind of behavior is this? Explain.

16. **Applying Concepts** Explain how a racehorse's ability to win races is a combination of inherited and learned characteristics.
17. **Problem Solving** A dog keeps jumping onto a sofa. Describe how the owner might train the dog not to do this. The procedure must not involve any pain or harm to the dog.
18. **Applying Concepts** Give an example of something that you have learned by insight learning. Explain how you made use of your past knowledge and experience in learning it.
19. **Drawing Conclusions** How can hibernation help an animal survive the winter?
20. **Applying Concepts** Because a highway has been constructed through a forest, many animals have had to move to a different wooded area. Is their move an example of migration? Explain.
21. **Making Judgments** Is satellite tracking a good way to track the migration of monarch butterflies? Explain.

Applying Skills

Use the diagrams below, showing (A) a toad catching a bee and (B) the toad's reaction, to answer Questions 22–24.

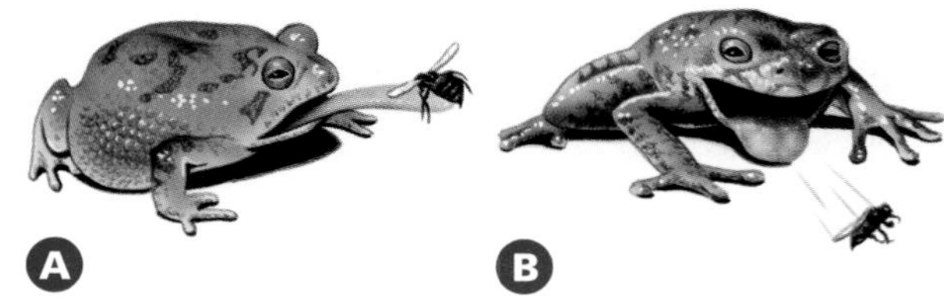

22. **Inferring** Explain why the toad probably behaves as it does in diagram B.
23. **Predicting** If another bee flies by, how will the toad probably behave? Explain.
24. **Classifying** What type of learning might result from the toad's experience? Explain.

Lab zone Chapter Project

Performance Assessment Obtain your teacher's permission before bringing an animal to class. You can also show photographs or illustrations of the animal's training. Describe your training plan. What did you discover about the animal's learning process? How could you have improved your plan?

Standardized Test Prep

Test-Taking Tip

Watching for Qualifiers *(Most, Least, Best)*

Multiple-choice questions often use qualifiers, words that change or limit the meaning of a phrase or sentence. Qualifiers include words such as *best*, *least*, and *most*. You need to read and compare all the answer choices carefully. While some of the answers may not be incorrect, another answer may be the best choice. Look for the best and most complete answer.

Sample Question

Which of the following is the best definition of *instinct*?

- **A** all the actions an animal performs
- **B** a behavior pattern that an animal performs
- **C** an inborn behavior pattern that an animal performs correctly the first time
- **D** a behavior pattern that an animal performs after practice and experience

Answer

C is the best answer. **A** is not a valid answer because it defines all behavior, not instinct, which is a specific type of behavior. **D** defines a learned behavior. **B** is not incorrect, but it does not completely describe instinct. As written, **B** could apply to several types of behavior.

Choose the letter of the best answer.

1. An enclosed cage at a university laboratory holds dozens of birds. When a biologist adjusts the light schedule and temperature in the cage to match fall conditions, she observes that the birds spend most of their time at the south end of the cage. What is the most likely explanation for the behavior?

- **A** The birds are forming a society.
- **B** There is more food at the south end of the cage.
- **C** The birds are exhibiting migratory behavior.
- **D** The scientist has conditioned the birds to prefer the south end of the cage.

2. The chimpanzee in the diagram below has learned a way to reach the bananas. What type of learning most likely applies to this situation?

- **F** instinct
- **G** conditioning
- **H** insight
- **J** imprinting

3. Ants have laid a pheromone trail to a food source. While the ants are in their nest at night, a researcher pours gasoline over the entire trail. Which of the following will probably happen the next morning?

- **A** The gasoline will have no effect on the ants.
- **B** The ants will find the food more rapidly.
- **C** The ants will eat the gasoline.
- **D** The ants will be unable to find the food.

4. You are awake during the day and asleep at night. This behavior is an example of

- **F** circadian rhythm.
- **G** aggression.
- **H** trail-and-error learning.
- **J** hibernation.

Constructed Response

5. Describe the organization of a honeybee society, including daily tasks.

Through the Lens of an Ocean Scientist

In Antarctica, a diver glides toward a jellyfish.

Norbert Wu dives for his photographs. (He took all the photographs in this feature.) A trained marine biologist, he roams the underwater world looking for the perfect shot. "Photography has become a way of life for me," Norbert says. "At my best, I am both a scientist and an artist. Photographing new life forms and learning about the connections between different species makes my work a blend of science and art. Taking an in-depth look at the habits and behavior of marine life has become my specialty."

Norbert has followed the trail of manta rays slowly circling the top of an undersea mountain off the Mexican coast. He's photographed octopuses and snails on coral reefs. He's swum with jellyfish in the Antarctic Ocean.

"I went as far south as you can go and still have ocean," Norbert says. "And I fell in love with Antarctica. When you first get there at the beginning of the Antarctic spring, the water is clearer than anywhere in the world. It's really the last untouched place on Earth. That's what draws me back.

Talking With Norbert Wu

? What protects divers from the cold?

Underwater photography in polar seas is a challenge. For one thing, it's very cold. In Antarctica, scientists used to wear wet suits—suits that allow a thin layer of water to touch the skin. Now divers use dry suits, which are waterproof and sealed at the neck and wrists. You can wear long underwear or polyester fleece underneath. Dry suits make polar diving bearable, but it's never very pleasant.

Norbert is shown below with his dogs Ange, a labrador, and Sam, a golden retriever.

Career Path

Norbert Wu attended Stanford University in California, where he received a bachelor's degree and master's degree in electrical and mechanical engineering. He then returned to the subject he loved in high school—marine biology. He attended graduate school at Scripps Institution of Oceanography in San Diego. In 1999, Norbert received a Pew Marine Conservation Fellowship to photograph threatened underwater habitats.

How did you become an underwater photographer?

After college, I decided to pursue a career in marine biology. I got a job with a scientist working off the San Blas Islands near Panama. I counted sea urchins and measured coral growth. Before the trip, I'd never had any interest in photography. But I brought along books on photography, as well as an underwater flash and camera system.

My career didn't happen overnight. I returned to California to continue graduate school in marine biology. I sold some photographs taken at San Blas and gradually my career in photography just took over.

How do you locate ocean organisms?

You learn the places in the world where particular ocean organisms are found. In the waters of Antarctica, you find seals, penguins, and jellyfish. Squid come up in the waters off California at certain times of the year. Local guides can also put you exactly on the right site to locate ocean organisms.

If you dive a reef every day, you get to know the organisms that live there. During the months I spent on the San Blas Islands, I was able to return again and again to photograph an octopus or a flamingo tongue snail. Being able to spend weeks, rather than a few weekends, makes a big difference in the photographs.

How is your science background useful?

You need to know how ocean animals behave and how different animals interact with each other. I've taken pictures of manta rays coming to a seamount to be cleaned of parasites by bright orange clarion angelfish. Parasites are small organisms that live on and can harm another organism like a manta ray. As the manta rays swoop past the seamount, the angelfish come out from their shelter, dance about, and flash their bright orange bodies as if signaling their arrival. The manta rays may pause and allow the angelfish to go all about their bodies, picking off parasites.

Why are you interested in an animal's behavior?

Understanding an ocean animal's behavior and its reactions is essential just to get near enough for a picture. Because of the limited visibility underwater, I am usually close to my subjects—often no more than a meter away. As a diver, the noise of your bubbles tells animals you're there. So an underwater photographer must move slowly and act in ways that won't threaten or frighten animals.

What do you do on a typical diving trip?

Most of my diving trips last two to three weeks. Once I'm there, almost all my time is on a boat or getting ready to go underwater. My next trip is to Cocos Island, in Costa Rica, where I will photograph seamounts. Seamounts are undersea mountain tops that serve as gathering places for marine life. They attract some of the ocean's largest and most exciting animals.

Seamounts form in areas of volcanic action, where the ocean floor abruptly rises to the surface. These volcanic hot spots can be close to the coast or hundreds of miles offshore. In the Cocos, there are a lot of sharks to photograph—hammerheads and white-tipped reef sharks as well as manta rays and snappers.

Schooling snappers and blue-striped snappers swim around a seamount off the Cocos Island in the Pacific Ocean.

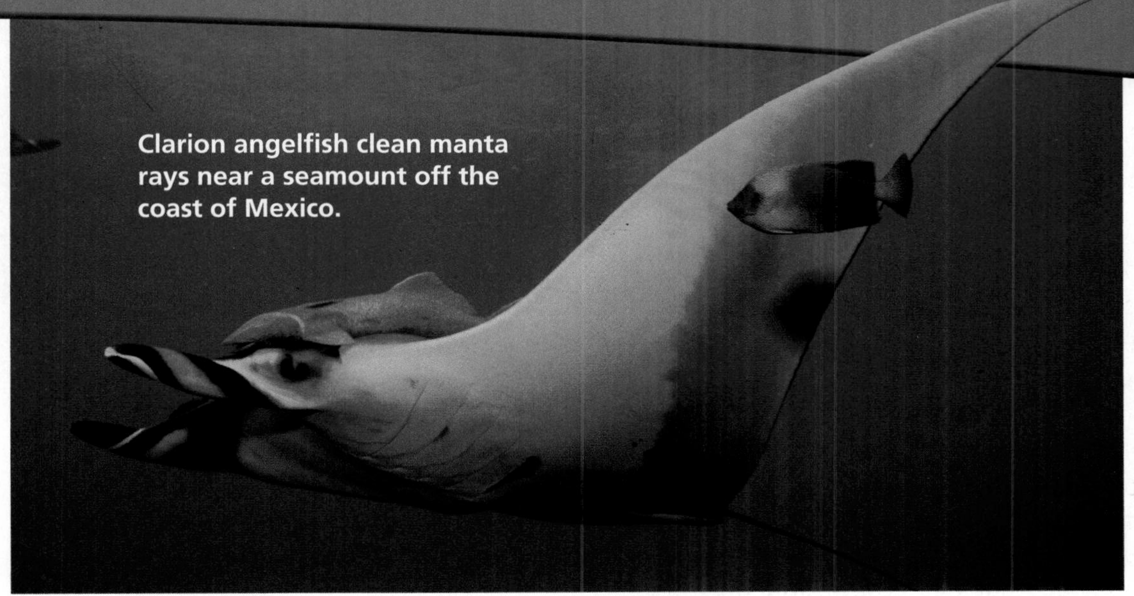

Clarion angelfish clean manta rays near a seamount off the coast of Mexico.

What new technology do you use in your work?

Two new technologies have made a big difference—closed-circuit rebreathers and digital cameras. A rebreather recycles your exhaled breath in a closed loop, so you can breathe the unused oxygen you took in during earlier breaths. You can get up to twelve hours on one tank of oxygen. If you can breathe an oxygen-rich mixture in the ocean, you can stay deeper, longer.

With digital cameras, I can also stay down a long time without running out of film. I can put a memory card in the camera and take 300 or 500 exposures. (A large roll of film takes just 36 exposures.)

What would you tell students?

I've talked to young people a good deal. I'm amazed at how much they know about the world and the environment. I'd tell students that any subject you're passionate about is going to lead to good things. I'm very lucky. I've been able to combine a lot of things I love into my career—biology and diving and photography.

◀ Norbert on Antarctic ice

Writing in Science

Career Link For Norbert, one key to taking great scientific photographs is being at the right place at the right time. To do that, he says you need "an understanding of your subject's behavior." Choose an animal you know. In a paragraph, describe the right time and place to take a good photograph of that animal. Explain your choice.

For: More on this career
Visit: PHSchool.com
Web Code: cfb-3000

Chapter 14

Bones, Muscles, and Skin

Chapter Preview

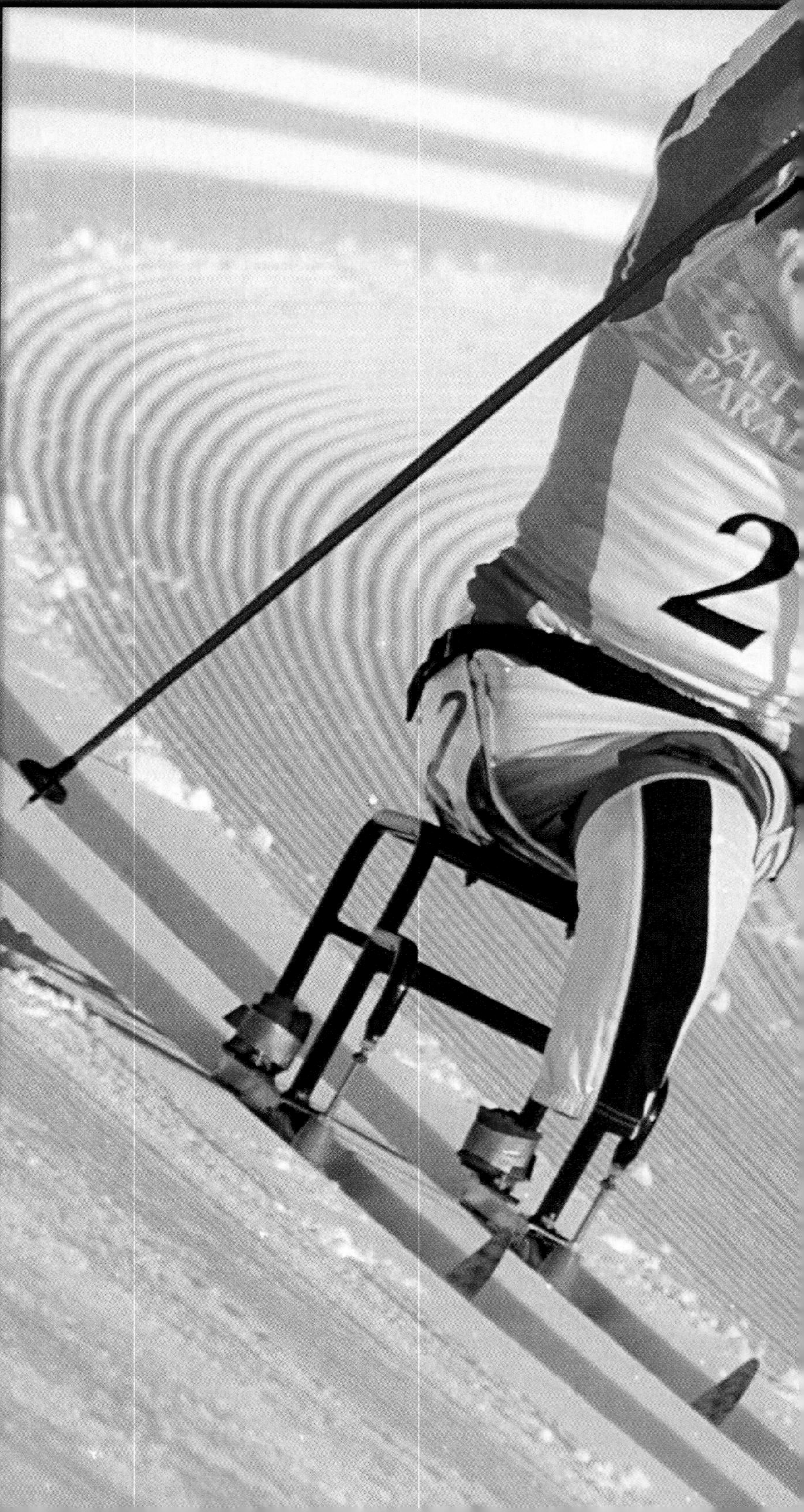

No matter your age or ability level, playing sports is fun and healthful. ▶

Bones, Muscles, and Skin

▶ Video Preview
Video Field Trip
Video Assessment

Lab zone™ Chapter **Project**

Design and Build a Hand Prosthesis

A prosthesis is an artificial device that replaces a human body part. Designing artificial replacements, such as prosthetic hands, can be a challenging task. This is because even a simple act, such as picking up a pen, involves a complex interaction of body parts.

Your Goal To design, build, and test a replacement for a human hand

Your prosthesis must

- grasp and lift a variety of objects
- be activated by pulling a cord or string
- spring back when the cord is released
- be built following the safety guidelines in Appendix A

Plan It! Before you design your prosthetic hand, study the human hand. Watch how the fingers move to pick up objects. Make a list of devices that mimic the ability of the hand to pick up objects. Examples include tongs, tweezers, pliers, and chopsticks. Then, choose materials for your hand and sketch your design. When your teacher has approved your design, build and test your prosthetic hand.

Section 1

Integrating Health

Body Organization and Homeostasis

Reading Preview

Key Concepts

- What are the levels of organization in the body?
- What is homeostasis?

Key Terms

- cell • cell membrane
- nucleus • cytoplasm
- tissue • muscle tissue
- nervous tissue
- connective tissue
- epithelial tissue
- organ • organ system
- homeostasis • stress

Target Reading Skill

Outlining An outline shows the relationship between main ideas and supporting ideas. As you read, make an outline about body organization and homeostasis. Use the red headings for the main ideas and the blue headings for the supporting ideas.

Body Organization and Homeostasis
I. Cells
A. Structures of cells
B.
II. Tissues

Lab zone Discover Activity

How Does Your Body Respond?

1. Stack one book on top of another one.
2. Lift the two stacked books in front of you so the lowest book is about level with your shoulders. Hold the books in this position for 30 seconds. While you are performing this activity, note how your body responds. For example, how do your arms feel at the beginning and toward the end of the 30 seconds?
3. Balance one book on the top of your head. Walk a few steps with the book on your head.

Think It Over

Inferring List all the parts of your body that worked together as you performed the activities in Steps 1 through 3.

The bell rings—lunchtime! You hurry down the noisy halls to the cafeteria. The unmistakable aroma of hot pizza makes your mouth water. At last, you balance your tray of pizza and salad while you pay the cashier. You look around the cafeteria for your friends. Then, you walk to the table, sit down, and begin to eat.

Think about how many parts of your body were involved in the simple act of getting and eating your lunch. Every minute of the day, whether you are eating, studying, walking, or even sleeping, your body is busily at work. Each part of the body has a specific job to do. And all the different parts of your body usually work together so smoothly that you don't even notice them.

This smooth functioning is due partly to the way in which the body is organized. **The levels of organization in the human body consist of cells, tissues, organs, and organ systems.** The smallest unit of organization is the cell. The next largest unit is tissue; then, organs. Finally, the organ system is the largest unit of organization.

Cells

A **cell** is the basic unit of structure and function in a living thing. Complex organisms are composed of many cells in the same way a brick building is composed of many bricks. The human body contains about 100 trillion cells. Cells are quite tiny, and most cannot be seen without a microscope.

Structures of Cells Most animal cells, including those in the human body, have a structure similar to the cell in Figure 1. The **cell membrane** forms the outside boundary of the cell. Inside the cell membrane is a large structure called the nucleus. The **nucleus** is the control center that directs the cell's activities and contains the information that determines the cell's form and function. When the cell divides, or reproduces, this information is passed along to the newly formed cells. The material within a cell apart from the nucleus is called the **cytoplasm** (SYT uh plaz um). The cytoplasm is made of a clear, jellylike substance containing many cell structures called organelles.

Functions of Cells Cells carry on the processes that keep organisms alive. Inside cells, for example, molecules from digested food undergo chemical reactions that release energy for the body's activities. Cells also grow and reproduce. And they get rid of waste products that result from these activities.

What is the function of the nucleus?

Lab zone Try This Activity

How Is a Book Organized?

In this activity, you will analyze the levels of organization in a book.

1. Examine this textbook to see how it is subdivided—into chapters, sections, and so on.
2. Make a concept map that shows this pattern of organization. Place the largest subdivision at the top of the map and the smallest at the bottom.
3. Compare the levels of organization in this textbook to those in the human body.

Making Models Which level of organization in the textbook represents cells? Which represents tissues? Organs? Organ systems?

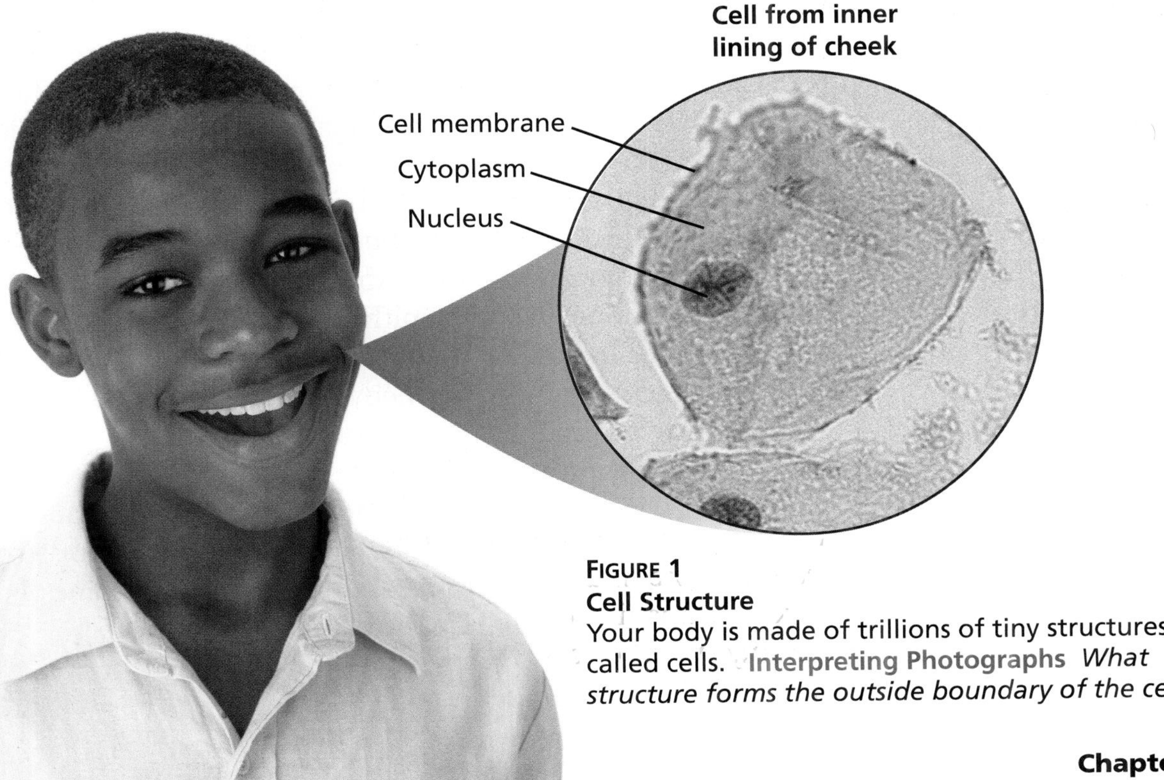

FIGURE 1
Cell Structure
Your body is made of trillions of tiny structures called cells. **Interpreting Photographs** *What structure forms the outside boundary of the cell?*

FIGURE 2

Types of Tissues

Your body contains four kinds of tissues: muscle, nervous, connective, and epithelial.

Comparing and Contrasting *How is the function of nervous tissue different from that of epithelial tissue?*

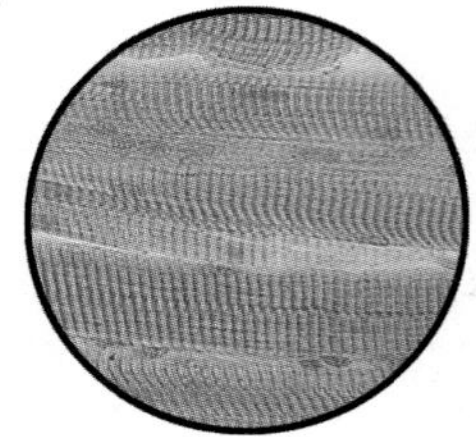

Muscle Tissue
Every movement you make depends on muscle tissue. The muscle tissue shown here allows your body to move.

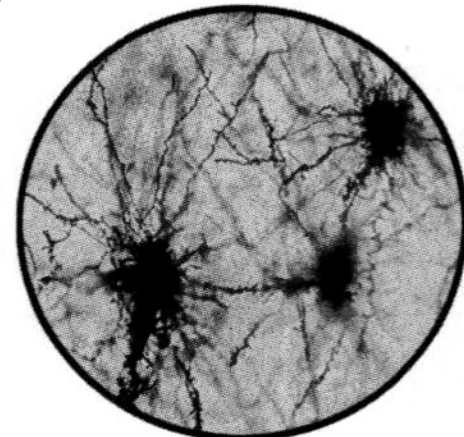

Nervous Tissue
Nervous tissue, such as the brain cells shown here, enables you to see, hear, and think.

Connective Tissue
Connective tissue, such as the bone shown here, connects and supports parts of your body.

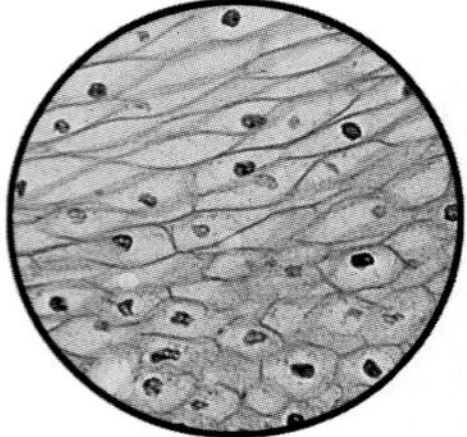

Epithelial Tissue
Epithelial tissue, such as the skin cells shown here, covers the surfaces of your body and lines your internal organs.

Tissues

The next largest unit of organization in your body is a tissue. A **tissue** is a group of similar cells that perform the same function. The human body contains four basic types of tissue: muscle tissue, nervous tissue, connective tissue, and epithelial tissue. To see examples of each of these tissues, look at Figure 2.

Like the muscle cells that form it, **muscle tissue** can contract, or shorten. By doing this, muscle tissue makes parts of your body move. While muscle tissue carries out movement, **nervous tissue** directs and controls the process. Nervous tissue carries electrical messages back and forth between the brain and other parts of the body. Another type of tissue, **connective tissue,** provides support for your body and connects all its parts. Bone tissue and fat are connective tissues.

The surfaces of your body, inside and out, are covered by **epithelial tissue** (ep uh THEE lee ul). Some epithelial tissue, such as your skin, protects the delicate structures that lie beneath it. The lining of your digestive system consists of epithelial tissue that allows you to digest and absorb the nutrients in your food.

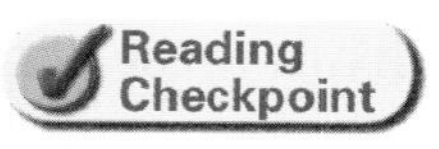

What is the job of muscle tissue?

Organs and Organ Systems

Your stomach, heart, brain, and lungs are all organs. An **organ** is a structure that is composed of different kinds of tissue. Like a tissue, an organ performs a specific job. The job of an organ, however, is generally more complex than that of a tissue. The heart, for example, pumps blood throughout your body, over and over again. The heart contains all four kinds of tissue—muscle, nervous, connective, and epithelial. Each type of tissue contributes to the organ's overall job of pumping blood.

Each organ in your body is part of an **organ system,** which is a group of organs that work together to perform a major function. Your heart is part of your circulatory system, which carries oxygen and other materials throughout the body. Besides the heart, blood vessels are major structures in the circulatory system. Figure 3 shows some of the major organ systems in the human body.

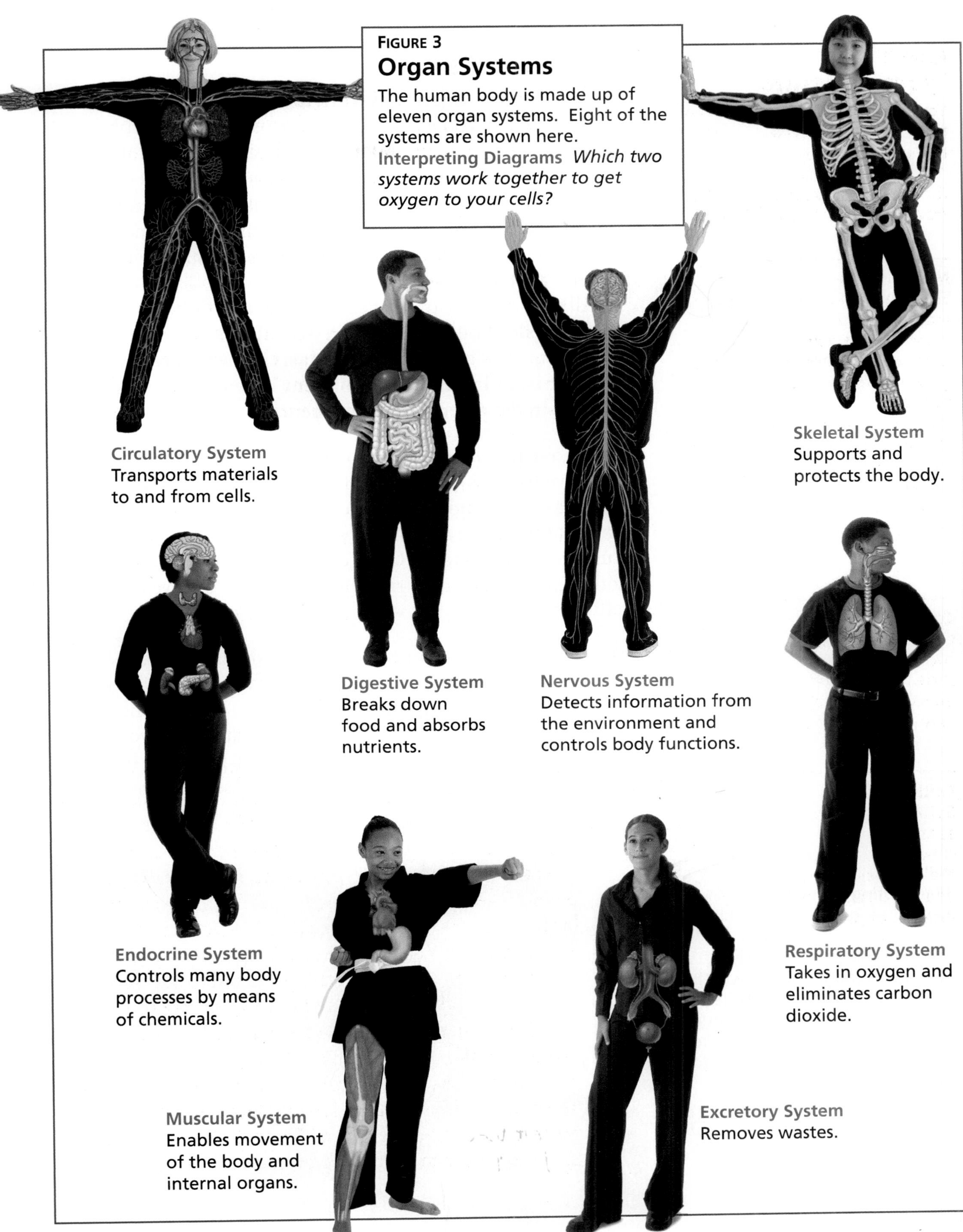

FIGURE 3
Organ Systems
The human body is made up of eleven organ systems. Eight of the systems are shown here.
Interpreting Diagrams *Which two systems work together to get oxygen to your cells?*

Circulatory System
Transports materials to and from cells.

Digestive System
Breaks down food and absorbs nutrients.

Nervous System
Detects information from the environment and controls body functions.

Skeletal System
Supports and protects the body.

Endocrine System
Controls many body processes by means of chemicals.

Respiratory System
Takes in oxygen and eliminates carbon dioxide.

Muscular System
Enables movement of the body and internal organs.

Excretory System
Removes wastes.

For: Links on body systems
Visit: www.SciLinks.org
Web Code: scn-0411

Homeostasis

The different organ systems work together and depend on one another. When you ride a bike, you use your muscular and skeletal systems to steer and push the pedals. But you also need your nervous system to direct your arms and legs to move. Your respiratory, digestive, and circulatory systems work together to fuel your muscles with the energy they need. And your excretory system removes the wastes produced while your muscles are hard at work.

All the systems of the body work together to maintain **homeostasis** (hoh mee oh STAY sis), the body's tendency to keep an internal balance. **Homeostasis is the process by which an organism's internal environment is kept stable in spite of changes in the external environment.**

Homeostasis in Action To see homeostasis in action, all you have to do is take your temperature when the air is cold. Then, take it again in an overheated room. No matter what the temperature of the air around you, your internal body temperature will be close to 37°C. Of course, if you become sick, your body temperature may rise. But when you are well again, it returns to 37°C.

Maintaining Homeostasis Your body has various ways of maintaining homeostasis. For example, when you are too warm, you sweat. Sweating helps to cool your body. On the other hand, when you are cold, you shiver. Shivering occurs when your muscles rapidly contract and relax. This action produces heat that helps keep you warm. Both of these processes help your body maintain homeostasis by regulating your temperature.

FIGURE 4
Maintaining Homeostasis
Regardless of the surrounding temperature, your body temperature remains fairly constant at about 37°C. Sweating (left) and shivering (right) help regulate your body temperature.
Applying Concepts *What is the term for the body's tendency to maintain a stable internal environment?*

Stress and Homeostasis Sometimes, things can happen to disrupt homeostasis. As a result, your heart may beat more rapidly or your breathing may increase. These reactions of your circulatory and respiratory systems are signs of stress. **Stress** is the reaction of your body to potentially threatening, challenging, or disturbing events.

Think about what happens when you leave the starting line in a bike race. As you pedal, your heart beats faster and your breathing increases. What is happening in your body? First, your endocrine system releases a chemical called adrenaline into your bloodstream. Adrenaline gives you a burst of energy and prepares your body to take action. As you pedal, your muscles work harder and require more oxygen. Oxygen is carried by the circulatory system, so your heart beats even faster to move more blood to your muscles. Your breath comes faster and faster, too, so that more oxygen can get into your body. Your body is experiencing stress.

If stress is over quickly, your body soon returns to its normal state. Think about the bike race again. After you cross the finish line, you continue to breathe hard for the next few minutes. Soon, however, your breathing and heart rate return to normal. The level of adrenaline in your blood returns to normal. Thus, homeostasis is restored after just a few minutes of rest.

What is stress?

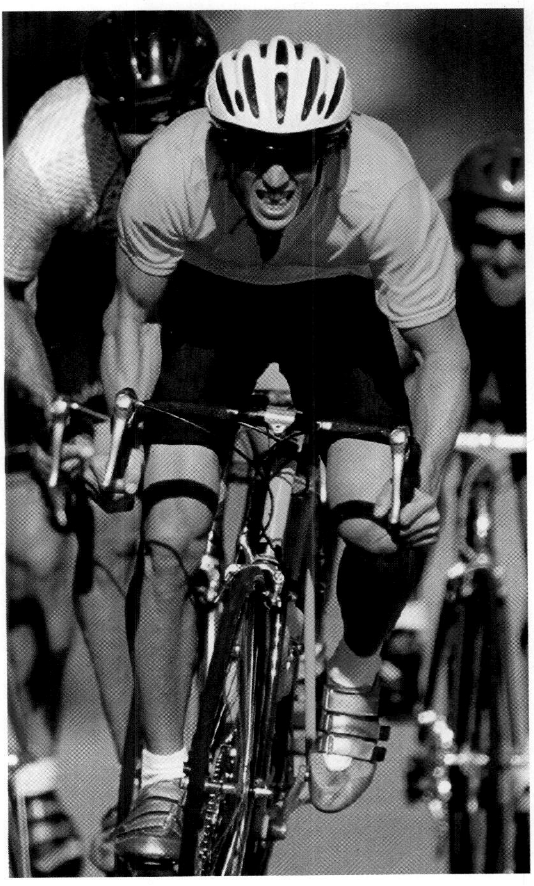

FIGURE 5
Stress
Your body reacts to stress, such as the start of a bike race, by releasing adrenaline and carrying more oxygen to body cells.

Section 1 Assessment

Target Reading Skill Outlining Use the information in your outline to help you answer the questions below.

Reviewing Key Concepts

1. a. Identifying List the four levels of organization in the human body from smallest to largest. Give an example of each level.
   b. Comparing and Contrasting What is the difference between tissues and organs?
   c. Applying Concepts What systems of the body are involved when you prepare a sandwich and then eat it?
2. a. Defining What is homeostasis?
   b. Explaining How does stress affect homeostasis?
   c. Relating Cause and Effect Describe what happens inside your body as you give an oral report in front of your class.

Writing in Science

Summary Write a paragraph that explains what body systems are involved when you sit down to do your homework. Be sure to begin your paragraph with a topic sentence and include supporting details.

Section 2 The Skeletal System

Reading Preview

Key Concepts

- What are the functions of the skeleton?
- What role do joints play in the body?
- What are the characteristics of bone, and how can you keep your bones strong and healthy?

Key Terms

- skeleton • vertebrae • joint
- ligament • cartilage
- compact bone • spongy bone
- marrow • osteoporosis

Target Reading Skill

Asking Questions Before you read, preview the red headings. In a graphic organizer like the one below, ask a *what* or *how* question for each heading. As you read, answer your questions.

The Skeletal System

Question	Answer
What does the skeleton do?	The skeletal system provides shape . . .

Lab zone Discover Activity

Hard as a Rock?

1. Your teacher will give you a rock and a leg bone from a cooked turkey or chicken.
2. Use a hand lens to examine both the rock and the bone.
3. Gently tap both the rock and the bone on a hard surface.
4. Pick up each object to feel how heavy it is.
5. Wash your hands. Then make notes of your observations.

Think It Over

Observing Based on your observations, why do you think bones are sometimes compared to rocks? List some ways in which bones and rocks are similar and different.

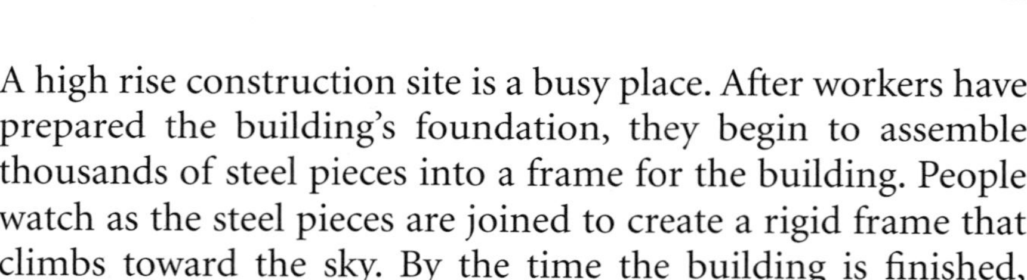

A high rise construction site is a busy place. After workers have prepared the building's foundation, they begin to assemble thousands of steel pieces into a frame for the building. People watch as the steel pieces are joined to create a rigid frame that climbs toward the sky. By the time the building is finished, however, the building's framework will no longer be visible.

Like a building, you also have an inner framework, but it isn't made up of steel. Your framework, or **skeleton,** is made up of all the bones in your body. The number of bones in your skeleton, or skeletal system, depends on your age. A newborn has about 275 bones. An adult, however, has about 206 bones. As a baby grows, some of the bones in the body fuse together. For example, as you grew, some of the bones in your skull fused together.

What the Skeletal System Does

Just as a building could not stand without its frame, you would collapse without your skeleton. **Your skeleton has five major functions. It provides shape and support, enables you to move, protects your organs, produces blood cells, and stores minerals and other materials until your body needs them.**

Shape and Support Your skeleton determines the shape of your body, much as a steel frame determines the shape of a building. The backbone, or vertebral column, is the center of the skeleton. Locate the backbone in Figure 6. Notice that the bones in the skeleton are in some way connected to this column. If you move your fingers down the center of your back, you can feel the 26 small bones, or **vertebrae** (VUR tuh bray) (singular: *vertebra*), that make up your backbone. Bend forward at the waist and feel the bones adjust as you move. You can think of each individual vertebra as a bead on a string. Just as a beaded necklace is flexible and able to bend, so too is your vertebral column. If your backbone were just one bone, you would not be able to bend or twist.

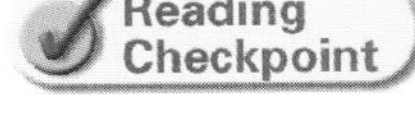

Why is the vertebral column considered the center of the skeleton?

FIGURE 6
The Skeleton

The skeleton provides a framework that supports and protects many other body parts. Comparing and Contrasting *In what ways is the skeleton like the steel framework of a building? In what ways is it different?*

Skull

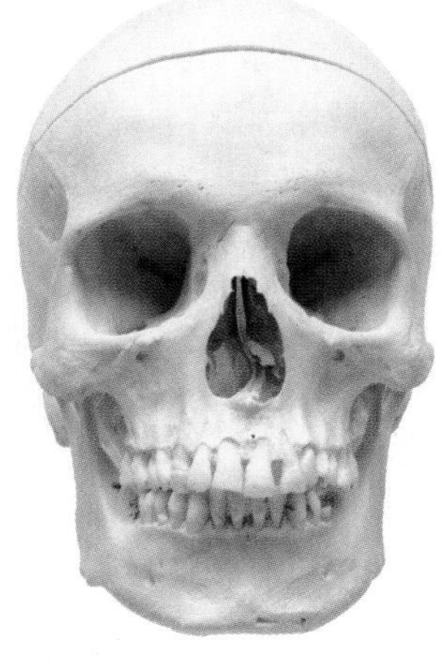

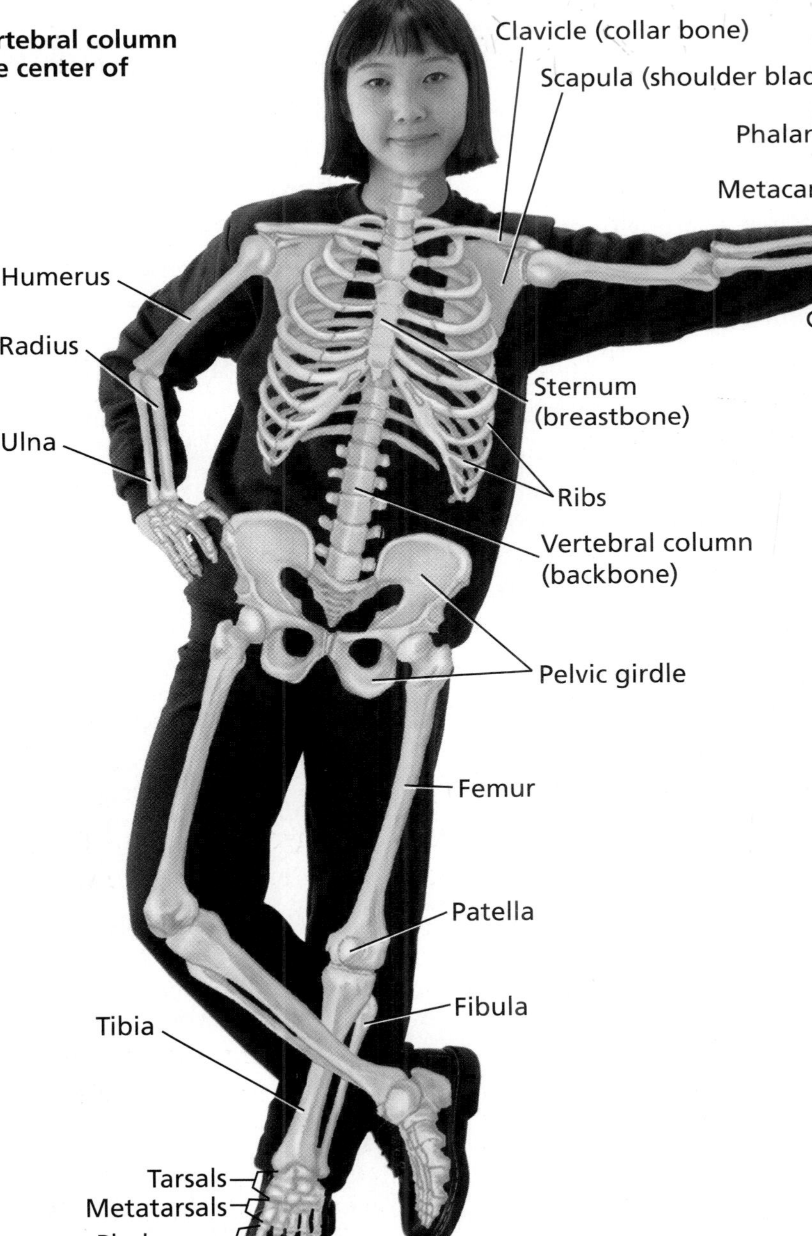

Movement and Protection Your skeleton allows you to move. Most of the body's bones are associated with muscles. The muscles pull on the bones to make the body move. Bones also protect many of the organs in your body. For example, your skull protects your brain, and your breastbone and ribs form a protective cage around your heart and lungs.

For: Movable Joints activity
Visit: PHSchool.com
Web Code: cep-4012

Production and Storage of Substances Some of your bones produce substances that your body needs. You can think of the long bones of your arms and legs as factories that make certain blood cells. Bones also store minerals such as calcium and phosphorus. When the body needs these minerals, the bones release small amounts of them into the blood.

Joints of the Skeleton

Suppose that a single long bone ran the length of your leg. How would you get out of bed or run for the school bus? Luckily, your body contains many small bones rather than fewer large ones. A **joint** is a place in the body where two bones come together. **Joints allow bones to move in different ways.** There are two kinds of joints—immovable joints and movable joints.

FIGURE 7
Movable Joints

Without movable joints, your body would be as stiff as a board. The different kinds of joints allow your body to move in a variety of ways. **Comparing and Contrasting** *How is the movement of a hinge joint different from that of a ball-and-socket joint?*

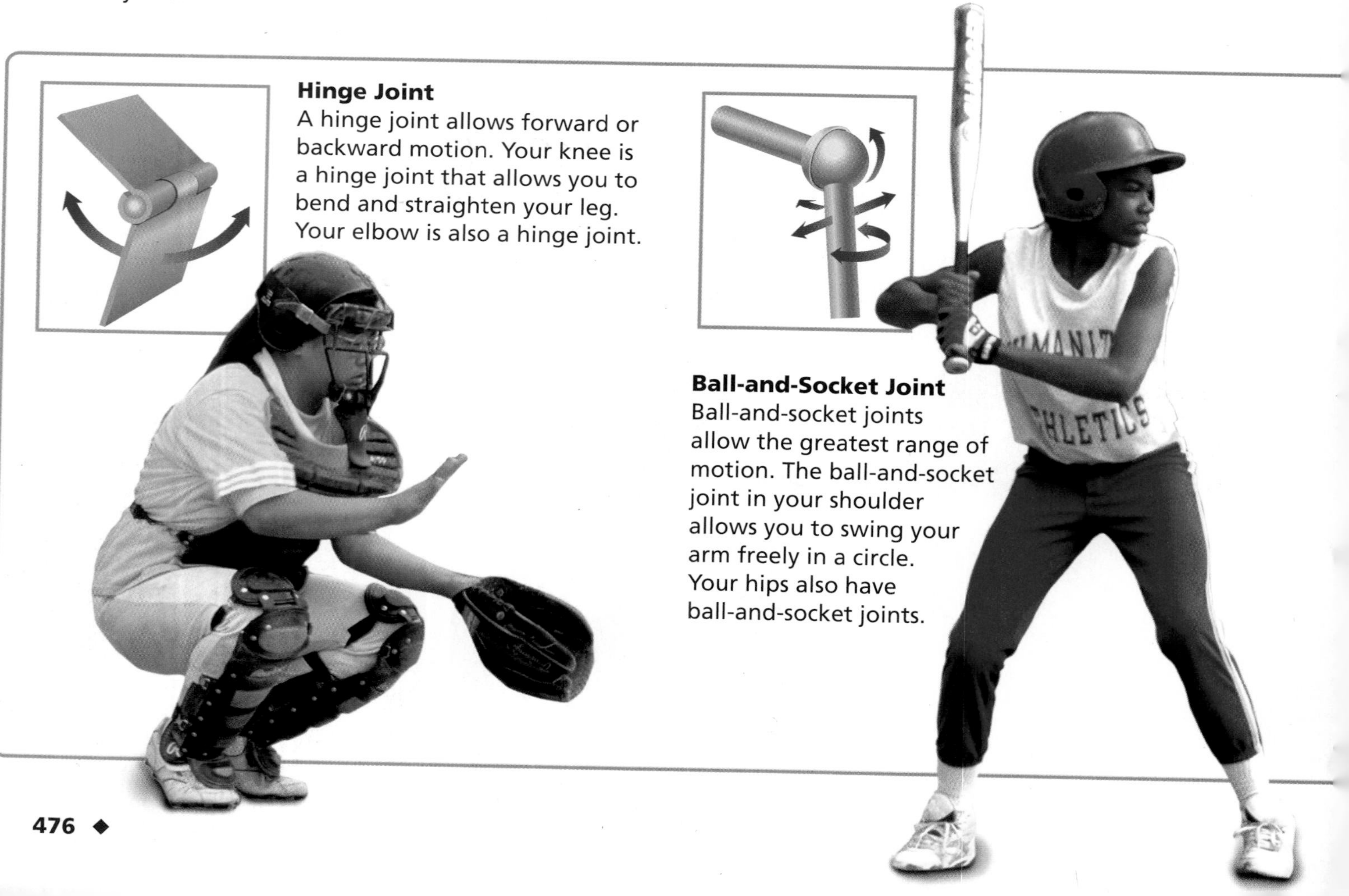

Hinge Joint
A hinge joint allows forward or backward motion. Your knee is a hinge joint that allows you to bend and straighten your leg. Your elbow is also a hinge joint.

Ball-and-Socket Joint
Ball-and-socket joints allow the greatest range of motion. The ball-and-socket joint in your shoulder allows you to swing your arm freely in a circle. Your hips also have ball-and-socket joints.

Immovable Joints Some joints in the body connect bones in a way that allows little or no movement. These joints are called immovable joints. The bones of the skull are held together by immovable joints.

Movable Joints Most of the joints in the body are movable joints. Movable joints allow the body to make a wide range of movements. Look at Figure 7 to see the variety of movements that these joints make possible.

The bones in movable joints are held together by strong connective tissues called **ligaments.** Most joints have a second type of connective tissue, called **cartilage** (KAHR tuh lij), which is more flexible than bone. Cartilage covers the ends of the bones and keeps them from rubbing against each other. For example, in the knee, cartilage acts as a cushion that keeps your femur (thighbone) from rubbing against the bones of your lower leg. In addition, a fluid lubricates the ends of the bones, allowing them to move smoothly over each other.

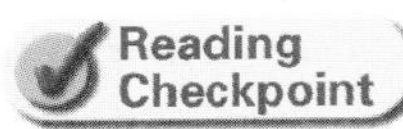

How are movable joints held together?

Lab zone **Skills Activity**

Classifying

Perform these activities.

- Move your arm in a circle.
- Push open a door.
- Lift a book from a desk.
- Kneel down.
- Wave your hand.
- Twist your head from side to side.

Determine which type of movable joint or joints is involved in performing each activity. Give a reason to support your classifications.

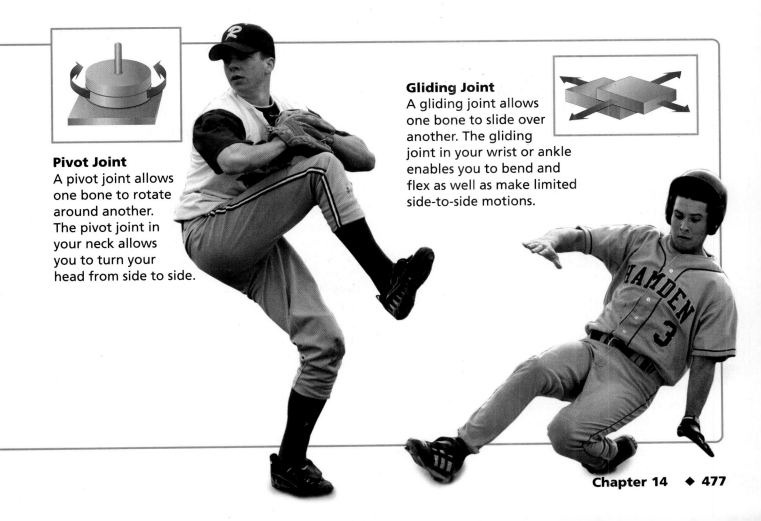

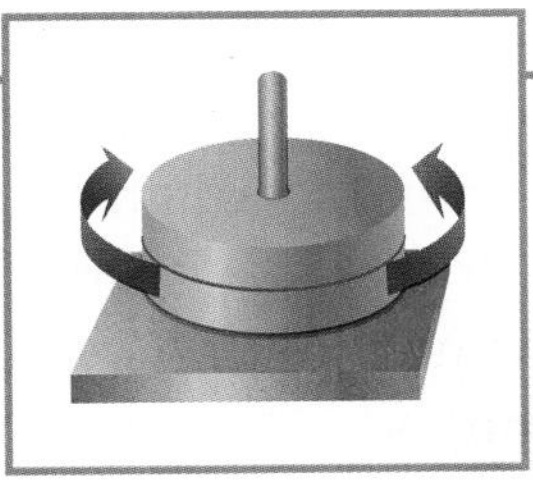

Pivot Joint
A pivot joint allows one bone to rotate around another. The pivot joint in your neck allows you to turn your head from side to side.

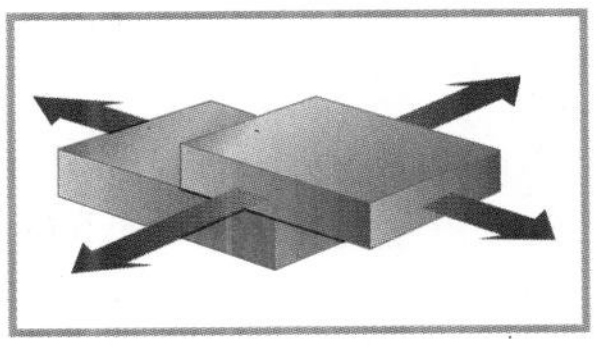

Gliding Joint
A gliding joint allows one bone to slide over another. The gliding joint in your wrist or ankle enables you to bend and flex as well as make limited side-to-side motions.

FIGURE 8

Bone Structure

The most obvious feature of a long bone, such as the femur, is its long shaft. Running through the compact bone tissue within the shaft is a system of canals. The canals bring materials to the living bone cells.
Interpreting Diagrams *What different tissues make up the femur?*

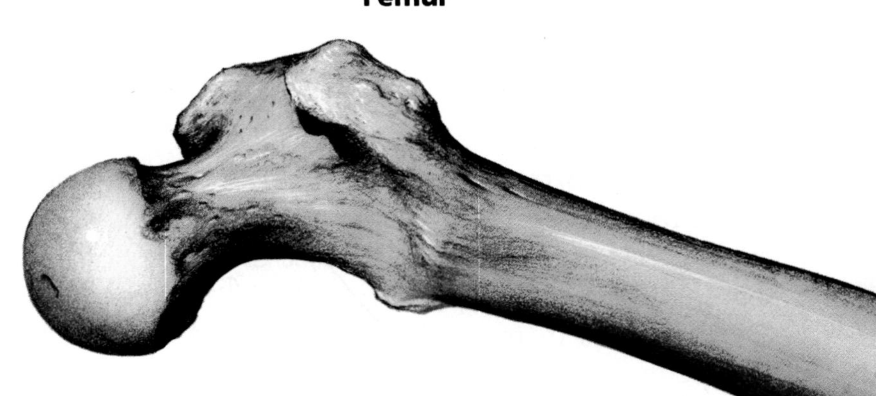

Bones—Strong and Living

When you think of a skeleton, you may think of the paper cutouts that are used as decorations at Halloween. Many people connect skeletons with death. The ancient Greeks did, too. The word *skeleton* actually comes from a Greek word meaning "a dried body." The bones of your skeleton, however, are not dead at all. **Bones are complex living structures that undergo growth and development.**

Bone Structure Figure 8 shows the structure of the femur, or thighbone. The femur, which is the body's longest bone, connects the pelvic bones to the lower leg bones. Notice that a thin, tough membrane covers all of the bone except the ends. Blood vessels and nerves enter and leave the bone through the membrane. Beneath the bone's outer membrane is a layer of **compact bone,** which is hard and dense, but not solid. As you can see in Figure 8, small canals run through the compact bone. These canals carry blood vessels and nerves from the bone's surface to the living cells within the bone.

Just inside the femur's compact bone is a layer of spongy bone. Like a sponge, **spongy bone** has many small spaces within it. This structure makes spongy bone tissue lightweight but strong. Spongy bone is also found at the ends of the bone.

The spaces in many bones contain a soft, connective tissue called **marrow.** There are two types of marrow—red and yellow. Red bone marrow produces most of the body's blood cells. As a child, most of your bones contained red bone marrow. As a teenager, only the ends of your femurs, skull, hip bones, and sternum (breastbone) contain red marrow. Your other bones contain yellow marrow. This marrow stores fat that can serve as an energy reserve.

What are the two types of bone marrow?

Lab zone Try This **Activity**

Soft Bones?

In this activity, you will explore the role that calcium plays in bones.

1. Put on protective gloves. Soak one clean chicken bone in a jar filled with water. Soak a second clean chicken bone in a jar filled with vinegar. (Vinegar causes calcium to dissolve out of bone.)
2. After one week, put on protective gloves and remove the bones from the jars.
3. Compare how the two bones look and feel. Note any differences between the two bones.

Drawing Conclusions Based on your results, explain why it is important to consume a diet that is high in calcium.

Bone Strength The structure of bone makes it both strong and lightweight. In fact, bones are so strong that they can absorb more force without breaking than can concrete or granite rock. Yet, bones are much lighter than these materials. In fact, only about 20 percent of an average adult's body weight is bone.

Have you ever heard the phrase "as hard as a rock"? Most rock is hard because it is made up of minerals that are packed tightly together. In a similar way, bones are hard because they contain minerals—primarily phosphorus and calcium.

Bone Growth Bones are alive—they contain cells and tissues, such as blood and nerves. Because they are alive, bones also form new bone tissue as you grow. Even after you are grown, however, bone tissue continues to form within your bones. For example, every time you play soccer or basketball, some of your bones absorb the force of your weight. They respond by making new bone tissue.

Sometimes, new bone tissue forms after an accident. If you break a bone, for example, new bone tissue forms to fill the gap between the broken ends of the bone. In fact, the healed region of new bone may be stronger than the original bone!

FIGURE 9
Bone Strength
You can jump up and down or turn cartwheels without breaking bones.

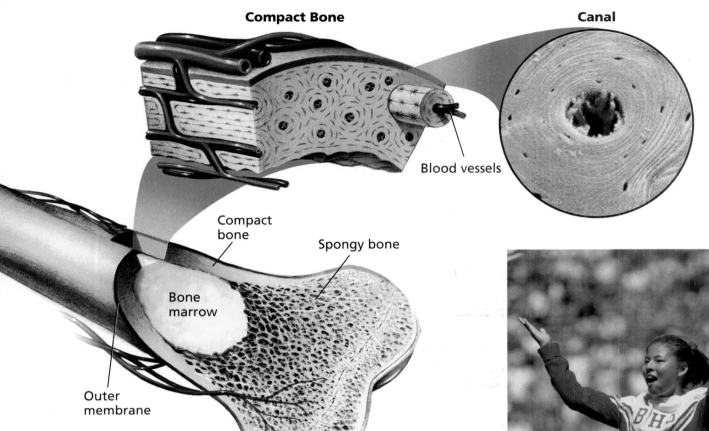

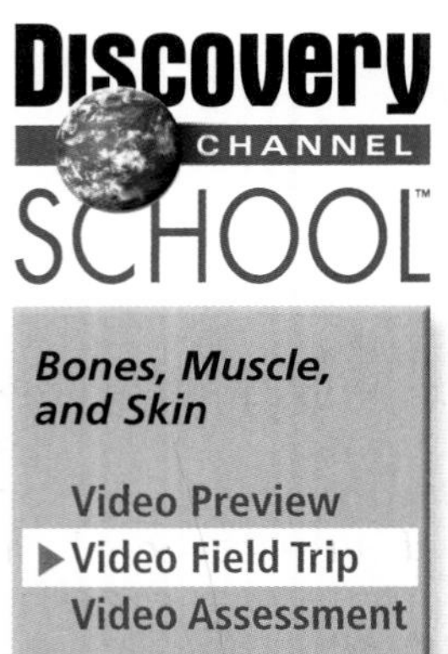

Bone Development Try this activity: Move the tip of your nose from side to side with your fingers. Notice that the tip of your nose is not stiff. That is because it contains cartilage. As an infant, much of your skeleton was cartilage. Over time, most of the cartilage was replaced with hard bone tissue.

The replacement of cartilage by bone tissue usually is complete by the time you stop growing. You've seen, however, that not all of your body's cartilage is replaced by bone. Even in adults, many joints contain cartilage that protects the ends of the bones.

Taking Care of Your Bones

Because your skeleton performs so many necessary functions, it is important to keep it healthy. **A combination of a balanced diet and regular exercise are important for a lifetime of healthy bones.**

Diet One way to help ensure healthy bones is to eat a well-balanced diet. A well-balanced diet includes enough calcium and phosphorus to keep your bones strong while they are growing. Meats, whole grains, and leafy green vegetables are all good sources of both calcium and phosphorus. Dairy products, including yogurt, are good sources of calcium.

Exercise Another way to build and maintain strong bones is to get plenty of exercise. During activities such as running, skating, or dancing, your bones support the weight of your entire body. These weight-bearing activities help your bones grow stronger and denser. To prevent injuries while exercising, be sure to wear appropriate safety equipment, such as a helmet and pads.

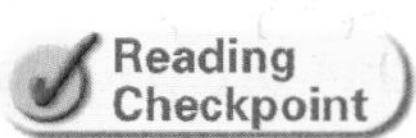

What are two ways to keep your bones healthy?

FIGURE 10
Caring for Your Bones
Exercising regularly and eating a balanced diet help to keep your bones strong and healthy.

Healthy Spine

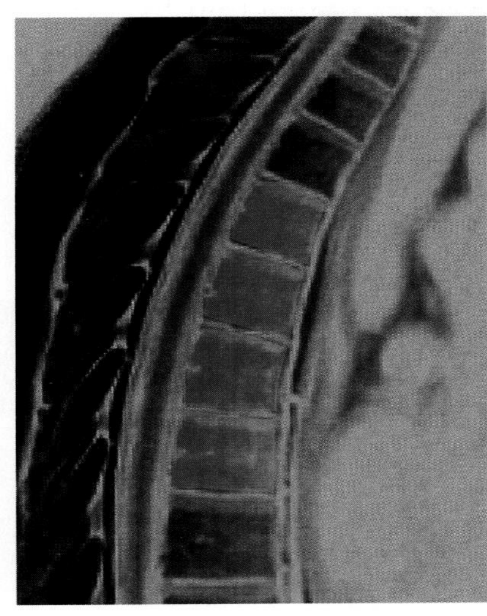

Spine with Osteoporosis

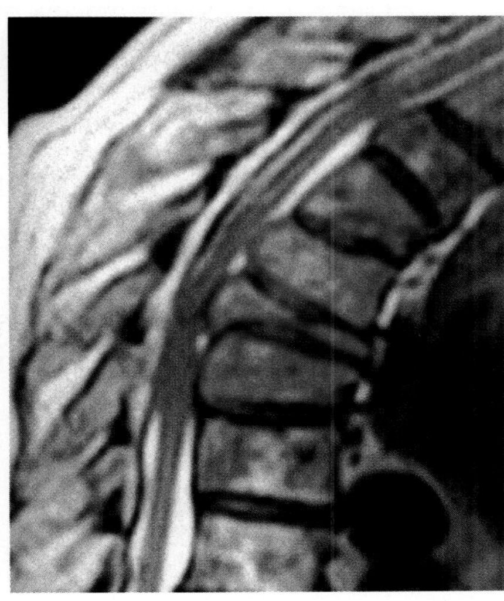

FIGURE 11
Osteoporosis
Without enough calcium in the diet, a person's bones weaken. These photos show how the shape and structure of vertebrae in a healthy spine compare with those in a person with osteoporosis.
Relating Cause and Effect *What can you do to prevent osteoporosis?*

Osteoporosis As people become older, their bones begin to lose some of the minerals they contain. Mineral loss can lead to **osteoporosis** (ahs tee oh puh ROH sis), a condition in which the body's bones become weak and break easily. You can see the effect of osteoporosis in Figure 11. Osteoporosis is more common in women than in men. Evidence indicates that regular exercise throughout life can help prevent osteoporosis. A diet with enough calcium can also help prevent osteoporosis. If you eat enough calcium-rich foods now, during your teenage years, you may help prevent osteoporosis later in life.

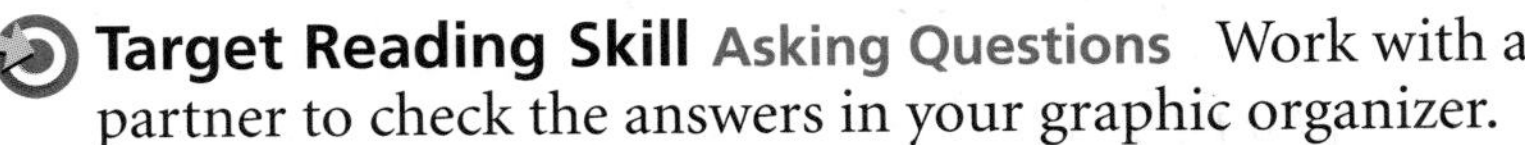

Section 2 Assessment

Target Reading Skill **Asking Questions** Work with a partner to check the answers in your graphic organizer.

Reviewing Key Concepts

1. a. **Listing** What are five functions of the skeleton?
   b. **Explaining** How does the skeleton protect the body?
   c. **Predicting** How would your life be different if your backbone consisted of just one long bone?
2. a. **Naming** What are four types of movable joints?
   b. **Comparing and Contrasting** Compare immovable joints with movable joints.
   c. **Classifying** Which of your movable joints are ball-and-socket joints?
3. a. **Identifying** What are three layers within the femur?
   b. **Relating Cause and Effect** How does the structure of bones make them both strong and lightweight?
   c. **Applying Concepts** How do a well-balanced diet and weight-bearing exercise help keep bones strong?

Lab zone At-Home Activity

Model Joints Choose two examples of movable joints from Figure 7. Ask a family member to perform separate movements that involve one joint and then the other. Make drawings to represent the joints and bones involved in each movement. Use the drawings to explain to your family how the motions of the two joints differ.

Section 3

The Muscular System

Reading Preview

Key Concepts

- What types of muscles are found in the body?
- Why do skeletal muscles work in pairs?

Key Terms

- involuntary muscle
- voluntary muscle
- skeletal muscle
- tendon
- striated muscle
- smooth muscle
- cardiac muscle

Target Reading Skill

Previewing Visuals When you preview, you look ahead at the material to be read. Preview Figure 12. Then, in a graphic organizer like the one below, write two questions that you have about the diagram. As you read, answer your questions.

Types of Muscle

Q. How does skeletal muscle help my body move?
A.
Q.

Lab zone **Discover Activity**

How Do Muscles Work?

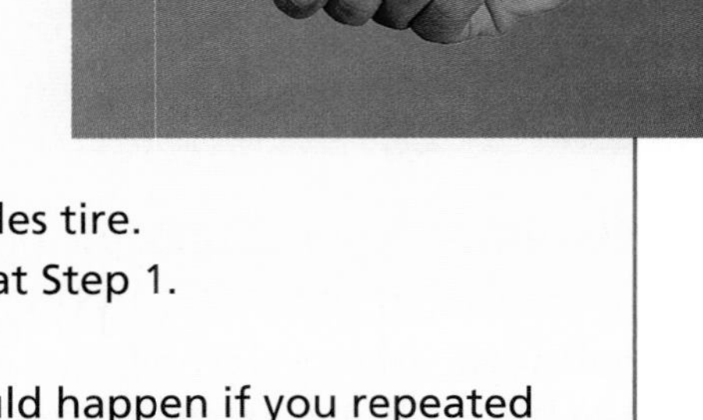

1. Grip a spring-type clothespin with the thumb and index finger of your writing hand. Squeeze the clothespin open and shut as quickly as possible for two minutes. Count how many times you can squeeze the clothespin before your muscles tire.
2. Rest for one minute. Then, repeat Step 1.

Think It Over

Predicting What do you think would happen if you repeated Steps 1 and 2 with your other hand? Give a reason for your prediction. Then, test your prediction.

A rabbit becomes still when it senses danger. The rabbit sits so still that it doesn't seem to move a muscle. Could you sit without moving any muscles? Saliva builds up in your mouth. You swallow. You need to breathe. Your chest expands to let air in. All of these actions involve muscles. It is impossible to sit absolutely still without muscle movement.

There are about 600 muscles in your body. Muscles have many functions. For example, they keep your heart beating, pull your mouth into a smile, and move the bones of your skeleton. The girl doing karate on the next page uses many of her muscles to move her arms, legs, hands, feet, and head. Other muscles expand and contract her chest and allow her to breathe.

Types of Muscle

Some of your body's movements, such as smiling, are easy to control. Other movements, such as the beating of your heart, are impossible to control completely. That is because some of your muscles are not under your conscious control. Those muscles are called **involuntary muscles.** Involuntary muscles are responsible for such essential activities as breathing and digesting food.

The muscles that are under your conscious control are called **voluntary muscles.** Smiling, turning a page in a book, and getting out of your chair when the bell rings are all actions controlled by voluntary muscles.

Your body has three types of muscle tissue—skeletal muscle, smooth muscle, and cardiac muscle. Some of these muscle tissues are involuntary, and some are voluntary. In Figure 12, you see a magnified view of each type of muscle in the body. Both skeletal and smooth muscles are found in many places in the body. Cardiac muscle is found only in the heart. Each muscle type performs specific functions in the body.

FIGURE 12
Types of Muscle
Your body has three types of muscle tissue: skeletal muscle, smooth muscle, and cardiac muscle. **Classifying** *Which type of muscle is found only in the heart?*

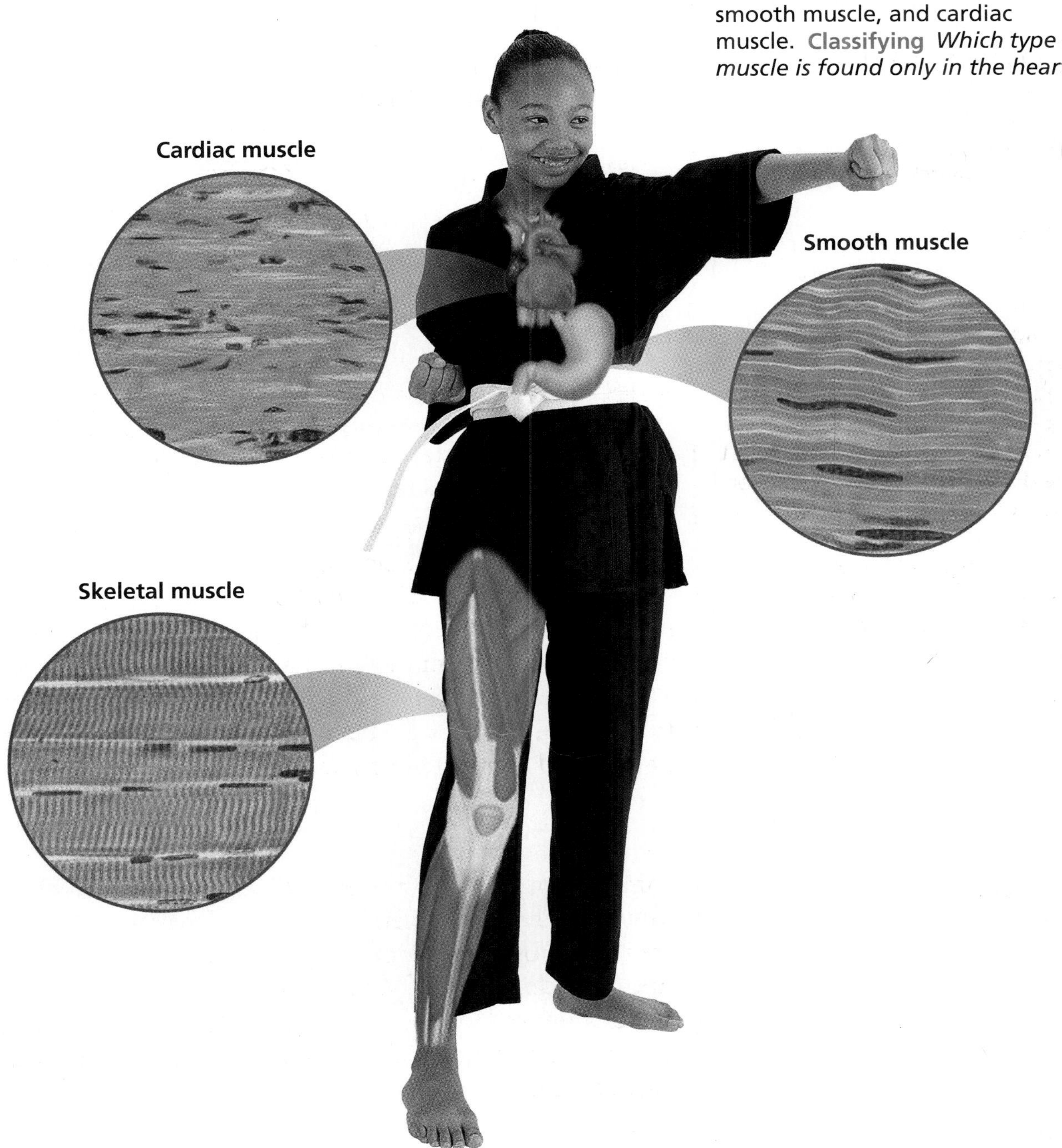

Lab zone Try This Activity

Get a Grip

Are skeletal muscles at work when you're not moving?

1. Hold a stirrer in front of you, parallel to a table top. Do not touch the table.
2. Have a partner place a hairpin on the stirrer.
3. Raise the stirrer until the "legs" of the hairpin just touch the table. The "head" of the hairpin should rest on the stirrer.
4. Hold the stirrer steady for 20 seconds. Observe what happens to the hairpin.
5. Grip the stirrer tighter and repeat Step 4. Observe.

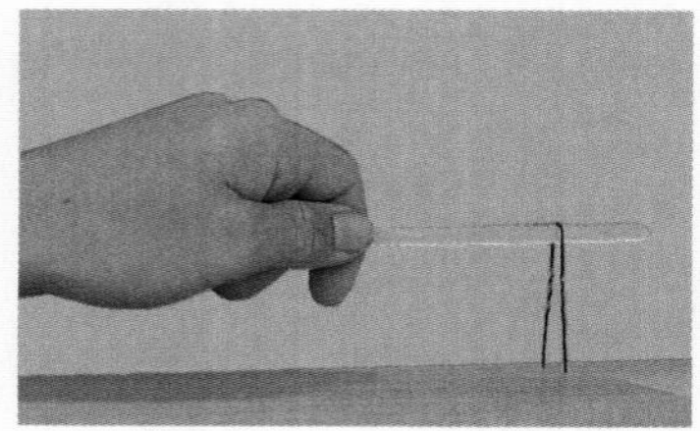

Inferring Are the skeletal muscles in your hand at work when you hold your hand still? Explain.

Skeletal Muscle Every time you walk across a room, you are using skeletal muscles. **Skeletal muscles** are attached to the bones of your skeleton and provide the force that moves your bones. At each end of a skeletal muscle is a tendon. A **tendon** is a strong connective tissue that attaches muscle to bone. Skeletal muscle cells appear banded, or striated. For this reason, skeletal muscle is sometimes called **striated** (STRY ay tid) **muscle.**

Because you have conscious control of skeletal muscles, they are classified as voluntary muscles. One characteristic of skeletal muscles is that they react very quickly. Think about what happens during a swim meet. Immediately after the starting gun sounds, a swimmer's leg muscles push the swimmer off the block into the pool. However, another characteristic of skeletal muscles is that they tire quickly. By the end of the race, the swimmer's muscles are tired and need a rest.

Smooth Muscle The inside of many internal organs, such as the stomach and blood vessels, contain **smooth muscles.** Smooth muscles are involuntary muscles. They work automatically to control certain movements inside your body, such as those involved in digestion. For example, as the smooth muscles of your stomach contract, they produce a churning action. The churning mixes the food with chemicals, and helps to digest the food.

Unlike skeletal muscles, smooth muscle cells are not striated. Smooth muscles behave differently than skeletal muscles, too. Smooth muscles react more slowly and tire more slowly.

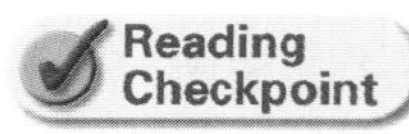

Where is smooth muscle found?

Cardiac Muscle The tissue called **cardiac muscle** is found only in your heart. Cardiac muscle has some characteristics in common with both smooth muscle and skeletal muscle. Like smooth muscle, cardiac muscle is involuntary. Like skeletal muscle, cardiac muscle cells are striated. However, unlike skeletal muscle, cardiac muscle does not get tired. It can contract repeatedly. You call those repeated contractions heartbeats.

For: More on muscle types
Visit: PHSchool.com
Web Code: ced-4014

Muscles at Work

Has anyone ever asked you to "make a muscle"? If so, you probably tightened your fist, bent your arm at the elbow, and made the muscles in your upper arm bulge. Like other skeletal muscles, the muscles in your arm do their work by contracting, becoming shorter and thicker. Muscle cells contract when they receive messages from the nervous system. **Because muscle cells can only contract, not extend, skeletal muscles must work in pairs. While one muscle contracts, the other muscle in the pair relaxes to its original length.**

Muscles Work in Pairs Figure 13 shows the muscle action involved in bending the arm at the elbow. First, the biceps muscle on the front of the upper arm contracts to bend the elbow, lifting the forearm and hand. As the biceps contracts, the triceps on the back of the upper arm relaxes and returns to its original length. Then, to straighten the elbow, the triceps muscle contracts. As the triceps contracts to extend the arm, the biceps relaxes and returns to its original length. Another example of muscles that work in pairs are those in your thigh that bend and straighten the knee joint.

FIGURE 13
Muscle Pairs
Because muscles can only contract, or shorten, they must work in pairs. To bend the arm at the elbow, the biceps contracts while the triceps returns to its original length. **Interpreting Diagrams** *What happens to each muscle to straighten the arm?*

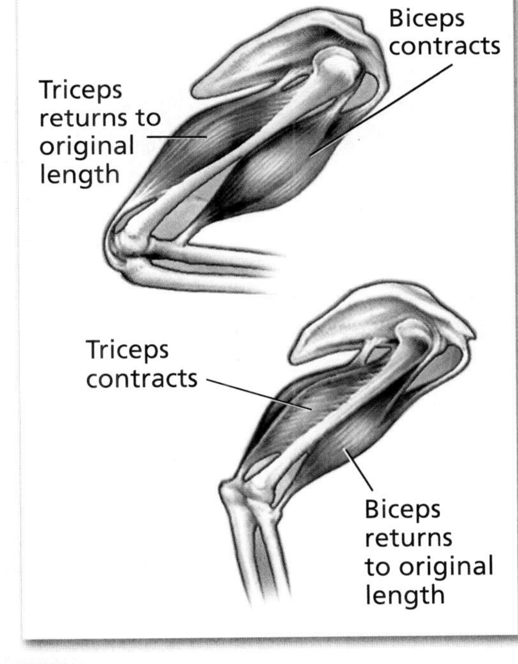

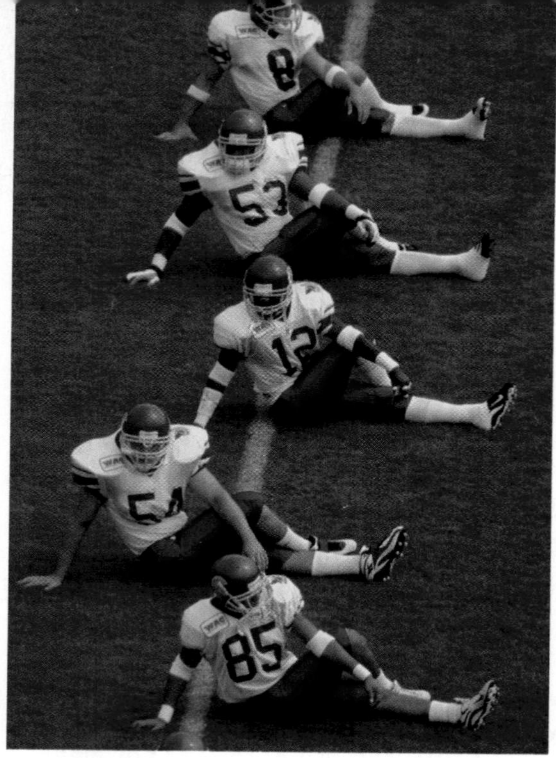

FIGURE 14
Preventing Muscle Injuries
When you warm up before exercising, you increase the flexibility of your muscles.

Muscular Strength and Flexibility Regular exercise is important for maintaining both muscular strength and flexibility. Exercise makes individual muscle cells grow in size. As a result, the whole muscle becomes thicker. The thicker a muscle is, the stronger the muscle is. When you stretch and warm up thoroughly before exercising, your muscles become more flexible. Stretching helps prepare your muscles for exercise or play.

Sometimes, despite taking proper precautions, muscles can become injured. A muscle strain, or pulled muscle, can occur when muscles are overworked or overstretched. Tendons can also be overstretched or partially torn. After a long period of exercise, a skeletal muscle can cramp. When a muscle cramps, the entire muscle contracts strongly and stays contracted. If you injure a muscle or tendon, it is important to follow medical instructions and to rest the injured area so it can heal.

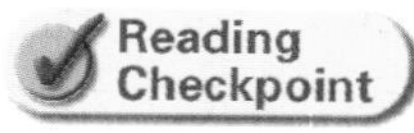

What are two ways to prepare the muscles for exercise?

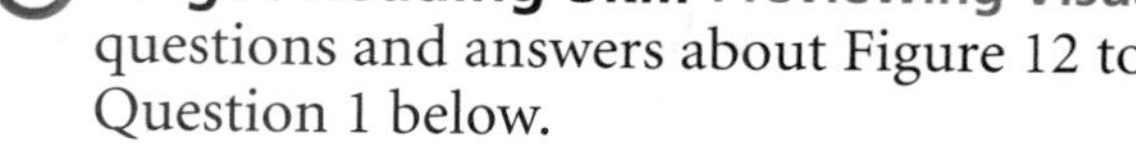

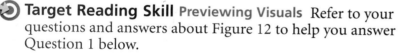

Section 3 Assessment

Target Reading Skill Previewing Visuals Refer to your questions and answers about Figure 12 to help you answer Question 1 below.

Reviewing Key Concepts

1. a. Identifying What are the three types of muscle tissue?
   b. Comparing and Contrasting How do voluntary and involuntary muscles differ? Give an example of each type of muscle.
   c. Predicting The muscles that move your fingers are attached to the bones in your fingers by tendons. Suppose one of the tendons in a person's index finger were cut. How would it affect movement in the finger?
2. a. Identifying Where might you find muscle pairs?
   b. Describing Describe how the muscles in your upper arm work together to bend and straighten your arm.
   c. Applying Concepts When exercising to build muscular strength, why is it important to exercise both muscles in a muscle pair equally?

Writing in Science

Comparison Paragraph Write a paragraph comparing smooth muscle tissue and skeletal muscle tissue. Include whether these muscle tissues are voluntary or involuntary, where they are found and what their functions are. In addition, describe what you might expect to see if you looked at these muscle tissues under a microscope.

Lab zone Skills Lab

A Look Beneath the Skin

Problem

What are some characteristics of skeletal muscles? How do skeletal muscles work?

Skills Focus

observing, inferring, classifying

Materials

- water
- paper towels
- scissors
- dissecting tray
- uncooked chicken wing, treated with bleach

Procedure

1. Put on goggles, an apron, and protective gloves. **CAUTION:** *Wear gloves whenever you handle the chicken.*
2. Your teacher will give you a chicken wing. Rinse it well with water, dry it with paper towels, and place it in a dissecting tray.
3. Carefully extend the wing to find out how many major parts it has. Draw a diagram of the external structure. Label the upper arm, elbow, lower arm, and hand (wing tip).
4. Use scissors to remove the skin. Cut only through the skin. **CAUTION:** *Cut away from your body and your classmates.*
5. Examine the muscles, which are the bundles of pink tissue around the bones. Find the two groups of muscles in the upper arm. Hold the arm down at the shoulder, and alternately pull on each muscle group. Observe what happens.
6. Find the two groups of muscles in the lower arm. Hold down the arm at the elbow, and alternately pull on each muscle group. Then, make a diagram of the wing's muscles.
7. Find the tendons—shiny white tissue at the ends of the muscles. Notice what parts the tendons connect. Add the tendons to your diagram.

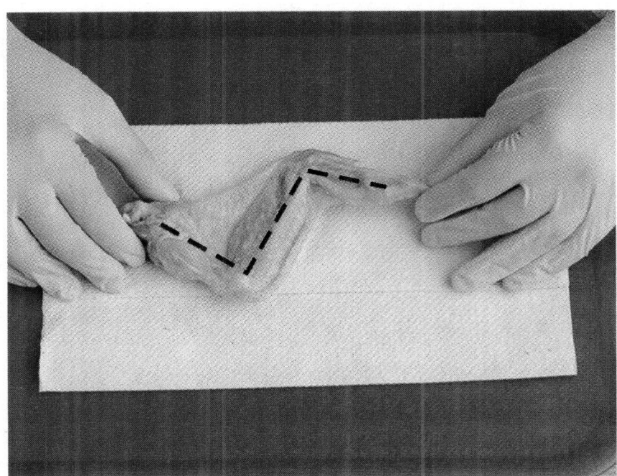

8. Remove the muscles and tendons. Find the ligaments, which are the whitish ribbon-shaped structures between bones. Add them to your diagram.
9. Dispose of the chicken parts according to your teacher's instructions. Wash your hands.

Analyze and Conclude

1. Observing How does a chicken wing move at the elbow? How does the motion compare to how your elbow moves? What type of joint is involved?
2. Inferring What happened when you pulled on one of the arm muscles? What muscle action does the pulling represent?
3. Classifying Categorize the muscles you observed as smooth, cardiac, or skeletal.
4. Communicating Why is it valuable to record your observations with accurate diagrams? Write a paragraph in which you describe what your diagrams show.

More to Explore

Use the procedures from this lab to examine an uncooked chicken thigh and leg. Compare how the chicken leg and a human leg move. *Obtain your teacher's permission before carrying out your investigation.*

Section 4 The Skin

Reading Preview

Key Concepts

- What are the functions and the structures of skin?
- What habits can help keep your skin healthy?

Key Terms

- epidermis • melanin
- dermis • pore • follicle
- cancer

Target Reading Skill

Identifying Main Ideas As you read the section titled The Body's Tough Covering, write the main idea—the biggest or most important idea—in a graphic organizer like the one below. Then, write five supporting details. The supporting details give examples of the main idea.

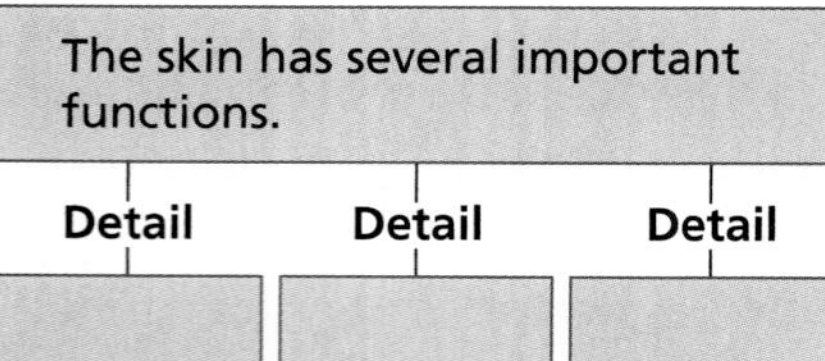

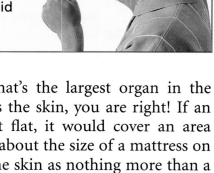

Lab zone Discover Activity

What Can You Observe About Skin?

1. Using a hand lens, examine the skin on your hand. Look for pores and hairs on both the palm and back of your hand.
2. Place a plastic glove on your hand. After five minutes, remove the glove. Then, examine the skin on your hand with the hand lens.

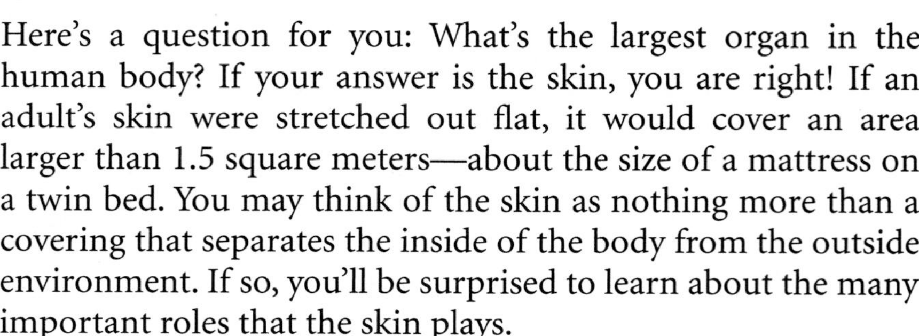

Think It Over

Inferring Compare your hand before and after wearing the glove. What happened to the skin when you wore the glove? Why did this happen?

Here's a question for you: What's the largest organ in the human body? If your answer is the skin, you are right! If an adult's skin were stretched out flat, it would cover an area larger than 1.5 square meters—about the size of a mattress on a twin bed. You may think of the skin as nothing more than a covering that separates the inside of the body from the outside environment. If so, you'll be surprised to learn about the many important roles that the skin plays.

The Body's Tough Covering

The skin performs several major functions in the body. **The skin covers and protects the body from injury, infection, and water loss. The skin also helps regulate body temperature, eliminate wastes, gather information about the environment, and produce vitamin D.**

Protecting the Body The skin protects the body by forming a barrier that keeps disease-causing microorganisms and harmful substances outside the body. In addition, the skin helps keep important substances inside the body. Like plastic wrap that keeps food from drying out, the skin prevents the loss of important fluids such as water.

Maintaining Temperature Another function of the skin is to help the body maintain a steady temperature. Many blood vessels run throughout the skin. When you become too warm, these blood vessels enlarge and the amount of blood that flows through them increases. These changes allow heat to move from your body into the outside environment. In addition, sweat glands in the skin respond to excess heat by producing perspiration. As perspiration evaporates from your skin, your skin is cooled.

Eliminating Wastes Perspiration contains dissolved waste materials that come from the breakdown of chemicals during cellular processes. Thus, your skin is also helping to eliminate wastes whenever you perspire. For example, some of the wastes that come from the breakdown of proteins are eliminated in perspiration.

Gathering Information The skin also gathers information about the environment. To understand how the skin does this, place your fingertips on the skin of your arm and press down firmly. Then lightly pinch yourself. You have just tested some of the nerves in your skin. The nerves in skin provide information about such things as pressure, pain, and temperature. Pain messages are important because they warn you that something in your surroundings may have injured you.

Producing Vitamin D Lastly, some of the skin cells produce vitamin D in the presence of sunlight. Vitamin D is important for healthy bones because it helps the cells in your digestive system to absorb the calcium in your food. Your skin cells need only a few minutes of sunlight to produce all the vitamin D you need in a day.

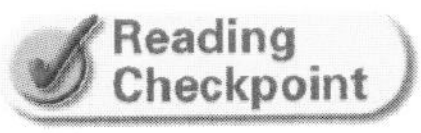

How does your skin gather information about the environment?

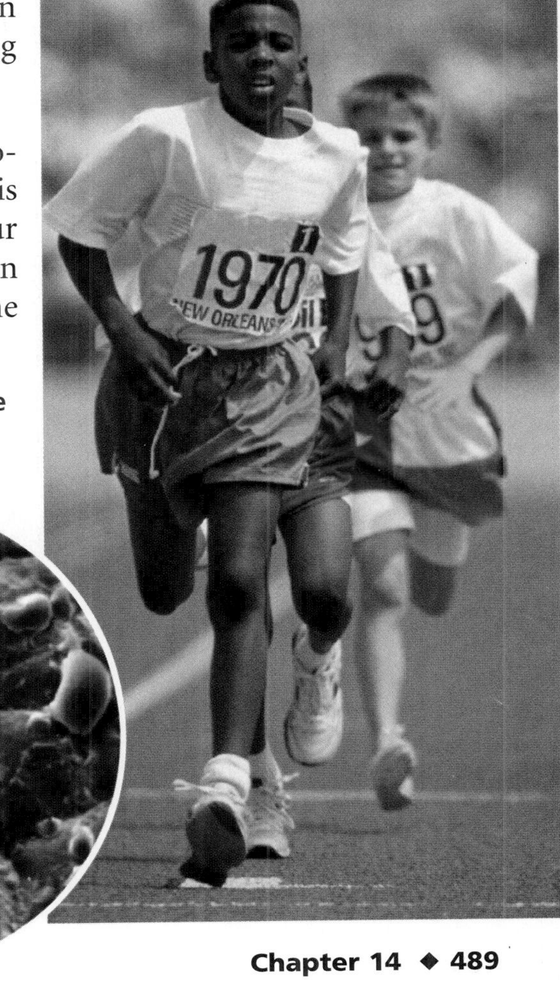

FIGURE 15
Eliminating Wastes
Sweat glands in the skin produce perspiration, which leaves the body through pores. The inset photo shows beads of sweat on skin.
Relating Cause and Effect *In addition to eliminating wastes, what is another important function of perspiration?*

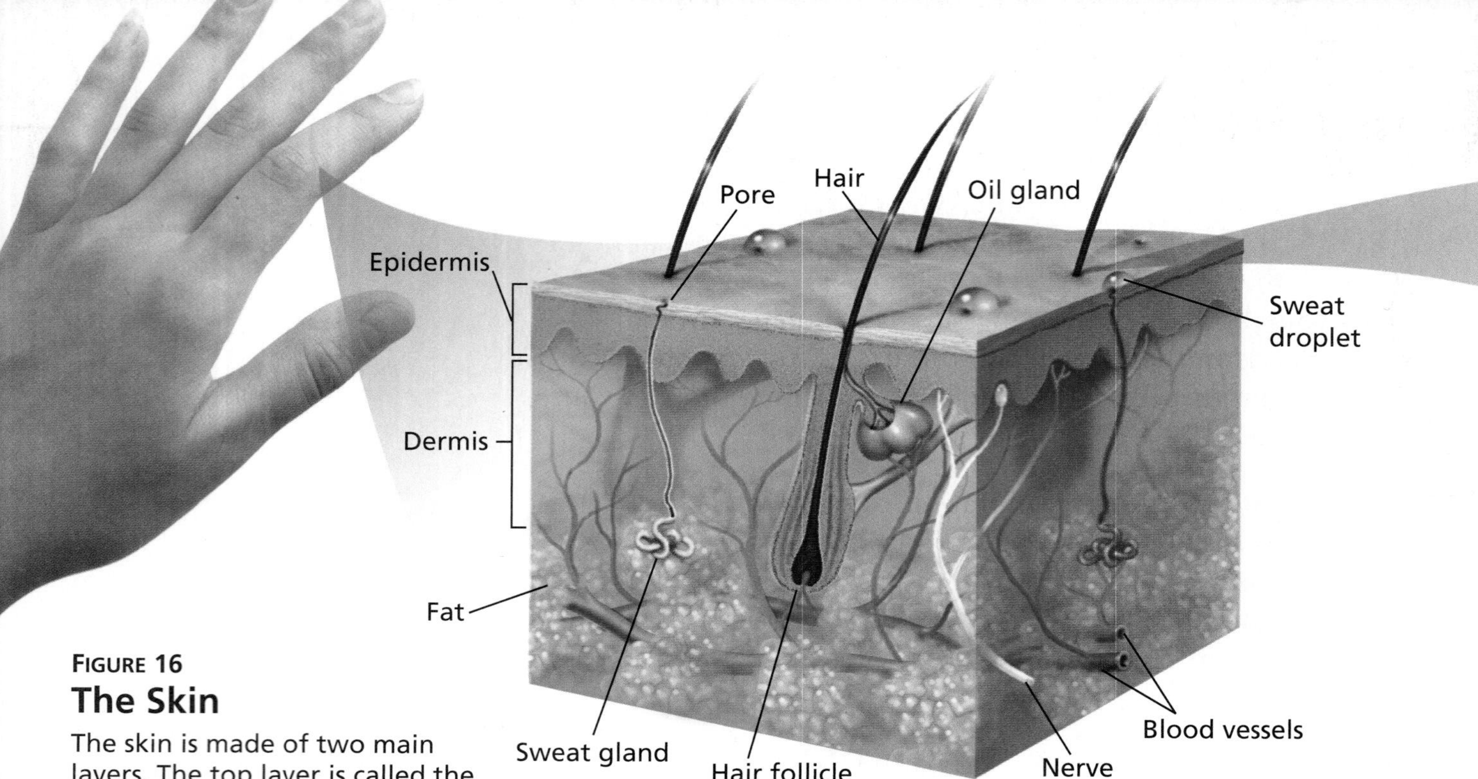

FIGURE 16
The Skin

The skin is made of two main layers. The top layer is called the epidermis. The bottom layer is called the dermis.
Interpreting Diagrams *In which layer of the skin do you find blood vessels?*

The Epidermis

The skin is organized into two main layers, the epidermis and the dermis. The **epidermis** is the outer layer of the skin. In most places, the epidermis is thinner than the dermis. The epidermis does not have nerves or blood vessels. This is why you usually don't feel pain from very shallow scratches, and why shallow scratches do not bleed.

Epidermis Structure Like all cells, the cells in the epidermis have a life cycle. Each epidermal cell begins life deep in the epidermis, where cells divide to form new cells. The new cells mature and move upward in the epidermis as new cells form beneath them. After about two weeks, the cells die and become part of the epidermal surface layer. Under a microscope, this surface layer of dead cells resembles flat bags laid on top of one another. Cells remain in this layer for about two weeks. Then, they are shed and replaced by the dead cells below.

Epidermis Function In some ways, the cells of the epidermis are more valuable dead than alive. Most of the protection provided by the skin is due to the layer of dead cells on the surface. The thick layer of dead cells on your fingertips, for example, protects and cushions your fingertips. Also, the shedding of dead cells carries away bacteria and other substances that settle on the skin. Every time you rub your hands together, you lose thousands of dead skin cells and any bacteria on them.

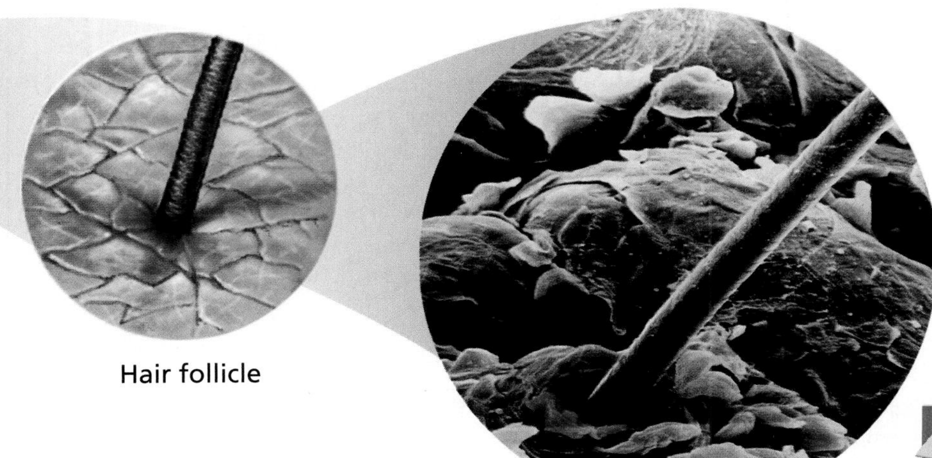
Hair follicle

Some cells in the inner layer of the epidermis help to protect the body, too. On your fingers, for example, some cells produce hard fingernails, which protect the fingertips from injury and help you scratch and pick up objects.

Other cells deep in the epidermis produce **melanin,** a pigment, or colored substance, that gives skin its color. The more melanin in your skin, the darker it is. Exposure to sunlight stimulates the skin to make more melanin. Melanin production helps to protect the skin from burning.

The Dermis

The **dermis** is the inner layer of the skin. Find the dermis in Figure 16. Notice that it is located below the epidermis and above a layer of fat. This fat layer pads the internal organs and helps keep heat in the body.

The dermis contains nerves and blood vessels. The dermis also contains sweat glands, hairs, and oil glands. Sweat glands produce perspiration, which reaches the surface through openings called **pores.** Strands of hair grow within the dermis in structures called **follicles** (FAHL ih kulz). The hair that you see above the skin's surface is made up of dead cells. Oil produced in glands around the hair follicles help to waterproof the hair. In addition, oil that reaches the surface of the skin helps to keep the skin moist.

What is the function of pores in the skin?

Lab zone Try This Activity

Sweaty Skin

This activity illustrates one of the skin's functions.

1. Wrap a wet cotton ball around the bulb of one thermometer. Place a second thermometer next to the first one.

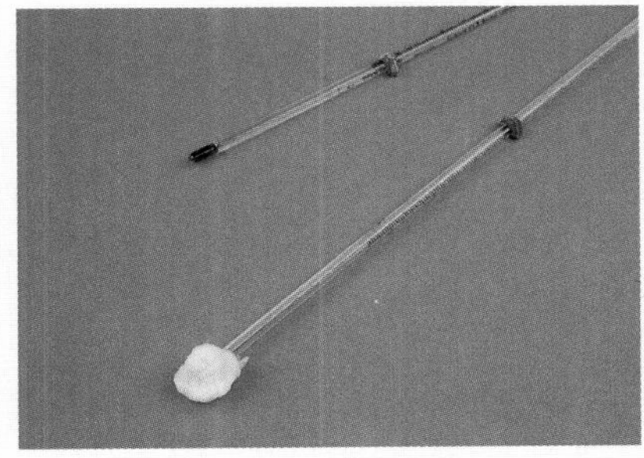

2. After two minutes, record the temperature reading on each thermometer.
3. Using a piece of cardboard, fan both of the thermometers for several minutes. The cardboard should be at least 10 cm from the thermometers. Record the temperatures.

Measuring Which of the thermometers had a lower temperature after Step 3? How does this activity relate to the role of skin in regulating body temperature?

Math — Analyzing Data

Sunscreen Ratings

The graph shows how sunscreens with different sun protection factor (SPF) ratings extend the time three people can stay in the sun without beginning to get a sunburn.

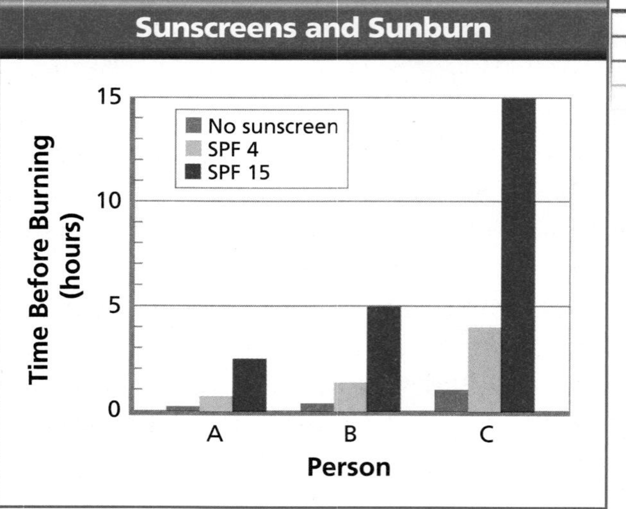

1. **Reading Graphs** What does the height of each bar in the graph represent?
2. **Interpreting Data** How long can Person B stay in the sun without sunscreen before starting to burn? With a sunscreen of SPF 4? SPF 15?
3. **Inferring** Suppose that Person C was planning to attend an all-day picnic. Which sunscreen should Person C apply? Use data to support your answer.
4. **Calculating** Which is more effective at preventing sunburn—a sunscreen with SPF 4 or one with SPF 15? How much more effective is it? Show your work.
5. **Drawing Conclusions** What does the number in the SPF rating stand for? *(Hint: Note the length of time each person can stay in the sun without sunscreen and compare this value to the length of time each can stay in the sun using SPF 4. Then, do the same for SPF 15.)*

Caring for Your Skin

Because your skin has so many vital functions, taking care of it is important. **Three simple habits can help you keep your skin healthy. Eat a healthful diet. Keep your skin clean and dry. Limit your exposure to the sun.**

Healthful Diet Your skin is always active. Eating a well-balanced diet provides the energy and raw materials needed for the growth and replacement of hair, nails, and skin cells. In addition to what you eat, a healthful diet also includes drinking plenty of water. That way, you can replace the water lost in perspiration.

Keeping Skin Clean When you wash your skin with mild soap, you get rid of dirt and harmful bacteria. Washing your skin also helps to control oiliness.

Good washing habits are particularly important during the teenage years when oil glands are more active. When glands become clogged with oil, the blackheads and white-heads of acne can form. If acne becomes infected by skin bacteria, your doctor may prescribe an antibiotic to help control the infection.

For: Links on the skin
Visit: www.SciLinks.org
Web Code: scn-0415

Limiting Sun Exposure It is important to protect your skin from the harmful effects of the sun. Repeated exposure to sunlight can damage skin cells, and possibly lead to skin cancer. **Cancer** is a disease in which some cells in the body divide uncontrollably. In addition, repeated exposure to the sun can cause the skin to become leathery and wrinkled.

There are many things you can do to protect your skin from damage by the sun. When you are outdoors, always wear a hat, sunglasses, and use a sunscreen on exposed skin. Choose clothing made of tightly woven fabrics for the greatest protection. In addition, avoid exposure to the sun between the hours of 10 A.M. and 4 P.M. That is the time when sunlight is the strongest.

What health problems can result from repeated sun exposure?

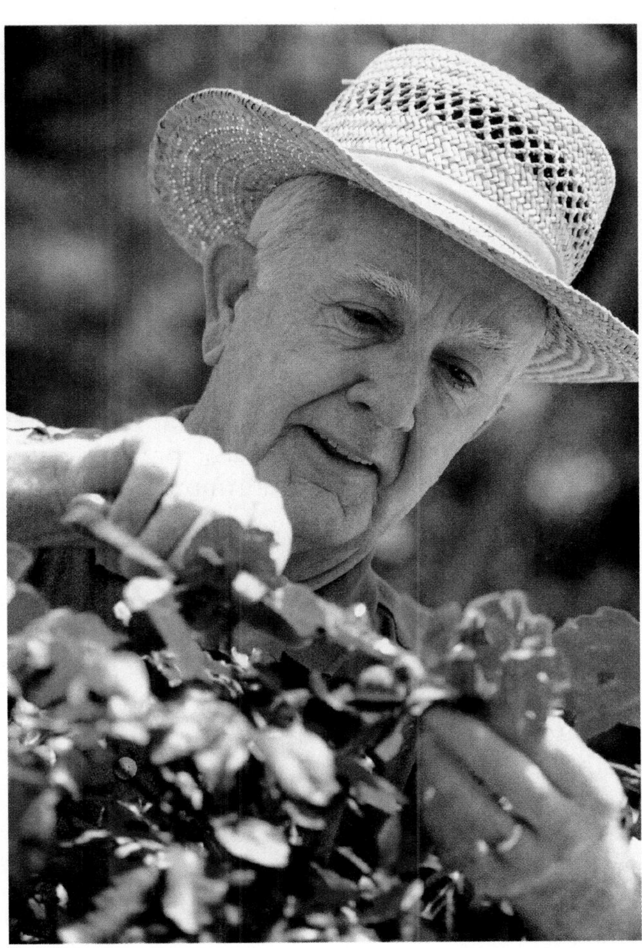

FIGURE 17
Skin Protection
This person is wearing a hat to protect his skin from the sun.
Applying Concepts *What other behaviors can provide protection from the sun?*

Section 4 Assessment

Target Reading Skill Identifying Main Ideas Use your graphic organizer to help you answer Question 1 below.

Reviewing Key Concepts

1. a. Listing What are five important functions of the skin?
   b. Identifying How does the epidermis protect the body? What structure in the dermis helps to maintain body temperature?
   c. Inferring What could happen if the pores in your dermis become blocked?
2. a. Identifying What are three things you can do to keep your skin healthy?
   b. Explaining Why is it important to use sunscreen to protect your skin when outside?
   c. Making Judgments Do you think it is possible to wash your skin too much and damage it as a result? Why or why not?

Lab zone At-Home Activity

Protection From the Sun With a family member, look for products in your home that provide protection from the sun. You may also want to visit a store that sells these products. Make a list of the products and place them in categories, such as sunblocks, clothing, eye protectors, and other forms of protection. Explain to your family member why it is important to use such products.

Sun Safety

Problem

How well do different materials protect the skin from the sun?

Skills Focus

observing, predicting, interpreting data, drawing conclusions

Materials

- scissors
- photosensitive paper
- metric ruler
- white construction paper
- stapler
- pencil
- resealable plastic bag
- plastic knife
- 2 sunscreens with SPF ratings of 4 and 30
- staple remover
- 3 different fabrics

Procedure 

PART 1 Sunscreen Protection

1. Read over the procedure for Part 1. Then, write a prediction about how well each of the sunscreens will protect against the sun.
2. Use scissors to cut two strips of photosensitive paper that measure 5 cm by 15 cm.
3. Divide each strip into thirds by drawing lines across the strips.
4. Cover one third of each strip with a square of white construction paper. Staple each square down.
5. Use a pencil to write the lower SPF rating on the back of the first strip. Write the other SPF rating on the back of the second strip.

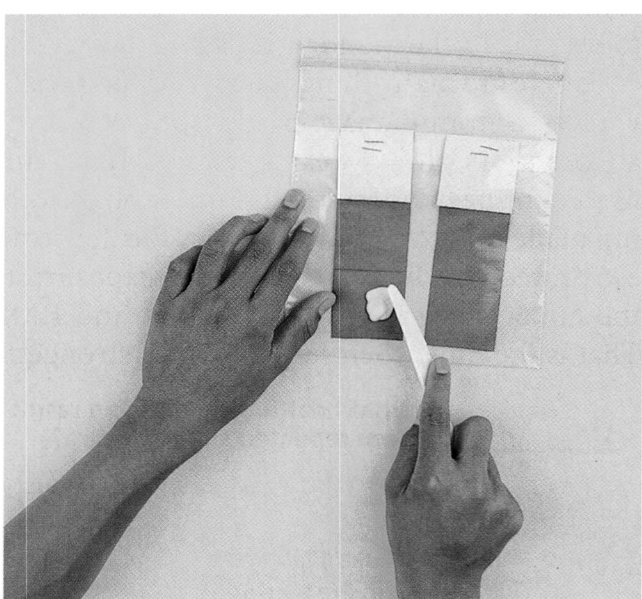

6. Place the two strips side by side in a plastic bag. Seal the bag, then staple through the white squares to hold the strips in place.
7. With a plastic knife, spread a thin layer of each sunscreen on the bag over the bottom square of its labeled strip. This is shown in the photo above. Make certain each strip has the same thickness of sunscreen. Be sure not to spread sunscreen over the middle squares.
8. Place the strips in sunlight until the color of the middle squares stops changing. Make sure the bag is sunscreen-side up when you place it in the sunlight.
9. Remove the staples from the bag, and then take out the strips. Take off the construction paper. Rinse the strips for one minute in cold water, then dry them flat.
10. Observe all the squares. Then, record your observations.

PART 2 Fabric Protection

11. Your teacher will provide three fabric pieces of different thicknesses.
12. Based on the procedure in Part 1, design an experiment to test how effective the three fabrics are in protecting against the sun. Write a prediction about which fabric you think will be most effective, next most effective, and least effective.
13. Obtain your teacher's approval before carrying out your experiment. Record all of your observations.

Analyze and Conclude

1. Observing Did the sunscreens protect against sun exposure? How do you know?
2. Predicting Which sunscreen provided more protection? Was your prediction correct? How would you predict a sunscreen with an SPF of 15 would compare to the sunscreens you tested?
3. Interpreting Data Did the fabrics protect against sun exposure? How do you know?
4. Drawing Conclusions Which of the fabrics provided the most protection? The least protection? How did your results compare with your predictions?
5. Communicating What advice would you give people about protecting their skin from the sun? Create a pamphlet in which you address this question by comparing the different sunscreens and fabrics you tested.

More to Explore

Design another experiment, this time to find out whether ordinary window glass protects skin against sun exposure. *Obtain your teacher's permission before carrying out your investigation.*

Chapter 14 Study Guide

1 Body Organization and Homeostasis

Key Concepts

- The levels of organization in the body consist of cells, tissues, organs, and organ systems.
- Homeostasis is the process by which an organism's internal environment is kept stable in spite of changes in the external environment.

Key Terms

cell
cell membrane
nucleus
cytoplasm
tissue
muscle tissue
nervous tissue
connective tissue
epithelial tissue
organ
organ system
homeostasis
stress

2 The Skeletal System

Key Concepts

- Your skeleton provides shape and support, enables you to move, protects your organs, produces blood cells, and stores minerals and other materials until your body needs them.
- Joints allow bones to move in different ways.
- Bones are complex living structures that undergo growth and development.
- A balanced diet and regular exercise are important for a lifetime of healthy bones.

Key Terms

skeleton
vertebrae
joint
ligament
cartilage
compact bone
spongy bone
marrow
osteoporosis

3 The Muscular System

Key Concepts

- Your body has three types of muscle tissue—skeletal, smooth, and cardiac.
- Skeletal muscles work in pairs. While one muscle contracts, the other muscle in the pair relaxes to its original length.

Key Terms

involuntary muscle
voluntary muscle
skeletal muscle
tendon
striated muscle
smooth muscle
cardiac muscle

4 The Skin

Key Concepts

- The skin has several functions: protection, maintaining temperature, eliminating wastes, gathering information, and making vitamin D.
- The two skin layers are epidermis and dermis.
- Three simple habits can help you keep your skin healthy. Eat a healthful diet. Keep your skin clean and dry. Limit your sun exposure.

Key Terms

epidermis
melanin
dermis
pore
follicle
cancer

Review and Assessment

Go Online
PHSchool.com
For: Self-Assessment
Visit: PHSchool.com
Web Code: cha-3140

Organizing Information

Concept Mapping Copy the concept map about the types of muscles onto a separate sheet of paper. Then complete it and add a title. (For more on Concept Mapping, see the Skills Handbook.)

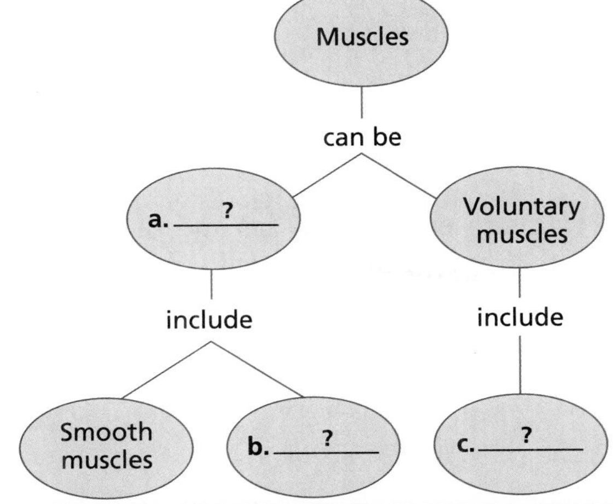

Reviewing Key Terms

Choose the letter of the best answer.

1. A group of similar cells that perform a similar function is called a(n)
   a. cell. **b.** organ.
   c. tissue. **d.** organ system.
2. Which type of body tissue covers the surfaces of the body?
   a. muscle tissue
   b. nervous tissue
   c. connective tissue
   d. epithelial tissue
3. A soft, connective tissue found inside some bones is
   a. cytoplasm.
   b. marrow.
   c. cartilage.
   d. osteoporosis.
4. Muscles that help the skeleton move are
   a. cardiac muscles.
   b. smooth muscles.
   c. skeletal muscles.
   d. involuntary muscles.
5. A colored substance that helps to keep the skin from burning is
   a. the dermis. **b.** the epidermis.
   c. melanin. **d.** a follicle.

If the statement is true, write *true*. If the statement is false, change the underlined word or words to make the statement true.

6. The <u>cytoplasm</u> directs the cell's activities.
7. Spongy bone is filled with <u>cartilage.</u>
8. <u>Skeletal</u> muscle is called striated muscle.
9. The <u>epidermis</u> contains nerve endings and blood vessels.
10. Strands of hair grow within the dermis in structures called <u>pores</u>.

Writing in Science

Descriptive Paragraph Pretend you are a writer for a science magazine for children. Write a few paragraphs that compare the characteristics of cartilage with the characteristics of bones. Be sure to explain the advantages of both types of materials.

Bones, Muscles, and Skin
Video Preview
Video Field Trip
▶ Video Assessment

Review and Assessment

Checking Concepts

11. Explain the relationship among cells, tissues, organs, and organ systems.
12. List the four kinds of movable joints. Describe the type of movement each joint allows.
13. Describe the structure of a bone.
14. How does eating a well-balanced diet and exercising regularly contribute to healthy bones?
15. How does the appearance of smooth muscle differ from that of skeletal muscle?
16. Explain how skeletal muscles work in pairs.
17. How does the skin protect your body?

Thinking Critically

18. **Classifying** Identify each of the labeled parts of the cell.

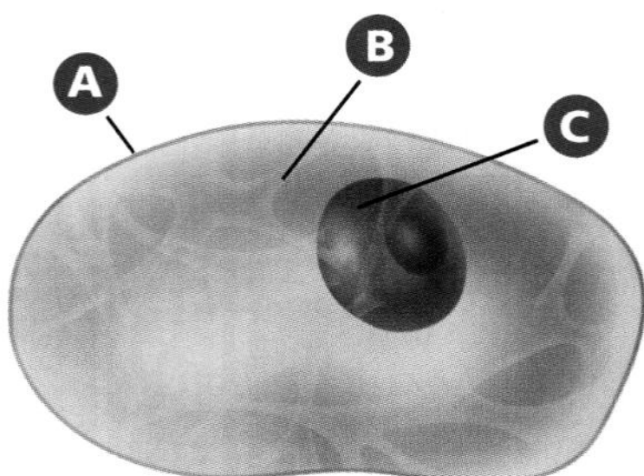

19. **Inferring** In addition to bone, cartilage, and fat, scientists classify blood as a connective tissue. Explain why.
20. **Making Generalizations** How is homeostasis important to survival?
21. **Predicting** If smooth muscle had to be controlled consciously, what problems could you foresee in day-to-day living?
22. **Making Judgments** Suppose a member of your running team suggests eliminating "warm-up time" because it takes too much time away from practice. Do you think this suggestion is a good idea? Why or why not?
23. **Relating Cause and Effect** A person who is exposed to excessive heat may suffer from heatstroke. The first sign of heatstroke is that the person stops sweating. Why is heatstroke a life-threatening emergency?

Applying Skills

Use the graph to answer Questions 24–26.

The graph below shows the effects of the temperature of the environment on a boy's skin temperature and on the temperature inside his body.

Environmental Temperature vs. Body Temperature

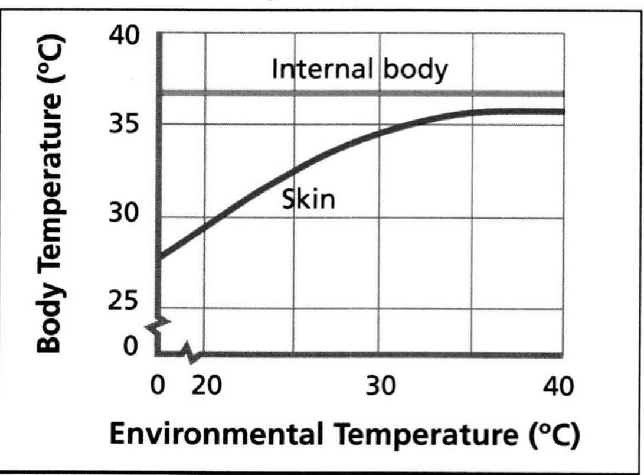

24. **Interpreting Data** As the temperature of the environment rises, what happens to the boy's internal body temperature? How does this demonstrate homeostasis?
25. **Inferring** What happens to the temperature of the boy's skin? Why is this pattern different from the pattern shown by the boy's internal body temperature?
26. **Predicting** Suppose the boy went outdoors on a chilly fall morning. Predict what would happen to his internal body temperature and his skin temperature. Explain.

Lab zone Chapter Project

Performance Assessment Before testing your prosthetic hand, explain to your classmates how and why you designed the hand the way you did. When you test the hand, observe how it picks up objects. How does it compare with a real human hand? How could you improve the function of your prosthetic hand?

Standardized Test Prep

Test-Taking Tip

Interpreting a Graph

If a question asks you to interpret a line graph, look first at the graph's title. This tells you the subject of the graph. Next, look at the labels on the axes. The labels tell you what relationship is plotted on the graph—in other words, what variables are being compared. Then, look at the line or lines on the graph to see what trend is shown.

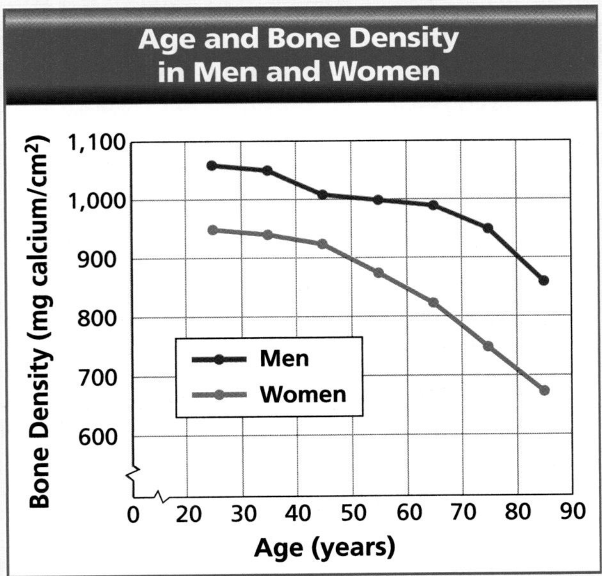

Sample Question

Which of the following relationships is plotted on the graph?

A how exercise affects bone density
B how bone density changes with age
C how calcium intake affects bone density
D how calcium intake changes with age

Answer

The correct answer is **B.** Both the graph title and the labels on the axes tell you that the graph shows the relationship between age and bone density. Choices **A, C,** and **D** are incorrect because the graph does not include any information on exercise or calcium intake.

Choose the letter of the best answer.

1. Which of the following statements is true according to the graph shown at left?
A The bones of women are more dense than the bones of men.
B The bones of men contain less calcium than do the bones of women.
C The bone density of both men and women decreases as they age.
D An average 55-year-old woman has stronger bones than an average 55-year-old man.

2. Which of the following is a function of the skin?
F eliminates wastes
G produces vitamin D
H protects the body against microorganisms
J all of the above

3. The muscles that you use to lift a book are
A cardiac muscles.
B smooth muscles.
C involuntary muscles.
D skeletal muscles.

4. Which of the following is *not* an important function of the skeletal system?
F It protects internal organs.
G It stores minerals until they are needed by the body.
H It allows the body to move.
J It regulates body temperature.

5. Which of the following represents the smallest level of organization in the body?
A cardiac muscle tissue
B the heart
C a muscle cell
D the circulatory system

Constructed Response

6. Compare the dermis and the epidermis layers of the skin. Discuss the following: their thickness, location, nerves, blood vessels, sweat glands, and cell life cycle.

Chapter 15

Food and Digestion

Chapter Preview

1 Food and Energy
Discover *Food Claims—Fact or Fiction?*
Skills Activity *Predicting*
Math Skills *Percentage*
Active Art *The Food Guide Pyramid*
Consumer Lab *Raisin' the Raisin Question*

2 The Digestive Process Begins
Discover *How Can You Speed Up Digestion?*
Try This *Modeling Peristalsis*
Analyzing Data *Protein Digestion*
At-Home Activity *First Aid for Choking*
Skills Lab *As the Stomach Churns*

3 Final Digestion and Absorption
Discover *Which Surface Is Larger?*
Try This *Break Up!*

Let's eat! These baskets of vegetables offer a wide choice of tasty and healthful foods. ▶

Food and Digestion

▶ Video Preview
Video Field Trip
Video Assessment

Lab zone™ Chapter **Project**

What's for Lunch?

When you're hungry and grab a snack, what do you choose? In this project, you'll take a close look at the foods you select each day.

Your Goal To compare your eating pattern to the recommendations in the Food Guide Pyramid

To complete this project successfully, you must

- keep an accurate record of everything you eat and drink for three days
- create graphs to compare your eating pattern with the recommendations in the Food Guide Pyramid
- make changes in your diet, if needed, during another three-day period

Plan It! Before you begin, study the Food Guide Pyramid in this chapter to understand how foods are grouped. Then, decide how to best keep an accurate, complete food log. How will you make sure you record everything you eat, including snacks and drinks? How will you decide which group each food falls into? How will you determine serving sizes? After your teacher approves your plan, start keeping your food log.

Food and Energy

Reading Preview

Key Concepts

- Why does your body need food?
- How do the six nutrients needed by the body help carry out essential processes?
- How can the Food Guide Pyramid and food labels help you have a healthy diet?

Key Terms

- nutrient • calorie
- carbohydrate • glucose • fat
- protein • amino acid
- vitamin • mineral
- Food Guide Pyramid
- Percent Daily Value
- Dietary Reference Intakes (DRIs)

Target Reading Skill

Outlining As you read, make an outline about the six groups of nutrients needed by the body. Use the red headings for the main ideas and the blue headings for the supporting ideas.

Food and Energy

I. Why You Need Food
  A. Nutrients
  B.
II. Carbohydrates
  A.

Lab zone Discover Activity

Food Claims—Fact or Fiction?

1. Examine the list of statements at the right. Copy the list onto a separate sheet of paper.
2. Next to each statement, write *agree* or *disagree*. Give a reason for your response.
3. Discuss your responses with a small group of classmates. Compare the reasons you gave for agreeing or disagreeing with each statement.

Fact or Fiction?

a. Athletes need more protein in their diets than other people do.
b. The only salt that a food contains is the salt that you have added to it.
c. As part of a healthy diet, everyone should take vitamin supplements.

Think It Over

Posing Questions List some other statements about nutrition that you have heard. How could you find out whether the statements are true?

Imagine a Thanksgiving dinner. You see roast turkey on a platter, delicious stuffing, lots of vegetables, and pumpkin pie. The dinner includes an abundance of colors and delicious aromas. Food is a central part of many celebrations, of times shared with friends and family. Food is also essential. Every living thing needs food to stay alive.

Why You Need Food

Food provides your body with materials for growing and for repairing tissues. Food also provides energy for everything you do. For example, running, playing a musical instrument, reading, and even sleeping require energy. Food also helps your body maintain homeostasis, or a stable internal environment. By filling your energy needs, food enables your body to keep this balance during all your activities.

Nutrients Your body breaks down the foods you eat into nutrients. **Nutrients** (NOO tree unts) are the substances in food that provide the raw materials and energy the body needs to carry out all its essential processes. There are six groups of nutrients necessary for human health—carbohydrates, fats, proteins, vitamins, minerals, and water.

Energy When nutrients are used by the body for energy, the amount of energy they release can be measured in units called calories. One **calorie** is the amount of energy needed to raise the temperature of one gram of water by one degree Celsius. Most foods contain many thousands of calories of energy. Biologists use the term *Calorie,* with a capital *C,* to measure the energy in foods. One Calorie is the same as 1 kilocalorie (kcal) or 1,000 calories. For example, one serving of popcorn may contain 60 Calories (60 kcal), or 60,000 calories, of energy. The more Calories a food has, the more energy it contains.

You need to eat a certain number of Calories each day to meet your body's energy needs. Your daily energy requirement depends on your level of physical activity. Your needs also change as you grow and age. As an infant and child, you grew very rapidly, so you likely had very high energy needs. Your current growth and level of physical activity affect the number of Calories you need now. The more active you are, the greater your energy needs are.

Reading Checkpoint **How is energy in foods measured?**

FIGURE 1
Burning Calories
The number of Calories you burn depends on your weight as well as your level of activity. The more active you are, the more Calories you burn.
Applying Concepts *Which activity do you think burns the most Calories per hour—playing basketball, walking, or reading?*

Playing basketball

Walking

Reading

FIGURE 2
Carbohydrates

Simple carbohydrates, or sugars, are found in fruits, milk, and some vegetables. Sugars are also added to cookies, candies, and soft drinks. Complex carbohydrates are found in rice, corn, pasta, and bread. Fruits, vegetables, nuts, and whole-grain foods also contain fiber.
Applying Concepts *Why is fiber important in the diet?*

Simple Carbohydrates

Brownie (1 square)	
Total Carbohydrates	18 g
Sugars	10 g
Starches	7 g
Fiber	1 g

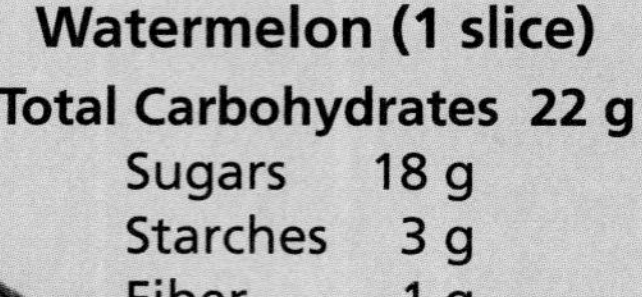

Watermelon (1 slice)	
Total Carbohydrates	22 g
Sugars	18 g
Starches	3 g
Fiber	1 g

Milk (1 cup)	
Total Carbohydrates	12 g
Sugars	12 g
Starches	0 g
Fiber	0 g

Carbohydrates

The nutrients called **carbohydrates** (kahr boh HY drayts), which are composed of carbon, oxygen, and hydrogen, are a major source of energy. One gram of carbohydrate provides your body with four Calories of energy. **In addition to providing energy, carbohydrates provide the raw materials to make cell parts.** Based on their chemical structure, carbohydrates are divided into simple carbohydrates and complex carbohydrates.

Simple Carbohydrates Simple carbohydrates are also known as sugars. One sugar, **glucose** (GLOO kohs), is the major source of energy for your body's cells. However, most foods do not contain large amounts of glucose. The body converts other types of sugars, such as the sugar found in fruits, into glucose. Glucose is the form of sugar the body can most easily use.

Complex Carbohydrates Complex carbohydrates are made up of many sugar molecules linked together in a chain. Starch is a complex carbohydrate found in foods from plants, such as potatoes, rice, wheat, and corn. To use starch as an energy source, your body first breaks it down into smaller, individual sugar molecules. Only then can your body release the molecules' energy.

Like starch, fiber is a complex carbohydrate found in plants. But unlike starch, fiber cannot be broken down into sugar molecules by your body. Instead, fiber passes through the body and is eliminated.

Complex Carbohydrates

Yellow Corn (1 ear)	
Total Carbohydrates	**19 g**
Sugars	2 g
Starches	15 g
Fiber	2 g

Pasta (1 cup)	
Total Carbohydrates	**40 g**
Sugars	1 g
Starches	37 g
Fiber	2 g

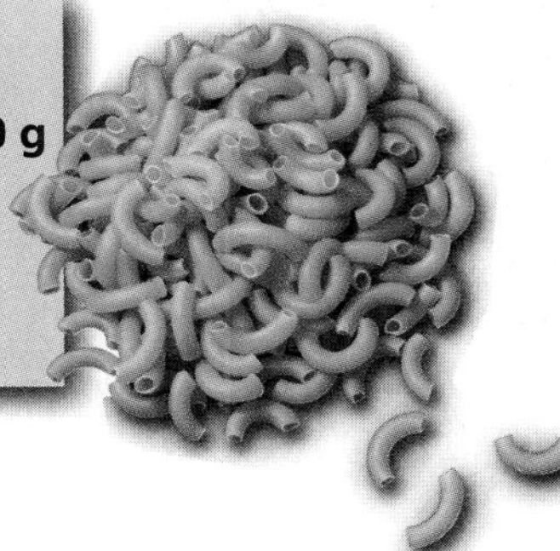

Wheat Bread (1 slice)	
Total Carbohydrates	**17 g**
Sugars	3.5 g
Starches	12.0 g
Fiber	1.5 g

Because your body cannot digest it, fiber is not considered a nutrient. Fiber is an important part of the diet, however, because it helps keep the digestive system functioning properly.

Nutritionists' Recommendations Nutritionists recommend that 45 to 65 percent of the Calories in a diet come from carbohydrates. It is better to eat more complex carbohydrates, such as whole grains, than simple carbohydrates. Foods made with whole grains usually contain a variety of other nutrients. Foods made with a lot of sugar, such as candy and soft drinks, have few valuable nutrients. Also, while sugars can give you a quick burst of energy, starches provide a more even, long-term energy source.

What are two types of carbohydrates? Give an example of each.

Fats

Like carbohydrates, **fats** are energy-containing nutrients that are composed of carbon, oxygen, and hydrogen. However, fats contain more than twice the energy of an equal amount of carbohydrates. One gram of fat provides your body with nine Calories of energy. **In addition to providing energy, fats have other important functions. Fats form part of the cell membrane, the structure that forms the boundary of a cell. Fatty tissue protects and supports your internal organs and insulates your body.**

Lab zone **Skills Activity**

Predicting

You can do a test to see which foods contain starch.

1. Put on your apron.
2. Obtain food samples from your teacher. Predict which ones contain starch. Write down your predictions.
3. Use a plastic dropper to add three drops of iodine to each food sample. **CAUTION:** *Iodine can stain skin and clothing.* Handle it carefully. If the iodine turns blue-black, starch is present.

Which foods contain starch? Were your predictions correct?

FIGURE 3
Many foods contain saturated, unsaturated, and trans fats. Unsaturated fats are considered to be more healthful than saturated fats and trans fats. **Interpreting Graphs** *Which item has the most unsaturated fat—butter, tub margarine, or olive oil?*

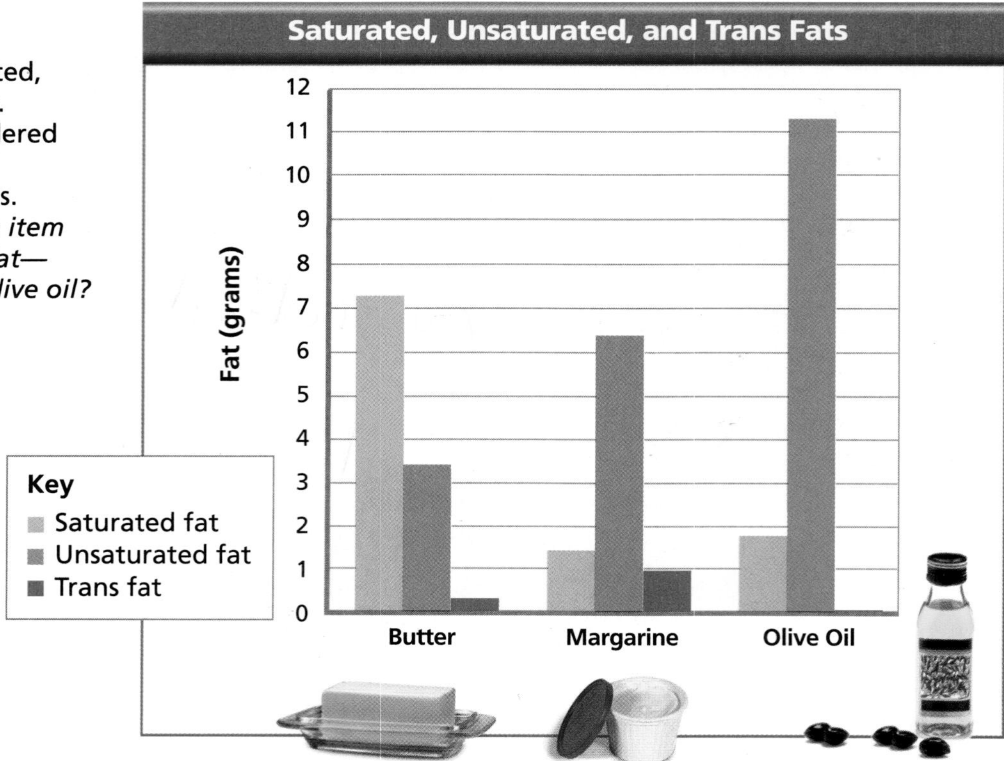

Kinds of Fats Fats may be classified as unsaturated or saturated based on their chemical structure. Unsaturated fats are usually liquid at room temperature. Most cooking oils are unsaturated fats. Saturated fats are usually solid at room temperature. Meat and dairy products contain relatively large amounts of saturated fat.

You may have heard about trans fat. Trans fats are made when manufacturers add hydrogen to vegetable oils. Foods containing trans fats stay fresh longer than foods containing unsaturated fats. Trans fats are found in margarine, chips, and commercially baked goods. Both trans fats and saturated fats are considered to be less healthful than unsaturated fats.

Cholesterol Cholesterol (kuh LES tur awl) is a waxy, fatlike substance found only in animal products. Like fats, cholesterol is an important part of your body's cells. Your liver can make all of the cholesterol your body needs. Therefore, cholesterol is not a necessary part of the diet.

Nutritionists' Recommendations Nutritionists recommend that no more than 30 percent of the Calories eaten each day come from fats. Extra fats and cholesterol in the diet can lead to a buildup of fatty material in the blood vessels. This fatty buildup can cause heart disease.

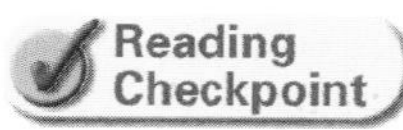

What is cholesterol?

FIGURE 4
Complete and Incomplete Proteins
Animal products such as meats and eggs contain complete proteins. Incomplete proteins are found in beans, nuts, and grains.

Proteins

Proteins are nutrients that contain nitrogen as well as carbon, hydrogen, and oxygen. **Proteins are needed for tissue growth and repair. They also play an important part in chemical reactions within cells.** Proteins can serve as a source of energy, but they are a less important source of energy than carbohydrates or fats. About 10 to 35 percent of your daily Calorie intake should come from proteins.

Amino Acids Proteins are made up of small units called **amino acids** (uh MEE noh), which are linked together chemically to form large protein molecules. Thousands of different proteins are built from only about 20 different amino acids. Your body can make about half of the amino acids it needs. The others, called essential amino acids, must come from the foods you eat.

Complete and Incomplete Proteins Foods from animal sources, such as meat and eggs, are sources of complete proteins because these foods contain all the essential amino acids. Proteins from plant sources, such as beans, grains, and nuts, are called incomplete proteins because they are missing one or more essential amino acid. Different plant sources lack different amino acids. Therefore, to obtain all the essential amino acids from plant sources alone, people need to eat a wide variety of plant foods.

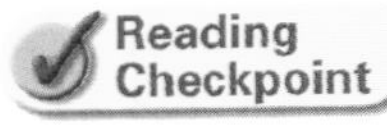

What are the units that make up proteins?

Math Skills

Percentage

A percentage (%) is a ratio that compares a number to 100. For example, 30% means 30 out of 100.

Suppose that a person eats a total of 2,000 Calories in one day. Of those Calories, 300 come from protein. Follow these steps to calculate the percentage of Calories that come from protein.

1. Write the comparison as a fraction:
$$\frac{300}{2{,}000}$$
2. Multiply the fraction by 100% to express it as a percentage:
$$\frac{300}{2{,}000} \times 100\% = 15\%$$

Practice Problem Suppose that 540 Calories of the person's 2,000 Calorie total come from fats. What percentage of the Calories comes from fats?

For: Links on foods and energy
Visit: www.SciLinks.org
Web code: scn-0421

Vitamins and Minerals

Two kinds of nutrients—vitamins and minerals—are needed by the body in very small amounts. Unlike the other nutrients, vitamins and minerals do not provide the body with energy or raw materials. Instead, they help the body carry out various processes.

Vitamins act as helper molecules in a variety of chemical reactions in the body. Vitamin K, for example, helps your blood to clot when you get a cut or a scrape. Figure 6 lists the vitamins necessary for health. The body can make a few of these vitamins. For example, your skin can make vitamin D when exposed to sunlight. Most vitamins, however, must be obtained from foods.

Fat-Soluble and Water-Soluble Vitamins Vitamins are classified as either fat-soluble or water-soluble. Fat-soluble vitamins dissolve in fat, and they are stored in fatty tissues in the body. Vitamins A, D, E, and K are all fat-soluble vitamins. Water-soluble vitamins dissolve in water and are not stored in the body. This fact makes it especially important to include sources of water-soluble vitamins—vitamin C and all of the B vitamins—in your diet every day.

FIGURE 5
Eat Your Vegetables!
Fresh vegetables are full of vitamins and are fun to pick as well.

Importance of Vitamins Although vitamins are only needed in small amounts, a lack of certain vitamins in the diet can lead to health problems. In the 1700s, sailors on long voyages survived on hard, dry biscuits, salted meat, and not much else. Because of this limited diet, many sailors developed a serious disease called scurvy. People with scurvy suffer from bleeding gums, stiff joints, and sores that do not heal. Some may even die.

A Scottish doctor, James Lind, hypothesized that scurvy was the result of the sailors' poor diet. Lind divided sailors with scurvy into groups and fed different foods to each group. The sailors who were fed citrus fruits—oranges and lemons—recovered from the disease. Lind recommended that all sailors eat citrus fruits. When Lind's recommendations were carried out, scurvy disappeared. Today scientists know that scurvy is caused by the lack of vitamin C, which is found in citrus fruits.

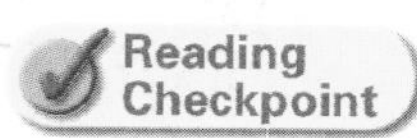

List the fat-soluble vitamins.

FIGURE 6

Essential Vitamins

Both fat-soluble vitamins and water-soluble vitamins are necessary to maintain health. **Interpreting Tables** *What foods provide a supply of both vitamins E and K?*

Fat-Soluble Vitamins		
Vitamin	**Sources**	**Function**
A	Dairy products; eggs; liver; yellow, orange, and dark green vegetables; fruits	Maintains healthy skin, bones, teeth, and hair; aids vision in dim light
D	Fortified dairy products; fish; eggs; liver; made by skin cells in presence of sunlight	Maintains bones and teeth; helps in the use of calcium and phosphorus
E	Vegetable oils; margarine; green, leafy vegetables; whole-grain foods; seeds; nuts	Aids in maintenance of red blood cells
K	Green, leafy vegetables; milk; liver; made by bacteria in the intestines	Aids in blood clotting

Water-Soluble Vitamins		
Vitamin	**Sources**	**Function**
B1 (thiamin)	Pork; liver; whole-grain foods; legumes; nuts	Needed for breakdown of carbohydrates
B2 (riboflavin)	Dairy products; eggs; whole-grain breads and cereals; green, leafy vegetables	Needed for normal growth
B3 (niacin)	Many protein-rich foods; milk; eggs; meat; fish; whole-grain foods; nuts; peanut butter	Needed for release of energy
B6 (pyridoxine)	Green, leafy vegetables; meats; fish; legumes; fruits; whole-grain foods	Helps in the breakdown of proteins, fats, and carbohydrates
B12	Meats; fish; poultry; dairy products; eggs	Maintains healthy nervous system; needed for red blood cell formation
Biotin	Liver; meat; fish; eggs; legumes; bananas; melons	Aids in the release of energy
Folic acid	Green, leafy vegetables; legumes; seeds; liver	Needed for red blood cell formation
Pantothenic acid	Liver; meats; fish; eggs; whole-grain foods	Needed for the release of energy
C	Citrus fruits; tomatoes; potatoes; dark green vegetables; mangoes	Needed to form connective tissue and fight infection

FIGURE 7
Eating a variety of foods each day provides your body with the minerals it needs.
Interpreting Tables *Which minerals play a role in regulating water levels in the body?*

Essential Minerals

Mineral	Sources	Function
Calcium	Milk; cheese; dark green, leafy vegetables; tofu; legumes	Helps build bones and teeth; aids in blood clotting; muscle and nerve function
Chlorine	Table salt; soy sauce	Helps maintain water balance
Fluorine	Fluoridated drinking water; fish	Helps form bones and teeth
Iodine	Seafood, iodized salt	Helps in the release of energy
Iron	Red meats; seafood; green, leafy vegetables; legumes; dried fruits	Needed for red blood cell function
Magnesium	Green, leafy vegetables; legumes; nuts; whole-grain foods	Aids in muscle and nerve function; helps in the release of energy
Phosphorus	Meat; poultry; eggs; fish; dairy products	Helps produce healthy bones and teeth; helps in the release of energy
Potassium	Grains; fruits; vegetables; meat; fish	Helps maintain water balance; muscle and nerve function
Sodium	Table salt; soy sauce	Helps maintain water balance; nerve function

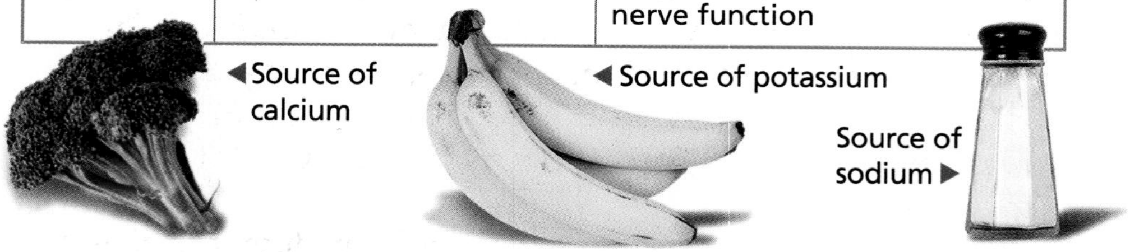

◀ Source of calcium

◀ Source of potassium

Source of sodium ▶

Importance of Minerals Nutrients that are not made by living things are called **minerals.** Minerals are present in soil and are absorbed by plants through their roots. You obtain minerals by eating plant foods or animals that have eaten plants. Figure 7 lists some minerals you need. You probably know that calcium is needed for strong bones and teeth. Iron is needed for the proper functioning of red blood cells.

Both vitamins and minerals are needed by your body in small amounts to carry out chemical processes. If you eat a wide variety of foods, you probably will get enough vitamins and minerals. Most people who eat a balanced diet do not need to take vitamin or mineral supplements.

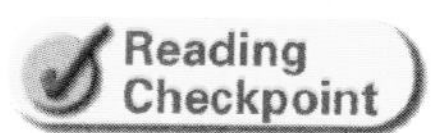

What are minerals?

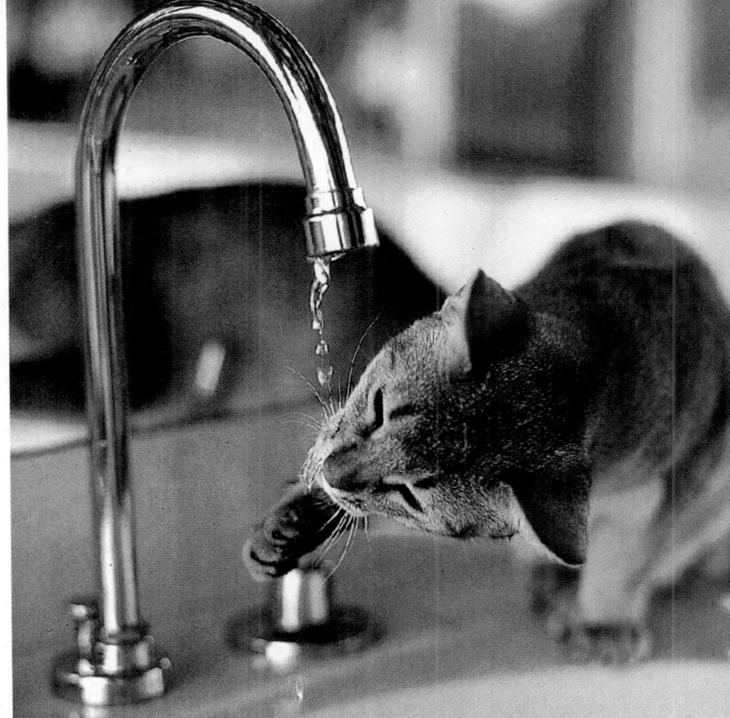

FIGURE 8
Water—An Essential Nutrient
All living things need water. Without regular water intake, an organism would not be able to carry out the processes that keep it alive.

Water

Imagine that a boat is sinking. The people on board are getting into a lifeboat. They have room for only one of these items: a bag of fruit, a can of meat, a loaf of bread, or a jug of water. Which item should they choose?

You might be surprised to learn that the lifeboat passengers should choose the water. Although people can probably survive for weeks without food, they will die within days without fresh water. Water is the most abundant substance in the body. It accounts for about 65 percent of the average person's body weight.

Water is the most important nutrient because the body's vital processes—including chemical reactions such as the breakdown of nutrients—take place in water. All the cells in your body are composed mostly of water. Water makes up most of the body's fluids, including blood. Nutrients and other important substances are carried throughout the body dissolved in the watery part of the blood. The water in blood also carries waste materials that must be removed from your body.

On a hot day or after exercising, your body produces perspiration, or sweat. Perspiration consists of chemicals dissolved in water. The water in perspiration comes from body tissues. Sweat glands in your skin release the water on the surface of your body. Perspiration helps regulate body temperature by cooling the body. Some waste chemicals are dissolved in perspiration. Therefore, when you perspire, you are also removing wastes.

Under normal conditions, you need to take in about 2 liters of water every day. When you perspire a lot, you need more water. You can obtain water by drinking water and other beverages. In addition, you take in water when you eat foods that contain a lot of water. Fruits and vegetables such as melons and tomatoes have a large amount of water.

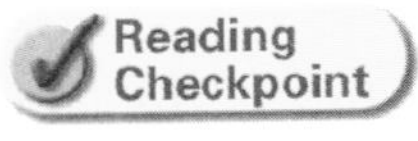

What is the most abundant substance in the body?

The Food Guide Pyramid

The **Food Guide Pyramid,** shown in Figure 9, is a diagram that helps people plan a healthy diet. **The Food Guide Pyramid classifies foods into six groups. It also indicates how many servings from each group should be eaten every day to maintain a healthy diet.** You can use the pyramid's guidelines and your own food preferences to have a healthy diet containing foods you like.

How many groups are in the Food Guide Pyramid?

Go Online
active art

For: The Food Guide Pyramid activity
Visit: PHSchool.com
Web code: cep-4022

FIGURE 9
The Food Guide Pyramid

The Food Guide Pyramid recommends the number of servings that a person should eat each day from six food groups.

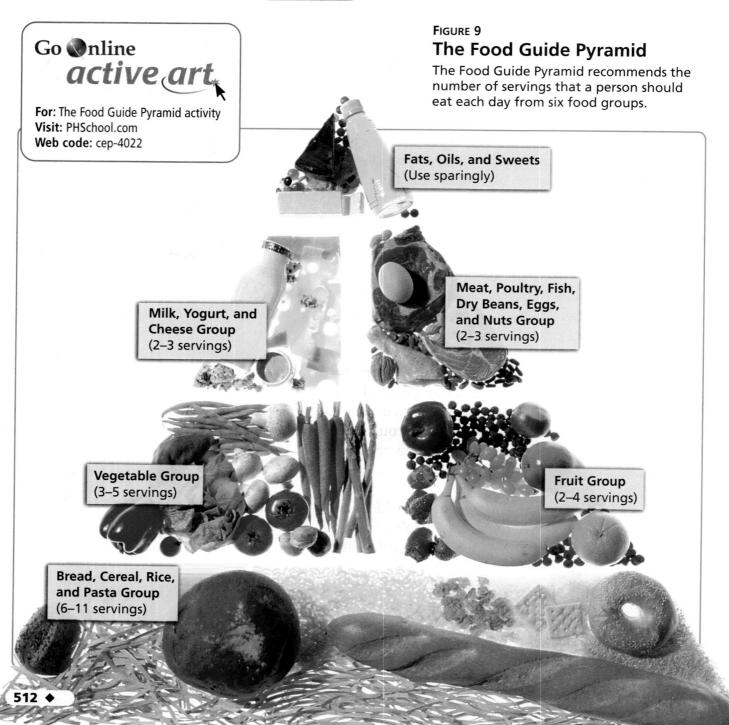

Fats, Oils, and Sweets (Use sparingly)

Milk, Yogurt, and Cheese Group (2–3 servings)

Meat, Poultry, Fish, Dry Beans, Eggs, and Nuts Group (2–3 servings)

Vegetable Group (3–5 servings)

Fruit Group (2–4 servings)

Bread, Cereal, Rice, and Pasta Group (6–11 servings)

Food Labels

After a long day, you and your friends stop into a store on your way home from school. What snack should you buy? How can you make a wise choice? One thing you can do is to read the information provided on food labels. **Food labels allow you to evaluate a single food as well as to compare the nutritional value of two different foods.**

How to Read a Food Label Figure 10 shows a food label that might appear on a box of cereal. Refer to that label as you read about some of the important nutritional information it contains.

1 **Serving Size** This information tells you the size of a single serving and the number of servings in the container. The information on the rest of the label is based on serving size. If you eat twice the serving size, then you'll consume twice the number of Calories.

2 **Calories** This information tells you how much energy you get from one serving of this food, including how many Calories come from fat.

3 **Percent Daily Value** The **Percent Daily Value** shows you how the nutritional content of one serving fits into the recommended diet for a person who consumes 2,000 Calories per day. For example, one serving of this cereal contains 12% of the total amount of sodium a person should consume in one day. You might eat more or less than 2,000 Calories per day. But, you can still use this percentage as a general guide.

4 **Ingredients** The ingredients are listed in order by weight, starting with the main ingredient. The list can alert you to substances that have been added to a food to improve its flavor or color, or to keep it from spoiling. In addition, reading ingredients lists can help you avoid substances that make you ill.

Using Food Labels Food labels can help you make healthful food choices. Suppose you are shopping for breakfast cereals. By reading the labels, you might find that one cereal contains little fat and a high percentage of the Daily Values for complex carbohydrates and several vitamins. Another cereal might have fewer complex carbohydrates and vitamins, and contain significant amounts of fat. You can see that the first cereal would be a better choice as a regular breakfast food.

FIGURE 10
Food Label
By law, specific nutritional information must be listed on food labels.
Calculating *How many servings of this product would you have to eat to get 90% of the Daily Value for iron?*

Nutrition Facts

1 Serving Size 1 cup (30g)
Servings Per Container About 10

Amount Per Serving
2 **Calories** 110 Calories from Fat 15

	% Daily Value*
Total Fat 2g	3 3%
Saturated Fat 0g	0%
Trans Fat 0g	0%
Cholesterol 0mg	0%
Sodium 280mg	12%
Total Carbohydrate 22g	7%
Dietary Fiber 3g	12%
Sugars 1g	
Protein 3g	

Vitamin A	10%	• Vitamin C	20%
Calcium	4%	• Iron	45%

* Percent Daily Values are based on a 2,000 Calorie diet. Your daily values may be higher or lower depending on your caloric needs:

	Calories	2,000	2,500
Total Fat	Less than	65g	80g
Sat. Fat	Less than	20g	25g
Cholesterol	Less than	300mg	300mg
Sodium	Less than	2,400mg	2,400mg
Total Carbohydrate		300g	375g
Fiber		25g	30g

Calories per gram:
Fat 9 • Carbohydrate 4 • Protein 4

4 **Ingredients:** Whole grain oats, sugar, salt, milled corn

FIGURE 11
Reading Food Labels
Food labels allow you to compare the nutritional content of similar kinds of foods.

Dietary Reference Intakes Food labels can also help you monitor the nutrients in your diet. Guidelines that show the amounts of nutrients that are needed every day are known as **Dietary Reference Intakes (DRIs).** For example, the DRIs for vitamins recommend that people your age get 45 milligrams of vitamin C every day.

DRIs also show how the Calories that people eat each day should be split among carbohydrates, fats, and proteins. The Percent Daily Values listed on food labels can help you make sure that you are meeting the DRIs for different nutrients.

What are Dietary Reference Intakes?

Section 1 Assessment

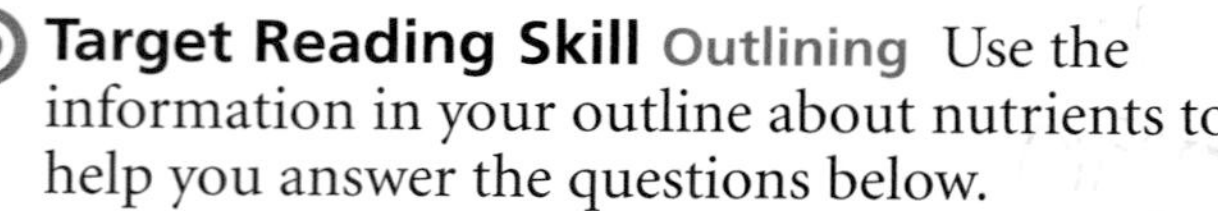

Target Reading Skill **Outlining** Use the information in your outline about nutrients to help you answer the questions below.

Reviewing Key Concepts

1. a. **Identifying** Name two ways in which foods are used by the body.
   b. **Defining** What is a calorie? How does it relate to the amount of energy in foods?
   c. **Inferring** Why do young children and active teenagers have high energy needs?
2. a. **Listing** List the six nutrients that are needed by the body.
   b. **Summarizing** For each nutrient you listed, briefly describe the role it plays in the body.
   c. **Applying Concepts** Why is it especially important that vegetarians eat a varied diet?
3. a. **Reviewing** What kinds of information are found in the Food Guide Pyramid and on food labels?
   b. **Applying Concepts** How can you use this information to plan a healthy meal?

Math Practice

4. **Percentage** Suppose that a person eats 2,500 Calories in one day. Of those Calories, 1,200 are from carbohydrates, 875 are from fat, and the rest are from protein. What percentages of the person's Calories are from carbohydrates, from fats, and from proteins?

Lab zone **Consumer Lab**

Raisin' the Raisin Question

Problem

Raisins are a good source of the mineral iron. Which raisin bran cereal contains the most raisins?

Skills Focus

measuring, calculating, controlling variables

Materials

- balance
- paper towels
- beaker (250 mL)
- raisin bran cereals (several brands)

Procedure 

1. Use a balance to find the mass of a clean 250-mL beaker. Record the mass in a data table like the one below.
2. Fill the beaker to the top with one of the brands of raisin bran cereal, but do not pack down the cereal. **CAUTION:** *Do not put any cereal in your mouth.* Write the brand name in the data table. Measure and record the mass of the beaker plus cereal. Subtract the mass of the empty beaker to get the mass of the cereal alone. Record the result.
3. Pour the cereal onto a paper towel. Separate the raisins from the bran and place the raisins back in the beaker. Measure and record the mass of the beaker plus raisins. Subtract the mass of the empty beaker to get the mass of the raisins alone. Record the result.
4. Repeat Steps 1–3 with each of the other brands of cereal.

Analyze and Conclude

1. **Measuring** Why did you first measure the mass of an empty beaker and then the mass of the beaker plus cereal?
2. **Calculating** Calculate the percentage mass of raisins in each cereal as follows:

$$\text{\% Mass of raisins} = \frac{\text{Mass of raisins}}{\text{Mass of cereal}} \times 100\%$$

   Record the results in your data table.
3. **Interpreting Data** Based on your observations, which brand of cereal had the greatest percentage of raisins by mass?
4. **Controlling Variables** Was it important that all of the cereal samples were collected in the same-size beaker? Why or why not?
5. **Communicating** Based on your results, write a paragraph that could be printed on a box of raisin bran cereal that would help consumers understand that this brand is the best source of iron.

Design an Experiment

In this investigation, you examined a *sample* of cereal rather than the contents of the entire box. Scientists often use samples because it is a more practical way to make observations. Redesign this experiment to improve upon the sampling technique and increase the accuracy of your results. *Obtain your teacher's permission before carrying out your investigation.*

Data Table

Cereal Brand	Mass (g)					Percentage Mass of Raisins (%)
	Empty Beaker	Beaker plus Cereal	Cereal	Beaker plus Raisins	Raisins	

Section 2

The Digestive Process Begins

Reading Preview

Key Concepts

- What functions are carried out in the digestive system?
- What roles do the mouth, esophagus, and stomach play in digestion?

Key Terms

- digestion • absorption
- saliva • enzyme • epiglottis
- esophagus • mucus
- peristalsis • stomach

Target Reading Skill

Using Prior Knowledge Before you read, look at the section headings and visuals to see what this section is about. Then write what you know about the digestive system in a graphic organizer like the one below. As you read, continue to write in what you learn.

What You Know
1. Food is digested in the stomach. 2.

What You Learned
1. 2.

Lab zone Discover Activity

How Can You Speed Up Digestion?

1. Obtain two plastic jars with lids. Fill the jars with equal amounts of water at the same temperature.
2. Place a whole sugar cube into one jar. Place a crushed sugar cube into the other jar.
3. Fasten the lids on the jars. Holding one jar in each hand, shake the two jars gently and for equal amounts of time.
4. Place the jars on a flat surface. Observe whether the whole cube or the crushed cube dissolves faster.

Think It Over

Predicting Use the results of this activity to predict which would take longer to digest: a large piece of food or one that has been cut up into many small pieces. Explain your answer.

In 1822, a man named Alexis St. Martin was wounded in the stomach. Dr. William Beaumont saved St. Martin's life. The wound, however, left an opening in St. Martin's stomach that never healed completely. Beaumont realized that by looking through the opening in St. Martin's abdomen, he could observe what was happening inside the stomach.

Beaumont observed that food changed chemically inside the stomach. He hypothesized that chemical reactions in the stomach broke down foods into smaller particles. Beaumont removed liquid from St. Martin's stomach and analyzed it. The stomach liquid contained an acid that played a role in the breakdown of foods into simpler substances.

Functions of the Digestive System

Beaumont's observations helped scientists understand the role of the stomach in the digestive system. **The digestive system has three main functions. First, it breaks down food into molecules the body can use. Then, the molecules are absorbed into the blood and carried throughout the body. Finally, wastes are eliminated from the body.** Figure 12 shows the organs of the digestive system, which is about 9 meters long from beginning to end.

Digestion The process by which your body breaks down food into small nutrient molecules is called **digestion.** There are two kinds of digestion—mechanical and chemical. In mechanical digestion, foods are physically broken down into smaller pieces. Mechanical digestion occurs when you bite into a sandwich and chew it into small pieces.

In chemical digestion, chemicals produced by the body break foods into their smaller chemical building blocks. For example, the starch in bread is broken down into individual sugar molecules.

For: Links on digestion
Visit: www.SciLinks.org
Web Code: scn-0423

Absorption and Elimination After your food is digested, the molecules are ready to be transported throughout your body. **Absorption** (ab SAWRP shun) is the process by which nutrient molecules pass through the wall of your digestive system into your blood. Materials that are not absorbed, such as fiber, are eliminated from the body as wastes.

Reading Checkpoint What is chemical digestion?

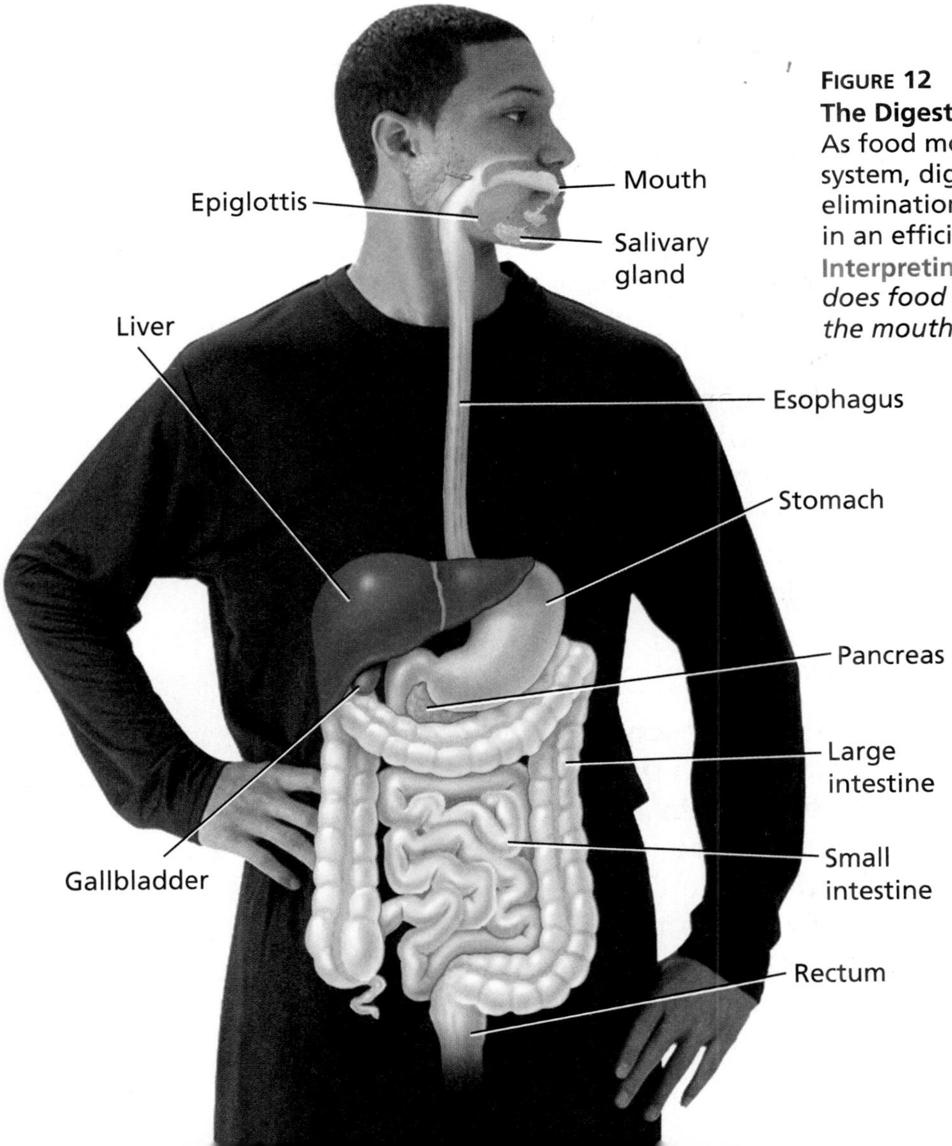

Epiglottis
Mouth
Salivary gland
Liver
Esophagus
Stomach
Pancreas
Large intestine
Small intestine
Gallbladder
Rectum

FIGURE 12
The Digestive System
As food moves through the digestive system, digestion, absorption, and elimination occur one after the other in an efficient, continuous process.
Interpreting Diagrams *Which organs does food pass through after leaving the mouth?*

The Mouth

Have you ever walked past a bakery or restaurant and noticed your mouth watering? Smelling or even just thinking about food when you're hungry is enough to start your mouth watering. This response isn't accidental. When your mouth waters, your body is preparing for the delicious meal it expects. **Both mechanical and chemical digestion begin in the mouth.** The fluid released when your mouth waters is **saliva** (suh LY vuh). Saliva plays an important role in both kinds of digestion.

Mechanical Digestion in the Mouth Your teeth carry out the first stage of mechanical digestion. Your center teeth, or incisors (in SY zurz), cut the food into bite-sized pieces. On either side of the incisors there are sharp, pointy teeth called canines (KAY nynz). These teeth tear and slash the food into smaller pieces. Behind the canines are the premolars and molars, which crush and grind the food. As the teeth do their work, saliva moistens the pieces of food into one slippery mass.

Chemical Digestion in the Mouth As mechanical digestion begins, so does chemical digestion. If you take a bite of a cracker and suck on it, the cracker begins to taste sweet. It tastes sweet because a chemical in the saliva has broken down the starch molecules in the cracker into sugar molecules.

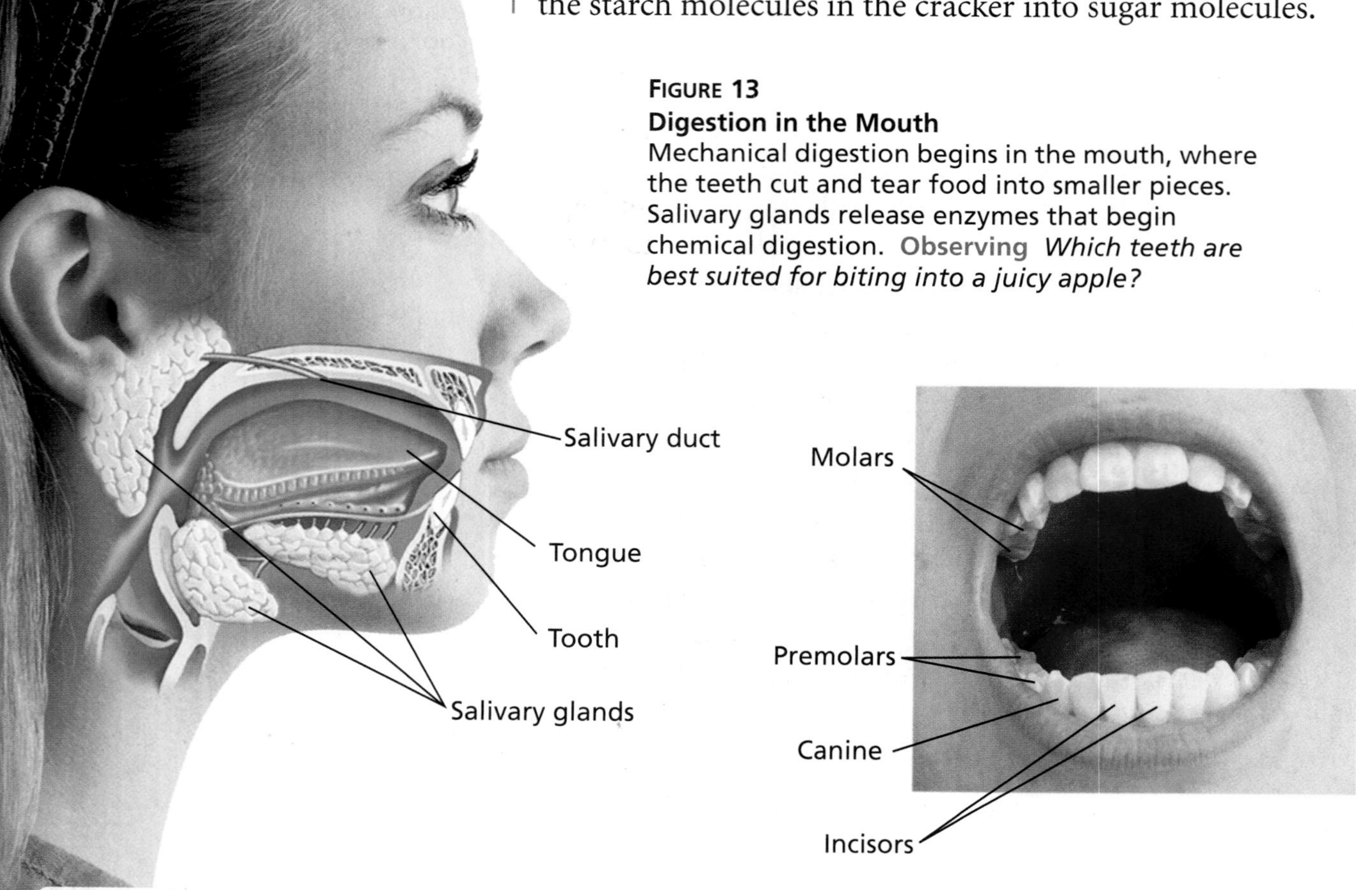

Figure 13
Digestion in the Mouth
Mechanical digestion begins in the mouth, where the teeth cut and tear food into smaller pieces. Salivary glands release enzymes that begin chemical digestion. **Observing** *Which teeth are best suited for biting into a juicy apple?*

FIGURE 14
How Enzymes Work
The shape of an enzyme molecule is specific to the shape of the food molecule it breaks down. Here, an enzyme breaks down a starch into sugars.

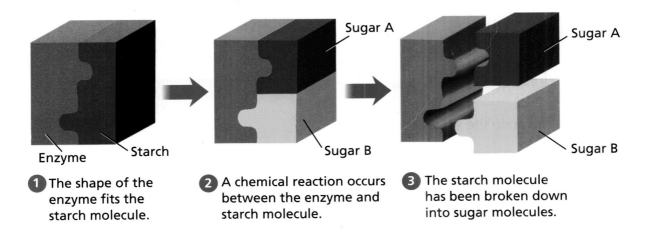

Enzyme
Starch
Sugar A
Sugar B

1 The shape of the enzyme fits the starch molecule.

2 A chemical reaction occurs between the enzyme and starch molecule.

3 The starch molecule has been broken down into sugar molecules.

The chemical in saliva that digests starch is an enzyme. **Enzymes** are proteins that speed up chemical reactions in the body. Your body produces many different enzymes. Each enzyme has a specific chemical shape. Its shape enables it to take part in only one kind of chemical reaction. An example of enzyme action is shown in Figure 14.

The Esophagus

If you've ever choked on food, your food may have "gone down the wrong way." That's because there are two openings at the back of your mouth. One opening leads to your windpipe, which carries air into your lungs. As you swallow, a flap of tissue called the **epiglottis** (ep uh GLAHT is) seals off your windpipe, preventing the food from entering. The food goes into the **esophagus** (ih SAHF uh gus), a muscular tube that connects the mouth to the stomach. The esophagus is lined with **mucus,** a thick, slippery substance produced by the body. Mucus makes food easier to swallow and move along.

Food remains in the esophagus for only about 10 seconds. **After food enters the esophagus, contractions of smooth muscles push the food toward the stomach.** These involuntary waves of muscle contraction are called **peristalsis** (pehr ih STAWL sis). Peristalsis also occurs in the stomach and farther down the digestive system. These muscular waves keep food moving in one direction.

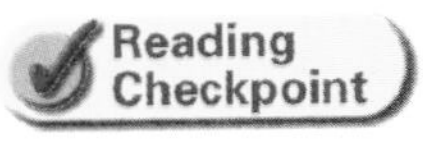

How is food prevented from entering the windpipe?

Lab zone Try This Activity

Modeling Peristalsis

1. Obtain a clear, flexible plastic straw.
2. Hold the straw vertically and insert a small bead into the top of the straw. The bead should fit snugly into the straw. **CAUTION:** *Do not put the straw in your mouth or blow into the straw.*
3. Pinch the straw above the bead so the bead begins to move down the length of the tubing.
4. Repeat Step 3 until the bead exits the straw.

Making Models How does this action compare with peristalsis? What do the bead and the straw represent?

Math Analyzing Data

Protein Digestion

A scientist performed an experiment to determine the amount of time needed to digest protein. He placed small pieces of hard-boiled egg white (a protein) in a test tube containing hydrochloric acid, water, and the enzyme pepsin. He measured the rate at which the egg white was digested over a 24-hour period. His data are recorded in the graph.

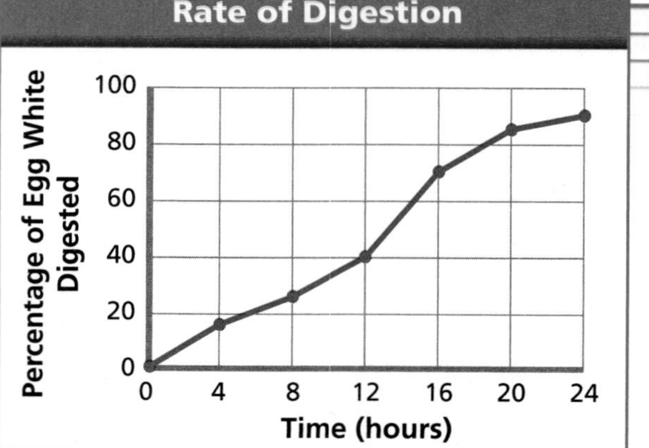

1. **Reading Graphs** What do the values on the *y*-axis represent?
2. **Interpreting Data** After about how many hours would you estimate that half of the protein was digested?
3. **Interpreting Data** How much digestion occurred in 16 hours?
4. **Drawing Conclusions** During which 4-hour period did the most digestion take place?

The Stomach

When food leaves the esophagus, it enters the **stomach,** a J-shaped, muscular pouch located in the abdomen. As you eat, your stomach expands to hold all of the food that you swallow. **Most mechanical digestion and some chemical digestion occur in the stomach.**

Mechanical Digestion in the Stomach The process of mechanical digestion occurs as three strong layers of smooth muscle contract to produce a churning motion. This action mixes the food with fluids in somewhat the same way that clothes and soapy water are mixed in a washing machine.

Chemical Digestion in the Stomach Chemical digestion occurs as the churning food makes contact with digestive juice, a fluid produced by cells in the lining of the stomach. Digestive juice contains the enzyme pepsin. Pepsin chemically digests the proteins in your food, breaking them down into short chains of amino acids.

Digestive juice also contains hydrochloric acid, a very strong acid. Without this strong acid, your stomach could not function properly. First, pepsin works best in an acid environment. Second, the acid kills many bacteria that you swallow with your food.

Why doesn't stomach acid burn a hole in your stomach? The reason is that cells in the stomach lining produce a thick coating of mucus, which protects the stomach lining. Also, the cells that line the stomach are quickly replaced as they are damaged or worn out.

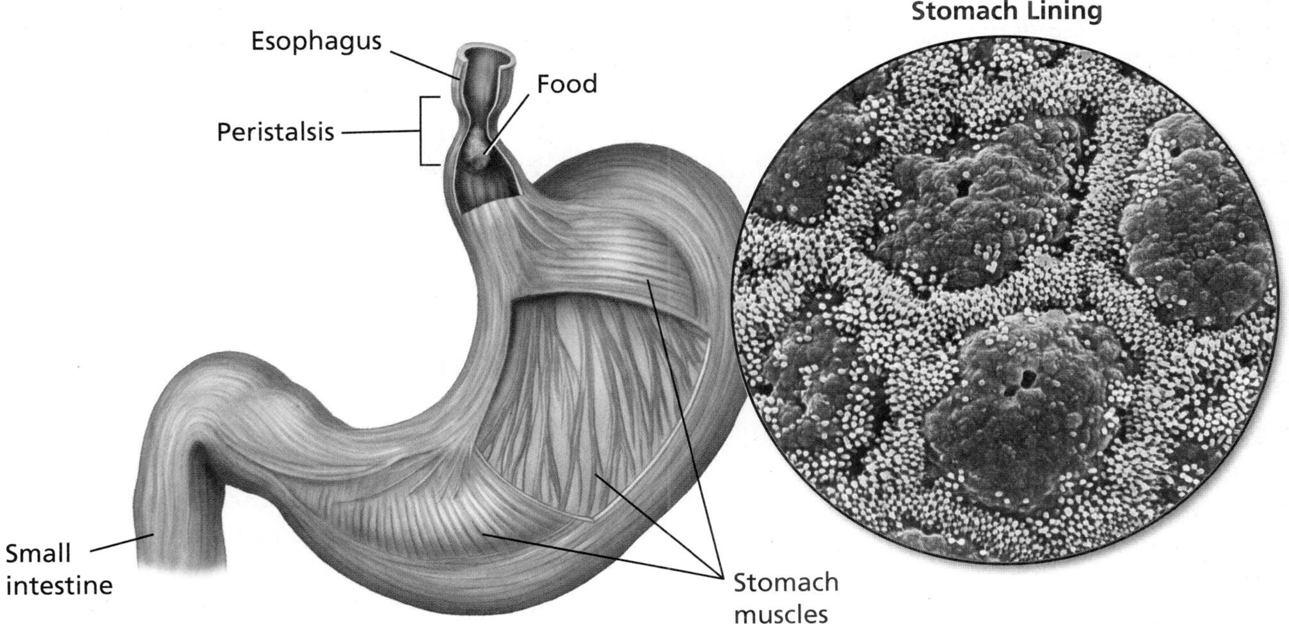

Food remains in the stomach until all of the solid material has been broken down into liquid form. A few hours after you finish eating, the stomach completes mechanical digestion of the food. By that time, most of the proteins have been chemically digested into shorter chains of amino acids. The food, now a thick liquid, is released into the next part of the digestive system. That is where final chemical digestion and absorption will take place.

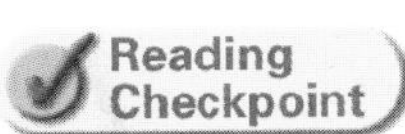

What is pepsin?

FIGURE 15
The Stomach
The stomach has three layers of muscle that help to break down foods mechanically. The inset photo shows a microscopic view of the stomach lining. The yellow dots are mucus.
Relating Cause and Effect *What role does mucus play inside the stomach?*

Section 2 Assessment

Target Reading Skill **Using Prior Knowledge** Review your graphic organizer and revise it based on what you just learned in the section.

Reviewing Key Concepts

1. a. **Listing** What are the functions of the digestive system?
   b. **Comparing and Contrasting** Distinguish between mechanical and chemical digestion.
   c. **Inferring** Why must mechanical digestion start before chemical digestion?
2. a. **Reviewing** What key chemicals do the mouth and stomach contain?
   b. **Describing** How do pepsin and hydrochloric acid work together to digest food in the stomach?
   c. **Predicting** What could happen if your stomach didn't produce enough mucus? Explain.

Lab zone **At-Home Activity**

First Aid for Choking Explain to your family what happens when people choke on food. With your family, find out how to recognize when a person is choking and what to do to help the person. Learn about the Heimlich maneuver and how it is used to help someone who is choking.

Lab zone **Skills Lab**

As the Stomach Churns

Problem

What conditions are needed for the digestion of proteins in the stomach?

Skills Focus

interpreting data, controlling variables, drawing conclusions

Materials

- test-tube rack
- pepsin
- water
- 4 strips blue litmus paper
- cubes of boiled egg white
- 10-mL plastic graduated cylinder
- 4 test tubes with stoppers
- marking pencil
- diluted hydrochloric acid
- plastic stirrers

Procedure    

1. In this lab, you will investigate how acidic conditions affect protein digestion. Read over the entire lab to see what materials you will be testing. Write a prediction stating which conditions you think will speed up protein digestion. Then, copy the data table into your notebook.
2. Label four test tubes A, B, C, and D, and place them in a test-tube rack.
3. In this lab, the protein you will test is boiled egg white, which has been cut into cubes about 1 cm on each side. Add 3 cubes to each test tube. Note and record the size and overall appearance of the cubes in each test tube. **CAUTION:** *Do not put any egg white into your mouth.*
4. Use a graduated cylinder to add 10 mL of the enzyme pepsin to test tube A. Observe the egg white cubes to determine whether an immediate reaction takes place. Record your observations under Day 1 in your data table. If no changes occur, write "no immediate reaction."
5. Use a clean graduated cylinder to add 5 mL of pepsin to test tube B. Then rinse out the graduated cylinder and add 5 mL of water to test tube B. Observe whether or not an immediate reaction takes place.
6. Use a clean graduated cylinder to add 10 mL of hydrochloric acid to test tube C. Observe whether or not an immediate reaction takes place. **CAUTION:** *Hydrochloric acid can burn skin and clothing. Avoid direct contact with it. Wash any splashes or spills with plenty of water, and notify your teacher.*

Data Table

Test Tube	Egg White Appearance		Litmus Color	
	Day 1	Day 2	Day 1	Day 2
A				
B				
C				
D				

7. Use a clean graduated cylinder to add 5 mL of pepsin to test tube D. Then, rinse the graduated cylinder and add 5 mL of hydrochloric acid to test tube D. Observe whether or not an immediate reaction takes place. Record your observations.
8. Obtain four strips of blue litmus paper. (Blue litmus paper turns pink in the presence of an acid.) Dip a clean plastic stirrer into the solution in each test tube, and then touch the stirrer to a piece of litmus paper. Observe what happens to the litmus paper. Record your observations.
9. Insert stoppers in the four test tubes and store the test tube rack as directed by your teacher.
10. The next day, examine the contents of each test tube. Note any changes in the size and overall appearance of the egg white cubes. Then, test each solution with litmus paper. Record your observations in your data table.

Analyze and Conclude

1. **Interpreting Data** Which materials were the best at digesting the egg white? What observations enabled you to determine this?
2. **Inferring** Is the chemical digestion of protein in food a fast or a slow reaction? Explain.
3. **Controlling Variables** Why was it important that the cubes of egg white all be about the same size?
4. **Drawing Conclusions** What did this lab show about the ability of pepsin to digest protein?
5. **Communicating** Write a paragraph in which you describe the purpose of test tube A and test tube C as they relate to the steps you followed in the procedure.

Design an Experiment

Design a way to test whether protein digestion is affected by the size of the food pieces. Write down your hypothesis and the procedure you will follow. *Obtain your teacher's permission before carrying out your investigation.*

Section 3

Final Digestion and Absorption

Reading Preview

Key Concepts

- What digestive processes occur in the small intestine, and how are other digestive organs involved?
- What role does the large intestine play in digestion?

Key Terms

- small intestine • liver • bile
- gallbladder • pancreas
- villus • large intestine
- rectum • anus

Target Reading Skill

Identifying Main Ideas As you read the section titled The Small Intestine, write the main idea in a graphic organizer like the one below. Then, write three supporting details that further explain the main idea.

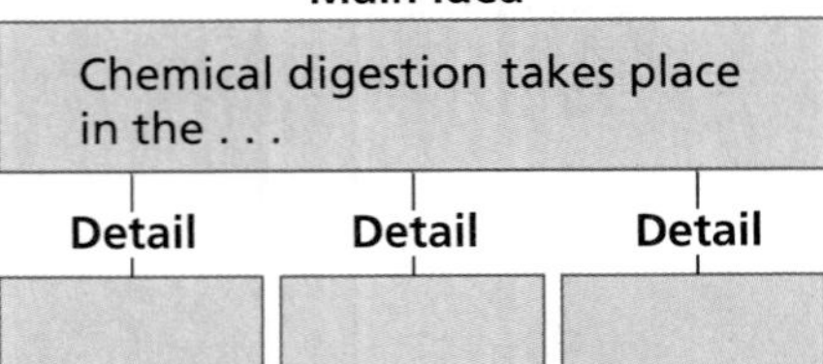

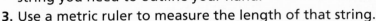

Lab zone Discover Activity

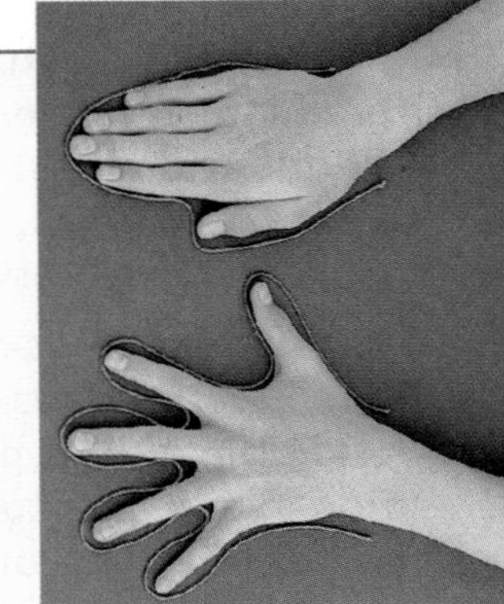

Which Surface Is Larger?

1. Work with a partner to carry out this investigation.
2. Begin by placing your hand palm-side down on a table. Keep your thumb and fingers tightly together. Lay string along the outline of your hand. Have your partner help you determine how long a string you need to outline your hand.
3. Use a metric ruler to measure the length of that string.

Think It Over

Predicting How long would you expect your hand outline to be if you spread out your thumb and fingers? Use string to test your prediction. Compare the two string lengths.

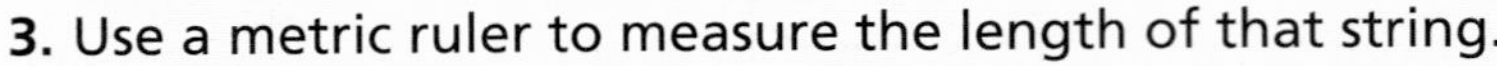

Have you ever been part of a huge crowd attending a concert or sports event? Barriers and passageways often guide people in the right direction. Ticket takers make sure that people enter in an orderly fashion.

In some ways, the stomach can be thought of as the "ticket taker" of the digestive system. Once the food has been changed into a thick liquid, the stomach releases a little of the liquid at a time into the next part of the digestive system. This slow, smooth passage of food through the digestive system ensures that digestion and absorption can take place efficiently.

The Small Intestine

After the thick liquid leaves the stomach, it enters the small intestine. The **small intestine** is the part of the digestive system where most chemical digestion takes place. You may wonder how the small intestine got its name. After all, at about 6 meters—longer than some full-sized cars—it makes up two thirds of the length of the digestive system. The small intestine was named for its small diameter. It is from 2 to 3 centimeters wide, about half the diameter of the large intestine.

When food reaches the small intestine, it has already been mechanically digested into a thick liquid. But chemical digestion has just begun. Starches and proteins have been partially broken down, but fats haven't been digested at all. **Almost all chemical digestion and absorption of nutrients takes place in the small intestine.** As the liquid moves into the small intestine, it mixes with enzymes and secretions that are produced by the small intestine, the liver, and the pancreas. The liver and the pancreas deliver their substances to the small intestine through small tubes.

The Liver As you can see in Figure 16, the **liver** is located in the upper right portion of the abdomen. It is the largest organ inside the body. The liver is like an extremely busy chemical factory and plays a role in many body processes. For example, it breaks down medicines, and it helps eliminate nitrogen from the body. **The role of the liver in the digestive system is to produce bile.**

Bile is a substance that breaks up fat particles. Bile flows from the liver into the **gallbladder,** the organ that stores bile. After you eat, bile passes through a tube from the gallbladder into the small intestine.

Bile is not an enzyme. It does not chemically digest foods. It does, however, physically break up large fat particles into smaller fat droplets. You can compare the action of bile on fats with the action of soap on a greasy frying pan. Soap physically breaks up the grease into small droplets that can mix with the soapy water and be washed away. Bile mixes with the fats in food to form small fat droplets. The droplets can then be chemically broken down by enzymes produced in the pancreas.

Lab zone Try This Activity

Break Up!

You can model the breakup of fat particles in the small intestine.

1. Fill two plastic jars half full of water. Add a few drops of oil to each jar.
2. Add about $\frac{1}{4}$ spoonful of baking soda to one jar.
3. Stir the contents of both jars. Record your observations.

Observing In which jar did the oil begin to break up? What substance does the baking soda represent?

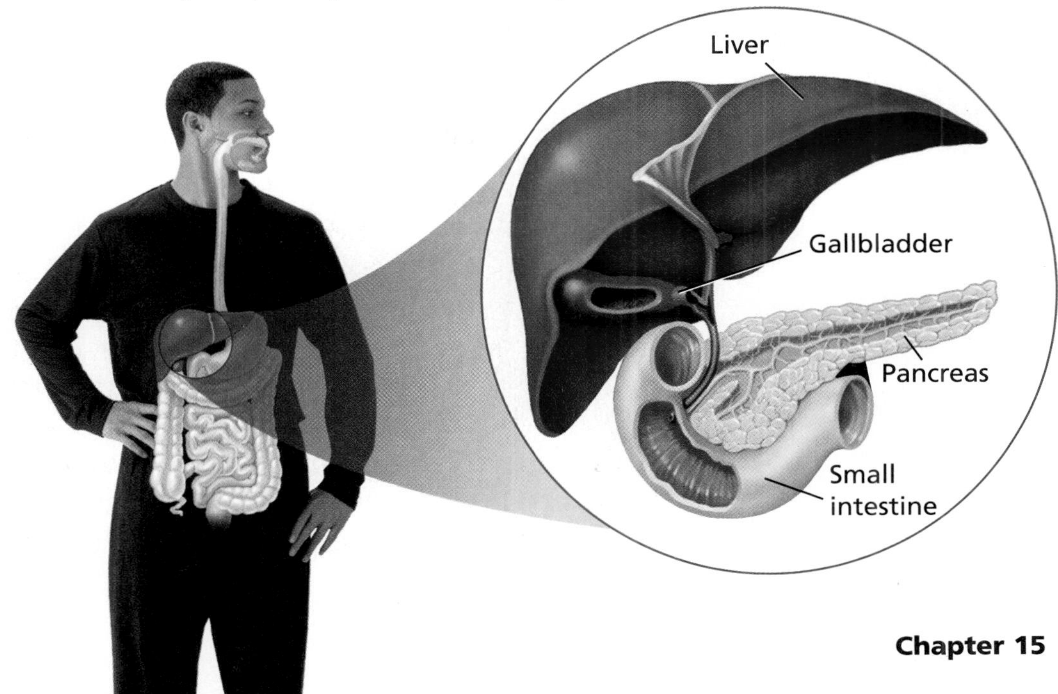

FIGURE 16
The Liver and Pancreas
Substances produced by the liver and pancreas aid in digestion.
Predicting *How would digestion be affected if the tube leading from the gallbladder to the small intestine became blocked?*

For: More on the digestive system
Visit: PHSchool.com
Web Code: ced-4024

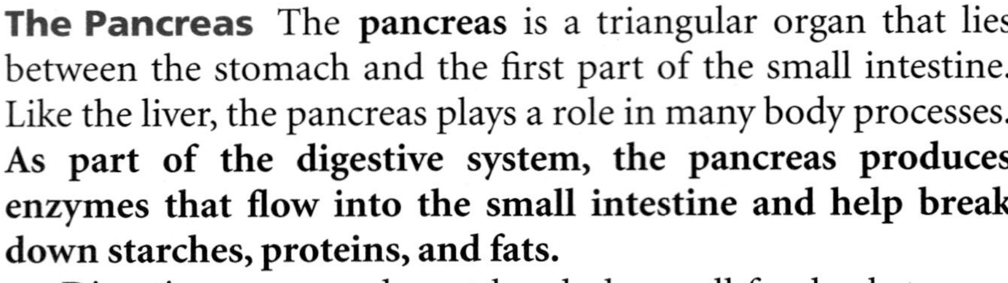

The Pancreas The **pancreas** is a triangular organ that lies between the stomach and the first part of the small intestine. Like the liver, the pancreas plays a role in many body processes. **As part of the digestive system, the pancreas produces enzymes that flow into the small intestine and help break down starches, proteins, and fats.**

Digestive enzymes do not break down all food substances. Recall that the fiber in food isn't broken down. Instead, fiber thickens the liquid material in the intestine. This thickening makes it easier for peristalsis to push the material forward.

Absorption in the Small Intestine After chemical digestion takes place, the small nutrient molecules are ready to be absorbed by the body. The structure of the small intestine makes it well suited for absorption. The inner surface, or lining, of the small intestine looks bumpy. Millions of tiny finger-shaped structures called **villi** (VIL eye) (singular *villus*) cover the surface. The villi absorb nutrient molecules. Notice in Figure 17 that tiny blood vessels run through the center of each villus. Nutrient molecules pass from cells on the surface of a villus into blood vessels. The blood carries the nutrients throughout the body for use by body cells.

Villi greatly increase the surface area of the small intestine. If all the villi were laid out flat, the total surface area of the small intestine would be about as large as a tennis court. This increased surface enables digested food to be absorbed much faster than if the walls of the small intestine were smooth.

Reading Checkpoint **How does the pancreas aid in digestion?**

FIGURE 17
The Small Intestine
Tiny finger-shaped projections called villi line the inside of the small intestine. Blood vessels in the villi are covered by a single layer of cells.
Relating Cause and Effect *How does the structure of the villi help them carry out their function?*

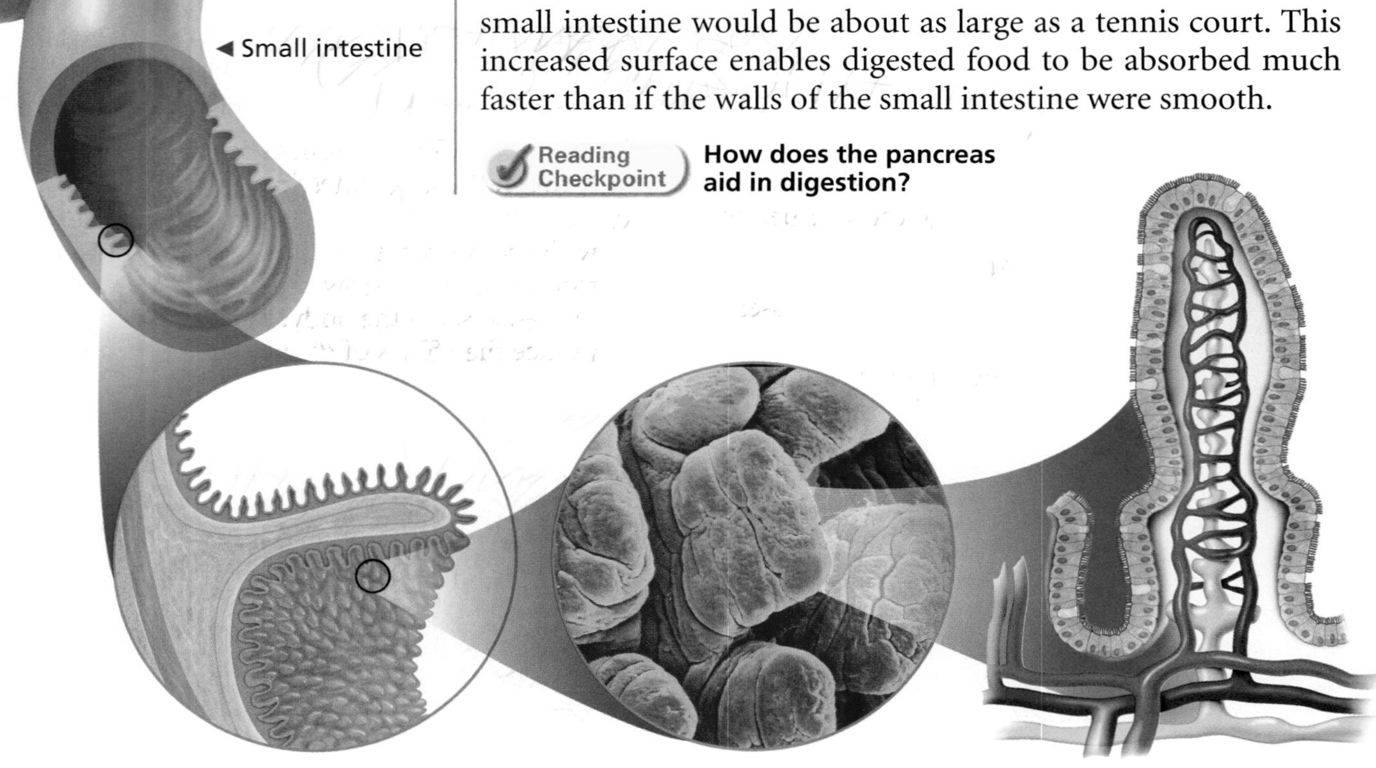

◀ Small intestine

▲ Fold in the wall of the small intestine

▲ Close-up of villi

▲ Villus

The Large Intestine

By the time material reaches the end of the small intestine, most nutrients have been absorbed. The remaining material moves from the small intestine into the large intestine. The **large intestine** is the last section of the digestive system. It is about 1.5 meters long—about as long as the average bathtub. It runs up the right-hand side of the abdomen, across the upper abdomen, and then down the left-hand side. The large intestine contains bacteria that feed on the material passing through. These bacteria normally do not cause disease. In fact, they are helpful because they make certain vitamins, including vitamin K.

The material entering the large intestine contains water and undigested food. **As the material moves through the large intestine, water is absorbed into the bloodstream. The remaining material is readied for elimination from the body.**

The large intestine ends in a short tube called the **rectum.** Here, waste material is compressed into a solid form. This waste material is eliminated from the body through the **anus,** a muscular opening at the end of the rectum.

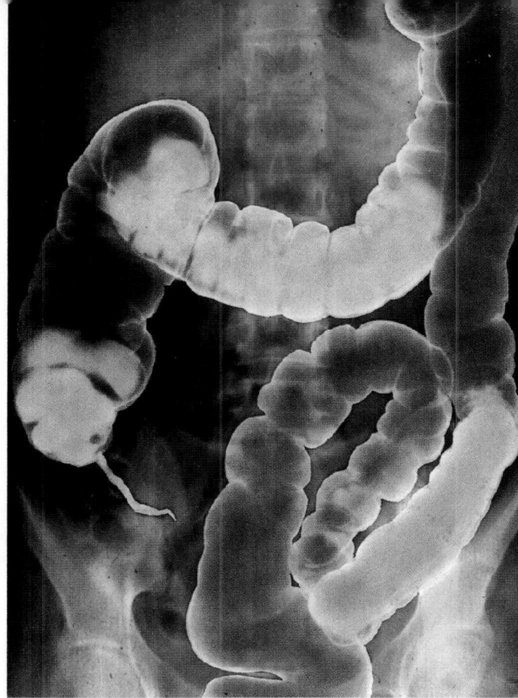

FIGURE 18
The Large Intestine
As material passes through the large intestine, most of the water is absorbed by the body. The remaining material will be eliminated from the body.

What role do bacteria play in the large intestine?

Section 3 Assessment

Target Reading Skill

Identifying Main Ideas Use your graphic organizer to help you answer Question 1 below.

Reviewing Key Concepts

1. a. **Reviewing** What two digestive processes occur in the small intestine?
   b. **Explaining** Explain how bile produced by the liver and enzymes produced in the pancreas function in the small intestine.
   c. **Relating Cause and Effect** Some people are allergic to a protein in wheat. When these people eat foods made with wheat, a reaction destroys the villi in the small intestine. What problems would you expect these people to experience?
2. a. **Identifying** Which key nutrient is absorbed in the large intestine?
   b. **Describing** What happens as food moves through the large intestine?
   c. **Applying Concepts** Diarrhea is a condition in which waste material that is eliminated contains too much water. How might diarrhea upset homeostasis in the body? How could a person reduce the effects of diarrhea on the body?

Writing in Science

Sequence of Events Describe the journey of a bacon, lettuce, and tomato sandwich through a person's digestive system, starting in the mouth and ending with absorption. Include where digestion of fats, carbohydrates, and proteins take place. Use words like *first*, *next*, and *finally* in your writing.

Chapter 15 Study Guide

1 Food and Energy

Key Concepts

- Food provides the body with raw materials and energy.
- Carbohydrates provide energy as well as the raw materials to make cell parts.
- Fats provide energy and form part of the cell membrane. Fatty tissue protects and insulates the body.
- Proteins are needed for tissue growth and repair. They also play an important part in chemical reactions within cells.
- Vitamins and minerals are needed in small amounts to carry out chemical processes.
- Water is the most important nutrient because the body's vital processes take place in water.
- The Food Guide Pyramid classifies foods into six groups and indicates the number of daily servings from each group. Food labels allow you to evaluate a single food as well as to compare the nutritional value of different foods.

Key Terms

nutrient
calorie
carbohydrate
glucose
fat
protein
amino acid
vitamin
mineral
Food Guide Pyramid
Percent Daily Value
Dietary Reference Intakes (DRIs)

2 The Digestive Process Begins

Key Concepts

- The digestive system breaks down food into molecules the body can use. Then, the molecules are absorbed into the blood and carried throughout the body. Finally, wastes are eliminated.
- Both mechanical and chemical digestion begin in the mouth.
- In the esophagus, contractions of smooth muscles push the food toward the stomach.
- Most mechanical digestion and some chemical digestion occur in the stomach.

Key Terms

digestion
absorption
saliva
enzyme
epiglottis
esophagus
mucus
peristalsis
stomach

3 Final Digestion and Absorption

Key Concepts

- Almost all chemical digestion and absorption of nutrients takes place in the small intestine.
- The liver produces bile, which breaks up fats.
- The pancreas produces enzymes that help break down starches, proteins, and fats.
- In the large intestine, water is absorbed into the bloodstream. The remaining material is readied for elimination.

Key Terms

small intestine
liver
bile
gallbladder
pancreas
villus
large intestine
rectum
anus

Review and Assessment

Go Online
PHSchool.com
For: Self-Assessment
Visit: PHSchool.com
Web Code: cha-3150

Organizing Information

Sequencing Copy the flowchart about digestion onto a separate sheet of paper. Then, complete it and add a title. (For more on Sequencing, see the Skills Handbook.)

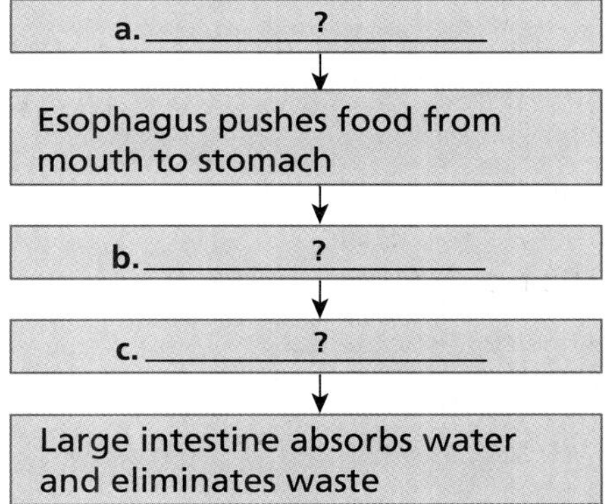

Reviewing Key Terms

Choose the letter of the best answer.

1. The building blocks of proteins are
   a. vitamins.
   b. minerals.
   c. amino acids.
   d. fats.
2. According to the Food Guide Pyramid, from which group should you eat the most servings?
   a. milk, yogurt, and cheese
   b. meat, poultry, fish, beans, eggs, and nuts
   c. vegetables
   d. bread, cereal, rice, and pasta
3. The enzyme in saliva chemically breaks down
   a. fats.
   b. proteins.
   c. glucose.
   d. starches.
4. Most mechanical digestion takes place in the
   a. liver.
   b. esophagus.
   c. stomach.
   d. small intestine.
5. Bile is produced by the
   a. liver.
   b. pancreas.
   c. small intestine.
   d. large intestine.

If the statement is true, write *true*. If it is false, change the underlined word or words to make the statement true.

6. Proteins that come from animal sources are incomplete proteins.
7. Vitamins are nutrients that are not made by living things.
8. To determine which of two cereals supplies more iron, check the Percent Daily Value on the food label.
9. Absorption moves food through the digestive system.
10. Most materials are absorbed into the bloodstream in the large intestine.

Writing in Science

Information Sheet You are a nutritionist assigned to work with a family trying to eat a more healthful diet. Write an instruction sheet outlining what kinds of foods they should eat. Provide some examples of each kind of food.

Food and Digestion
Video Preview
Video Field Trip
▶ Video Assessment

Review and Assessment

Checking Concepts

11. How does a person's level of physical activity affect his or her daily energy needs?

12. Why is fiber necessary in a person's diet?

13. In what order are the ingredients listed on a food label?

14. Describe the function of the epiglottis.

15. Explain the role of peristalsis.

16. What is the function of the pancreas in the digestive process?

17. What is the function of villi?

Thinking Critically

18. **Applying Concepts** Before winter, animals that hibernate often prepare by eating foods high in fat. How is this behavior helpful?

19. **Predicting** Suppose a medicine killed all the bacteria in your body. How might this affect vitamin production in your body?

20. **Inferring** Why is it important for people to chew their food thoroughly before swallowing?

21. **Relating Cause and Effect** How does the condition illustrated in the diagram below affect the esophagus?

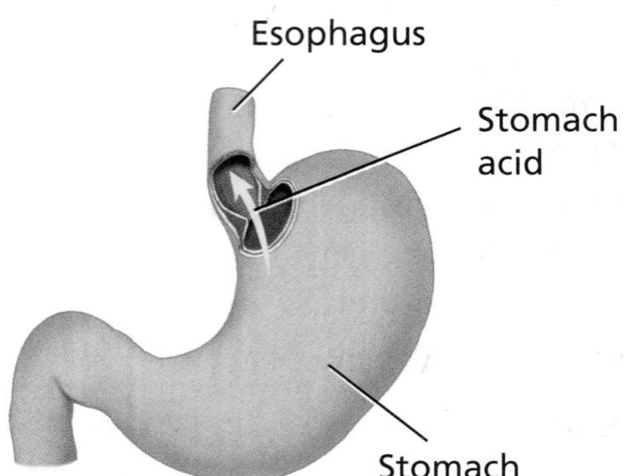

22. **Comparing and Contrasting** The digestive system is sometimes said to be "an assembly line in reverse." Identify some similarities and some differences between your digestive system and an assembly line.

Math Practice

23. **Percentage** Your aunt eats 250 Calories of protein and 1,800 Calories total for the day. Did she get enough protein on that particular day? Show your calculations.

Applying Skills

Use the table to answer Questions 24–27.

Comparing Nutrient Data

Food (1 cup)	Calcium (% Daily Value)	Calories	Calories From Fat
Chocolate milk	30	230	80
Low-fat milk	35	110	20
Plain yogurt	35	110	35

24. **Classifying** To which group in the Food Guide Pyramid do the foods in the chart belong? What is the recommended range of daily servings for that group?

25. **Interpreting Data** How many cups of low-fat milk provide 100% of the day's Daily Value for calcium?

26. **Calculating** Which of the foods meet the recommendation that no more than 30 percent of a food's Calories come from fat? Explain.

27. **Making Judgments** Which of the foods would be the most healthful choice for an afterschool snack? Explain your reasoning.

Lab zone Chapter Project

Performance Assessment Write a summary of what you've learned from keeping a food log. How close were your eating patterns to those recommended in the Food Guide Pyramid? How successful were you in making changes in your diet to match the Food Guide Pyramid?

Standardized Test Prep

Test-Taking Tip

Watching for Qualifiers

You may be asked to answer a question that uses a qualifying word such as *most, least, best,* or *except for.* For example, you may be asked what the *best* conclusion is according to experimental data. When you see this type of question, read the answer choices very carefully. More than one choice may be partially correct. Look for the answer choice that offers the best or most complete answer.

Sample Question

According to the Food Guide Pyramid, the *most* healthful diet includes limiting one's intake of

A sugar and fats.
B water.
C grains.
D fruits and vegetables.

Answer

Choice **A** is correct because sugars and fats should be eaten sparingly, as recommended by the Food Guide Pyramid. Choice **B** is incorrect because the body cannot function without water. Choices **C** and **D** are incorrect because the Food Guide Pyramid recommends several servings of these foods.

Choose the letter of the best answer.

1. Which of the following parts of the digestive system is *best* paired with its function?
A esophagus—digests carbohydrates
B stomach—digests fats
C small intestine—absorbs water
D liver—produces bile

2. A food label on a cereal box gives you the following information: a serving size equals one cup and there are 110 Calories per serving. You measure the amount of cereal you plan to eat and find that it measures 1 1/2 cups. How many Calories will you consume?
F 110 Calories
G 165 Calories
H 220 Calories
J 1,100 Calories

Use the table below and your knowledge of science to answer Questions 3 and 4.

Length of Time Food Stays in Organ

Organ	Time
Mouth	Less than 1 minute
Esophagus	Less than 1 minute
Stomach	1–3 hours
Small Intestine	1–6 hours
Large Intestine	12–36 hours

3. If a meal is eaten at noon, what is happening to the food at 1 P.M.?
A Saliva is breaking down starch into sugar.
B Proteins are being digested into short chains of amino acids.
C Fats are being digested.
D Digested food is being absorbed into the blood.

4. For food eaten at noon, absorption cannot have begun by
F 1 P.M.
G 7 P.M.
H 9 P.M.
J noon the next day.

5. Which of the following organs is *not* just a digestive organ?
A stomach
B liver
C small intestine
D large intestine

Constructed Response

6. Compare the processes of mechanical and chemical digestion. How are they similar? How are they different? In what parts of the digestive system do the two processes take place? How do the processes occur?

Chapter

16 Circulation

Chapter Preview

1. **The Body's Transport System**
   Discover *How Hard Does Your Heart Work?*
   Active Art *The Heart*
   Skills Activity *Creating Data Tables*
   Math Skills *Calculating a Rate*
   Skills Lab *Heart Beat, Health Beat*

2. **Blood and Lymph**
   Discover *What Kinds of Cells Are in Blood?*
   Try This *Caught in the Web*
   Analyzing Data *Blood Type Distribution*
   At-Home Activity *What's Your Blood Type?*

3. **Cardiovascular Health**
   Discover *Which Foods Are "Heart Healthy"?*
   Try This *Blocking the Flow*
   At-Home Activity *Heart-Healthy Activities*
   Skills Lab *Do You Know Your A-B-O's?*

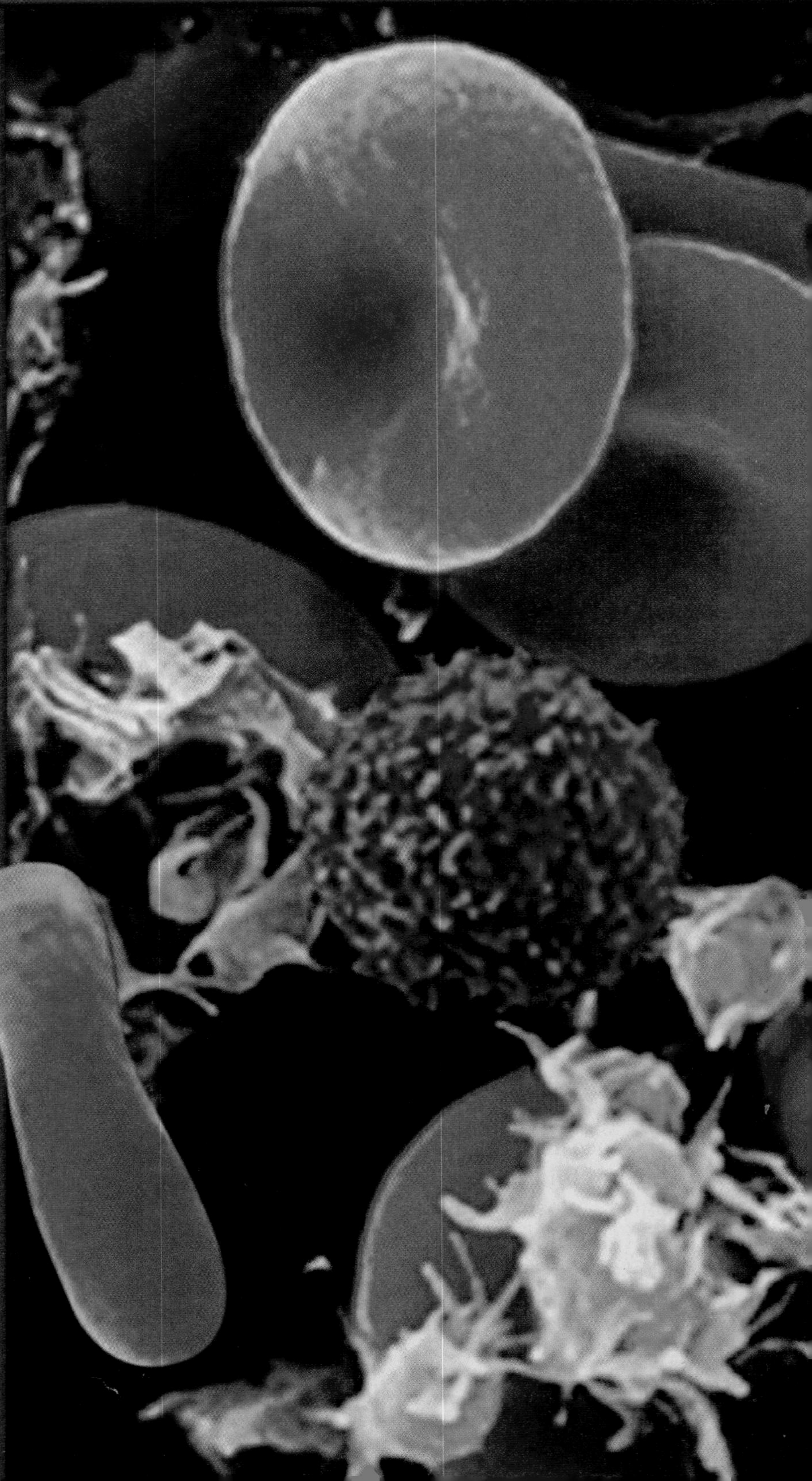

Blood cells travel in blood vessels to all parts of the body. ▶

Circulation

- ▶ **Video Preview**
- **Video Field Trip**
- **Video Assessment**

Lab zone™ Chapter **Project**

Travels of a Red Blood Cell

Every day, you travel from home to school and back home again. Your travel path makes a loop, or circuit, ending where it began. In this chapter, you'll learn how your blood also travels in circuits. In this project, you'll create a display to show how blood circulates throughout the body.

Your Goal To design and construct a display showing a complete journey of a red blood cell through the human body

Your display must

- show a red blood cell that leaves from the heart and returns to the same place
- show where the exchange of oxygen and carbon dioxide takes place
- provide written descriptions of the circuits made by the red blood cell
- be designed following the safety guidelines in Appendix A

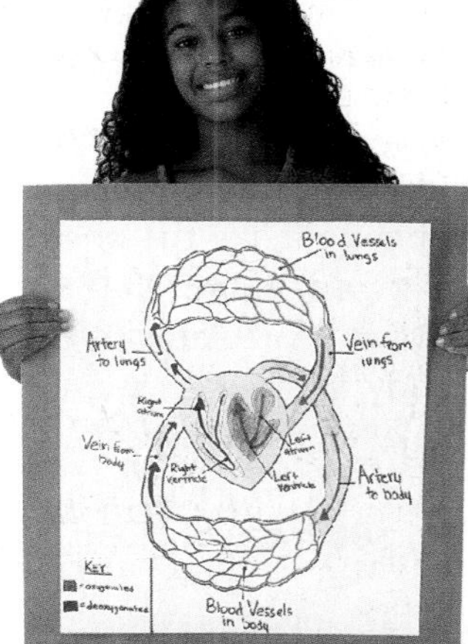

Plan It! Preview the chapter and find diagrams that show the heart, red blood cells, and the pathway of blood throughout the body. Then discuss the kinds of displays you could use, including a three-dimensional model, posters, a series of drawings, a flip book, or a video animation. Write down any content questions you'll need to answer.

Section 1

The Body's Transport System

Reading Preview

Key Concepts

- What are the functions of the cardiovascular system?
- What is the function and structure of the heart?
- What path does blood take through the cardiovascular system?
- What are the functions and structures of arteries, capillaries, and veins?

Key Terms

- cardiovascular system • heart
- atrium • pacemaker
- ventricle • valve • artery
- capillary • vein • aorta
- coronary artery • pulse
- diffusion • blood pressure

Target Reading Skill

Sequencing As you read, make a cycle diagram like the one below that shows the path that blood follows as it circulates throughout the body. Write each step of the pathway in a separate circle.

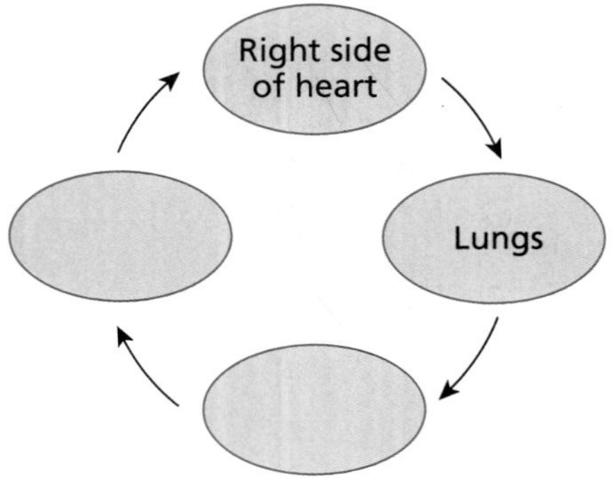

Lab zone Discover Activity

How Hard Does Your Heart Work?

1. Every minute, your heart beats about 75 to 85 times. With each beat, it pumps about 60 milliliters of blood. Can you work as hard and fast as your heart does?
2. Cover a table or desk with newspapers. Place two large plastic containers side by side on the newspapers. Fill one with 2.5 liters of water, which is about the volume of blood that your heart pumps in 30 seconds. Leave the other container empty.
3. With a plastic cup that holds about 60 milliliters, transfer water as quickly as possible into the empty container, trying not to spill any. **CAUTION:** *Wipe up spills on the floor immediately.* Have a partner time you for 30 seconds. As you work, count how many transfers you make in 30 seconds.
4. Multiply your results by 2 to find the number of transfers in 1 minute.

Think It Over

Inferring Compare your performance with the number of times your heart beats every minute. What do your results tell you about the strength and speed of a heartbeat?

Late at night, a truck rolls through the darkness. Loaded with fresh fruits and vegetables, the truck is headed for a city supermarket. The driver steers off the interstate and onto a smaller highway. Finally, after driving through narrow city streets, the truck reaches its destination. As dawn breaks, store workers unload the cargo. At the same time, a garbage truck removes yesterday's trash and drives off down the road.

The Cardiovascular System

Like the roads that link all parts of the country, your body has a "highway" network, called the cardiovascular system, that links all parts of your body. The **cardiovascular system,** also called the circulatory system, consists of the heart, blood vessels, and blood. **The cardiovascular system carries needed substances to cells and carries waste products away from cells. In addition, blood contains cells that fight disease.**

Delivering Needed Materials Most substances that need to get from one part of the body to another are carried by blood. For example, blood carries oxygen from your lungs to your other body cells. Blood also transports the glucose your cells use to produce energy.

Removing Waste Products The cardiovascular system picks up wastes from cells. For example, when cells break down glucose, they produce carbon dioxide as a waste product. The carbon dioxide passes from the cells into the blood. The cardiovascular system then carries carbon dioxide to the lungs, where it is exhaled.

Fighting Disease The cardiovascular system also transports cells that attack disease-causing microorganisms. This process can help keep you from becoming sick. If you do get sick, these disease-fighting blood cells will kill the microorganisms and help you get well.

Reading Checkpoint **How does the cardiovascular system help fight disease?**

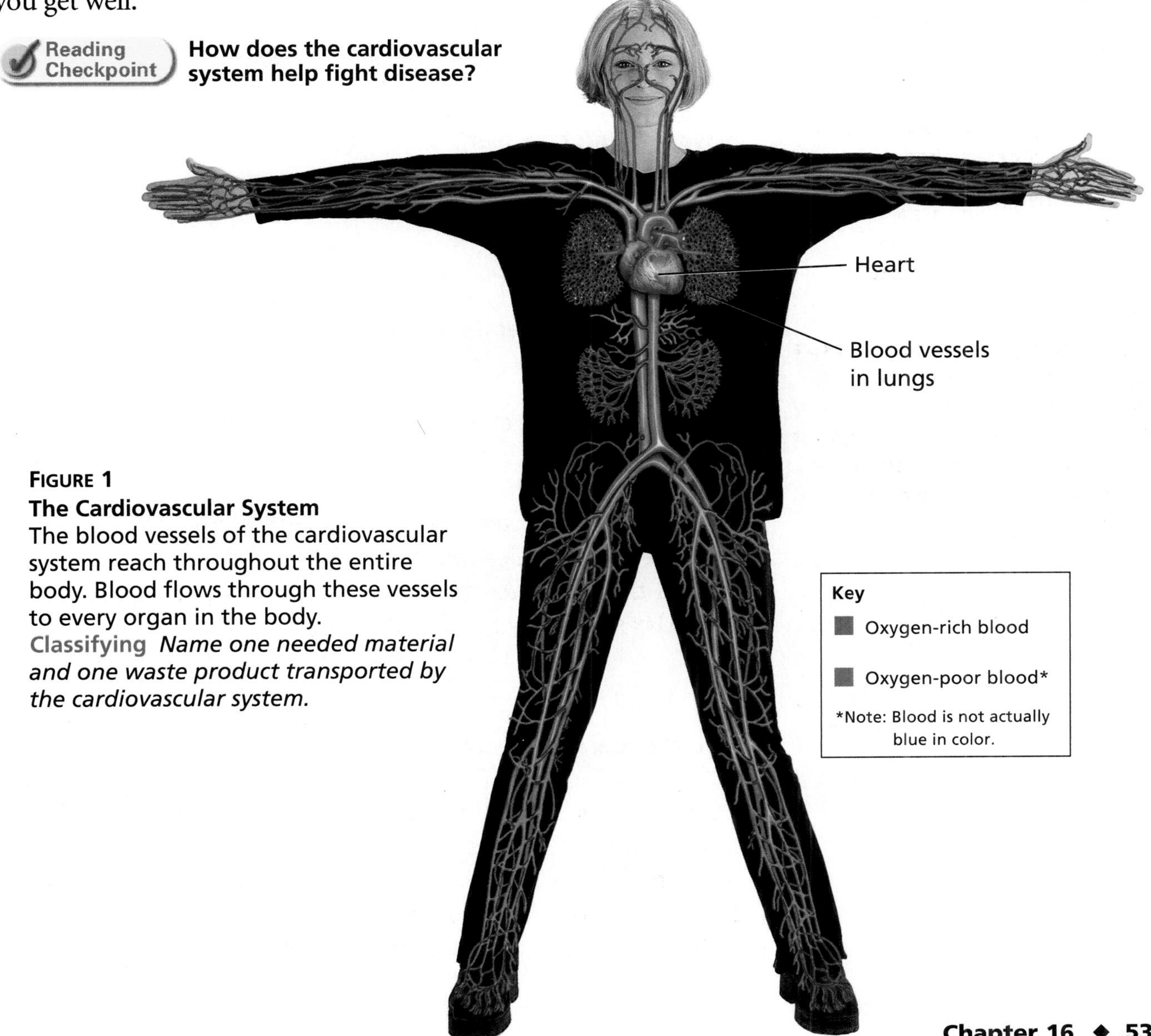

FIGURE 1
The Cardiovascular System
The blood vessels of the cardiovascular system reach throughout the entire body. Blood flows through these vessels to every organ in the body.
Classifying *Name one needed material and one waste product transported by the cardiovascular system.*

Go Online active art

For: The Heart activity
Visit: PHSchool.com
Web Code: cep-4031

The Heart

Without the heart, blood wouldn't go anywhere. The **heart** is a hollow, muscular organ that pumps blood throughout the body. **Each time the heart beats, it pushes blood through the blood vessels of the cardiovascular system.**

Your heart, shown in Figure 2, is about the size of your fist. It is located in the center of your chest. The heart lies behind the sternum (breastbone) and inside the rib cage. It is made of cardiac muscle, which can contract over and over without getting tired.

FIGURE 2
The Heart

Every second of your life, your heart pumps blood through your body. In a year, the heart pumps enough blood to fill more than 30 competition-size swimming pools.

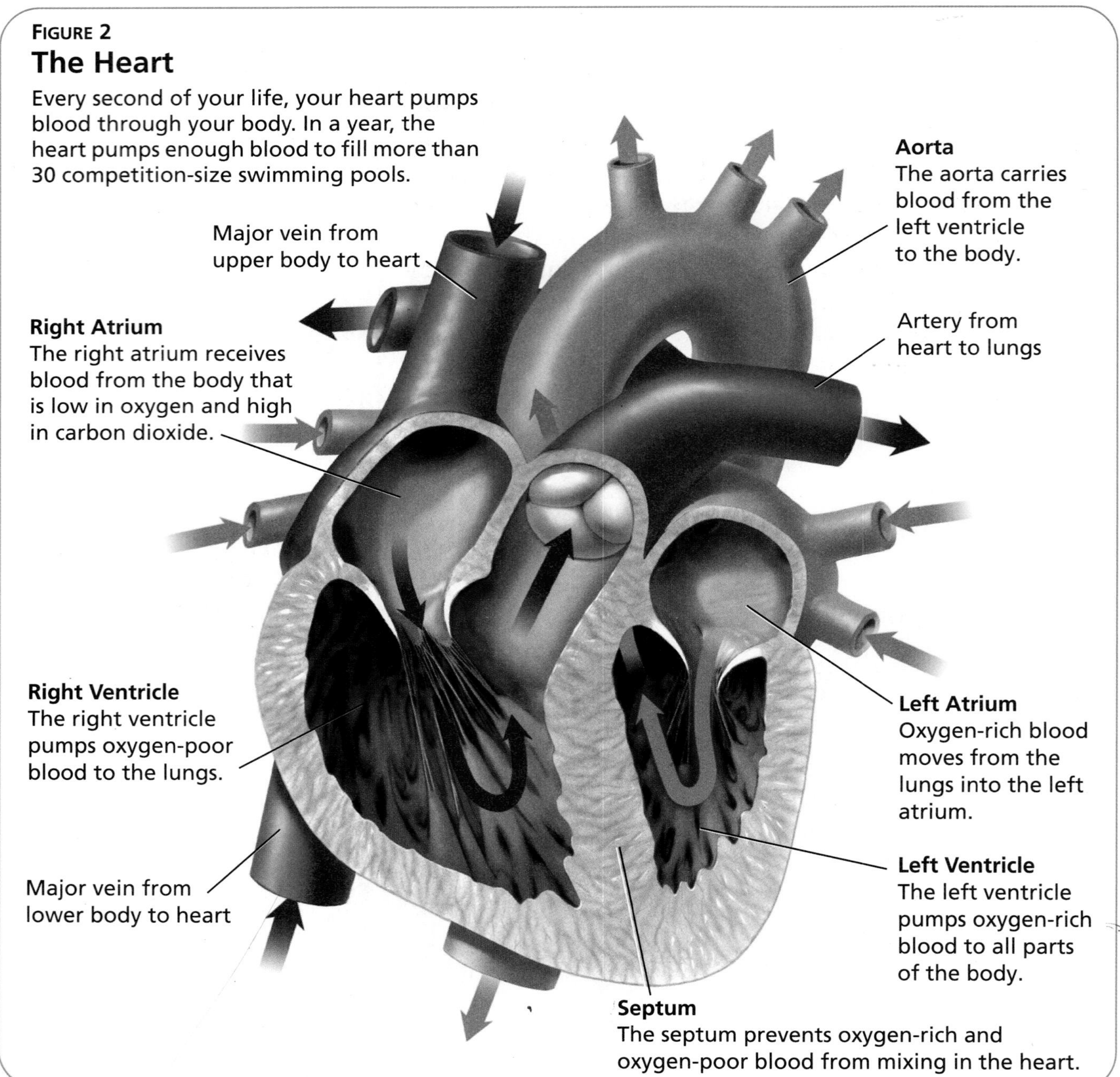

Major vein from upper body to heart
Aorta
The aorta carries blood from the left ventricle to the body.
Right Atrium
The right atrium receives blood from the body that is low in oxygen and high in carbon dioxide.
Artery from heart to lungs
Right Ventricle
The right ventricle pumps oxygen-poor blood to the lungs.
Left Atrium
Oxygen-rich blood moves from the lungs into the left atrium.
Major vein from lower body to heart
Left Ventricle
The left ventricle pumps oxygen-rich blood to all parts of the body.
Septum
The septum prevents oxygen-rich and oxygen-poor blood from mixing in the heart.

The Heart's Structure The heart has a right side and a left side. **The right side of the heart is completely separated from the left side by a wall of tissue called the septum. Each side has two compartments, or chambers—an upper chamber and a lower chamber.** Each of the two upper chambers, called an **atrium** (AY tree um) (plural *atria*), receives blood that comes into the heart. Located in the right atrium is a group of heart cells called the **pacemaker,** which sends out signals that make the heart muscle contract.

Each lower chamber, called a **ventricle,** pumps blood out of the heart. The atria are separated from the ventricles by valves. A **valve** is a flap of tissue that prevents blood from flowing backward. Valves are also located between the ventricles and the large blood vessels that carry blood away from the heart.

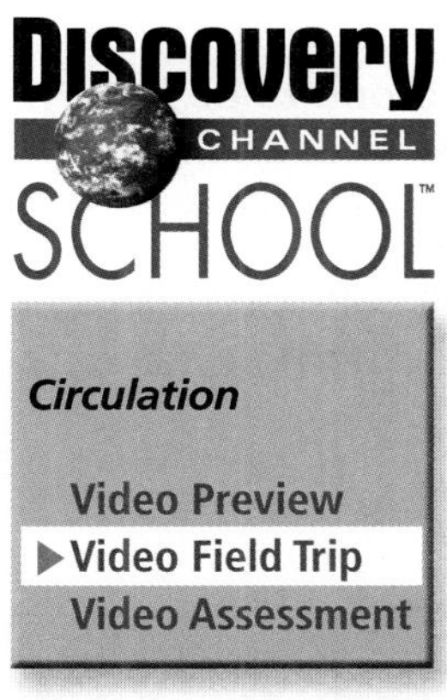

How the Heart Works The action of the heart has two main phases. In one phase, the heart muscle relaxes and the heart fills with blood. In the other phase, the heart muscle contracts and pumps blood forward. A heartbeat, which sounds something like *lub-dup*, can be heard during the pumping phase.

When the heart muscle relaxes, blood flows into the chambers. Then, the atria contract, squeezing blood out of the atria, through the valves, and into the ventricles. Next, the ventricles contract. This contraction closes the valves between the atria and ventricles, making the *lub* sound and squeezing blood into large blood vessels. As the valves between the ventricles and the blood vessels snap shut, they make the *dup* sound.

When muscle cells in the ventricles contract, they exert a force on the blood. A force is a push or a pull. The force exerted by the ventricles pushes blood out of your heart and into arteries. The contraction of the left ventricle exerts much more force than the contraction of the right ventricle.

What is the role of the pacemaker?

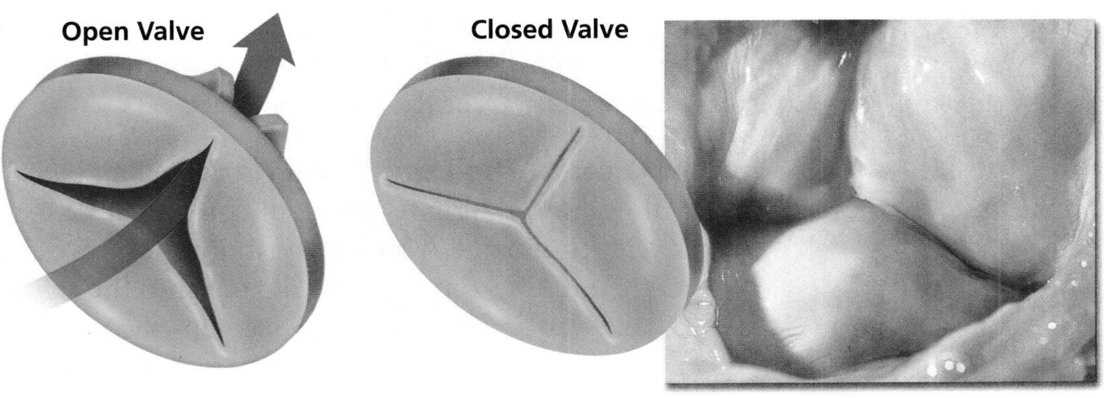

FIGURE 3
Open and Closed Heart Valves
As blood flows out of the heart and toward the lungs, it passes through a valve like the one in the photograph. Applying Concepts *What is the function of a closed heart valve?*

FIGURE 4
Getting Blood to Body Cells
During strenuous exercise, such as swimming, the pattern of blood flow through the body ensures that body cells get the oxygen they need quickly and efficiently.

Two Loops

After leaving the heart, blood travels in blood vessels through the body. Your body has three kinds of blood vessels—arteries, capillaries, and veins. **Arteries** are blood vessels that carry blood away from the heart. From the arteries, blood flows into tiny, narrow vessels called **capillaries.** In the capillaries, substances are exchanged between the blood and body cells. From capillaries, blood flows into **veins,** blood vessels that carry blood back to the heart.

Pattern of Blood Flow The overall pattern of blood flow through the body is something like a figure eight. The heart is at the center where the two loops cross. **In the first loop, blood travels from the heart to the lungs and then back to the heart. In the second loop, blood is pumped from the heart throughout the body and then returns again to the heart.** The heart is really two pumps, one on the right and one on the left. The right side pumps blood to the lungs, and the left side pumps blood to the rest of the body.

Blood travels in only one direction. If you were a drop of blood, you could start at any point and eventually return to the same point. The entire trip would take less than a minute. As you read about the path that blood takes through the cardiovascular system, trace the path in Figure 5.

Loop One: To the Lungs and Back When blood from the body flows into the right atrium, it contains little oxygen but a lot of carbon dioxide. This oxygen-poor blood is dark red. The blood then flows from the right atrium into the right ventricle. Then, the ventricle pumps the oxygen-poor blood into the arteries that lead to the lungs.

Lab zone Skills Activity

Creating Data Tables

Scientists measured the volume of blood that different organs receive, at rest and during vigorous exercise.

- At rest, the organs of the abdomen received about 1,400 mL of blood per minute (mL/min). During vigorous exercise, they received 600 mL/min.
- At rest, skeletal muscles received 1,200 mL/min. During vigorous exercise, they received about 12,500 mL/min.
- At rest, the kidneys received 1,100 mL/min. During vigorous exercise, they received about 600 mL/min.

Create a table to record these data. Then, use the data to explain why some organs receive more blood during exercise than others.

As blood flows through the lungs, large blood vessels branch into smaller ones. Eventually, blood flows through tiny capillaries that are in close contact with the air that comes into the lungs. The air in the lungs has more oxygen than the blood in the capillaries, so oxygen moves from the lungs into the blood. For the same reason, carbon dioxide moves in the opposite direction—from the blood into the lungs. As the blood leaves the lungs, it is now rich in oxygen and poor in carbon dioxide. This blood, which is bright red, flows to the left side of the heart and will be pumped through the second loop.

Loop Two: To the Body and Back The second loop begins as the left atrium fills with oxygen-rich blood coming from the lungs. The blood then moves into the left ventricle. From the left ventricle, the blood is pumped into the **aorta** (ay AWR tuh), the largest artery in the body.

Eventually, after passing through branching arteries, blood flows through tiny capillaries in different parts of your body, such as your brain, liver, and legs. These vessels are in close contact with body cells. Oxygen moves out of the blood and into the body cells. At the same time, carbon dioxide passes from the body cells and into the blood. This blood, which is low in oxygen, then flows back to the right atrium of the heart through veins, completing the second loop.

FIGURE 5
Direction of Blood Flow
Blood circulates through the body in two loops, with the heart at the center. Loop one goes from the heart to the lungs and back. Loop two circulates blood throughout the rest of the body.
Interpreting Diagrams *Where does the blood that enters the left atrium come from?*

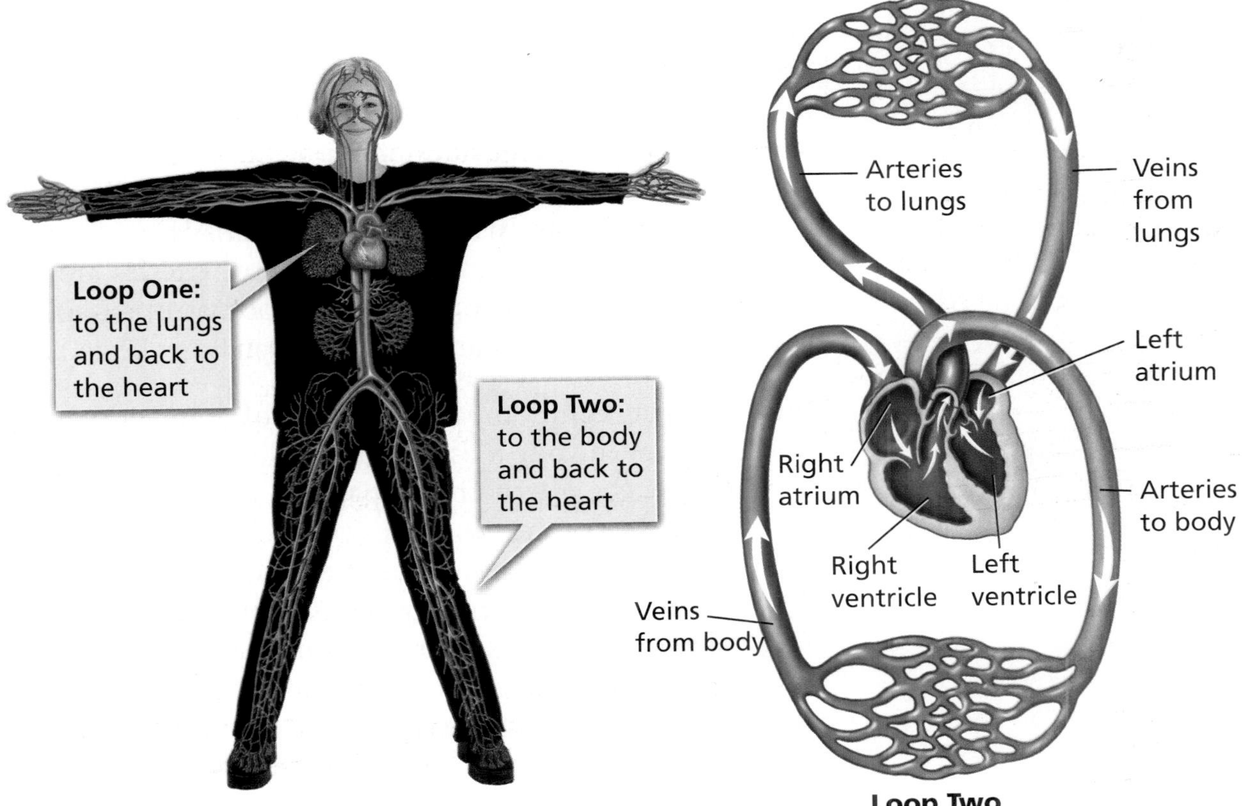

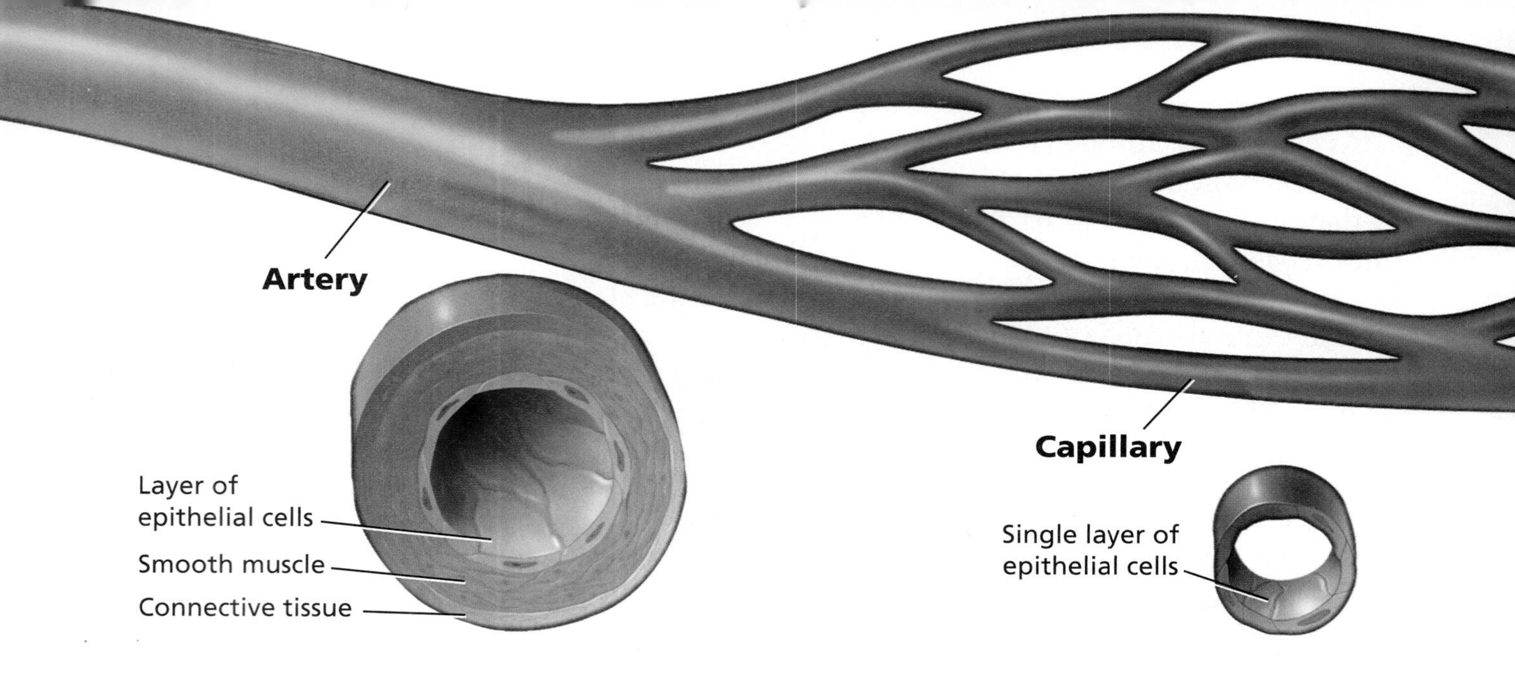

FIGURE 6
Artery, Capillary, and Vein
The walls of arteries and veins have three layers. The walls of capillaries are only one cell thick. **Relating Cause and Effect** *How does material get from inside capillaries to body cells?*

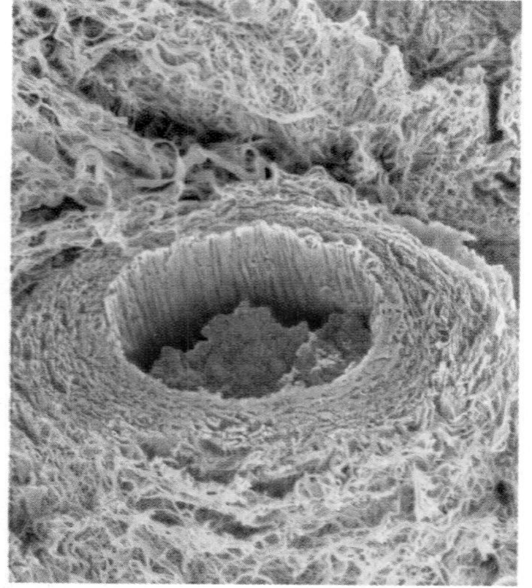

▲ The artery wall appears as a thick pink band surrounding a clump of red blood cells.

Arteries

When blood leaves the heart, it travels through arteries. The right ventricle pumps blood into the arteries that go to the lungs. The left ventricle pumps blood into the aorta. Smaller arteries branch off the aorta. The first branches, called the **coronary arteries,** carry blood to the heart itself. Other branches carry blood to the brain, intestines, and other organs. Each artery branches into smaller and smaller arteries.

Artery Structure **The walls of arteries are generally very thick. In fact, artery walls consist of three cell layers.** The innermost layer, which is made up of epithelial cells, is smooth. This smooth surface enables blood to flow freely. The middle layer consists mostly of muscle tissue. The outer wall is made up of flexible connective tissue. Because of this layered structure, arteries have both strength and flexibility. Arteries are able to withstand the enormous pressure of blood as it is pumped by the heart and to expand and relax between heart beats.

Pulse If you lightly touch the inside of your wrist, you can feel the artery in your wrist rise and fall repeatedly. This **pulse** is caused by the alternating expansion and relaxation of the artery wall. Every time the heart's ventricles contract, they send a spurt of blood out through all the arteries in your body. As this spurt travels through the arteries, it pushes the artery walls and makes them expand. After the spurt passes, the artery walls relax and become narrower again.

When you count the number of times an artery pulses beneath your fingers, you are counting heartbeats. By taking your pulse rate, you can determine how fast your heart is beating.

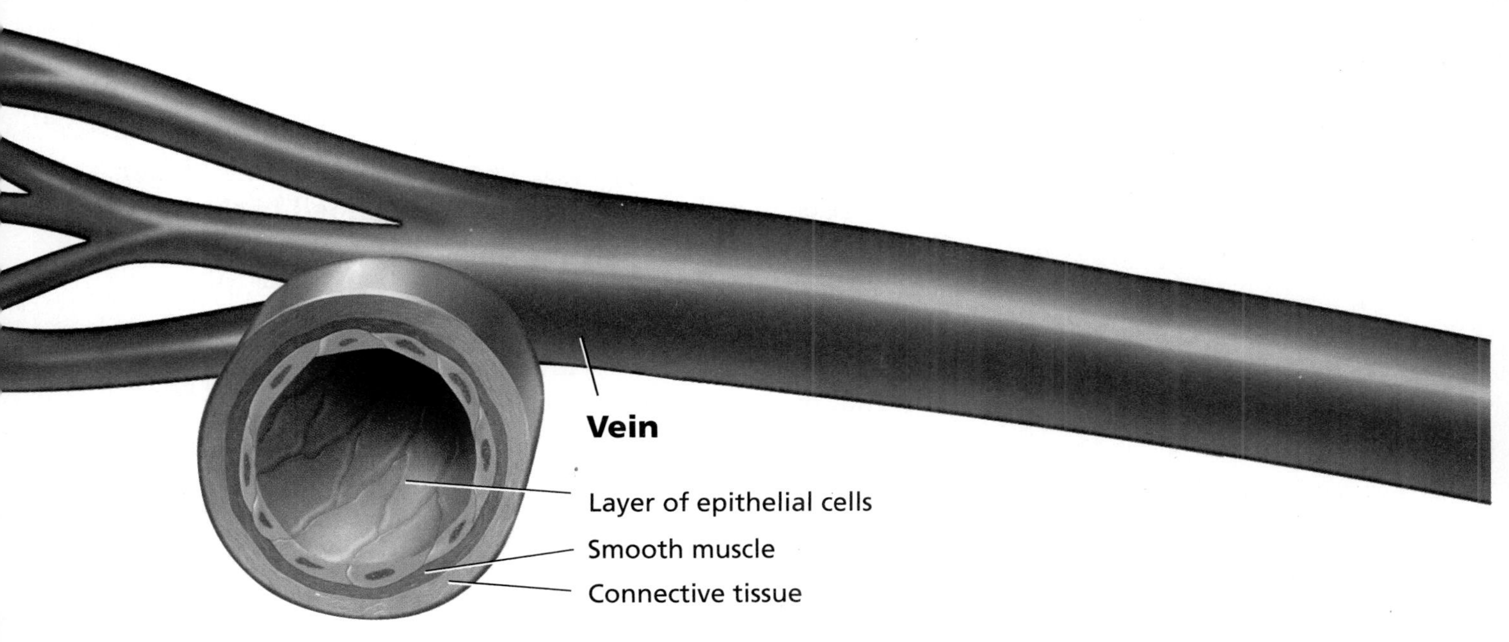

Regulating Blood Flow The layer of muscle in an artery acts as a control gate, adjusting the amount of blood sent to different organs. When the muscle contracts, the opening in the artery becomes smaller. When the muscle relaxes, the opening becomes larger. For example, after you eat, your stomach and intestines need a greater blood supply for digestion. The arteries leading to those organs open wider, and more blood flows through them. In contrast, when you are running, your stomach and intestines need less blood than the muscles in your legs. The arteries leading to the digestive organs become narrower, decreasing the blood flow to these organs.

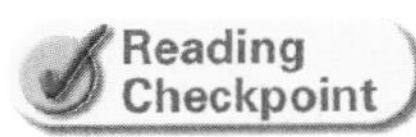

What causes your pulse?

Capillaries

Eventually, blood flows from small arteries into the tiny capillaries. **In the capillaries, materials are exchanged between the blood and the body's cells. Capillary walls are only one cell thick.** Thus, materials can pass easily through them. Materials such as oxygen and glucose pass from the blood, through the capillary walls, to the cells. Cellular waste products travel in the opposite direction—from cells, through the capillary walls, and into the blood.

One way that materials are exchanged between the blood and body cells is by diffusion. **Diffusion** is the process by which molecules move from an area of higher concentration to an area of lower concentration. For example, glucose is more highly concentrated in the blood than it is in the body cells. Therefore, glucose diffuses from the blood into the body cells.

Math Skills

Calculating a Rate

A rate is the speed at which something happens. When you calculate a rate, you compare the number of events with the time period in which they occur. Here's how to calculate the pulse rate of a person whose heart beats 142 times in 2 minutes.

1. Write the comparison as a fraction.

$$\frac{\text{142 heartbeats}}{\text{2 minutes}}$$

2. Divide the numerator and the denominator by 2.

$$\frac{142 \div 2}{2 \div 2} = \frac{71}{1}$$

The person's pulse rate is 71 heartbeats per minute.

Practice Problem Calculate your pulse rate if your heart beats 170 times in 2.5 minutes.

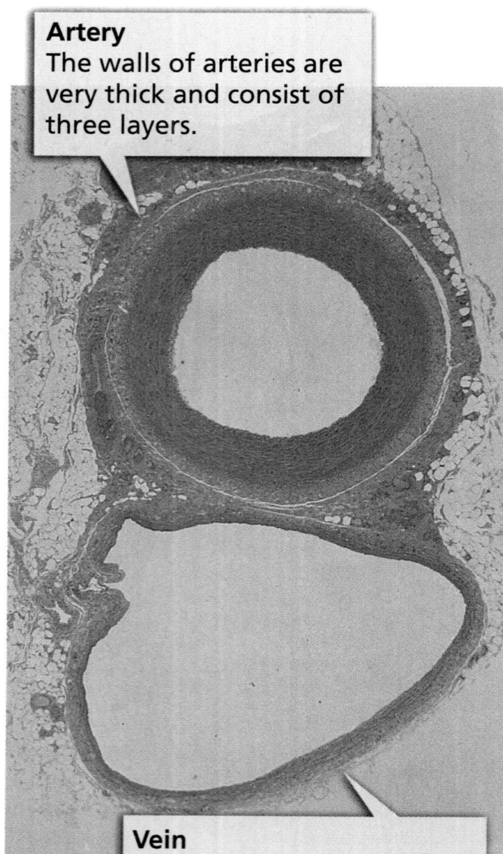

Artery
The walls of arteries are very thick and consist of three layers.
Vein
Although the walls of veins also consist of three layers, they are much thinner than the walls of arteries.

FIGURE 7
Artery and Vein
In this photo, you can compare the wall of an artery (top) with the wall of a vein (bottom).
Comparing and Contrasting
Where is the pushing force of the heart greater—in arteries or in veins?

Veins

After blood moves through capillaries, it enters larger blood vessels called veins, which carry blood back to the heart. The walls of veins, like those of arteries, have three layers, with muscle in the middle layer. However, the walls of veins are generally much thinner than those of arteries.

By the time blood flows into veins, the pushing force of the heart has much less effect than it did in the arteries. Several factors help move blood through veins. First, because many veins are located near skeletal muscles, the contraction of the muscles helps push the blood along. For example, as you run or walk, the skeletal muscles in your legs contract and squeeze the veins in your legs. Second, larger veins in your body have valves in them that prevent blood from flowing backward. Third, breathing movements, which exert a squeezing pressure against veins in the chest, also force blood toward the heart.

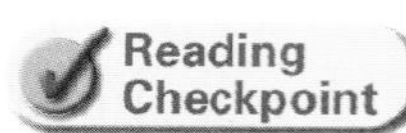

How do skeletal muscles help move blood in veins?

Blood Pressure

Suppose that you are washing a car. You attach the hose to the faucet and turn on the faucet. The water flows out in a slow, steady stream. Then, while your back is turned, your little brother turns the faucet on all the way. Suddenly, the water spurts out rapidly, and the hose almost jumps out of your hand.

As water flows through a hose, it pushes against the walls of the hose, creating pressure on the walls. Pressure is the force that something exerts over a given area. When your brother turned on the faucet all the way, the additional water flow increased the pressure exerted on the inside of the hose. The extra pressure made the water spurt out of the nozzle faster.

What Causes Blood Pressure? Blood traveling through blood vessels behaves in a manner similar to that of water moving through a hose. Blood exerts a force, called **blood pressure,** against the walls of blood vessels. Blood pressure is caused by the force with which the ventricles contract. In general, as blood moves away from the heart, blood pressure decreases. This change happens because the farther away from the ventricle the blood moves, the lower its force is. Blood flowing near the heart arteries exerts the highest pressure. Blood pressure in arteries farther from the heart is much lower.

Measuring Blood Pressure Blood pressure can be measured with an instrument called a sphygmomanometer (sfig moh muh NAHM uh tur). A cuff is wrapped around the upper arm. Air is pumped into the cuff until the blood flow through the artery is stopped. As the pressure is released, the examiner listens to the pulse and records two numbers. Blood pressure is expressed in millimeters of mercury. The first number is a measure of the blood pressure while the heart's ventricles contract and pump blood into the arteries. The second number, which is lower, measures the blood pressure while the ventricles relax. The two numbers are expressed as a fraction: the contraction pressure over the relaxation pressure.

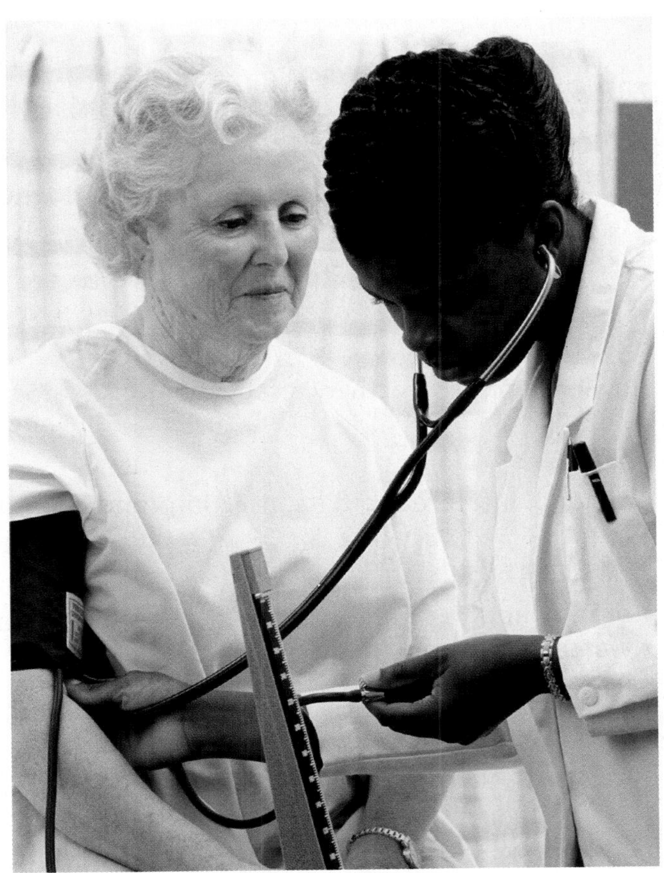

FIGURE 8
Measuring Blood Pressure
Blood pressure can be measured with a sphygmomanometer. A typical blood pressure reading for a healthy person is 120/80 or lower.

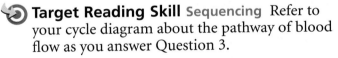

Section 1 Assessment

Target Reading Skill Sequencing Refer to your cycle diagram about the pathway of blood flow as you answer Question 3.

Reviewing Key Concepts

1. a. Reviewing What does the cardiovascular system consist of?
   b. Classifying What three functions does the cardiovascular system perform?
2. a. Identifying What function does the heart perform?
   b. Summarizing What are the four chambers of the heart? What structures separate one chamber from another?
   c. Predicting What would happen if the valve between the right atrium and the right ventricle did not work properly?
3. a. Identifying Where does blood returning from the body enter the heart?
   b. Sequencing Where does the blood move next?
4. a. Describing What roles do arteries, capillaries, and veins play in the cardiovascular system?
   b. Comparing and Contrasting How are the structures of arteries, capillaries, and veins similar? How are they different?

Math Practice

Before a run, you take your pulse rate for 30 seconds and count 29 beats. Immediately after the run, you count 63 beats in 30 seconds.

5. Calculating a Rate What was your pulse rate per minute before the run?
6. Calculating a Rate What was your pulse rate immediately after the run?

Lab zone **Skills Lab**

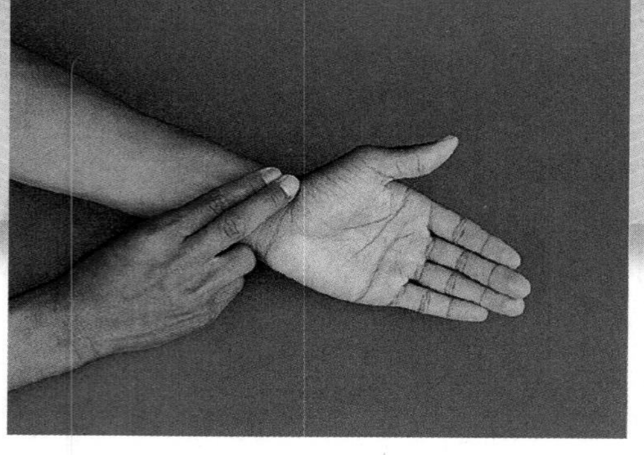

Heart Beat, Health Beat

Problem

How does physical activity affect your pulse rate?

Skills Focus

graphing, interpreting data, drawing conclusions

Materials

- graph paper
- watch with second hand or heart rate monitor

Procedure

1. Predict how your pulse rate will change as you go from resting to being active, then back to resting again. Then, copy the data table into your notebook.
2.  Locate your pulse by placing the index and middle finger of one hand on your other wrist at the base of your thumb. Move the two fingers slightly until you feel your pulse. If you are using a heart rate monitor, see your teacher for instructions.
3. Work with a partner for the rest of this lab. Begin by determining your resting pulse rate. Count the number of beats in your pulse for exactly 1 minute while your partner times you. Record your resting pulse rate in your data table. **CAUTION:** *Do not complete the rest of this lab if there is any medical reason why you should avoid physical activities.*

Data Table	
Activity	**Pulse Rate**
Resting	
Walking	
Running	
Resting after exercise (1 min)	
Resting after exercise (3+ min)	

4. Walk in place for 1 minute while your partner times you. Stop and immediately take your pulse for 1 minute. Record the number in your data table.
5. Run in place for 1 minute. Take your pulse again, and record the result.
6. Sit down right away, and have your partner time you as you rest for 1 minute. Then, take your pulse rate again.
7. Have your partner time you as you rest for 3 more minutes. Then take your pulse rate again and record it.

Analyze and Conclude

1. **Graphing** Use the data you obtained to create a bar graph of your pulse rate under the different conditions you tested.
2. **Interpreting Data** What happens to the pulse rate when the physical activity has stopped?
3. **Inferring** What can you infer about the heartbeat when the pulse rate increases?
4. **Drawing Conclusions** What conclusion can you draw about the relationship between physical activity and a person's pulse rate?
5. **Communicating** How could you improve the accuracy of your pulse measurements? Write a paragraph in which you discuss this question in relation to the steps you followed in your procedure.

Design an Experiment

Design an experiment to determine whether the resting pulse rates of adults, teens, and young children differ. *Obtain your teacher's permission before carrying out your investigation.*

For: Data sharing
Visit: PHSchool.com
Web Code: ced-4032

Section 2

Blood and Lymph

Reading Preview

Key Concepts

- What are the components of blood?
- What determines the type of blood that a person can receive in a transfusion?
- What are the structures and functions of the lymphatic system?

Key Terms

- plasma
- red blood cell
- hemoglobin
- white blood cell
- platelet
- lymphatic system
- lymph
- lymph node

Target Reading Skill

Identifying Main Ideas As you read the section titled Blood, write the main idea in a graphic organizer like the one below. Then, write four supporting details that give examples of the main idea.

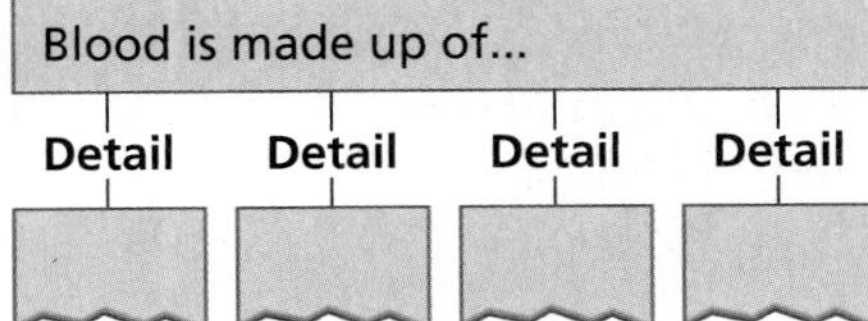

Lab zone Discover Activity

What Kinds of Cells Are in Blood?

1. Obtain a microscope slide of human blood. Look at the slide under the microscope, first under low power and then under high power.
2. Look carefully at the different kinds of cells that you see.
3. Make several drawings of each kind of cell. Use red pencil for the red blood cells.

Think It Over

Observing How many kinds of cells did you see? How do they differ from one another?

While riding your bike through the neighborhood, you take a tumble and scrape your knee. Your knee begins to sting, and you notice blood oozing from the wound. You go inside to clean the wound. As you do, you wonder, "Just what is blood?"

Blood

Blood may seem like just a plain red liquid, but it is actually a complex tissue that has several parts. **Blood is made up of four components: plasma, red blood cells, white blood cells, and platelets.** About 45 percent of the volume of blood is cells. The rest is plasma.

Plasma Most of the materials transported in the blood travel in the plasma. **Plasma** is the liquid part of the blood. Water makes up 90 percent of plasma. The other 10 percent is dissolved materials. Plasma carries nutrients, such as glucose, fats, vitamins, and minerals. Plasma also carries chemical messengers that direct body activities such as the uptake of glucose by your cells. In addition, many wastes produced by cell processes are carried away by plasma.

Protein molecules give plasma its yellow color. There are three groups of plasma proteins. One group helps to regulate the amount of water in blood. The second group, which is produced by white blood cells, helps fight disease. The third group of proteins interacts with platelets to form blood clots.

Red Blood Cells Without red blood cells, your body could not use the oxygen that you breathe in. **Red blood cells** take up oxygen in the lungs and deliver it to cells elsewhere in the body. Red blood cells, like most blood cells, are produced in bone marrow. Under a microscope, these cells look like disks with pinched-in centers. Because of their pinched shape, red blood cells are thin in the middle and can bend and twist easily. This flexibility enables them to squeeze through narrow capillaries.

A red blood cell is made mostly of **hemoglobin** (HEE muh gloh bin), which is an iron-containing protein that binds chemically to oxygen molecules. When hemoglobin combines with oxygen, the cells become bright red. Without oxygen, the cells are dark red. Thus, blood leaving the heart through the aorta is bright red, whereas blood returning from the body to the heart through veins is dark red. Hemoglobin picks up oxygen in the lungs and releases it as blood travels through capillaries in the rest of the body. Hemoglobin also picks up some of the carbon dioxide produced by cells. However, most of the carbon dioxide is carried by plasma. The blood carries the carbon dioxide to the lungs, where it is released from the body.

Mature red blood cells have no nuclei. Without a nucleus, a red blood cell cannot reproduce or repair itself. Mature red blood cells live only about 120 days. Every second, about 2 million red blood cells in your body die. Fortunately, your bone marrow produces new red blood cells at the same rate.

Reading Checkpoint **What is hemoglobin?**

White Blood Cells Like red blood cells, white blood cells are produced in bone marrow. **White blood cells** are the body's disease fighters. Some white blood cells recognize disease-causing organisms, such as bacteria, and alert the body that it has been invaded. Other white blood cells produce chemicals to fight the invaders. Still others surround and kill the organisms.

White blood cells are different from red blood cells in several important ways. There are fewer of them—only about one white blood cell for every 500 to 1,000 red blood cells. White blood cells are also larger than red blood cells. In addition, white blood cells contain nuclei. Most white blood cells can live for months or even years.

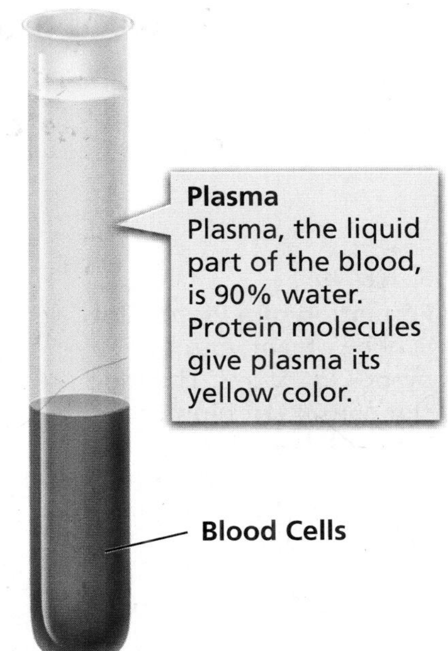

Plasma
Plasma, the liquid part of the blood, is 90% water. Protein molecules give plasma its yellow color.
Blood Cells

FIGURE 9
Parts of Blood
Blood consists of liquid plasma and three kinds of cells—red blood cells, white blood cells, and platelets.
Observing *Describe the shape of a red blood cell.*

Red Blood Cells
Oxygen is carried throughout your body by red blood cells. Your blood contains more red blood cells than any other kind of cell.

White Blood Cells
By finding and destroying disease-causing organisms, white blood cells fight disease.

Platelets
When you cut yourself, platelets help form the blood clot that stops the bleeding. Platelets aren't really whole cells. Instead, they are small pieces of cells and do not have nuclei.

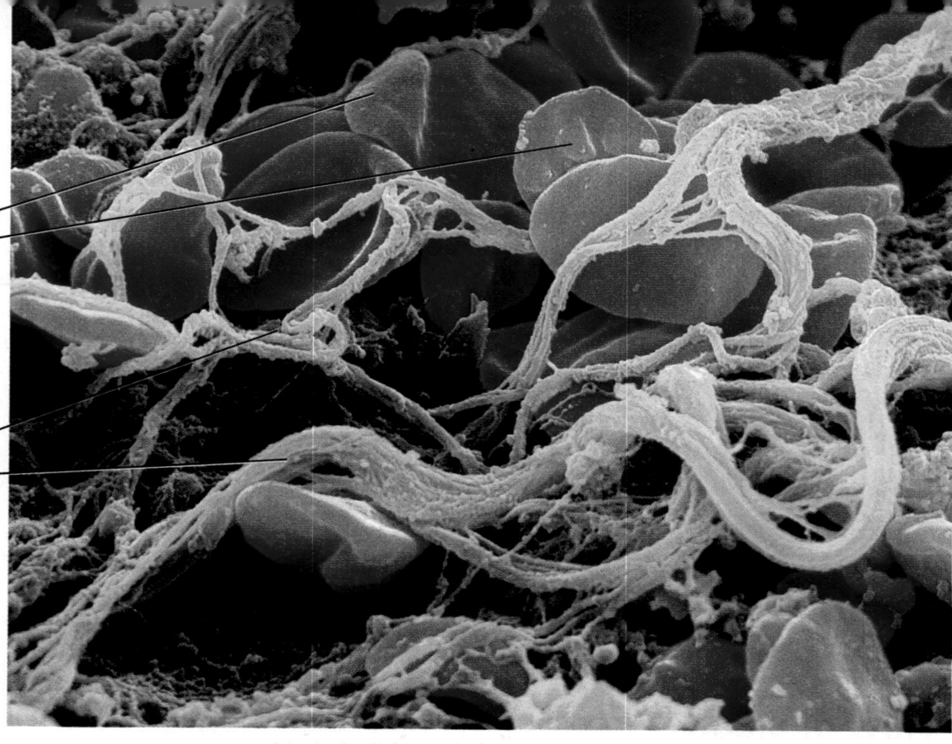

FIGURE 10
Formation of a Blood Clot
When you cut your skin, a blood clot forms. The blood clot consists of blood cells trapped in a fiber net.
Relating Cause and Effect *How is this net of fibers produced?*

Lab zone Try This **Activity**

Caught in the Web

In this activity, you will model part of the process by which a blood clot forms.

1. Cover the opening of a sturdy plastic cup with a piece of cheesecloth. Use a rubber band to hold the cheesecloth in place.
2. Put some water, paper clips, and coins in another cup.
3. Carefully pour the water, coins, and paper clips into the middle of the cheesecloth.

Making Models The paper clips and coins represent blood cells. What does the cheesecloth represent? What starts the production of the substance that the cheesecloth represents?

Platelets When you scraped your knee, blood oozed out of the wound. After a short time, however, a blood clot formed, stopping the blood flow. **Platelets** (PLAYT lits) are cell fragments that play an important part in forming blood clots.

When a blood vessel is cut, platelets collect and stick to the vessel at the site of the wound. The platelets release chemicals that start a chain reaction. This series of reactions eventually produces a protein called fibrin (FY brin). Fibrin gets its name from the fact that it weaves a net of tiny fibers across the cut in the blood vessel. Look at Figure 10 to see how the fiber net traps the blood cells. As more and more platelets and blood cells become trapped in the net, a blood clot forms. A scab is a dried blood clot on the skin surface.

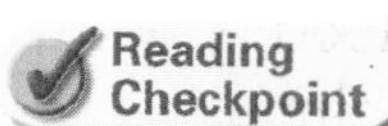
Reading Checkpoint **What is the role of platelets?**

Blood Types

If a person loses a lot of blood—either from a wound or during surgery—he or she may be given a blood transfusion. A blood transfusion is the transfer of blood from one person to another. Most early attempts at blood transfusion failed, but no one knew why until the early 1900s. At that time, Karl Landsteiner, an Austrian American physician, tried mixing blood samples from pairs of people. Sometimes the two blood samples blended smoothly. In other cases, however, the red blood cells clumped together. This clumping accounted for the failure of many blood transfusions. If clumping occurs within the body, it clogs the capillaries and may lead to death.

Marker Molecules Landsteiner went on to discover that there are four major types of blood—A, B, AB, and O. Blood types are determined by proteins known as marker molecules that are on the red blood cells. If your blood type is A, you have the A marker. If your blood type is B, you have the B marker. People with type AB blood have both A and B markers. People with type O blood have neither A nor B markers.

Your plasma contains clumping proteins that recognize red blood cells with "foreign" markers (not yours) and make those cells clump together. For example, if you have blood type A, your blood contains clumping proteins that act against cells with B markers. So, if you receive a transfusion of type B blood, your clumping proteins will make the "foreign" type B cells clump together.

Safe Transfusions Landsteiner's work led to a better understanding of transfusions. **The marker molecules on your red blood cells determine your blood type and the type of blood that you can safely receive in transfusions.** A person with type A blood can receive transfusions of either type A or type O blood. Neither of these two blood types has B markers. Thus they would not be recognized as foreign by the clumping proteins in type A blood. A person with type AB blood can receive all blood types in transfusion because type AB blood has no clumping proteins. Figure 11 shows which transfusions are safe for each blood type.

If you ever receive a transfusion, your blood type will be checked first. Then, donated blood that you can safely receive will be found. This process is called cross matching. You may have heard a doctor on a television show give the order to "type and cross." The doctor wants to find out what blood type the patient has and then cross match it with donated blood.

For: Links on blood
Visit: www.SciLinks.org
Web Code: scn-0433

FIGURE 11
Blood Types and Their Markers
The chemical markers on a person's red blood cells determine the types of blood he or she can safely receive in a transfusion.
Interpreting Tables *What types of blood can be given safely to a person with blood type AB?*

Blood Types and Their Markers

Blood Type Characteristic	Blood Type A	Blood Type B	Blood Type AB	Blood Type O
Marker Molecules on Red Blood Cells	A A A A A A	B B B B B B	A B B A A B	
Clumping Proteins	anti-B	anti-A	no clumping proteins	anti-A and anti-B
Blood Types That Can Be Safely Received in a Transfusion	A and O	B and O	A, B, AB, and O	O

Math Analyzing Data

Blood Type Distribution

The circle graph shows the percentage of each blood type found in the U.S. population.

1. **Reading Graphs** What does each wedge of the graph represent?
2. **Interpreting Data** Rank the four major blood types—A, B, AB, and O—from least common to most common. What is the percentage of each type?
3. **Calculating** According to the graph, what percentage of the population is Rh positive? What percentage is Rh negative?
4. **Predicting** What type of blood can someone who is B negative (blood type B and Rh negative) receive? What percentage of the population does that represent?

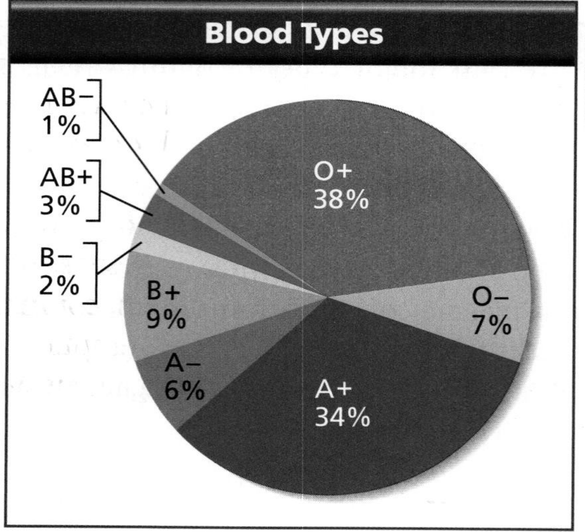

5. **Creating Data Tables** Use the data to make a table of the eight possible blood types. Include columns for the A, B, AB, and O blood types and Rh factor (positive or negative), and a row for percentage of the population.

Rh Factor Landsteiner also discovered the presence of another protein on red blood cells, which he called Rh factor. About 85 percent of the people he tested had this protein, and about 15 percent lacked it. Like the A, B, AB, and O blood types, the presence of Rh factor is determined by a marker on the red blood cell. If your blood type is Rh positive, you have the Rh marker. If your blood type is Rh negative, you lack the marker on your cells. If you are Rh negative and ever received Rh positive blood, you would develop Rh clumping proteins in your plasma. This situation is potentially dangerous.

Where is the Rh marker found?

The Lymphatic System

As blood travels through the capillaries in the cardiovascular system, some of the fluid leaks out. It moves through the walls of capillaries and into surrounding tissues. This fluid carries materials that the cells in the tissues need.

After bathing the cells, this fluid moves into your body's drainage system, called the **lymphatic system** (lim FAT ik). **The lymphatic system is a network of veinlike vessels that returns the fluid to the bloodstream.** The lymphatic system acts something like rain gutters after a rainstorm, carrying the excess fluid away.

Lymph Once the fluid is inside the lymphatic system, it is called **lymph.** Lymph consists of water and dissolved materials such as glucose. It also contains some white blood cells that have left the capillaries.

The lymphatic system has no pump, so lymph moves slowly. Lymphatic vessels, which are part of the cardiovascular system, connect to large veins in the chest. Lymph empties into these veins, and the fluid once again becomes part of blood plasma.

Lymph Nodes As lymph flows through the lymphatic system, it passes through small knobs of tissue called lymph nodes. The **lymph nodes** filter lymph, trapping bacteria and other disease-causing microorganisms in the fluid. When the body is fighting an infection, the lymph nodes enlarge. If you've ever had "swollen glands" when you've been sick, you've actually had swollen lymph nodes.

What is lymph?

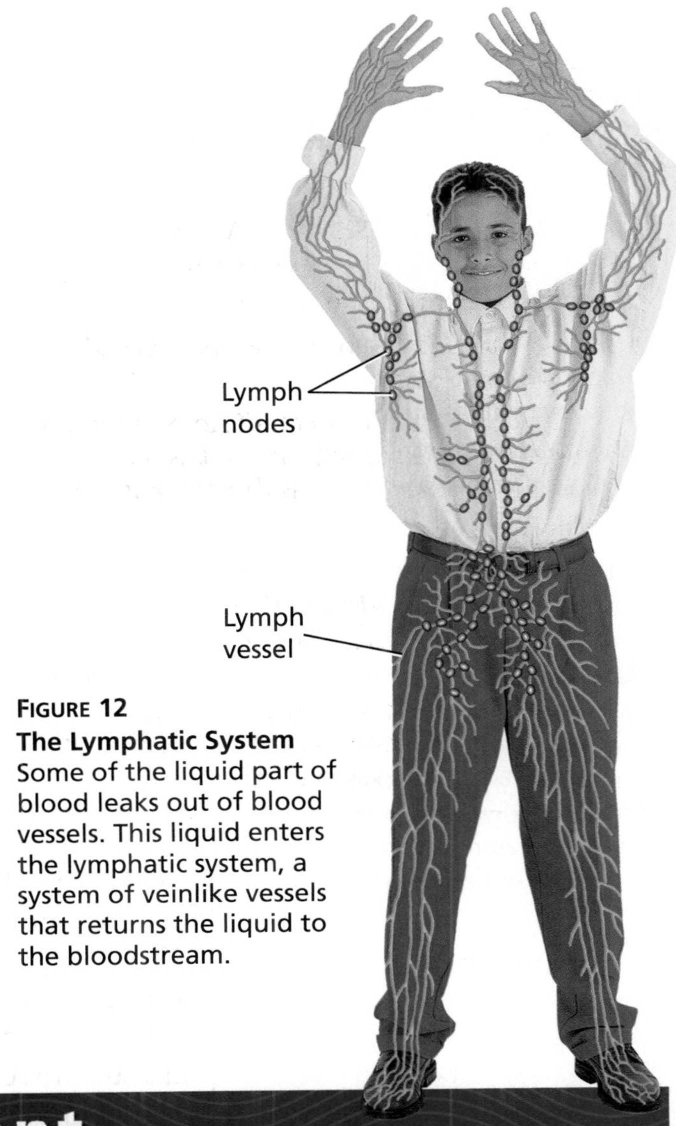

FIGURE 12
The Lymphatic System
Some of the liquid part of blood leaks out of blood vessels. This liquid enters the lymphatic system, a system of veinlike vessels that returns the liquid to the bloodstream.

Section 2 Assessment

Target Reading Skill Identifying Main Ideas
Use your graphic organizer to help you answer Question 1 below.

Reviewing Key Concepts

1. a. Listing Name the four components of blood. Identify whether each is a cell, a part of a cell, or a liquid.
   b. Summarizing Briefly describe what happens to stop the bleeding when you cut yourself.
   c. Relating Cause and Effect People with the disorder hemophilia do not produce the protein fibrin. Explain why hemophilia is a serious disorder.
2. a. Reviewing What is a marker molecule?
   b. Explaining Explain why a person with type O blood cannot receive a transfusion of type A blood.
   c. Predicting Can a person with type AB, Rh negative blood safely receive a transfusion of type O, Rh negative blood? Explain.
3. a. Identifying Where does lymph come from?
   b. Sequencing What happens to lymph after it travels through the lymphatic system?

Lab zone At-Home Activity

What's Your Blood Type? If possible, find out your blood type. Explain to family members the types of blood you can receive and to whom you can donate blood. Create a chart to help with your explanation.

Section 3 Integrating Health

Cardiovascular Health

Reading Preview

Key Concepts

- What are some diseases of the cardiovascular system?
- What behaviors can help maintain cardiovascular health?

Key Terms

- atherosclerosis
- heart attack
- hypertension

Target Reading Skill

Asking Questions Before you read, preview the red headings. In a graphic organizer like the one below, ask a *what* or *how* question for each heading. As you read, write the answers to your questions.

Cardiovascular Health

Question	Answer
What are some cardiovascular diseases?	Cardiovascular diseases include...

Lab zone Discover Activity

Which Foods Are "Heart Healthy"?

1. Your teacher will give you an assortment of foods. If they have nutrition labels, read the information.
2. Sort the foods into three groups. In one group, put those foods that you think are good for your cardiovascular system. In the second group, put foods that you think might damage your cardiovascular system if eaten often. Place foods you aren't sure about in the third group.

Think It Over

Forming Operational Definitions How did you define a "heart-healthy" food?

Shortly after sunrise, when most people are just waking up, a team of rowers is already out on the river. Rhythmically, with perfectly coordinated movement, the rowers pull on the oars, making the boat glide swiftly through the water. Despite the chilly morning air, sweat glistens on the rowers' faces and arms. Inside their chests, their hearts are pounding, delivering blood to the arm and chest muscles that power the oars.

FIGURE 13
Exercising for Health
Strenuous exercise, such as rowing, requires a healthy cardiovascular system. In turn, exercise keeps the cardiovascular system healthy.

Healthy, unblocked artery

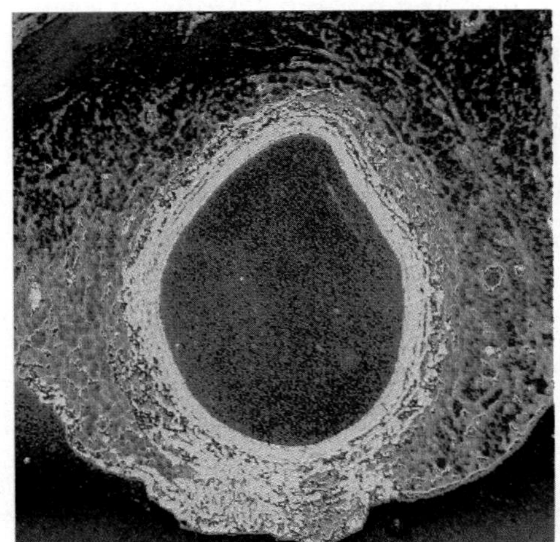

Partially blocked artery

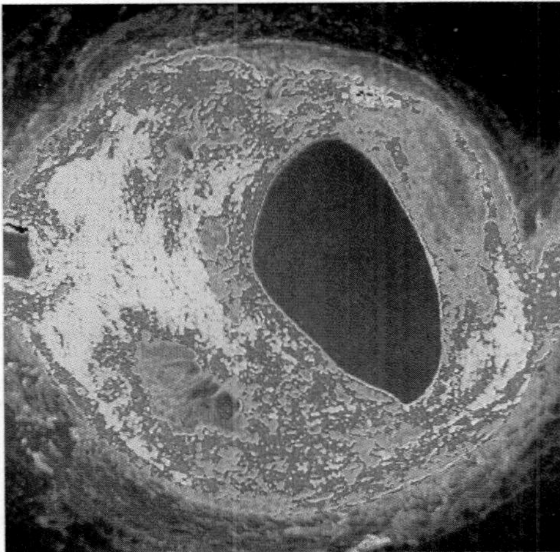

FIGURE 14
Effect of Atherosclerosis
The artery on the right shows atherosclerosis, which is caused by deposits of fat on the artery walls.
Relating Cause and Effect *What kind of diet can lead to atherosclerosis?*

Cardiovascular Diseases

Rowers cannot perform at their peaks unless their cardiovascular systems are in excellent condition. But cardiovascular health is important for all people, not just for athletes. Cardiovascular disease is the leading cause of death in the United States today. **Diseases of the cardiovascular system include atherosclerosis and hypertension.**

Atherosclerosis Compare the photos of the two arteries in Figure 14. The one on the left is a healthy artery. It has a large space in the center through which blood can flow easily. The artery on the right, in contrast, has a smaller space in the middle. This artery exhibits **atherosclerosis** (ath uh roh skluh ROH sis), a condition in which an artery wall thickens as a result of the buildup of fatty materials. One of these fatty materials is cholesterol, a waxy substance. Atherosclerosis results in a reduced flow of blood in the affected artery.

Atherosclerosis can develop in the coronary arteries, which supply the heart muscle. When that happens, the heart muscle receives less blood and therefore less oxygen. This condition may lead to a heart attack. A **heart attack** occurs when blood flow to part of the heart muscle is blocked. Cells die in the part of the heart that does not receive blood and oxygen. This permanently damages the heart.

Treatment for mild atherosclerosis usually includes a low-fat diet and a moderate exercise program. In addition, medications that lower the levels of cholesterol and fats in the blood may be prescribed. People with severe atherosclerosis may need to undergo surgery or other procedures to unclog the blocked arteries.

Lab zone Try This **Activity**

Blocking the Flow

Use this activity to model how fatty deposits affect the flow of blood through an artery.

1. Put a funnel in the mouth of a plastic jar. The funnel will represent an artery.
2. Slowly pour 100 mL of water into the funnel. Have your partner time how many seconds it takes for all the water to flow through the funnel. Then, discard the water.
3. Use a plastic knife to spread a small amount of paste along the bottom of the funnel's neck. Then, with a toothpick, carve out a hole in the paste so that the funnel is partly, but not completely, clogged.
4. Repeat Steps 1 and 2.

Predicting If the funnels were arteries, which one—blocked or unblocked—would do a better job of supplying blood to tissues? Explain.

For: Links on cardiovascular problems
Visit: www.SciLinks.org
Web Code: scn-0434

Hypertension High blood pressure, or **hypertension** (hy pur TEN shun), is a disorder in which a person's blood pressure is consistently higher than normal—usually defined as greater than 140/90.

Hypertension makes the heart work harder to pump blood throughout the body. It also may damage the walls of the blood vessels. Over time, both the heart and arteries can be severely harmed by hypertension. Because people with hypertension often have no obvious symptoms to warn them of the danger until damage is severe, hypertension is sometimes called the "silent killer."

• Tech & Design in History •

Advances in Cardiovascular Medicine

Scientists today have an in-depth understanding of how the cardiovascular system works and how to treat cardiovascular problems. This timeline describes some of the advances in cardiovascular medicine.

1930s–1940s
Blood Banks
Charles Drew demonstrated that emergency blood transfusions could be done with plasma if whole blood was not available. During World War II, Drew established blood banks for storing donated blood. His work helped save millions of lives on and off the battlefield.

1958
Artificial Pacemaker
Electrical engineer Earl Baaken developed an external pacemaker to correct irregular heartbeats. A small electric generator connected to the pacemaker generated electric pulses that regulated heart rate. The first pacemakers had a fixed rate of 70 to 75 pulses per minute.

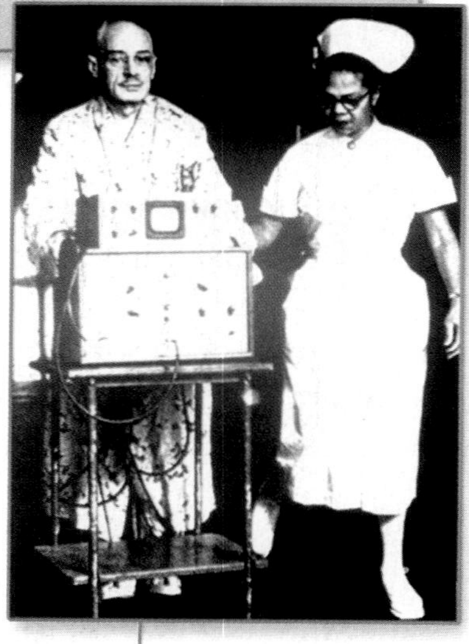

1961
Heart Valve Replacement
The first successful artificial heart valve was inserted into a patient's heart by surgeons Albert Starr and M. L. Edwards in Oregon. The valve was a rubberlike ball inside a stainless steel cage.

1930 | 1940 | 1950 | 1960

Hypertension and atherosclerosis are closely related. As the arteries narrow, blood pressure increases. For mild hypertension, regular exercise and careful food choices may be enough to lower blood pressure. People with hypertension may need to limit their intake of sodium, which can increase blood pressure. Sodium is found in table salt and in processed foods such as soups and packaged snack foods. For many people who have hypertension, however, medications are needed to reduce their blood pressure.

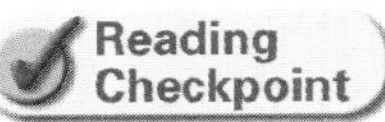

Why is hypertension called the "silent killer"?

Writing in Science

Research and Write Choose one of the scientists whose work is described in the timeline. Imagine that you are on a committee that has chosen this scientist to receive an award. Write the speech you would give at the award ceremony, explaining the scientist's contributions.

1967
First Heart Transplant
Christiaan Barnard, a South African surgeon, performed the first transplant of a human heart. Louis Washkanksky, the man who received the heart, lived for only 18 days after the transplant. But Barnard's work paved the way for future successes in transplanting hearts and other organs.

1977
Angioplasty
The first coronary balloon angioplasty was performed by Andreas Gruentzig and a team of surgeons in San Francisco. A balloon is inserted into the coronary artery and inflated, thus opening the artery. In 2001, more than two million angioplasties were performed worldwide.

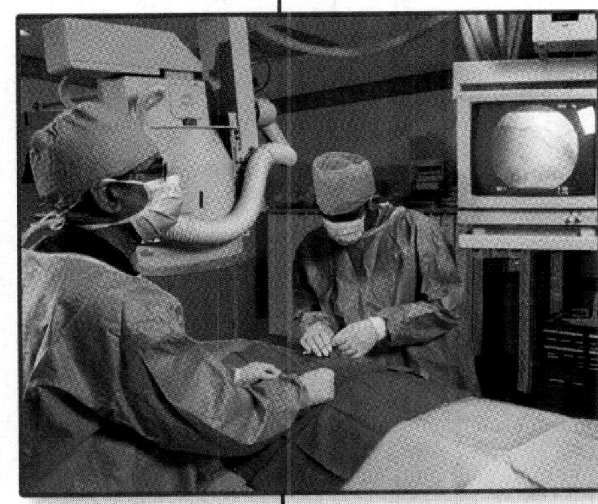

2001
Replacement Heart
The first replacement heart was implanted by a team of surgeons in Louisville, Kentucky. Unlike the first artificial heart, the Jarvik-7, the replacement heart has its own internal batteries. The patient does not have to be "plugged in" to an external power source. The first patient to receive the replacement heart lived for more than 500 days.

1970 1980 1990 2000

FIGURE 15
Eating for Health
Eating foods that are low in fat can help keep your cardiovascular system healthy.
Applying Concepts *What are some heart-healthy low-fat foods?*

Keeping Healthy

Few young people have heart attacks, but signs of atherosclerosis can be found in some people as young as 18 to 20 years old. You can establish habits now that will lessen your risk of developing atherosclerosis and hypertension. **To help maintain cardiovascular health, people should exercise regularly; eat a balanced diet that is low in saturated fats and trans fats, cholesterol, and sodium; and avoid smoking.**

Exercise and Diet Do you participate in sports, ride a bike, swim, dance, or climb stairs instead of taking the elevator? Every time you do one of those activities, you are helping to strengthen your heart muscle and prevent atherosclerosis.

Foods that are high in cholesterol, saturated fats, and trans fats can lead to atherosclerosis. Foods such as red meats, eggs, and cheese are high in cholesterol. But because they also contain substances that your body needs, a smart approach might be to eat them only in small quantities. Foods that are high in saturated fat include butter, whole milk, and ice cream. Foods high in trans fat include margarine, potato chips, and doughnuts.

Avoid Smoking Smokers are more than twice as likely to have a heart attack as are nonsmokers. Every year, about 180,000 people in the United States who were smokers die from cardiovascular disease. If smokers quit, however, their risk of death from cardiovascular disease decreases.

What are some foods that are high in cholesterol?

Section 3 Assessment

Target Reading Skill **Asking Questions** Use the answers to the questions you wrote about the headings to help you answer the questions below.

Reviewing Key Concepts

1. **a. Defining** What is atherosclerosis? What is hypertension?
   b. Relating Cause and Effect How do these two diseases affect the heart?
2. **a. Listing** List three things you can do to help your cardiovascular system stay healthy.
   b. Explaining Why it is important to exercise?
   c. Inferring Coronary heart disease is less common in some countries than in the United States. What factors might account for this difference?

Lab zone **At-Home Activity**

Heart-Healthy Activities With your family, discuss things you all can do to maintain heart health. Make a list of activities that you can enjoy together. You might also work with your family to cook and serve a "heart-healthy" meal. List the foods you would serve at the meal.

Do You Know Your A-B-O's?

Problem

Which blood types can safely receive transfusions of type A blood? Which can receive type O blood?

Skills Focus

interpreting data, drawing conclusions

Materials

- 4 paper cups
- 8 plastic petri dishes
- marking pen
- 4 plastic droppers
- white paper
- toothpicks
- four model "blood" types

Procedure 

1. Write down your ideas about why type O blood might be in higher demand than other blood types. Then, make two copies of the data table in your notebook.
2. Label four paper cups A, B, AB, and O. Fill each cup about one-third full with the model "blood" supplied by your teacher. Place one clean plastic dropper into each cup. Use each dropper to transfer only that one type of blood.
3. Label the side of each of four petri dishes with a blood type: A, B, AB, or O. Place the petri dishes on a sheet of white paper.
4. Use the plastic droppers to place 10 drops of each type of blood in its labeled petri dish. Each sample represents the blood of a potential receiver of a blood transfusion. Record the original color of each sample in your data table as yellow, blue, green, or colorless.
5. Label your first data table Donor: Type A. To test whether each potential receiver can safely receive type A blood, add 10 drops of type A blood to each sample. Stir each mixture with a separate, clean toothpick.
6. Record the final color of each mixture in the data table. If the color stayed the same, write "safe" in the last column. If the color of the mixture changed, write "unsafe."
7. Label your second data table Donor: Type O. Obtain four clean petri dishes, and repeat Steps 3 through 6 to determine who could safely receive type O blood.

Data Table

Donor: Type ______

Potential Receiver	Original Color	Final Color of Mixture	Safe or Unsafe?
A			
B			
AB			
O			

Analyze and Conclude

1. **Interpreting Data** Which blood types can safely receive a transfusion of type A blood? Type O blood?
2. **Inferring** Use what you know about marker molecules to explain why some transfusions of type A blood are safe while others are unsafe.
3. **Drawing Conclusions** If some blood types are not available, how might type O blood be useful?
4. **Communicating** Write a paragraph in which you discuss why it is important for hospitals to have an adequate supply of different types of blood.

More to Explore

Repeat this activity to find out which blood types can safely receive donations of type B and type AB blood.

Chapter 16 Study Guide

1 The Body's Transport System

Key Concepts

- The cardiovascular system carries needed substances to cells and carries waste products away from cells. In addition, blood contains cells that fight disease.
- The heart pushes blood through the cardiovascular system. The right side of the heart is separated from the left side by the septum. Each side has an upper chamber and a lower chamber.
- Blood circulates in two loops. First, it travels from the heart to the lungs and then back to the heart. Second, it is pumped from the heart to the body and then it returns to the heart.
- Blood leaves the heart through arteries. When it reaches the capillaries, materials are exchanged between the blood and the body's cells. Veins carry blood back to the heart. The walls of arteries and veins consist of three layers. Capillary walls are only one cell thick.

Key Terms

cardiovascular system
heart
atrium
pacemaker
ventricle
valve
artery
capillary
vein
aorta
coronary artery
pulse
diffusion
blood pressure

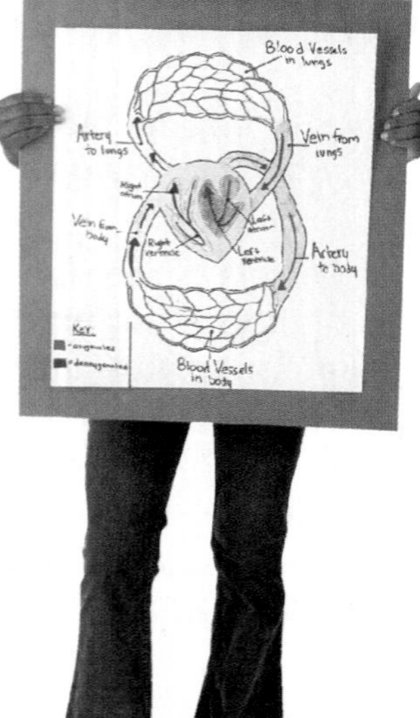

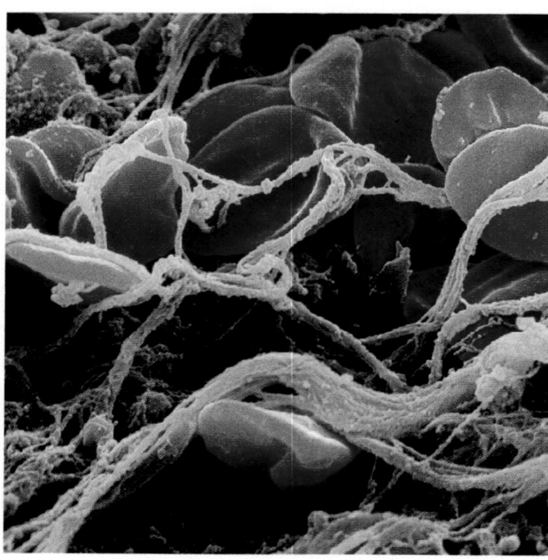

2 Blood and Lymph

Key Concepts

- Blood is made up of four components: plasma, red blood cells, white blood cells, and platelets.
- The marker molecules on your red blood cells determine your blood type and the type of blood that you can safely receive in transfusions.
- The lymphatic system is a network of vein-like vessels that returns the fluid to the bloodstream.

Key Terms

plasma
red blood cell
hemoglobin
white blood cell
platelet
lymphatic system
lymph
lymph node

3 Cardiovascular Health

Key Concepts

- Diseases of the cardiovascular system include atherosclerosis and hypertension.
- To help maintain cardiovascular health, people should exercise regularly; eat a balanced diet that is low in saturated fats and trans fats, cholesterol, and sodium; and avoid smoking.

Key Terms

atherosclerosis
heart attack
hypertension

Review and Assessment

For: Self-Assessment
Visit: PHSchool.com
Web Code: cha-3160

Organizing Information

Comparing and Contrasting Copy the compare/contrast table about the two loops of the circulatory system onto a sheet of paper. Then complete it and add a title. (For more on Comparing and Contrasting, see the Skills Handbook.)

Loop	Side of heart where loop starts	Where blood flows to	Where blood returns to
Loop One	a. ___?___	Lungs	b. ___?___
Loop Two	Left side	c. ___?___	d. ___?___

Reviewing Key Terms

Choose the letter of the best answer.

1. The heart's upper chambers are called
   a. ventricles.
   b. atria.
   c. valves.
   d. arteries.
2. Nutrients are exchanged between the blood and body cells in the
   a. capillaries.
   b. veins.
   c. aorta.
   d. arteries.
3. The alternating expansion and relaxation of the artery that you feel in your wrist is your
   a. pulse.
   b. coronary artery.
   c. blood pressure.
   d. plasma.
4. Blood components that help the body to control bleeding are
   a. platelets.
   b. red blood cells.
   c. white blood cells.
   d. hemoglobin.
5. Cholesterol is a waxy substance associated with
   a. lymph nodes.
   b. white blood cells.
   c. atherosclerosis.
   d. plasma.

If the statement is true, write *true*. If it is false, change the underlined word or words to make the statement true.

6. The two lower chambers of the heart are called atria.
7. The veins are the narrowest blood vessels in the body.
8. White blood cells contain hemoglobin.
9. The lymphatic system is involved in returning fluid to the bloodstream.
10. Elevated blood pressure is called atherosclerosis.

Writing in Science

Letter Write a letter to a friend describing what you do to stay active. For example, do you participate in team sports, jog, or take long walks with your dog? Include in your letter additional ways you can be even more active.

Circulation
Video Preview
Video Field Trip
▶ Video Assessment

Review and Assessment

Checking Concepts

11. Contrast the forces with which the right and left ventricles contract. How does this relate to each ventricle's function?

12. A red blood cell is moving through an artery in your leg. Describe the path that the blood cell will follow back to your heart. Identify the chamber of the heart to which it will return.

13. How is a capillary's structure adapted to its function?

14. What is the function of hemoglobin?

15. What is lymph? How does lymph return to the cardiovascular system?

16. Give two reasons why food choices are important to cardiovascular health.

Thinking Critically

17. **Predicting** Some babies are born with an opening between the left and right ventricles of the heart. How would this heart defect affect the ability of the cardiovascular system to deliver oxygen to body cells?

18. **Classifying** Which two chambers of the heart shown below are the ventricles? Through which chamber does oxygen-poor blood enter the heart from the body?

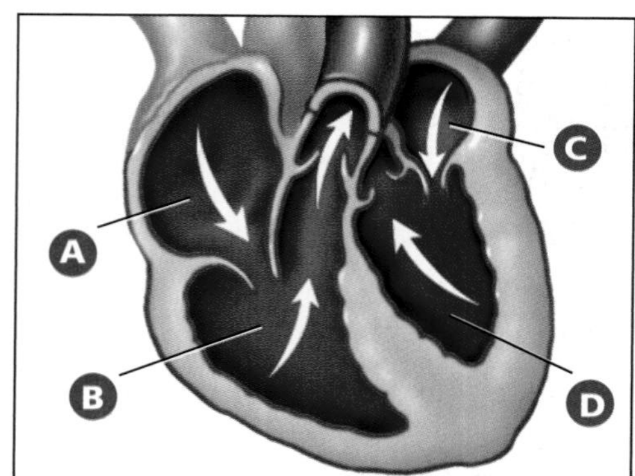

19. **Relating Cause and Effect** People who do not have enough iron in their diets sometimes develop a condition in which their blood cannot carry a normal amount of oxygen. Explain why this is so.

20. **Making Generalizations** Why is atherosclerosis sometimes called a "lifestyle disease"?

Math Practice

21. **Calculating a Rate** The veterinarian listens to your cat's heart and counts 30 beats in 15 seconds. What is your cat's heart rate?

Applying Skills

Use the graph to answer Questions 22–25.

The graph below shows how average blood pressure changes as men and women grow older.

Changes in Blood Pressure

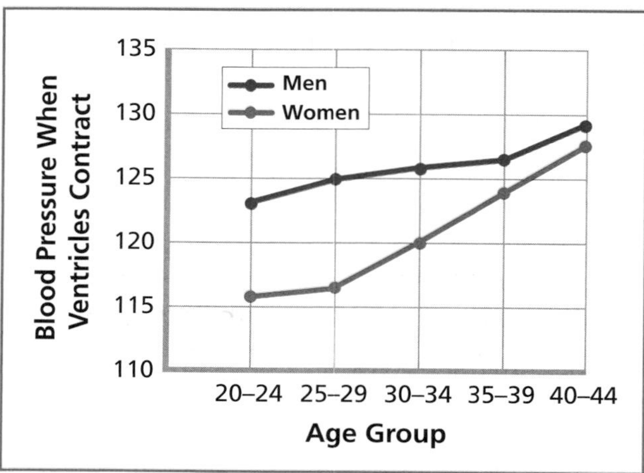

22. **Reading Graphs** What is plotted on each axis?

23. **Interpreting Data** At age 20, who is likely to have higher blood pressure—men or women?

24. **Drawing Conclusions** In general, what happens to blood pressure as people age?

25. **Predicting** Do you think that there is some age at which both men and women have about the same blood pressure? Use the graph lines to explain your prediction.

Lab zone Chapter Project

Performance Assessment You should now be ready to present your display. First show it to a small group of classmates to make sure it is clear and accurate. When you present your display, be ready to answer questions.

Standardized Test Prep

Test-Taking Tip

Anticipating the Answer

You can sometimes figure out an answer to a question before you look at the answer choices. After you answer the question in your mind, compare your answer with the answer choices. Choose the answer that most closely matches your own answer. Try to answer the sample question below before you look at the answer choices.

Sample Question

The upper chambers of the heart are the

A ventricles.
B valves.
C atria.
D capillaries.

Answer

Choice **C** is correct because the blood that comes into the heart enters through the atria, the upper chambers of the heart. Choice **A** is incorrect because ventricles are the lower chambers of the heart. Choices **B** and **D** are incorrect because valves and capillaries are not heart chambers.

Choose the letter of the best answer.

1. The most important function of the cardiovascular system is to
A transport needed materials to body cells and remove wastes.
B provide structural support for the lungs.
C generate blood pressure so the arteries and veins do not collapse.
D produce blood and lymph.

2. The correct sequence for the path of blood through the body is
F heart—lungs—other body parts.
G heart—lungs—heart—other body parts.
H lungs—other body parts—heart.
J heart—other body parts—lungs—heart.

3. Which of the following is true about blood in the aorta?
A The blood is going to the lungs.
B The blood is oxygen-rich.
C The blood is dark red in color.
D The blood is going to the heart.

Use the table below and your knowledge of science to answer Questions 4 and 5.

Blood Types

Blood Type	Marker Molecules	Clumping Proteins
A	A	anti-B
B	B	anti-A
AB	A and B	none
O	none	anti-A and anti-B

4. A person who has type O blood can safely receive blood from a person with
F type O blood.
G type A blood.
H type AB blood.
J type B blood.

5. A person who has type O blood can safely donate blood to a person with
A type AB blood.
B type O blood.
C types A, B, AB, or O blood.
D type A or type B blood.

Constructed Response

6. Explain what blood pressure is and what causes it. How is blood pressure measured and what is the significance of the two numbers in a blood pressure reading? Why can high blood pressure be dangerous?

Chapter 17

Respiration and Excretion

Chapter Preview

1. **The Respiratory System**
   Discover *How Big Can You Blow Up a Balloon?*
   Analyzing Data *The Air You Breathe*
   Try This *What Do You Exhale?*
   Math Skills *Surface Area*
   Active Art *The Breathing Process*
   Skills Lab *A Breath of Fresh Air*

2. **Smoking and Your Health**
   Discover *What Are the Dangers of Smoking?*
   Skills Activity *Calculating*
   At-Home Activity *Warning Labels*

3. **The Excretory System**
   Discover *How Does Filtering a Liquid Change the Liquid?*
   Skills Activity *Classifying*
   Skills Lab *Clues About Health*

interactive Textbook

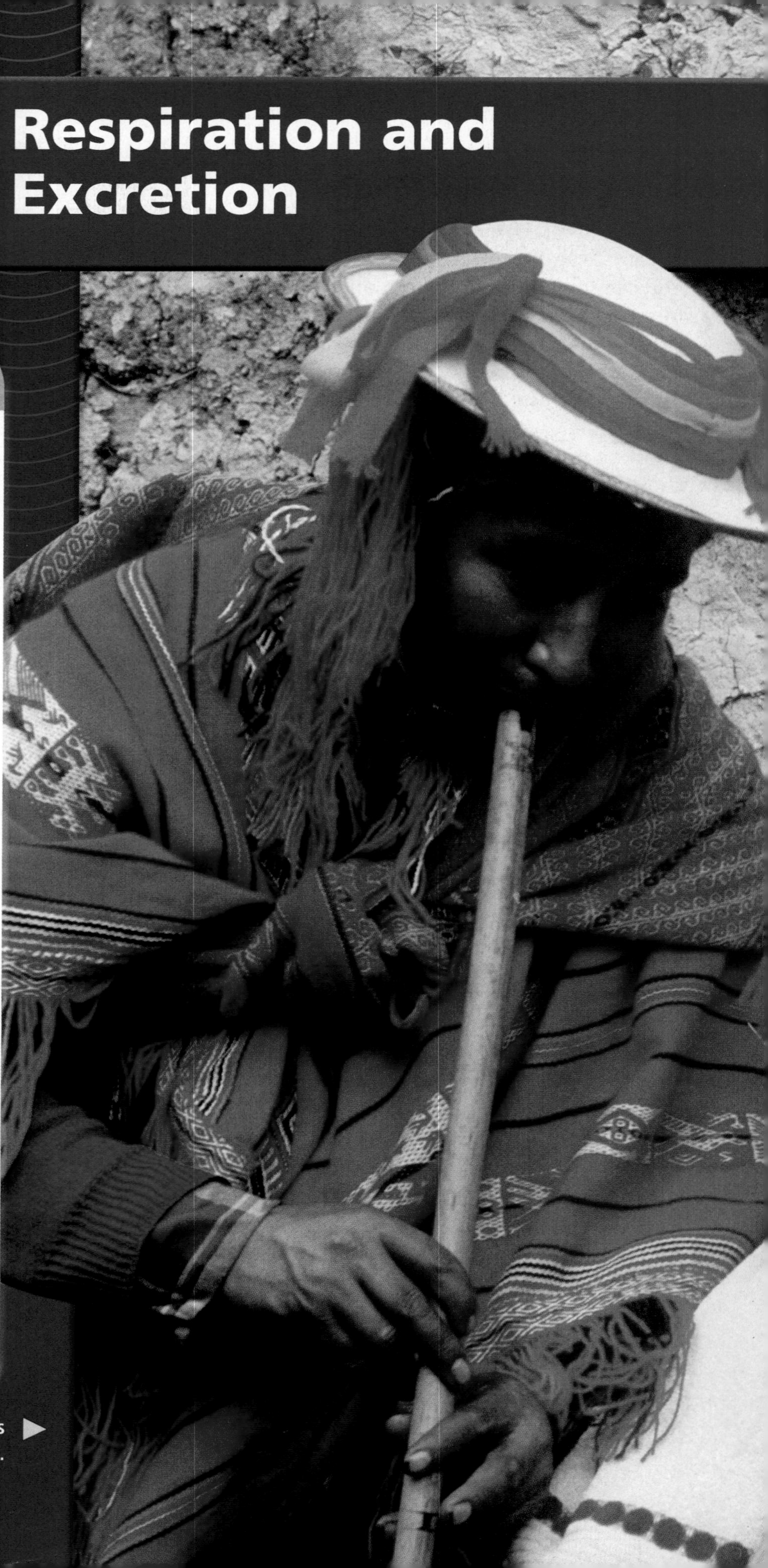

Playing the pan flute requires strong, healthy lungs. ▶

Respiration and Excretion

▶ Video Preview
Video Field Trip
Video Assessment

Lab zone™ Chapter **Project**

Get the Message Out

Imagine that you're part of a team of writers and designers who create advertisements. You've just been given the job of creating anti-smoking ads for different age groups. As you read this chapter and learn about the respiratory system, you can use your knowledge in your ad campaign.

Your Goal To design three different anti-smoking ads: one telling young children about the dangers of smoking, the second one discouraging teenagers from trying cigarettes, and the third encouraging adult smokers to quit

To complete this project successfully, each ad must

- accurately communicate at least three health risks associated with smoking
- address at least two pressures that influence people to start or continue smoking
- use images and words in convincing ways that gear your message to each audience

Plan It! Brainstorm a list of reasons why people smoke. Consider the possible influences of family and friends as well as that of ads, movies, videos, and television. Also, decide which types of ads you will produce, such as magazine ads or billboards. After your teacher approves your plan, begin to design your ads.

Section 1

The Respiratory System

Reading Preview

Key Concepts

- What are the functions of the respiratory system?
- What structures does air pass through as it travels to the lungs?
- What happens during gas exchange and breathing?

Key Terms

- respiration
- cilia
- pharynx
- trachea
- bronchi
- lungs
- alveoli
- diaphragm
- larynx
- vocal cords

Target Reading Skill

Sequencing As you read, make a flowchart that shows the path of air in the respiratory system. Write each step of the process in a separate box in the order in which it occurs.

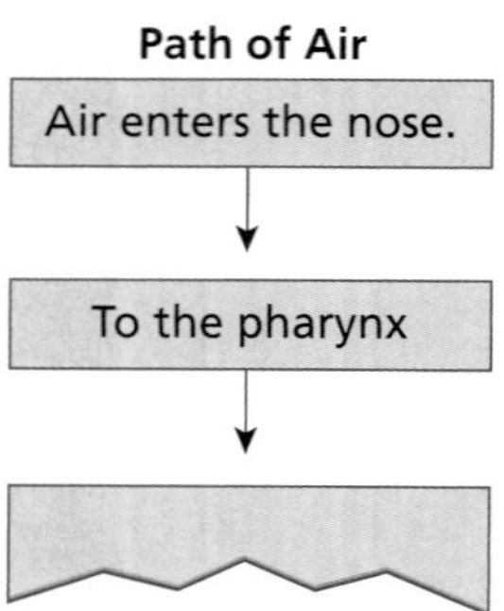

Lab zone Discover Activity

How Big Can You Blow Up a Balloon?

1. Take a normal breath, then blow as much air as possible into a balloon. Twist the end and hold it closed. Have your partner measure around the balloon at its widest point.
2. Let the air out of the balloon. Repeat Step 1 and calculate the average of the two measurements.
3. Compare your results with those of your classmates. The bigger the circumference, the greater the volume of air exhaled.

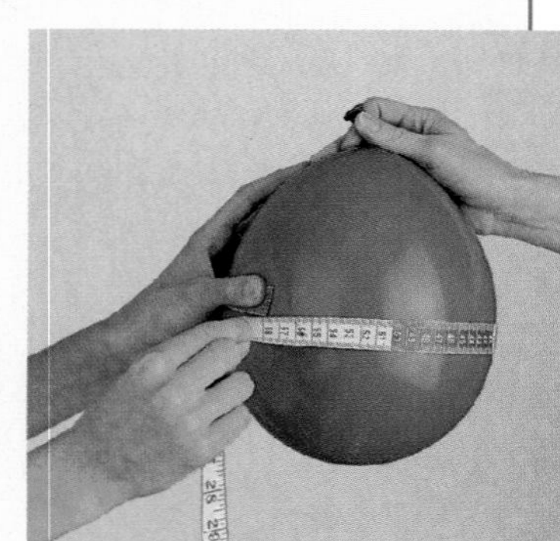

Think It Over

Inferring What factors might affect the volume of air a person can exhale?

Jerry, the main character in Doris Lessing's story "Through the Tunnel," is on vacation at the seaside. Day after day, he watches some older boys dive into deep water on one side of a huge rock. The boys mysteriously reappear on the other side. Jerry figures out that there must be an underwater tunnel in the rock. He finds the tunnel beneath the water and decides to swim through it. Once inside, though, he is terrified. The walls are slimy, and rocks scrape his body. He can barely see where he is going. But worst of all, Jerry has to hold his breath for far longer than ever before. The author describes Jerry this way: "His head was swelling, his lungs were cracking."

Hold your breath!

Respiratory System Functions

No one can go for very long without breathing. Your body cells need oxygen, and they get that oxygen from the air you breathe. **The respiratory system moves oxygen from the outside environment into the body. It also removes carbon dioxide and water from the body.**

Taking in Oxygen The oxygen your body needs comes from the atmosphere—the mixture of gases that blankets Earth. Your body doesn't use most of the other gases in the air you breathe in. When you exhale, most of the air goes back into the atmosphere.

Oxygen is needed for the energy-releasing chemical reactions that take place inside your cells. Like a fire, which cannot burn without oxygen, your cells cannot "burn" enough fuel to keep you alive without oxygen. The process in which oxygen and glucose undergo a complex series of chemical reactions inside cells is called **respiration.** Respiration, which is also called cellular respiration, is different from breathing. Breathing refers to the movement of air into and out of the lungs. Respiration, on the other hand, refers to the chemical reactions inside cells. As a result of respiration, your cells release the energy that fuels growth and other cell processes.

Removing Carbon Dioxide and Water In addition to the release of energy, respiration produces carbon dioxide and water. Your respiratory system eliminates the carbon dioxide and some of the water through your lungs.

Math Analyzing Data

The Air You Breathe

The air you breathe in contains several different gases, shown in the circle graph on the left. The air you breathe out contains the same gases, but in the amounts shown in the circle graph on the right.

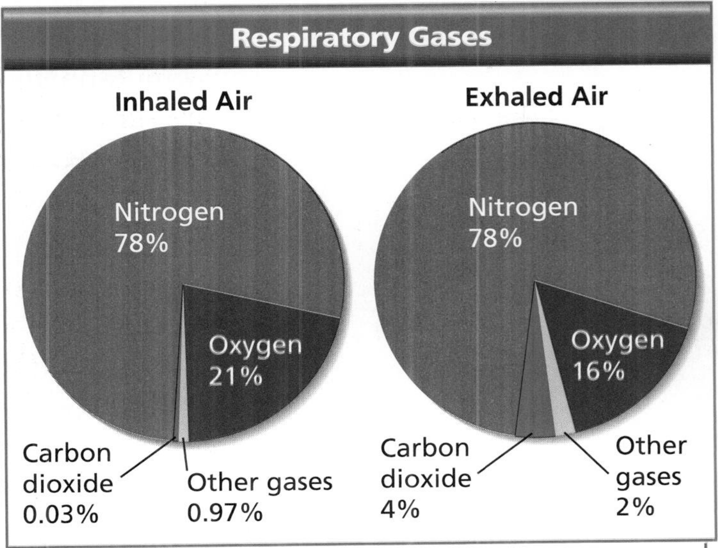

1. **Reading Graphs** What does each wedge in the graphs represent?
2. **Interpreting Data** Based on the data, which gas is used by the body? Explain.
3. **Drawing Conclusions** Compare the percentage of carbon dioxide in inhaled air with the percentage in exhaled air. How can you account for the difference?
4. **Inferring** Explain why the percentage of nitrogen is the same in both inhaled air and exhaled air.

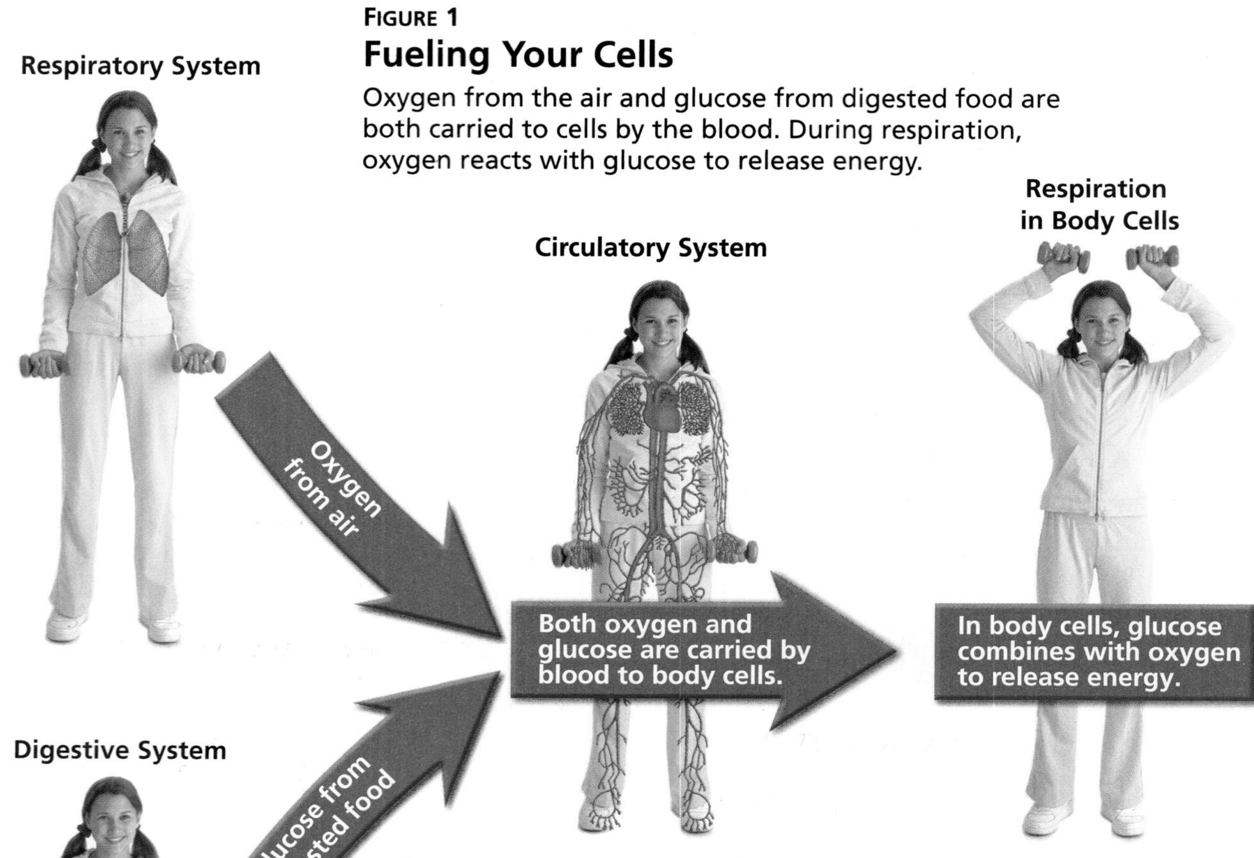

FIGURE 1
Fueling Your Cells
Oxygen from the air and glucose from digested food are both carried to cells by the blood. During respiration, oxygen reacts with glucose to release energy.

Systems Working Together The respiratory system is just one of the body systems that makes respiration possible. As you can see in Figure 1, respiration could not take place without the digestive and circulatory systems as well. Your respiratory system brings oxygen into your lungs. Meanwhile, your digestive system absorbs glucose from the food you eat. Then, your circulatory system carries both the oxygen and the glucose to your cells, where respiration occurs.

The Path of Air

If you look toward a window on a bright day, you may see tiny particles dancing in the air. These particles include such things as floating grains of dust, plant pollen, and ash from fires. Though you can't see them, air also contains microorganisms. Some of these microorganisms can cause diseases in humans. When you breathe in, all these materials enter your body along with the air.

However, most of these materials never reach your lungs. On its way to the lungs, air passes through a series of structures that filter and trap particles. These organs also warm and moisten the air. **As air travels from the outside environment to the lungs, it passes through the following structures: nose, pharynx, trachea, and bronchi.** It takes air only a few seconds to complete the route from the nose to the lungs.

The Nose Air enters the body through the nose and then moves into spaces called the nasal cavities. Some of the cells lining the nasal cavities produce mucus. This sticky material moistens the air and keeps the lining from drying out. Mucus also traps particles such as dust.

The cells that line the nasal cavities have **cilia** (SIL ee uh), tiny hairlike extensions that can move together in a sweeping motion. The cilia sweep the mucus into the throat, where you swallow it. Stomach acid destroys the mucus, along with everything trapped in it.

Some particles and bacteria can irritate the lining of your nose or throat, causing you to sneeze. The powerful force of a sneeze shoots the particles out of your nose and into the air.

The Pharynx Next, air enters the **pharynx** (FAR ingks), or throat. The pharynx is the only part of the respiratory system that is shared with another system—the digestive system. Both the nose and the mouth connect to the pharynx.

Reading Checkpoint What is the role of cilia?

FIGURE 2
The Respiratory System
On its path from outside the body into the lungs, air passes through several structures that clean, warm, and moisten it. Once in the lungs, the oxygen in the air can enter your bloodstream.
Classifying *Which part of the respiratory system is also part of the digestive system?*

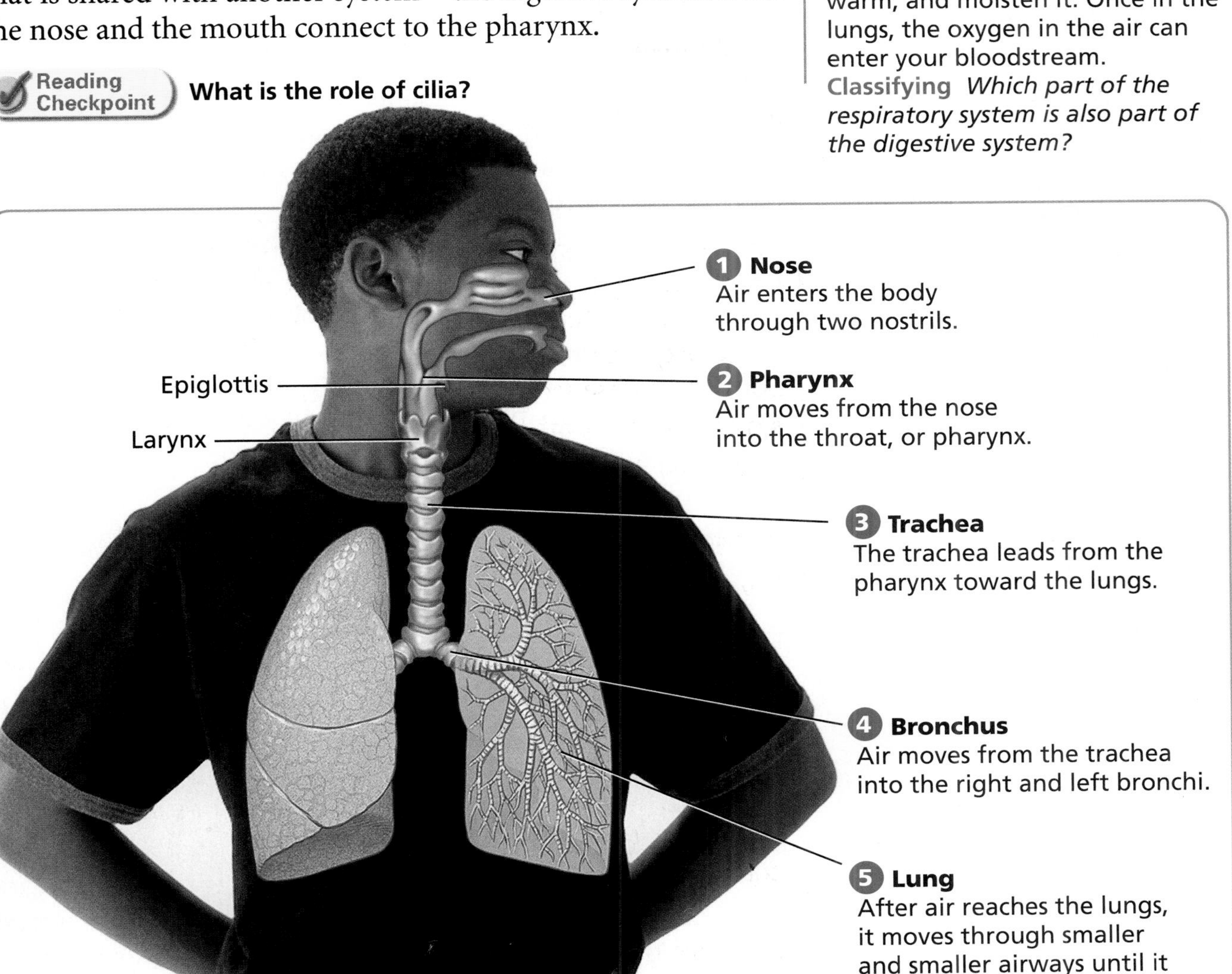

1 Nose
Air enters the body through two nostrils.
Epiglottis
Larynx
2 Pharynx
Air moves from the nose into the throat, or pharynx.
3 Trachea
The trachea leads from the pharynx toward the lungs.
4 Bronchus
Air moves from the trachea into the right and left bronchi.
5 Lung
After air reaches the lungs, it moves through smaller and smaller airways until it reaches the alveoli.

Lab zone Try This Activity

What Do You Exhale?

Learn whether carbon dioxide is present in exhaled air.

1. Label two test tubes *A* and *B*.
2. Fill each test tube with 10 mL of water and a few drops of bromthymol blue solution. Bromthymol blue solution turns green or yellow in the presence of carbon dioxide.
3. Using a straw, gently blow air into the liquid in test tube A for a few seconds. **CAUTION:** *Do not suck the solution back through the straw.*
4. Compare the solutions in the test tubes.

Predicting Suppose you had exercised immediately before you blew into the straw. Predict how this would have affected the results.

The Trachea From the pharynx, air moves into the **trachea** (TRAY kee uh), or windpipe. You can feel your trachea if you gently run your fingers down the center of your neck. The trachea feels like a tube with a series of ridges. The firm ridges are rings of cartilage that strengthen the trachea and keep it open.

The trachea, like the nose, is lined with cilia and mucus. The cilia in the trachea sweep upward, moving mucus toward the pharynx, where it is swallowed. The trachea's cilia and mucus continue the cleaning and moistening of air that began in the nose. If particles irritate the lining of the trachea, you cough. A cough, like a sneeze, sends the particles into the air.

Normally, only air—not food—enters the trachea. If food does enter the trachea, the food can block the opening and prevent air from getting to the lungs. When that happens, a person chokes. Fortunately, food rarely gets into the trachea. The epiglottis, a small flap of tissue that folds over the trachea, seals off the trachea while you swallow.

The Bronchi and Lungs Air moves from the trachea to the **bronchi** (BRAHNG ky) (singular *bronchus*), the passages that direct air into the lungs. The **lungs** are the main organs of the respiratory system. The left bronchus leads into the left lung, and the right bronchus leads into the right lung. Inside the lungs, each bronchus divides into smaller and smaller tubes in a pattern that resembles the branches of a tree.

At the end of the smallest tubes are structures that look like bunches of grapes. The "grapes" are **alveoli** (al VEE uh ly) (singular *alveolus*), tiny sacs of lung tissue specialized for the movement of gases between air and blood. Notice in Figure 3 that each alveolus is surrounded by a network of capillaries. It is here that the blood picks up its cargo of oxygen from the air.

Reading Checkpoint How is food prevented from entering the trachea?

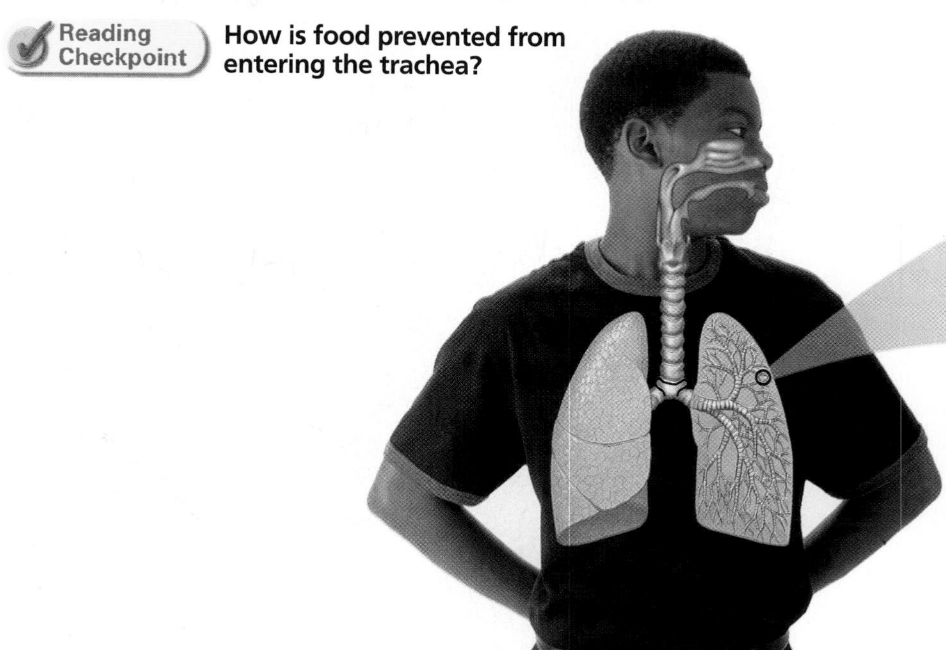

Gas Exchange

Because the walls of both the alveoli and the capillaries are very thin, certain materials can pass through them easily. **After air enters an alveolus, oxygen passes through the wall of the alveolus and then through the capillary wall into the blood. Carbon dioxide and water pass from the blood into the alveoli. This whole process is known as gas exchange.**

How Gas Exchange Occurs Imagine that you are a drop of blood beginning your journey through a capillary that wraps around an alveolus. When you begin that journey, you are carrying a lot of carbon dioxide and little oxygen. As you move through the capillary, oxygen gradually attaches to the hemoglobin in your red blood cells. At the same time, you are getting rid of carbon dioxide. At the end of your journey around the alveolus, you are rich in oxygen and poor in carbon dioxide.

FIGURE 3

Gas Exchange in the Alveoli

Alveoli are hollow air sacs surrounded by capillaries. As blood flows through the capillaries, oxygen moves from the alveoli into the blood. At the same time, carbon dioxide moves from the blood into the alveoli. Interpreting Diagrams *How is the structure of the alveoli important for gas exchange?*

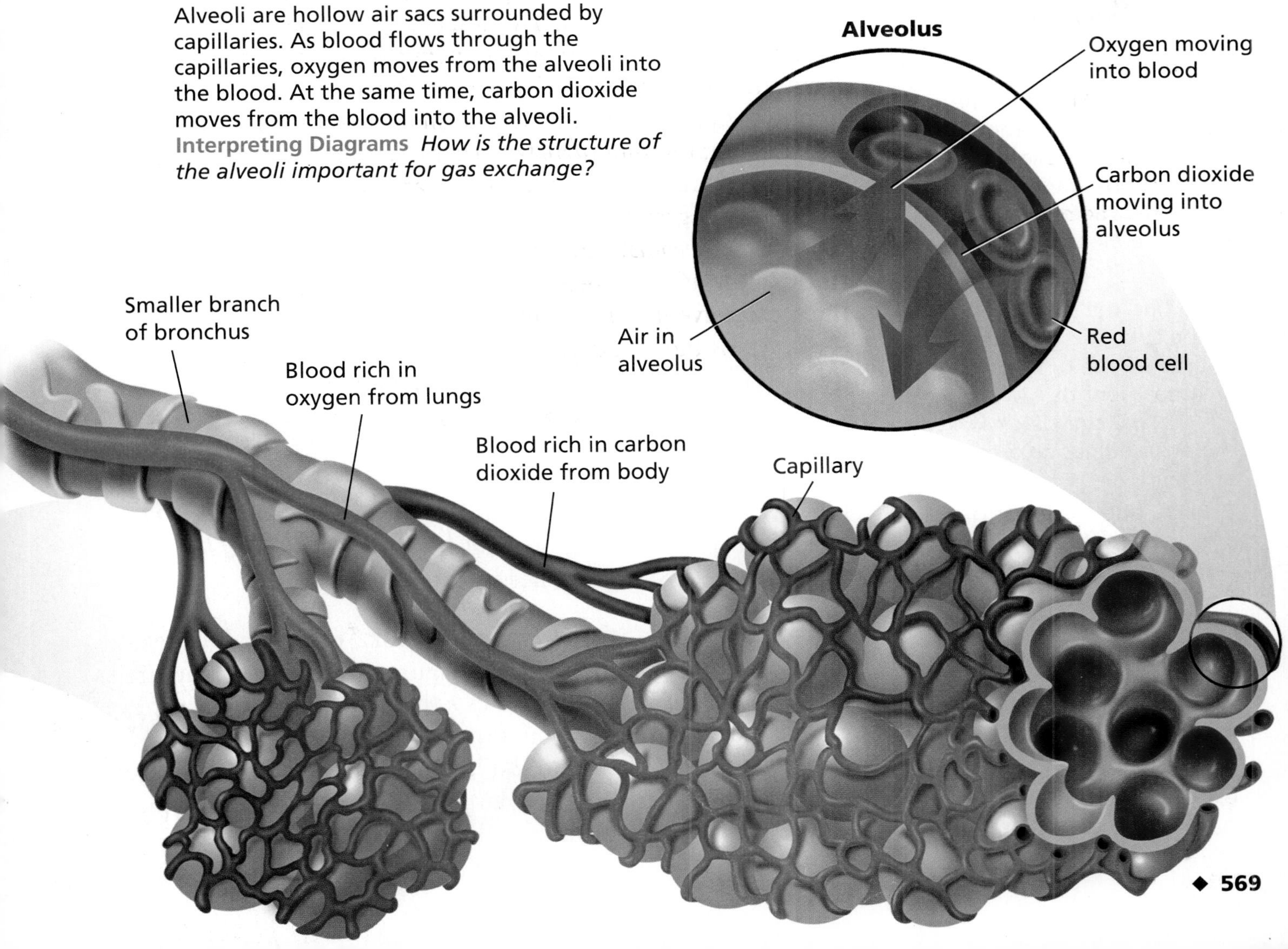

FIGURE 4
Oxygen for Activities
The huge surface area of the alveoli supplies the oxygen these trombone players need to march and play.

Surface Area

Surface area refers to the total area of all of the surfaces of a three-dimensional object. Consider a cube, which has six equal sides. Each side measures 2 cm by 2 cm.

1. To find the surface area of the cube, first calculate the area of one of the six sides:
   Area = length × width
   $= 2 \text{ cm} \times 2 \text{ cm} = 4 \text{ cm}^2$
   Each side has an area of 4 cm^2.
2. Next, add the areas of the six sides together to find the total surface area:
   $4 \text{ cm}^2 + 4 \text{ cm}^2 + 4 \text{ cm}^2 + 4 \text{ cm}^2 + 4 \text{ cm}^2 + 4 \text{ cm}^2 = 24 \text{ cm}^2$
   The surface area of the cube is 24 cm^2.

Practice Problem Calculate the surface area of a cube whose side measures 3 cm.

Surface Area for Gas Exchange Your lungs can absorb a large amount of oxygen because of the large surface area of the alveoli. An adult's lungs contain about 300 million alveoli. If you opened the alveoli and spread them out on a flat surface, you would have a surface area of about 70 square meters.

The huge surface area of the alveoli enables the lungs to absorb a large amount of oxygen. The lungs can, therefore, supply the oxygen that people need—even when they are performing strenuous activities. When you play a wind instrument or a fast-paced game of basketball, you have your alveoli to thank.

Your lungs are not the only organs that provide a large surface area in a relatively small space. Recall from Chapter 2 that the small intestine contains numerous, tiny villi that increase the surface available to absorb food molecules.

What gases are exchanged across the alveoli?

How You Breathe

In an average day, you may breathe more than 20,000 times. The rate at which you breathe depends on your body's need for oxygen. The more oxygen you need, the faster you breathe.

Muscles for Breathing Breathing, like other body movements, is controlled by muscles. Figure 5 shows the structure of the chest, including the muscles that enable you to breathe. Notice that the lungs are surrounded by the ribs, which have muscles attached to them. At the base of the lungs is the **diaphragm** (DY uh fram), a large, dome-shaped muscle that plays an important role in breathing.

The Process of Breathing **When you breathe, the actions of your rib muscles and diaphragm expand or contract your chest. As a result, air flows in or out.**

Here's what happens when you inhale, or breathe in. The rib muscles contract, lifting the chest wall upward and outward. At the same time, the diaphragm contracts and moves downward. The combined action of these muscles makes the chest cavity larger. The same amount of air now occupies a larger space, causing the pressure of the air inside your lungs to decrease. This change means that the pressure of air inside the chest cavity is lower than the pressure of the atmosphere pushing on the body. Because of this difference in air pressure, air rushes into your chest, in the same way that air is sucked into a vacuum cleaner.

When you exhale, or breathe out, the rib muscles and diaphragm relax. This reduces the size of the chest cavity. This decrease in size squeezes air out of the lungs, the way squeezing a container of ketchup pushes ketchup out of the opening.

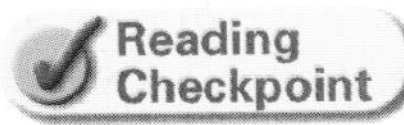

What muscles cause the chest to expand during breathing?

FIGURE 5
The Breathing Process

When you inhale, the diaphragm moves downward and pressure in the lungs decreases, causing air to flow in. When you exhale, the diaphragm moves upward and the pressure in the lungs increases, pushing the air out.

Interpreting Diagrams *How does the movement of the diaphragm affect the size of the chest cavity?*

For: The Breathing Process activity
Visit: PHSchool.com
Web Code: cep-4041

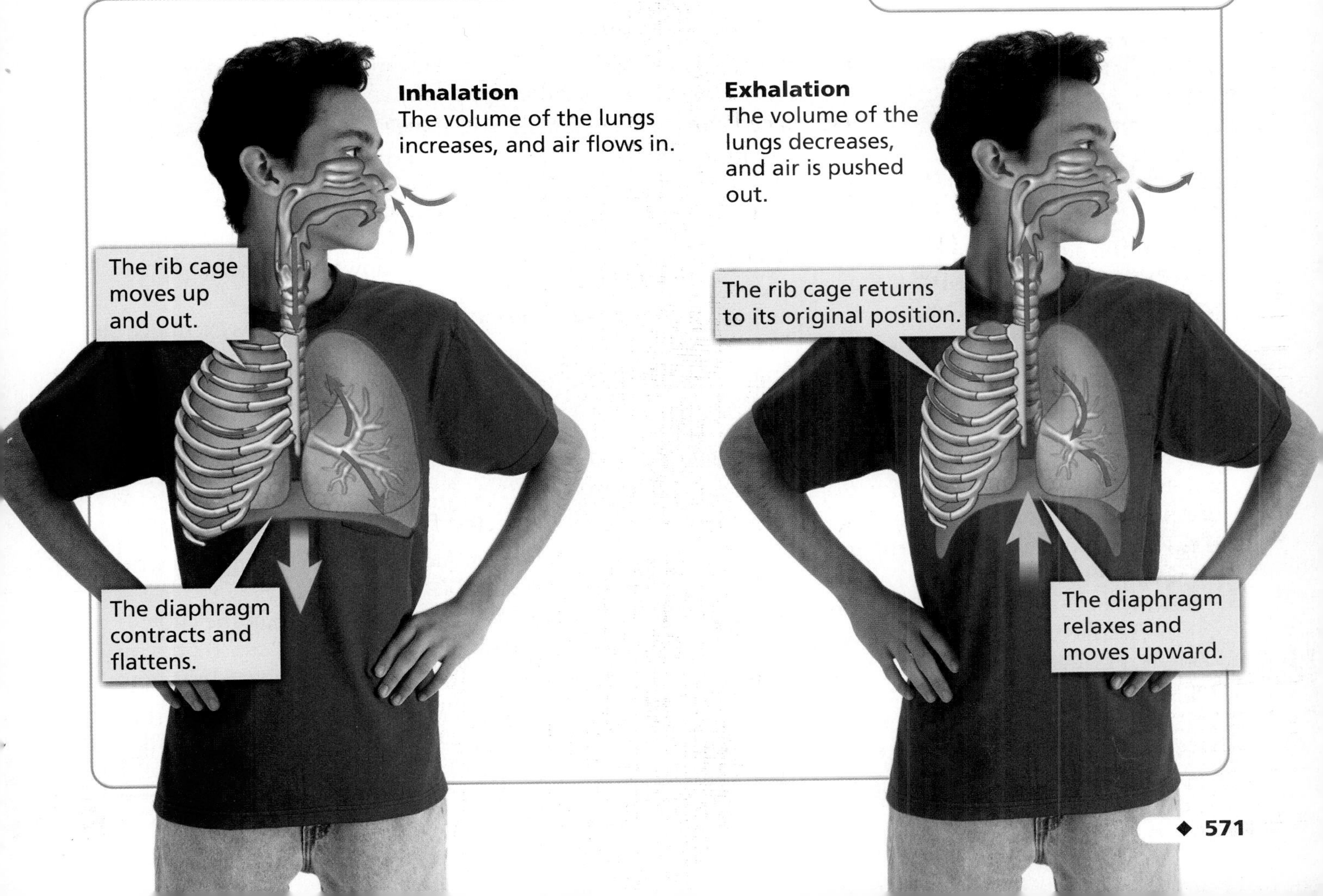

Inhalation
The volume of the lungs increases, and air flows in.

The rib cage moves up and out.

The diaphragm contracts and flattens.

Exhalation
The volume of the lungs decreases, and air is pushed out.

The rib cage returns to its original position.

The diaphragm relaxes and moves upward.

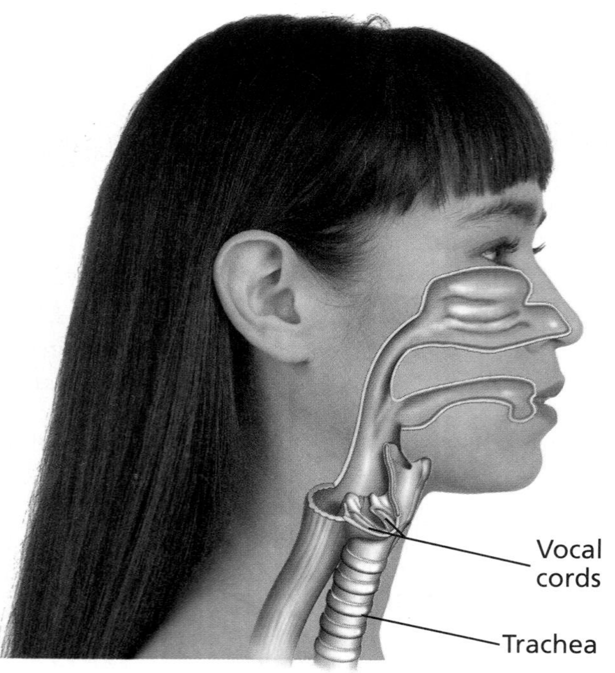

FIGURE 6
The Vocal Cords
Air moving over the vocal cords causes them to vibrate and produce sound.
Interpreting Diagrams *Where are the vocal cords located?*

Relating Breathing and Speaking The air that moves out of your lungs as you breathe also helps you speak. The **larynx** (LAR ingks), or voice box, is located in the top part of the trachea, underneath the epiglottis. Place your fingers on your Adam's apple, which sticks out from the front of your neck. You can feel some of the cartilage that makes up the larynx. Two **vocal cords,** folds of connective tissue that produce your voice, stretch across the opening of the larynx.

If you've ever let air out of a balloon while stretching its neck, you've heard the squeaking sound that the air makes. The neck of the balloon is something like your vocal cords. If you look at Figure 6 you can see that the vocal cords have a slitlike opening between them. When you speak, muscles make the vocal cords contract, narrowing the opening. Air from the lungs rushes through this opening. The movement of the vocal cords makes the air molecules vibrate, or move rapidly back and forth. This vibration creates a sound—your voice.

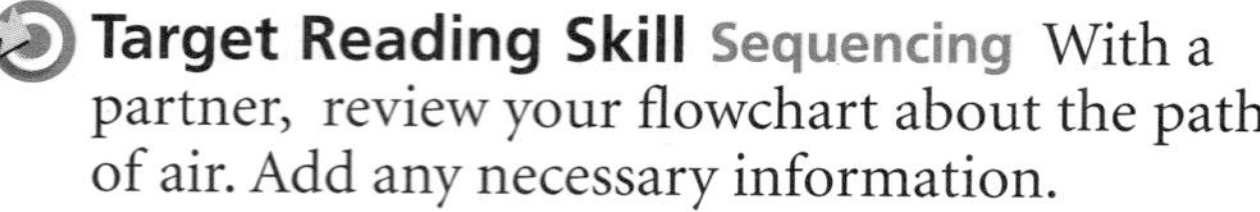

Section 1 Assessment

Target Reading Skill Sequencing With a partner, review your flowchart about the path of air. Add any necessary information.

Reviewing Key Concepts

1. a. **Listing** What are the functions of the respiratory system?
   b. **Comparing and Contrasting** Explain the difference between respiration and breathing.
   c. **Predicting** How might respiration in your body cells be affected if your respiratory system did not work properly?
2. a. **Identifying** Name the structures of the respiratory system.
   b. **Sequencing** Describe the path that a molecule of oxygen takes as it moves from the air outside your body into the alveoli.
   c. **Relating Cause and Effect** In a healthy person, how do coughing and sneezing protect the respiratory system?
3. a. **Reviewing** What three substances are exchanged in the alveoli?
   b. **Explaining** What happens to the carbon dioxide in the blood when it flows through the capillaries in the alveoli?
   c. **Applying Concepts** How would gas exchange be affected at the top of a tall mountain, where air pressure is lower and there is less oxygen than at lower elevations? Explain.

Math Practice

4. **Surface Area** A cube measures 4 cm × 4 cm on a side. Find its surface area.
5. **Surface Area** Suppose you cut up the cube into eight smaller cubes, each 2 cm × 2 cm on a side. If the larger cube represents a lung, and the smaller cubes represent alveoli, which would provide a larger surface area for oxygen exchange?

Lab zone **Skills Lab**

A Breath of Fresh Air

Problem

What causes your body to inhale and exhale air?

Skills Focus

making models, observing, drawing conclusions

Materials

- small balloon
- large balloon
- scissors
- transparent plastic bottle with narrow neck

Procedure 

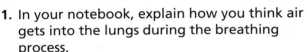

1. In your notebook, explain how you think air gets into the lungs during the breathing process.
2. Cut off and discard the bottom of a small plastic bottle. Trim the cut edge so there are no rough spots.
3. Stretch a small balloon; then blow it up a few times to stretch it further. Insert the round end of the balloon through the mouth of the bottle. Then, with a partner holding the bottle, stretch the neck of the balloon and pull it over the mouth of the bottle.
4. Stretch a large balloon; then blow it up a few times to stretch it further. Cut off and discard the balloon's neck.
5. Have a partner hold the bottle while you stretch the remaining part of the balloon over the bottom opening of the bottle, as shown in the photo.
6. Use one hand to hold the bottle firmly. With the knuckles of your other hand, push upward on the large balloon, causing it to form a dome. Remove your knuckles from the balloon, letting the balloon flatten. Repeat this procedure a few times. Observe what happens to the small balloon. Record your observations in your notebook.

Analyze and Conclude

1. **Making Models** Make a diagram of the completed model in your notebook. Add labels to show which parts of your model represent the chest cavity, diaphragm, lungs, and trachea.
2. **Observing** In this model, what is the position of the "diaphragm" just after you have made the model "exhale"? What do the lungs look like just after you have exhaled?
3. **Drawing Conclusions** In this model, how does the "diaphragm" move? How do these movements of the "diaphragm" affect the "lungs"?
4. **Communicating** Write a paragraph describing how this model shows that pressure changes are responsible for breathing.

More to Explore

How could you improve on this model to show more closely what happens in the chest cavity during the process of breathing? *Obtain your teacher's permission before carrying out your investigation.*

Section 2

Integrating Health

Smoking and Your Health

Reading Preview

Key Concepts

- What harmful chemicals are found in tobacco smoke?
- How can tobacco smoke affect a person's health over time?

Key Terms

- tar
- carbon monoxide
- nicotine
- addiction
- bronchitis
- emphysema

Target Reading Skill

Relating Cause and Effect As you read, identify the effects of smoking on the body. Write the information in a graphic organizer like the one below.

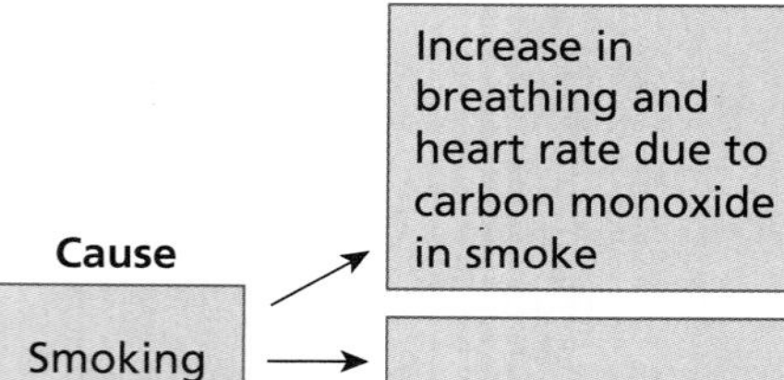

Lab zone Discover Activity

What Are the Dangers of Smoking?

The graph shows the rate of lung cancer deaths in the United States from 1930 to 2000.

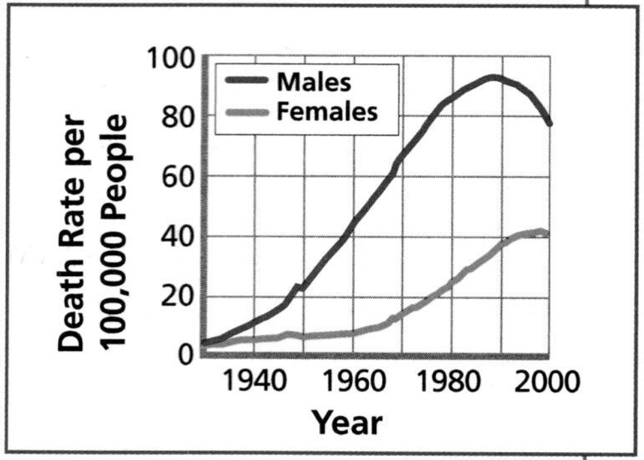

Males
Females
Death Rate per 100,000 People
0
20
40
60
80
100
1940
1960
1980
2000
Year

1. What was the rate of lung cancer deaths for males in 1930? For females?
2. What was the rate of lung cancer deaths for males in 1990? For females?
3. Did males or females show a faster rate of increase in the number of lung cancer deaths? How can you tell?
4. Cigarette smoking increased until 1965 but then decreased between 1965 and 1990. How does the trend in smoking compare with the rate of lung cancer deaths?

Think It Over

Predicting Do you think that the rate of lung cancer deaths is likely to increase, decrease, or remain the same by 2010? Explain.

Whoosh! Millions of tiny but dangerous aliens are invading the respiratory system. The aliens are pulled into the mouth with an inhaled breath. The cilia trap some aliens, and others get stuck in mucus. But thousands of the invaders get past these defenses and enter the lungs. The aliens then land on the surface of the alveoli!

The "aliens" are not tiny creatures from space. They are the substances found in cigarette smoke. In this section you will learn how tobacco smoke damages the respiratory system.

A heavy smoker may smoke two packs of cigarettes in a day.

Chemicals in Tobacco Smoke

With each puff, a smoker inhales more than 4,000 different chemicals. **Some of the most deadly chemicals in tobacco smoke are tar, carbon monoxide, and nicotine.**

Tar The dark, sticky substance that forms when tobacco burns is called **tar.** When someone inhales tobacco smoke, some tar settles on cilia that line the trachea, bronchi, and smaller airways. Tar makes cilia clump together so they can't function to prevent harmful materials from getting into the lungs. Tar also contains chemicals that have been shown to cause cancer.

Carbon Monoxide When substances—including tobacco—are burned, a colorless, odorless gas called **carbon monoxide** is produced. Carbon monoxide is dangerous because its molecules bind to hemoglobin in red blood cells. When carbon monoxide binds to hemoglobin, it takes the place of some of the oxygen that the red blood cells normally carry. The carbon monoxide molecules are something like cars that are parked in spaces reserved for other cars.

When carbon monoxide binds to hemoglobin, red blood cells carry less than their normal load of oxygen throughout the body. To make up for the decrease in oxygen, the breathing rate increases and the heart beats faster. Smokers' blood may contain too little oxygen to meet their bodies' needs.

Nicotine Another dangerous chemical found in tobacco is **nicotine.** Nicotine is a stimulant drug that increases the activities of the nervous system and heart. It makes the heart beat faster and increases blood pressure. Over time, nicotine produces an **addiction,** or physical dependence. Smokers feel an intense craving for a cigarette if they go without one. Addiction to nicotine is one reason why smokers have difficulty quitting.

How does the tar in cigarettes affect the body?

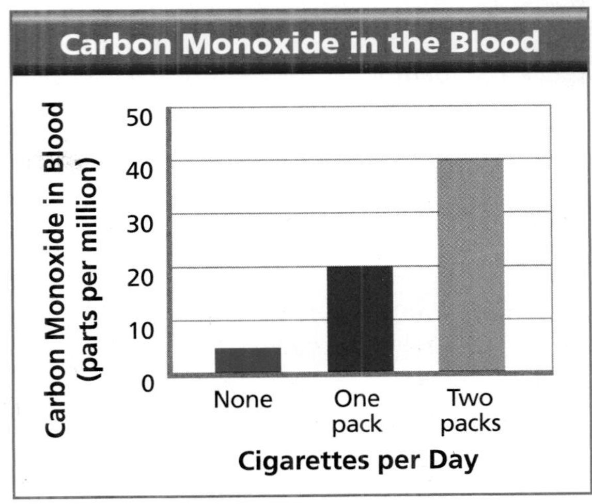

FIGURE 7
Carbon Monoxide in the Blood
The more cigarettes a person smokes, the more carbon monoxide he or she inhales.
Relating Cause and Effect *How does carbon monoxide deprive the body of oxygen?*

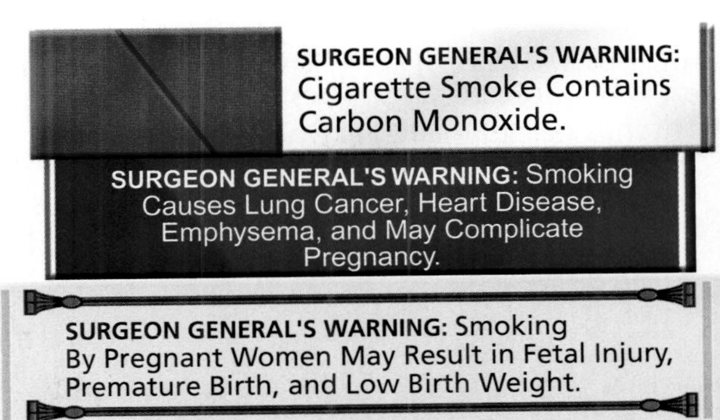

SURGEON GENERAL'S WARNING: Cigarette Smoke Contains Carbon Monoxide.
SURGEON GENERAL'S WARNING: Smoking Causes Lung Cancer, Heart Disease, Emphysema, and May Complicate Pregnancy.
SURGEON GENERAL'S WARNING: Smoking By Pregnant Women May Result in Fetal Injury, Premature Birth, and Low Birth Weight.

FIGURE 8
Staying Healthy by Not Smoking
People stay healthy by exercising and by choosing not to smoke.

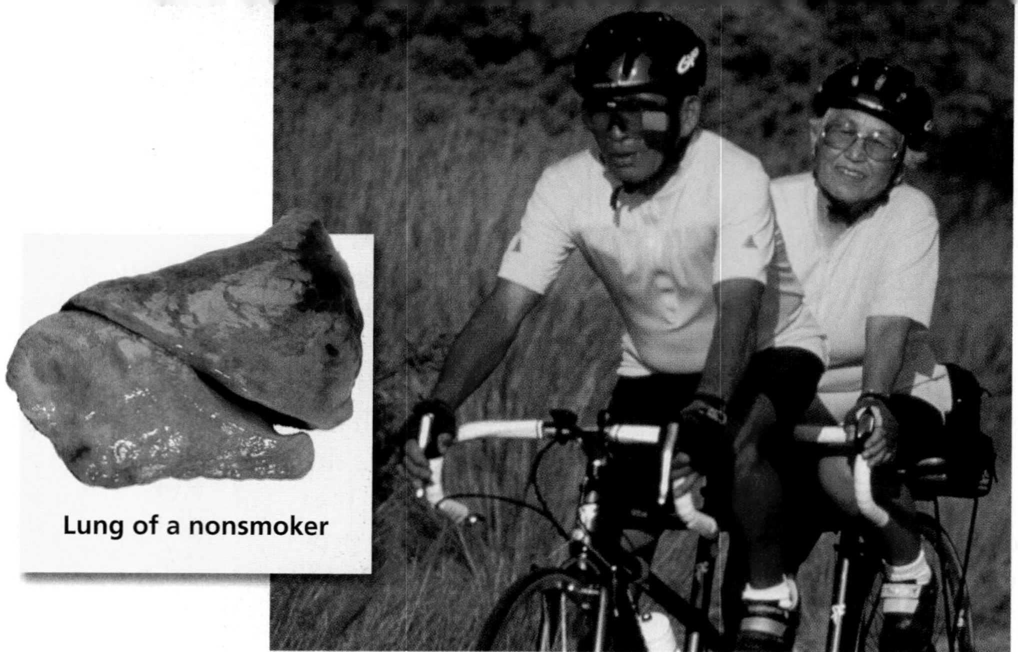

Health Problems and Smoking

Tobacco smoke causes health problems in several ways. For example, because the cilia can't sweep away mucus, many smokers have a frequent cough. The mucus buildup also limits the space for airflow, thus decreasing oxygen intake. Because they are not getting enough oxygen, long-term or heavy smokers may be short of breath during even light exercise.

You probably know that smoking damages the respiratory system, but did you know that it strains the circulatory system as well? The respiratory and circulatory systems work together to get oxygen to body cells. If either system is damaged, the other one must work harder. Serious health problems can result from long-term smoking. **Over time, smokers can develop chronic bronchitis, emphysema, lung cancer, and atherosclerosis.** Every year in the United States, more than 400,000 people die from smoking-related illnesses. That's one out of every five deaths. Tobacco smoke is the most important preventable cause of major illness and death.

Chronic Bronchitis **Bronchitis** (brahng KY tis) is an irritation of the breathing passages in which the small passages become narrower than normal and may be clogged with mucus. People with bronchitis have difficulty breathing. If the irritation continues over a long time, it is called chronic bronchitis. Chronic bronchitis can cause permanent damage to the breathing passages. It is often accompanied by infection with disease-causing microorganisms. Chronic bronchitis is five to ten times more common in heavy smokers than in nonsmokers.

Lab zone **Skills Activity**

Calculating

Heavy smokers may smoke two packs of cigarettes every day. Find out what one pack of cigarettes costs. Then, use that price to calculate how much a person would spend on cigarettes if he or she smoked two packs a day for 30 years.

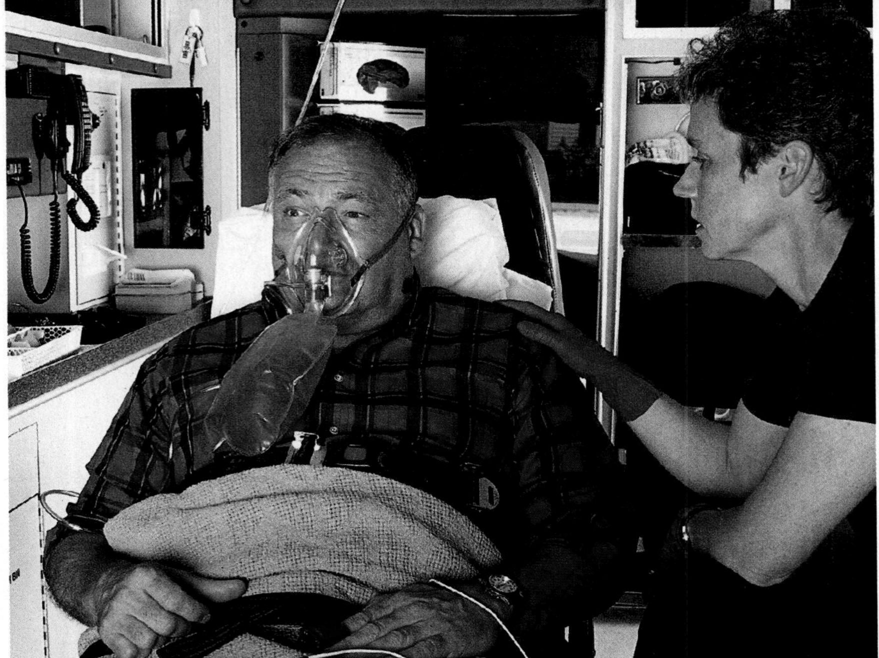

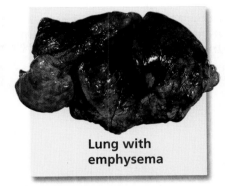

FIGURE 9
Effects of Smoking on the Lungs
Over time, smoking damages the lungs and leads to serious health problems. **Comparing and Contrasting** *Compare the lungs of a person with emphysema and a person with lung cancer to the lung of a nonsmoker shown in Figure 8.*

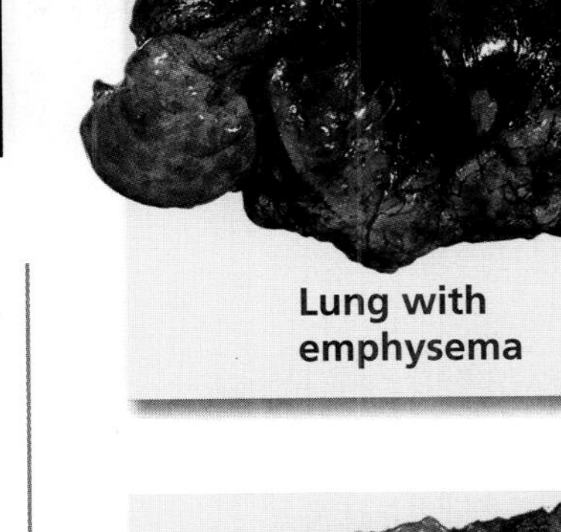

Lung with emphysema

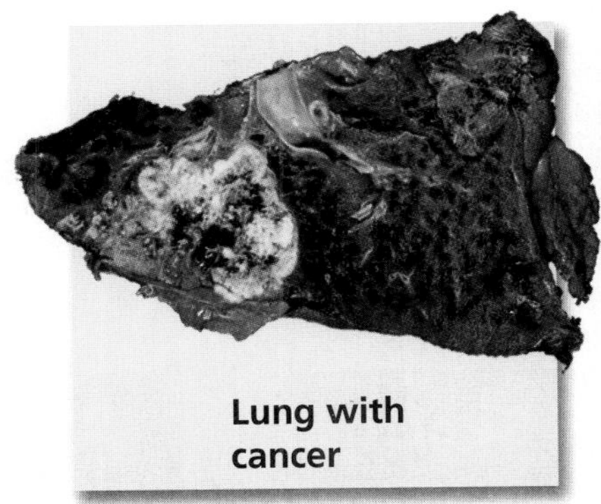

Lung with cancer

Emphysema The chemicals in tobacco smoke damage lung tissue as well as breathing passages. **Emphysema** (em fuh SEE muh) is a serious disease that destroys lung tissue and causes breathing difficulties. People with emphysema do not get enough oxygen and cannot adequately eliminate carbon dioxide. Therefore, they are always short of breath. Some people with emphysema even have trouble blowing out a match. Unfortunately, the damage caused by emphysema is permanent, even if a person stops smoking.

Lung Cancer About 140,000 Americans die each year from lung cancer caused by smoking. Cigarette smoke contains more than 50 different chemicals that cause cancer, including the chemicals in tar. Cancerous growths, or tumors, take away space in the lungs that are used for gas exchange. Unfortunately, lung cancer is rarely detected early, when treatment would be most effective.

Atherosclerosis The chemicals in tobacco smoke also harm the circulatory system. Some of the chemicals get into the blood and are absorbed by the blood vessels. The chemicals then irritate the walls of the blood vessels. This irritation contributes to the buildup of fatty material on the blood vessel walls that causes atherosclerosis. Atherosclerosis can lead to heart attacks. Compared to nonsmokers, smokers are more than twice as likely to have heart attacks.

How does emphysema affect a person's lungs?

Zach's Dad Wasn't The Only
Victim Of The Tobacco Industry.
Sponsored By
Somerset County Public Schools

FIGURE 10
Passive Smoking
Billboards like this one increase people's awareness that nonsmokers can also suffer from the effects of tobacco smoke.

For: Links on respiratory disorders
Visit: www.SciLinks.org
Web Code: scn-0442

Passive Smoking Smokers are not the only people to suffer from the effects of tobacco smoke. In passive smoking, people involuntarily inhale the smoke from other people's cigarettes, cigars, or pipes. This smoke contains the same harmful chemicals that smokers inhale. Each year, passive smoking is associated with the development of bronchitis and other respiratory problems, such as asthma, in about 300,000 young children in the United States.

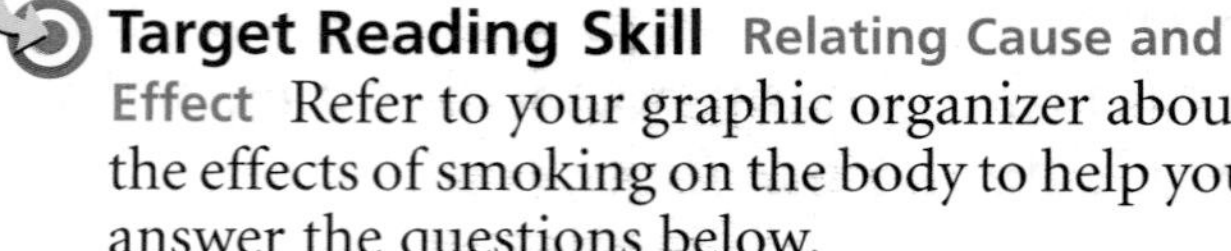

Section 2 Assessment

Target Reading Skill Relating Cause and Effect Refer to your graphic organizer about the effects of smoking on the body to help you answer the questions below.

Reviewing Key Concepts

1. a. Listing What are three harmful substances in tobacco smoke?
   b. Relating Cause and Effect How does each of the harmful substances directly affect the body?
   c. Developing Hypotheses Why might nicotine-containing products, such as chewing gums or skin patches, help a person who is trying to quit smoking?
2. a. Reviewing Identify four health problems that can develop in smokers over time.
   b. Describing How does smoking contribute to atherosclerosis?
   c. Inferring What effect would it have on the circulatory system if a person quit smoking?

Lab zone At-Home Activity

Warning Labels With a family member, make a list of the warning statements found on cigarette labels. What chemicals found in tobacco smoke and health problems do the labels identify? Summarize the information you find to share with the class.

Section 3

The Excretory System

Reading Preview

Key Concepts

- What are the structures and functions of the excretory system?
- How do the kidneys filter wastes from the blood?
- How does excretion contribute to homeostasis?

Key Terms

- excretion • urea • kidney
- urine • ureter
- urinary bladder • urethra
- nephron

Target Reading Skill

Previewing Visuals Before you read, preview Figure 11. Then, write two questions that you have about the diagram in a graphic organizer like the one below. As you read, answer your questions.

How the Kidneys Filter Wastes

Q. Where are nephrons located?
A.
Q.

Lab zone Discover Activity

How Does Filtering a Liquid Change the Liquid?

1. Your teacher will give you 50 mL of a liquid in a small container. Pour a small amount of sand into the liquid.
2. Use a glucose test strip to determine whether glucose is present in the liquid.
3. Put filter paper in a funnel. Then, put the funnel into the mouth of a second container. Slowly pour the liquid through the funnel into the second container.
4. Look for any solid material on the filter paper. Remove the funnel, and carefully examine the liquid that passed through the filter.
5. Test the liquid again to see whether it contains glucose.

Think It Over

Observing Which substances passed through the filter, and which did not? How might a filtering device be useful in the body?

The human body faces a challenge that is a bit like trying to keep your room clean. Magazines, notebook paper, and CD wrappers tend to pile up in your room. You use all of these things, but sooner or later you must clean your room if you don't want to be buried in trash. Something similar happens in your body. As your cells use nutrients in respiration and other processes, wastes are created. Different organs in the body have roles for the removal of these wastes. The removal process is known as **excretion.**

If wastes were not removed from your body, they would pile up and make you sick. Excretion helps keep the body's internal environment stable and free of harmful materials. **The excretory system is the system in the body that collects wastes produced by cells and removes the wastes from the body.**

The Excretory System

Two wastes that your body must eliminate are excess water and urea. **Urea** (yoo REE uh) is a chemical that comes from the breakdown of proteins. **The structures of the excretory system that eliminate urea, water, and other wastes include the kidneys, ureters, urinary bladder, and urethra.**

Your two **kidneys,** which are the major organs of the excretory system, remove urea and other wastes from the blood. The kidneys act like filters. They remove wastes but keep materials that the body needs. The wastes are eliminated in **urine**, a watery fluid that contains urea and other wastes. Urine flows from the kidneys through two narrow tubes called **ureters** (yoo REE turz). The ureters carry urine to the **urinary bladder,** a sacklike muscular organ that stores urine. Urine leaves the body through a small tube called the **urethra** (yoo REE thruh).

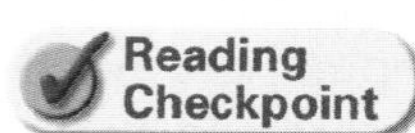

What is the role of the ureters?

Filtration of Wastes

The kidneys are champion filters. Each of your kidneys contains about a million **nephrons,** tiny filtering factories that remove wastes from blood and produce urine. **The nephrons filter wastes in stages. First, both wastes and needed materials, such as glucose, are filtered out of the blood. Then, much of the needed material is returned to the blood, and the wastes are eliminated from the body.** Follow this process in Figure 11.

Filtering Out Wastes During the first stage of waste removal, blood enters the kidneys. Here, the blood flows through smaller and smaller arteries. Eventually it reaches a cluster of capillaries in a nephron. The capillaries are surrounded by a thin-walled, hollow capsule that is connected to a tube. In the capillary cluster, urea, glucose, and some water move out of the blood and into the capsule. Blood cells and most protein molecules do not move into the capsule. Instead, they remain in the capillaries.

Formation of Urine Urine forms from the filtered material in the capsule. This material flows through the long, twisting tube. As the liquid moves through the tube, many of the substances are returned to the blood. Normally, all the glucose, most of the water, and small amounts of other materials pass back into the blood in the capillaries that surround the tube. In contrast, urea and other wastes remain in the tube.

Lab zone Skills Activity

Classifying

A number of materials enter the kidney, where they are filtered by the nephrons.

- What materials enter a nephron?
- What materials are returned to the blood?
- What materials leave the body in urine?

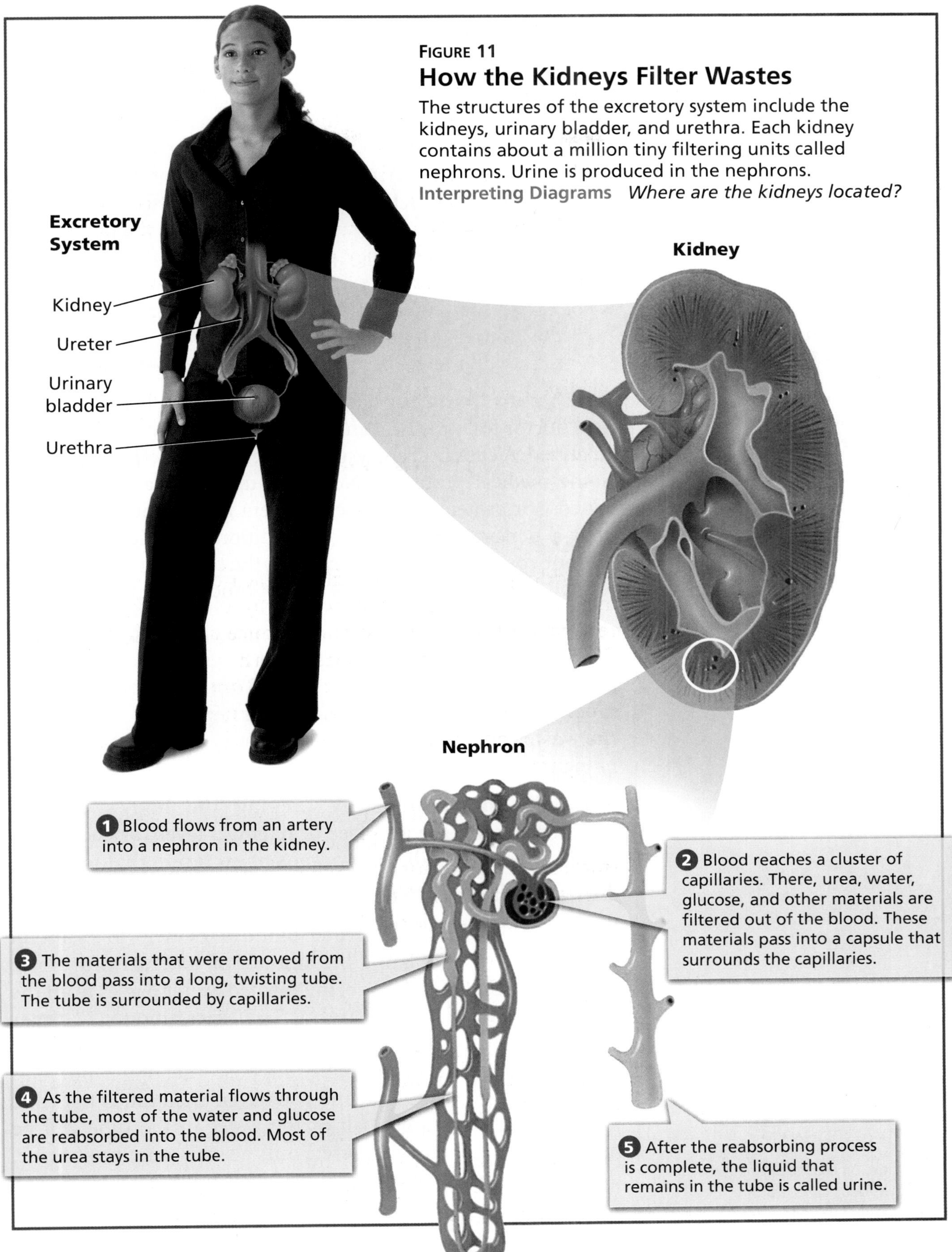

Excretory System
Kidney
Ureter
Urinary bladder
Urethra
Kidney
Nephron
1 Blood flows from an artery into a nephron in the kidney.
2 Blood reaches a cluster of capillaries. There, urea, water, glucose, and other materials are filtered out of the blood. These materials pass into a capsule that surrounds the capillaries.
3 The materials that were removed from the blood pass into a long, twisting tube. The tube is surrounded by capillaries.
4 As the filtered material flows through the tube, most of the water and glucose are reabsorbed into the blood. Most of the urea stays in the tube.
5 After the reabsorbing process is complete, the liquid that remains in the tube is called urine.

FIGURE 11

How the Kidneys Filter Wastes

The structures of the excretory system include the kidneys, urinary bladder, and urethra. Each kidney contains about a million tiny filtering units called nephrons. Urine is produced in the nephrons.
Interpreting Diagrams *Where are the kidneys located?*

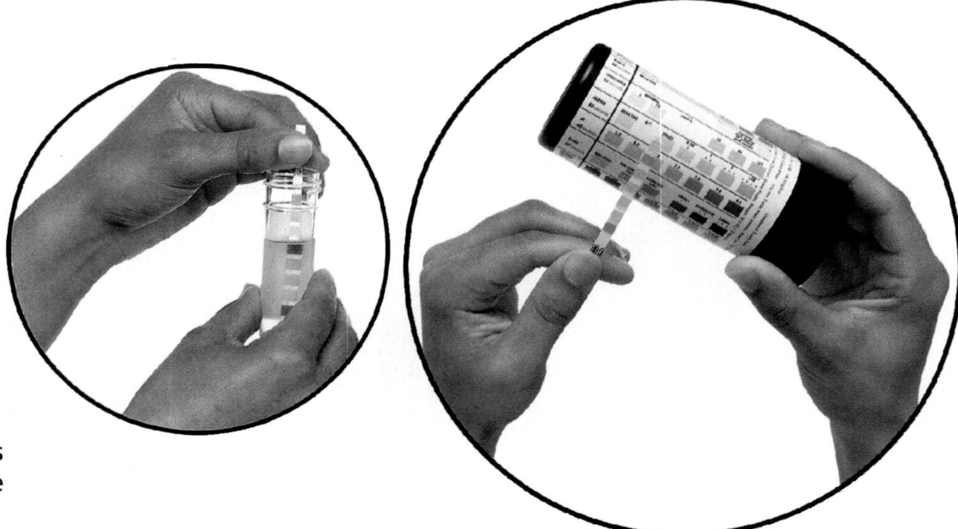

FIGURE 12
Analyzing Urine
Lab technicians can analyze urine by using a dipstick that changes color in the presence of glucose and other substances. The technician dips the dipstick into a urine sample and compares the results to a color chart.
Applying Concepts *What are two substances for which urine can be tested?*

Analyzing Urine for Signs of Disease When people go to a doctor for a medical checkup, they usually have their urine analyzed. A chemical analysis of urine can be useful in detecting some medical problems. Normally, urine contains almost no glucose or protein. If glucose is present in urine, it may indicate that a person has diabetes, a condition in which body cells cannot absorb enough glucose from the blood. Protein in urine can be a sign that the kidneys are not functioning properly.

What could it mean if there is glucose in the urine?

Excretion and Homeostasis

Eliminating wastes, such as urea, excess water, and carbon dioxide, is important for maintaining homeostasis. **Excretion maintains homeostasis by keeping the body's internal environment stable and free of harmful levels of chemicals. In addition to the kidneys, organs of excretion that maintain homeostasis include the lungs, skin, and liver.**

Kidneys As the kidneys filter blood, they help to maintain homeostasis by regulating the amount of water in your body. Remember that as urine is being formed, water passes from the tube back into the bloodstream. The exact amount of water that is reabsorbed depends on conditions both outside and within the body. For example, suppose that it's a hot day. You've been sweating a lot, and you haven't had much to drink. In that situation, almost all of the water in the tube will be reabsorbed, and you will excrete only a small amount of urine. If, however, the day is cool and you've drunk a lot of water, less water will be reabsorbed. Your body will produce a larger volume of urine.

For: Links on organs of excretion
Visit: www.SciLinks.org
Web Code: scn-0443

Lungs and Skin Most of the wastes produced by the body are removed through the kidneys. However, the lungs and skin remove some wastes from the body as well. When you exhale, carbon dioxide and some water are removed from the body by the lungs. Sweat glands in the skin also serve an excretory function because water and urea are excreted in perspiration.

FIGURE 13
Excretion Through the Lungs
Your lungs function as excretory organs. When you exhale on a cold morning, you can see the water in your breath.

Liver Have you ever torn apart a large pizza box so that it could fit into a wastebasket? If so, then you understand that some wastes need to be broken down before they can be excreted. The liver performs this function. For example, urea, which comes from the breakdown of proteins, is produced by the liver. The liver also converts part of the hemoglobin molecule from old red blood cells into substances such as bile. Because the liver produces a usable material from old red blood cells, you can think of the liver as a recycling facility.

What substances are excreted in perspiration?

Section 3 Assessment

Target Reading Skill Previewing Visuals Compare your questions and answers about Figure 11 with those of a partner.

Reviewing Key Concepts

1. a. Reviewing What is the role of the excretory system in the body?
   b. Sequencing Name the structures of the excretory system in order of their roles in producing and eliminating urine. Describe the function of each structure.
2. a. Reviewing What are the two main stages of waste removal by the kidneys?
   b. Describing What happens as wastes are filtered in a nephron?
   c. Relating Cause and Effect Why is protein in the urine a sign that something could be wrong with the kidneys?
3. a. Identifying What is the role of excretion in maintaining homeostasis?
   b. Explaining How do the kidneys help maintain homeostasis?
   c. Predicting On a long bus trip, a traveler does not drink any water for several hours. How will the volume of urine she produces that day compare to the volume on a day when she drinks several glasses of water? Explain.

Writing in Science

Explanation Write a paragraph explaining how wastes are filtered in the kidneys. To help you with your writing, first make two lists—one that includes materials remove from the blood in the kidneys and one t includes materials returned to the bloo

Lab zone **Skills Lab**

Clues About Health

Problem

How can you test urine for the presence of glucose and protein?

Skills Focus

observing, interpreting data, drawing conclusions

Materials

- 6 test tubes
- test-tube rack
- 6 plastic droppers
- water
- glucose solution
- protein solution
- marking pencil
- white paper towels
- 6 glucose test strips
- Biuret solution
- 3 simulated urine samples

Procedure

PART 1 Testing for Glucose

1. Label six test tubes as follows: *W* for water, *G* for glucose, *P* for protein, and *A, B,* and *C* for three patients' "urine samples." Place the test tubes in a test-tube rack.
2. Label six glucose test strips with the same letters: *W, G, P, A, B,* and *C.*
3. Copy the data table into your notebook.
4. Fill each test tube about $\frac{3}{4}$ full with the solution that corresponds to its label.
5. Place glucose test strip W on a clean, dry section of a paper towel. Then, use a clean plastic dropper to place 2 drops of the water from test tube W on the test strip. Record the resulting color of the test strip in your data table. If no color change occurs, write "no reaction."
6. Use the procedure in Step 5 to test each of the other five solutions with the correctly labeled glucose test strip. Record the color of each test strip in the data table.

PART 2 Testing for Protein

7. Obtain a dropper bottle containing Biuret solution. Record the original color of the solution in your notebook.
8. Carefully add 30 drops of Biuret solution to test tube W. **CAUTION:** *Biuret solution can harm skin and damage clothing. Handle it with care.* Gently swirl the test tube to mix the two solutions together. Hold the test tube against a white paper towel to help you detect any color change. Observe the color of the final mixture, and record that color in your data table.
9. Repeat Step 8 for each of the other test tubes.

Data Table

	Test Tube					
Test for	W (water)	G (glucose)	P (protein)	A (Patient A)	B (Patient B)	C (Patient C)
Glucose						
Protein						

Analyze and Conclude

1. **Observing** What color reaction occurred when you used the glucose test strip on sample W? On sample G?
2. **Interpreting Data** What do the changes in color you observed in Part 1 indicate? Explain.
3. **Observing** What happened when you added Biuret solution to test tube W? To test tube P?
4. **Interpreting Data** What do the changes in color of the Biuret solution you observed in Part II indicate? Explain.
5. **Drawing Conclusions** Which of the three patients' urine samples tested normal? How do you know?
6. **Drawing Conclusions** Which urine sample(s) indicated that diabetes might be present? How do you know?
7. **Drawing Conclusions** Which urine sample(s) indicated that kidney disease might be present? How do you know?
8. **Communicating** Do you think a doctor should draw conclusions about the presence of a disease based on a single urine sample? Write a paragraph in which you discuss this question based on what you know about gathering data in experiments.

More to Explore

Propose a way to determine whether a patient with glucose in the urine could reduce the level through changes in diet.

Chapter 17 Study Guide

1 The Respiratory System

Key Concepts

- The respiratory system moves oxygen from the outside environment into the body. It also removes carbon dioxide and water from the body.
- As air travels from the outside environment to the lungs, it passes through the following structures: nose, pharynx, trachea, and bronchi.
- After air enters an alveolus, oxygen passes through the wall of the alveolus and then through the capillary wall into the blood. Carbon dioxide and water pass from the blood into the alveoli. This whole process is known as gas exchange.
- When you breathe, the actions of your rib muscles and diaphragm expand or contract your chest, causing air to flow in or out.

Key Terms

respiration
cilia
pharynx
trachea
bronchi
lungs
alveoli
diaphragm
larynx
vocal cords

2 Smoking and Your Health

Key Concepts

- Some of the most deadly chemicals in tobacco smoke are tar, carbon monoxide, and nicotine.
- Over time, smokers can develop chronic bronchitis, emphysema, lung cancer, and atherosclerosis.

Key Terms

tar
carbon monoxide
nicotine
addiction
bronchitis
emphysema

3 The Excretory System

Key Concepts

- The excretory system is the system in the body that collects wastes produced by cells and removes the wastes from the body.
- The structures of the excretory system that eliminate urea, water, and other wastes include the kidneys, ureters, the urinary bladder, and the urethra.
- The nephrons filter wastes in stages. First, both wastes and needed materials, such as glucose, are filtered from the blood into a nephron. Then, much of the needed material is returned to the blood, and the wastes are eliminated from the body.
- Excretion maintains homeostasis by keeping the body's internal environment stable and free of harmful levels of chemicals. In addition to the kidneys, organs of excretion that maintain homeostasis include the lungs, skin, and liver.

Key Terms

excretion
urea
kidney
urine
ureter
urinary bladder
urethra
nephron

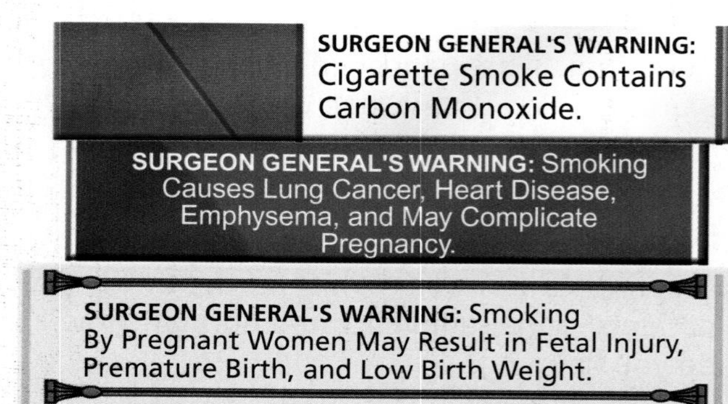

SURGEON GENERAL'S WARNING: Cigarette Smoke Contains Carbon Monoxide.
SURGEON GENERAL'S WARNING: Smoking Causes Lung Cancer, Heart Disease, Emphysema, and May Complicate Pregnancy.
SURGEON GENERAL'S WARNING: Smoking By Pregnant Women May Result in Fetal Injury, Premature Birth, and Low Birth Weight.

Review and Assessment

Go Online
PHSchool.com
For: Self-Assessment
Visit: PHSchool.com
Web Code: cea-4040

Organizing Information

Sequencing Copy the flowchart about excretion onto a separate sheet of paper. Then, fill in the empty spaces and add a title. (For more on Sequencing, see the Skills Handbook.)

Blood flows into the nephron's capillary cluster.
↓
a. ____?____
↓
b. ____?____
↓
c. ____?____
↓
d. ____?____

Reviewing Key Terms

Choose the letter of the best answer.

1. The process in which glucose and oxygen react in cells to release energy is called
   a. excretion.
   b. respiration.
   c. bronchitis.
   d. emphysema.
2. The trachea divides into two tubes called
   a. bronchi.
   b. alveoli.
   c. ureters.
   d. vocal cords.
3. Your voice is produced by the
   a. pharynx.
   b. larynx.
   c. trachea.
   d. alveoli.
4. A colorless, odorless gas produced by burning tobacco is
   a. carbon monoxide.
   b. tar.
   c. nicotine.
   d. urea.
5. The filtration of wastes takes place inside the kidneys in the
   a. ureters.
   b. urethra.
   c. urinary bladder.
   d. nephrons.

If the statement is true, write *true.* If it is false, change the underlined word or words to make the statement true.

6. Dust particles trapped in mucus are swept away by tiny, hairlike <u>alveoli</u>.
7. Clusters of air sacs in the lungs are <u>bronchi</u>.
8. <u>Tar</u> is a chemical in tobacco smoke that makes the heart beat faster.
9. Urine leaves the body through the <u>ureter</u>.
10. Urine is stored in the <u>urethra</u>.

Writing in Science

Informational Brochure Pretend you are a doctor advising high-altitude climbers. Develop an informational brochure that focuses on the effects that high altitude has on the human body. Be sure to include one method climbers can use to become used to the higher altitudes.

Review and Assessment

Checking Concepts

11. Explain the difference between breathing and respiration.

12. Explain how the alveoli provide a large surface area for gas exchange in the lungs.

13. Describe how the diaphragm and rib muscles work together to control inhaling and exhaling.

14. Describe what happens when carbon monoxide enters the body. How does this affect the body?

15. Explain two ways in which the kidneys help to maintain homeostasis in the body.

Thinking Critically

16. Comparing and Contrasting How is respiration similar to the burning of fuel? How is it different?

17. Relating Cause and Effect What process is shown in the diagram below? What role do changes in pressure play in this process?

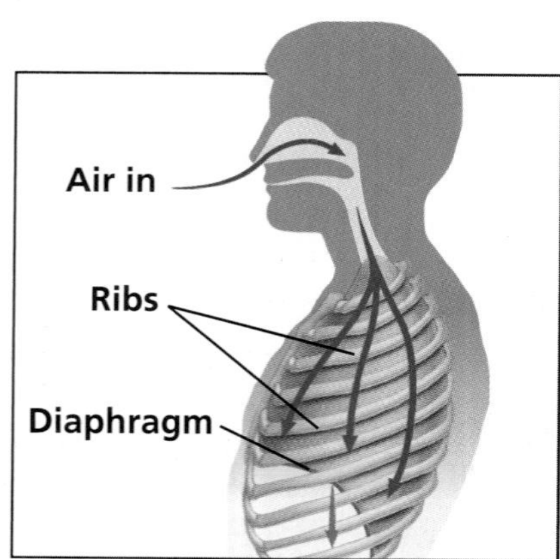

18. Applying Concepts Explain how babies can develop smoking-related respiratory problems.

19. Making Judgments Do you think that drugstores, which sell medicines, should also sell cigarettes and other tobacco products? Why or why not?

20. Predicting If the walls of the capillary cluster in a nephron were damaged or broken, what substance might you expect to find in urine that is not normally present? Explain.

Math Practice

21. Surface Area Which has a greater surface area, a cube that is 2 cm × 2 cm on a side, or eight cubes that are each 1 cm × 1 cm on a side? Show your work.

Applying Skills

Use your knowledge of the excretory system and the information in the data table below to answer Questions 22–25.

Average Daily Water Loss in Humans (mL)

Source	Normal Weather	Hot Weather	Extended Heavy Exercise
Lungs	350	250	650
Urine	1,400	1,200	500
Sweat	450	1,750	5,350
Digestive waste	200	200	200

22. Interpreting Data Identify the major source of water loss during normal weather and the major source of water loss during hot weather.

23. Drawing Conclusions How do the data for normal weather and hot weather show that the body is maintaining homeostasis?

24. Calculating What is the total amount of water lost on a hot-weather day? What is the total amount of water lost during extended heavy exercise?

25. Inferring Use the data to explain why it is important to drink a lot of water when you are exercising heavily.

Lab zone Chapter Project

Performance Assessment Your three anti-smoking ads should be ready for display. Be prepared to explain why you chose the message you did for each group of viewers. What health risks do each of your ads identify? Why do you think your ads would be effective?

Standardized Test Prep

Test-Taking Tip

Sequencing Events

Some test questions ask you to arrange a series of events in order. For example, you may be asked which event comes first or last. You may also be asked to put a series of events in their correct sequence. Before looking at the answer choices, try to recall the correct sequence in which the events appear. Answer the sample question below by recalling the pathway that urine travels through the excretory system.

Sample Question

On its way out of the body, urine passes LAST through the

A urinary bladder.
B kidney.
C ureter.
D urethra.

Answer

Answer choice **D** is correct. The urethra is the tube that carries urine out of the body. Choice **B** is incorrect because the kidney is the first body part through which urine passes. Choice **C**, the ureter, is the tube that connects the kidney to the bladder. Choice **A**, urinary bladder, is incorrect because it is not the last body part through which urine passes.

Choose the letter of the best answer.

1. Which of the following organs functions as both a respiratory organ and an excretory organ?
A the liver
B the lungs
C the skin
D the kidneys

2. The correct sequence of organs through which air travels when it is breathed into the body is
F pharynx, nose, trachea, bronchi.
G nose, trachea, pharynx, bronchi.
H nose, pharynx, bronchi, trachea.
J nose, pharynx, trachea, bronchi.

The graph below shows the percentage of total lung function in people who have never smoked and in smokers from ages 25–75. Use the graph to answer Questions 3 and 4.

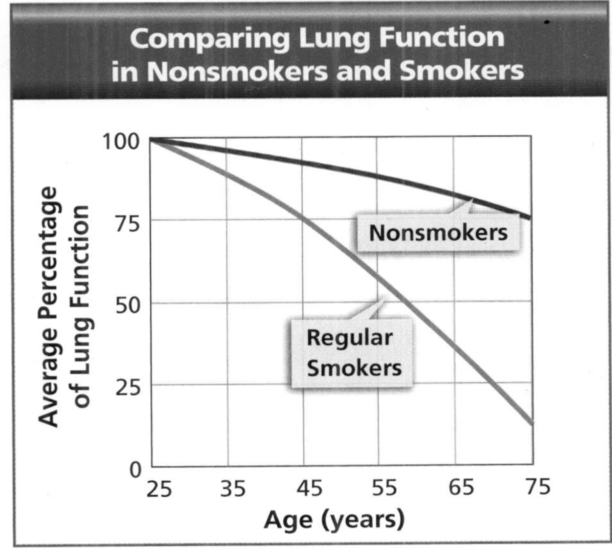

3. At approximately what age do the lungs of a smoker have the same capacity as the lungs of a 75-year-old who has never smoked?
A 25
B 45
C 65
D 75

4. What general conclusion about lung function and smoking could you draw from this graph?
F Smoking does not affect lung function.
G People who smoke are more likely to have greater lung function than those who have never smoked.
H By the age of 50, a smoker will likely have 50 percent lung function.
J Smoking significantly reduces the lung function of smokers compared to people who have never smoked.

Constructed Response

5. What is respiration? Explain where this process occurs and what body systems are involved in making respiration possible.

Chapter 18

Fighting Disease

Chapter Preview

1. **Infectious Disease**
   Discover *How Does a Disease Spread?*
   Skills Activity *Posing Questions*
2. **The Body's Defenses**
   Discover *Which Pieces Fit Together?*
   Try This *Stuck Together*
   Active Art *Immune Response*
   Skills Lab *The Skin as a Barrier*
3. **Preventing Infectious Disease**
   Discover *What Substances Can Kill Pathogens?*
   Science and History *Fighting Infectious Disease*
4. **Noninfectious Disease**
   Discover *What Happens When Airflow Is Restricted?*
   Skills Activity *Drawing Conclusions*
   Analyzing Data *Skin Cancer*
   Skills Lab *Causes of Death, Then and Now*
   Science and Society *Antibiotic Resistance—An Alarming Trend*

interactive Textbook

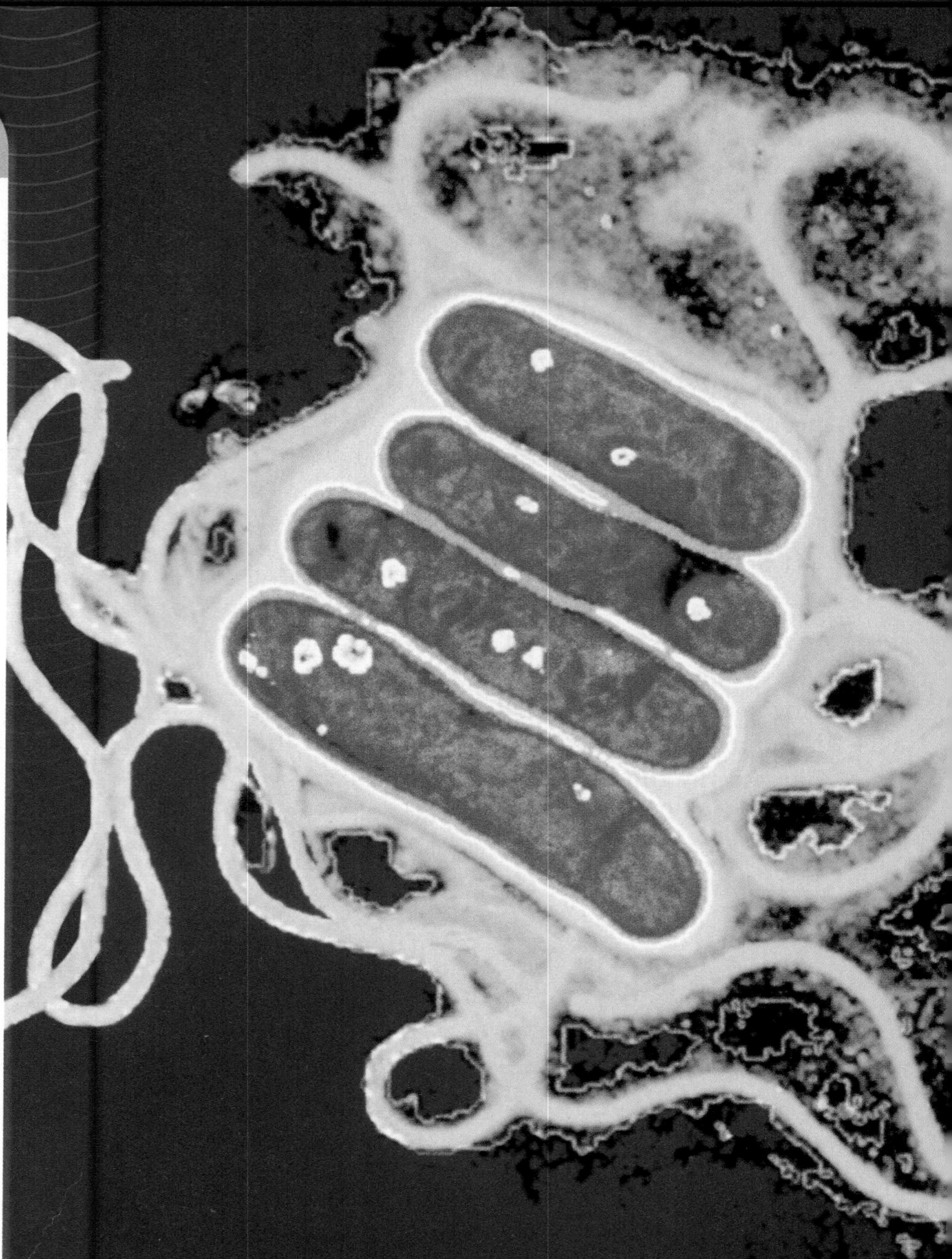

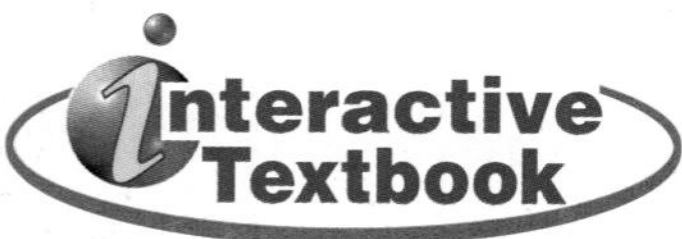

These rod-shaped bacteria *(Legionella)* cause Legionnaires' disease.

Fighting Disease

- ▶ Video Preview
- Video Field Trip
- Video Assessment

Lab zone™ Chapter Project

Stop the Invasion!

When you catch a cold, your body is under attack by cold viruses. Many other diseases are caused by viruses or bacteria that invade your body. In this project, you'll develop a series of informative news reports on how your body defends itself against such invasions.

Your Goal To create a series of imaginary news broadcasts from "battlefield sites" where the body is fighting an infectious disease

To complete this project successfully, you must

- choose a specific disease and represent the sequence of events that occurs when that disease strikes the body
- describe the stages of the disease as if they were battles between two armies
- present your story creatively in at least three reports, using newspaper, radio, or television news-reporting techniques

Plan It! With some classmates, list the techniques reporters use to make stories interesting or to explain complicated information. Also, recall the times you've had a cold, the flu, or another infectious disease. Write down how your body responded, how long you were sick, and any other useful information. Then select a specific disease to research.

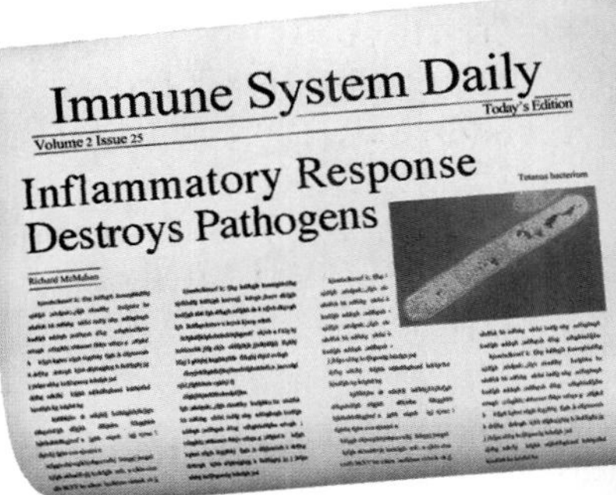

Immune System Daily

Today's Edition

Volume 2 Issue 25

Inflammatory Response Destroys Pathogens

Richard McMahon

Section 1

Infectious Disease

Reading Preview

Key Concepts

- What is the relationship between pathogens and infectious disease?
- What kinds of pathogens cause infectious diseases in humans?
- What are four ways that pathogens can spread?

Key Terms

- pathogen
- infectious disease
- toxin

Target Reading Skill

Using Prior Knowledge Before you read, look at the section headings and visuals to see what this section is about. Then write what you know about infectious diseases in a graphic organizer like the one below. As you read, continue to write in what you learn.

What You Know
1. Bacteria and viruses can cause disease. 2.

What You Learned
1. 2.

Lab zone Discover Activity

How Does a Disease Spread?

1. On a sheet of paper, write three headings: Round 1, Round 2, and Round 3.
2. Everyone in the class should shake hands with two people. Under Round 1, record the names of the people whose hand you shook.
3. Now shake hands with two different people. Record the name of each person whose hand you shook under Round 2.

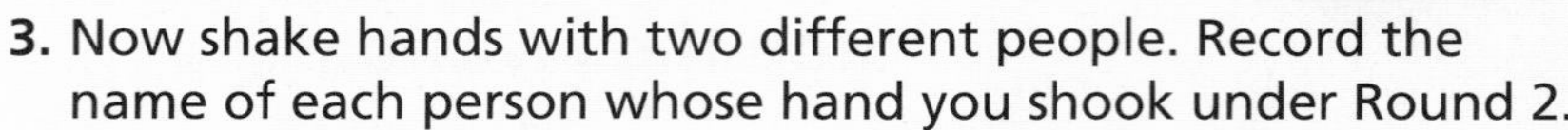

4. Repeat Step 3. Under Round 3, record the names of the people whose hand you shook.

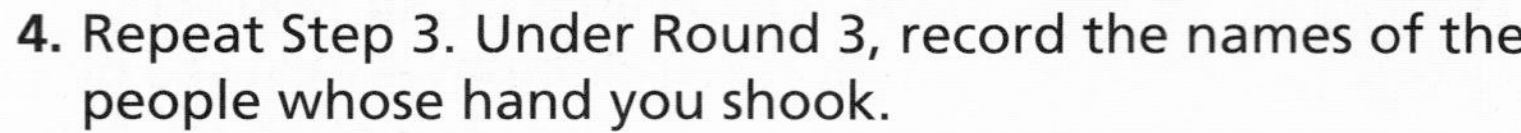

Think It Over

Calculating Suppose you had a disease that was spread by shaking hands. Everyone whose hand you shook has caught the disease and so has anyone who later shook hands with those people. Calculate how many people you "infected."

Before the twentieth century, surgery was a risky business. Even if people lived through an operation, they were not out of danger. After the operation, many patients' wounds became infected, and the patients often died. No one knew what caused these infections.

In the 1860s, a British surgeon named Joseph Lister hypothesized that microorganisms caused the infections. Before performing an operation, Lister washed his hands and surgical instruments with carbolic acid, a chemical that kills microorganisms. After the surgery, he covered the patient's wounds with bandages dipped in carbolic acid. Lister's results were dramatic. Before he used his new method, about 45 percent of his surgical patients died from infection. With Lister's new techniques, only 15 percent died.

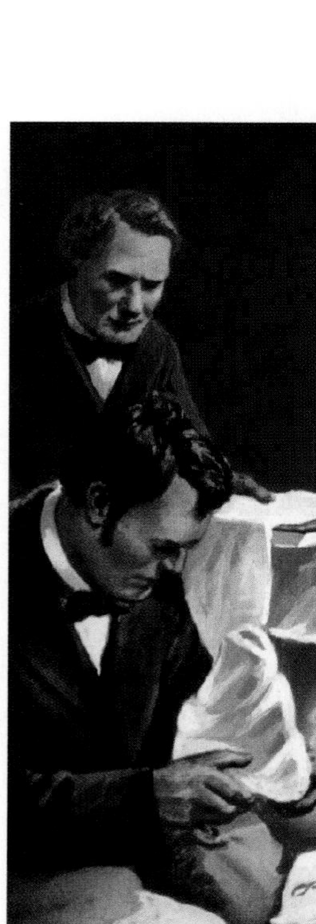

Understanding Infectious Disease

Like the infections that Lister observed after surgery, many illnesses, such as ear infections and food poisoning, are caused by living things that are too small to see without a microscope. Organisms that cause disease are called **pathogens.**

Diseases that are caused by pathogens are called infectious diseases. An **infectious disease** is a disease that is caused by the presence of a living thing within the body. **When you have an infectious disease, pathogens have gotten inside your body and caused harm.** Pathogens make you sick by damaging individual cells, even though you may feel pain throughout your body. For example, when you have strep throat, pathogens have damaged cells in your throat.

Before Lister's time, people believed that things like evil spirits or swamp air led to sickness. Several scientists in the late 1800s contributed to the understanding of infectious diseases. In the 1860s, the French scientist Louis Pasteur showed that microorganisms cause certain kinds of diseases. Pasteur also showed that killing the microorganisms could prevent the spread of those diseases. In the 1870s and 1880s, the German physician Robert Koch demonstrated that each infectious disease is caused by a specific kind of pathogen. In other words, one kind of pathogen causes pneumonia, another kind causes chickenpox, and still another kind causes rabies.

What causes infectious disease?

For: More on infectious disease
Visit: PHSchool.com
Web Code: ced-4051

FIGURE 1
Preventing Infections
The illustration on the left shows how Lister used a carbolic steam sprayer to spread a mist of carbolic acid. The photo on the right shows a modern operating room.
Comparing and Contrasting *Identify some ways in which present-day surgery differs from surgery in Lister's time.*

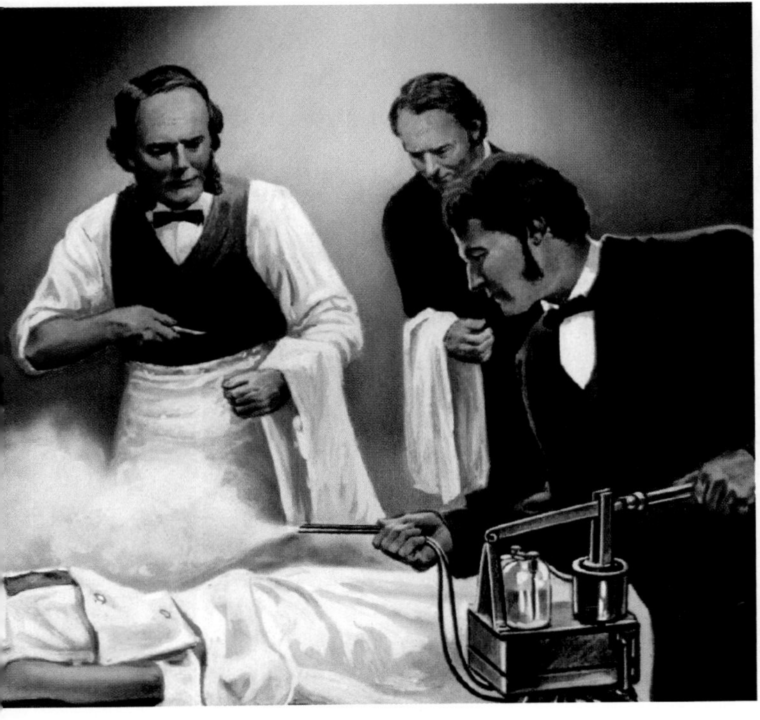

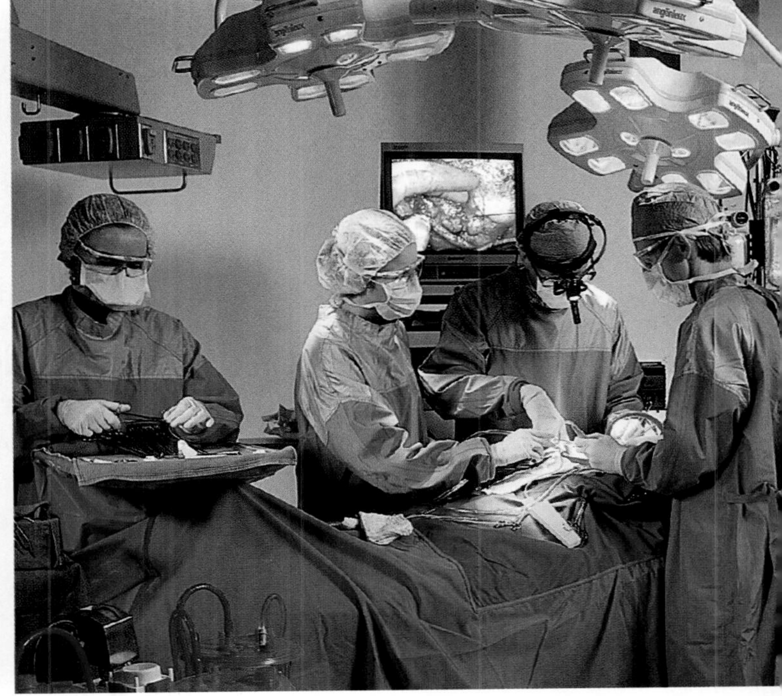

Figure 2
Pathogens
Most infectious diseases are caused by microscopic organisms.

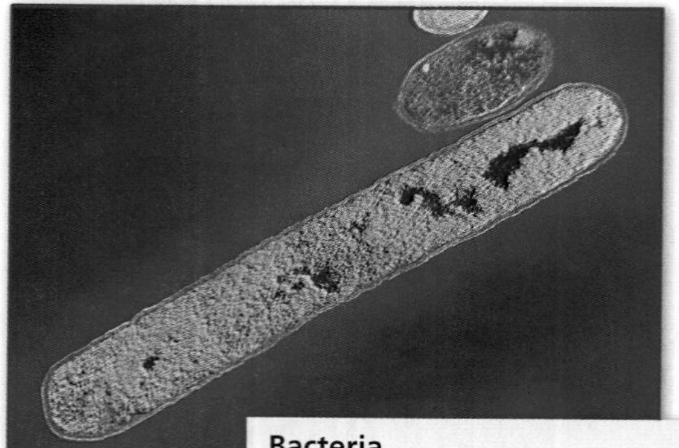

Bacteria
This rod-shaped bacterium causes tetanus, a disease that harms the nervous system.

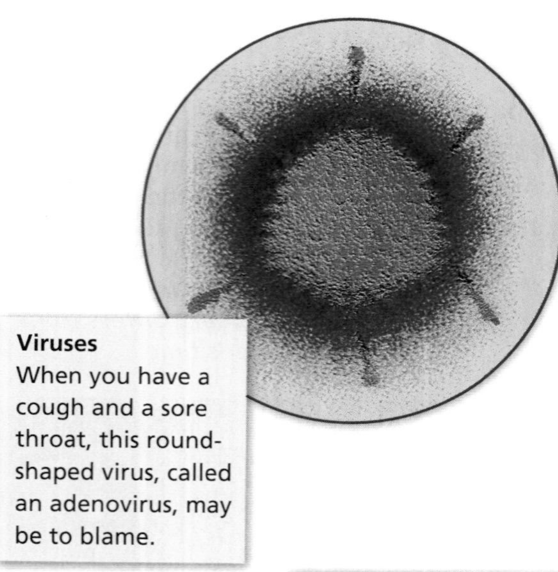

Viruses
When you have a cough and a sore throat, this round-shaped virus, called an adenovirus, may be to blame.

Fungi
This fungus causes ringworm, a disease that makes a round, ring-shaped skin rash.

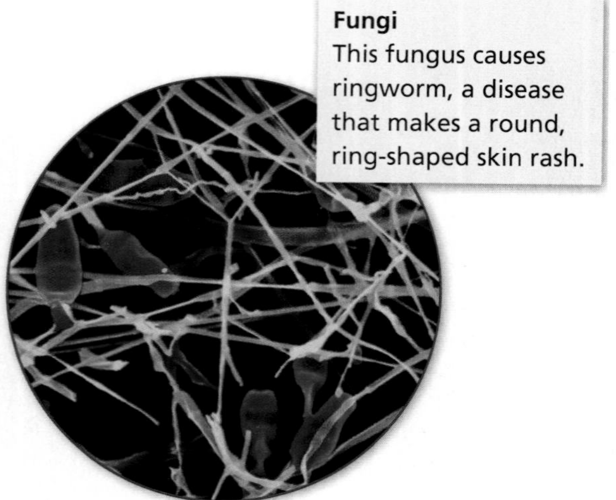

Kinds of Pathogens

You share Earth with many kinds of organisms. Most of these organisms are harmless, but some can make you sick. Some diseases are caused by multicelled animals, such as worms. However, most pathogens can be seen only with a microscope. **The four major groups of human pathogens are bacteria, viruses, fungi, and protists.** Look at Figure 2 to see some examples of pathogens.

Bacteria Bacteria are one-celled microorganisms. They cause a wide variety of diseases, including ear infections, food poisoning, and strep throat.

Some bacterial pathogens damage body cells directly. Strep throat is caused by streptococcus bacteria that invade cells in your throat. Other bacterial pathogens damage cells indirectly by producing a poison, or **toxin.** For example, if the bacteria that cause tetanus get into a wound, they produce a toxin that damages the nervous system. Tetanus is also called lockjaw because the nerve damage can lock the jaw muscles.

Viruses Viruses are tiny particles, much smaller than bacteria. Viruses cannot reproduce unless they are inside living cells. The cells are damaged or destroyed in the process, releasing new viruses to infect other cells. Both colds and flu are caused by viruses that invade cells in the respiratory system. There are more than 200 kinds of cold viruses, each of which can give you a sore throat and runny nose.

Fungi Fungi, which include molds and yeasts, also cause some infectious diseases. Fungi grow best in warm, dark, and moist areas. Two examples of fungal diseases are athlete's foot and ringworm.

Protists Protists are also a cause of disease. Malaria, an infection of the blood that is common in tropical areas, is one disease caused by protists. Other diseases caused by protists are African sleeping sickness and amebic dysentery.

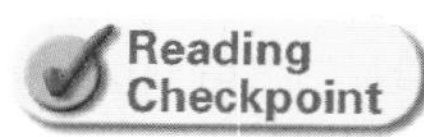

What is required in order for viruses to reproduce?

How Pathogens Are Spread

Like all living things, pathogens need food and a place to live and reproduce. Unfortunately, your body may be the right place to meet a pathogen's needs. You can become infected by a pathogen in several ways. **Pathogens can spread through contact with either an infected person; soil, food, or water; a contaminated object; or an infected animal.**

Infected People Pathogens often pass from one person to another through direct physical contact, such as kissing and shaking hands. For example, if you kiss someone who has an open cold sore, cold-sore viruses may get into your body.

Diseases are also spread through indirect contact with an infected person. For example, when a person with a cold or the flu sneezes, pathogens shoot into the air. Other people may catch a cold or the flu if they inhale these pathogens.

Soil, Food, and Water Some pathogens occur naturally in the environment. The bacteria that cause botulism, a severe form of food poisoning, live in soil. Botulism bacteria can produce toxins in foods that have been improperly canned.

Some pathogens can contaminate food and water. If people then eat the food or drink the water, they may become sick. Some pathogens that cause severe diarrhea are spread through contaminated food and water. Cholera and dysentery are two deadly diseases that spread through food or water.

Lab zone Skills Activity

Posing Questions

In 1854, cholera spread throughout London, England. Dr. John Snow analyzed where most of the cholera victims lived, as well as the locations of the water pumps in the area.

1. The map in Figure 3 shows Dr. Snow's findings. Dr. Snow hypothesized that the disease was spread by water that came from one of the pumps. Which pump was probably the source of the contaminated water?
2. Suppose that Dr. Snow just learned that two additional people had died of cholera. What questions would Dr. Snow most likely ask about the additional cholera cases?

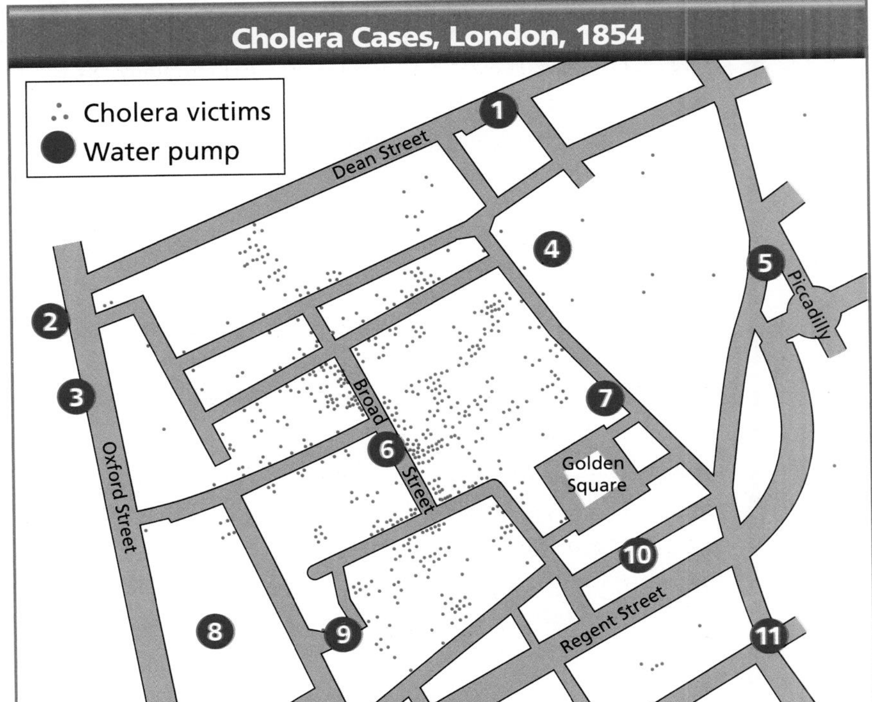

FIGURE 3
Cholera is a deadly disease caused by cholera bacteria. The map shows the location of cholera cases in the 1854 epidemic in London, England. **Inferring** *How are cholera bacteria spread?*

FIGURE 4
Deer Ticks and Lyme Disease
The tiny deer tick may carry the bacteria that cause Lyme disease, a serious condition that can damage the joints.
Problem Solving *How might people reduce their risk of catching Lyme disease?*

Contaminated Objects Some pathogens can survive for a time outside a person's body. People can come into contact with pathogens by using objects, such as towels or silverware, that have been handled by an infected person. Colds and flu can be spread in this way. Tetanus bacteria can enter the body if a person steps on a contaminated object.

Infected Animals If an animal that is infected with certain pathogens bites a person, it can pass the pathogens to the person. People can get rabies, a serious disease that affects the nervous system, from the bite of an infected animal, such as a dog or a raccoon. Lyme disease and Rocky Mountain spotted fever are both spread by tick bites. For example, if a deer tick that is carrying Lyme disease bacteria bites a person, the person may get Lyme disease. The protist that causes malaria is transferred by the bites of mosquitoes that live in tropical regions.

Name a disease that can be spread by an animal bite.

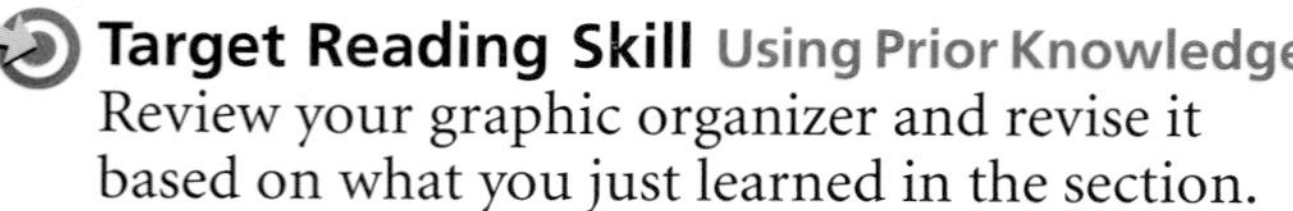

Section 1 Assessment

Target Reading Skill Using Prior Knowledge Review your graphic organizer and revise it based on what you just learned in the section.

Reviewing Key Concepts

1. a. Defining What is a pathogen?
   b. Explaining How do pathogens cause infectious disease?
   c. Relating Cause and Effect How did Pasteur and Koch contribute to the understanding of the causes of infectious disease?
2. a. Identifying Name four kinds of pathogens that cause disease in humans.
   b. Explaining In what two ways do bacteria cause disease?
   c. Comparing and Contrasting Compare and contrast bacteria and viruses—both in terms of their size and how they cause disease.
3. a. Listing What are four ways that pathogens can infect humans?
   b. Describing How are pathogens spread by contaminated objects?
   c. Applying Concepts If you have a cold, what steps can you take to keep from spreading it to other people? Explain.

Writing in Science

Speech Write a short speech that Joseph Lister might have delivered to other surgeons to convince them to use his surgical techniques. In the speech, Lister should explain why his techniques were so successful.

Section 2

The Body's Defenses

Reading Preview

Key Concepts

- How does the body's first line of defense guard against pathogens?
- What happens during the inflammatory response?
- How does the immune system respond to pathogens?
- How does HIV affect the immune system and how does it spread?

Key Terms

- inflammatory response
- phagocyte • immune response
- lymphocyte • T cell
- antigen • B cell • antibody
- AIDS • HIV

Target Reading Skill

Building Vocabulary After you read this section, reread the paragraphs that contain definitions of Key Terms. Use all the information you have learned to write a definition of each Key Term in your own words.

Lab zone Discover Activity

Which Pieces Fit Together?

1. Your teacher will give you a piece of paper with one jagged edge.
2. One student in the class has a piece of paper with a jagged edge that matches yours, like two pieces of a jigsaw puzzle. Find the student whose paper matches yours and fit the two edges together.

Think It Over

Inferring Imagine that one piece of paper in each matching pair is a pathogen. The other is a cell in your body that defends your body against the invading pathogen. How many kinds of invaders can each defender cell recognize?

Your eyes are glued to the video screen. Enemy troops have gotten through an opening in the wall. Your soldiers have held back most of the invaders. However, some enemy soldiers are breaking through the defense lines. You need your backup defenders. They can zap invaders with their more powerful weapons. If your soldiers can fight off the enemy until the backup team arrives, you can save your fortress.

Video games create fantasy wars, but in your body, real battles happen all the time. In your body, the "enemies" are invading pathogens. You are hardly ever aware of these battles. The body's disease-fighting system is so effective that most people get sick only occasionally. By eliminating pathogens that can harm your cells, your body maintains homeostasis.

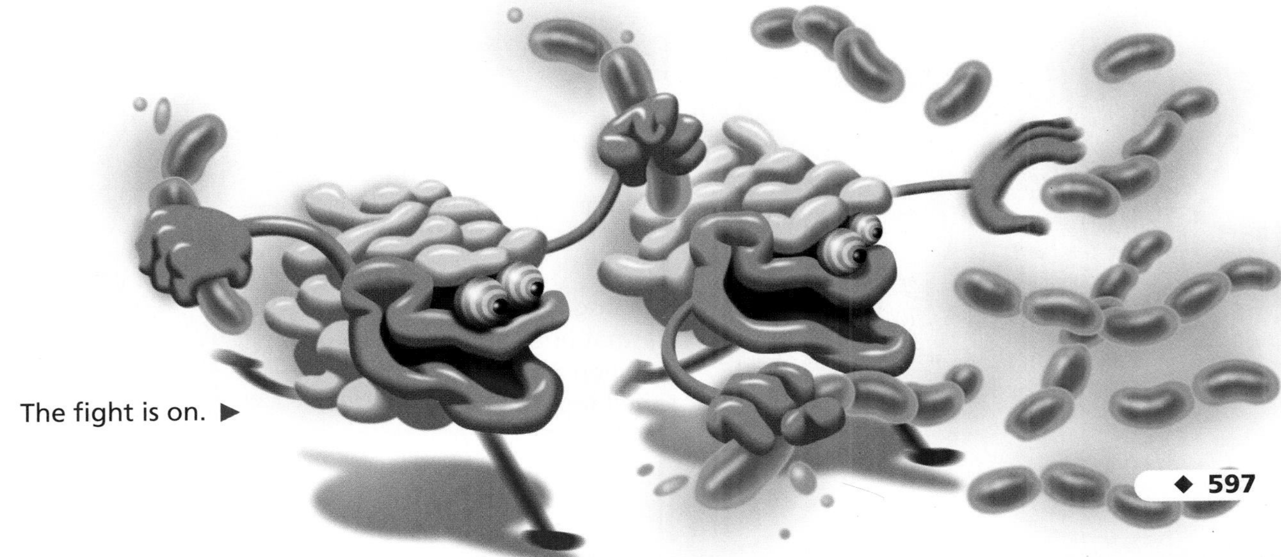

The fight is on. ►

Barriers That Keep Pathogens Out

Your body has three lines of defense against pathogens. The first line consists of barriers that keep most pathogens from getting into the body. You do not wear a sign that says "Pathogens Keep Out," but that doesn't matter. **In the first line of defense, the surfaces of the skin, breathing passages, mouth, and stomach function as barriers to pathogens. These barriers trap and kill most pathogens with which you come into contact.**

Skin When pathogens land on the skin, they are exposed to destructive chemicals in oil and sweat. Even if these chemicals don't kill them, the pathogens may fall off with dead skin cells. If the pathogens manage to stay on the skin, they must get through the tightly packed dead cells that form a barrier on top of living skin cells. Most pathogens get through the skin only when it is cut. Scabs form over cuts so rapidly that the period in which pathogens can enter the body in this way is very short.

Breathing Passages Pathogens can also enter the body when you inhale. The nose, pharynx, trachea, and bronchi, however, contain mucus and cilia. Together, the mucus and cilia trap and remove most of the pathogens that enter the respiratory system. In addition, irritation by pathogens may make you sneeze or cough. Both actions force the pathogens out of your body.

Mouth and Stomach Some pathogens are found in foods, even if the foods are handled safely. The saliva in your mouth contains destructive chemicals, and your stomach produces acid. Most pathogens that you swallow are destroyed by saliva or stomach acid.

Reading Checkpoint **How do your breathing passages help keep pathogens out of your body?**

FIGURE 5
Barriers to Pathogens
The surfaces of your skin and breathing passages are the first line of defense for keeping pathogens out of your body.
Relating Cause and Effect *How can washing your hands help prevent infection?*

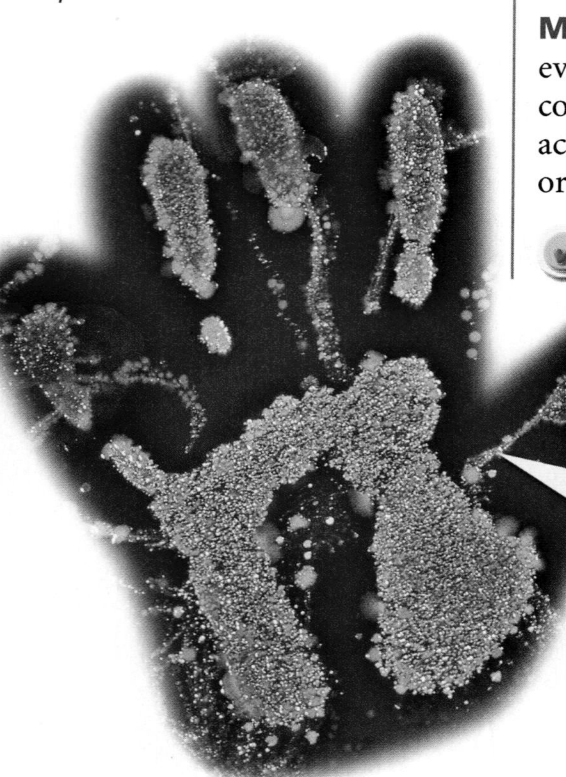

Skin
The dots in this photo are colonies of bacteria living on a person's hand.

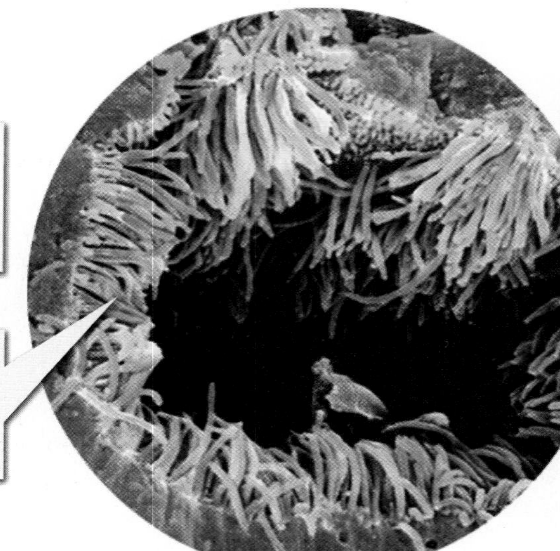

Breathing Passages
Cilia that line the trachea help keep pathogens out of the lungs.

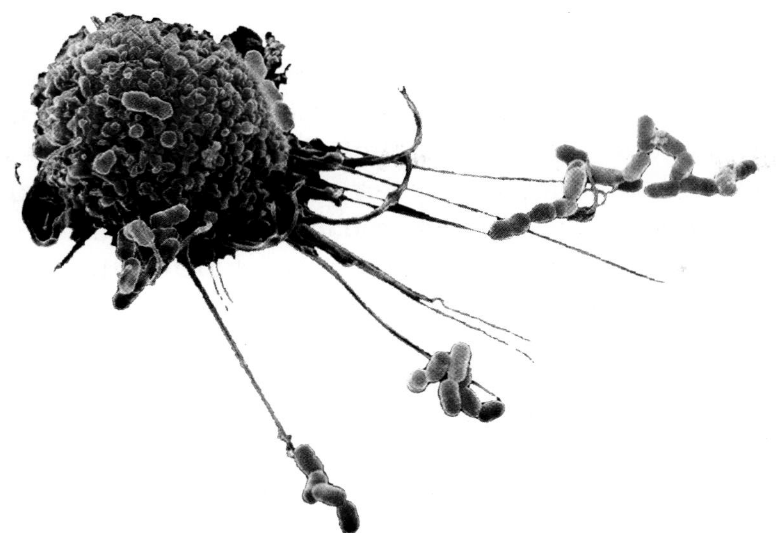

FIGURE 6
Phagocytes Destroy Pathogens
Caught! A phagocyte (shown in red) is a white blood cell that engulfs and destroys bacteria (shown in green). As phagocytes do their job, the body shows visible signs of inflammation, which include redness and swelling.

The Inflammatory Response

In spite of barriers, pathogens sometimes get into your body and begin to damage cells. When body cells are damaged, they release chemicals that trigger the **inflammatory response,** which is the body's second line of defense. **In the inflammatory response, fluid and white blood cells leak from blood vessels into nearby tissues. The white blood cells then fight the pathogens.** Because the inflammatory response is the same regardless of the pathogen, it is called the body's general defense.

White Blood Cells All white blood cells are disease fighters. However, there are different types of white blood cells, each with its own particular function. The type involved in the inflammatory response are the phagocytes. A **phagocyte** (FAG uh syt) is a white blood cell that engulfs pathogens and destroys them by breaking them down.

Inflammation During the inflammatory response, blood vessels widen in the area affected by the pathogens. This enlargement increases blood flow to the area. As a result, more disease-fighting white blood cells are delivered to the area. The enlarged blood vessels, and the fluid that leaks out of them, make the affected area red and swollen. If you touch the swollen area, it will feel slightly warmer than normal.

Fever In some cases, chemicals produced during the inflammatory response cause a fever. Although fever makes you feel bad, it actually helps your body fight the infection. Some pathogens do not grow and reproduce well at higher temperatures.

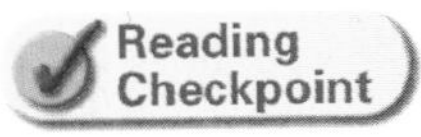

What role do white blood cells play in the inflammatory response?

Discovery
CHANNEL
SCHOOL
Fighting Disease
Video Preview
▶ Video Field Trip
Video Assessment

The Immune System

If a pathogen infection is severe enough to cause a fever, it triggers the body's third line of defense—the **immune response.** The immune response is controlled by the immune system, the body's disease-fighting system. **The cells of the immune system can distinguish between different kinds of pathogens. The immune system cells react to each kind of pathogen with a defense targeted specifically at that pathogen.**

The white blood cells that distinguish between different kinds of pathogens are called **lymphocytes** (LIM fuh syts). There are two major kinds of lymphocytes—T lymphocytes and B lymphocytes, which are also called T cells and B cells. In Figure 7, you can see how T cells and B cells work together to destroy flu viruses.

T Cells A major function of **T cells** is to identify pathogens and distinguish one kind of pathogen from another. You have tens of millions of T cells circulating in your blood. Each kind of T cell recognizes a different kind of pathogen. What T cells actually recognize are marker molecules, called antigens, found on each pathogen. **Antigens** are molecules that the immune system recognizes either as part of your body or as coming from outside your body.

You can think of antigens as something like the uniforms that athletes wear. When you watch a track meet, you can look at the runners' uniforms to tell which school each runner comes from. Like athletes from different schools, each different pathogen has its own kind of antigen. Antigens differ from one another because each kind of antigen has a different chemical structure. T cells distinguish one chemical structure from another.

B Cells The lymphocytes called **B cells** produce proteins that help destroy pathogens. These proteins are called **antibodies.** Each kind of B cell produces only one kind of antibody, and each kind of antibody has a different structure. Antigen and antibody molecules fit together like pieces of a puzzle. An antigen on a flu virus will only bind to one kind of antibody—the antibody that acts against that flu virus.

When antibodies bind to the antigens on a pathogen, they mark the pathogen for destruction. Some antibodies make pathogens clump together. Others keep pathogens from attaching to the body cells that they might damage. Still other antibodies make it easier for phagocytes to destroy the pathogens.

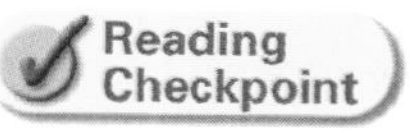

What is the function of an antibody?

Lab zone Try This **Activity**

Stuck Together

In this activity, you will model one way in which an antibody prevents a pathogen from infecting a body cell.

1. Use a large ball to represent a body cell, and a smaller ball to represent a pathogen.
2. Press a lump of modeling clay onto the small ball. Then use the clay to stick the two balls together. This model shows how a pathogen attaches itself to a body cell.
3. Pull the two balls apart, keeping the clay on the small ball (the pathogen).
4. Put strips of tape over the clay, so that the clay is completely covered. The tape represents an antibody.
5. Now try to reattach the small ball to the larger one.

Making Models Use the model to explain how antibodies prevent pathogens from attaching to body cells.

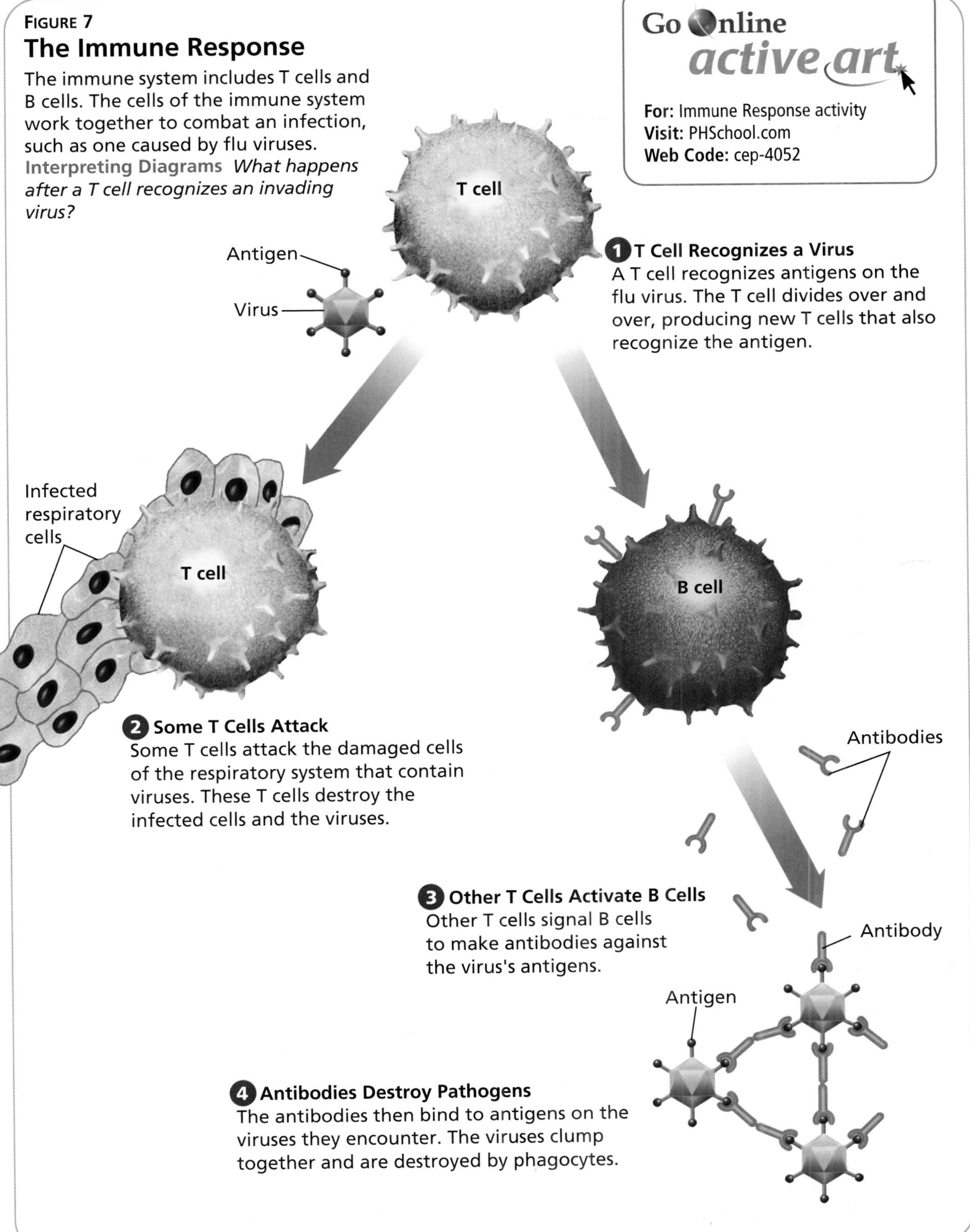
FIGURE 7
The Immune Response
The immune system includes T cells and B cells. The cells of the immune system work together to combat an infection, such as one caused by flu viruses.
Interpreting Diagrams What happens after a T cell recognizes an invading virus?
Go Online
active art
For: Immune Response activity
Visit: PHSchool.com
Web Code: cep-4052
T cell
Antigen
Virus
1 T Cell Recognizes a Virus
A T cell recognizes antigens on the flu virus. The T cell divides over and over, producing new T cells that also recognize the antigen.
Infected respiratory cells
T cell
B cell
2 Some T Cells Attack
Some T cells attack the damaged cells of the respiratory system that contain viruses. These T cells destroy the infected cells and the viruses.
Antibodies
3 Other T Cells Activate B Cells
Other T cells signal B cells to make antibodies against the virus's antigens.
Antibody
Antigen
4 Antibodies Destroy Pathogens
The antibodies then bind to antigens on the viruses they encounter. The viruses clump together and are destroyed by phagocytes.

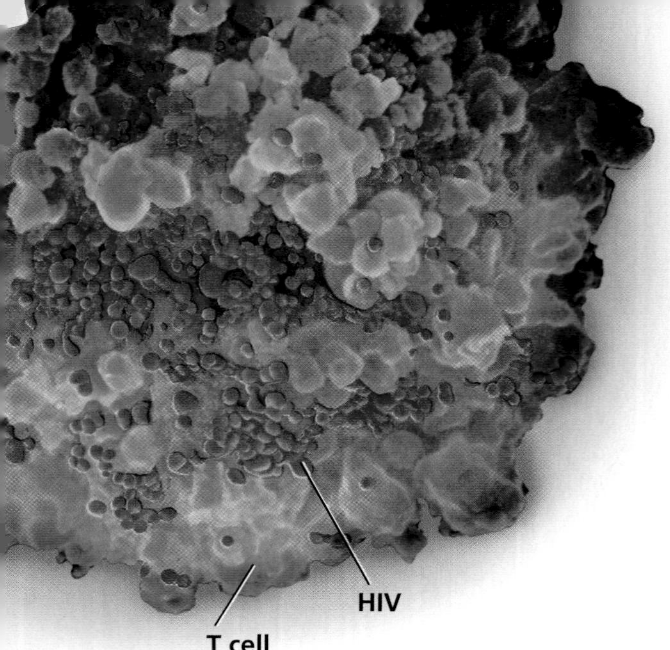

Figure 8
Human Immunodeficiency Virus (HIV)
The tiny red particles are HIV viruses emerging from a T cell. The viruses multiply inside the T cell and eventually cause the cell to die.
Relating Cause and Effect
Why does the destruction of T cells interfere with the body's ability to fight disease?

AIDS

Acquired immunodeficiency syndrome, or **AIDS,** is a disease caused by a virus that attacks the immune system. The virus that causes AIDS is called the human immunodeficiency virus, or **HIV.**

How HIV Affects the Body **HIV is the only kind of virus known to attack the human immune system directly and destroy T cells.** Once it invades the body, HIV enters T cells and reproduces inside them. People can be infected with HIV—that is, have the virus living in their T cells—for years before they become sick. More than 40 million people in the world, including more than 3 million children under 15, are infected with HIV.

Eventually, HIV begins to destroy the T cells it has infected. As the viruses destroy T cells, the body loses its ability to fight disease. Most persons infected with HIV eventually develop the symptoms of AIDS.

Because their immune systems no longer function properly, people with AIDS become sick with diseases not normally found in people with healthy immune systems. Many people survive attack after attack of such diseases. But eventually their immune systems fail, ending in death. At this time, there is no cure for AIDS. However, new drug treatments allow many people with AIDS to survive much longer than those in the past.

How HIV Is Spread Like all other viruses, HIV can only reproduce inside cells. However, the virus can survive for a short time outside the human body in body fluids, such as blood and the fluids produced by the male and female reproductive systems.

HIV can spread from one person to another only if body fluids from an infected person come in contact with those of an uninfected person. Sexual contact is one way in which this can happen. HIV may also pass from an infected woman to her baby during pregnancy or childbirth or through breast milk. In addition, infected blood can spread HIV. For example, if an infected drug user shares a needle, the next person who uses the needle may also become infected. Before 1985, HIV was sometimes transmitted through blood transfusions. Since 1985, however, all donated blood in the United States has been tested for signs of HIV. If blood is identified as infected, it is not used in transfusions.

Figure 9
How HIV Is Not Spread
You cannot get HIV, the virus that causes AIDS, by hugging someone infected with the virus.

How HIV Is Not Spread It is important to know the many ways in which HIV is *not* spread. HIV does not live on skin, so you cannot be infected by hugging or shaking hands with an infected person. You can't get infected by using a toilet seat after it has been used by someone with HIV. HIV is also not spread when you bump into someone while playing sports.

What disease is caused by HIV?

Section 2 Assessment

Target Reading Skill **Building Vocabulary** Use your definitions to help you answer the questions below.

Reviewing Key Concepts

1. a. **Listing** Name four barriers that prevent pathogens from getting into the body.
   b. **Explaining** Briefly describe how each barrier prevents infections.
   c. **Predicting** What could happen if you got a cut that did not heal?
2. a. **Reviewing** What triggers the inflammatory response?
   b. **Describing** How does the inflammatory response defend against invading pathogens?
   c. **Relating Cause and Effect** Why is the presence of large numbers of white blood cells in a wound a sign of infection?
3. a. **Identifying** Identify the cells that are part of the immune system.
   b. **Sequencing** Outline the steps involved in the immune response.
4. a. **Reviewing** Where in the body does HIV reproduce?
   b. **Summarizing** What are three ways that HIV can be passed from one person to another?

Writing in Science

Explanation An antigen and antibody can be compared to a lock and key. Write a paragraph in which you explain how the lock-and-key model is a good way to describe the relationship between an antigen and antibody.

Lab zone **Skills Lab**

The Skin as a Barrier

Problem

How does the skin act as a barrier to pathogens?

Skills Focus

observing, making models, controlling variables

Materials

- 4 sealable plastic bags
- 4 fresh apples
- rotting apple
- cotton swabs
- marking pen
- paper towels
- toothpick
- rubbing alcohol

Procedure 

1. Read over the entire procedure to see how you will treat each of four fresh apples. Write a prediction in your notebook about the change(s) you expect to see in each apple. Then, copy the data table into your notebook.
2. Label four plastic bags *1, 2, 3,* and *4*.
3. Wash your hands with soap and water. Then, gently wash four fresh apples with water and dry them carefully with paper towels. Place one apple into plastic bag 1, and seal the bag.
4. Insert a toothpick tip into a rotting apple and withdraw it. Lightly draw the tip of the toothpick down the side of the second apple without breaking the skin. Repeat these actions three more times, touching the toothpick to different parts of the apple without breaking the skin. Insert the apple into plastic bag 2, and seal the bag.
5. Insert the toothpick tip into the rotting apple and withdraw it. Use the tip to make a long, thin scratch down the side of the third apple. Be sure to pierce the apple's skin. Repeat these actions three more times, making additional scratches on different parts of the apple. Insert the apple into plastic bag 3, and seal the bag.
6. Repeat Step 5 with the fourth apple. However, before you place the apple into the bag, dip a cotton swab in rubbing alcohol, and swab the scratches. Then, place the apple into plastic bag 4, and seal the bag. **CAUTION:** *Alcohol and its vapors are flammable. Work where there are no sparks, exposed flames, or other heat sources.*

Data Table				
Date	Apple 1 (no contact with decay)	Apple 2 (contact with decay, unbroken skin)	Apple 3 (contact with decay, scratched, untreated)	Apple 4 (contact with decay, scratched, treated with alcohol)

7. Store the four bags in a warm, dark place. Wash your hands thoroughly with soap and water.
8. Every day for one week, remove the apples from their storage place and observe them without opening the bags. Record your observations, and return the bags to their storage location. At the end of the activity, dispose of the unopened bags as directed by your teacher.

Analyze and Conclude

1. **Observing** How did the appearance of the four apples compare?
2. **Inferring** Explain the differences you observed in Question 1.
3. **Making Models** In this experiment, what condition in the human body is each of the four fresh apples supposed to model?
4. **Controlling Variables** What is the purpose of Apple 1 in this experiment? Explain.
5. **Making Models** What is the role of the rotting apple in this experiment?
6. **Communicating** Write a paragraph in which you explain how this investigation shows why routine cuts and scrapes should be cleaned and bandaged.

Design an Experiment

Using apples as you did in this activity, design an experiment to model how washing hands can prevent the spread of disease. *Obtain your teacher's permission before carrying out your investigation.*

Preventing Infectious Disease

Reading Preview

Key Concepts

- How does the body acquire active immunity?
- How does passive immunity occur?

Key Terms

- immunity
- active immunity
- vaccination
- vaccine
- antibiotic
- passive immunity

Target Reading Skill

Comparing and Contrasting
As you read, compare and contrast active immunity and passive immunity in a Venn diagram like the one below. Write the similarities in the space where the circles overlap and the differences on the left and right sides.

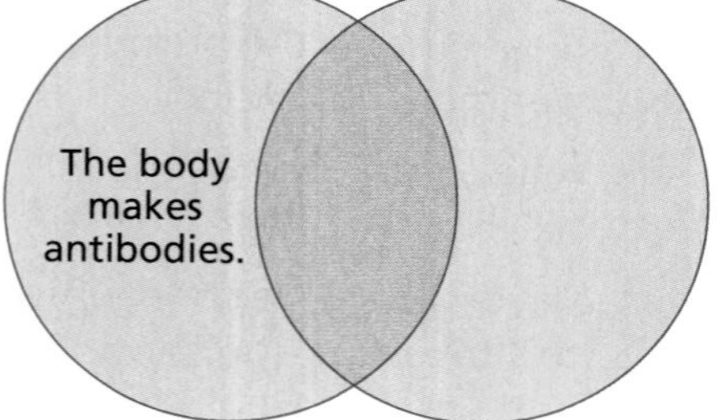

Lab zone Discover Activity

What Substances Can Kill Pathogens?

1. Your teacher will give you a variety of products, such as disinfectant cleansers and mouthwashes, that claim to kill pathogens. Read the labels to learn the pathogens that each product is supposed to destroy.
2. Also note the ingredients in each product that act against pathogens. These are labeled "active ingredients."

Think It Over
Designing Experiments How could you determine which of two different cleansers is more effective at killing bacteria? Design an experiment to find out. Do not perform the experiment without obtaining your teacher's approval.

Ask an adult if he or she remembers having the chickenpox. Chances are, the response will be, "Wow, did I itch!" But someone who has had chickenpox can be pretty sure of never getting that disease again. As people recover from some diseases, they develop immunity to the diseases. **Immunity** is the body's ability to destroy pathogens before they can cause disease. There are two basic types of immunity—active and passive.

Active Immunity

Someone who has been sick with chickenpox was invaded by chickenpox viruses. The immune system responded to the virus antigens by producing antibodies. The next time chickenpox viruses invade the body, a healthy immune system will produce antibodies so quickly that the person will not become sick with chickenpox. This reaction is called **active immunity** because the body has produced the antibodies that fight the disease pathogens. **A person acquires active immunity when their own immune system produces antibodies in response to the presence of a pathogen.** Active immunity can result from either getting the disease or being vaccinated.

The Immune Response When someone gets a disease such as chickenpox, active immunity is produced by the immune system as part of the immune response. Remember that during the immune response, T cells and B cells help destroy the pathogens. After the person recovers, some T cells and B cells keep the "memory" of the pathogen's antigen. If that kind of pathogen enters the body again, these memory cells recognize the antigen. The memory cells start the immune response so quickly that the person usually does not get sick. Active immunity often lasts for many years, and sometimes it lasts for life.

Vaccination A second way to gain active immunity is by being vaccinated. **Vaccination** (vac suh NAY shun), or immunization, is the process by which harmless antigens are deliberately introduced into a person's body to produce active immunity. Vaccinations are given by injection, by mouth, or through a nasal spray. Vaccinations can prevent polio, chickenpox, and other diseases.

The substance that is used in a vaccination is called a vaccine. A **vaccine** (vak SEEN) usually consists of pathogens that have been weakened or killed but can still trigger the immune system to go into action. The T cells and B cells still recognize and respond to the antigens of the weakened or dead pathogen. When you receive a vaccination with weakened pathogens, you usually do not get sick. However, your immune system responds by producing memory cells and active immunity to the disease.

FIGURE 10
Vaccination
Follow the steps below to see how vaccinations work. **Classifying** *Why do vaccinations produce active immunity?*

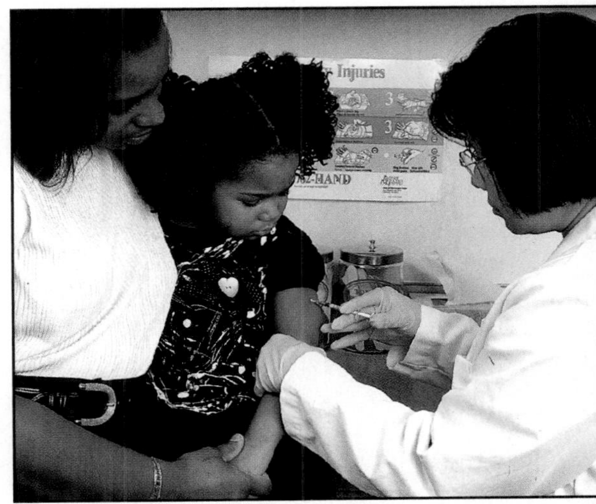

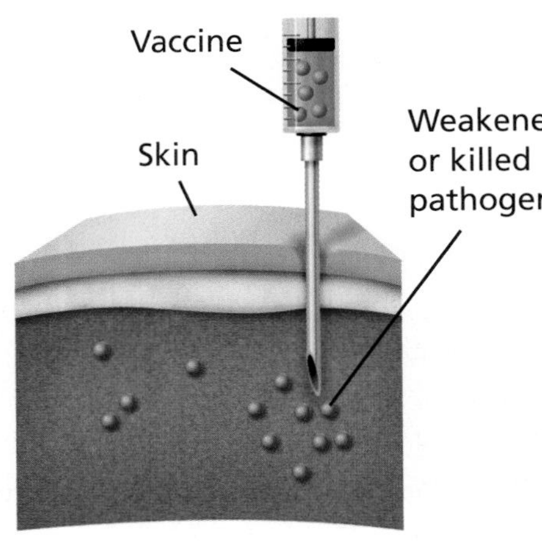

1 A person receives an injection with weakened or killed pathogens.

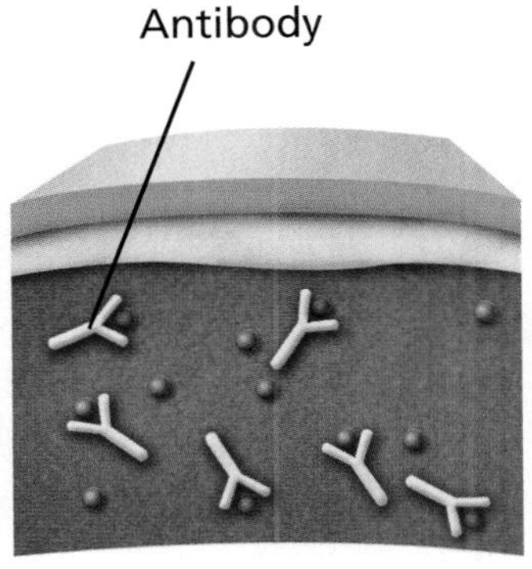

2 The immune system produces antibodies against the disease. It also produces memory cells.

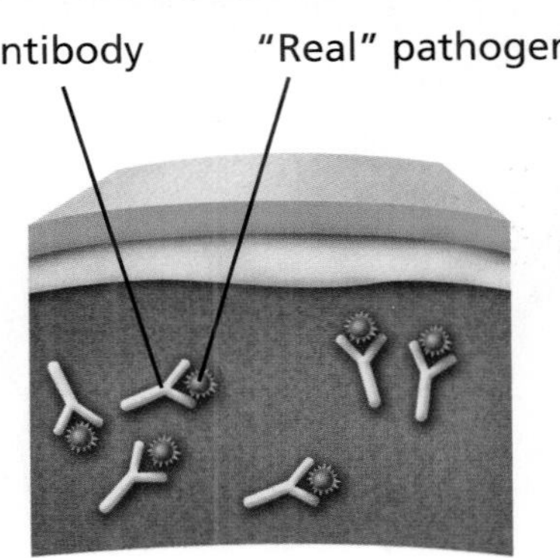

3 If the "real" pathogen invades later, memory cells help to produce antibodies that disable the pathogen.

For: More on disease prevention
Visit: PHSchool.com
Web Code: ced-4053

When You Do Get Sick You develop immunity to certain diseases either because you have had the diseases or because you have been vaccinated against them. However, no one is immune to all diseases.

Unfortunately, you probably will become sick from time to time. Sometimes, when you become sick, medications can help you get better. If you have a disease that is caused by bacteria, you may be given an antibiotic. An **antibiotic** (an tih by AHT ik) is a chemical that kills bacteria or slows their growth without harming body cells. Unfortunately, there are no medications that are effective against viral illnesses, including the common cold. The best way to deal with most viral diseases is to get plenty of rest.

Science and **History**

Fighting Infectious Disease

From ancient times, people have practiced methods for preventing disease and caring for sick people. About 200 years ago, people began to learn much more about the causes of infectious diseases and how to protect against them.

1796 Edward Jenner
Edward Jenner, a country doctor in England, successfully vaccinated a child against smallpox, a deadly viral disease. Jenner used material from the sore of a person with cowpox, a mild but similar disorder. Although Jenner's procedure was successful, he did not understand why it worked.

1854 Florence Nightingale
As an English nurse caring for British soldiers during the Crimean War, Florence Nightingale insisted that army hospitals be kept clean. By doing this, she saved many soldiers' lives. She is considered to be the founder of the modern nursing profession.

1868 Louis Pasteur
In France, Louis Pasteur showed that microorganisms were the cause of disease in silkworms. Pasteur reasoned that he could control the spread of disease by killing microorganisms. He also proposed that infectious disease in humans are caused by microorganisms.

1800 1840 1880

Although some medicines don't kill pathogens, they may help you feel more comfortable while you get better. Many of these are over-the-counter medications—drugs that can be purchased without a doctor's prescription. Such medications may reduce fever, clear your nose so you can breathe more easily, or stop a cough. Be sure you understand and follow the instructions for all types of medications.

While you recover, be sure to get plenty of rest. Drink plenty of fluids. Unless your stomach is upset, try to eat well-balanced meals. And if you don't start to feel better in a short time, you should see a doctor.

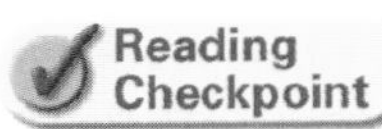

What is an antibiotic?

Writing in Science

Research and Write Learn more about the work of one of these scientists. Then, imagine that a new hospital is going to be dedicated to that person and that you have been chosen to deliver the dedication speech. Write a speech that praises the person's contributions to fighting disease.

1928 Alexander Fleming
In Britain, Alexander Fleming observed that bacteria growing on laboratory plates were killed when various kinds of fungi grew on the same plate. He discovered that one fungus produced a substance that killed bacteria—penicillin.

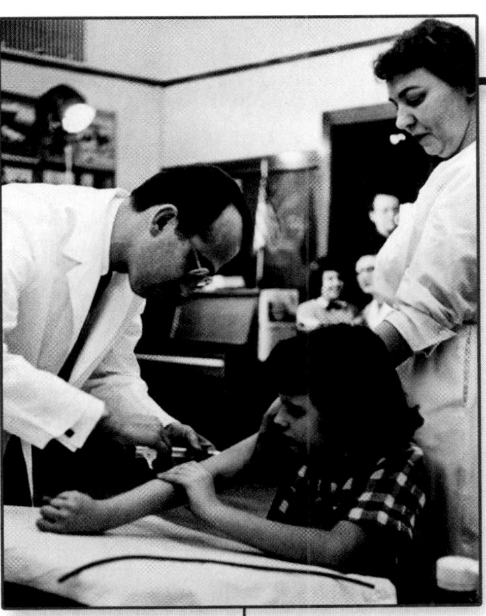

1952 Jonas Salk
In 1952, there were more than 57,000 cases of polio, making it one of the most dreaded diseases known at the time. That same year, Jonas Salk, a professor at a medical university in the United States, showed that people injected with killed polio viruses did not get the disease, but produced antibodies against it.

1985 Mathilde Krim
Mathilde Krim, an American biomedical researcher, founded The American Foundation for AIDS Research, or AmFAR. Krim recognized that AIDS was a serious threat to public health and has dedicated her life to supporting AIDS research.

1920 1960 2000

FIGURE 11
Passive Immunity
This baby has acquired passive immunity from her mother.
Relating Cause and Effect *How do babies acquire passive immunity?*

Passive Immunity

Some diseases, such as rabies, are so uncommon that people rarely receive vaccinations against them. However, if a person is bitten by an animal that might have rabies, the person is usually given injections that contain antibodies to the rabies antigen. The protection that the person acquires this way is an example of passive immunity. **Passive immunity** results when antibodies are given to a person—the person's immune system does not make them. **A person acquires passive immunity when the antibodies that fight the pathogen come from a source other than the person's body.** Unlike active immunity, which is long-lasting, passive immunity usually lasts no more than a few months.

A baby acquires passive immunity to some diseases before birth. This immunity results from antibodies that are passed from the mother's blood into the baby's blood during pregnancy. After birth, these antibodies protect the baby for a few months. By then, the baby's own immune system has begun to function fairly efficiently.

What is one disease for which you can acquire passive immunity?

Section 3 Assessment

Target Reading Skill Comparing and Contrasting Use the information in your Venn diagram about active immunity and passive immunity to help you answer the questions below.

Reviewing Key Concepts

1. a. Defining What is active immunity?
   b. Explaining What are two ways in which active immunity can be acquired?
   c. Applying Concepts After receiving certain vaccinations, some children may develop mild symptoms of the disease. Explain why.
2. a. Reviewing What is passive immunity?
   b. Describing How is passive immunity acquired?
   c. Inferring Why does passive immunity usually not last for very long?

Lab zone At-Home Activity

Vaccination History With a family member, make a list of all the vaccinations you have received. For each, note when you received the vaccination. Then, with your family member, learn about one of the diseases against which you were vaccinated. What kind of pathogen causes the disease? What are the symptoms of the disease? Is the disease still common in the United States?

Section 4

Noninfectious Disease

Reading Preview

Key Concepts

- What causes allergies?
- How does diabetes affect the body?
- What are the effects of cancer on the body?

Key Terms

- noninfectious disease
- allergy • allergen
- histamine • asthma • insulin
- diabetes • tumor • carcinogen

Target Reading Skill

Asking Questions Before you read, preview the red headings. In a graphic organizer like the one below, ask a *what* or *how* question for each heading. As you read, answer your questions.

Noninfectious Disease

Question	Answer
What is an allergy?	An allergy is a disorder in which . . .

Lab zone **Discover Activity**

What Happens When Airflow Is Restricted?

1. Asthma is a disorder in which breathing passages become narrower than normal. This activity will help you understand how this condition affects breathing. **CAUTION:** *Do not perform this activity if you have a medical condition that affects your breathing.* Begin by breathing normally, first through your nose and then through your mouth. Observe how deeply you breathe.
2. Put one end of a drinking straw in your mouth. Then, gently pinch your nostrils shut so that you cannot breathe through your nose.
3. With your nostrils pinched closed, breathe by inhaling air through the straw. Continue breathing this way for thirty seconds.

Think It Over

Observing Compare your normal breathing pattern to that when breathing through the straw. Which way were you able to take deeper breaths? Did you ever feel short of breath?

Americans are living longer today than ever before. A person who was born in 2000 can expect to live about 77 years. In contrast, a person born in 1950 could expect to live only about 68 years, and a person born in 1900 only about 50 years.

Progress against infectious disease is one reason why life spans have increased. However, as infectious diseases have become less common, noninfectious diseases have grown more common. **Noninfectious diseases** are diseases that are not caused by pathogens in the body. Unlike infectious diseases, noninfectious diseases cannot be transmitted from person to person. One noninfectious disease, cardiovascular disease, is the leading cause of death in the United States. Allergies, diabetes, and cancer are other noninfectious diseases.

◀ People live longer today than ever before.

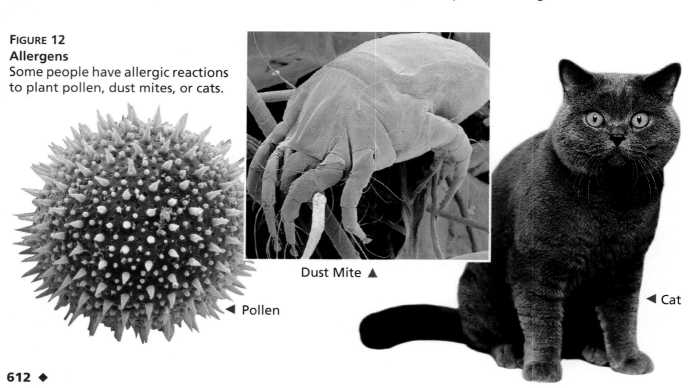

Lab zone Skills Activity

Drawing Conclusions

Two weeks ago, after you ate strawberry shortcake with whipped cream, you broke out in an itchy rash. The ingredients in the dessert were strawberries, sugar, flour, butter, eggs, vanilla, baking powder, salt, and cream. Last night, you ate a strawberry tart with whipped cream and again broke out in a rash. The ingredients were strawberries, sugar, cornstarch, milk, eggs, flour, shortening, salt, and vanilla.

You think that you may be allergic to strawberries. Do you have enough evidence to support this conclusion? If so, why? If not, what additional evidence do you need?

Allergies

Spring has arrived. Flowers are in bloom, and the songs of birds fill the air. Unfortunately, for some people, sneezing is another sound that fills the air. People who sneeze and cough in the spring may not have colds. Instead, they may be suffering from allergies to plant pollen. An **allergy** is a disorder in which the immune system is overly sensitive to a foreign substance—something not normally found in the body. **An allergy develops in response to various foreign substances that set off a series of reactions in the body.**

Allergens Any substance that causes an allergy is called an **allergen.** In addition to different kinds of pollen, allergens include dust, molds, some foods, and even some medicines. If you are lucky, you have no allergies at all. However, the bodies of many people react to one or more allergens.

Allergens may get into your body when you inhale them, eat them in food, or touch them with your skin. When lymphocytes encounter an allergen, they produce antibodies to that allergen. These antibodies, unlike the ones made during the immune response, signal cells in the body to release a substance called histamine. **Histamine** (HIS tuh meen) is a chemical that is responsible for the symptoms of an allergy, such as sneezing and watery eyes. Drugs that interfere with the action of histamine, called antihistamines, may lessen this reaction. However, if you have an allergy, the best strategy is to try to avoid the substance to which you are allergic.

FIGURE 12
Allergens
Some people have allergic reactions to plant pollen, dust mites, or cats.

◄ Pollen

Dust Mite ▲

◄ Cat

Asthma Some allergic reactions can create a condition called asthma. **Asthma** (AZ muh) is a disorder in which the respiratory passages narrow significantly. This narrowing causes the person to wheeze and become short of breath. Asthma attacks may be brought on by factors other than allergies, such as stress and exercise.

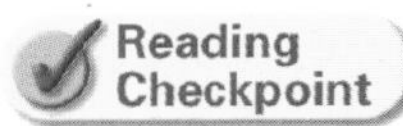

What is asthma?

For: Links on noninfectious disease
Visit: www.SciLinks.org
Web Code: scn-0454

Diabetes

The pancreas is an organ with many different functions. One function is to produce a chemical called insulin. **Insulin** (IN suh lin) enables body cells to take in glucose from the blood and use it for energy. In the condition known as **diabetes** (dy uh BEE tis), either the pancreas fails to produce enough insulin or the body's cells fail to properly use insulin. **As a result, a person with diabetes has high levels of glucose in the blood and may even excrete glucose in the urine. The person's body cells, however, do not have enough glucose.**

Effects of Diabetes If untreated, people with diabetes may lose weight, feel weak, and be hungry all the time. These symptoms occur because body cells are unable to take in the glucose they need. In addition, diabetics may urinate frequently and feel thirsty as the kidneys work to eliminate the excess glucose from the body. The long-term effects of diabetes are serious and can include blindness, kidney failure, and heart disease.

Forms of Diabetes There are two main forms of diabetes. Type I diabetes usually begins in childhood or early adulthood. In Type I diabetes, the pancreas produces little or no insulin. People with this condition must get insulin injections.

Type II diabetes usually develops during adulthood. In this condition, either the pancreas does not make enough insulin, or body cells do not respond normally to insulin. People with Type II diabetes may be able to control their symptoms through proper diet, weight control, and exercise.

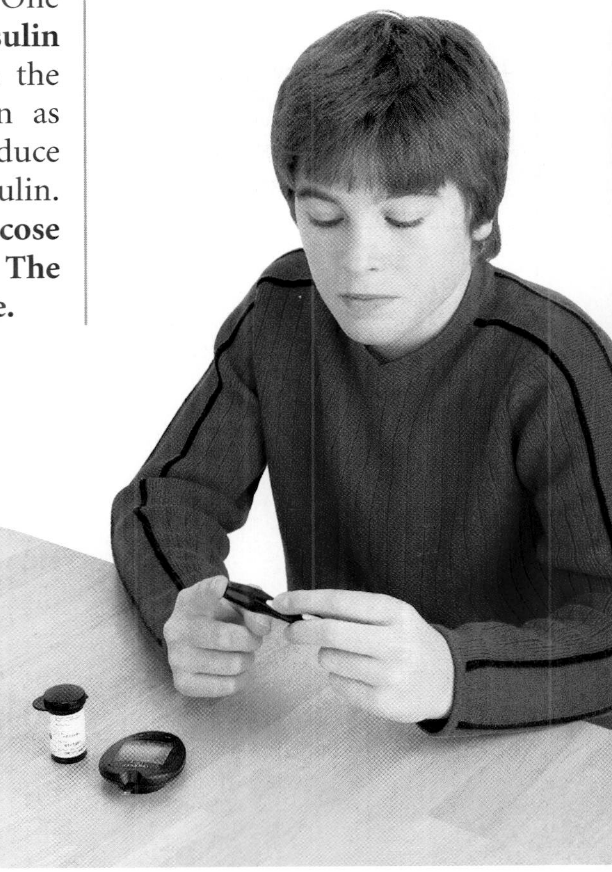

FIGURE 13
Glucose Testing
Many people with diabetes must test their blood frequently to determine the level of glucose in their blood.
Relating Cause and Effect *What accounts for the high level of glucose in the blood of diabetics?*

What are two symptoms of diabetes?

Math Analyzing Data

Skin Cancer

The graph shows the frequency of skin cancer in the United States from 1998 to 2003.

1. **Reading Graphs** What variable is being plotted on the *y*-axis?
2. **Interpreting Data** How many cases of skin cancer were estimated for women in 1998? In 2003?
3. **Calculating** Using the data from Question 2, calculate the increase in the number of skin cancer cases among women.
4. **Calculating** How did the number of cases differ for men and women in 1999?
5. **Predicting** Will the number of skin cancers change in the next five years? Explain.

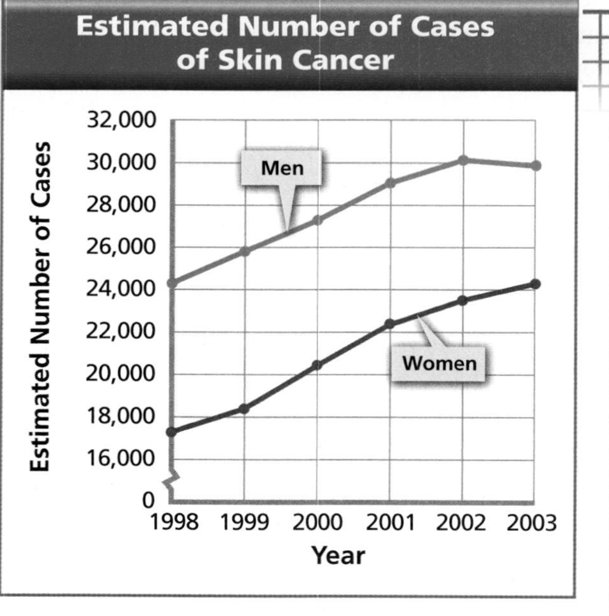

Cancer

Under normal conditions, the body produces new cells at about the same rate that other cells die. In a condition known as cancer, however, the situation is quite different. **Cancer is a disease in which cells multiply uncontrollably, over and over, destroying healthy tissue in the process.**

How Cancer Develops As cells divide over and over, they often form abnormal tissue masses called **tumors**. Not all tumors are cancerous. Cancerous tumors invade and destroy the healthy tissue around them. Cancer cells can break away from a tumor and invade blood or lymph vessels. The blood or lymph carries the cancer cells to other parts of the body, where they may begin to divide and form new tumors. Unless stopped by treatment, cancer progresses through the body.

Causes of Cancer Different factors may work together in causing cells to become cancerous. One such factor is the characteristics that people inherit from their parents. Because of their inherited characteristics, some people are more likely than others to develop certain kinds of cancer. For example, if you are female, and your mother or grandmother has breast cancer, you have an increased chance of developing breast cancer.

Some substances or factors in the environment, called **carcinogens** (kahr SIN uh junz), can cause cancer. The tar in cigarette smoke is an example of a carcinogen. Ultraviolet light, which is part of sunlight, can also be a carcinogen.

Cancer Treatment Surgery, drugs, and radiation are all used to treat cancer. If cancer is detected before it has spread, doctors may remove the cancerous tumors through surgery. After surgery, radiation or drugs may be used to make sure all the cancer cells have been killed.

Radiation treatment uses high-energy waves to kill cancer cells. When these rays are aimed at tumors, the intense energy damages and kills cancer cells more than it damages normal cells. Drug therapy is the use of chemicals to destroy cancer cells. Many of these chemicals, however, destroy some normal cells as well.

Cancer Prevention As with other diseases, the best way to fight cancer is to prevent it. People can reduce their risk of cancer by avoiding carcinogens, such as those found in tobacco. Even chewing tobacco and snuff contain carcinogens, which can cause mouth cancers. A low-fat diet that includes plenty of fruits and vegetables can help prevent cancers of the digestive system.

People can also increase their chance of surviving cancer by having regular medical checkups. The earlier cancer is detected, the more likely it can be treated successfully.

What is a carcinogen?

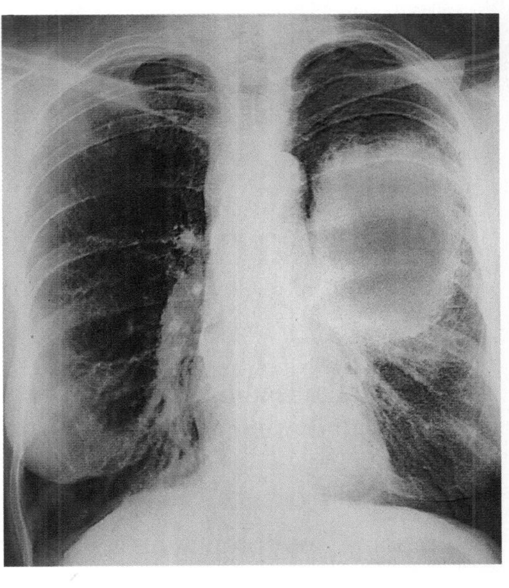

FIGURE 14
Lung Tumor
The large orange mass in the X-ray is a cancerous tumor in the lung.

Section 4 Assessment

Target Reading Skill Asking Questions Use the answers to the questions you wrote about the headings to help you answer the questions below.

Reviewing Key Concepts

1. a. Defining What is an allergy?
   b. Describing Describe how the body reacts to the presence of an allergen.
   c. Inferring You and your friends go to a movie. When you enter the theater, you start to sneeze and your throat feels scratchy. Explain what you think is happening.
2. a. Identifying What is the function of insulin in the body?
   b. Explaining How does diabetes affect the level of glucose in the blood and in body cells?
3. a. Reviewing What is a cancerous tumor?
   b. Relating Cause and Effect Describe how cancerous tumors harm the body.
   c. Applying Concepts Why do doctors look for cancerous tumors in the lymphatic system when someone is diagnosed with cancer?

Lab zone At-Home Activity

Family History of Allergies Explain to your family what allergies are and how allergens affect the body. Make a list of any substances to which your family members are allergic. Use this list to determine whether certain allergies occur frequently in your family.

Lab zone **Skills Lab**

Causes of Death, Then and Now

Problem

How do the leading causes of death today compare with those in 1900?

Skills Focus

graphing, interpreting data, drawing conclusions

Materials

- colored pencils
- ruler
- calculator (optional)
- protractor
- compass

Procedure

1. The data table on the next page shows the leading causes of death in the United States in 1900 and today. Examine the data and note that one cause of death—accidents—is not a disease. The other causes are labeled either "I," indicating an infectious disease, or "NI," indicating a noninfectious disease.

PART 1 Comparing Specific Causes of Death

2. Look at the following causes of death in the data table: (a) pneumonia and influenza, (b) heart disease, (c) accidents, and (d) cancer. Construct a bar graph that compares the numbers of deaths from each of those causes in 1900 and today. Label the horizontal axis "*Causes of Death.*" Label the vertical axis "*Deaths per 100,000 People.*" Draw two bars side by side for each cause of death. Use a key to show which bars refer to 1900 and which refer to today.

PART 2 Comparing Infectious and Noninfectious Causes of Death

3. In this part of the lab, you will make two circle graphs showing three categories: infectious diseases, noninfectious diseases, and "other." You may want to review the information on creating circle graphs on page 262 of the Skills Handbook.

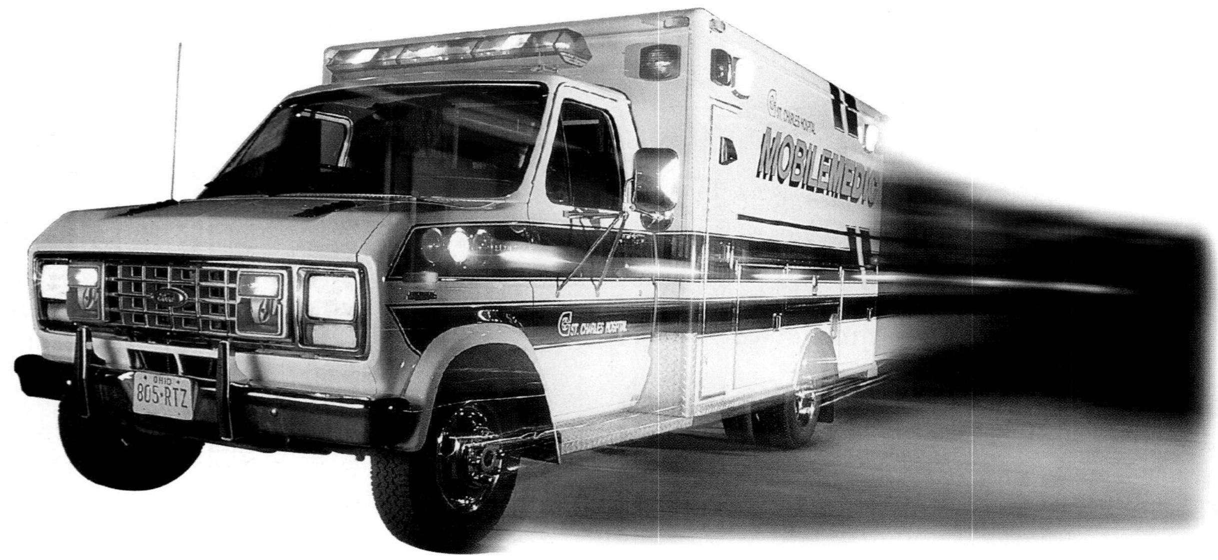

Ten Leading Causes of Death in the United States, 1900 and Today			
1900		Today	
Cause of Death	**Deaths Per 100,000**	**Cause of Death**	**Deaths Per 100,000**
Pneumonia, influenza (I)*	215	Heart disease (NI)	246
Tuberculosis (I)	185	Cancer (NI)	194
Diarrhea (I)	140	Stroke (NI)	57
Heart disease (NI)	130	Lung disease (NI)	43
Stroke (NI)	110	Accidents	34
Kidney disease (NI)	85	Diabetes (NI)	25
Accidents	75	Pneumonia, influenza (I)	22
Cancer (NI)	65	Alzheimer's disease (NI)	19
Senility (NI)	55	Kidney disease (NI)	14
Diphtheria (I)	40	Septicemia (I)	11
Total	**1,100**	**Total**	**665**

* (I) indicates an infectious disease. (NI) indicates a noninfectious disease.

4. Start by grouping the data from 1900 into the three categories—infectious diseases, noninfectious diseases, and other causes. Calculate the total number of deaths for each category. Then find the size of the "pie slice" (the number of degrees) for each category, and construct your circle graph. To find the size of the infectious disease slice for 1900, for example, use the following formula:

$$\frac{\text{Number of deaths from infectious diseases}}{\text{1,100 deaths total}} = \frac{x}{360°}$$

5. Calculate the percentage represented by each category using this formula:

$$\frac{\text{Numbers of degrees in a slice}}{360°} \times 100 = \blacksquare\%$$

6. Repeat Steps 4 and 5 using the data from today to make the second circle graph. What part of the formula in Step 4 do you need to change?

Analyze and Conclude

1. **Observing** What information did you learn from examining the data table in Step 1?
2. **Graphing** According to your bar graph, which cause of death showed the greatest increase between 1900 and today? The greatest decrease?
3. **Interpreting Data** In your circle graphs, which category decreased the most from 1900 to today? Which increased the most?
4. **Drawing Conclusions** Suggest an explanation for the change in the number of deaths due to infectious diseases from 1900 to today.
5. **Communicating** In a paragraph, explain how graphs help you identify patterns and other information in data that you might otherwise overlook.

More to Explore

Write a question related to the data table that you have not yet answered. Then create a graph or work with the data in other ways to answer your question.

Science and Society

Antibiotic Resistance—An Alarming Trend

Penicillin, the first antibiotic, became available for use in 1943. Soon antibiotics became known as the "wonder drugs." Over the years, they have reduced the occurrence of many bacterial diseases and saved millions of lives. But each time an antibiotic is used, a few resistant bacteria may survive. They pass on their resistance to the next generation of bacteria. As more patients take antibiotics, the number of resistant bacteria increases.

In 1987, penicillin killed more than 99.9 percent of a type of ear infection bacteria. By 2000, about 30 percent of these bacteria were resistant to penicillin. Diseases such as tuberculosis are on the rise due in part to growing antibiotic resistance.

The Issues

What Can Doctors Do?

Each year, more than 20 billion dollars worth of antibiotics are sold to drugstores and hospitals worldwide. More than half of antibiotic prescriptions are unnecessary. They include those written for colds and other viral illnesses, which antibiotics are ineffective against. If doctors could better identify the cause of an infection, they could avoid prescribing unnecessary antibiotics.

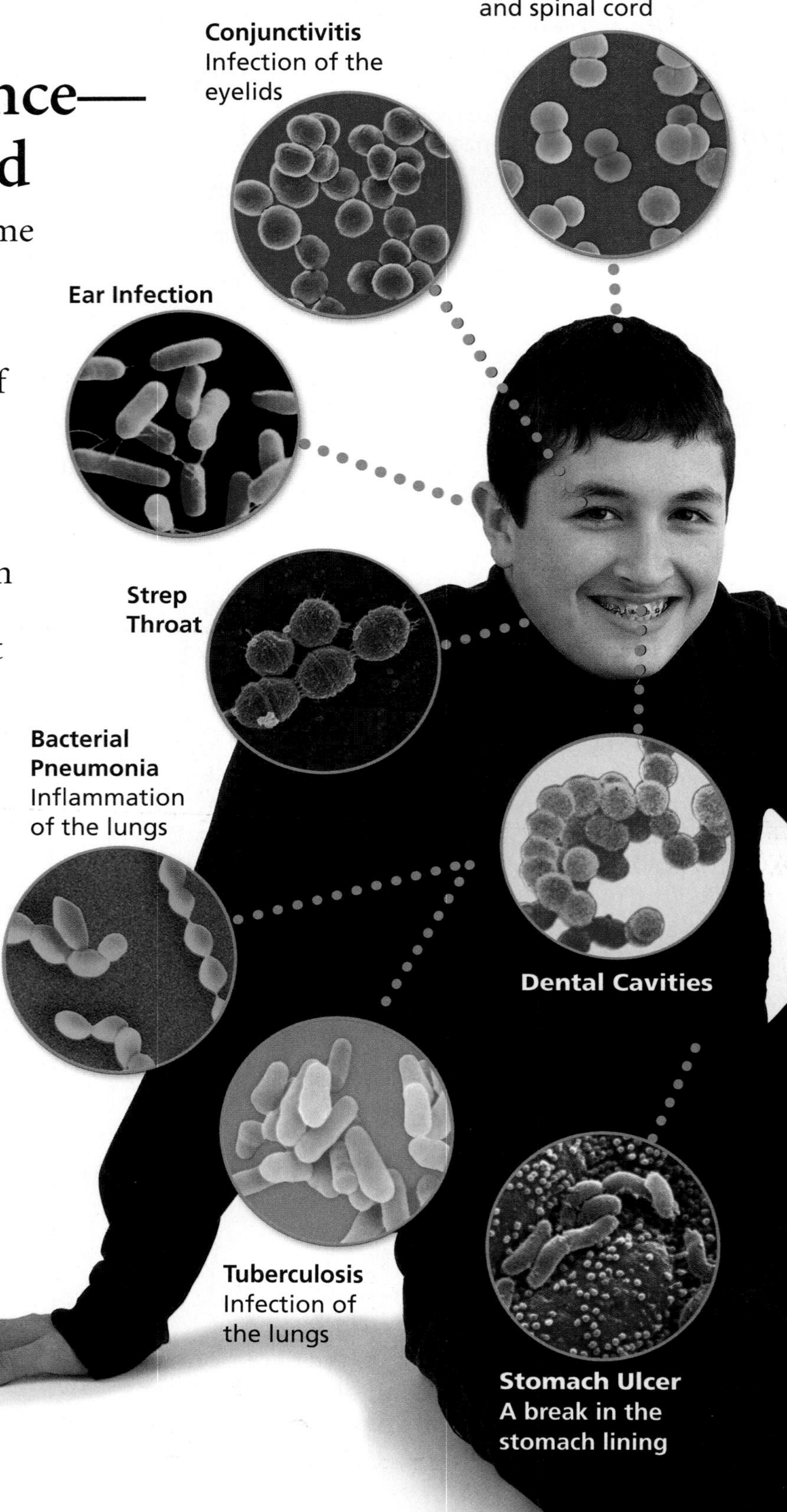

What Can Patients Do?

If a doctor prescribes a ten-day course of antibiotics, the patient should take all of the prescription to make sure that all the bacteria have been killed. If a patient stops taking the antibiotic, resistant bacteria will survive and reproduce. Then, a second or third antibiotic may be necessary. Patients also need to learn that some illnesses are best treated with rest and not with antibiotics.

Limiting Nonmedical Uses of Antibiotics

About half of the antibiotics used each year are not given to people. Instead, the drugs are fed to food animals, such as cattle and poultry, to prevent illness and increase growth. Reducing this type of use would limit the amount of the drugs in food animals and in the people who eat them. But these actions might increase the risk of disease in animals and lead to higher meat prices.

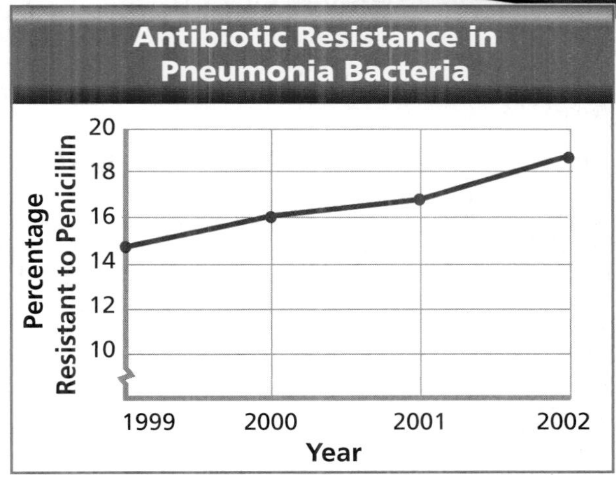

The percentage of resistant bacteria has increased steadily over the years.

Finding New Antibiotics

Scientists are trying to identify new antibiotics. By using new and different antibiotics, scientists hope that bacteria will not develop resistance as quickly. Scientists are also researching other ways to fight bacteria.

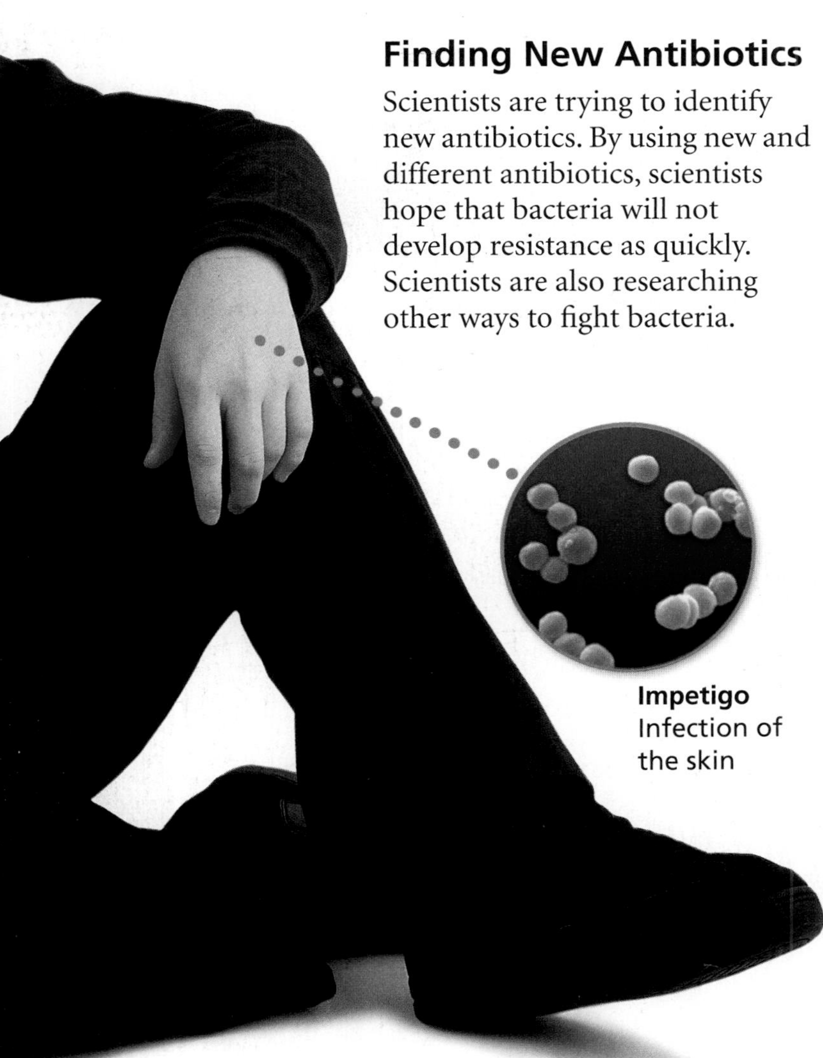

Impetigo Infection of the skin

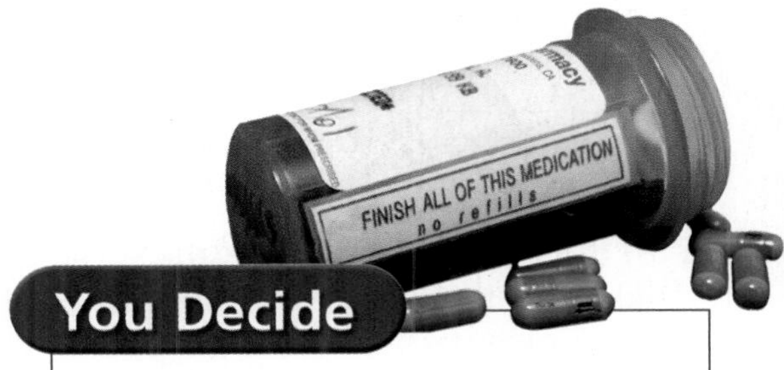

You Decide

1. **Identify the Problem**
   How can the use of antibiotics make these medicines less effective?

2. **Analyze the Options**
   List all the ways to fight the development of antibiotic resistance in bacteria. Mention any costs or drawbacks.

3. **Find a Solution**
   Make a persuasive poster about one way to deal with antibiotic resistance. Support your viewpoint with sound reasons.

For: More on bacterial resistance
Visit: PHSchool.com
Web Code: ceh-1020

Chapter 18 Study Guide

1 Infectious Disease

Key Concepts

- When you have an infectious disease, pathogens have gotten inside your body and caused harm.
- The four major groups of human pathogens are bacteria, viruses, fungi, and protists.
- Pathogens can spread through contact with either an infected person; soil, food, or water; a contaminated object; or an infected animal.

Key Terms

pathogen
infectious disease
toxin

2 The Body's Defenses

Key Concepts

- In the first line of defense, the surfaces of the skin, breathing passages, mouth, and stomach function as barriers to pathogens. These barriers trap and kill most pathogens with which you come into contact.
- In the inflammatory response, fluid and white blood cells leak from blood vessels into nearby tissues. The white blood cells then fight the pathogens.
- The cells of the immune system can distinguish between different kinds of pathogens. The immune system cells react to each kind of pathogen with a defense targeted specifically at that pathogen.
- HIV is the only kind of virus known to attack the human immune system directly and destroy T cells. HIV can spread from one person to another only if body fluids from an infected person come in contact with those of an uninfected person.

Key Terms

inflammatory response
phagocyte
immune response
lymphocyte
T cell
antigen
B cell
antibody
AIDS
HIV

3 Preventing Infectious Disease

Key Concepts

- A person acquires active immunity when their own immune system produces antibodies in response to the presence of a pathogen.
- A person acquires passive immunity when the antibodies that fight the pathogen come from a source other than the person's body.

Key Terms

immunity
active immunity
vaccination
vaccine
antibiotic
passive immunity

4 Noninfectious Disease

Key Concepts

- An allergy develops in response to various foreign substances that set off a series of reactions in the body.
- A diabetic has high levels of glucose in the blood and excretes glucose in the urine. The person's body cells do not have enough glucose.
- Cancer is a disease in which cells multiply uncontrollably and destroy healthy tissue.

Key Terms

noninfectious disease
allergy
allergen
histamine
asthma
insulin
diabetes
tumor
carcinogen

Review and Assessment

Go Online PHSchool.com
For: Self-Assessment
Visit: PHSchool.com
Web Code: cha-3180

Organizing Information

Sequencing Copy the flowchart showing what happens after strep bacteria begin to multiply in the throat. Then complete it and add a title. (For more on Sequencing, see the Skills Handbook.)

T cell recognizes bacterial antigen.
↓
a. ___?___
↓
b. ___?___
↓
c. ___?___
↓
d. ___?___

Reviewing Key Terms

Choose the letter of the best answer.

1. Some bacteria produce poisons called
   a. histamines. **b.** toxins.
   c. phagocytes. **d.** pathogens.
2. Antibodies are produced by
   a. phagocytes. **b.** B cells.
   c. T cells. **d.** pathogens.
3. A chemical that kills bacteria or slows their growth without harming body cells is called a(n)
   a. pathogen.
   b. antibiotic.
   c. allergen.
   d. histamine.
4. High levels of glucose in the blood may be a sign of
   a. an allergy.
   b. AIDS.
   c. cancer.
   d. diabetes.
5. A carcinogen causes
   a. cancer.
   b. AIDS.
   c. an infectious disease.
   d. an allergy.

If the statement is true, write *true.* If it is false, change the underlined word or words to make the statement true.

6. Bacteria, viruses, fungi, and protists are the major human <u>phagocytes</u>.
7. A <u>T cell</u> engulfs pathogens and destroys them.
8. Vaccination produces <u>active immunity.</u>
9. During an allergic reaction, cells in the body release the chemical <u>insulin</u>.
10. A <u>tumor</u> is a mass of abnormal tissue.

Writing in Science

Newspaper Article Suppose you are a reporter who is able to travel inside the human body and document how the body fights a virus. Write an article on the battle between the virus and the human immune system, describing the different ways the body fights pathogens.

Fighting Disease
Video Preview
Video Field Trip
▶ Video Assessment

Review and Assessment

Checking Concepts

11. List four ways in which a person can become infected with a pathogen.

12. Explain why it is difficult for pathogens to get to a part of the body in which they can cause disease.

13. What is the relationship between antigens and antibodies?

14. Describe two ways in which active immunity is acquired. What do they have in common?

15. How does diabetes harm the body?

16. Identify two factors that can make a person likely to develop cancer.

Thinking Critically

17. Applying Concepts Can you catch a cold by sitting in a chilly draft? Explain.

18. Interpreting Diagrams Identify each structure labeled below and its role in the immune response.

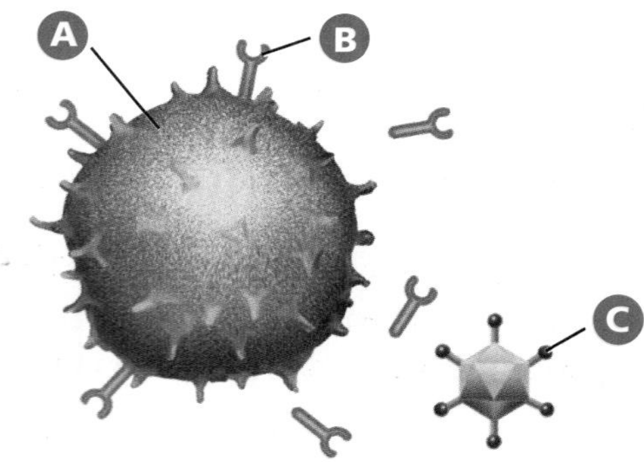

19. Relating Cause and Effect Why is the immune system successful in fighting most pathogens but is unsucessful in fighting HIV?

20. Comparing and Contrasting Compare and contrast active immunity and passive immunity. Then, describe one way in which a person can acquire each type of immunity.

21. Making Judgments What precautions can people take to decrease their risk of cancer?

Applying Skills

Use the graph to answer Questions 22–25.

A glucose tolerance test can check for diabetes. A doctor gives a patient a sugar drink and measures the blood glucose level over a 2 hour period. The graph below shows the results of this test for two people.

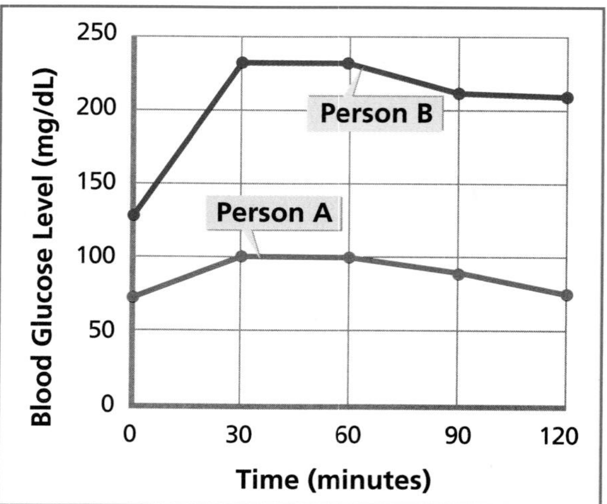

22. Reading Graphs What was each person's glucose level at the start of the test?

23. Interpreting Data Which person's blood glucose level rose more quickly during the first 30 minutes?

24. Interpreting Data Which person's blood glucose level returned to near the starting level after 2 hours? Which person's blood glucose level remained elevated after 2 hours?

25. Drawing Conclusions Which person may have diabetes? Explain your answer.

Lab zone Chapter Project

Performance Assessment Before you present your news broadcasts, make sure any sound effects and props support the story. Do your broadcasts help people better understand how the body fights disease?

Standardized Test Practice

Test-Taking Tip

Interpreting a Data Table

To answer questions about a data table, first read the title of the table. Next, look at the headings of the columns and rows to see how the data are organized. Do not spend a lot of time examining all the data because you may not need total understanding to answer the questions.

Sample Question

According to the data table, which of the statements below is true?

SARS* Cases (Nov. 2002 – July 2003)		
Country	**No. of Cases**	**No. of Deaths**
Canada	251	43
China, mainland	5,327	349
China, Taiwan	346	37
Singapore	238	33
United States	29	0

*SARS (severe acute respiratory syndrome) is a respiratory disease caused by a virus.

A Most of the people who got SARS died.
B Most SARS cases were in mainland China.
C Most SARS cases were in North America.
D Most SARS cases were in Singapore.

Answer

The correct answer is **B.** There were 5,327 SARS cases in mainland China—more than the 280 cases in North America (choice **C**) or the 238 cases in Singapore (choice **D**). Choice **A** is incorrect because most people did not die from SARS.

Choose the letter of the best answer.

1. All of the following are the body's defenses against pathogens EXCEPT
A a physical barrier such as the skin.
B the inflammatory response.
C the immune response.
D attack by red blood cells.

Use the data table to answer Questions 2 and 3.

Cancer: New Cases and Survival Rates		
Type of Cancer	**Estimated New Cases (2003)**	**Five-Year Survival Rate (1992–1998)**
Prostate (males)	221,000	97%
Breast (females)	211,000	86%
Lung	172,000	15%
Colon and rectum	148,000	62%
Bladder	57,000	82%
Melanoma (skin)	54,000	89%

2. The type of cancer with the best five-year survival rate is
F prostate cancer.
G bladder cancer.
H breast cancer.
J lung cancer.

3. A reasonable inference that can be made from the data is that
A lung cancer is easy to diagnose and hard to treat.
B prostate cancer is hard to diagnose and hard to treat.
C very few females survive for five years after being diagnosed with breast cancer.
D lung cancer is the most common cancer.

4. Which of the following is paired correctly?
F diabetes: infectious disease
G AIDS: noninfectious disease
H rabies: infectious disease
J allergy: infectious disease

Constructed Response

5. What is diabetes? What causes diabetes and what effects does it have on the body? How is diabetes usually treated?

Chapter 19

The Nervous System

Chapter Preview

1 **How the Nervous System Works**
Discover *How Simple Is a Simple Task?*
At-Home Activity *Pass the Salt, Please*
Design Your Own Lab *Ready or Not!*

2 **Divisions of the Nervous System**
Discover *How Does Your Knee React?*
Active Art *Nervous System*
Skills Activity *Controlling Variables*
Try This *You Blinked!*

3 **The Senses**
Discover *What's in the Bag?*
Try This *Working Together*
Analyzing Data *Sound Intensity*
Skills Activity *Designing Experiments*

4 **Alcohol and Other Drugs**
Discover *How Can You Best Say No?*
Skills Activity *Communicating*
At-Home Activity *Medicine Labels*
Consumer Lab *With Caffeine or Without?*

Without your nervous system, a sport like windsurfing would be impossible! ▶

The Nervous System
▶ Video Preview
Video Field Trip
Video Assessment

Lab zone™ Chapter Project

Tricks and Illusions

Things aren't always what they seem. For example, a is a picture or other visual effect that tricks you into se incorrectly. In this project, you'll investigate how your times can be fooled by illusions.

Your Goal To set up a science fair booth to demonstrate how different people respond to one or more illusions

To complete this project, you must

- try out a variety of illusions, including some that involve the senses of hearing or touch as well as sight
- select one or more illusions and set up an experiment to monitor people's responses to the illusions
- learn why the illusions fool the senses
- follow the safety guidelines in Appendix A

Plan It! In a small group, discuss optical illusions or other illusions that you know about. Look in books to learn about others. Try them out. Which illusions would make an interesting experiment? How could you set up such an experiment at a science fair?

Section 1

Ho/ the Nervous System /rks

Rea...

K...

...tions of the ...cture of a neuron ...s of neurons are ... body? ...rve impulses travel ... neuron to another?

...rms

- ...us
- response
- ...on
- nerve impulse
- ...ndrite
- axon
- nerve
- ...nsory neuron
- interneuron
- ...motor neuron
- synapse

Target Reading Skill

Previewing Visuals Before you read, preview Figure 3. Then, write two questions that you have about the diagram in a graphic organizer like the one below. As you read, answer your questions.

The Path of a Nerve Impulse

Q. What is a sensory neuron?
A.
Q.

Lab zone **Discover Activity**

How Simple Is a Simple Task?

1. Trace the outline of a penny in twelve different places on a piece of paper.
2. Number the circles 1 through 12. Write the numbers randomly, in no particular order.
3. Now, pick up the penny again. Put it in each circle, one after another, in numerical order, beginning with 1 and ending with 12.

Think It Over

Inferring Make a list of all the sense organs, muscle movements, and thought processes used in this activity. Compare your list with your classmates' lists. What organ system coordinated all the different processes involved in this task?

The ball whizzes toward the soccer goalie. She lunges for the ball, and in one swift movement blocks it from entering the net. To tend goal, soccer players need excellent coordination and keen vision. In addition, they must remember what they have learned from years of practice.

Whether or not you play soccer, you too need coordination, memory, and the ability to learn. Your nervous system carries out all these functions. The nervous system includes the brain, spinal cord, and nerves that run throughout the body. It also includes sense organs, such as the eyes and ears.

Functions of the Nervous System

The Internet lets people gather information from anywhere in the world with the click of a button. Like the Internet, your nervous system is a communications network. But it is much more efficient than the Internet.

The nervous system receives information about what is happening both inside and outside your body. It also directs the way in which your body responds to this information. In addition, your nervous system helps maintain homeostasis. Without your nervous system, you could not move, think, feel pain, or taste a spicy taco.

Receiving Information Because of your nervous system, you are aware of what is happening in the environment around you. For example, you know that a fly is buzzing around your head, that the wind is blowing, or that a friend is telling a funny joke. Your nervous system also checks conditions inside your body, such as the level of glucose in your blood.

Responding to Information Any change or signal in the environment that can make an organism react is called a **stimulus** (STIM yoo lus) (plural: *stimuli*). A buzzing fly is a stimulus. After your nervous system analyzes the stimulus, it causes a response. A **response** is what your body does in reaction to a stimulus—you swat at the fly.

Some nervous system responses, such as swatting a fly, are voluntary, or under your control. However, many processes necessary for life, such as heart rate, are controlled by involuntary actions of the nervous system.

Maintaining Homeostasis The nervous system helps maintain homeostasis by directing the body to respond appropriately to the information it receives. For example, when you are hungry, your nervous system prompts you to eat. This action maintains homeostasis by supplying your body with the nutrients and energy it needs.

Reading Checkpoint **What is a stimulus?**

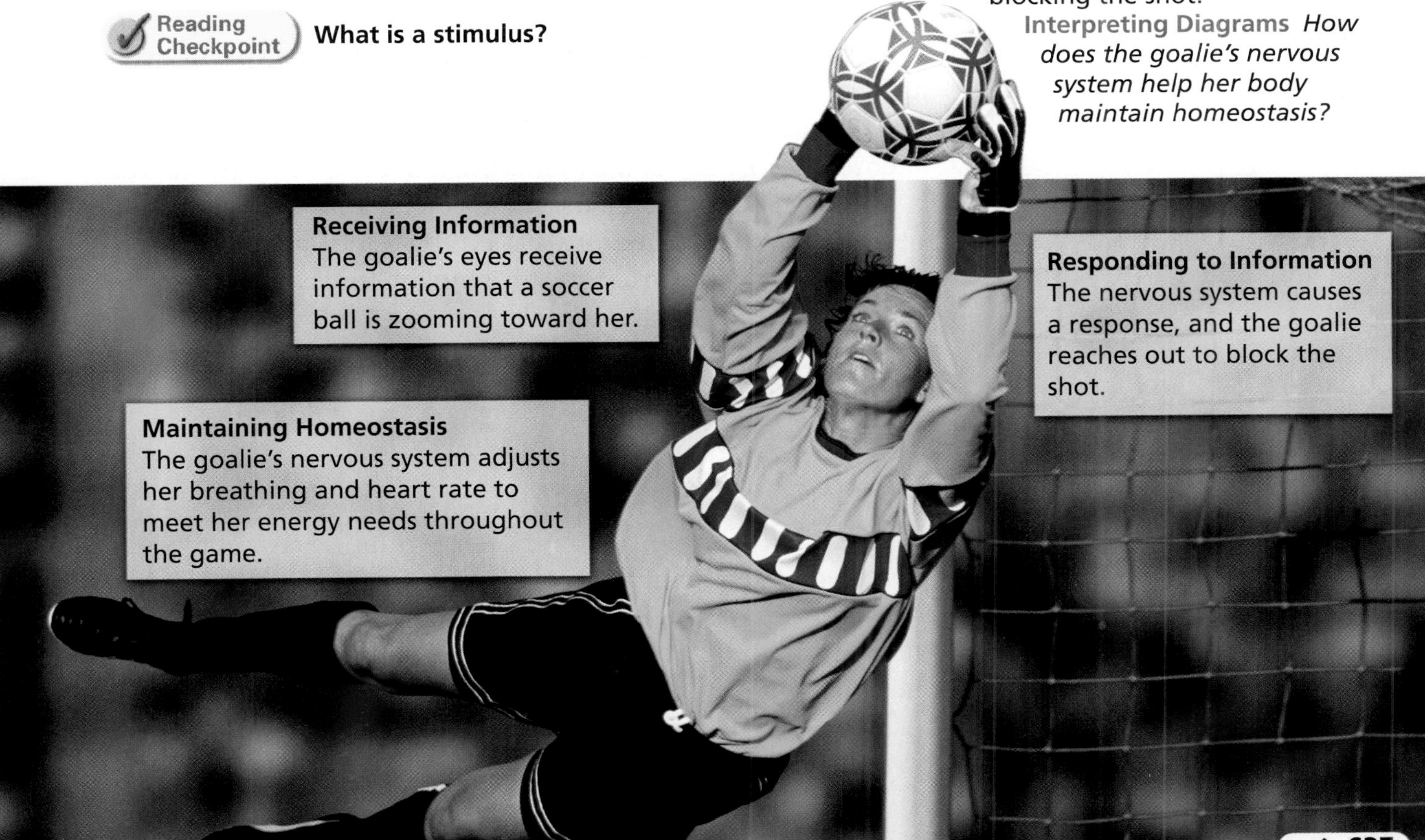

Receiving Information
The goalie's eyes receive information that a soccer ball is zooming toward her.
Responding to Information
The nervous system causes a response, and the goalie reaches out to block the shot.
Maintaining Homeostasis
The goalie's nervous system adjusts her breathing and heart rate to meet her energy needs throughout the game.

FIGURE 1
The Nervous System at Work
The zooming soccer ball is a stimulus. The goalie responds by lunging toward the ball and blocking the shot.
Interpreting Diagrams *How does the goalie's nervous system help her body maintain homeostasis?*

FIGURE 2
Structure of a Neuron
A neuron has one axon and many dendrites that extend from the cell body.

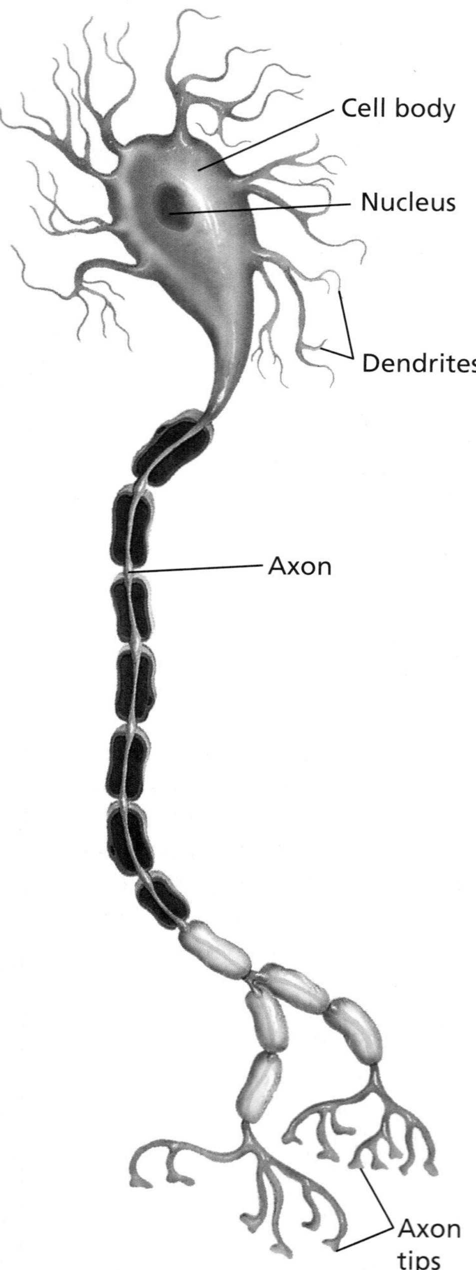

For: More on nerve impulses
Visit: PHSchool.com
Web Code: ced-4061

The Neuron

Your nervous system includes various organs, tissues, and cells. For example, your brain is an organ, and the nerves running throughout your body are tissues. The cells that carry information through your nervous system are called **neurons** (NOO rahnz), or nerve cells. The message that a neuron carries is called a **nerve impulse.**

The Structure of a Neuron The structure of a neuron enables it to carry nerve impulses. **A neuron has a large cell body that contains the nucleus, threadlike extensions called dendrites, and an axon.** The **dendrites** carry impulses toward the neuron's cell body. The **axon** carries impulses away from the cell body. Nerve impulses begin in a dendrite, move toward the cell body, and then move down the axon. A neuron can have many dendrites, but it has only one axon. An axon, however, can have more than one tip, so the impulse can go to more than one other cell.

Axons and dendrites are sometimes called nerve fibers. Nerve fibers are often arranged in parallel bundles covered with connective tissue, something like a package of uncooked spaghetti wrapped in cellophane. A bundle of nerve fibers is called a **nerve.**

Kinds of Neurons **Three kinds of neurons are found in the body—sensory neurons, interneurons, and motor neurons.** Figure 3 shows how these three kinds of neurons work together.

A **sensory neuron** picks up stimuli from the internal or external environment and converts each stimulus into a nerve impulse. The impulse travels along the sensory neuron until it reaches an interneuron, usually in the brain or spinal cord. An **interneuron** is a neuron that carries nerve impulses from one neuron to another. Some interneurons pass impulses from sensory neurons to motor neurons. A **motor neuron** sends an impulse to a muscle or gland, and the muscle or gland reacts in response.

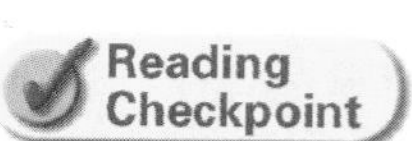

What is the function of an axon?

How a Nerve Impulse Travels

Every day of your life, billions of nerve impulses travel through your nervous system. Each of those nerve impulses begins in the dendrites of a neuron. The impulse moves rapidly toward the neuron's cell body and then down the axon until it reaches the axon tip. A nerve impulse travels along the neuron in the form of electrical and chemical signals. Nerve impulses can travel as fast as 120 meters per second!

FIGURE 3

The Path of a Nerve Impulse

When you hear your phone ring, you pick it up to answer it. Many sensory neurons, interneurons, and motor neurons are involved in this action.

Interpreting Diagrams *To where does the impulse pass from the sensory neurons?*

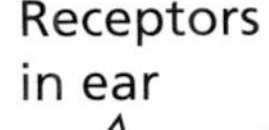

Receptors in ear

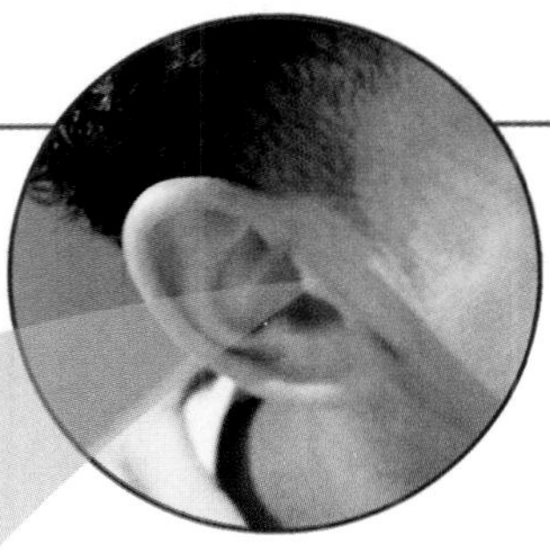

1 Sensory Neuron
Nerve impulses begin when receptors pick up stimuli from the environment. Receptors in the ear pick up the sound of the phone ringing. The receptors trigger nerve impulses in sensory neurons.

2 Interneuron
From the sensory neurons, the nerve impulse passes to interneurons in the brain. Your brain interprets the impulses from many interneurons and makes you realize that the phone is ringing. Your brain also decides that you should answer the phone.

Muscle in hand

3 Motor Neuron
Impulses then travel along thousands of motor neurons. The motor neurons send the impulses to muscles. The muscles carry out the response, and you reach for the phone.

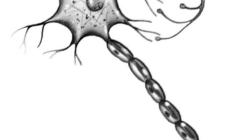

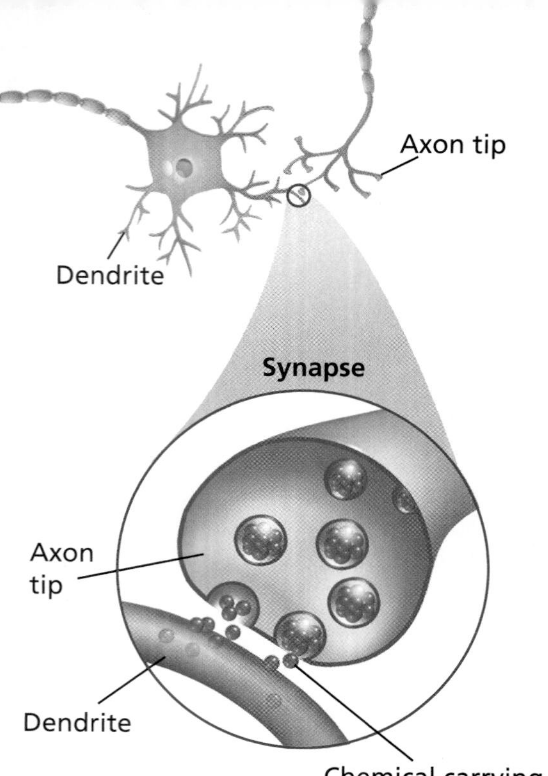

FIGURE 4
The Synapse
When a nerve impulse reaches the tip of an axon, chemicals are released into the gap at the synapse. The chemicals carry the nerve impulse across the gap.

The Synapse What happens when a nerve impulse reaches the axon tip at the end of a neuron? At that point, the impulse can pass to the next structure. Sometimes the structure is the dendrite of another neuron. Other times, the structure is a muscle or a cell in another organ, such as a sweat gland. The junction where one neuron can transfer an impulse to another structure is called a **synapse** (SIN aps).

How an Impulse is Transferred Figure 4 shows a synapse between the axon tip of one neuron and the dendrite of another neuron. Notice that a small gap separates these two structures. **For a nerve impulse to be carried along at a synapse, it must cross the gap between the axon and the next structure. The axon tips release chemicals that carry the impulse across the gap.**

You can think of the gap at a synapse as a river, and an axon as a road that leads up to the riverbank. The nerve impulse is like a car traveling on the road. To get to the other side, the car has to cross the river. The car gets on a ferry boat, which carries it across the river. The chemicals that the axon tips release are like the ferry, carrying the nerve impulse across the gap.

Section 1 Assessment

Target Reading Skill Previewing Visuals Refer to your questions and answers about Figure 3 to help you answer Question 2 below.

Reviewing Key Concepts

1. a. Listing What are three functions of the nervous system?
   b. Describing Give an example of a stimulus and describe how the nervous system produces a response.
   c. Predicting Your heart rate is controlled by involuntary actions of the nervous system. What would life be like if your heartbeat were under voluntary control?
2. a. Identifying Identify the three kinds of neurons that are found in the nervous system.
   b. Explaining How do the three kinds of neurons interact to carry nerve impulses?
   c. Comparing and Contrasting How do sensory neurons and motor neurons differ?
3. a. Reviewing What is a synapse?
   b. Sequencing Outline the steps by which a nerve impulse reaches and then crosses the gap at a synapse.

Lab zone At-Home Activity

Pass the Salt, Please During dinner, ask a family member to pass the salt and pepper to you. Observe what your family member then does. Explain that the words you spoke were a stimulus and that the family member's reaction was a response. Discuss other examples of stimuli and responses with your family.

Ready or Not!

Problem

Do people's reaction times vary at different times of the day?

Skills Focus

developing hypotheses, controlling variables, drawing conclusions

Material

- meter stick

Procedure 

PART 1 Observing a Response to a Stimulus

1. Have your partner hold a meter stick with the zero end about 50 cm above a table.
2. Get ready to catch the meter stick by positioning the top of your thumb and forefinger just at the zero position, as shown in the photograph.
3. Your partner should drop the meter stick without any warning. Using your thumb and forefinger only (no other part of your hand), catch the meter stick as soon as you can. Record the distance in centimeters that the meter stick fell. This distance is a measure of your reaction time.

PART 2 Designing Your Experiment

4. With your partner, discuss how you can use the activity from Part 1 to find out whether people's reaction times vary at different times of day. Consider the questions below. Then, write up your experimental plan.
   - What hypothesis will you test?
   - What variables do you need to control?
   - How many people will you test? How many times will you test each person?
5. Submit your plan for your teacher's review. Make any changes your teacher recommends. Create a data table to record your results. Then, perform your experiment.

Analyze and Conclude

1. **Inferring** In this lab, what is the stimulus? What is the response? Is the response voluntary or involuntary? Explain.
2. **Developing Hypotheses** What hypothesis did you test in Part 2?
3. **Controlling Variables** In Part 2, why was it important to control all variables except the time of day?
4. **Drawing Conclusions** Based on your results in Part 2, do people's reaction times vary at different times of the day? Explain.
5. **Communicating** Write a paragraph to explain why you can use the distance on the meter stick as a measure of reaction time.

More to Explore

Do you think people can do arithmetic problems more quickly and accurately at certain times of the day? Design an experiment to investigate this question. *Obtain your teacher's permission before carrying out your investigation.*

Section 2

Divisions of the Nervous System

Reading Preview

Key Concepts

- What are the structures and functions of the central nervous system?
- What are the structures and functions of the peripheral nervous system?
- What is a reflex?
- What are two ways in which the nervous system can be injured?

Key Terms

- central nervous system
- peripheral nervous system
- brain • spinal cord
- cerebrum • cerebellum
- brain stem
- somatic nervous system
- autonomic nervous system
- reflex • concussion

Target Reading Skill

Building Vocabulary After you read this section, reread the paragraphs that contain definitions of Key Terms. Use all the information you have learned to write a definition of each Key Term in your own words.

Lab zone Discover Activity

How Does Your Knee React?

1. Sit on a table or counter so that your legs dangle freely. Make sure that your partner is not directly in front of your legs.
2. Have your partner use the side of his or her hand to tap one of your knees gently just below the kneecap. Observe what happens to your leg. Note whether you have any control over your reaction.
3. Change places with your partner. Repeat Steps 1 and 2.

Think It Over

Inferring When might it be an advantage for your body to react very quickly and without your conscious control?

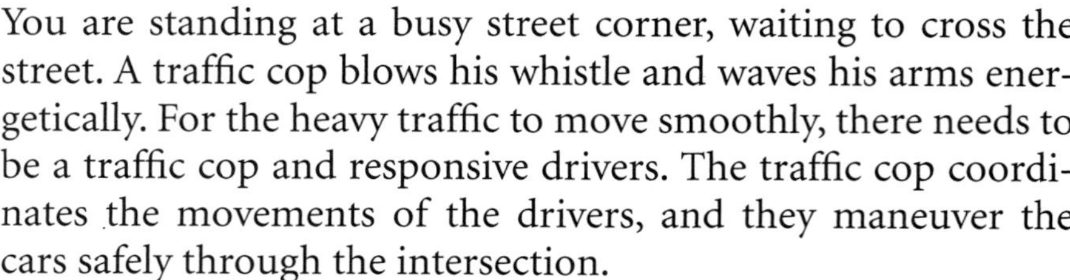

You are standing at a busy street corner, waiting to cross the street. A traffic cop blows his whistle and waves his arms energetically. For the heavy traffic to move smoothly, there needs to be a traffic cop and responsive drivers. The traffic cop coordinates the movements of the drivers, and they maneuver the cars safely through the intersection.

Similarly, your nervous system has two divisions that work together. The **central nervous system** consists of the brain and spinal cord. The **peripheral nervous system** (puh RIF uh rul) includes all the nerves located outside of the central nervous system. The central nervous system is like a traffic cop. The peripheral nervous system is like the drivers and pedestrians.

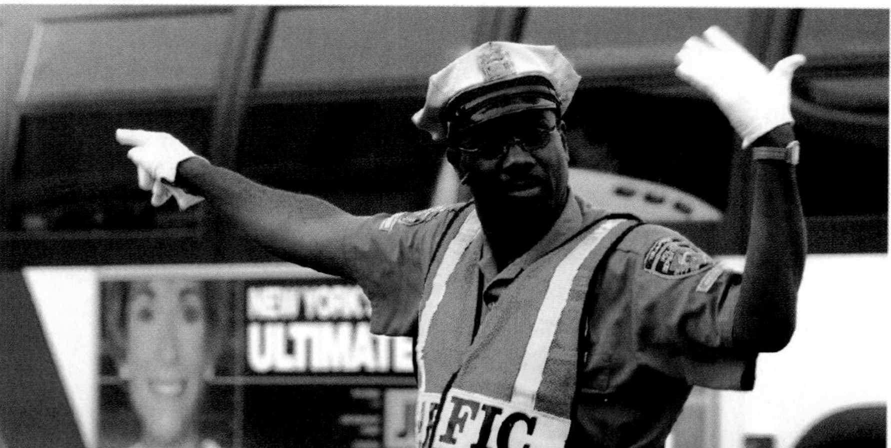

The traffic cop keeps everybody moving.

Central Nervous System

You can see the central and peripheral nervous systems in Figure 5. **The central nervous system is the control center of the body. It includes the brain and spinal cord.** All information about what is happening in the world inside or outside your body is brought to the central nervous system. The **brain,** located in the skull, is the part of the central nervous system that controls most functions in the body. The **spinal cord** is the thick column of nervous tissue that links the brain to most of the nerves in the peripheral nervous system.

Most impulses from the peripheral nervous system travel through the spinal cord to get to the brain. Your brain then directs a response. The response usually travels from the brain, through the spinal cord, and then to the peripheral nervous system.

For example, here is what happens when you reach under the sofa to find a lost quarter. Your fingers move over the floor, searching for the quarter. When your fingers finally touch the quarter, the stimulus of the touch triggers nerve impulses in sensory neurons in your fingers. These impulses travel through nerves of the peripheral nervous system to your spinal cord. Then the impulses race up to your brain. Your brain interprets the impulses, telling you that you've found the quarter. Your brain starts nerve impulses that move down the spinal cord. From the spinal cord, the impulses travel through motor neurons in your arm and hand. The impulses in the motor neurons cause your fingers to grasp the quarter.

What are the parts of the central nervous system?

For: Nervous System activity
Visit: PHSchool.com
Web Code: cep-4062

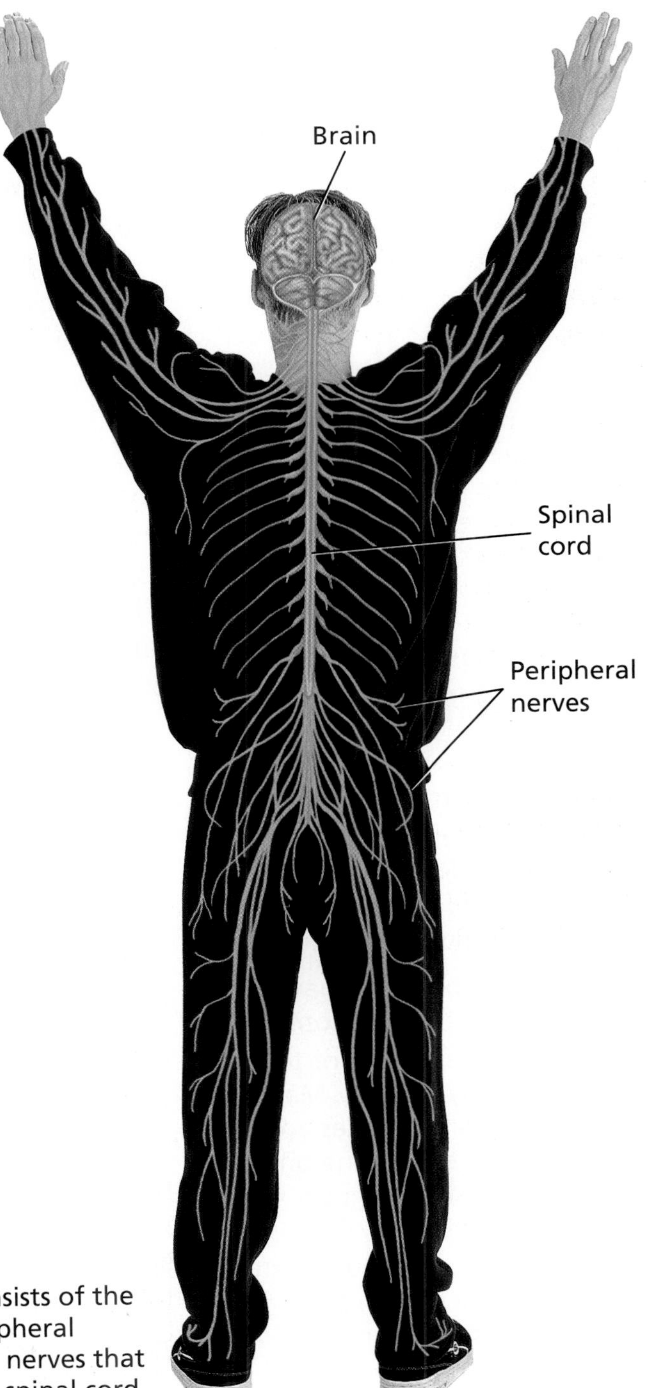

FIGURE 5
The Nervous System
The central nervous system consists of the brain and spinal cord. The peripheral nervous system includes all the nerves that branch out from the brain and spinal cord.

The Brain and Spinal Cord

Your brain contains about 100 billion neurons, all of which are interneurons. Each of those neurons may receive messages from up to 10,000 other neurons and may send messages to about 1,000 more! Three layers of connective tissue cover the brain. The space between the middle layer and innermost layer is filled with a watery fluid. The skull, the layers of connective tissue, and the fluid all help protect the brain from injury.

There are three main regions of the brain that receive and process information. These are the cerebrum, the cerebellum, and the brain stem. Find each in Figure 6.

Cerebrum The largest part of the brain is called the cerebrum. The **cerebrum** (suh REE brum) interprets input from the senses, controls movement, and carries out complex mental processes such as learning and remembering. Because of your cerebrum, you can locate your favorite comic strip in the newspaper, read it, and laugh at its funny characters.

The cerebrum is divided into a right and a left half. The right half sends impulses to skeletal muscles on the left side of the body. In contrast, the left half controls the right side of the body. When you reach with your right hand for a pencil, the messages that tell you to do so come from the left half of the cerebrum. In addition, each half of the cerebrum controls slightly different kinds of mental activity. The right half is usually associated with creativity and artistic ability. The left half is usually associated with mathematical skills and logical thinking.

As you can see in Figure 6, certain areas of the cerebrum are associated with smell, touch, taste, hearing, and vision. Other areas control movement, speech, written language, and abstract thought.

Cerebellum and Brain Stem The second largest part of your brain is called the cerebellum. The **cerebellum** (sehr uh BEL um) coordinates the actions of your muscles and helps you keep your balance. When you walk, the impulses that tell your feet to move start in your cerebrum. However, your cerebellum gives you the muscular coordination and sense of balance that keep you from falling down.

The **brain stem,** which lies between the cerebellum and spinal cord, controls your body's involuntary actions—those that occur automatically. For example, neurons in the brain stem regulate your breathing and help control your heartbeat.

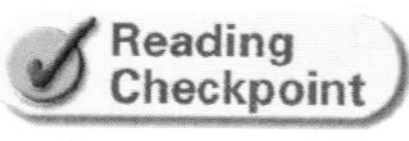

What actions does the brain stem control?

Lab zone Skills Activity

Controlling Variables

Are people better able to memorize a list of words in a quiet room or in a room where soft music is playing?

1. Write a hypothesis that addresses this question.
2. Design an experiment to test your hypothesis. Make sure that all variables are controlled except the one you are testing—music versus quiet.
3. Check your procedure with your teacher. Then perform your experiment.

Did your results support your hypothesis?

FIGURE 6

The Brain

Each of the three main parts of the human brain—the cerebrum, cerebellum, and brain stem—carries out specific functions.
Interpreting Diagrams *What are three functions of the cerebrum?*

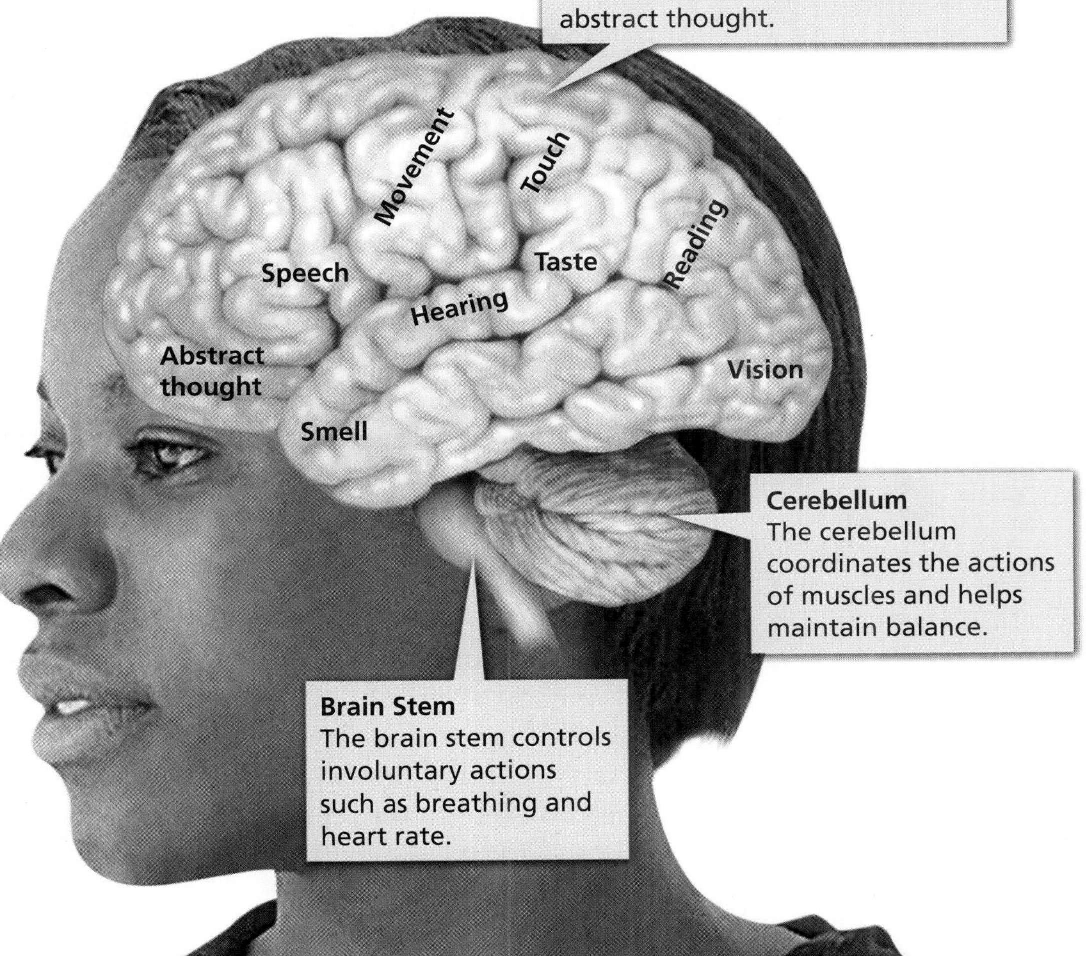

Cerebrum
The cerebrum is the largest part of the brain. Different areas of the cerebrum control such functions as movement, the senses, speech, and abstract thought.

Cerebellum
The cerebellum coordinates the actions of muscles and helps maintain balance.

Brain Stem
The brain stem controls involuntary actions such as breathing and heart rate.

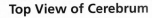

Top View of Cerebrum

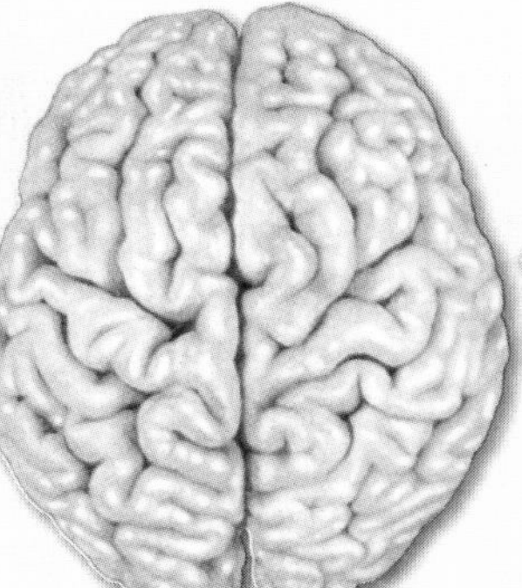

Left Half
The left half of the cerebrum is associated with mathematical and logical thinking.

Right Half
The right half of the cerebrum is associated with creativity and artistic ability.

The Spinal Cord Run your fingers down the center of your back to feel the bones of the vertebral column. The vertebral column surrounds and protects the spinal cord. **The spinal cord is the link between your brain and the peripheral nervous system.** The layers of connective tissue that surround and protect the brain also cover the spinal cord. In addition, like the brain, the spinal cord is further protected by a watery fluid.

Peripheral Nervous System

The second division of the nervous system is the peripheral nervous system. **The peripheral nervous system consists of a network of nerves that branch out from the central nervous system and connect it to the rest of the body. The peripheral nervous system is involved in both involuntary and voluntary actions.**

A total of 43 pairs of nerves make up the peripheral nervous system. Twelve pairs originate in the brain. The other 31 pairs—the spinal nerves—begin in the spinal cord. One nerve in each pair goes to the left side of the body, and the other goes to the right. As you can see in Figure 7, spinal nerves leave the spinal cord through spaces between the vertebrae.

How Spinal Nerves Function A spinal nerve is like a two-lane highway. Impulses travel on a spinal nerve in two directions—both to and from the central nervous system. Each spinal nerve contains axons of both sensory and motor neurons. The sensory neurons carry impulses from the body to the central nervous system. The motor neurons carry impulses in the opposite direction—from the central nervous system to the body.

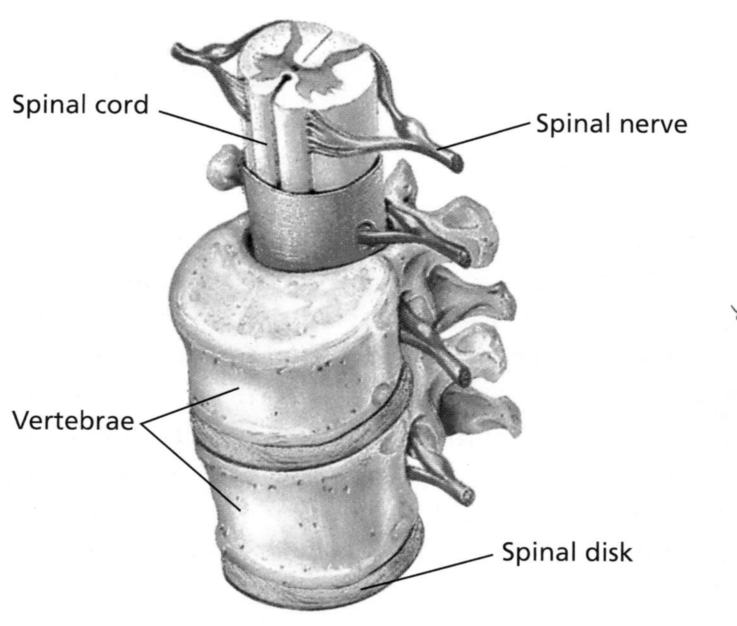

FIGURE 7
The Spinal Nerves
The spinal nerves, which connect to the spinal cord, emerge from spaces between the vertebrae. Each spinal nerve consists of both sensory and motor neurons.

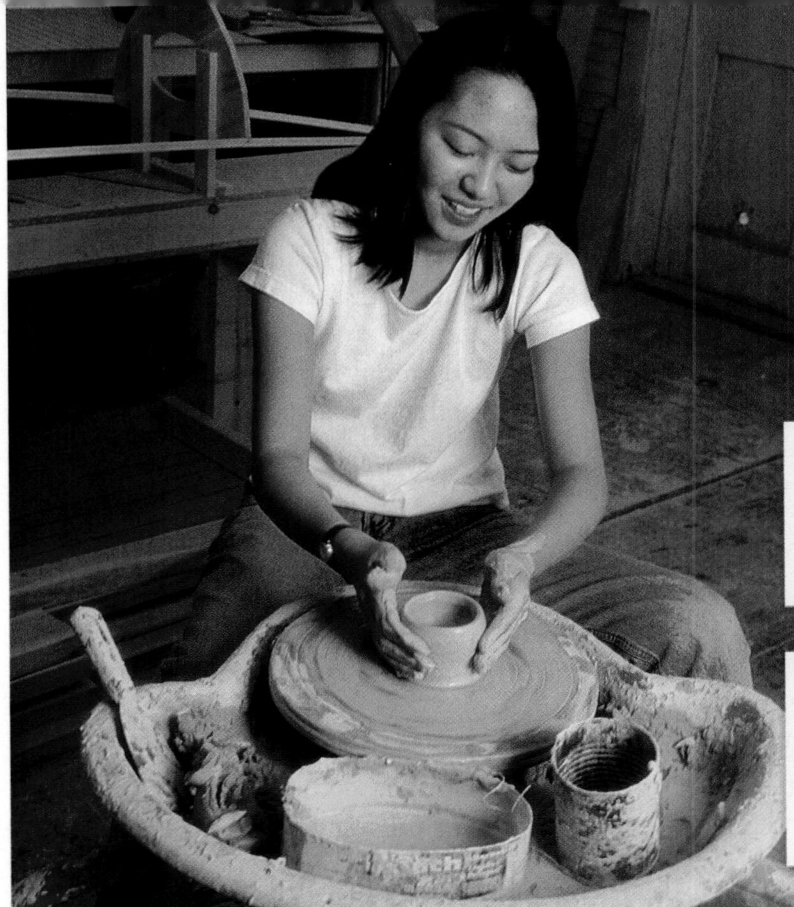

FIGURE 8
Somatic and Autonomic Nervous Systems
The somatic nervous system controls voluntary actions. The autonomic nervous system controls involuntary actions. **Classifying** *Which system helps regulate the artist's heartbeat?*

Actions Controlled by the Somatic Nervous System
- Hands shape the clay.
- Foot turns the wheel.
- Mouth smiles.

Actions Controlled by the Autonomic Nervous System
- Heartbeat is regulated.
- Breathing rate is kept steady.
- Body temperature remains constant.

Somatic and Autonomic Systems The nerves of the peripheral nervous system can be divided into two groups, the somatic (soh MAT ik) and autonomic (awt uh NAHM ik) nervous systems. The nerves of the **somatic nervous system** control voluntary actions such as using a fork or tying your shoes. In contrast, nerves of the **autonomic nervous system** control involuntary actions. For example, the autonomic nervous system regulates the contractions of the smooth muscles that adjust the diameter of blood vessels.

What kinds of actions are controlled by the autonomic nervous system?

Reflexes

Imagine that you are watching an adventure movie. The movie is so thrilling that you don't notice a fly circling above your head. When the fly zooms right in front of your eyes, however, your eyelids immediately blink shut. You didn't decide to close your eyes. The blink, which is a **reflex,** is a response that happened automatically. **A reflex is an automatic response that occurs very rapidly and without conscious control. Reflexes help to protect the body.** If you did the Discover activity for this section, you observed another reflex.

Lab zone Try This Activity

You Blinked!

Can you make yourself *not* blink? To answer this question, try the following activity.

1. Put on safety goggles.
2. Have your partner stand across from you and gently toss ten cotton balls toward your goggles. Your partner should not give you any warning before tossing the cotton balls.
3. Count the number of times you blink and the number of times you are able to keep from blinking.

Interpreting Data Compare the two numbers. Why is blinking considered a reflex?

A Reflex Pathway As you have learned, the contraction of skeletal muscles is usually controlled by the brain. However, in some reflex actions, skeletal muscles contract with the involvement of the spinal cord only—not the brain.

Figure 9 shows the reflex action that occurs when you touch a sharp object. When your finger touches the object, sensory neurons send impulses to the spinal cord. The impulses may then pass to interneurons in the spinal cord. From there the impulses pass directly to motor neurons in your arm and hand. The muscles then contract, and your hand jerks up and away from the sharp object. By removing your hand quickly, this reflex protects you from getting badly cut.

Signaling the Brain At the same time that some nerve impulses make your arm muscles contract, other nerve impulses travel up your spinal cord to your brain. When these impulses reach your brain, your brain interprets them. You then feel a sharp pain in your finger.

It takes longer for the pain impulses to get to the brain and be interpreted than it does for the reflex action to occur. By the time you feel the pain, you have already moved your hand away.

What is an example of a reflex?

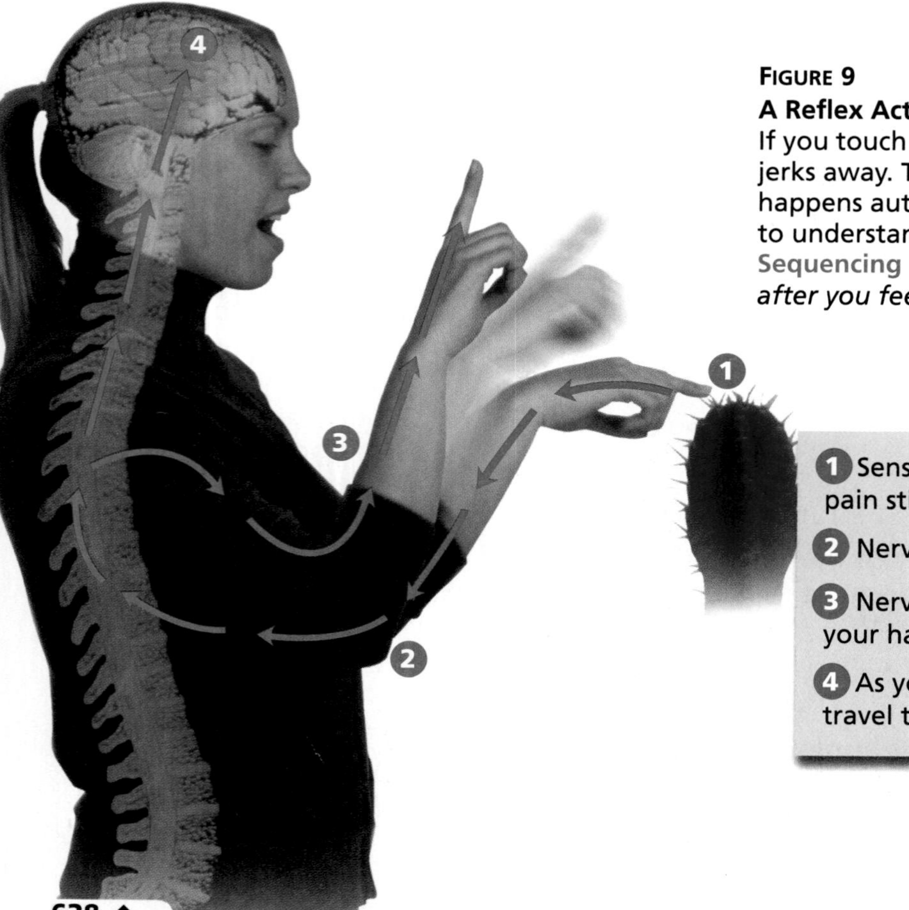

FIGURE 9
A Reflex Action
If you touch a sharp object, your hand immediately jerks away. This action, which is known as a reflex, happens automatically. Follow the numbered steps to understand how a reflex happens.
Sequencing *Do you pull your hand away before or after you feel the pain? Explain.*

1. Sensory neurons in your fingertip detect a pain stimulus.
2. Nerve impulses travel to your spinal cord.
3. Nerve impulses return to motor neurons in your hand, and you pull your hand away.
4. As you pull your hand away, nerve impulses travel to your brain. You feel the pain.

Nervous System Injuries

The nervous system can suffer injuries that interfere with its functioning. **Concussions and spinal cord injuries are two ways in which the central nervous system can be damaged.**

Concussions A **concussion** is a bruiselike injury of the brain. A concussion occurs when the soft tissue of the brain collides against the skull. Concussions can happen when you bump your head in a hard fall, an automobile accident, or a contact sport such as football.

With most concussions, you may have a headache for a short time, but the injured tissue heals by itself. However, with more serious concussions, you may lose consciousness, experience confusion, or feel drowsy after the injury. To decrease your chances of getting a brain injury, wear a helmet during activities in which you risk bumping your head.

Spinal Cord Injuries Spinal cord injuries occur when the spinal cord is cut or crushed. As a result, axons in the injured region are damaged, so impulses cannot pass through them. This type of injury usually results in paralysis, which is the loss of movement in some part of the body. Car crashes are the most common cause of spinal cord injuries.

FIGURE 10
Protecting the Nervous System
You can help protect yourself from a spinal cord injury by wearing a seatbelt when you travel in a car.

What is paralysis?

Section 2 Assessment

Target Reading Skill Building Vocabulary
Use your definitions to help you answer the questions below.

Reviewing Key Concepts

1. a. **Listing** What two structures are part of the central nervous system?
   b. **Describing** Describe the functions of the three main regions of the brain.
   c. **Relating Cause and Effect** What symptoms might indicate that a person's cerebellum has been injured?
2. a. **Identifying** What are the two groups of nerves into which the peripheral nervous system is divided?
   b. **Comparing and Contrasting** How do the functions of the two groups of peripheral nerves differ?
3. a. **Defining** What is a reflex?
   b. **Sequencing** Trace the pathway of a reflex in the nervous system.
   c. **Inferring** How do reflexes help protect the body from injury?
4. a. **Reviewing** What is a concussion?
   b. **Applying Concepts** How can you reduce your risk of concussion?

Writing in Science

Comparison Paragraph Write a paragraph in which you compare the functions of the left and right halves of the cerebrum. Discuss what kinds of mental activities each half controls as well as which side of the body it controls.

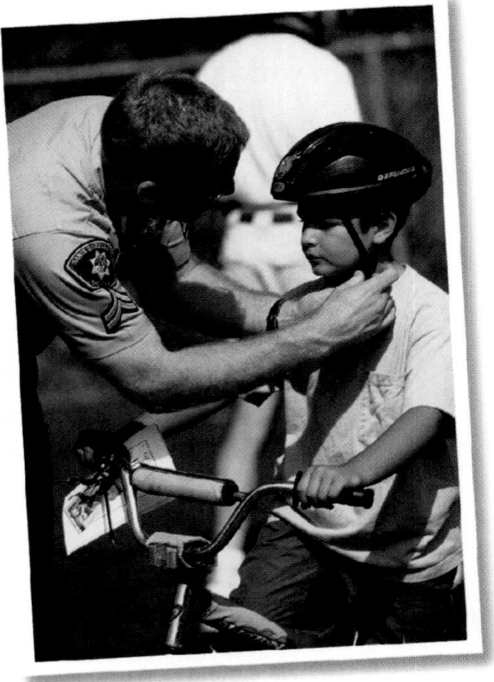

Should People Be Required to Wear Bicycle Helmets?

Bicycling is an enjoyable activity. Unfortunately, many bicyclists are injured while riding. Each year, more than 500,000 people in the United States are treated in hospitals for bicycling injuries. Many of those people suffer head injuries. Head injuries can affect everything your brain does—thinking, remembering, seeing, and being able to move.

Depending on the age group and geographic location, helmet use ranges from less than 10 percent to about 80 percent of bicyclists. What is the best way to get bicyclists to protect themselves from head injury?

The Issues

Should Laws Require the Use of Bicycle Helmets?

Experts estimate that bicycle helmets could reduce the risk of bicycle-related head injuries by as much as 85 percent. Today, about 19 states have passed laws requiring bicycle riders to wear helmets. Most of these statewide laws, however, apply only to children.

Some supporters of helmet laws want to see the laws extended to all riders. They claim that laws are the most effective way to increase helmet use.

What Are the Drawbacks of Helmet Laws?

Opponents of helmet laws believe it is up to the individual to decide whether or not to wear a helmet. They say it is not the role of government to stop people from taking risks. They argue that, rather than making people pay fines if they don't wear bicycle helmets, governments should educate people about the benefits of helmets. Car drivers should also be educated about safe driving procedures near bicycles.

Are There Alternatives to Helmet Laws?

Instead of laws requiring people to wear helmets, some communities and organizations have set up educational programs that teach about the advantages of helmets. Effective programs teach about the dangers of head injuries and the protection that helmets provide. Effective education programs, though, can be expensive. They also need to reach a wide audience, including children, teens, and adults.

You Decide

1. **Identify the Problem**
   In your own words, explain the issues concerning laws requiring people to wear bicycle helmets.
2. **Analyze the Options**
   List two different plans for increasing helmet use by bicycle riders. List at least one advantage and one drawback of each plan.
3. **Find a Solution**
   You are a member of the city government hoping to increase helmet use. Write a speech outlining your position for either a helmet law or an alternative plan. Support your position.

For: More on bicycle helmets
Visit: PHSchool.com
Web Code: ceh-4060

Section 3 The Senses

Reading Preview

Key Concepts

- How do your eyes enable you to see?
- How do you hear and maintain your sense of balance?
- How do your senses of smell and taste work together?
- How is your skin related to your sense of touch?

Key Terms

- cornea • pupil • iris • lens
- retina • nearsightedness
- farsightedness • eardrum
- cochlea • semicircular canal

Target Reading Skill

Outlining As you read, make an outline about the senses. Use the red headings for the main ideas and the blue headings for the supporting ideas.

The Senses
I. Vision
A. How light enters your eye
B.
C.

Lab zone Discover Activity

What's in the Bag?

1. Your teacher will give you a paper bag that contains several objects. Your challenge is to use only your sense of touch to identify each object. You will not look inside the bag.
2. Put your hand in the bag and carefully touch each object. Observe the shape of each object. Note whether its surface is rough or smooth. Also note other characteristics, such as its size, what it seems to be made of, and whether it can be bent.
3. After you have finished touching each object, write your observations on a sheet of paper. Then, write your inference about what each object is.

Think It Over

Observing What could you determine about each object without looking at it? What could you not determine?

You waited in line to get on the ride, and now it's about to begin. You grip the wheel as the bumper cars jerk into motion. The next thing you know, you are zipping around crazily and bumping into cars driven by your friends.

You can thrill to the motion of amusement park rides because of your senses. The sense organs pick up information about your environment, change the information into nerve impulses, and send the impulses to your brain. Your brain then interprets the information. Your senses and brain working together enable you to respond to things in your environment, such as the other bumper cars around you.

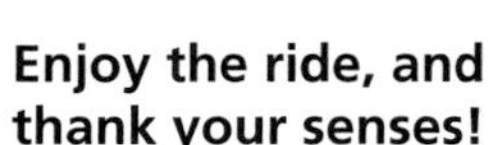

Enjoy the ride, and thank your senses!

Pupil in Bright Light

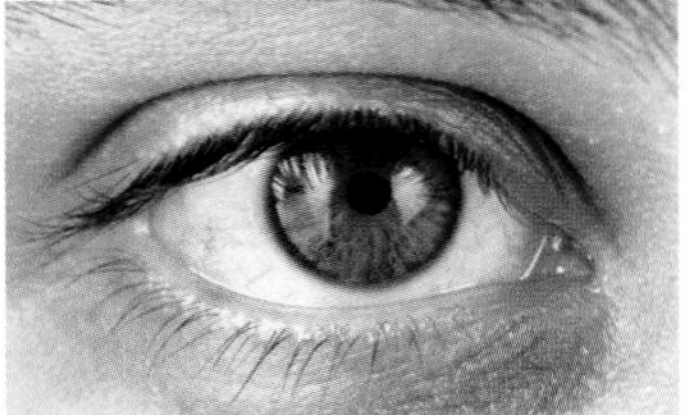

Pupil in Dim Light

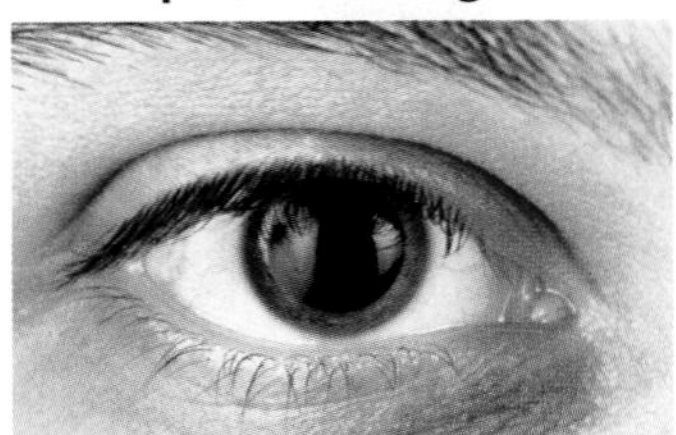

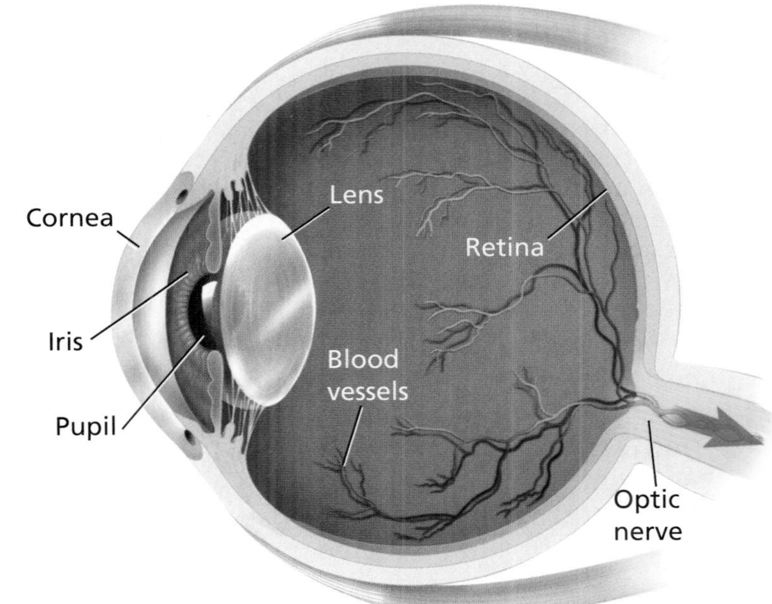

FIGURE 11
The Eye
The eye is a complex organ that allows you to sense light. The pupil is the opening through which light enters the eye. In bright light, the pupil becomes smaller. In dim light, the pupil enlarges and allows more light to enter the eye.
Interpreting Diagrams *What structure adjusts the size of the pupil?*

Vision

Your eyes are the sense organs that enable you to see the objects in your environment. They let you see this textbook in front of you, the window across the room, and the world outside the window. **Your eyes respond to the stimulus of light. They convert that stimulus into impulses that your brain interprets, enabling you to see.**

How Light Enters Your Eye When rays of light strike the eye, they pass through the structures shown in Figure 11. First, the light strikes the **cornea** (KAWR nee uh), the clear tissue that covers the front of the eye. The light then passes through a fluid-filled chamber behind the cornea and reaches the pupil. The **pupil** is the opening through which light enters the eye.

You may have noticed that people's pupils change size when they go from a dark room into bright sunshine. In bright light, the pupil becomes smaller. In dim light, the pupil becomes larger. The size of the pupil is adjusted by muscles in the iris. The **iris** is a circular structure that surrounds the pupil and regulates the amount of light entering the eye. The iris also gives the eye its color. If you have brown eyes, it is actually your irises that are brown.

How Light Is Focused Light that passes through the pupil strikes the lens. The **lens** is a flexible structure that focuses light. The lens of your eye functions something like the lens of a camera, which focuses light on photographic film. Because of the way in which the lens of the eye bends the light rays, the image it produces is upside down and reversed. Muscles that attach to the lens adjust its shape, producing an image that is in focus.

Discovery
CHANNEL
SCHOOL
The Nervous System
Video Preview
▶ Video Field Trip
Video Assessment

FIGURE 12

How You See

Light coming from an object enters your eye and is focused by the lens. The light produces an upside-down image on your retina. Receptors in your retina then send impulses to your cerebrum, which turns the image right-side up.
Comparing and Contrasting *Which receptors work best in dim light?*

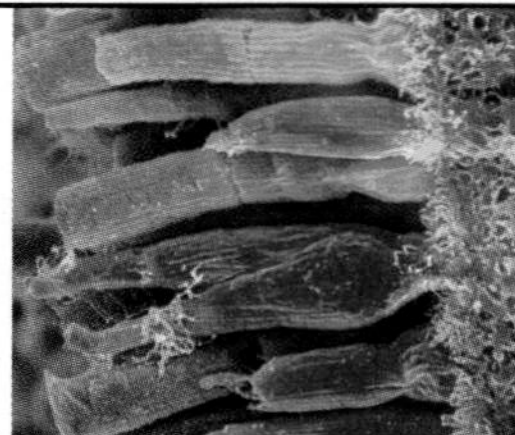

Rods and Cones Receptors in the retina include rods (shown in green) and cones (shown in blue).

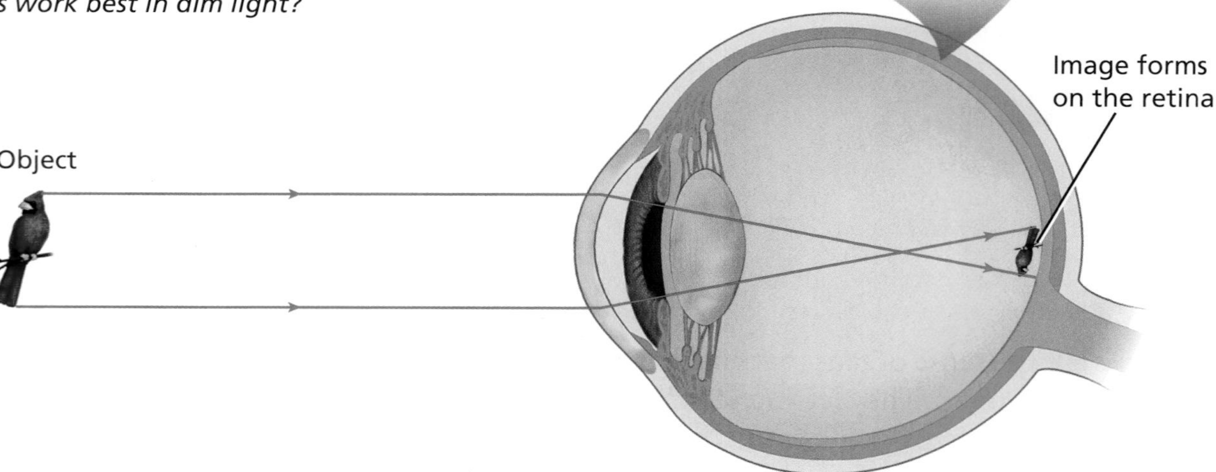

How You See an Image After passing through the lens, the focused light rays pass through a transparent, jellylike fluid. Then the light rays strike the **retina** (RET ’n uh), the layer of receptor cells that lines the back of the eye. The retina contains about 130 million receptor cells that respond to light. There are two types of receptors: rods and cones. Rod cells work best in dim light and enable you to see black, white, and shades of gray. In contrast, cone cells work best in bright light and enable you to see colors. This difference between rods and cones explains why you see colors best in bright light, but you see only shadowy gray images in dim light.

When light strikes the rods and cones, nerve impulses travel to the cerebrum through the optic nerves. One optic nerve comes from the left eye and the other one comes from the right eye. In the cerebrum, two things happen. The brain turns the reversed image right-side up, and it also combines the images from each eye to produce a single image.

Correcting Nearsightedness A lens—whether it is in your eye or in eyeglasses—is a curved, transparent object that bends light rays as they pass through it. If the lens of the eye does not focus light properly on the retina, vision problems result. The lenses in eyeglasses can help correct vision problems.

Lab zone Try This Activity

Working Together

Discover how your two eyes work together.

1. With your arms fully extended, hold a drinking straw in one hand and a pipe cleaner in the other.
2. With both eyes open, try to insert the pipe cleaner into the straw.
3. Now close your right eye. Try to insert the pipe cleaner into the straw.
4. Repeat Step 3 with your left eye closed.

Inferring How does closing one eye affect your ability to judge distances?

FIGURE 13
Correcting Vision Problems

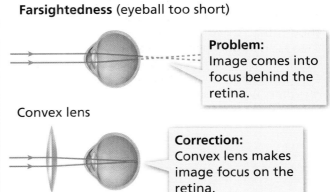

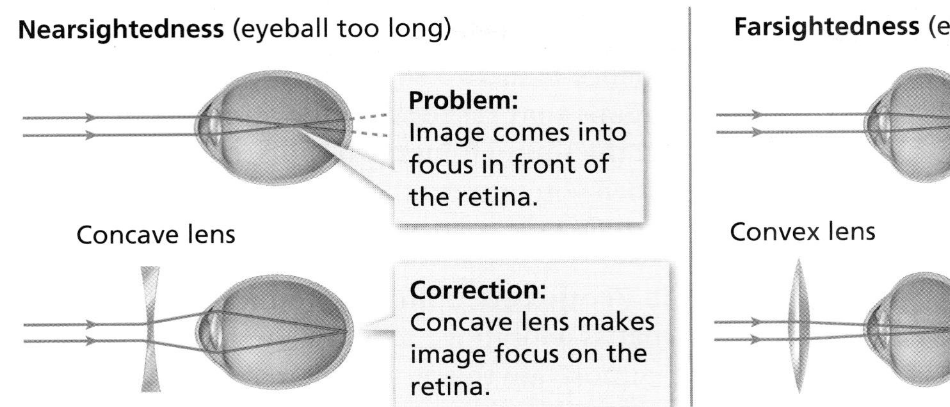

Nearsightedness (eyeball too long)
Problem:
Image comes into focus in front of the retina.
Concave lens
Correction:
Concave lens makes image focus on the retina.
Farsightedness (eyeball too short)
Problem:
Image comes into focus behind the retina.
Convex lens
Correction:
Convex lens makes image focus on the retina.

People with **nearsightedness** can see nearby objects clearly. However, they have trouble seeing objects far away. Nearsightedness results when the eyeball is too long. Because of the extra length that light must travel to reach the retina, distant objects do not focus sharply on the retina. Instead, the lens of the eye makes the image come into focus at a point in front of the retina, as shown in Figure 13.

To correct nearsightedness, eyeglasses with concave lenses are worn. A concave lens is thicker at the edges than it is in the center. When light rays pass through a concave lens, they are bent away from the center of the lens. The concave lenses in glasses make light rays spread out before they reach the lens of the eye. After the rays pass through the lens of the eye, they focus on the retina rather than in front of it.

Correcting Farsightedness People with **farsightedness** can see distant objects clearly. Nearby objects, however, look blurry. The eyeballs of people with farsightedness are too short. Because of this, the lens of the eye bends light from nearby objects so that the image does not focus properly on the retina. If light could pass through the retina, the image would come into sharp focus at a point behind the retina, as shown in Figure 13.

Convex lenses are used to help correct farsightedness. A convex lens is thicker in the middle than at the edges. The convex lens makes the light rays bend toward each other before they reach the eye. Then the lens of the eye bends the rays even more. This bending makes the image focus exactly on the retina.

Reading Checkpoint

What type of lens corrects nearsightedness?

Hearing and Balance

What wakes you up in the morning? Maybe an alarm clock buzzes, or perhaps your parent calls you. On a summer morning, you might hear birds singing. Whatever wakes you up, there's a good chance that it's a sound of some sort. **Your ears are the sense organs that respond to the stimulus of sound. The ears convert the sound to nerve impulses that your brain interprets.** So when you hear an alarm clock or another morning sound, your brain tells you that it's time to wake up.

How Sound Is Produced Sound is produced by vibrations. The material that is vibrating, or moving rapidly back and forth, may be almost anything—a guitar string, an insect's wings, or a stereo speaker.

The vibrations move outward from the source of the sound, something like ripples moving out from a stone dropped in water. The vibrations cause particles, such as the gas molecules that make up air, to vibrate. In this way, sound is carried. When you hear a friend's voice, for example, sound has traveled from your friend's larynx to your ears. In addition to being able to travel through gases such as those in air, sound waves can also travel through liquids, such as water, and solids, such as wood.

Math Analyzing Data

Sound Intensity

Sound intensity, or loudness, is measured in units called decibels. The threshold of hearing for the human ear is 0 decibels. For every 10-decibel increase, the sound intensity increases ten times. Thus, a 20-decibel sound is ten times more intense than a 10-decibel sound, not twice as intense. A 30-decibel sound is 100 times more intense than a 10-decibel sound. Sound levels for several sound sources are shown in the bar graph.

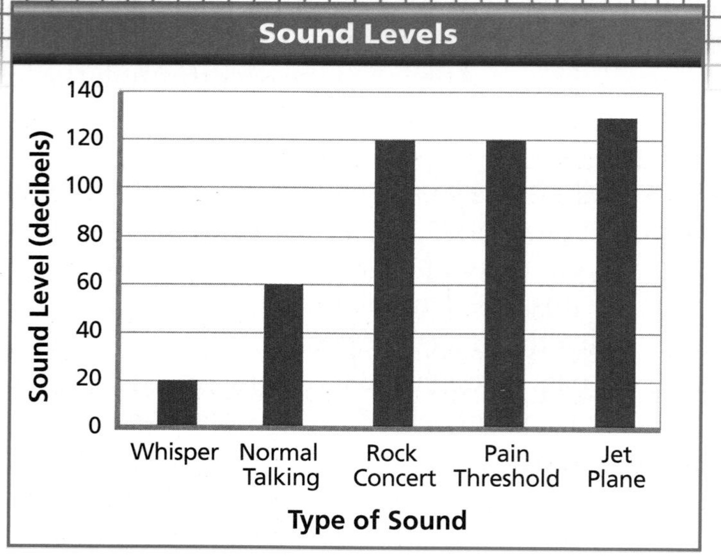

1. Reading Graphs What unit of measure is represented on the y-axis? What is represented on the x-axis?
2. Interpreting Data What is the sound intensity in decibels of a whisper? Normal talking? A rock concert?

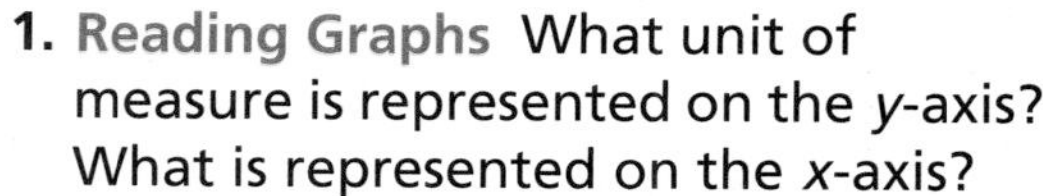

3. Calculating How much more intense is normal talking than a whisper? Explain.
4. Predicting Based on the graph, what types of sound could be painful if you were exposed to them?

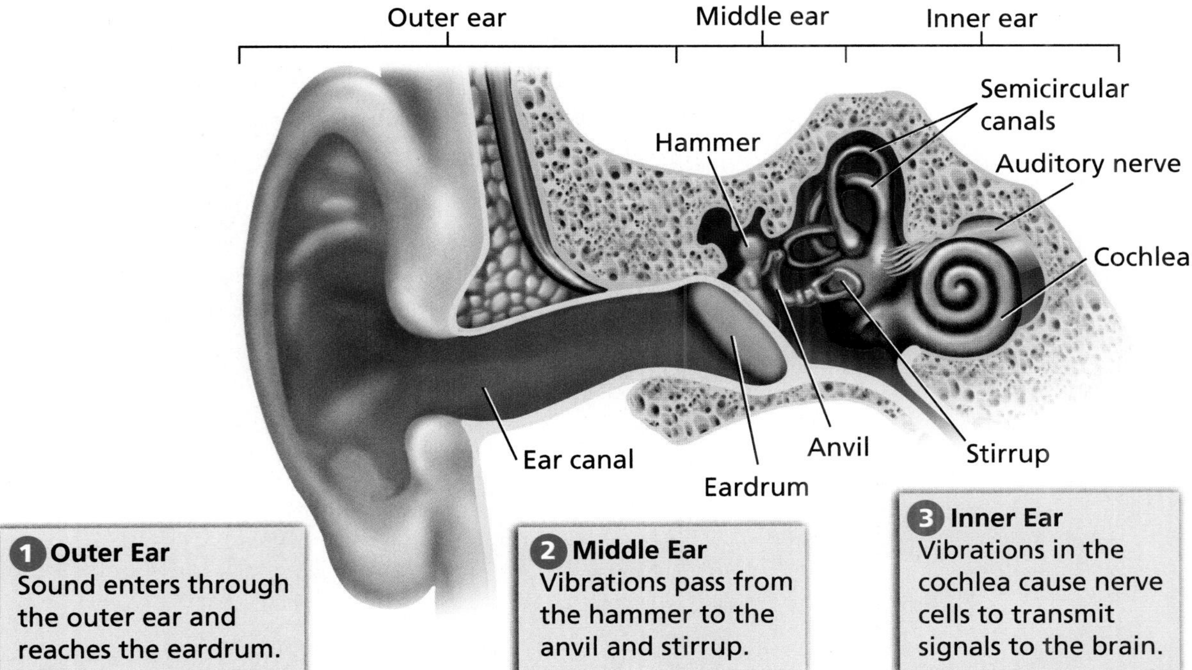
Outer ear
Middle ear
Inner ear
Semicircular canals
Hammer
Auditory nerve
Cochlea
Ear canal
Anvil
Stirrup
Eardrum
1 Outer Ear
Sound enters through the outer ear and reaches the eardrum.
2 Middle Ear
Vibrations pass from the hammer to the anvil and stirrup.
3 Inner Ear
Vibrations in the cochlea cause nerve cells to transmit signals to the brain.

FIGURE 14
The Ear
Sound waves enter the outer ear and make structures in the middle ear vibrate. When the vibrations reach the inner ear, nerve impulses travel to the cerebrum through the auditory nerve. **Predicting** *What would happen if the bones of the middle ear were stuck together and could not move?*

The Outer Ear The ear is structured to receive sound vibrations. The three regions of the ear—the outer ear, middle ear, and inner ear—are shown in Figure 14. The visible part of the outer ear is shaped like a funnel. This funnel-like shape enables the outer ear to gather sound waves. The sound vibrations then travel down the ear canal, which is also part of the outer ear.

The Middle Ear At the end of the ear canal, sound vibrations reach the eardrum. The **eardrum,** which separates the outer ear from the middle ear, is a membrane that vibrates when sound strikes it. Your eardrum vibrates in much the same way that a drum vibrates when it is struck. Vibrations from the eardrum pass to the middle ear, which contains the three smallest bones in the body—the hammer, anvil, and stirrup. These bones are named for their shapes. The vibrating eardrum makes the hammer vibrate. The hammer passes the vibrations to the anvil, and the anvil passes them to the stirrup.

The Inner Ear The stirrup vibrates against a thin membrane that covers the opening of the inner ear. The membrane channels the vibrations into the fluid in the cochlea. The **cochlea** (KAHK le uh) is a snail-shaped tube that is lined with receptor cells that respond to sound. When the fluid in the cochlea vibrates, it stimulates these receptors. Sensory neurons then send nerve impulses to the cerebrum through the auditory nerve. These impulses are interpreted as sounds that you hear.

Go Online
SCI LINKS
NSTA

For: Links on the senses
Visit: www.SciLinks.org
Web Code: scn-0463

Semicircular canals

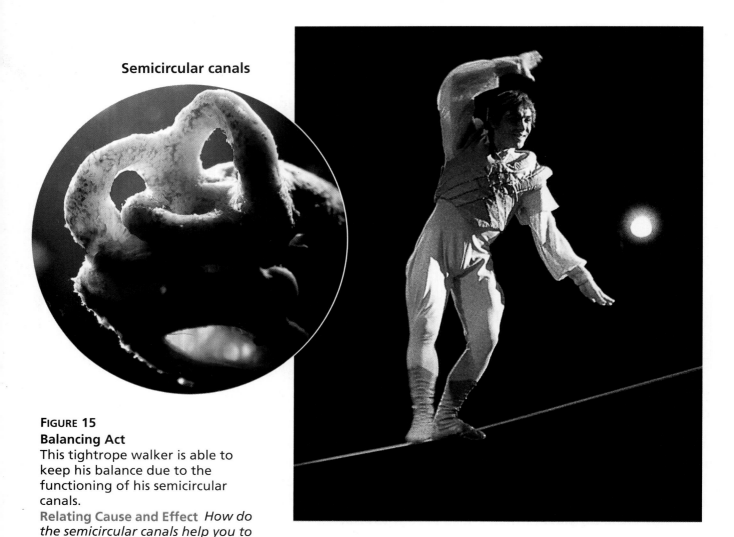

FIGURE 15
Balancing Act
This tightrope walker is able to keep his balance due to the functioning of his semicircular canals.
Relating Cause and Effect *How do the semicircular canals help you to maintain balance?*

The Inner Ear and Balance **Structures in your inner ear control your sense of balance.** Above the cochlea in your inner ear are the **semicircular canals,** which are the structures in the ear that are responsible for your sense of balance. You can see how these structures got their name if you look at Figure 15. These canals, as well as the two tiny sacs located behind them, are full of fluid. The canals and sacs are also lined with tiny cells that have hairlike extensions.

When your head moves, the fluid in the semicircular canals is set in motion. The moving fluid makes the cells' hairlike extensions bend. This bending produces nerve impulses in sensory neurons. The impulses travel to the cerebellum. The cerebellum then analyzes the impulses to determine the way your head is moving and the position of your body. If the cerebellum senses that you are losing your balance, it sends impulses to muscles that help you restore your balance.

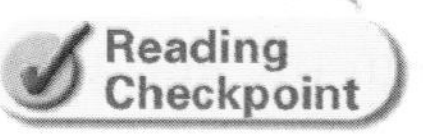

Where in the ear are the semicircular canals located?

Smell and Taste

You walk into the house and smell the aroma of freshly baked cookies. You bite into one and taste its rich chocolate flavor. When you smelled the cookies, receptors in your nose reacted to chemicals carried by the air from the cookies to your nose. When you took a bite of a cookie, taste buds on your tongue responded to chemicals in the food. These food chemicals were dissolved in saliva, which came in contact with your taste buds.

The senses of smell and taste work closely together. Both depend on chemicals in food or in the air. The chemicals trigger responses in receptors in the nose and mouth. Nerve impulses then travel to the brain, where they are interpreted as smells or tastes.

The nose can distinguish at least 50 basic odors. In contrast, there are only five main taste sensations—sweet, sour, salty, bitter, and a meatlike taste called *umami.* When you eat, however, you experience a much wider variety of tastes. The flavor of food is influenced by both smell and taste. When you have a cold, foods may not taste as good as they usually do. That is because a stuffy nose decreases your ability to smell food.

Reading Checkpoint What basic tastes can the tongue detect?

Lab zone Skills Activity

Designing Experiments

Can people tell one food from another if they can taste the foods but not smell them? Design an experiment to find out. Use these foods: a peeled pear, a peeled apple, and a peeled raw potato. Be sure to control all variables except the one you are testing. Write your hypothesis and a description of your procedure. Obtain your teacher's approval before carrying out your experiment.

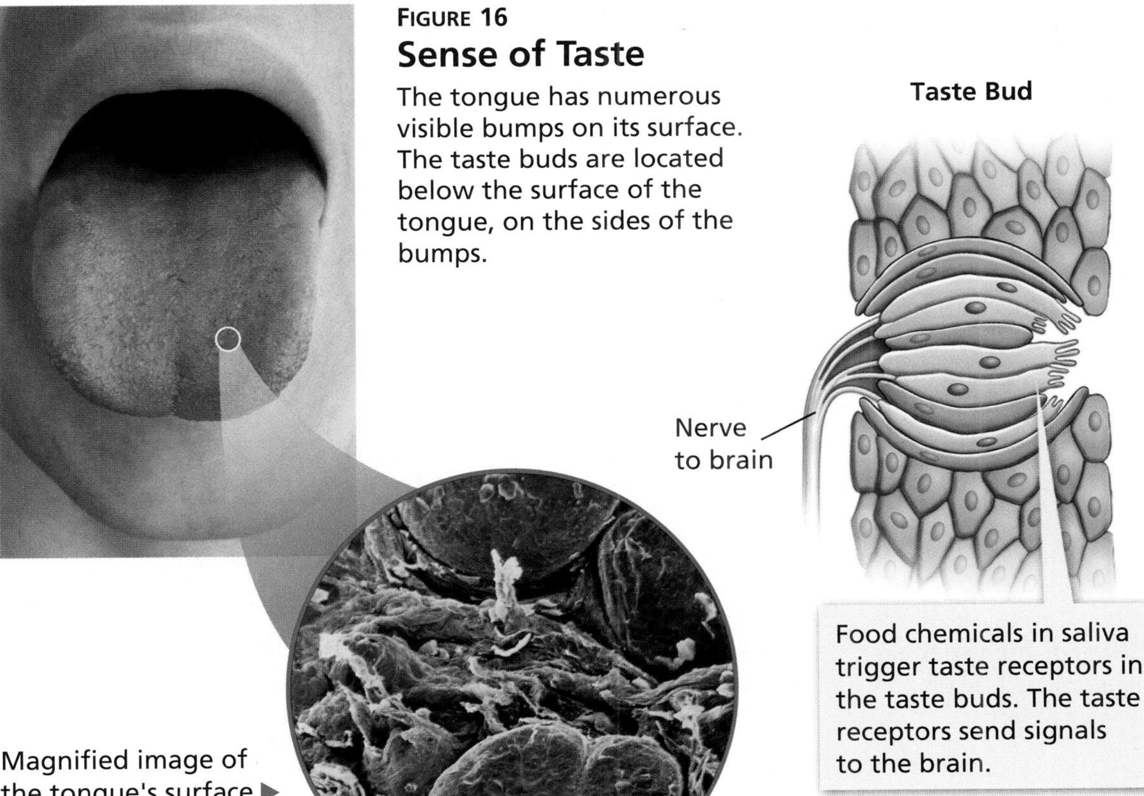
Taste Bud
Nerve to brain
Food chemicals in saliva trigger taste receptors in the taste buds. The taste receptors send signals to the brain.
Magnified image of the tongue's surface ▶

FIGURE 16
Sense of Taste
The tongue has numerous visible bumps on its surface. The taste buds are located below the surface of the tongue, on the sides of the bumps.

FIGURE 17
Reading by Touch
People who are blind use their sense of touch to read. To do this, they run their fingers over words written in Braille. Braille uses raised dots to represent letters and numbers. Here, a teacher shows a blind child how to read Braille.

Touch

Unlike vision, hearing, balance, smell, and taste, the sense of touch is not found in one specific place. Instead, the sense of touch is found in all areas of your skin. Your skin is your largest sense organ! **Your skin contains different kinds of touch receptors that respond to a number of stimuli.** Some of these receptors respond to light touch and others to heavy pressure. Still other receptors pick up sensations of pain and temperature change.

The receptors that respond to light touch are in the upper part of the dermis. They tell you when something brushes against your skin. These receptors also let you feel the textures of objects, such as smooth glass and rough sandpaper. Receptors deeper in the dermis pick up the feeling of pressure. Press down hard on the top of your desk, for example, and you will feel pressure in your fingertips.

The dermis also contains receptors that respond to temperature and pain. Pain is unpleasant, but it can be one of the body's most important feelings because it alerts the body to possible danger. Have you ever stepped into a bathtub of very hot water and then immediately pulled your foot out? If so, you can appreciate how pain can trigger an important response in your body.

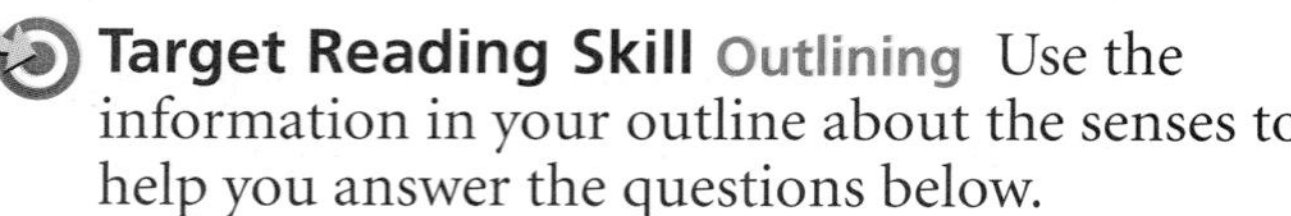

Section 3 Assessment

Target Reading Skill **Outlining** Use the information in your outline about the senses to help you answer the questions below.

Reviewing Key Concepts

1. a. **Listing** What are the parts of the eye?
   b. **Sequencing** Describe the process by which the eye produces an image. Begin at the point at which light is focused by the lens.
   c. **Inferring** If nearby objects seem blurry, what type of vision problem might you have? How can it be corrected?
2. a. **Identifying** What are the three regions of the ear?
   b. **Describing** Describe the location and function of the eardrum and the cochlea.
   c. **Relating Cause and Effect** Why may an infection of the inner ear cause you to lose your balance?
3. a. **Reviewing** What two senses work together to influence the flavor of food?
   b. **Comparing and Contrasting** How are the senses of taste and smell similar? How are they different?
4. a. **Identifying** What kinds of touch receptors are found in the skin?
   b. **Applying Concepts** What happens in the dermis when you accidentally touch a hot stove?

Writing in Science

Cause-and-Effect Paragraph Write a description of how you feel after an amusement park ride. Explain how your feeling is related to the structure and function of the semicircular canals. Be sure to include a topic sentence and three to four supporting points.

Section 4

Integrating Health

Alcohol and Other Drugs

Reading Preview

Key Concepts

- What are the immediate and long-term effects of drug abuse?
- What are some commonly abused drugs and how does each affect the body?
- How does alcohol abuse harm the body?

Key Terms

- drug • drug abuse
- tolerance • addiction
- withdrawal • depressant
- stimulant • anabolic steroid
- alcoholism

Target Reading Skill

Relating Cause and Effect As you read, identify commonly abused drugs and how they affect the body. Write the information in a graphic organizer like the one below.

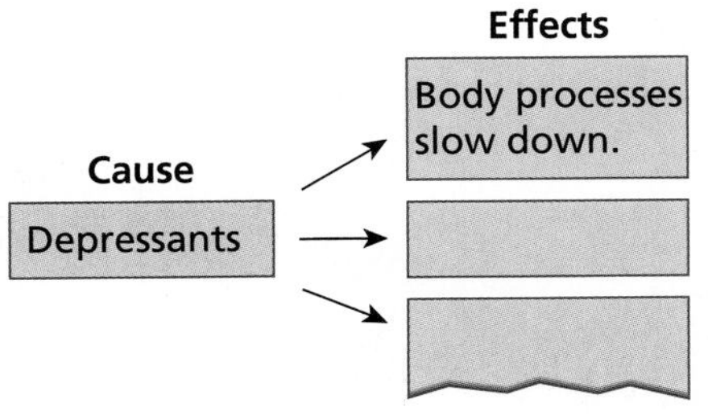

Lab zone Discover Activity

How Can You Best Say No?

1. In this activity, you will use marbles to represent drugs. Your teacher will divide the class into groups of three students. In each group, your teacher will appoint two students to try to convince the other person to take the "drugs."
2. Depending on your role, you should think of arguments to get the person to accept the marbles or arguments against accepting them. After everyone has had a chance to think of arguments, begin the discussion.
3. After a while, students in each group should exchange roles.

Think It Over

Inferring What role does peer pressure play in whether or not a person decides to abuse drugs?

Drugs! You probably hear and see that word in a lot of places. Drugstores sell drugs to relieve headaches, soothe upset stomachs, and stop coughs. Radio and television programs and magazine articles explore drug-related problems. Your school probably has a program to educate students about drugs. When people talk about drugs, what do they mean? To a scientist, a **drug** is any chemical taken into the body that causes changes in a person's body or behavior. Many drugs affect the functioning of the central nervous system.

Drug Abuse

The deliberate misuse of drugs for purposes other than medical ones is called **drug abuse.** Even medicines can be abused drugs if they are used in a way for which they were not intended. Many abused drugs, however, such as cocaine and heroin, are illegal under any circumstances. The use of these drugs is against the law because their effects on the body are almost always dangerous.

For: Links on drug addiction
Visit: www.SciLinks.org
Web Code: scn-0464

Effects of Abused Drugs Abused drugs start to affect the body shortly after they are taken. **Most commonly abused drugs, such as marijuana, alcohol, and cocaine, are especially dangerous because of their immediate effects on the brain and other parts of the nervous system. In addition, long-term drug abuse can lead to addiction and other health and social problems.**

Different drugs have different effects. Some drugs cause nausea and a fast, irregular heartbeat. Others can cause sleepiness. Drug abusers may also experience headaches, dizziness, and trembling. Alcohol can cause confusion, poor muscle coordination, and blurred vision. These effects are especially dangerous in situations in which an alert mind is essential, such as driving a car.

Most abused drugs can alter, or change, a person's mood and feelings. Because of this effect, these drugs are often called mood-altering drugs. For example, the mood of a person under the influence of marijuana may change from calm to anxious. Alcohol can sometimes make a person angry and even violent. Mood-altering drugs also affect patterns of thinking and the way in which the brain interprets information from the senses.

Tolerance If a person takes a drug regularly, the body may develop a tolerance to the drug. **Tolerance** is a state in which a drug user needs larger and larger amounts of the drug to produce the same effect on the body. Tolerance can cause people to take a very large amount of a drug, or an overdose. People who take an overdose may become unconscious or even die.

FIGURE 18
Drug Abuse
Drug abuse can have serious consequences. However, there are ways to tell if someone is abusing drugs and ways to help that person. **Interpreting Diagrams** *What are two ways you can help if someone you know is abusing drugs?*

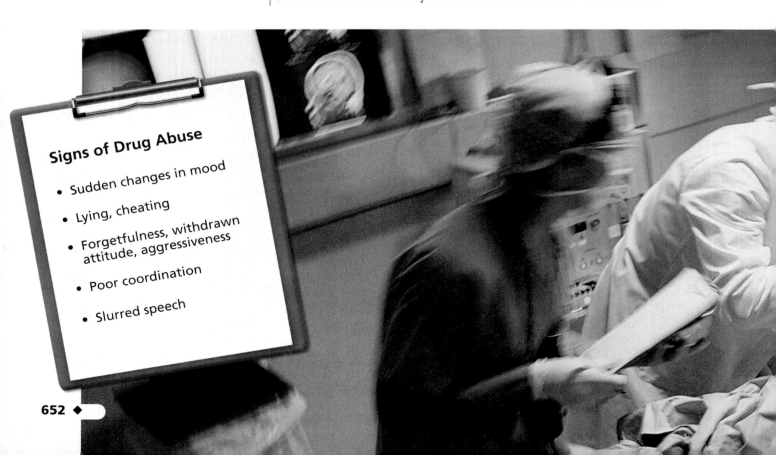

Signs of Drug Abuse

- Sudden changes in mood
- Lying, cheating
- Forgetfulness, withdrawn attitude, aggressiveness
- Poor coordination
- Slurred speech

Addiction For many commonly abused drugs, repeated use can result in addiction. In **addiction,** the body becomes physically dependent on the drug. If a drug addict misses a few doses of the drug, the body reacts to the lack of the drug. The person may experience headaches, dizziness, fever, vomiting, body aches, and muscle cramps. The person is experiencing **withdrawal,** a period of adjustment that occurs when a person stops taking a drug on which the body is dependent.

Some drugs may also cause a person to become emotionally dependent on them. The person becomes accustomed to the feelings and moods produced by the drug. Therefore, the person has a strong desire to continue using the drug.

Other Effects of Drug Abuse Drugs can also affect a person's health indirectly. Some drug users sometimes share needles. When a person uses a needle to inject a drug, some of the person's blood remains in the needle after it is withdrawn. If the person has HIV or another pathogen in the blood, the next person to use the needle may become infected with the pathogen.

The abuse of drugs also has serious legal and social effects. A person who is caught using or selling an illegal drug may have to pay a fine or go to jail. Drug abuse can also make a person unable to get along with others. Drug abusers often have a hard time doing well in school or holding a job.

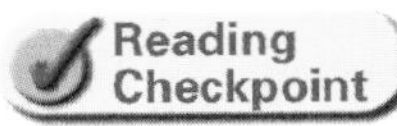

What is withdrawal?

Lab zone Skills Activity

Communicating

Plan a 30-second television commercial aimed at teenagers to help them avoid the pressure to try drugs. Your commercial should reveal some harmful effects of drugs and give strategies for avoiding drugs. Create several storyboards to show what the commercial will look like. Then, write a script for your commercial.

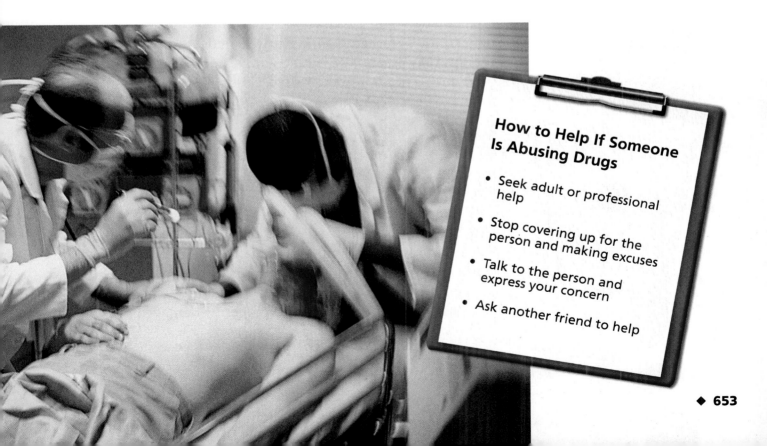

How to Help If Someone Is Abusing Drugs

- Seek adult or professional help
- Stop covering up for the person and making excuses
- Talk to the person and express your concern
- Ask another friend to help

Kinds of Abused Drugs

There are many kinds of drugs, with a wide range of effects on the body. Some are legitimate medicines that a doctor prescribes to help the body fight disease and injury. However, many kinds of drugs are frequently abused. **Commonly abused drugs include depressants, stimulants, inhalants, hallucinogens, anabolic steroids, and alcohol. Many drugs affect the central nervous system, while others affect the overall chemical balance in the body.** Figure 20 lists and describes the characteristics of some commonly abused drugs.

Depressants Notice in Figure 20 that some drugs are classified as depressants. **Depressants** are drugs that slow down the activity of the central nervous system. When people take depressants, their muscles relax and they may become sleepy. They may take longer than normal to respond to stimuli. For example, depressants may prevent people from reacting quickly to the danger of a car rushing toward them. Alcohol and narcotics, such as heroin, are depressants.

Stimulants In contrast to depressants, **stimulants** speed up body processes. They make the heart beat faster and make the breathing rate increase. Cocaine and nicotine are stimulants, as are amphetamines (am FET uh meenz). Amphetamines are prescription drugs that are sometimes sold illegally.

Inhalants and Hallucinogens Some substances, called inhalants, produce mood-altering effects when they are inhaled, or breathed in. Inhalants include paint thinner, nail polish remover, and some kinds of cleaning fluids. Hallucinogens, such as LSD and mescaline, can make people see or hear things that do not really exist.

Steroids Some athletes try to improve their performance by taking drugs known as steroids. **Anabolic steroids** (an uh BAH lik STEER oydz) are synthetic chemicals that are similar to hormones produced in the body.

Anabolic steroids may increase muscle size and strength. However, steroids can cause mood changes that lead to violence. In addition, steroid abuse can cause serious health problems, such as heart damage, liver damage, and increased blood pressure. Steroid use is especially dangerous for teenagers, whose growing bodies can be permanently damaged.

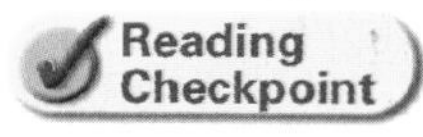

What kinds of drugs are classified as stimulants?

FIGURE 19
Making a Statement About Drug Abuse
Many teens are becoming active in antidrug campaigns.

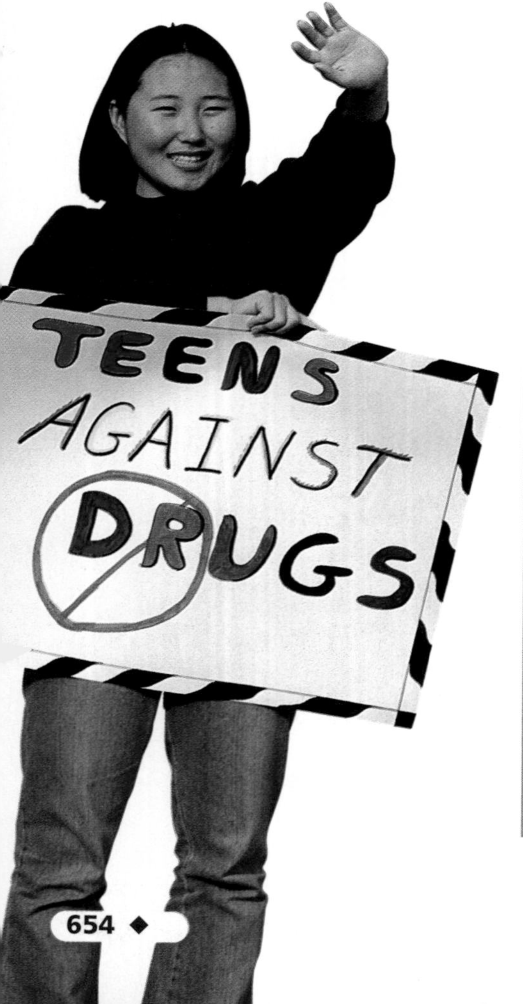

FIGURE 20
Abused drugs can have many serious effects on the body. **Interpreting Tables** *What are the long-term effects of using inhalants?*

Some Effects of Commonly Abused Drugs				
Drug Type	**Short-Term Effects**	**Long-Term Effects**	**Addiction?**	**Emotional Dependence?**
Marijuana (including hashish)	Unclear thinking, loss of coordination, increased heart rate	Difficulty with concentration and memory; respiratory disease and lung cancer	Probably not	Yes
Nicotine (in cigarettes, cigars, chewing tobacco)	Stimulant; nausea, loss of appetite, headache	Heart and lung disease, difficulty breathing, heavy coughing	Yes, strongly so	Yes
Alcohol	Depressant; decreased alertness, poor reflexes, nausea, emotional depression	Liver and brain damage, inadequate nutrition	Yes	Yes
Inhalants (glue, nail polish remover, paint thinner)	Sleepiness, nausea, headaches, emotional depression	Damage to liver, kidneys, and brain; hallucinations	No	Yes
Cocaine (including crack)	Stimulant; nervousness, disturbed sleep, loss of appetite	Mental illness, damage to lining of nose, irregular heartbeat, heart or breathing failure, liver damage	Yes	Yes, strongly so
Amphetamines	Stimulant; restlessness, rapid speech, dizziness	Restlessness, irritability, irregular heartbeat, liver damage	Possible	Yes
Hallucinogens (LSD, mescaline, PCP)	Hallucinations, anxiety, panic; thoughts and actions not connected to reality	Mental illness; fearfulness; behavioral changes, including violence	No	Yes
Barbiturates (Phenobarbital, Nembutal, Seconal)	Depressant; decreased alertness, slowed thought processes, poor muscle coordination	Sleepiness, irritability, confusion	Yes	Yes
Tranquilizers (Valium, Xanax)	Depressant; blurred vision, sleepiness, unclear speech, headache, skin rash	Blood and liver disease	Yes	Yes
Narcotics (opium, codeine, morphine, heroin)	Depressant; sleepiness, nausea, hallucinations	Convulsion, coma, death	Yes, very rapid development	Yes, strongly so
Anabolic steroids	Mood swings	Heart, liver, and kidney damage; hypertension; overgrowth of skull and facial bones	No	Yes

Alcohol

Alcohol is a drug found in many beverages, including beer, wine, cocktails, and hard liquor. Alcohol is a powerful depressant. In all states, it is illegal for people under the age of 21 to buy or possess alcohol. In spite of this fact, alcohol is the most commonly abused legal drug in people aged 12 to 17.

How Alcohol Affects the Body Alcohol is absorbed by the digestive system quickly. If a person drinks alcohol on an empty stomach, the alcohol enters the blood and gets to the brain and other organs almost immediately. If alcohol is drunk with a meal, it takes longer to get into the blood.

The chart in Figure 21 describes what alcohol does to the body. The more alcohol in the blood, the more serious the effects. The amount of alcohol in the blood is usually expressed as blood alcohol concentration, or BAC. A BAC value of 0.1 percent means that one tenth of one percent of the fluid in the blood is alcohol. In some states, if car drivers have a BAC of 0.08 percent or more, they are legally drunk. In other states, drivers with a BAC of 0.1 are considered legally drunk.

Alcohol produces serious negative effects, including loss of normal judgment, at a BAC of less than 0.08 percent. This loss of judgment can have serious consequences. People who have been drinking may not realize that they cannot drive a car safely. About every two minutes, a person in the United States is injured in a car crash related to alcohol.

FIGURE 21
Alcohol's Effects
Alcohol affects every system of the body. It also impacts a person's thought processes, judgment, and reaction time. In the bottom photo, a police officer tests the blood alcohol concentration of a driver suspected of drinking.

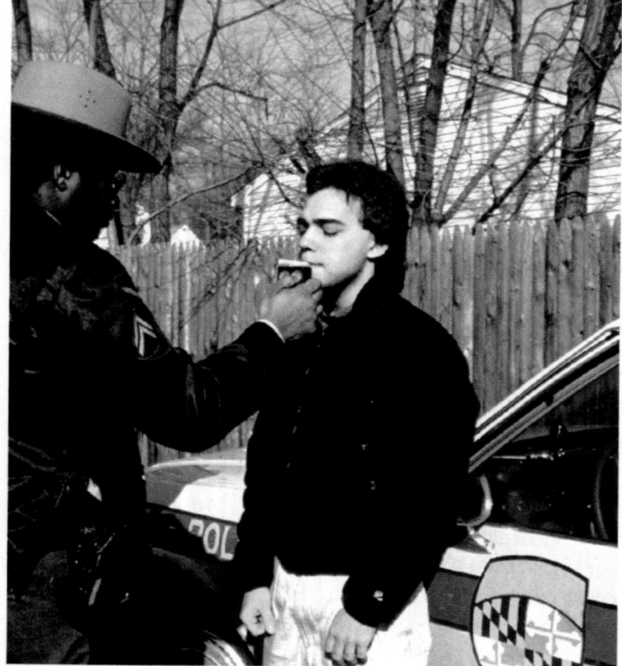

Short-Term Effects of Alcohol	
Body System	**Effect**
Cardiovascular system	First, heartbeat rate and blood pressure increase. Later, they may decrease.
Digestive system	Alcohol is absorbed directly from the stomach and small intestine, which allows it to enter the bloodstream quickly.
Excretory system	The kidneys produce more urine, causing the drinker to excrete more water than usual.
Nervous system	Vision blurs. Speech becomes unclear. Control of behavior is reduced. Judgment becomes poor.
Skin	Blood flow to the skin increases, causing rapid loss of body heat.

Long-Term Alcohol Abuse Many adults drink occasionally and in moderation, without serious safety or health problems. However, heavy drinking, especially over a long period, can result in significant health problems. **Alcohol abuse can cause the destruction of cells in the brain and liver, and can lead to addiction and emotional dependence.** Damage to the brain can cause mental disturbances, such as hallucinations and loss of consciousness. The liver, which breaks down alcohol for elimination from the body, can become so scarred that it does not function properly. In addition, long-term alcohol abuse can increase the risk of getting certain kinds of cancer.

Abuse of alcohol can result in **alcoholism,** a disease in which a person is both physically addicted to and emotionally dependent on alcohol. To give up alcohol, as with any addictive drug, alcoholics must go through withdrawal. To give up drinking, alcoholics need both medical and emotional help. Medical professionals, psychologists, and organizations such as Alcoholics Anonymous can help a person stop drinking.

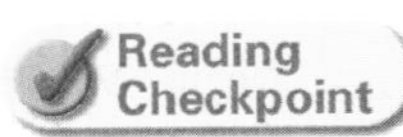

What organs are affected by alcohol abuse?

Healthy Liver

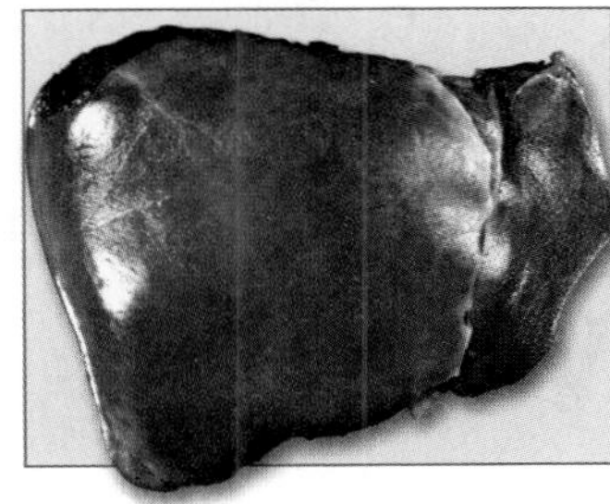

Alcohol-damaged Liver

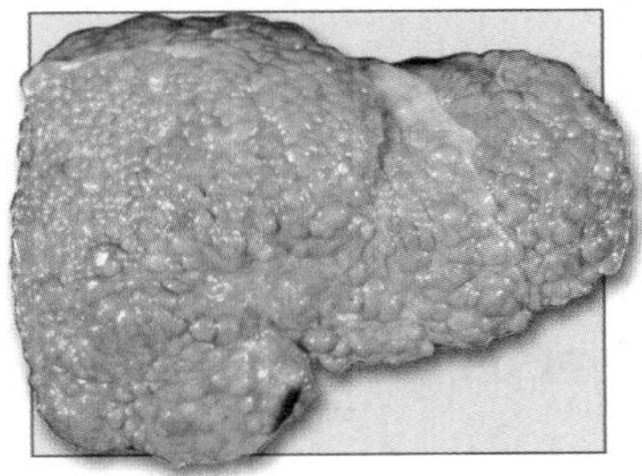

Figure 22
Alcohol's Effect on the Liver
Long-term alcohol abuse can cause serious damage to the liver. Relating Cause and Effect *What other effects can alcohol abuse have on the body?*

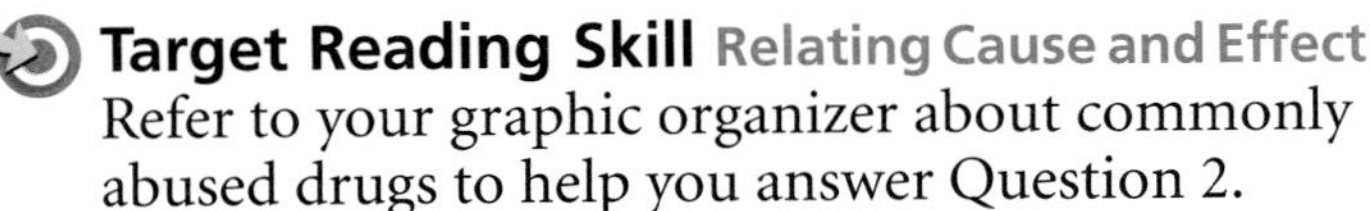

Section 4 Assessment

Target Reading Skill Relating Cause and Effect Refer to your graphic organizer about commonly abused drugs to help you answer Question 2.

Reviewing Key Concepts

1. a. Defining In your own words, explain what a drug is. What is drug abuse?
   b. Explaining How can the repeated use of some drugs lead to addiction and emotional dependence?
   c. Applying Concepts What reasons would you give someone to not try drugs in the first place?
2. a. Listing Name two commonly abused depressants and two commonly abused stimulants.
   b. Comparing and Contrasting Contrast the effects that depressants and stimulants have on the body.
   c. Inferring Why might a person's risk of a heart attack increase with the use of stimulants?
3. a. Reviewing What type of drug is alcohol?
   b. Explaining What immediate effects does alcohol have on the body?
   c. Relating Cause and Effect Based on alcohol's effect on the nervous system, explain why drinking and driving is extremely dangerous.

Lab zone At-Home Activity

Medicine Labels Collect several medicine bottles and read the warning labels. Make a list of the kinds of warnings you find. Discuss these warnings with a family member. Why do you think medicines provide warnings?

Lab zone **Consumer Lab**

With Caffeine or Without?

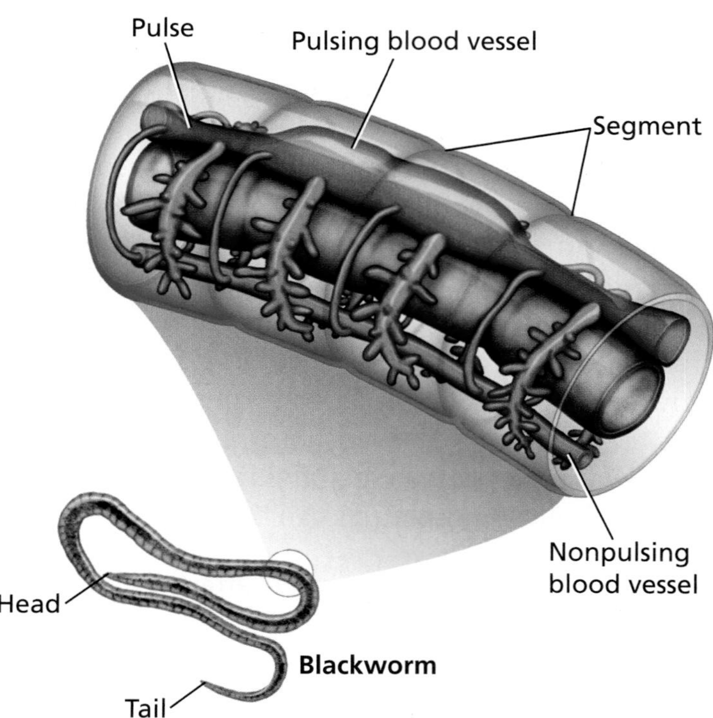

Problem

What body changes does caffeine produce in blackworms *(Lumbriculus)*?

Skills Focus

observing, controlling variables, drawing conclusions

Materials

- blackworms
- plastic dropper
- adrenaline solution
- stereomicroscope
- paraffin specimen trough
- noncarbonated spring water
- beverages with and without caffeine
- stopwatch or clock with second hand

Procedure

PART 1 Observing the Effects of a Known Stimulant

1. Copy the data table into your notebook. Use a dropper to remove one worm and a drop or two of water from the blackworm population provided by your teacher.
2. Place the worm and the water in the trough of the paraffin block. Use the dropper or the corner of a paper towel to remove any excess water that does not fit in the trough. Let the blackworm adjust for a few minutes.
3. Place the paraffin block under the stereomicroscope. Select the smallest amount of light and the lowest possible power to view the blackworm.
4. Look through the stereomicroscope and locate a segment near the middle of the worm. Count the number of times blood pulses through this segment for 30 seconds. Multiply this number by two to get the pulse in beats per minute. Record the pulse in your data table.

Data Table

Condition	Pulse Rate
No adrenaline	
With adrenaline	
Beverage without caffeine	
Beverage with caffeine	

5. Remove the block from the stereomicroscope. Use the dropper to add 1 drop of adrenaline solution to the trough. (Adrenaline is a substance produced by the human body that acts as a stimulant.) Let the worm sit in the adrenaline solution for 5 minutes.
6. Place the paraffin block under the stereomicroscope. Again locate a segment near the middle of the worm. Count the number of pulses through this segment for 30 seconds. Multiply this number by two to get the pulse in beats per minute. Record the blackworm's pulse with adrenaline.

PART 2 Testing the Effects of Caffeine

7. Using the procedures you followed in Part 1, design an experiment that tests the effect of caffeine on the blackworm's pulse. You can use beverages with and without caffeine in your investigation. Be sure to write a hypothesis and control all necessary variables.
8. Submit your experimental plan to your teacher for review. After making any necessary changes, carry out your experiment.

Analyze and Conclude

1. **Observing** In Part 1, what was the blackworm's pulse rate before you added adrenaline? After you added adrenaline?
2. **Interpreting Data** Use the data you collected in Part 1 to explain how you know that adrenaline acts as a stimulant.
3. **Controlling Variables** In the experiment you performed in Part 2, what was your control? Explain.
4. **Drawing Conclusions** Based on your results in Part 2, does caffeine act as a stimulant? Explain your answer.
5. **Communicating** Write a paragraph to explain how you think your body would react to drinks with caffeine and without caffeine. Use the results from this investigation to support your viewpoint.

Design an Experiment

Do you think that "decaffeinated" products will act as a stimulant in blackworms? Design a controlled experiment to find out. *Obtain your teacher's permission before carrying out your investigation.*

Chapter 19 Study Guide

1 How the Nervous System Works

Key Concepts

- The nervous system directs how your body responds to information about what is happening inside and outside your body. Your nervous system also helps maintain homeostasis.
- The three kinds of neurons found in the body are sensory neurons, interneurons, and motor neurons.
- For a nerve impulse to be carried along at a synapse, it must cross the gap between an axon and the next structure.

Key Terms

stimulus
response
neuron
nerve impulse
dendrite
axon
nerve
sensory neuron
interneuron
motor neuron
synapse

2 Divisions of the Nervous System

Key Concepts

- The central nervous system is the control center of the body. It includes the brain and spinal cord.
- The peripheral nervous system consists of a network of nerves that branch out from the central nervous system and connect it to the rest of the body.
- A reflex is an automatic response that occurs very rapidly and without conscious control.
- Concussions and spinal cord injuries are two ways the central nervous system can be damaged.

Key Terms

central nervous system
peripheral nervous system
brain
spinal cord
cerebrum
cerebellum
brain stem
somatic nervous system
autonomic nervous system
reflex
concussion

3 The Senses

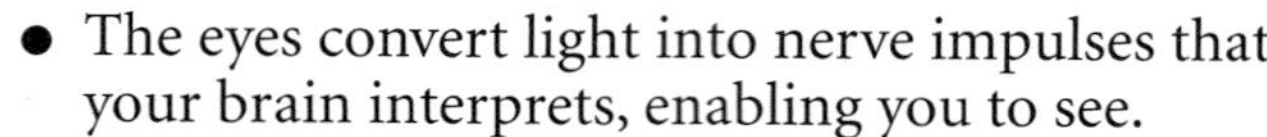

Key Concepts

- The eyes convert light into nerve impulses that your brain interprets, enabling you to see.
- The ears convert sound into nerve impulses that your brain interprets, enabling you to hear. Structures in your inner ear control your sense of balance.
- The senses of smell and taste work together.
- The skin contains touch receptors that respond to a number of stimuli.

Key Terms

cornea
pupil
iris
lens
retina
nearsightedness
farsightedness
eardrum
cochlea
semicircular canal

4 Alcohol and Other Drugs

Key Concepts

- Most abused drugs are dangerous because of their immediate effects on the nervous system. Long-term drug abuse can lead to addiction and other health and social problems.
- Commonly abused drugs include depressants, stimulants, inhalants, steroids, and alcohol.
- Alcohol use can destroy cells in the brain and liver, and lead to addiction.

Key Terms

drug
drug abuse
tolerance
addiction
withdrawal
depressant
stimulant
anabolic steroid
alcoholism

Review and Assessment

Go Online
PHSchool.com
For: Self-Assessment
Visit: PHSchool.com
Web Code: cea-4060

Organizing Information

Concept Mapping Copy the concept map about neurons and their functions onto a separate sheet of paper. Then, complete it and add a title. (For more on Concept Mapping, see the Skills Handbook.)

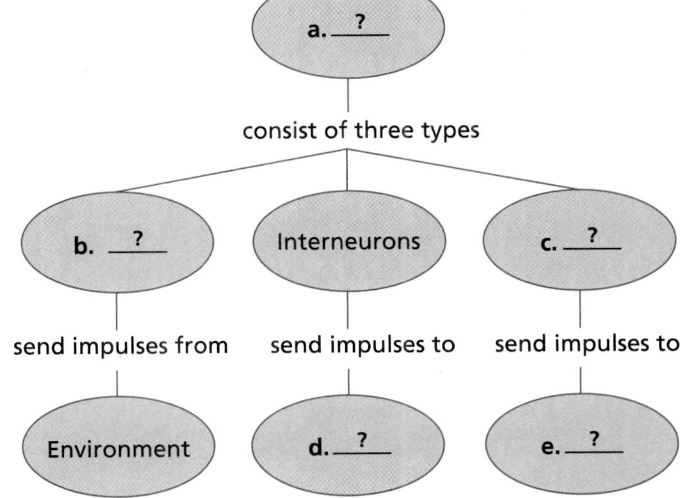

Reviewing Key Terms

Choose the letter of the best answer.

1. A change or signal in the environment that makes the nervous system react is called a
   a. stimulus.
   b. response.
   c. nerve impulse.
   d. synapse.
2. The structures that carry messages toward a neuron's cell body are
   a. axons.
   b. dendrites.
   c. nerves.
   d. nerve impulses.
3. Which structure links the brain and the peripheral nervous system?
   a. the cerebrum
   b. the cerebellum
   c. the cochlea
   d. the spinal cord
4. Which structure adjusts the size of the pupil?
   a. the cornea **b.** the retina
   c. the lens **d.** the iris
5. Physical dependence on a drug is called
   a. withdrawal. **b.** response.
   c. addiction. **d.** tolerance.

If the statement is true, write *true*. If it is false, change the underlined word or words to make the statement true.

6. A nerve message is also called a <u>synapse</u>.
7. The <u>cerebrum</u> is the part of the brain that controls involuntary actions.
8. In <u>nearsightedness</u>, a person can see distant objects clearly.
9. The <u>cochlea</u> is part of the inner ear.
10. Alcohol is a <u>depressant</u>.

Writing in Science

Descriptive Paragraph Draw a diagram of the human eye, and label the key parts. Then, write a paragraph that describes how each part helps a person "see" an image.

The Nervous System
Video Preview
Video Field Trip
▶ Video Assessment

Review and Assessment

Checking Concepts

11. Compare the functions of axons and dendrites.
12. How do the cerebrum and cerebellum work together when you ride a bicycle?
13. What is the function of the autonomic nervous system?
14. What is the result if the spinal cord is cut?
15. Describe how lenses in eyeglasses correct nearsightedness and farsightedness.
16. List in order all the structures in your ear that must vibrate before you hear a sound.
17. How do anabolic steroids affect the body?

Thinking Critically

18. **Interpreting Diagrams** The diagram below shows a synapse. Explain how a nerve impulse crosses the gap.

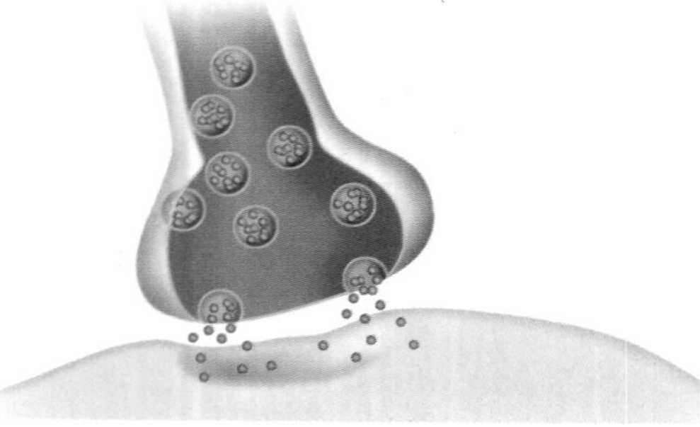

19. **Relating Cause and Effect** When a person has a stroke, blood flow to part of the brain is reduced, and some brain cells die. Suppose that after a stroke, a woman is unable to move her right arm and right leg. In which side of her brain did the stroke occur? Explain.
20. **Applying Concepts** As a man walks barefoot along a beach, he steps on a sharp shell. His foot automatically jerks upward, even before he feels pain. What process is this an example of? How does it help protect the man?
21. **Making Judgments** If someone tried to persuade you to take drugs, what arguments would you use as a way of refusing? Why do you think these arguments would be effective?

Applying Skills

Use the graph to answer Questions 22–25.

A person with normal vision stood at different distances from an eye chart and tried to identify the letters on the chart. The line graph gives the results.

Eye Chart Results

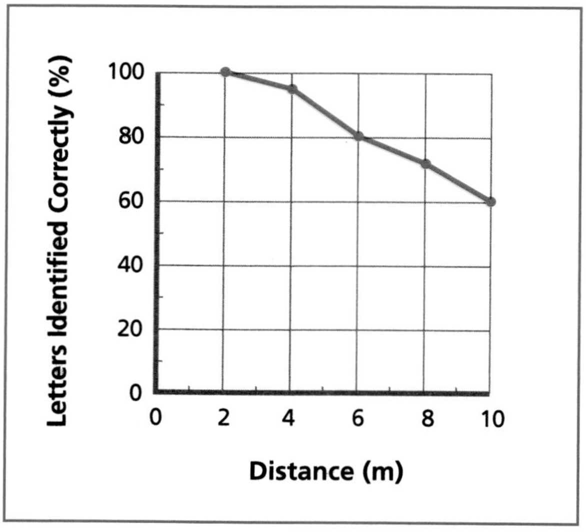

22. **Reading Graphs** What variable is plotted on the x-axis? On the y-axis?
23. **Interpreting Data** As the distance from the eye chart increases, what happens to the percentage of letters identified correctly?
24. **Controlling Variables** What was the manipulated variable in this experiment? What was the responding variable?
25. **Predicting** How would you expect the results to differ for a farsighted person? Explain.

Lab zone Chapter Project

Performance Assessment Explain to your classmates how you set up your experiment, which illusions you used, which senses were involved in the illusions, and why the illusions worked. Include information on how the nervous system was involved in your illusions.

Standardized Test Prep

Test-Taking Tip

Interpreting a Diagram

When answering questions about diagrams, examine all parts of the diagram carefully, including any labels. Then read the question carefully to determine what you need to know. If you are asked to identify a particular structure, make sure you know exactly where the line or arrow is pointing.

Sample Question

What is the function of the part labeled *A* on the neuron shown below?

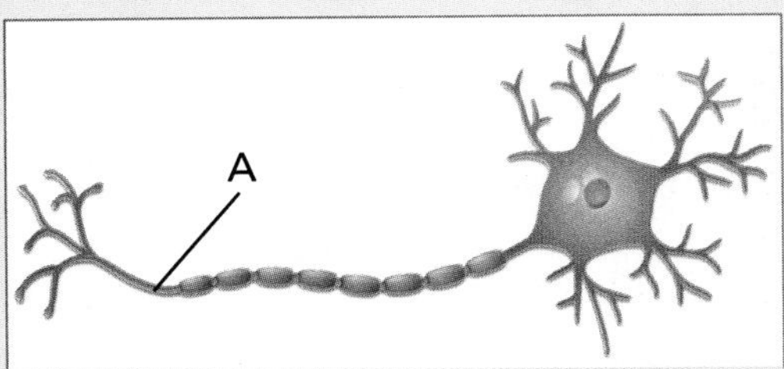

A It carries the nerve impulse toward the cell body.
B It protects the neuron from damage.
C It carries the nerve impulse away from the cell body.
D It picks up stimuli from the environment.

Answer

Choice **C** is correct. The part labeled *A* is an axon, which carries impulses away from the cell body. Choice **A** is incorrect because this is the function of a dendrite, not an axon. Choice **B** is incorrect because the axon does not protect a neuron. Choice **D** is incorrect because stimuli reach an axon.

Choose the letter of the best answer.

1. A scientist studying the brain is studying part of the
A peripheral nervous system.
B somatic nervous system.
C autonomic nervous system.
D central nervous system.

Use the diagram below and your knowledge of science to answer Questions 2 and 3.

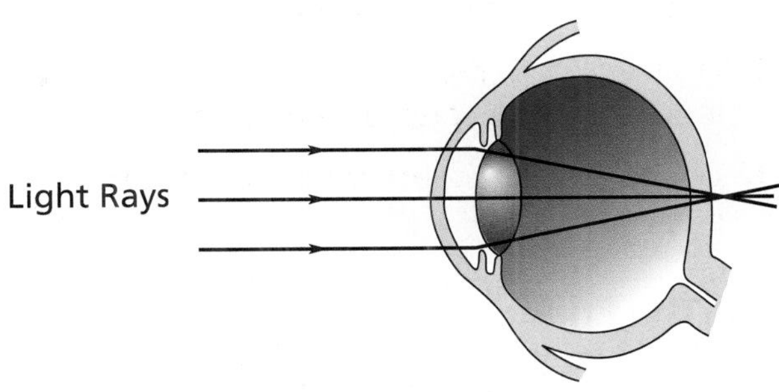

2. To correct the vision of the eye shown above, a lens would have to make the light rays
F bend toward each other before they reach the eye's lens.
G spread out before they reach the eye's lens.
H focus on the eye's lens.
J focus behind the retina.

3. Which of the following correctly pairs the vision problem in the eye shown above with the proper corrective lens?
A farsightedness; convex lens
B farsightedness; concave lens
C nearsightedness; convex lens
D nearsightedness; concave lens

4. The brain stem is involved in controlling
F breathing.
G the ability to learn.
H movement of skeletal muscles.
J balance.

5. You can infer that a person who has lost his or her sense of smell is also likely to have a poor
A sense of balance.
B sense of touch.
C sense of taste.
D sense of hearing.

Constructed Response

6. Outline the path of the reflex action that takes place when you step on a tack. What is the advantage of the nerve impulse not needing to go through the brain before action is taken?

Chapter 20

The Endocrine System and Reproduction

Chapter Preview

1. **The Endocrine System**
   Discover *What's the Signal?*
   Skills Activity *Making Models*
   Active Art *Negative Feedback*
   Technology Lab *Modeling Negative Feedback*

2. **The Male and Female Reproductive Systems**
   Discover *What's the Big Difference?*
   Skills Activity *Calculating*
   Analyzing Data *Changing Hormone Levels*

3. **The Human Life Cycle**
   Discover *How Many Ways Does a Child Grow?*
   Try This *Way to Grow!*
   Try This *Teenagers in Ads*
   At-Home Activity *Parenting Skills*
   Skills Lab *Growing Up*

Identical twins result when a single fertilized egg splits and forms two embryos.

The Endocrine System and Reproduction
▶ Video Preview
Video Field Trip
Video Assessment

Lab zone™ Chapter **Project**

A Precious Bundle

As you learn about reproduction and development, you'll experience what it's like to care for a "baby." Although your baby will be only a model, you'll have a chance to learn about the responsibilities of parenthood.

Your Goal Develop and follow a plan to care for a "baby" for three days and nights

You must

- list all the essential tasks involved in caring for a young infant, and prepare a 24-hour schedule of those tasks
- make a model "baby" from a bag of flour, and care for the baby according to your schedule
- keep a journal of your thoughts and feelings as you care for your "baby," making entries at least twice a day

Plan It! With classmates, write down all the things that parents must do when caring for infants. Prepare a plan describing how to carry out those activities with your "baby." List the materials you'll need. If you require more information, write down your questions, then consult adult caregivers, day-care facilities, or other resources.

Section 1

The Endocrine System

Reading Preview

Key Concepts

- How does the endocrine system control body processes?
- What are the endocrine glands?
- How does negative feedback control hormone levels?

Key Terms

- endocrine gland
- hormone
- target cell
- hypothalamus
- pituitary gland
- negative feedback

Target Reading Skill

Relating Cause and Effect As you read, identify the effects of pituitary hormones. Write the information in a graphic organizer like the one below.

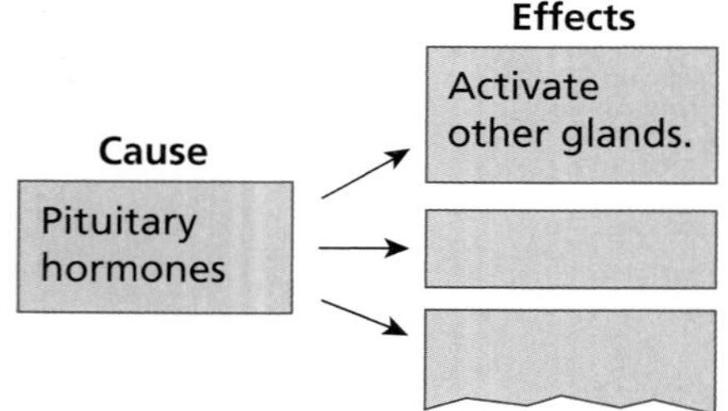

Lab zone Discover Activity

What's the Signal?

1. Stand up and move around the room until your teacher says "Freeze!" Then, stop moving immediately. Stay perfectly still until your teacher says "Start!" Then, begin moving again.
2. Anyone who moves between the "Freeze!" command and the "Start!" command has to leave the game.
3. When only one person is left, that person wins.

Think it Over

Inferring Why is it important for players in this game to respond to signals? What types of signals does the human body use?

Imagine that you are trapped in a damp, dark dungeon. Somewhere near you is a deep pit with water at the bottom. Overhead swings a pendulum with a razor-sharp edge. With each swing, the pendulum lowers closer and closer to your body.

The main character in Edgar Allan Poe's story "The Pit and the Pendulum" finds himself in that very situation. Here is his reaction: "A fearful idea now suddenly drove the blood in torrents upon my heart. . . . I at once started to my feet, trembling convulsively in every fibre. . . . Perspiration burst from every pore, and stood in cold, big beads upon my forehead."

Poe's character is terrified. When people are badly frightened, their bodies react in the ways that the character describes. These physical reactions, such as sweating and rapid heartbeat, are caused mainly by the body's endocrine system.

Hormones and the Endocrine System

The human body has two systems that regulate its activities, the nervous system and the endocrine system. The nervous system regulates most activities by sending nerve impulses throughout the body. **The endocrine system produces chemicals that control many of the body's daily activities. The endocrine system also regulates long-term changes such as growth and development.**

The endocrine system is made up of glands. A gland is an organ that produces or releases a chemical. Some glands, such as those that produce saliva and sweat, release their chemicals into tiny tubes. The tubes deliver the chemicals to a specific location within the body or to the skin's surface.

Unlike sweat glands, the glands of the endocrine system do not have delivery tubes. **Endocrine glands** (EN duh krin) produce and release their chemical products directly into the bloodstream. The blood then carries those chemicals throughout the body.

Hormones The chemical product of an endocrine gland is called a **hormone.** Hormones turn on, turn off, speed up, or slow down the activities of different organs and tissues. You can think of a hormone as a chemical messenger. Hormones are carried throughout the body by the blood. Therefore, hormones can regulate activities in tissues and organs that are not close to the glands that produce them.

FIGURE 1
Endocrine Control
The endocrine system controls the body's response to an exciting situation such as a roller-coaster ride. Endocrine glands also regulate the changes that occur as a baby grows.
Applying Concepts *What are the substances produced by endocrine glands called?*

Hormone Production What causes the release of hormones? Often, nerve impulses from the brain make that happen. Suppose, for example, a person sees a deadly, knife-edged pendulum. Nerve impulses travel from the person's eyes to the brain. The brain interprets the information and then sends an impulse to an endocrine gland. That gland, in turn, releases the hormone adrenaline into the bloodstream. Adrenaline immediately makes the heart rate and breathing rate increase.

Hormone Action In contrast to the body's response to a nerve impulse, hormones usually cause a slower, but longer-lasting, response. For example, the brain sends a signal to an endocrine gland to release adrenaline into the bloodstream. When the adrenaline reaches the heart, it makes the heart beat more rapidly. The heart continues to race until the amount of adrenaline in the blood drops to a normal level.

Target Cells When a hormone enters the bloodstream, it affects some organs but not others. Why? The answer lies in the hormone's chemical structure. A hormone interacts only with specific target cells. **Target cells** are cells that recognize the hormone's chemical structure. A hormone and its target cell fit together the way a key fits into a lock. Hormones will travel through the bloodstream until they find the "lock"—or particular cell type—that they fit.

What is a target cell?

Lab zone Skills Activity

Making Models

Make a model that shows a hormone and a target cell that the hormone affects. Your model should show how the structures of the hormone and target cell enable the two to fit together. Make your model from materials such as construction paper, pipe cleaners, or modeling clay. When you have finished your model, write an explanation of how it shows the relationship between a hormone and its target cell.

Functions of Endocrine Glands

Each endocrine gland releases different hormones and thus controls different processes. **The endocrine glands include the hypothalamus, pituitary, thyroid, parathyroid, adrenal, thymus, and pancreas. They also include the ovaries in females and testes in males.** Figure 2 shows the locations of the endocrine glands and describes some activities they control.

The Hypothalamus The nervous system and the endocrine system work together. The **hypothalamus** (hy poh THAL uh mus), a tiny part of the brain near the middle of your head, is the link between the two systems. Nerve messages controlling sleep, hunger, and other basic body processes come from the hypothalamus. The hypothalamus also produces hormones that control other endocrine glands and organs. The hypothalamus plays a major role in maintaining homeostasis because of the nerve impulses and hormones it produces.

FIGURE 2
Glands of the Endocrine System

Each of the endocrine glands has an important regulatory role in the body. Note the location of each gland and the functions of the hormones it produces.

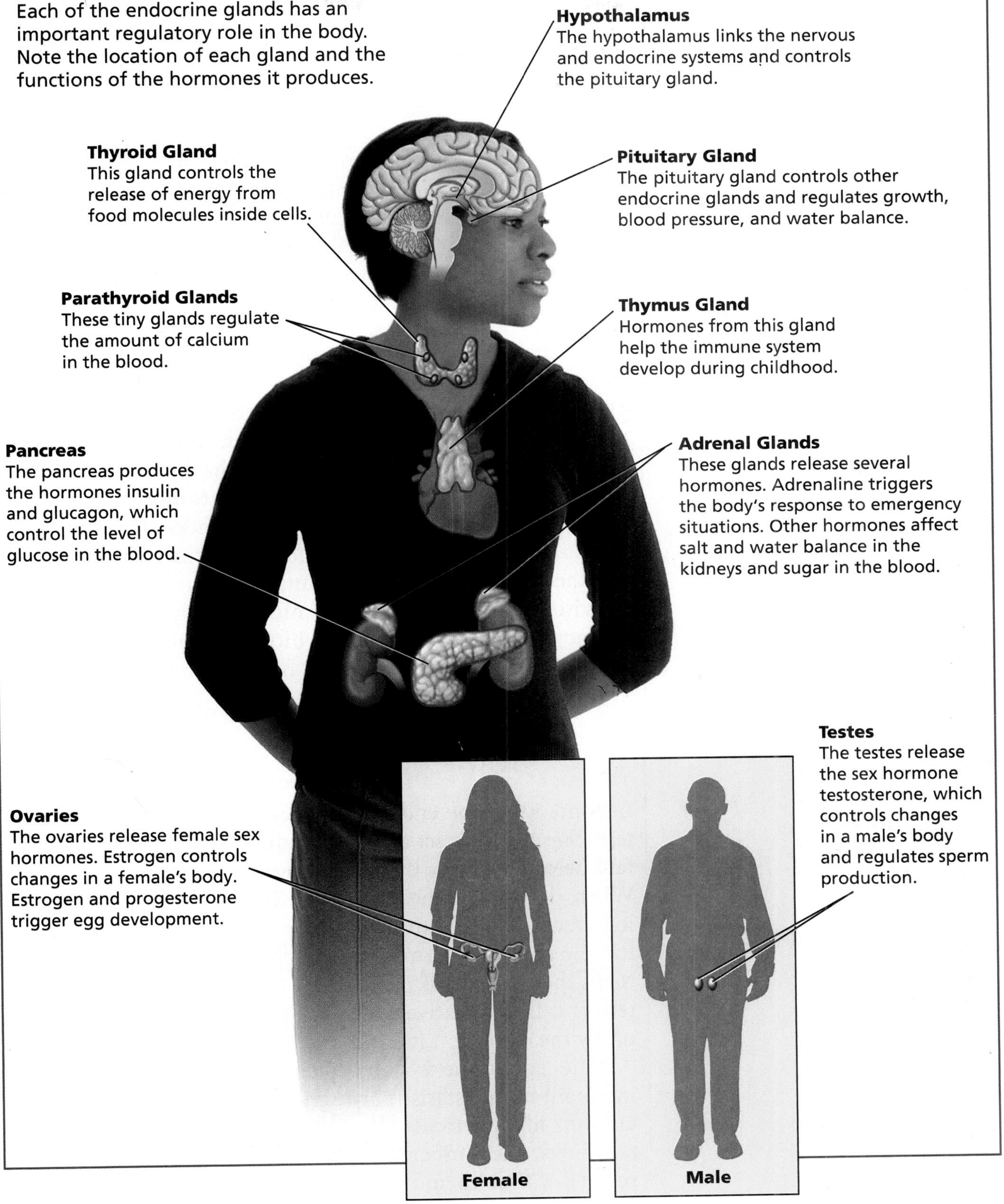

Hypothalamus
The hypothalamus links the nervous and endocrine systems and controls the pituitary gland.

Thyroid Gland
This gland controls the release of energy from food molecules inside cells.

Pituitary Gland
The pituitary gland controls other endocrine glands and regulates growth, blood pressure, and water balance.

Parathyroid Glands
These tiny glands regulate the amount of calcium in the blood.

Thymus Gland
Hormones from this gland help the immune system develop during childhood.

Pancreas
The pancreas produces the hormones insulin and glucagon, which control the level of glucose in the blood.

Adrenal Glands
These glands release several hormones. Adrenaline triggers the body's response to emergency situations. Other hormones affect salt and water balance in the kidneys and sugar in the blood.

Testes
The testes release the sex hormone testosterone, which controls changes in a male's body and regulates sperm production.

Ovaries
The ovaries release female sex hormones. Estrogen controls changes in a female's body. Estrogen and progesterone trigger egg development.

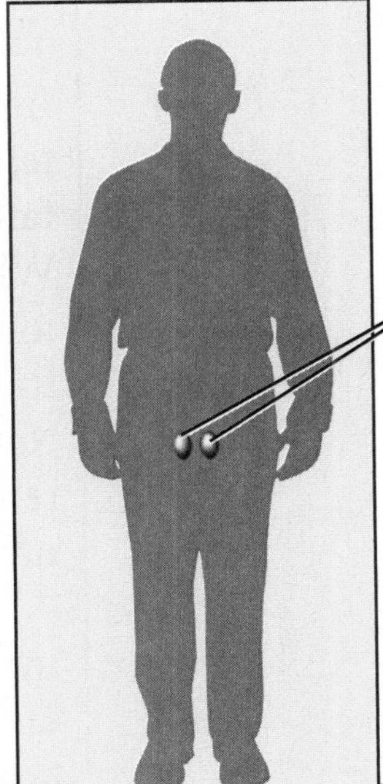

Female

Male

FIGURE 3
The Pituitary Gland
The pituitary gland is located below the hypothalamus. The pituitary controls several important body functions either directly or indirectly by signaling other endocrine glands.

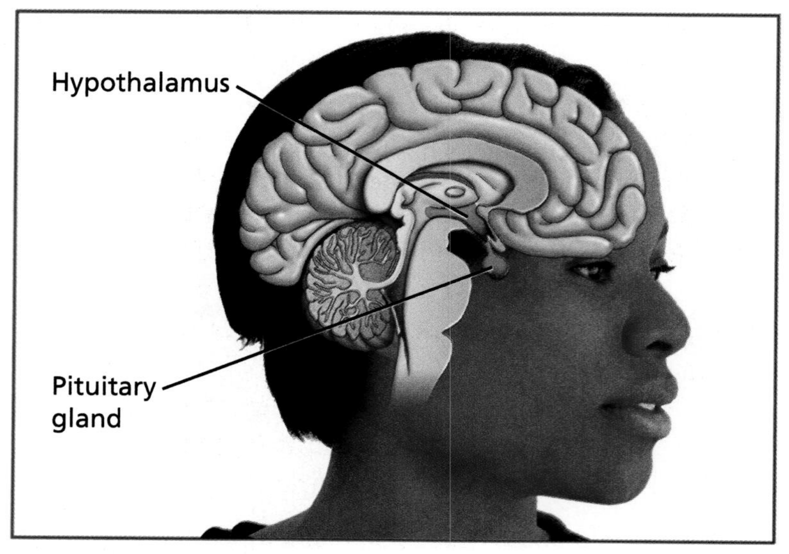

The Pituitary Gland Just below the hypothalamus is an endocrine gland about the size of a pea. The **pituitary gland** (pih TOO ih tehr ee) communicates with the hypothalamus to control many body activities. In response to nerve impulses or hormone signals from the hypothalamus, the pituitary gland releases its hormones. Some of those hormones act as an "on" switch for other endocrine glands. For example, one pituitary hormone signals the thyroid gland to produce hormones. Other pituitary hormones control body activities directly. Growth hormone regulates growth from infancy to adulthood. Another pituitary hormone directs the kidneys to regulate the amount of water in the blood.

What causes the pituitary gland to release hormones?

Negative Feedback

In some ways, the endocrine system works like a heating system. Suppose you set a thermostat at 20°C. If the temperature falls below 20°C, the thermostat signals the furnace to turn on. When the furnace heats the area to the proper temperature, information about the warm conditions "feeds back" to the thermostat. The thermostat then gives the furnace a signal that turns the furnace off. The type of signal used in a heating system is called **negative feedback** because the system is turned off by the condition it produces.

The endocrine system often uses negative feedback to maintain homeostasis. **Through negative feedback, when the amount of a particular hormone in the blood reaches a certain level, the endocrine system sends signals that stop the release of that hormone.**

You can see an example of negative feedback in Figure 4. Like a thermostat in a cool room, the endocrine system senses when there's not enough thyroxine in the blood. Thyroxine is a thyroid hormone that controls how much energy is available to cells. When there's not enough energy available, the hypothalamus signals the pituitary gland to release thyroid-stimulating hormone (TSH). That hormone signals the thyroid gland to release thyroxine. When the amount of thyroxine reaches the right level, the endocrine system signals the thyroid gland to stop releasing thyroxine.

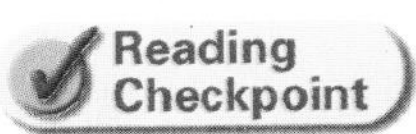
Reading
Checkpoint

How is thyroxine involved in negative feedback?

Go Online
active art

For: Negative Feedback activity
Visit: PHSchool.com
Web Code: cep-4071

Hypothalamus senses cells need more energy.
Pituitary releases TSH.
Thyroid produces thyroxine.
Hypothalamus senses cells have enough energy.
Pituitary stops producing TSH.
Thyroid stops producing thyroxine.

FIGURE 4
Negative Feedback
The release of the hormone thyroxine is controlled through negative feedback. When enough thyroxine is present, the system signals the thyroid gland to stop releasing the hormone. **Predicting** *What happens when the amount of thyroxine becomes too low?*

Section 1 Assessment

Target Reading Skill

Relating Cause and Effect For Question 2, refer to your graphic organizer about the pituitary gland.

Reviewing Key Concepts

1. a. **Identifying** What is the role of the endocrine system?
   b. **Explaining** How does adrenaline affect the heart?
   c. **Predicting** What could happen if your body continued to release adrenaline into your bloodstream, and the amount of adrenaline did not return to normal?
2. a. **Listing** List the endocrine glands.
   b. **Summarizing** How do the hypothalamus and the pituitary gland interact?
   c. **Relating Cause and Effect** Explain how the hypothalamus indirectly controls growth from infancy to adulthood.
3. a. **Defining** Define negative feedback.
   b. **Applying Concepts** How does negative feedback help to maintain homeostasis?

Writing in Science

Cause-and-Effect Paragraph Explain how the nervous system and endocrine system work together when adrenaline is released.

Lab zone

Technology Lab

• Tech & Design •

Modeling Negative Feedback

Problem

How can you model negative feedback?

Skills Focus

observing, making models, evaluating the design

Materials

- duct tape
- round balloon
- scissors
- rubber stopper
- string, 40 cm
- large plastic soda bottle (2 L) with bottom removed
- small plastic soda bottle (1 L)
- plastic tray
- water

Procedure

PART 1 Research and Investigate

1. Figure 1 shows how a flush toilet uses negative feedback to regulate the water level. In your notebook, describe which part of the process involves negative feedback.

FIGURE 1

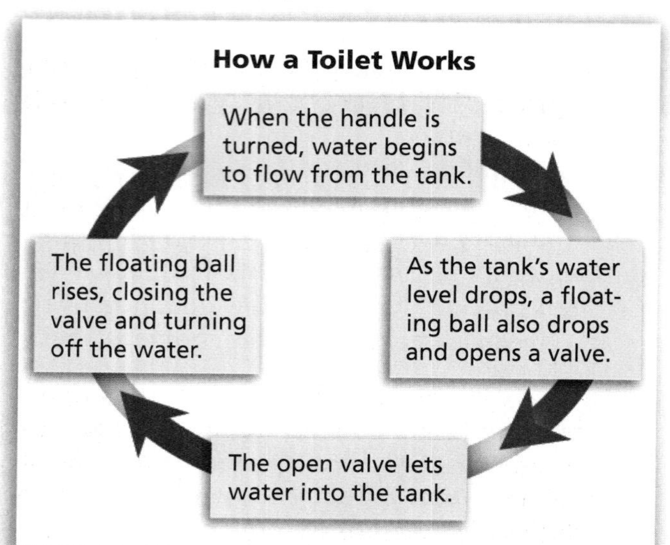

How a Toilet Works
When the handle is turned, water begins to flow from the tank.
As the tank's water level drops, a floating ball also drops and opens a valve.
The open valve lets water into the tank.
The floating ball rises, closing the valve and turning off the water.

FIGURE 2

PART 2 Design and Build

2. As you hold the open end of a balloon, push its closed end through the mouth of a small plastic bottle. Do not push the open end of the balloon into the bottle. Then, slide a straw partway into the bottle so that the air inside the bottle can escape as you blow up the balloon.
3. Partially blow up the balloon inside the bottle as shown in Figure 2. The partially inflated balloon should be about the size of a tennis ball. Remove the straw. Tie the balloon tightly, then push it into the bottle.
4. Place the large plastic bottle mouth to mouth with the small bottle. Tape the two bottles together. Make sure that the seal is waterproof.

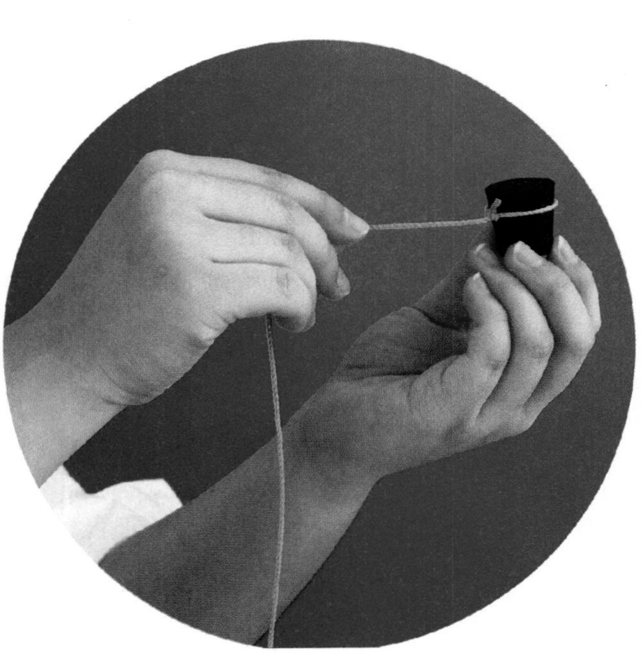

FIGURE 3

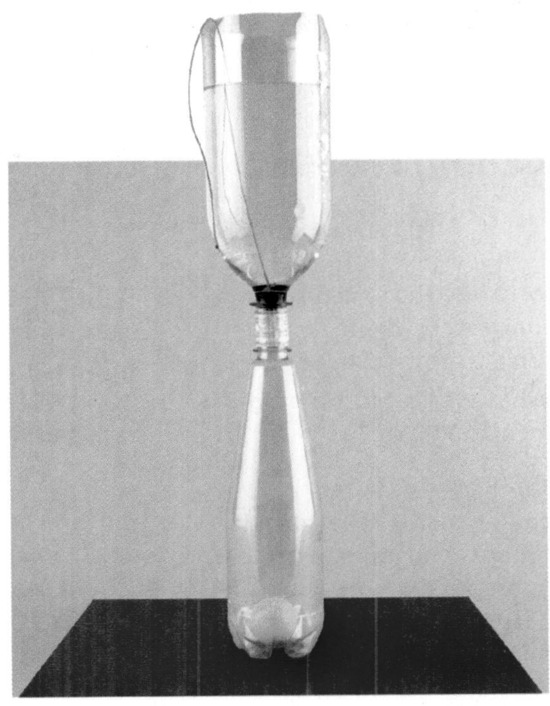

FIGURE 4

5. Tie one end of a piece of string around the top of a rubber stopper as shown in Figure 3.
6. Place the attached bottles on the tray with the smaller bottle on the bottom. Place the stopper loosely into the mouth of the larger bottle as shown in Figure 4.
7. While one partner holds the bottles upright, add water to the large bottle until it is about three fourths full. Then gently pull the string to remove the stopper. Watch what happens. Pay close attention to the following: What does the balloon do as water rises in the small bottle? Does the small bottle completely fill with water? Record your observations.
8. In your notebook, record which part of your device models negative feedback.

PART 3 Evaluate and Redesign

9. In the human endocrine system, negative feedback occurs as part of a cycle. With your partner, think of one or more ways that you could modify the model from Part 2 to show a cycle.

Analyze and Conclude

1. **Inferring** Summarize your research from Part 1 by describing an example of negative feedback.
2. **Observing** Describe the events you observed in Step 7.
3. **Making Models** In Step 7, which part of the process involves negative feedback? Explain your answer.
4. **Evaluating the Design** Suggest one way that you could change the model to show that negative feedback can be part of a cycle.

Communicating

Suppose you are a TV health reporter preparing a program on human hormones. You need to do a 30-second segment on hormones and negative feedback. Write a script for your presentation. Include references to a model to help viewers understand how negative feedback works in the endocrine system.

Section 2

The Male and Female Reproductive Systems

Reading Preview

Key Concepts

- What is sexual reproduction?
- What are the structures and functions of the male and female reproductive systems?
- What events occur during the menstrual cycle?

Key Terms

- egg • sperm • fertilization
- zygote • testis • testosterone
- scrotum • semen • penis
- ovary • estrogen
- fallopian tube • uterus
- vagina • menstrual cycle
- ovulation • menstruation

Target Reading Skill

Sequencing As you read, make a cycle diagram like the one below that shows the menstrual cycle. Write each event of the process in a separate circle.

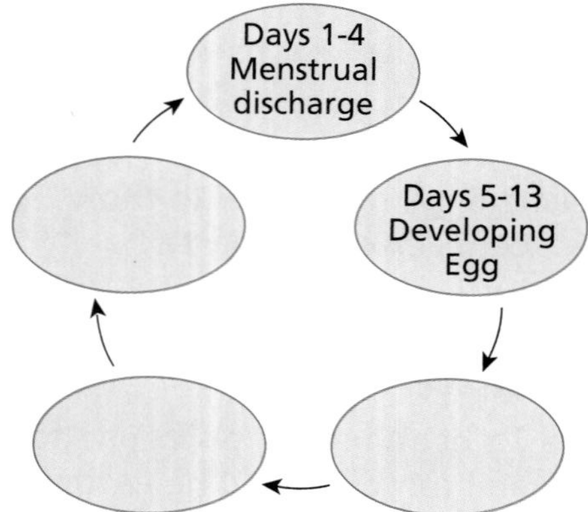

Lab zone Discover Activity

What's the Big Difference?

1. Your teacher will provide prepared slides of eggs and sperm.
2. Examine each slide under the microscope, first under low power, then under high power. Be sure you view at least one sample of egg and sperm from the same species.
3. Sketch and label each sample.

Think It Over

Observing What differences did you observe between sperm cells and egg cells? What general statement can you make about eggs and sperm?

Many differences between an adult animal and its young are controlled by the endocrine system. In humans, two endocrine glands—the ovaries and the testes—control many of the changes that occur as a child matures. These glands release hormones that cause the body to develop as a person grows older. They also produce sex cells that are part of sexual reproduction.

Hormones control growth and development.

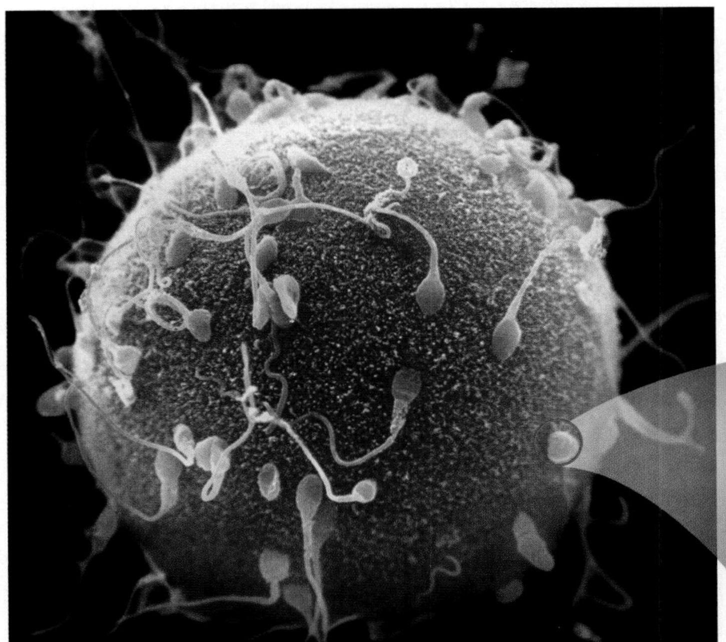

FIGURE 5
Egg and Sperm
An egg is one of the largest cells in the body. A sperm, which is much smaller than an egg, has a head (rounded end) and a tail that allows it to move. In the photograph on the left, sperm are swarming around the large egg. On the right, a sperm, which has been colored blue, has penetrated the egg. Applying Concepts *What structure results when the sperm fertilizes the egg?*

Sexual Reproduction

You may find it hard to believe that you began life as a single cell. That single cell was produced by the joining of two other cells, an egg and a sperm. An **egg** is the female sex cell. A **sperm** is the male sex cell.

The joining of a sperm and an egg is called **fertilization.** Fertilization is an important part of sexual reproduction, the process by which male and female living things produce new individuals. **Sexual reproduction involves the production of eggs by the female and sperm by the male. The egg and sperm join together during fertilization.** When fertilization occurs, a fertilized egg, or **zygote,** is produced. Every one of the trillions of cells in your body is descended from the single cell that formed during fertilization.

Like other cells in the body, sex cells contain rod-shaped structures called chromosomes. Chromosomes (KROH muh sohmz) carry the information that controls inherited characteristics, such as eye color and blood type. Every cell in the human body that has a nucleus, except the sex cells, contains 46 chromosomes. Each sex cell contains half that number, or 23 chromosomes. During fertilization, the 23 chromosomes in a sperm join the 23 chromosomes in an egg. The result is a zygote with 46 chromosomes. The zygote contains all of the information needed to produce a new human being.

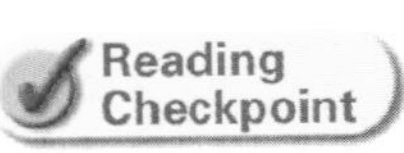

What happens to the number of chromosomes when a male sex cell and a female sex cell join?

Male Reproductive System

The organs of the male reproductive system are shown in Figure 6. **The male reproductive system is specialized to produce sperm and the hormone testosterone. The structures of the male reproductive system include the testes, scrotum, and penis.**

The Testes The oval-shaped **testes** (TES teez) (singular *testis*) are the organs of the male reproductive system in which sperm are produced. The testes consist of clusters of hundreds of tiny coiled tubes and the cells between the tubes. Sperm are formed inside the tubes.

The testes also produce testosterone. **Testosterone** (tes TAHS tuh rohn) is a hormone that controls the development of physical characteristics in mature men. Some of those characteristics include facial hair, deepening of the voice, broadening of the shoulders, and the ability to produce sperm.

Notice in Figure 6 that the testes are located in an external pouch of skin called the **scrotum** (SKROH tum). The external location keeps the testes about 2°C to 3°C below 37°C, which is the usual temperature within the body. That temperature difference is important. Sperm need the slightly cooler conditions to develop normally.

FIGURE 6
The Male Reproductive System

In the male reproductive system, the testes produce sperm and the hormone testosterone.
Interpreting Diagrams *Trace the pathway of sperm in the male reproductive system. What structures does a sperm cell pass through before exiting the body?*

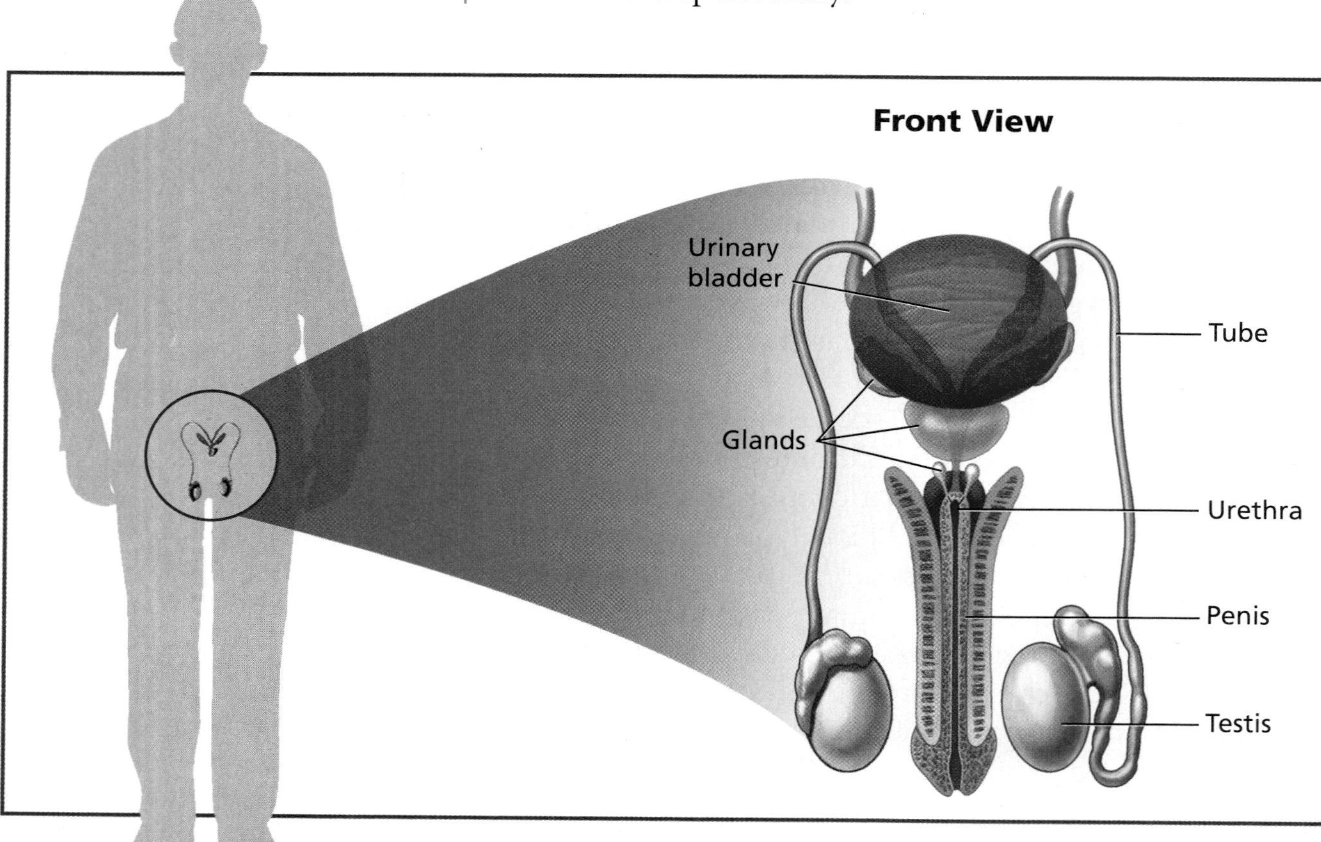

Sperm Production The production of sperm cells begins in males at some point during the teenage years. Each sperm cell is composed of a head that contains chromosomes and a long, whiplike tail. Basically, a sperm cell is a tiny package of chromosomes that can swim.

The Path of Sperm Cells Once sperm cells form in the testes, they travel through other structures in the male reproductive system. During this passage, sperm mix with fluids produced by nearby glands. This mixture of sperm cells and fluids is called **semen** (SEE mun). Semen contains a huge number of sperm—about 5 to 10 million per drop! The fluids in semen provide an environment in which sperm are able to swim. Semen also contains nutrients that the moving sperm use as a source of energy.

Semen leaves the body through an organ called the **penis.** The tube in the penis through which the semen travels is called the urethra. Urine also leaves the body through the urethra. When semen passes through the urethra, however, muscles near the bladder contract. Those muscles prevent urine and semen from mixing.

What is the pouch of skin in which the testes are located?

For: Links on the reproductive system
Visit: www.SciLinks.org
Web Code: scn-0472

Side View

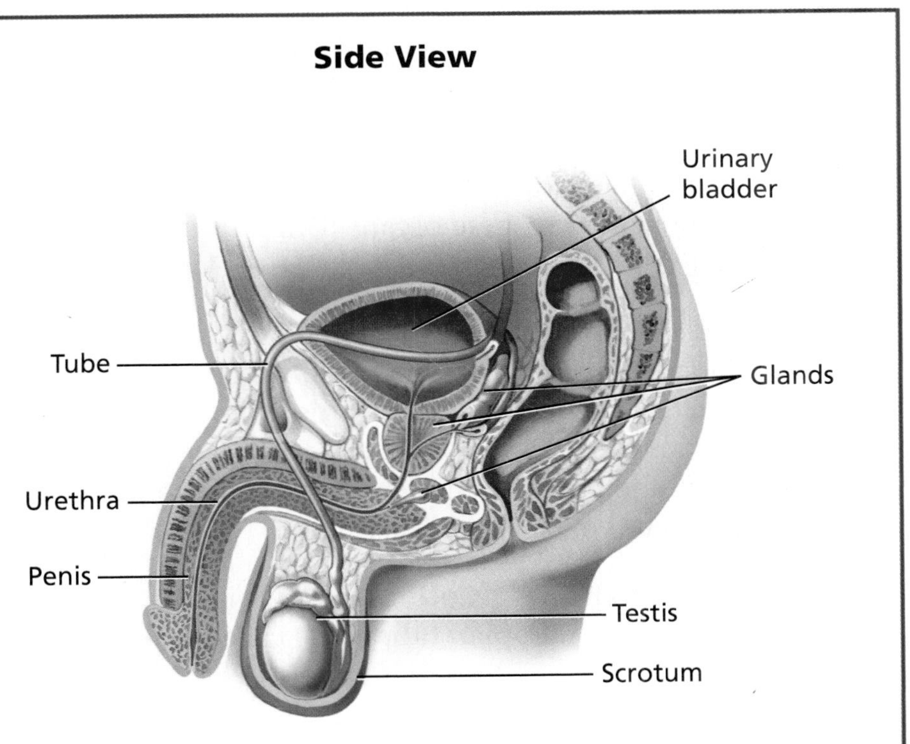

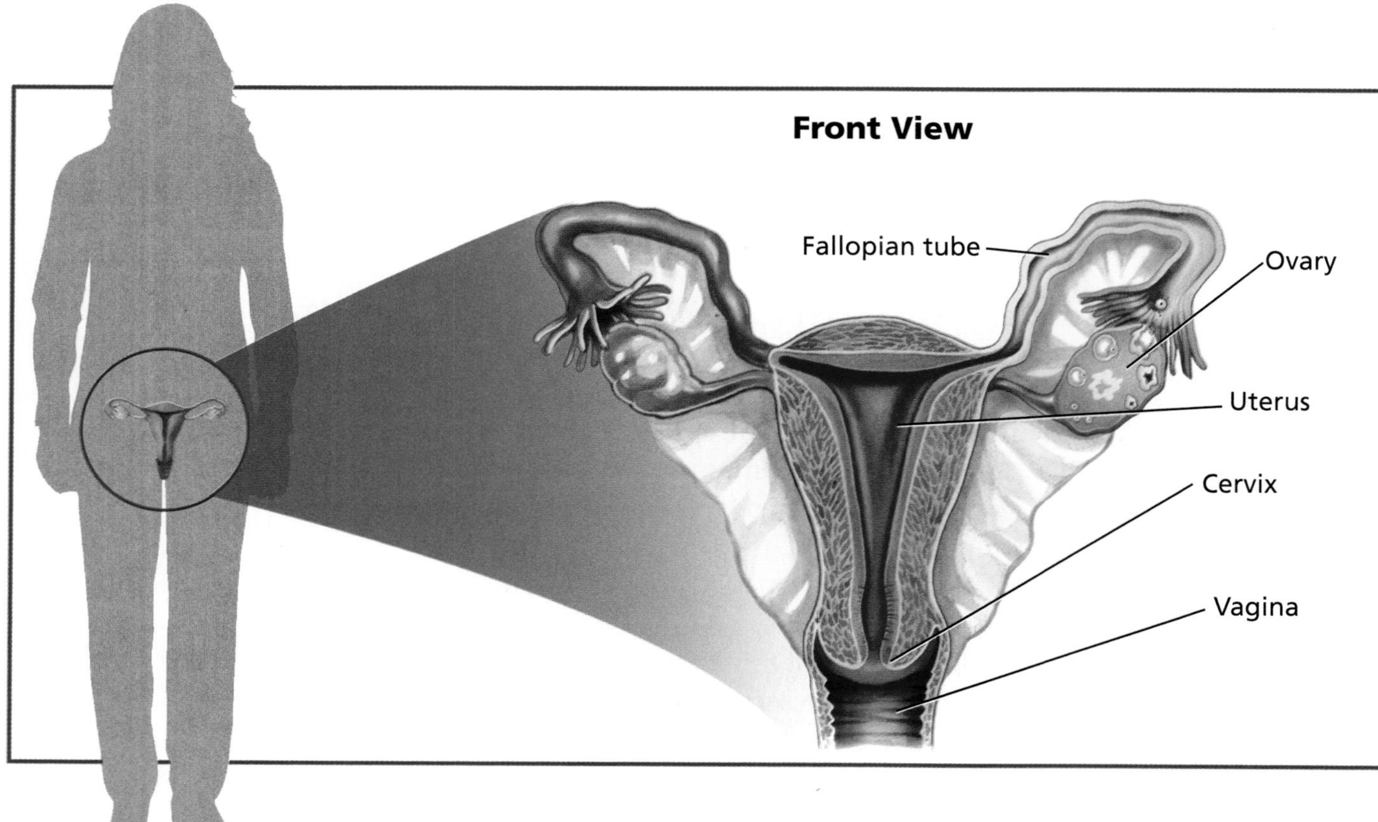

FIGURE 7
Female Reproductive System
In the female reproductive system, the two ovaries produce eggs and hormones such as estrogen.
Relating Cause and Effect *What changes does estrogen produce in a female's body?*

Female Reproductive System

Figure 7 shows the female reproductive system. **The role of the female reproductive system is to produce eggs and, if an egg is fertilized, to nourish a developing baby until birth. The organs of the female reproductive system include the ovaries, fallopian tubes, uterus, and vagina.**

The Ovaries The **ovaries** (OH vuh reez) are the female reproductive structures that produce eggs. The ovaries are located slightly below the waist, one ovary on each side of the body. The name for these organs comes from the Latin word *ova*, meaning "eggs."

Female Hormones Like the testes in males, the ovaries also are endocrine glands that produce hormones. One hormone, **estrogen** (ES truh jun), triggers the development of some adult female characteristics. For example, estrogen causes the hips to widen and the breasts to develop. Estrogen also plays a role in the process by which egg cells develop.

The Path of the Egg Cell Each ovary is located near a fallopian tube. The **fallopian tubes,** also called oviducts, are passageways for eggs as they travel from the ovary to the uterus. Each month, one of the ovaries releases a mature egg, which enters the nearest fallopian tube. Fertilization usually occurs within a fallopian tube.

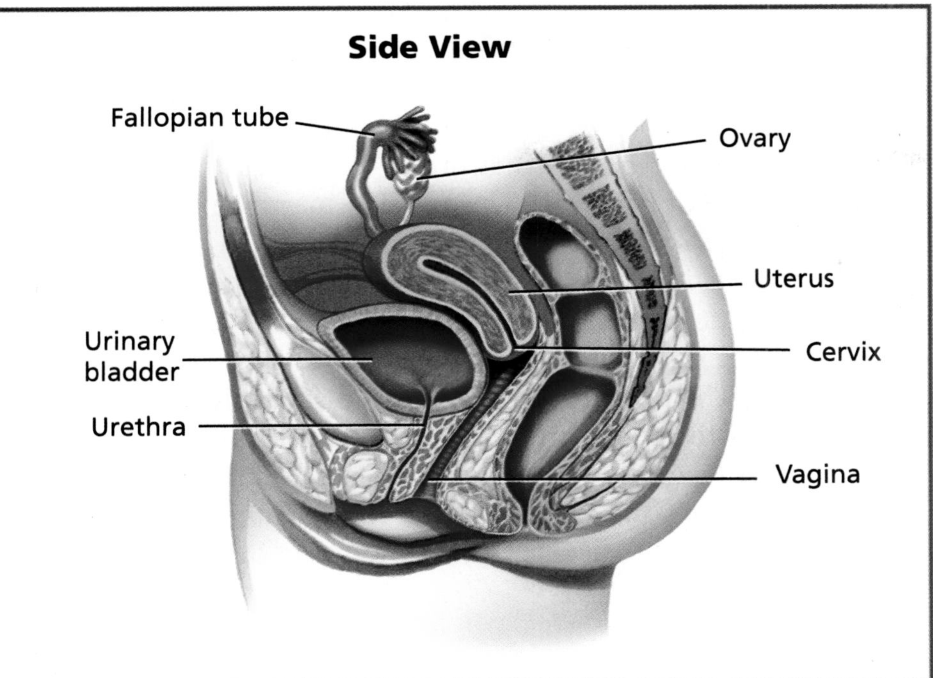

The egg moves through the fallopian tube, which leads to the uterus. The **uterus** (YOO tur us) is a hollow muscular organ about the size of a pear. If an egg has been fertilized, it becomes attached to the wall of the uterus.

An egg that has not been fertilized starts to break down in the uterus. It leaves the uterus through an opening at the base of the uterus, called the cervix. The egg then enters the vagina. The **vagina** (vuh JY nuh) is a muscular passageway leading to the outside of the body. The vagina, or birth canal, is the passageway through which a baby leaves the mother's body.

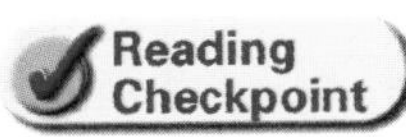

What is the role of the fallopian tube?

The Menstrual Cycle

When the female reproductive system becomes mature, usually during the teenage years, there are about 400,000 undeveloped eggs in the ovaries. However, only about 500 of those eggs will actually leave the ovaries and reach the uterus. An egg is released about once a month in a mature woman's body. The monthly cycle of changes that occur in the female reproductive system is called the **menstrual cycle** (MEN stroo ul).

During the menstrual cycle, an egg develops in an ovary. At the same time, the uterus prepares for the arrival of an embryo. In this way, the menstrual cycle prepares the woman's body for pregnancy, which begins after fertilization.

Lab zone Skills Activity

Calculating

An egg is about 0.1 mm in diameter. In contrast, the head of a sperm is about 0.005 mm. Calculate how much bigger an egg is than a sperm.

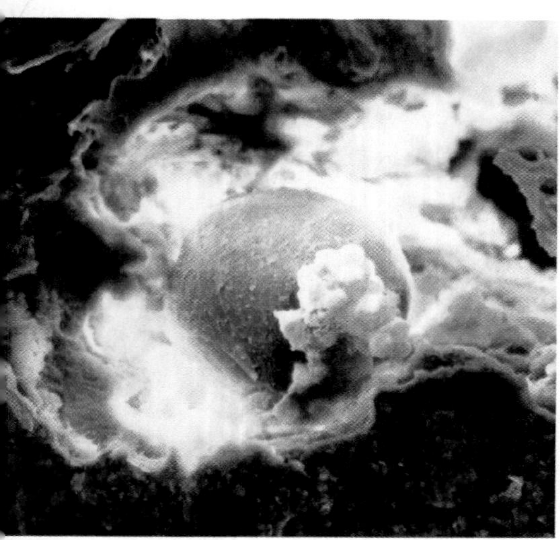

FIGURE 8
Release of an Egg
The ovary releases an egg, shown here in pink. The egg will then travel down the fallopian tube to the uterus. Applying Concepts *Through what opening does an unfertilized egg pass when leaving the uterus?*

Stages of the Menstrual Cycle Follow the stages of the menstrual cycle in Figure 9. Early in the menstrual cycle, an egg starts to mature in one of the ovaries. At the same time, the lining of the uterus begins to thicken. About halfway through a typical menstrual cycle, the mature egg is released from the ovary into a fallopian tube. The process in which an egg is released is called **ovulation** (ahv yuh LAY shun).

Once the egg is released, it can be fertilized for the next few days if sperm are present in the fallopian tube. If the egg is not fertilized, it begins to break down. The lining of the uterus also breaks down. The extra blood and tissue of the thickened lining pass out of the body through the vagina in a process called **menstruation** (men stroo AY shun). On average, menstruation lasts about four to six days. At the same time that menstruation takes place, a new egg begins to mature in the ovary, and the cycle continues.

Endocrine Control The menstrual cycle is controlled by hormones of the endocrine system. Hormones also trigger a girl's first menstruation. Many girls begin menstruation sometime between the ages of 10 and 14 years. Some girls start earlier, while others start later. Women continue to menstruate until about the age of 50. At around that age, the production of sex hormones drops. As a result, the ovaries stop releasing mature egg cells.

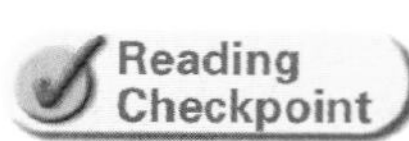

How often is an egg released from an ovary?

Math Analyzing Data

Changing Hormone Levels

A woman's hormone levels change throughout the menstrual cycle. The graph shows the levels of one female hormone, known as LH, during the menstrual cycle.

1. Reading Graphs What does the *y*-axis show?
2. Interpreting Data What is the level of LH on day 1? On day 17? On day 21?
3. Calculating What is the difference between LH levels on days 9 and 13?
4. Drawing Conclusions On what day does LH reach its highest level? What event takes place at about the same time?

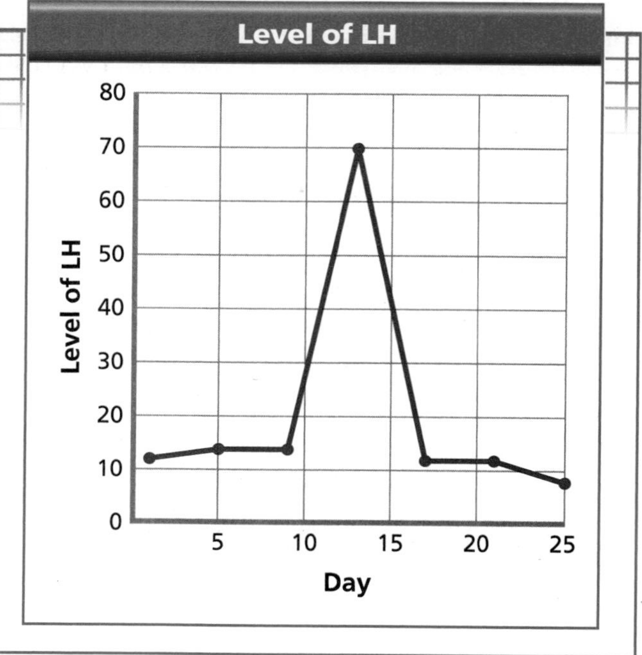

FIGURE 9

The Menstrual Cycle

During the menstrual cycle, the lining of the uterus builds up with extra blood and tissue. About halfway through a typical cycle, ovulation takes place. **Predicting** *What happens if the egg is not fertilized?*

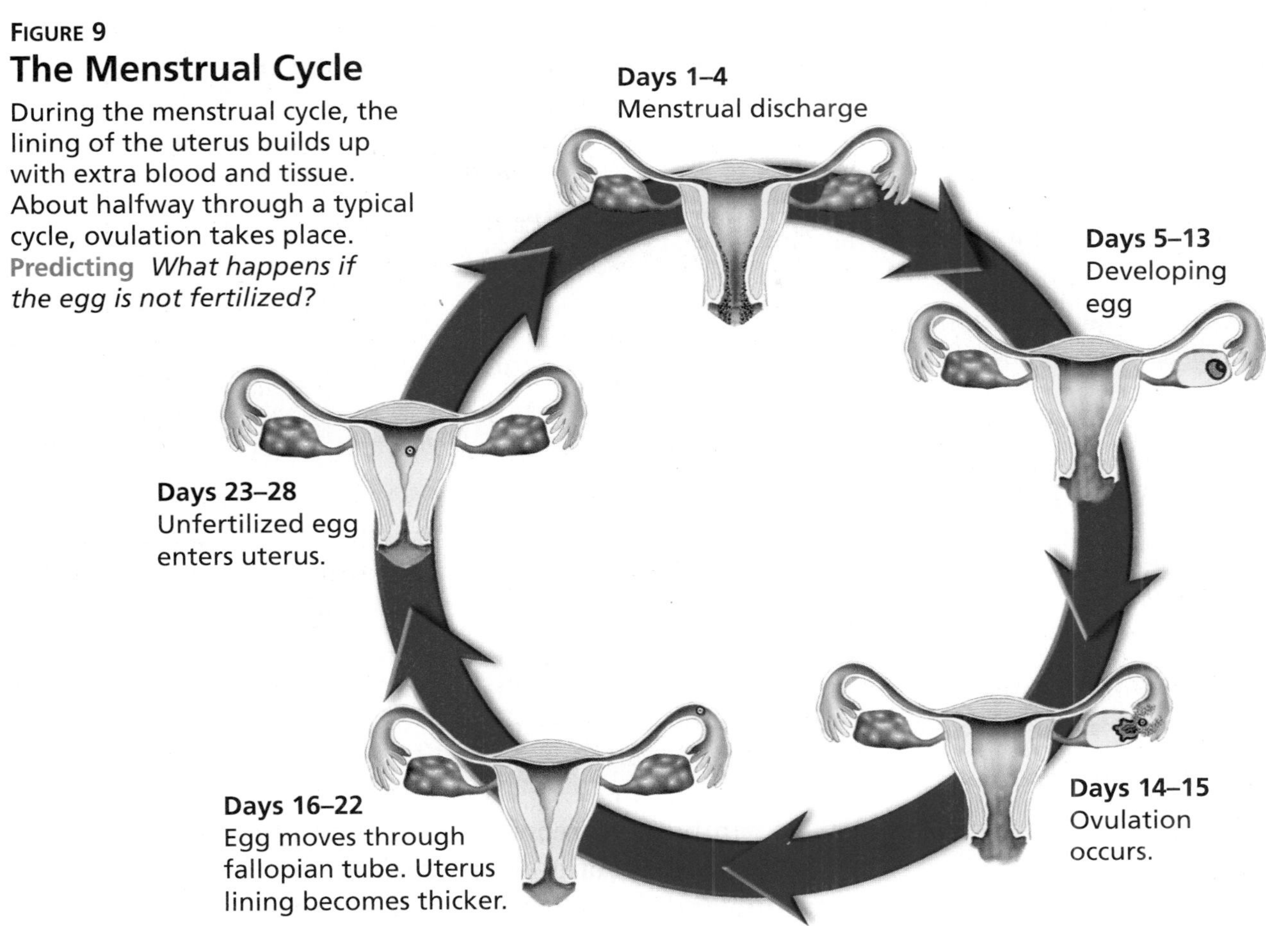

Days 1–4
Menstrual discharge
Days 5–13
Developing egg
Days 14–15
Ovulation occurs.
Days 16–22
Egg moves through fallopian tube. Uterus lining becomes thicker.
Days 23–28
Unfertilized egg enters uterus.

Section 2 Assessment

Target Reading Skill **Sequencing** Refer to your cycle diagram about the menstrual cycle as you answer Question 3.

Reviewing Key Concepts

1. a. Reviewing What is fertilization?

b. Explaining Explain how fertilization produces a new individual.

c. Comparing and Contrasting Contrast the number of chromosomes in sex cells and in a zygote. Explain why the zygote has the number of chromosomes that it does.

2. a. Listing List the structures of the male and female reproductive systems.

b. Describing Describe the functions of the structures you named in Question 2a.

c. Comparing and Contrasting In what ways are the functions of the ovaries and the testes similar? How do their functions differ?

3. a. Defining What is the menstrual cycle?

b. Sequencing Events At what point in the menstrual cycle does ovulation occur?

Writing in Science

Explanatory Paragraph Write a paragraph explaining why the ovaries and testes are part of both the endocrine system and the reproductive system.

Section 3

Integrating Health

The Human Life Cycle

Reading Preview

Key Concepts

- What are the stages of human development that occur before birth?
- How is the developing embryo protected and nourished?
- What happens during childbirth?
- What changes occur from infancy to adulthood?

Key Terms

- embryo
- fetus
- amniotic sac
- placenta
- umbilical cord
- adolescence
- puberty

Target Reading Skill

Building Vocabulary After you read Section 3, reread the paragraphs that contain definitions of Key Terms. Use all the information you have learned to write sentences using each Key Term.

Lab zone Discover Activity

How Many Ways Does a Child Grow?

1. Compare the two photographs. One shows a baby girl. The other shows the same girl at the age of five.
2. List the similarities you see. Also list the differences.
3. Compare your lists with those of your classmates.

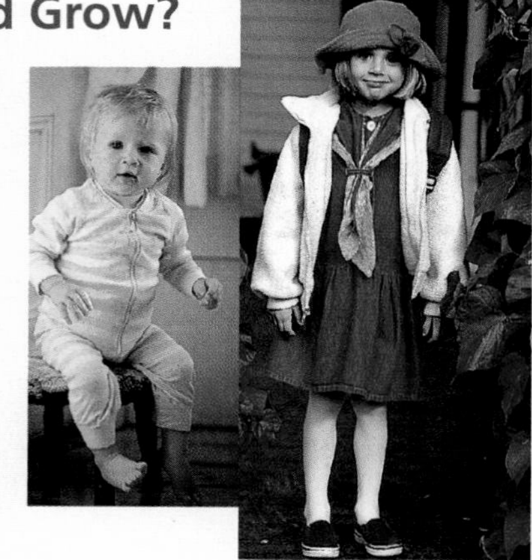

Think It Over

Observing Based on your observations, list three physical changes that occur in early childhood.

An egg can be fertilized during the first few days after ovulation. When sperm are deposited into the vagina, the sperm move into and through the uterus and then into the fallopian tubes. If a sperm fertilizes an egg, pregnancy can occur. Then, the amazing process of human development begins.

Development Before Birth

A fertilized egg, or zygote, is no larger than the period at the end of this sentence. Yet after fertilization, the zygote undergoes changes that result in the formation of a new human. **The zygote develops first into an embryo and then into a fetus.** About nine months after fertilization, a baby is born.

FIGURE 10
Development of the Fetus
As a fetus grows and develops, it gains mass, increases in length, and develops all its body systems.
Applying Concepts *How large is a zygote?*

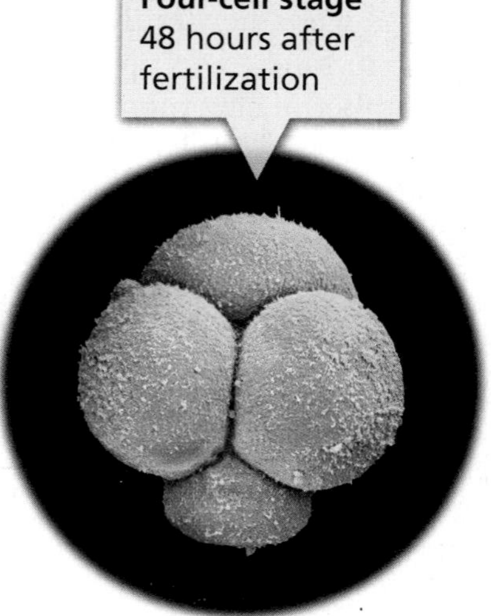

Zygote and Embryo After an egg and sperm join, the zygote moves down the fallopian tube toward the uterus. During this trip, which takes about four days, the zygote begins to divide. The original cell divides to make two cells. These two cells divide to make four, and so on. Eventually, the growing mass of hundreds of cells forms a hollow ball. The ball attaches to the lining of the uterus. From the two-cell stage through the eighth week of development, the developing human is called an **embryo** (EM bree oh).

Fetus From about the ninth week of development until birth, the developing human is called a **fetus** (FEE tus). Although at first the fetus is only the size of a whole walnut shell, it now looks more like a baby. Many internal organs have developed. The head is about half the body's total size. The fetus's brain is developing rapidly. The fetus also has dark eye patches, fingers, and toes. By the end of the third month, the fetus is about 9 centimeters long and has a mass of about 26 grams.

Between the fourth and sixth months, bones become distinct. A heartbeat can be heard with a stethoscope. A layer of soft hair grows over the skin. The arms and legs develop more completely. The fetus begins to move and kick, a sign that its muscles are growing. At the end of the sixth month, the mass of the fetus is approaching 700 grams. Its body is about 30 centimeters long.

The final three months prepare the fetus to survive outside the mother's body. The brain surface develops grooves and ridges. The lungs become ready to carry out the exchange of oxygen and carbon dioxide. The eyelids can open. The fetus doubles in length. Its mass may reach 3 kilograms or more.

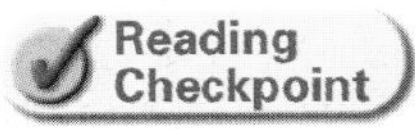

At what point during development can a heartbeat be detected in a fetus?

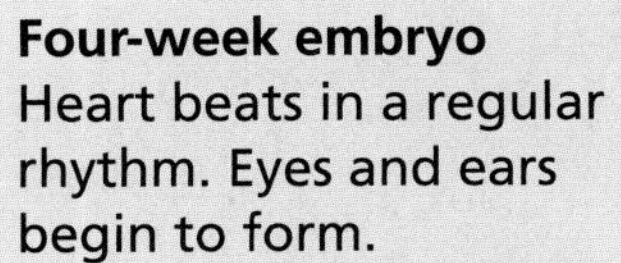

Four-week embryo
Heart beats in a regular rhythm. Eyes and ears begin to form.

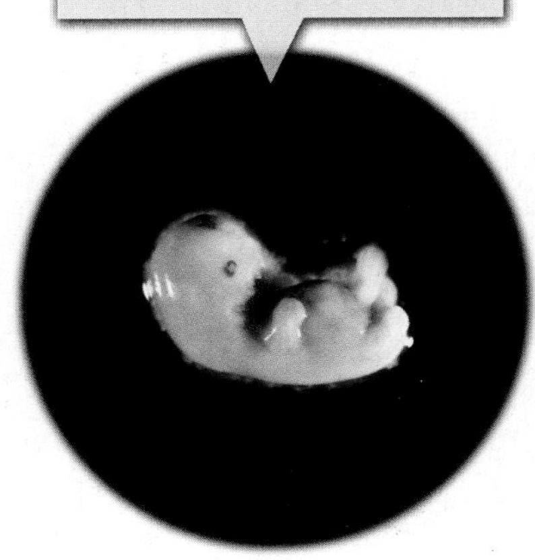

Eight-week embryo Heart has left and right chambers.

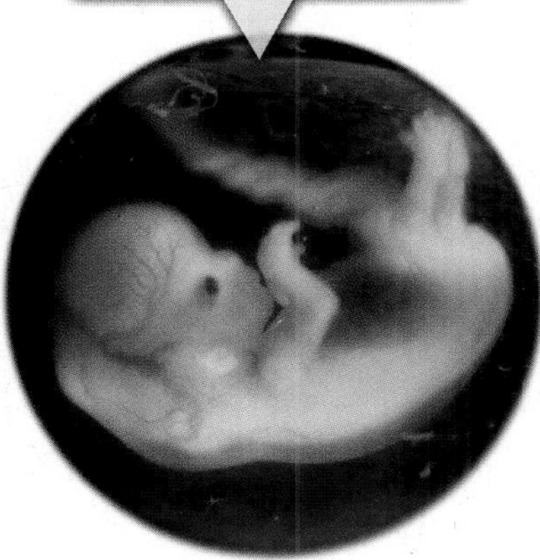

24-week fetus All parts of the eye are present. Fingerprints are forming.

Protection and Nourishment

Just like you, the embryo and fetus need nourishment and protection to develop properly. Soon after the embryo attaches to the uterus, many changes take place. The hollow ball of cells grows inward. New membranes form. **The membranes and other structures that form during development protect and nourish the developing embryo, and later the fetus.**

Amniotic Sac One membrane surrounds the embryo and develops into a fluid-filled sac called the **amniotic sac** (am NEE aht ik). Locate the amniotic sac in Figure 11. The fluid in the amniotic sac cushions and protects the developing baby.

Placenta Another membrane also forms, which helps to form the placenta. The **placenta** (pluh SEN tuh) is the link between the embryo and the mother. In the placenta, the embryo's blood vessels are located next to the mother's blood vessels. Blood from the two systems does not mix, but many substances are exchanged between the two blood supplies. The embryo receives nutrients, oxygen, and other substances from the mother. It gives off carbon dioxide and other wastes.

FIGURE 11
The Placenta
The placenta provides a connection between the mother and the developing fetus. But the mother's and the fetus's blood vessels remain separate, as you can see in the close-up of the placenta.
Interpreting Diagrams *What structure carries nutrients and oxygen from the placenta to the fetus?*

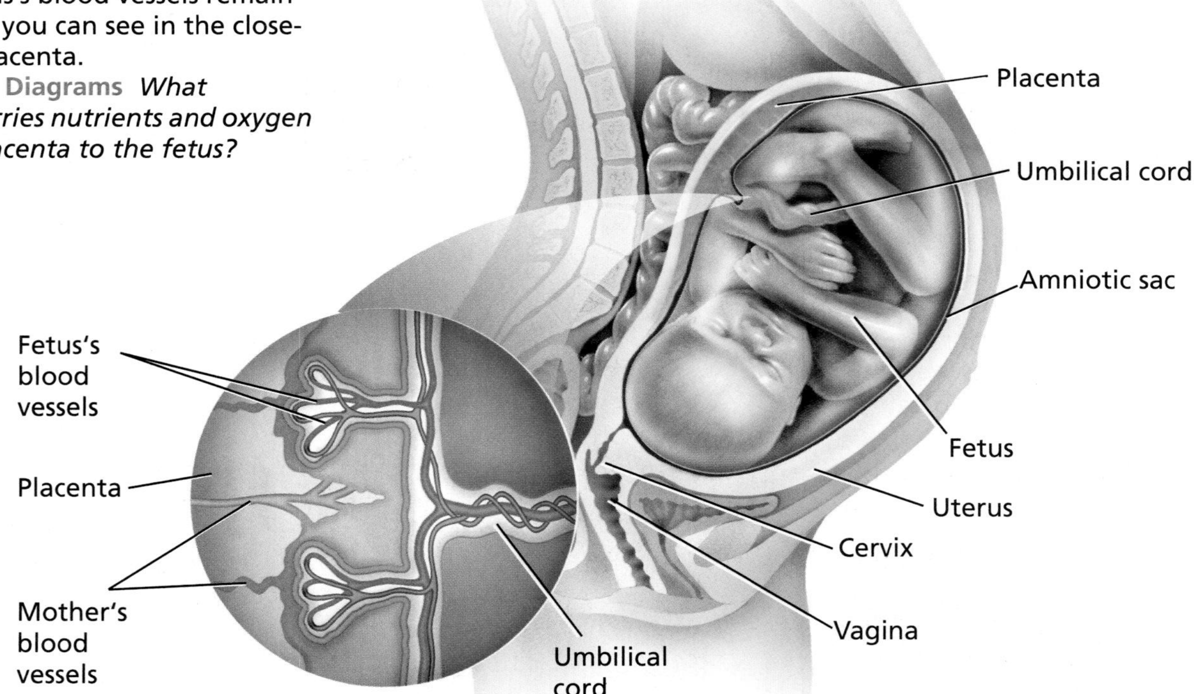

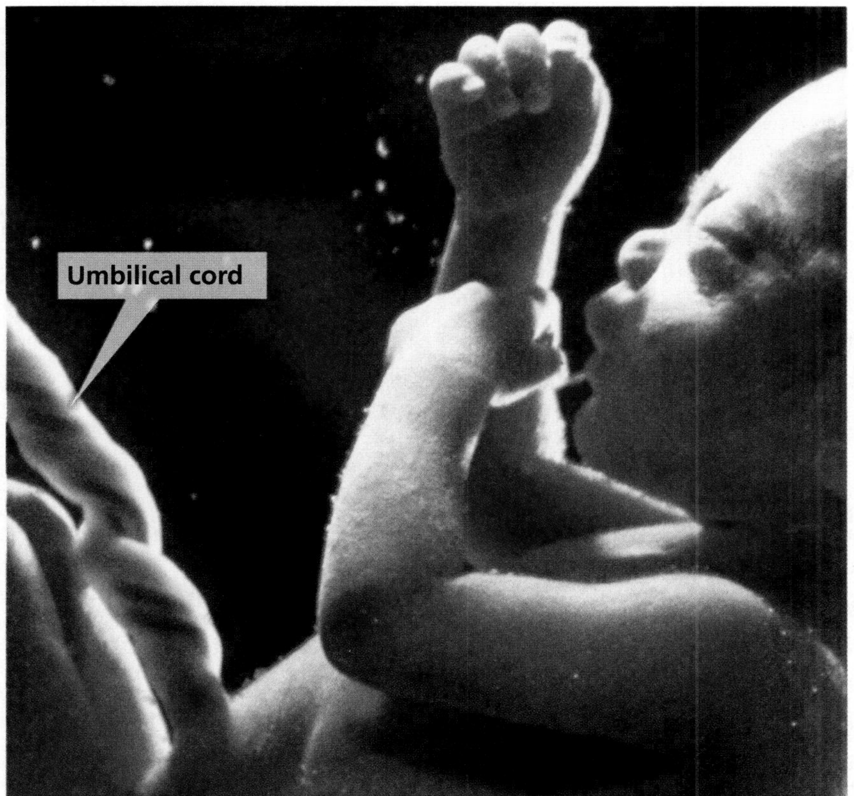

FIGURE 12
Eight-Month Fetus
This eight-month fetus is capable of surviving outside the mother. However, the fetus will remain protected within the uterus until birth, at approximately nine months.

Umbilical Cord A ropelike structure called the **umbilical cord** forms between the fetus and the placenta. It contains blood vessels that link the fetus to the mother. However, the two circulatory systems remain separated by a thin barrier.

The barrier that separates the fetus's and mother's blood prevents some diseases from spreading from the mother to the fetus. However, substances such as alcohol, chemicals in tobacco, and many other drugs can pass through the barrier to the fetus. For this reason, pregnant women should not smoke, drink alcohol, or take any drug without a doctor's approval.

How does a fetus obtain oxygen?

Birth

After about nine months of development inside the uterus, the baby is ready to be born. **The birth of a baby takes place in three stages—labor, delivery, and afterbirth.**

Labor During the first stage of birth, strong muscular contractions of the uterus begin. These contractions are called labor. The contractions cause the cervix to enlarge, eventually allowing the baby to fit through the opening. Labor may last from about 2 hours to more than 20 hours.

Lab zone Try This Activity

Way to Grow!

The table lists the average mass of a developing baby at different months of pregnancy.

Month of Pregnancy	Mass (grams)
1	0.02
2	2.0
3	26
4	150
5	460
6	640
7	1,500
8	2,300
9	3,200

1. Use a balance to identify an everyday object with a mass approximately equal to each mass listed in the table. You may need to use different balances to cover the range of masses listed.
2. Arrange the objects in order by month.

Making Models What did you learn by gathering these physical models?

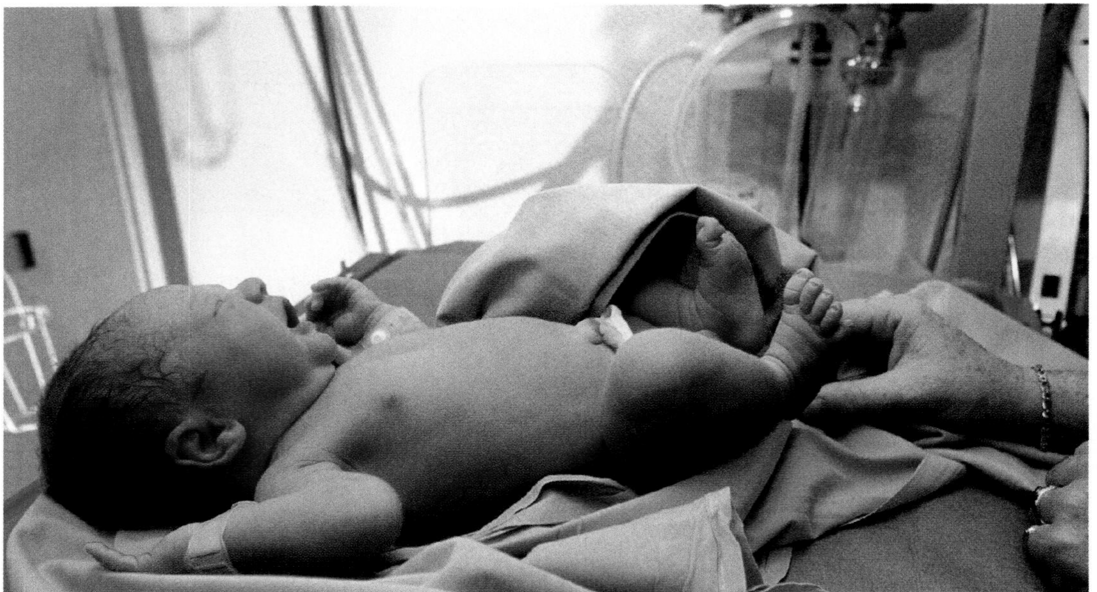

FIGURE 13
Birth
After about nine months of growth and development inside the uterus, a baby is born. You can see where the umbilical cord of this newborn was tied and cut.

Delivery The second stage of birth is called delivery. During normal delivery, the baby is pushed completely out of the uterus, through the vagina, and out of the mother's body. The head usually comes out first. At this time, the baby is still connected to the placenta by the umbilical cord. Delivery of the baby usually takes less time than labor does—from several minutes to an hour or so.

Shortly after delivery, the umbilical cord is clamped, then cut about 5 centimeters from the baby's abdomen. Within seven to ten days, the remainder of the umbilical cord dries up and falls off, leaving a scar called the navel, or belly button.

Afterbirth About 15 minutes after delivery, the third stage of the birth process begins. Contractions of the uterus push the placenta and other membranes out of the uterus through the vagina. This stage, called afterbirth, is usually completed in less than an hour.

Birth and the Baby The birth process is stressful for both the baby and the mother. The baby is pushed and squeezed as it travels out of the mother's body. Muscle contractions put pressure on the placenta and umbilical cord. This pressure briefly decreases the baby's supply of oxygen.

In response to the changes, the baby's endocrine system releases adrenaline. The baby's heart rate increases. Within a few seconds of delivery, the baby begins breathing with a cry or a cough. This action helps rid the lungs of fluid and fills them with air. The newborn's heart rate then slows to a steady pace. Blood travels to the lungs and picks up oxygen from the air that the baby breathes in. The newborn's cry helps it adjust to the changes in its surroundings.

For: Links on before birth
Visit: www.SciLinks.org
Web Code: scn-0473

Multiple Births The delivery of more than one baby from a single pregnancy is called a multiple birth. In the United States, about 1 out of every 30 babies born each year is a twin. Multiple births of more than two babies, such as triplets and quadruplets, occur less frequently than do twin births.

There are two types of twins: identical twins and fraternal twins. Identical twins develop from a single fertilized egg, or zygote. Early in development, the embryo splits into two identical embryos. The two embryos have identical inherited traits and are the same sex. Fraternal twins develop when two eggs are released from the ovary and are fertilized by two different sperm. Fraternal twins are no more alike than any other brothers or sisters. Fraternal twins may or may not be the same sex.

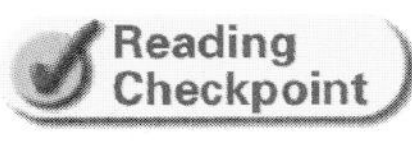

What are the two types of twins?

FIGURE 14
Twins
Identical twins (left) develop from the same fertilized egg. They share identical characteristics. Fraternal twins (right) develop from two different fertilized eggs. **Applying Concepts** *Why can fraternal twins be different sexes while identical twins cannot?*

Identical Twins

A sperm fertilizes a single egg.

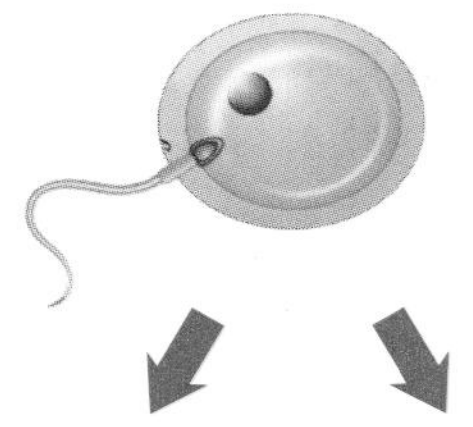

The single egg splits and forms two identical embryos.

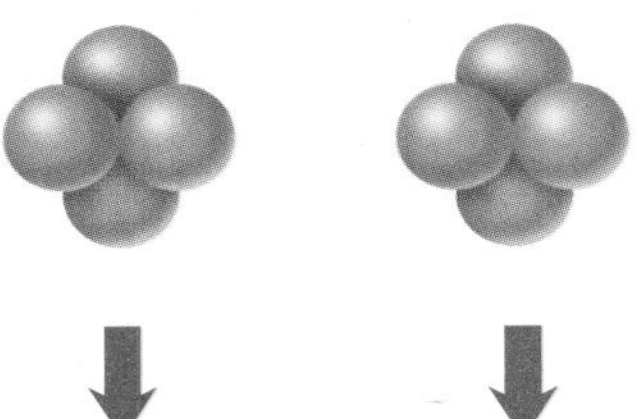

Identical twins result.

Fraternal Twins

Two different sperm fertilize two eggs.

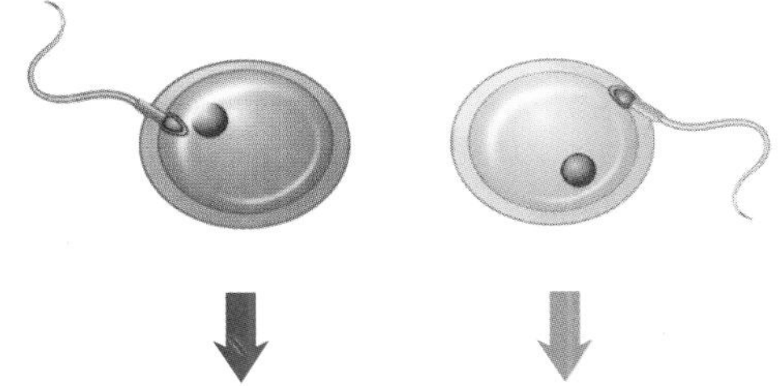

Each of the eggs develops into an embryo.

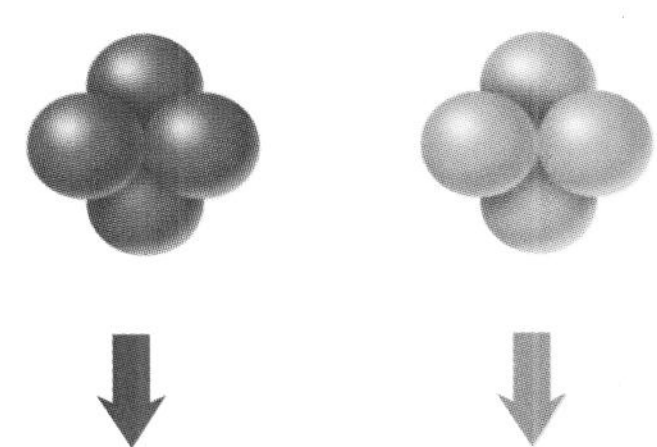

Fraternal twins result.

▲ Infancy

▲ Early childhood

▲ Childhood

FIGURE 15
Development
You can see the changes in development from infancy through adolescence.
Applying Concepts *What mental development takes place during childhood?*

Growth and Development

What can a newborn baby do? You might say "Not much!" A newborn can perform only simple actions, such as crying, sucking, yawning, and blinking. You can do a lot more, from playing sports to solving math problems. Many changes have taken place in you that allow you to do these things. **The changes that take place between infancy and adulthood include physical changes, such as an increase in size and coordination. They also include mental changes, such as the ability to communicate and solve complex problems.**

Infancy During infancy—the first two years of life—babies undergo many changes and learn to do many things. A baby's shape and size change greatly. When a baby is born, its head makes up about one fourth of its body length. As the infant develops, its head grows more slowly, and its body, legs, and arms begin to catch up. Its nervous and muscular systems become better coordinated. After about 3 months, it can hold its head up and reach for objects. At about 7 months, most infants can move around by crawling. Somewhere between 10 and 16 months, most infants begin to walk by themselves.

You may think that babies display feelings mostly by crying. But young infants can show pleasure by smiling and laughing. Sometime between the ages of one and three years, many children speak their first word. By the end of two years, children can do many things for themselves, such as understand simple directions, feed themselves, and play with toys.

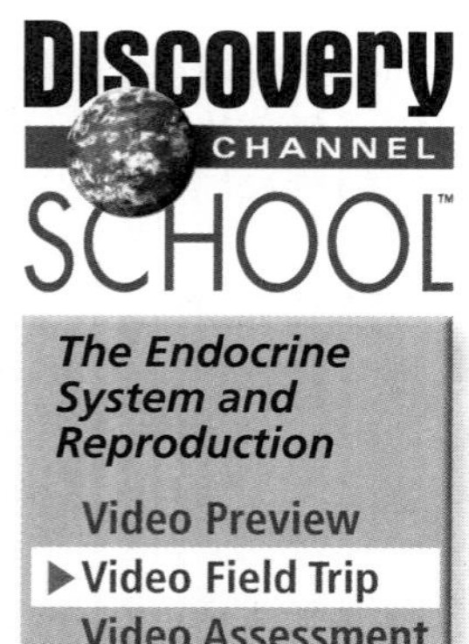

▲ Early adolescence

▲ Adolescence

Childhood Infancy ends and childhood begins at about two years of age. Throughout childhood, children continue to grow. They become taller and heavier as their bones and muscles increase in size. They become more coordinated as they practice skills such as walking, using a pencil, and playing games.

As they develop, children show a growing curiosity and increasing mental abilities. Language skills improve rapidly. For example, most four-year-olds can carry on conversations. With the help of family members and teachers, children learn to read and to solve problems. Over time, children learn to make friends, care about others, and behave responsibly.

Adolescence The stage of development during which children become adults physically and mentally is called **adolescence** (ad ul ES uns). Adolescents gradually become able to think like adults and take on adult responsibilities. The bodies of adolescents also undergo specific physical changes.

Sometime between the ages of about 9 and 15 years, girls and boys enter puberty. **Puberty** (PYOO bur tee) is the period of sexual development in which the body becomes able to reproduce. In girls, hormones produced by the pituitary gland and the ovaries control the physical changes of puberty. The sex organs develop. Ovulation and menstruation begin. The breasts enlarge, and the hips start to widen. In boys, hormones from the testes and the pituitary gland govern the changes. The sex organs develop, and sperm production begins. The voice deepens. Hair appears on the face and chest.

Lab zone Try This Activity

Teenagers in Ads

In this activity, you will examine an ad taken from a teen magazine.

1. Examine an ad that shows one or more teenagers. Read the words and examine the pictures.
2. Think about how the ad portrays teenagers. How do they look and act? How accurate is this "picture" of teenagers?

Drawing Conclusions How does this ad try to influence people your age? Do you think the ad is effective? Explain your opinion.

FIGURE 16
Adulthood
Young adults often enjoy helping older adults.

Adulthood The mental and emotional growth of adolescence continues after puberty ends. It is difficult to say when adolescence ends and adulthood begins. And adults, like adolescents, continue to learn new things.

After about the age of 30, a process known as aging begins. As people age, the skin becomes wrinkled and muscle strength decreases. The eyes may lose their ability to focus on close objects, and hair may lose its coloring. Aging becomes more noticeable between the ages of 40 and 65. During this period, women stop menstruating and ovulating. Men usually continue to produce sperm throughout their lives. However, as men become older, the number of sperm they produce decreases.

The effects of aging can be slowed if people follow sensible diets and good exercise plans. With the help of such healthy behaviors, more and more adults remain active throughout their lives. In addition, older people have learned a lot from their experiences. Because of this learning, many older people have a great deal of wisdom. Older adults can share their knowledge and experience with younger people.

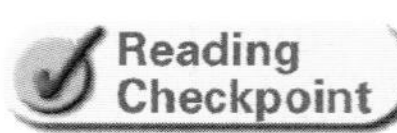

What are the physical effects of aging?

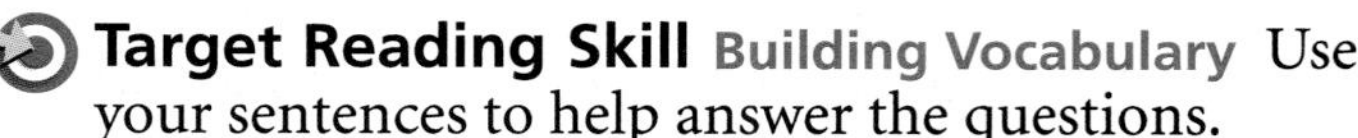

Target Reading Skill Building Vocabulary Use your sentences to help answer the questions.

Reviewing Key Concepts

1. a. Identifying What three steps of development does a fertilized egg go through before birth?
b. Describing What happens to the fetus during the final three months of development?
c. Relating Cause and Effect Explain why a baby born before the seventh month of development needs special care to survive.

2. a. Reviewing What is the general function of the membranes that surround a fetus?
b. Explaining What is the specific function of the placenta?
c. Relating Cause and Effect Why is it dangerous for a pregnant woman to drink alcohol or to smoke cigarettes?

3. a. Listing What are the three stages of birth?
b. Summarizing What happens during labor?

4. a. Identifying Identify two general kinds of change that occur between infancy and adulthood. Give an example of each.
b. Describing Describe what happens during puberty.
c. Making Judgments Is puberty the most important process that occurs during adolescence? Explain your answer.

Lab zone At-Home Activity

Parenting Skills Interview a family member about what is involved in being a parent. Ask the following questions: What skills do parents need? What are some of the rewards of parenthood? What are some of the challenges?

Lab zone **Skills Lab**

Growing Up

Problem

How do the proportions of the human body change during development?

Skills Focus

calculating, predicting

Procedure

1. Examine the diagram below. Notice that the figures are drawn against a graph showing percentages. You can use this diagram to determine how the lengths of major body parts compare to each figure's height. Make a data table in which to record information about each figure's head size and leg length.
2. Look at Figure D. You can use the graph to estimate that the head is about 15 percent of the figure's full height. Record that number in your data table.
3. Examine Figures A through C. Determine the percentage of the total height that the head makes up. Record your results.
4. Next, compare the length of the legs to the total body height for Figures A through D. Record your results. (*Hint*: Figure A shows the legs folded. You will need to estimate the data for that figure.)

Analyze and Conclude

1. Calculating How do the percentages for head size and leg length change from infancy to adulthood?
2. Predicting If you made a line graph using the data in the diagram, what would be on the horizontal axis? On the vertical axis? What additional information could you gain from this line graph?
3. Communicating What can you infer about the rate at which different parts of the body grow? Write a paragraph in which you discuss the answer to this question.

Design an Experiment

Make a prediction about the relationship between the circumference of the head compared with body height. Then, design an experiment to test your prediction, using people for test subjects. *Obtain your teacher's permission before carrying out your investigation.*

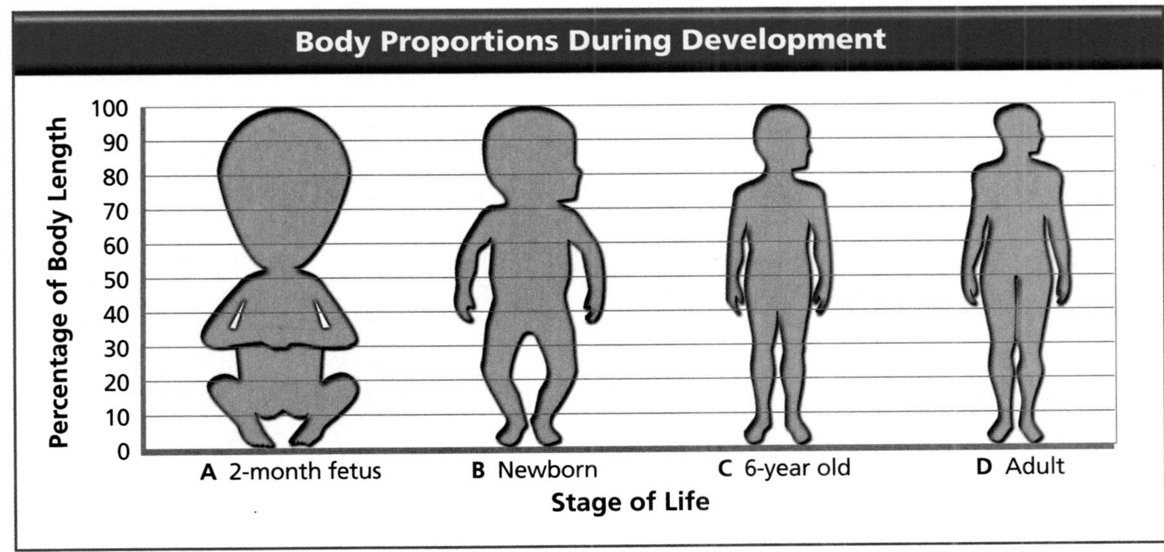

Chapter 20 Study Guide

1 The Endocrine System

Key Concepts

- The endocrine system produces chemicals that control many of the body's daily activities as well as growth and development.
- The endocrine glands include the pituitary, hypothalamus, thyroid, parathyroid, adrenal, thymus, and pancreas. They include ovaries in females and testes in males.
- Through negative feedback, when the amount of a particular hormone in the blood reaches a certain level, the endocrine system sends signals that stop the release of that hormone.

Key Terms

endocrine gland
hormone
target cell
hypothalamus
pituitary gland
negative feedback

2 The Male and Female Reproductive Systems

Key Concepts

- Sexual reproduction involves the production of eggs by the female and sperm by the male. The egg and sperm join during fertilization.
- The male reproductive system produces sperm and the hormone testosterone. Its structures include the testes, scrotum, and penis.
- The female reproductive system produces eggs and nourishes a developing baby until birth. Its structures include the ovaries, fallopian tubes, uterus, and vagina.
- During the menstrual cycle, an egg develops in an ovary. At the same time, the uterus prepares for the arrival of a fertilized egg.

Key Terms

egg
sperm
fertilization
zygote
testis
testosterone
scrotum
semen
penis
ovary
estrogen
fallopian tube
uterus
vagina
menstrual cycle
ovulation
menstruation

3 The Human Life Cycle

Key Concepts

- The zygote develops first into an embryo and then into a fetus.
- The membranes and other structures that form during development protect and nourish the developing embryo and then the fetus.
- The birth of a baby takes place in three stages—labor, delivery, and afterbirth.
- The changes that take place between infancy and adulthood include physical changes, such as an increase in size and coordination, and mental changes, such as the ability to communicate and solve complex problems.

Key Terms

embryo
fetus
amniotic sac
placenta
umbilical cord
adolescence
puberty

Review and Assessment

For: Self-Assessment
Visit: PHSchool.com
Web Code: cea-4070

Organizing Information

Sequencing Copy the flowchart showing the main stages that occur between fertilization and birth onto a sheet of paper. Then, complete it and add a title. (For more on Sequencing, see the Skills Handbook.)

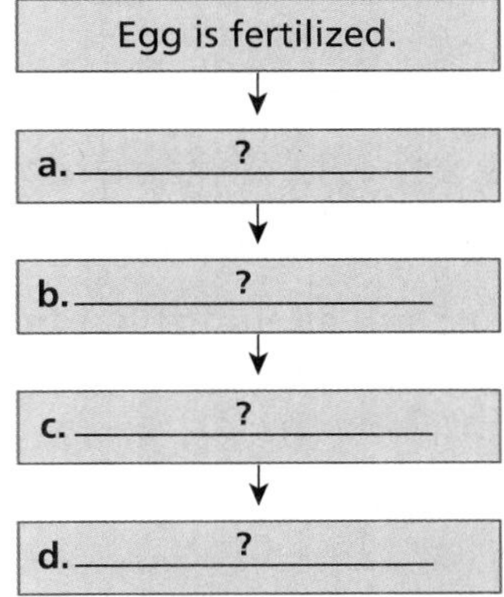

Reviewing Key Terms

Choose the letter of the best answer.

1. The structure that links the nervous system and the endocrine system is the
   a. thyroid gland.
   b. target cell.
   c. umbilical cord.
   d. hypothalamus.
2. The male sex cell is called the
   a. testis.
   b. sperm.
   c. egg.
   d. ovary.
3. The release of an egg from an ovary is known as
   a. ovulation.
   b. fertilization.
   c. menstruation.
   d. negative feedback.
4. The structure that protects and cushions the embryo is called the
   a. umbilical cord.
   b. scrotum.
   c. amniotic sac.
   d. ovary.
5. Sex organs develop rapidly during
   a. fertilization.
   b. ovulation.
   c. puberty.
   d. menstruation.

If the statement is true, write *true*. If it is false, change the underlined word or words to make the statement true.

6. A target cell recognizes a hormone's chemical structure.
7. The joining of a sperm and an egg is called menstruation.
8. A fluid that contains sperm is testosterone.
9. A fallopian tube is the passageway through which an egg travels from the ovary to the uterus.
10. The amniotic sac contains blood vessels that link the fetus to the mother.

Writing in Science

Creative Writing Imagine you just found out that you have an identical twin who was raised in another country. Write a description of what you think your twin would be like. Be sure to include information about what your twin looks like, his or her interests, and unique characteristics of your twin.

The Endocrine System and Reproduction
Video Preview
Video Field Trip
▶ Video Assessment

Review and Assessment

Checking Concepts

11. What is the function of the pituitary gland?

12. When enough thyroxine has been released into the blood, what signal is sent to the thyroid gland? How is that signal sent?

13. Identify two functions of the testes.

14. Describe the path of an unfertilized egg, beginning with its release and ending when it leaves the body.

15. What changes occur in the uterus during the menstrual cycle?

16. How does a zygote form? What happens to the zygote about four days after it forms?

17. Describe how a fetus receives food and oxygen and gets rid of wastes.

18. List five changes that a 10-year-old boy should expect to happen during the next five years. Include physical and mental changes.

Thinking Critically

19. Inferring Study the diagram below. Then, suggest how the two hormones, glucagon and insulin, might work together to maintain homeostasis in the body.

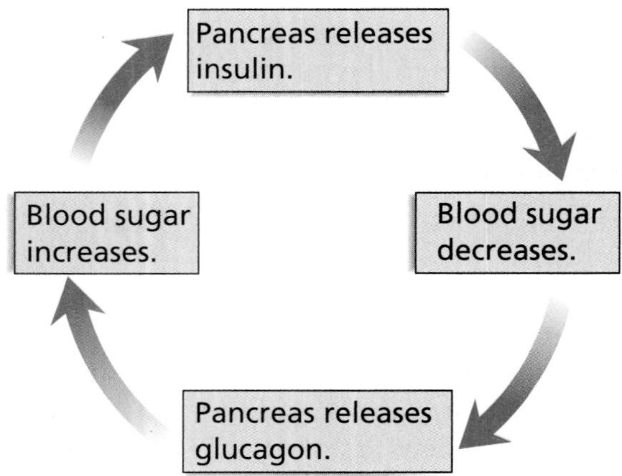

20. Calculating The average menstrual cycle is 28 days in length but can vary from 24 to 32 days. Ovulation usually occurs 14 days before the end of the cycle. How long after the start of a 24-day cycle will ovulation occur? A 32-day cycle?

21. Comparing and Contrasting Contrast the ways in which identical twins and fraternal twins form.

22. Relating Cause and Effect How can playing games help children develop important skills?

Applying Skills

Use the table to answer Questions 23–25.

The data table below shows how the length of a developing baby changes during pregnancy.

Length of Fetus

Week of Pregnancy	Average Length (mm)	Week of Pregnancy	Average Length (mm)
4	4	24	300
8	30	28	350
12	75	32	410
16	180	36	450
20	250	38	500

23. Measuring Use a metric ruler to mark each length on a piece of paper. During which four-week period did the greatest increase in length occur?

24. Graphing Graph the data by plotting time on the x-axis and length on the y-axis.

25. Interpreting Data At the twelfth week, a developing baby measures about 75 mm. By which week has the fetus grown to four times that length? Six times that length?

Lab zone Chapter Project

Performance Assessment Explain what you learned as you cared for your "baby." What did you learn about parenting that you didn't know before? Consider reading passages from your journal to the class.

Standardized Test Prep

Test-Taking Tip

Eliminating Incorrect Answers

When you answer a multiple-choice question, you often can eliminate some of the answer choices because they are clearly incorrect. For example, in the sample question below, two of the choices are incorrect and can be eliminated. Read the question and determine which two choices are clearly wrong. Then, choose the correct answer from the remaining choices.

Sample Question

By the end of the third month, a human fetus

A is about 20 cm long and weighs about 700 g.
B is breathing air.
C has fingers and toes.
D has eyelids that can open.

Answer

You can eliminate choices **A** and **B** because they are clearly incorrect. Choice **A** gives the size of a 6-month fetus. Choice **B** is incorrect because a fetus does not breathe before birth. You have now narrowed your choices to two, **C** and **D**. Choice **C** is correct. The fetus's fingers and toes have developed by 3 months. Choice **D** is incorrect because at 3 months, the eyelids cannot yet open.

Choose the letter of the best answer.

1. You are riding your bike when a small child suddenly darts out in front of you. Which of your endocrine glands is most likely to release a hormone in response to this situation?
A pituitary gland
B adrenal glands
C thyroid gland
D parathyroid gland

2. On day 10 of a woman's menstrual cycle, the egg is most likely
F moving through the fallopian tube.
G in the uterus.
H in the ovary.
J leaving the body.

Use the table below and your knowledge of science to answer Questions 3 and 4.

Number of Chromosomes in Body Cells of Various Animals

Organism	Chromosome Number
Roundworm	2
Fruit Fly	8
Cricket	22
Mouse	40
Human	46
Pigeon	80

3. An egg cell produced by a female mouse probably contains
A 20 chromosomes.
B 40 chromosomes.
C 60 chromosomes.
D 80 chromosomes.

4. How many chromosomes will a pigeon zygote have?
F 20
G 40
H 60
J 80

5. A woman gives birth to twins that developed from a single fertilized egg that split early in development. Which of the following is a reasonable prediction that you can make about the twins?
A They will be the same sex.
B They will be different sexes.
C They will not look alike.
D They will have different inherited traits.

Constructed Response

6. What is negative feedback? Choose an example of a hormone, and describe in a general way how negative feedback regulates its release.

Interdisciplinary **Exploration**

African Rain Forests

What forest—

- **contains a frog that's 30 cm long?**
- **is home to gorillas, pottos, and pygmy hippos?**
- **is preserving diversity?**

It's an African rain forest. Thousands of plants and animals live here, from colorful orchids to fruit bats to elephants.

The rain forests of Africa grow near the equator. About 70 percent of the rain forests are in central Africa, in the vast basin of the great Congo River. Some parts of the central African rain forest are so dense and hard to reach that explorers have never visited them. East Africa, which is drier, has only scattered areas of rain forest.

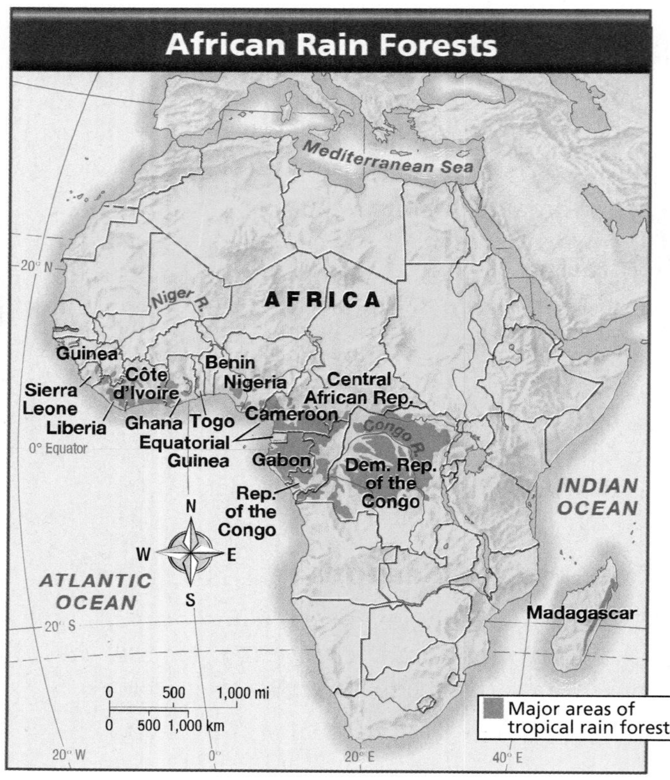

Golden Potto
This golden potto eats insects and fruits in the African rain forest.

Rain Forest Layers

The rain forest is really many forests in one—like different levels in an apartment building. Each layer varies in climate and is home to different plants and animals. The four layers are the emergent layer, the canopy, the understory, and the forest floor.

Over time, plants and animals have developed unusual adaptations to life at different layers of the rain forest. Some monkeys living in the canopy have long, muscular legs so they can run and leap through branches. Others have strong teeth and jaws that allow them to crunch fruits, nuts, and seeds. Some monkeys that live mainly on the forest floor have shorter tails but longer front legs.

Emergent Layer 40–70 Meters
This layer is formed by a few taller trees that poke through the canopy. The emergent layer captures the most rain, sunlight, heat, and wind. Colobus monkeys and vast numbers of birds live at this level.

Black and White Colobus Monkey

Canopy 10–40 Meters
The canopy is the dense "roof" of the rainforest. The crowns of trees capture sunlight to use in photosynthesis. Rain and sunlight filter through thick vegetation. Epiphytic orchids grow to the top of the canopy.

Epiphytic Orchid

Paradise Flycatcher

Understory 0–10 Meters
The understory has trees and plants that need little light. Pythons lurk in the vegetation. Some small animals such as squirrels glide from branch to branch.

Forest Floor 0 Meters
The forest floor is dark, humid, and still. Some animals, including frogs and insects, grow to gigantic sizes. Others are little, like the pygmy hippo.

Pygmy Hippo

Science Activity

Design a rain forest animal that is adapted to life at a certain level of the rain forest. Consider how your animal lives, how it travels, and what food it eats. Outline its characteristics and explain how each adaptation helps the animal survive. Draw a sketch of your design.

Reaching for Sunlight

Most rain forest trees are evergreens with broad leathery leaves. Some, like the African yellowwood, are conifers. Because the forest is so dense, trees must grow tall and straight to reach sunlight at the top of the canopy.

Along rivers, the floor and understory of the rain forest are a tangle of thick vegetation. But deep in the rain forest the floor is surprisingly bare. The canopy trees prevent sunlight from reaching plants below. Water drips from the leaves of the canopy high overhead. Young trees have the best chance to grow when older trees fall and open up sunny clearings.

West Africa's tropical forests contain many valuable trees. African mahogany and teak are used to make furniture, tools, and boats. Oil from the oil palm is used in soaps, candles, and some foods. Trees, such as ebony, that can tolerate shade grow slowly and develop dark, hard, long-lasting wood.

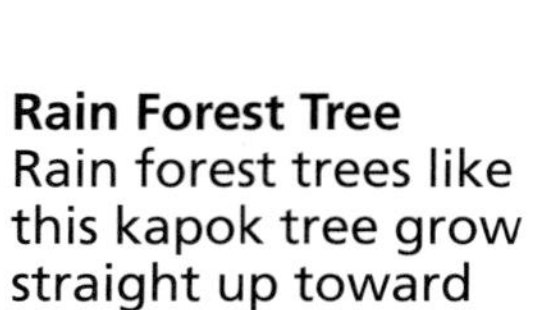

Rain Forest Tree
Rain forest trees like this kapok tree grow straight up toward the sun.

Trees of the Rain Forest

Tree	Maximum Height
African oil palm	18 m
African yellowwood	20 m
Cape fig	7 m
Ebony	30 m
Kapok	70 m
Raffia palm	12 m
Teak	46 m

30 m
20 m
10 m
0 m

Math Activity

The table on this page gives the height of some of the trees in the rain forest. Use the information in the table to make a bar graph. Label the horizontal axis with the tree names. Use the vertical axis to show the heights of the trees.

- Which tree has the greatest maximum height? The least maximum height?
- What is the difference between the maximum heights of the tallest and the shortest trees?
- What is the average maximum height of all the trees shown in the graph?

Bark Cloth
Traditional Mbuti clothing is made of bark cloth.

Ituri Forest People

The native peoples of the African rain forest live as they have for thousands of years—by hunting and gathering. The forest supplies them with everything they need—food, water, firewood, building materials, and medicines.

One group of rain forest dwellers is the Mbuti people. The Mbuti live in the Ituri forest of the Democratic Republic of the Congo. Many of the Mbuti are quite small. The men hunt game, such as gazelle and antelope. The women gather wild fruits, nuts, and greens. Their traditional Mbuti clothing is made of tree bark and is wrapped around the waist. The bark is beaten to make it soft. Then it's decorated with geometric designs.

Most Mbuti live as nomads, with no settled home. Every few months they set up new hunting grounds. They build temporary dome-shaped huts of branches and leaves. Hunting groups of about 10 to 25 families live together.

Modern Africa has brought changes to the forest people, especially for those who live near the edges of the rain forest. For a few months of the year, some Mbuti work as laborers for farmers who live in villages at the edge of the forest. When their work is finished, the Mbuti return to the Ituri forest. Most forest people prefer not to cultivate their own land. Since the farmers don't hunt, they trade their goods for meat. In exchange for meat, the Mbuti receive goods such as iron tools, cooking pots, clothes, bananas, and other farm produce.

The Mbuti
The Mbuti hunt and fish along the Congo River.

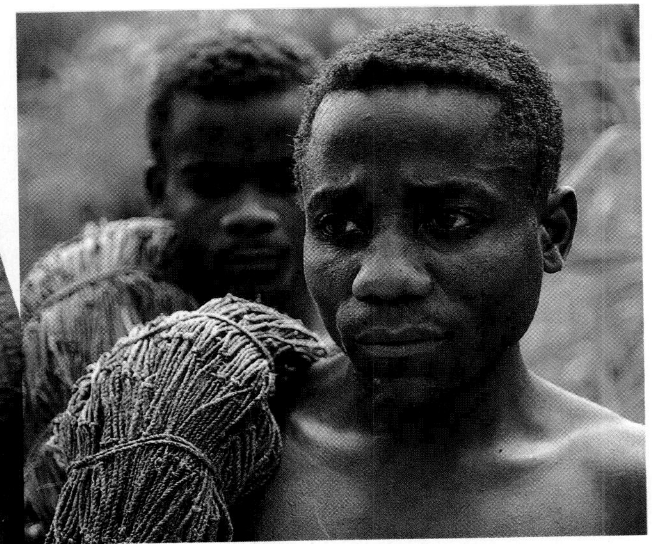

Social Studies Activity

List the goods that forest people and farmers might have to trade. Assume that no modern conveniences, such as tractors and stoves, are available. In writing, explain how goods might be exchanged. Assign a value to the farmers' goods and the Mbuti goods, depending upon each group's needs. How would the trading process change if money were exchanged?

Climbing the Canopy

Much of the rain forest is still a mystery because it's so difficult for scientists to study the canopy. Native forest people sometimes climb these tall trees using strong, thick vines called lianas as support. But rain forest scientists have had to find different methods. Naturalist Gerald Durrell, working in the African rain forest, was lucky enough to find another way to observe the canopy. He describes it here.

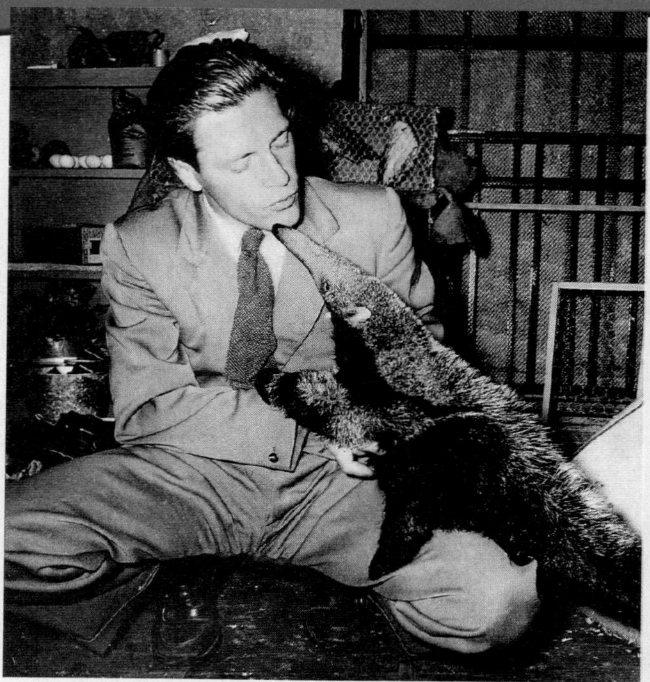

Gerald Durrell
British conservationist Gerald Durrell wrote about his adventures with wildlife around the world. In this photo, Durrell holds an anteater.

While the canopy is one of the most richly inhabited regions of the forest it is also the one that causes the naturalist the greatest frustration. There he is, down in the gloom among the giant tree trunks, hearing the noises of animal life high above him and having half-eaten fruit, flowers, or seeds rained on him by legions of animals high in their sunlit domain—all of which he cannot see. Under these circumstances the naturalist develops a very bad temper and a permanent crick in the neck.

However, there was one occasion when I managed to transport myself into the forest canopy, and it was a magical experience. It happened in West Africa when I was camped on the thickly forested lower slopes of a mountain called N'da Ali. Walking through the forest one day I found I was walking along the edge of a great step cut out of the mountain. The cliff face, covered with creepers, dropped away for about 50 yards, so that although I was walking through forest, just next to me and slightly below was the canopy of the forest growing up from the base of the cliff. This cliff was over half a mile in length and provided me with a natural balcony from which I could observe the treetop life simply by lying on the cliff edge, concealed in the low undergrowth.

Over a period of about a week I spent hours up there and a whole pageant of wildlife passed by. The numbers of birds were incredible, ranging from minute glittering sunbirds in rainbow coloring, zooming like helicopters from blossom to blossom as they fed on the nectar, to the flocks of huge black hornbills with their monstrous yellow beaks who flew in such an ungainly manner and made such a noise over their choice of forest fruits.

From early morning to evening when it grew too dark to see, I watched this parade of creatures. Troops of monkeys swept past, followed by attendant flocks of birds who fed eagerly on the insects that the monkeys disturbed during their noisy crashing through the trees. Squirrels chased each other, or hotly pursued lizards, or simply lay spread-eagled on branches high up in the trees, enjoying the sun.

African Eagle

Language Arts Activity

Besides being an experienced naturalist and writer, Gerald Durrell was also a careful observer. In this selection, he describes in detail the "magical experience" of being in the canopy. Reread Durrell's description. Now work with a partner to write and design a pamphlet that will persuade visitors to come to an African rain forest. For your pamphlet, write strong, lively descriptions of what you might see, hear, and experience. Be persuasive.

Tie It Together

Celebrate Diversity

Rain forests have the greatest biodiversity—variety of plant and animal life—of any ecosystem on Earth. Many species have yet to be discovered! Plan a display for your school to celebrate biodiversity in the rain forests. Include drawings, photos, and detailed captions.

- On a large map, locate and label Earth's tropical rain forests. Divide into groups to choose one rain forest region to research, such as Africa, Brazil, Costa Rica, Hawaii, or Borneo.
- With your group, study several animal and plant species in your chosen rain forest. You might choose monkeys, butterflies, birds, orchids, or medicinal plants.
- For each species, describe its appearance, where it occurs in the rain forest, its role in the ecosystem, and how it is useful to humans.

Grass Frog

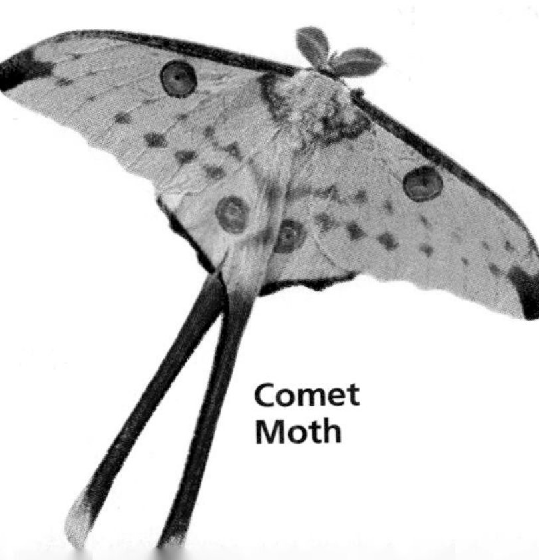

Comet Moth

Mandrill

Chapter 21

Populations and Communities

Chapter Preview

1. **Living Things and the Environment**
   Discover *What's in the Scene?*
   Try This *With or Without Salt?*
   Skills Lab *A World in a Bottle*

2. **Studying Populations**
   Discover *What's the Population of Beans in a Jar?*
   Skills Activity *Calculating*
   Math Skills *Inequalities*
   Active Art *Graphing Changes in a Population*
   Try This *Elbow Room*
   Skills Lab *Counting Turtles*
   Science and Society *Animal Overpopulation*

3. **Interactions Among Living Things**
   Discover *Can You Hide a Butterfly?*
   Analyzing Data *Predator-Prey Interactions*
   Skills Activity *Classifying*
   At-Home Activity *Feeding Frenzy*

4. **Changes in Communities**
   Discover *What Happened Here?*
   At-Home Activity *Community Changes*

A population of Grant's zebras roams on the Masai Mara Reserve in Kenya. ▶

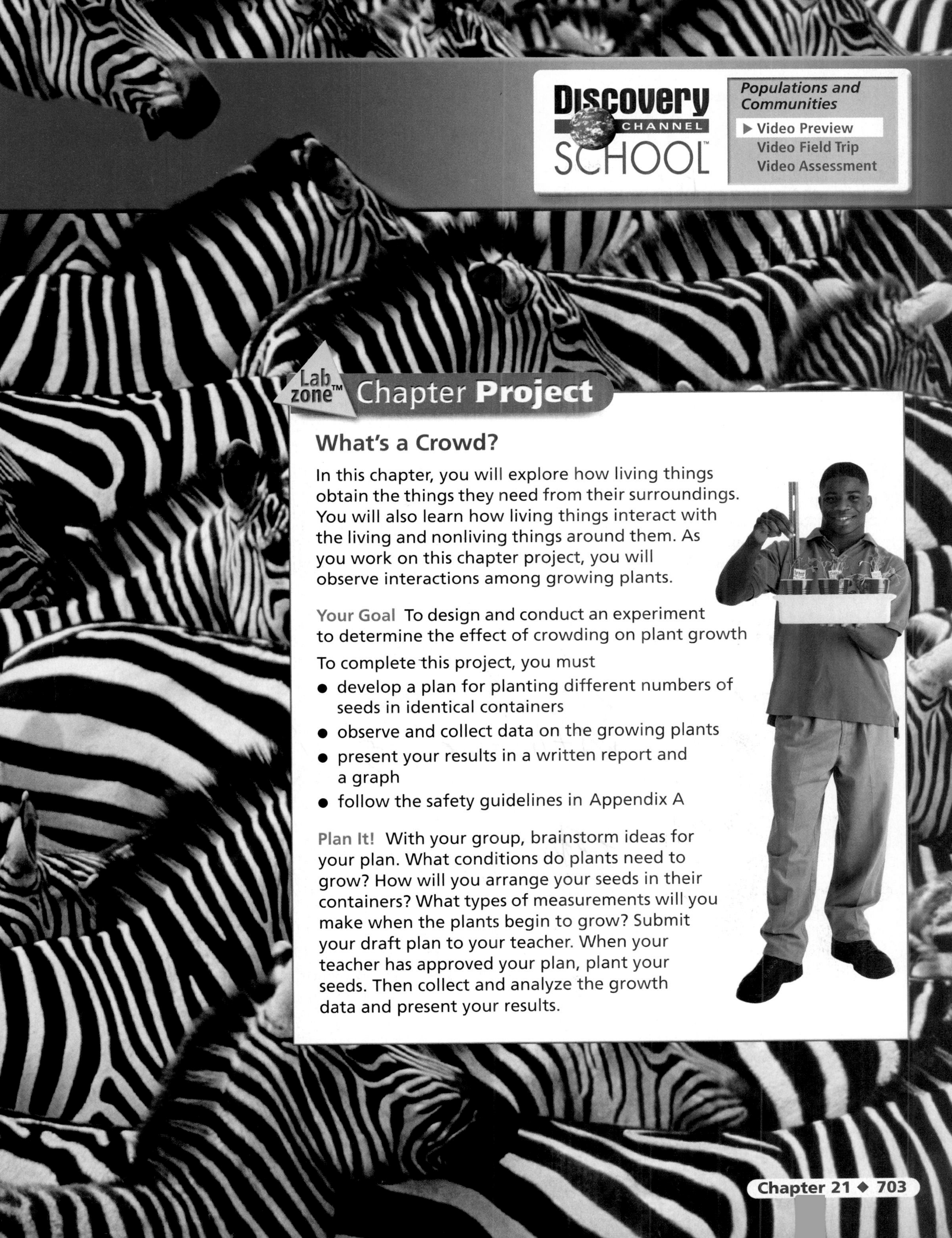

Lab zone™ Chapter **Project**

What's a Crowd?

In this chapter, you will explore how living things obtain the things they need from their surroundings. You will also learn how living things interact with the living and nonliving things around them. As you work on this chapter project, you will observe interactions among growing plants.

Your Goal To design and conduct an experiment to determine the effect of crowding on plant growth

To complete this project, you must

- develop a plan for planting different numbers of seeds in identical containers
- observe and collect data on the growing plants
- present your results in a written report and a graph
- follow the safety guidelines in Appendix A

Plan It! With your group, brainstorm ideas for your plan. What conditions do plants need to grow? How will you arrange your seeds in their containers? What types of measurements will you make when the plants begin to grow? Submit your draft plan to your teacher. When your teacher has approved your plan, plant your seeds. Then collect and analyze the growth data and present your results.

Section 1

Living Things and the Environment

Reading Preview

Key Concepts

- What needs are met by an organism's environment?
- What are the two parts of an organism's habitat with which it interacts?
- What are the levels of organization within an ecosystem?

Key Terms

- organism
- habitat
- biotic factor
- abiotic factor
- photosynthesis
- species
- population
- community
- ecosystem
- ecology

Target Reading Skill

Identifying Main Ideas As you read the Habitats section, write the main idea—the biggest or most important idea—in a graphic organizer like the one below. Then write three supporting details that give examples of the main idea.

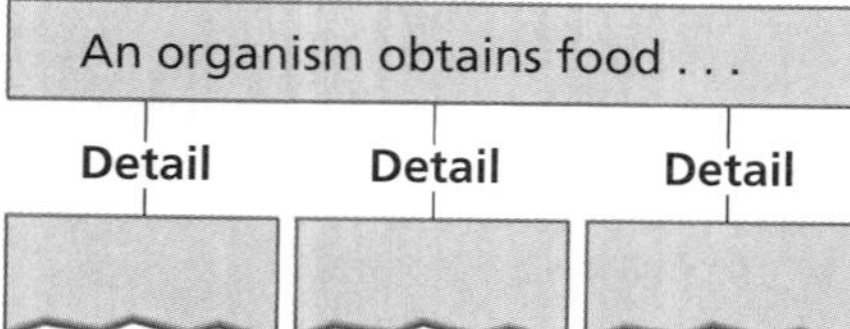

Lab zone Discover Activity

What's in the Scene?

1. Choose a magazine picture of a nature scene. Paste the picture onto a sheet of paper, leaving space all around the picture.
2. Locate everything in the picture that is alive. Use a colored pencil to draw a line from each living thing. If you know its name, write it on the line.
3. Using a different colored pencil, label each nonliving thing.

Think It Over

Inferring How do the living things in the picture depend on the nonliving things? Using a third color, draw lines connecting the living things to the nonliving things they need.

As the sun rises on a warm summer morning, the Nebraska town is already bustling with activity. Some residents are hard at work building homes for their families. They are working underground, where it is dark and cool. Other inhabitants are collecting seeds for breakfast. Some of the town's younger residents are at play, chasing each other through the grass.

Suddenly, an adult spots a threatening shadow—an enemy has appeared in the sky! The adult cries out several times, warning the others. Within moments, the town's residents disappear into their underground homes. The town is silent and still, except for a single hawk circling overhead.

Have you guessed what kind of town this is? It is a prairie dog town on the Nebraska plains. As these prairie dogs dug their burrows, searched for food, and hid from the hawk, they interacted with their environment, or surroundings.

Black-Tailed Prairie Dog ▶

FIGURE 1
An Organism in Its Habitat
Like all organisms, this red-tailed hawk obtains food, water, and shelter from its habitat. Prairie dogs are a major source of food for the red-tailed hawk.

Habitats

A prairie dog is one type of **organism,** or living thing. Different types of organisms must live in different types of environments. **An organism obtains food, water, shelter, and other things it needs to live, grow, and reproduce from its environment.** An environment that provides the things the organism needs to live, grow, and reproduce is called its **habitat.**

One area may contain many habitats. For example, in a forest, mushrooms grow in the damp soil, salamanders live on the forest floor, and woodpeckers build nests in tree trunks.

Organisms live in different habitats because they have different requirements for survival. A prairie dog obtains the food and shelter it needs from its habitat. It could not survive in a tropical rain forest or on the rocky ocean shore. Likewise, the prairie would not meet the needs of a spider monkey or hermit crab.

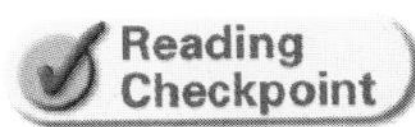

Why do different organisms live in different habitats?

Biotic Factors

To meet its needs, a prairie dog must interact with more than just the other prairie dogs around it. **An organism interacts with both the living and nonliving parts of its habitat.** The living parts of a habitat are called **biotic factors** (by AHT ik). Biotic factors in the prairie dogs' habitat include the grass and plants that provide seeds and berries. The hawks, ferrets, badgers, and eagles that hunt the prairie dogs are also biotic factors. In addition, worms, fungi, and bacteria are biotic factors that live in the soil underneath the prairie grass.

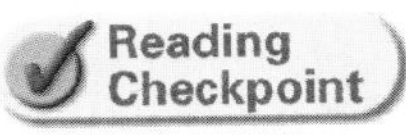

Name a biotic factor in your environment.

FIGURE 2
Abiotic Factors
The nonliving things in an organism's habitat are abiotic factors. **Applying Concepts** *Name three abiotic factors you interact with each day.*

▲ This orangutan is enjoying a drink of water.

▲ Sunlight enables this plant to make its own food.

▲ This banjo frog burrows in the soil to stay cool.

Abiotic Factors

Abiotic factors (ay by AHT ik) are the nonliving parts of an organism's habitat. They include water, sunlight, oxygen, temperature, and soil.

Water All living things require water to carry out their life processes. Water also makes up a large part of the bodies of most organisms. Your body, for example, is about 65 percent water. Plants and algae need water, along with sunlight and carbon dioxide, to make their own food in a process called **photosynthesis** (foh toh SIN thuh sis). Other living things depend on plants and algae for food.

Sunlight Because sunlight is needed for photosynthesis, it is an important abiotic factor for most living things. In places that do not receive sunlight, such as dark caves, plants and algae cannot grow. Because there are no plants or algae to provide food, few other organisms can live in such places.

Oxygen Most living things require oxygen to carry out their life processes. Oxygen is so important to the functioning of the human body that you can live only a few minutes without it. Organisms that live on land obtain oxygen from air, which is about 20 percent oxygen. Fish and other water organisms obtain oxygen that is dissolved in the water around them.

Temperature The temperatures that are typical of an area determine the types of organisms that can live there. For example, if you took a trip to a warm tropical island, you might see colorful orchid flowers and tiny lizards. These organisms could not survive on the frozen plains of Siberia.

Some animals alter their environments so they can survive very hot or very cold temperatures. Prairie dogs, for example, dig underground dens to find shelter from the hot summer sun and cold winter winds.

Soil Soil is a mixture of rock fragments, nutrients, air, water, and the decaying remains of living things. Soil in different areas consists of varying amounts of these materials. The type of soil in an area influences the kinds of plants that can grow there. Many animals, such as the prairie dogs, use the soil itself as a home. Billions of microscopic organisms such as bacteria also live in the soil.

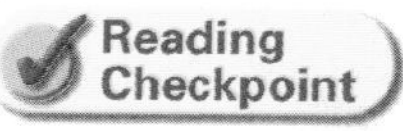

How do abiotic factors differ from biotic factors?

Figure 3
A Population
All these garter snakes make up a population.

Levels of Organization

Of course, organisms do not live all alone in their habitat. Instead, organisms live together in populations and communities, and with abiotic factors in their ecosystems.

Populations In 1900, travelers saw a prairie dog town in Texas that covered an area twice the size of the city of Dallas. The town contained more than 400 million prairie dogs! These prairie dogs were all members of one species, or single kind, of organism. A **species** (SPEE sheez) is a group of organisms that are physically similar and can mate with each other and produce offspring that can also mate and reproduce.

All the members of one species in a particular area are referred to as a **population.** The 400 million prairie dogs in the Texas town are one example of a population. All the pigeons in New York City make up a population, as do all the bees that live in a hive. In contrast, all the trees in a forest do not make up a population, because they do not all belong to the same species. There may be pines, maples, birches, and many other tree species in the forest.

Communities A particular area usually contains more than one species of organism. The prairie, for instance, includes prairie dogs, hawks, grasses, badgers, and snakes, along with many other organisms. All the different populations that live together in an area make up a **community.**

To be considered a community, the different populations must live close enough together to interact. One way the populations in a community may interact is by using the same resources, such as food and shelter. For example, the tunnels dug by prairie dogs also serve as homes for burrowing owls and black-footed ferrets. The prairie dogs share the grass with other animals. Meanwhile, prairie dogs themselves serve as food for many species.

Lab zone Try This **Activity**

With or Without Salt?

In this activity you will explore salt as an abiotic factor.

1. Label four 600-mL beakers A, B, C, and D. Fill each with 500 mL of room-temperature spring water.
2. Set beaker A aside. Add 2.5 grams of noniodized salt to beaker B, 7.5 grams of salt to beaker C, and 15 grams of salt to beaker D. Stir each beaker.
3. Add $\frac{1}{8}$ spoonful of brine shrimp eggs to each beaker.
4. Cover each beaker with a square of paper. Keep them away from direct light or heat. Wash your hands.
5. Observe the beakers daily for three days.

Drawing Conclusions In which beakers did the eggs hatch? What can you conclude about the amount of salt in the shrimps' natural habitat?

For: Links on biotic and abiotic factors
Visit: www.SciLinks.org
Web Code: scn-0511

Ecosystems The community of organisms that live in a particular area, along with their nonliving surroundings, make up an **ecosystem.** A prairie is just one of the many different ecosystems found on Earth. Other ecosystems in which living things make their homes include mountain streams, deep oceans, and evergreen forests.

Figure 4 shows the levels of organization in a prairie ecosystem. **The smallest level of organization is a single organism, which belongs to a population that includes other members of its species. The population belongs to a community of different species. The community and abiotic factors together form an ecosystem.**

Because the populations in an ecosystem interact with one another, any change affects all the different populations that live there. The study of how living things interact with each other and with their environment is called **ecology.** Ecologists are scientists who study ecology. As part of their work, ecologists study how organisms react to changes in their environment. An ecologist, for example, may look at how a fire affects a prairie ecosystem.

What is ecology?

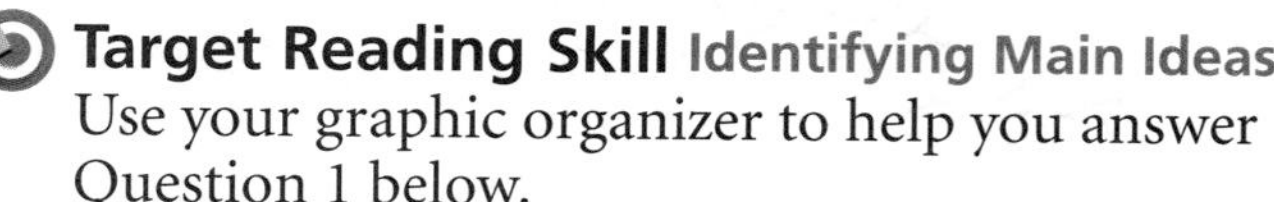

Section 1 Assessment

Target Reading Skill Identifying Main Ideas Use your graphic organizer to help you answer Question 1 below.

Reviewing Key Concepts

1. a. **Listing** What basic needs are provided by an organism's habitat?
   b. **Predicting** What might happen to an organism if its habitat could not meet one of its needs?
2. a. **Defining** Define the terms *biotic factors* and *abiotic factors.*
   b. **Interpreting Illustrations** List all the biotic and abiotic factors in Figure 4.
   c. **Making Generalizations** Explain why water and sunlight are two abiotic factors that are important to most organisms.
3. a. **Sequencing** List these terms in order from the smallest level to the largest: *population, organism, ecosystem, community.*
   b. **Classifying** Would all the different kinds of organisms in a forest be considered a population or a community? Explain.
   c. **Relating Cause and Effect** How might a change in one population affect other populations in a community?

Writing in Science

Descriptive Paragraph What habitat do you live in? Write a one-paragraph description of your habitat. Describe how you obtain the food, water, and shelter you need from your habitat. How does this habitat meet your needs in ways that another would not?

FIGURE 4
Ecological Organization

The smallest level of organization is the organism. The largest is the entire ecosystem.

Organism: Prairie dog

Population: Prairie dog town

Community: All the living things that interact on the prairie

Ecosystem: All the living and nonliving things that interact on the prairie

Lab zone **Skills Lab**

A World in a Bottle

Problem

How do organisms survive in a closed ecosystem?

Skills Focus

making models, observing

Materials

- gravel • soil • moss plants • plastic spoon
- charcoal • spray bottle • large rubber band
- 2 vascular plants • plastic wrap
- pre-cut, clear plastic bottle

Procedure   

1. In this lab, you will place plants in moist soil in a bottle that then will be sealed. This setup is called a terrarium. Predict whether the plants can survive in this habitat.
2. Spread about 2.5 cm of gravel on the bottom of a pre-cut bottle. Then sprinkle a spoonful or two of charcoal over the gravel.
3. Use the spoon to layer about 8 cm of soil over the gravel and charcoal. After you add the soil, tap it down to pack it.
4. Scoop out two holes in the soil. Remove the vascular plants from their pots. Gently place their roots in the holes. Then pack the loose soil firmly around the plants' stems.
5. Fill the spray bottle with water. Spray the soil until you see water collecting in the gravel.
6. Cover the soil with the moss plants, including the areas around the stems of the vascular plants. Lightly spray the mosses with water.
7. Tightly cover your terrarium with plastic wrap. Secure the cover with a rubber band. Place the terrarium in bright, indirect light.
8. Observe your terrarium daily for two weeks. Record your observations in your notebook. If its sides fog, move the terrarium to an area with a different amount of light. You may need to move it a few times. Note any changes you make in your terrarium's location.

Analyze and Conclude

1. **Making Models** List all of the biotic factors and abiotic factors that are part of your ecosystem model.
2. **Observing** Were any biotic or abiotic factors able to enter the terrarium? If so, which ones?
3. **Inferring** Draw a diagram showing the interactions between the terrarium's biotic and abiotic factors.
4. **Predicting** Suppose a plant-eating insect were added to the terrarium. Predict whether it would be able to survive. Explain your prediction.
5. **Communicating** Write a paragraph that explains how your terrarium models an ecosystem on Earth. How does your model differ from that ecosystem?

Design an Experiment

Plan an experiment that would model a fresh-water ecosystem. How would this model be different from the land ecosystem? *Obtain your teacher's approval before carrying out your plan.*

Section 2

Integrating Mathematics

Studying Populations

Reading Preview

Key Concepts

- How do ecologists determine the size of a population?
- What causes populations to change in size?
- What factors limit population growth?

Key Terms

- estimate
- birth rate
- death rate
- immigration
- emigration
- population density
- limiting factor
- carrying capacity

Target Reading Skill

Asking Questions Before you read, preview the red headings. In a graphic organizer like the one below, ask a question for each heading. As you read, write the answers to your questions.

Studying Populations

Question	Answer
How do you determine population size?	Some methods of determining population size are . . .

Lab zone Discover Activity

What's the Population of Beans in a Jar?

1. Fill a plastic jar with dried beans. This is your model population.
2. Your goal is to determine the bean population size, but you will not have time to count every bean. You may use any of the following to help you: a ruler, a small beaker, another large jar. Set a timer for two minutes when you are ready to begin.
3. After two minutes, record your answer. Then count the beans. How close was your answer?

Think It Over

Forming Operational Definitions In this activity, you came up with an estimate of the size of the bean population. Write a definition of the term *estimate* based on what you did.

How would you like to be an ecologist today? Your assignment is to study the albatross population on an island. One question you might ask is how the size of the albatross population has changed over time. Is the number of albatrosses on the island more than, less than, or the same as it was 50 years ago? To answer this question, you must first determine the current size of the albatross population.

FIGURE 5
Studying Populations
These young albatrosses are part of a larger albatross population in the Falkland Islands.

Determining Population Size

Some methods of determining the size of a population are direct and indirect observations, sampling, and mark-and-recapture studies.

Direct Observation The most obvious way to determine the size of a population is to count all of its members. For example, you could try to count all the crabs in a tide pool.

Indirect Observation Sometimes it may be easier to observe signs of organisms rather than the organisms themselves. Look at the mud nests built by cliff swallows in Figure 6. Each nest has one entrance hole. By counting the entrance holes, you can determine the number of swallow nests in this area. Suppose that the average number of swallows per nest is four: two parents and two offspring. If there are 120 nests, you can multiply 120 by 4 to determine that there are 480 swallows.

Sampling In many cases, it is not even possible to count signs of every member of a population. The population may be very large or spread over a wide area. In such cases, ecologists usually make an estimate. An **estimate** is an approximation of a number, based on reasonable assumptions.

FIGURE 6
Determining Population Size
Scientists use a variety of methods to determine the size of a population.

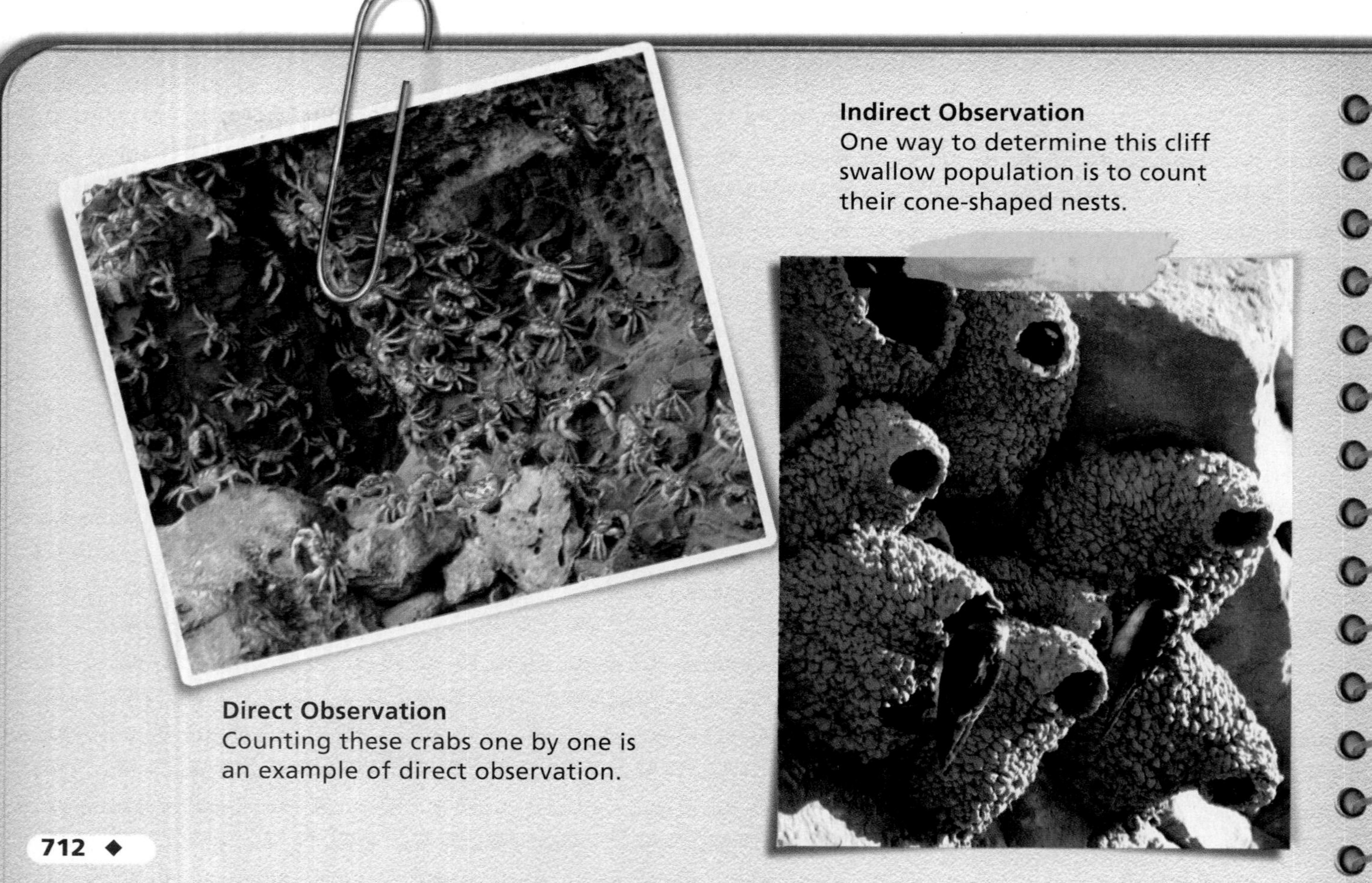

Direct Observation
Counting these crabs one by one is an example of direct observation.

Indirect Observation
One way to determine this cliff swallow population is to count their cone-shaped nests.

One way to estimate the size of a population is to count the number of organisms in a small area (a sample), and then multiply to find the number in a larger area. To get the most accurate estimate, your sample area should be typical of the larger area. Suppose you count 8 birch trees in 100 square meters of a forest. If the entire forest were 100 times that size, you would multiply your count by 100 to estimate the total population, or 800 birch trees.

Mark-and-Recapture Studies Another estimating method is called "mark and recapture." Here's an example showing how mark and recapture works. First, turtles in a bay are caught in a way that does not harm them. Ecologists count the turtles and mark each turtle's shell with a dot of paint before releasing it. Two weeks later, the researchers return and capture turtles again. They count how many turtles have marks, showing that they have been recaptured, and how many are unmarked. Using a mathematical formula, the ecologists can estimate the total population of turtles in the bay. You can try this technique for yourself in the Skills Lab at the end of this section.

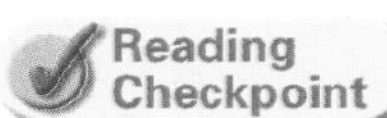

When might an ecologist use indirect observation to estimate a population?

Lab zone Skills Activity

Calculating

An oyster bed is 100 meters long and 50 meters wide. In a 1-square-meter area you count 20 oysters. Estimate the population of oysters in the bed. (*Hint:* Drawing a diagram may help you set up your calculation.)

Sampling
To estimate the birch tree population in a forest, count the birches in a small area. Then multiply to find the number in the larger area.

Mark and Recapture
This researcher is releasing a marked turtle as part of a mark-and-recapture study.

Changes in Population Size

By returning to a location often and using one of the methods described on the previous page, ecologists can monitor the size of a population over time. **Populations can change in size when new members join the population or when members leave the population.**

Births and Deaths The main way in which new individuals join a population is by being born into it. The **birth rate** of a population is the number of births in a population in a certain amount of time. For example, suppose that a population of 100 cottontail rabbits produces 600 young in a year. The birth rate in this population would be 600 young per year.

The main way that individuals leave a population is by dying. The **death rate** is the number of deaths in a population in a certain amount of time. If 400 rabbits die in a year in the population, the death rate would be 400 rabbits per year.

The Population Statement When the birth rate in a population is greater than the death rate, the population will generally increase. This can be written as a mathematical statement using the "is greater than" sign:

If birth rate $>$ death rate, population size increases.

However, if the death rate in a population is greater than the birth rate, the population size will generally decrease. This can also be written as a mathematical statement:

If death rate $>$ birth rate, population size decreases.

Immigration and Emigration The size of a population also can change when individuals move into or out of the population, just as the population of your town changes when families move into town or move away. **Immigration** (im ih GRAY shun) means moving into a population. **Emigration** (em ih GRAY shun) means leaving a population. For instance, if food is scarce, some members of an antelope herd may wander off in search of better grassland. If they become permanently separated from the original herd, they will no longer be part of that population.

Graphing Changes in Population Changes in a population's size can be displayed on a line graph. Figure 7 shows a graph of the changes in a rabbit population. The vertical axis shows the numbers of rabbits in the population, while the horizontal axis shows time. The graph shows the size of the population over a ten-year period.

Math Skills

Inequalities

The population statement is an example of an inequality. An inequality is a mathematical statement that compares two expressions. Two signs that represent inequalities are

$<$ **(is less than)**

$>$ **(is greater than)**

For example, an inequality comparing the fraction to the decimal 0.75 would be written

$$\frac{1}{2} < 0.75$$

Practice Problems Write an inequality comparing each pair of expressions below.

1. $5 \blacksquare -6$
2. $0.4 \blacksquare \frac{3}{5}$
3. $-2 - (-8) \blacksquare 7 - 1.5$

FIGURE 7
This line graph shows how the size of a rabbit population changed over a ten-year period.
Interpreting Graphs *In what year did the rabbit population reach its highest point? What was the size of the population in that year?*

Go Online
active art
For: Changes in Population activity
Visit: PHSchool.com
Web Code: cep-5012

▼ Young cottontail rabbits in a nest

From Year 0 to Year 4, more rabbits joined the population than left it, so the population increased.

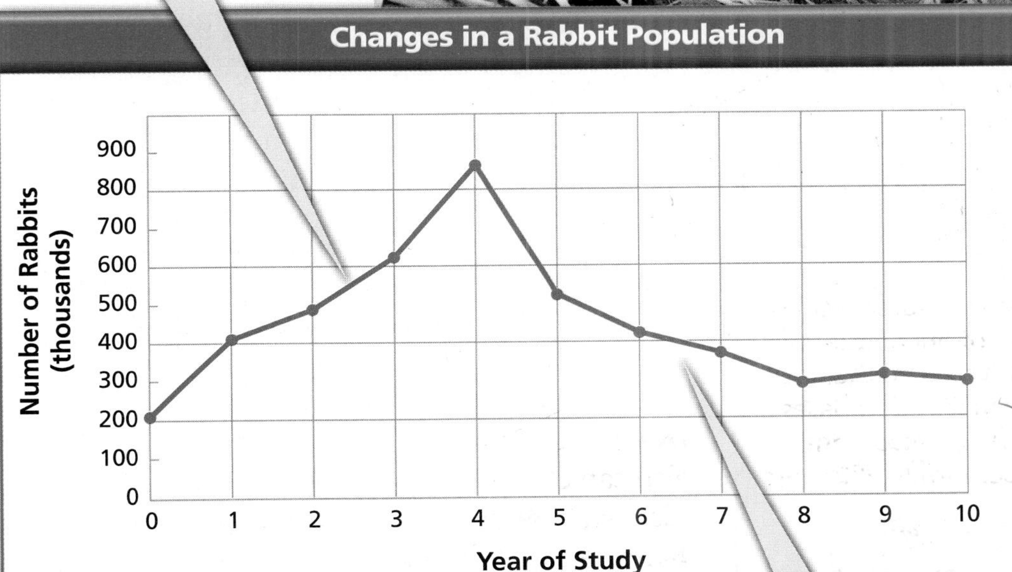

From Year 4 to Year 8, more rabbits left the population than joined it, so the population decreased.

◀ Cottontail rabbit caught by a fox

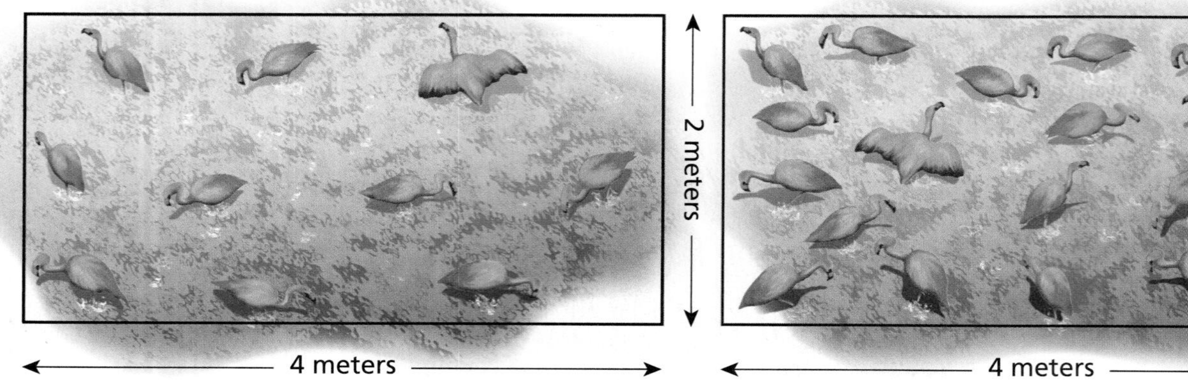

FIGURE 8
Population Density
In the pond on the top left, there are ten flamingos in 8 square meters. The population density is 1.25 flamingos per square meter.
Calculating *What is the population density of the flamingos in the pond on the top right?*

Population Density Sometimes an ecologist may need to know more than just the total size of a population. In many situations, it is helpful to know the **population density**—the number of individuals in an area of a specific size. Population density can be written as an equation:

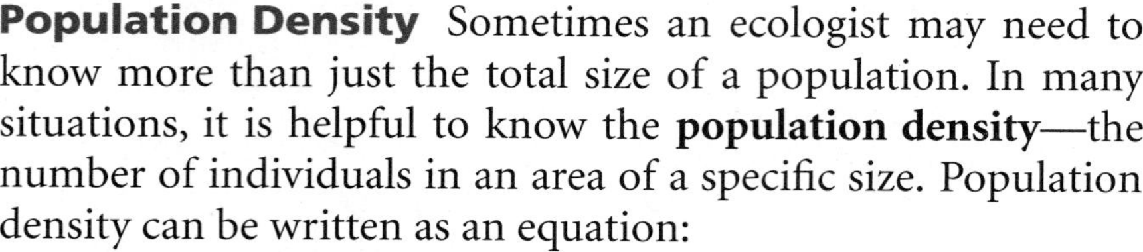

$$\text{Population density} = \frac{\text{Number of individuals}}{\text{Unit area}}$$

For example, suppose you counted 20 monarch butterflies in a garden measuring 10 square meters. The population density would be 20 monarchs per 10 square meters, or 2 monarchs per square meter.

What is meant by the term *population density?*

Limiting Factors

When the living conditions in an area are good, a population will generally grow. But eventually some environmental factor will cause the population to stop growing. A **limiting factor** is an environmental factor that causes a population to decrease. **Some limiting factors for populations are food and water, space, and weather conditions.**

Food and Water Organisms require food and water to survive. Since food and water are often in limited supply, they are often limiting factors. Suppose a giraffe must eat 10 kilograms of leaves each day to survive. The trees in an area can provide 100 kilograms of leaves a day while remaining healthy. Five giraffes could live easily in this area, since they would only require a total of 50 kilograms of food. But 15 giraffes could not all survive—there would not be enough food. No matter how much shelter, water, and other resources there were, the population would not grow much larger than 10 giraffes.

◂ Greater flamingo

The largest population that an area can support is called its **carrying capacity.** The carrying capacity of this giraffe habitat would be 10 giraffes. A population usually stays near its carrying capacity because of the limiting factors in its habitat.

FIGURE 9
Food as a Limiting Factor
These jackals are fighting over the limited food available to them.

Space Space is another limiting factor for populations. Gannets are seabirds that are usually seen flying over the ocean. They come to land only to nest on rocky shores. But the nesting shores get very crowded. If a pair does not find room to nest, they will not be able to add any offspring to the gannet population. So nesting space on the shore is a limiting factor for gannets. If there were more nesting space, more gannets would be able to nest, and the population would increase.

Space is also a limiting factor for plants. The amount of space in which a plant grows determines whether the plant can obtain the sunlight, water, and soil nutrients it needs. For example, many pine seedlings sprout each year in a forest. But as the seedlings grow, the roots of those that are too close together run out of space. Branches from other trees may block the sunlight the seedlings need. Some of the seedlings then die, limiting the size of the pine population.

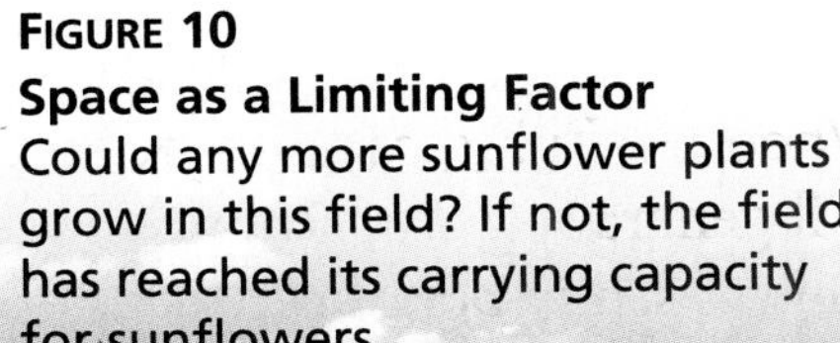

FIGURE 10
Space as a Limiting Factor
Could any more sunflower plants grow in this field? If not, the field has reached its carrying capacity for sunflowers.

Lab zone Try This **Activity**

Elbow Room

1. Using masking tape, mark off several one-meter squares on the floor of your classroom.
2. Your teacher will set up groups of 2, 4, and 6 students. Each group's task is to put together a small jigsaw puzzle in one of the squares. All the group members must keep their feet within the square.
3. Time how long it takes your group to finish the puzzle.

Making Models How long did it take each group to complete the task? How does this activity show that space can be a limiting factor? What is the carrying capacity of puzzle-solvers in a square meter?

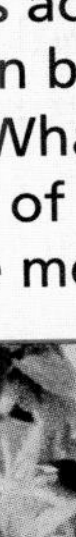

FIGURE 11
Weather as a Limiting Factor
A snowstorm can limit the size of an orange crop.
Applying Concepts *What other weather conditions can limit population growth?*

Weather Weather conditions such as temperature and the amount of rainfall can also limit population growth. A cold snap in late spring can kill the young of many species of organisms, including birds and mammals. A hurricane or flood can wash away nests and burrows. Such unusual events can have long-lasting effects on population size.

Reading Checkpoint **What is one weather condition that can limit the growth of a population?**

Section 2 Assessment

Target Reading Skill **Asking Questions** Use the answers to the questions you wrote about the headings to help you answer the questions below.

Reviewing Key Concepts

1. a. **Listing** What are four methods of determining population size?
   b. **Applying Concepts** Which method would you use to determine the number of mushrooms growing on the floor of a large forest? Explain.
2. a. **Identifying** Name two ways organisms join a population and two ways organisms leave a population.
   b. **Calculating** Suppose a population of 100 mice has produced 600 young. If 200 mice have died, how many mice are in the population now? (Assume for this question that no mice have moved into or out of the population for other reasons.)
   c. **Drawing Conclusions** Suppose that you discovered that there were actually 750 mice in the population. How could you account for the difference?
3. a. **Reviewing** Name three limiting factors for populations.
   b. **Describing** Choose one of the limiting factors and describe how it limits population growth.
   c. **Inferring** How might the limiting factor you chose affect the pigeon population in your town?

Math Practice

4. **Inequalities** Complete the following inequality showing the relationship between carrying capacity and population size. Then explain why the inequality is true.

   If population size ■ carrying capacity, then population size will decrease.

Counting Turtles

Problem

How can the mark-and-recapture method help ecologists monitor the size of a population?

Skills Focus

calculating, graphing, predicting

Materials

- model paper turtle population
- calculator
- graph paper

Procedure

1. The data table shows the results from the first three years of a population study to determine the number of snapping turtles in a pond. Copy the table into your notebook.

Data Table

Year	Number Marked	Total Number Captured	Number Recaptured (With Marks)	Estimated Total Population
1	32	28	15	
2	25	21	11	
3	23	19	11	
4	15			

2. Your teacher will give you a box representing the pond. Fifteen of the turtles have been marked, as shown in the data table for Year 4.
3. Capture a member of the population by randomly selecting one turtle. Set it aside.
4. Repeat Step 3 nine times. Record the total number of turtles you captured.
5. Examine each turtle to see whether it has a mark. Count the number of recaptured (marked) turtles. Record this number in your data table.

Analyze and Conclude

1. **Calculating** Use the equation below to estimate the turtle population for each year. The first year is done for you as a sample. If your answer is a decimal, round it to the nearest whole number. Record the population for each year in the last column of the data table.

$$\text{Total population} = \frac{\text{Number marked} \times \text{Total number captured}}{\text{Number recaptured (with marks)}}$$

Sample (Year 1):

$$\frac{32 \times 28}{15} = 59.7 \text{ or } 60 \text{ turtles}$$

2. **Graphing** Graph the estimated total populations for the four years. Mark years on the horizontal axis. Mark population size on the vertical axis.
3. **Interpreting Data** Describe how the turtle population has changed over the four years of the study. Suggest three possible causes for the changes.
4. **Predicting** Use your graph to predict what the turtle population will be in Year 5. Explain your prediction.
5. **Communicating** Write a paragraph that explains why the mark-and-recapture method is a useful tool for ecologists. When is this technique most useful for estimating a population's size?

More to Explore

Suppose that only six turtles had been recaptured in Year 2. How would this change your graph?

Animal Overpopulation: How Can People Help?

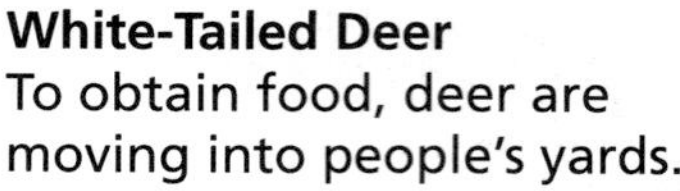

White-Tailed Deer
To obtain food, deer are moving into people's yards.

Populations of white-tailed deer are growing rapidly in many parts of the United States. As populations soar, food becomes a limiting factor. Many deer die of starvation. Others grow up small and unhealthy. In search of food, hungry deer move closer to where humans live. There they eat farm crops, garden vegetables, shrubs, and even trees. In addition, increased numbers of deer near roads can cause automobile accidents.

People admire the grace and swiftness of deer. Most people don't want these animals to suffer from starvation or illness. Should people take action to limit growing deer populations?

Wildlife Technician
This wildlife researcher in Virginia studies white-tailed deer populations. Here he prepares to tag a young deer.

The Issues

Should People Take Direct Action?

Many people argue that hunting is the best way to reduce animal populations. Wildlife managers look at the supply of resources in an area and determine its carrying capacity. Then hunters are issued licenses to help reduce the number of deer. Hunting is usually not allowed in cities or suburbs, however.

Some people favor nonhunting approaches to control deer populations. One plan is to trap the deer and relocate them. But this method is expensive and requires finding another location that can accept the deer without upsetting the balance of its own ecosystem.

Scientists are also working to develop chemicals to reduce the birth rate in deer populations. But this plan is effective for only one year at a time.

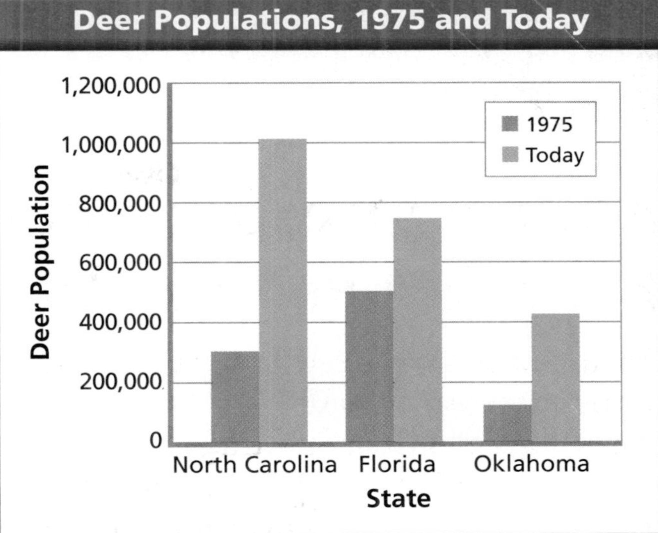

White-Tailed Deer Populations
This graph shows how the deer populations have grown in North Carolina, Florida, and Oklahoma.

Should People Take Indirect Action?

Some suggest bringing in natural predators of deer, such as wolves, mountain lions, and bears, to areas with too many deer. But these animals could also attack cattle, dogs, cats, and even humans. Other communities have built tall fences around areas to keep out the deer. However, this solution is impractical for farmers or ranchers.

Should People Do Nothing?

Some people oppose any kind of action. They support leaving the deer alone and allowing nature to take its course. Animal populations in an area naturally cycle up and down over time. Doing nothing means that some deer will die of starvation or disease. But eventually, the population will be reduced to a size within the carrying capacity of the environment.

You Decide

1. **Identify the Problem**
   In your own words, explain the problem created by the over-population of white-tailed deer.
2. **Analyze the Options**
   List the ways that people can deal with the overpopulation of white-tailed deer. State the positive and negative points of each method.
3. **Find a Solution**
   Suppose you are an ecologist in an area that has twice as many deer as it can support. Propose a way for the community to deal with the problem.

For: More on white-tailed deer overpopulation
Visit: PHSchool.com
Web Code: ceh-5010

Section 3

Interactions Among Living Things

Reading Preview

Key Concepts

- How do an organism's adaptations help it to survive?
- What are the major ways in which organisms in an ecosystem interact?
- What are the three types of symbiotic relationships?

Key Terms

- natural selection
- adaptations • niche
- competition • predation
- predator • prey • symbiosis
- mutualism • commensalism
- parasitism • parasite • host

Target Reading Skill

Using Prior Knowledge Before you read, look at the section headings and visuals to see what this section is about. Then write what you know about how living things interact in a graphic organizer like the one below. As you read, continue to write in what you learn.

What You Know
1. Organisms interact in different ways. 2.

What You Learned
1. 2.

Lab zone Discover Activity

Can You Hide a Butterfly?

1. Trace a butterfly on a piece of paper, using the outline shown here.
2. Look around the classroom and pick a spot where you will place your butterfly. You must place your butterfly out in the open. Color your butterfly so it will blend in with the spot you choose.

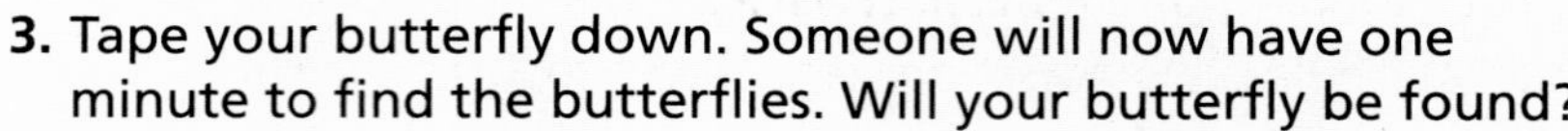

3. Tape your butterfly down. Someone will now have one minute to find the butterflies. Will your butterfly be found?

Think It Over

Predicting Over time, do you think the population size of butterflies that blend in with their surroundings would increase or decrease?

Can you imagine living in a cactus like the one in Figure 12? Ouch! You probably wouldn't want to live in a house covered with sharp spines. But many species live in, on, and around saguaro cactuses.

As day breaks, a twittering sound comes from a nest tucked in one of the saguaro's arms. Two young red-tailed hawks are preparing to fly for the first time. Farther down the stem, a tiny elf owl peeks out of its nest in a small hole. This owl is so small it could fit in your palm! A rattlesnake slithers around the base of the saguaro, looking for lunch. Spying a shrew, the snake strikes it with its needle-like fangs. The shrew dies instantly.

Activity around the saguaro continues after sunset. Long-nosed bats come out to feed on the nectar from the saguaro's blossoms. The bats stick their faces into the flowers to feed, dusting their long snouts with white pollen. As they move from plant to plant, they carry the pollen to other saguaros. This enables the cactuses to reproduce.

Adapting to the Environment

Each organism in the saguaro community has unique characteristics. These characteristics affect the individual's ability to survive in its environment.

Natural Selection A characteristic that makes an individual better suited to its environment may eventually become common in that species through a process called **natural selection.** Natural selection works like this: Individuals whose unique characteristics are best suited for their environment tend to survive and produce offspring. Offspring that inherit these characteristics also live to reproduce. In this way, natural selection results in **adaptations,** the behaviors and physical characteristics that allow organisms to live successfully in their environments.

Individuals with characteristics that are poorly suited to the environment are less likely to survive and reproduce. Over time, poorly suited characteristics may disappear from the species.

Niche **Every organism has a variety of adaptations that are suited to its specific living conditions.** The organisms in the saguaro community have adaptations that result in specific roles. The role of an organism in its habitat, or how it makes its living, is called its **niche.** A niche includes the type of food the organism eats, how it obtains this food, and which other organisms use the organism as food. A niche also includes when and how the organism reproduces and the physical conditions it requires to survive.

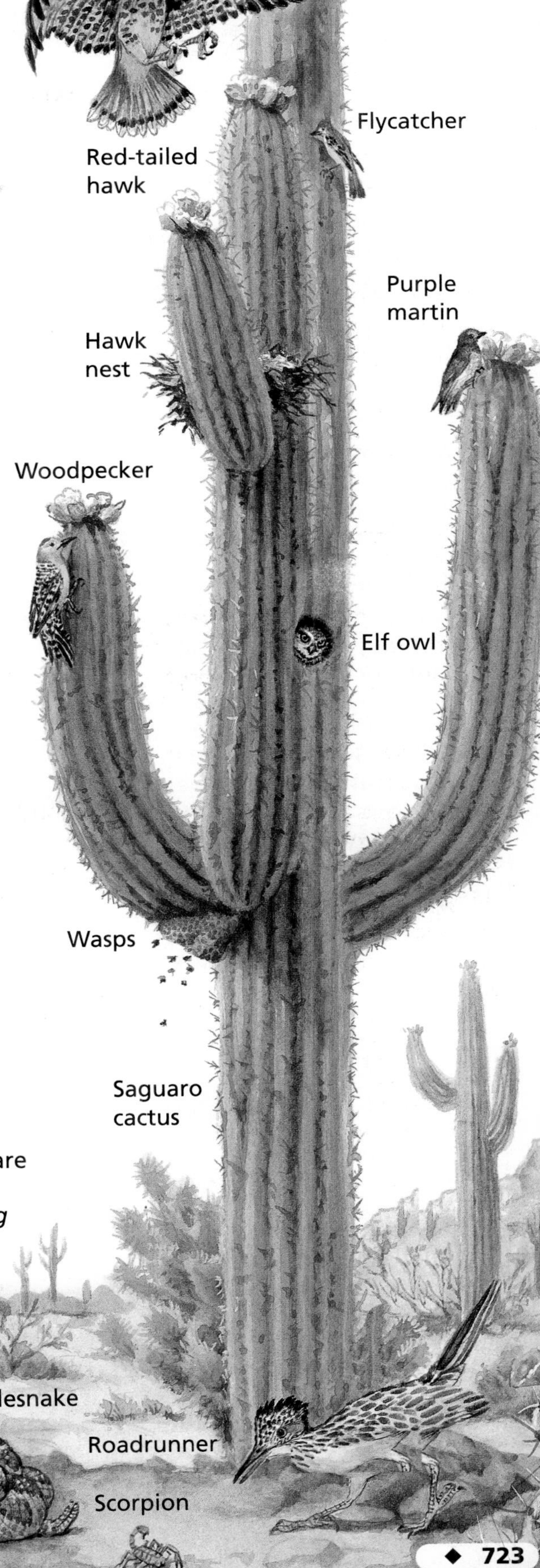

FIGURE 12
Saguaro Community
The organisms in the saguaro community are well adapted to their desert environment.
Observing *Identify two interactions taking place in this scene.*

Cape May Warbler
This species feeds at the tips of branches near the top of the tree.

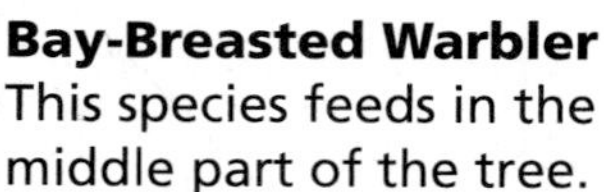

Bay-Breasted Warbler
This species feeds in the middle part of the tree.

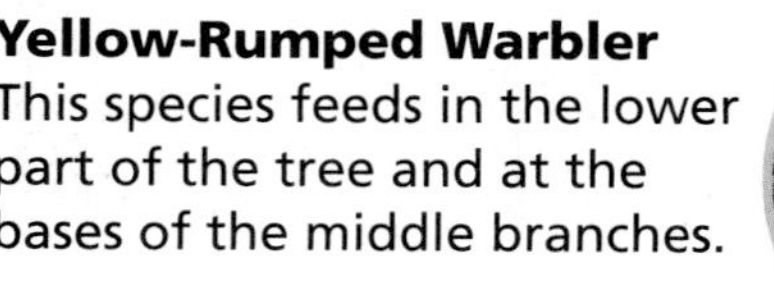

Yellow-Rumped Warbler
This species feeds in the lower part of the tree and at the bases of the middle branches.

FIGURE 13
Niche and Competition
Each of these warblers occupies a different niche in its spruce tree habitat. By feeding in different areas of the tree, the birds avoid competing for food.
Comparing and Contrasting
How do the niches of these three warblers differ?

Competition

During a typical day in the saguaro community, a range of interactions takes place among organisms. **There are three major types of interactions among organisms: competition, predation, and symbiosis.**

Different species can share the same habitat and food requirements. For example, the roadrunner and the elf owl both live on the saguaro and eat insects. However, these two species do not occupy exactly the same niche. The roadrunner is active during the day, while the owl is active mostly at night. If two species occupy the same niche, one of the species will eventually die off. The reason for this is **competition,** the struggle between organisms to survive as they attempt to use the same limited resource.

In any ecosystem, there is a limited amount of food, water, and shelter. Organisms that survive have adaptations that enable them to reduce competition. For example, the three species of warblers in Figure 13 live in the same spruce forest habitat. They all eat insects that live in the spruce trees. How do these birds avoid competing for the limited insect supply? Each warbler "specializes" in feeding in a certain part of a spruce tree. This is how the three species coexist.

For: More on population interactions
Visit: PHSchool.com
Web Code: ced-5013

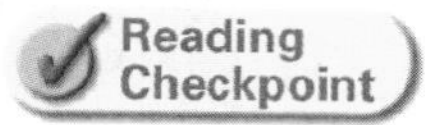

Why can't two species occupy the same niche?

Predation

A tiger shark lurks below the surface of the clear blue water, looking for shadows of albatross chicks floating above. The shark spots a chick and silently swims closer. Suddenly, the shark bursts through the water and seizes the albatross with one snap of its powerful jaw. This interaction between two organisms has an unfortunate ending for the albatross.

An interaction in which one organism kills another for food is called **predation.** The organism that does the killing, in this case the tiger shark, is the **predator.** The organism that is killed, in this case the albatross, is the **prey.**

The Effect of Predation on Population Size Predation can have a major effect on the size of a population. Recall from Section 2 that when the death rate exceeds the birth rate in a population, the size of that population usually decreases. So if there are many predators, the result is often a decrease in the size of the population of their prey. But a decrease in the number of prey results in less food for their predators. Without adequate food, the predator population starts to decline. So, generally, populations of predators and their prey rise and fall in related cycles.

FIGURE 14
Predation
This green tree python and mouse are involved in a predator-prey interaction.

Math Analyzing Data

Predator-Prey Interactions

On Isle Royale, an island in Lake Superior, the populations of wolves (the predator) and moose (the prey) rise and fall in cycles. Use the graph to answer the questions.

1. **Reading Graphs** What variable is plotted on the *x*-axis? What two variables are plotted on the *y*-axis?
2. **Interpreting Data** How did the moose population change between 1965 and 1972? What happened to the wolf population from 1973 through 1976?
3. **Inferring** How might the change in the moose population have led to the change in the wolf population?
4. **Drawing Conclusions** What is one likely cause of the dip in the moose population between 1974 and 1981?

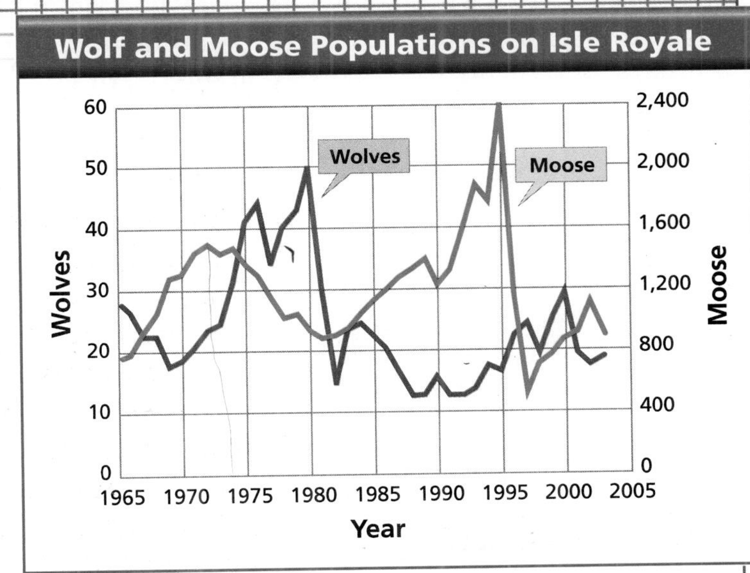

5. **Predicting** How might a disease in the wolf population one year affect the moose population the next year?

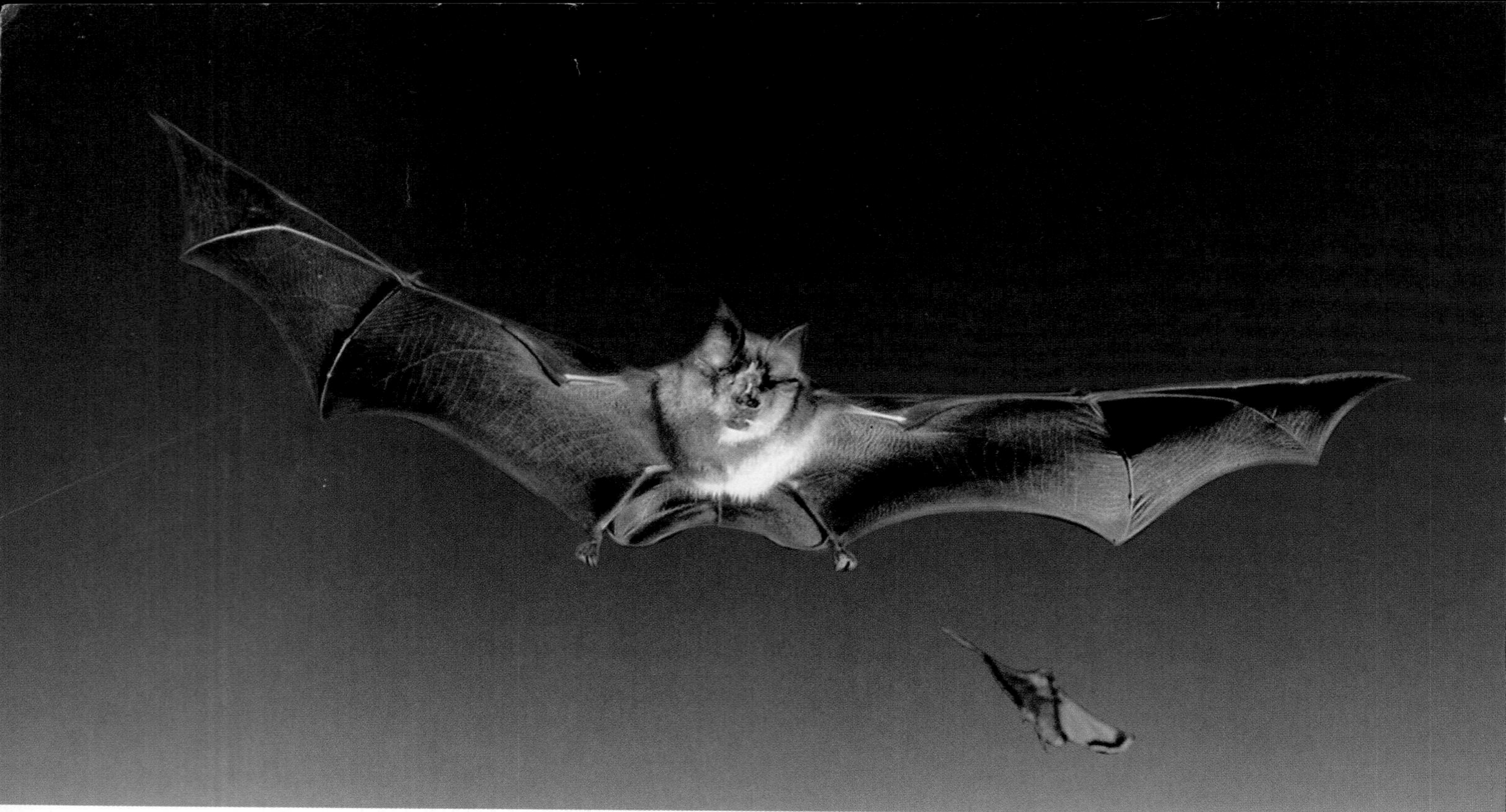

FIGURE 15
Predator Adaptations
This greater horseshoe bat has adaptations that allow it to find prey in the dark. The bat produces pulses of sound and locates prey by interpreting the echoes.
Inferring *What other adaptations might contribute to the bat's success as a predator?*

Predator Adaptations Predators have adaptations that help them catch and kill their prey. For example, a cheetah can run very fast for a short time, enabling it to catch its prey. A jellyfish's tentacles contain a poisonous substance that paralyzes tiny water animals. Some plants, too, have adaptations for catching prey. The sundew is covered with sticky bulbs on stalks—when a fly lands on the plant, it remains snared in the sticky goo while the plant digests it.

Some predators have adaptations that enable them to hunt at night. For example, the big eyes of an owl let in as much light as possible to help it see in the dark. Insect-eating bats can hunt without seeing at all. Instead, they locate their prey by producing pulses of sound and listening for the echoes. This precise method enables a bat to catch a flying moth in complete darkness.

Prey Adaptations How do organisms avoid being killed by such effective predators? Organisms have many kinds of adaptations that help them avoid becoming prey. The alertness and speed of an antelope help protect it from its predators. And you're probably not surprised that the smelly spray of a skunk helps keep its predators at a distance. As you can see in Figure 16, other organisms also have some very effective ways to avoid becoming a predator's next meal.

What are two predator adaptations?

FIGURE 16

Defense Strategies

Organisms display a wide array of adaptations that help them avoid becoming prey.

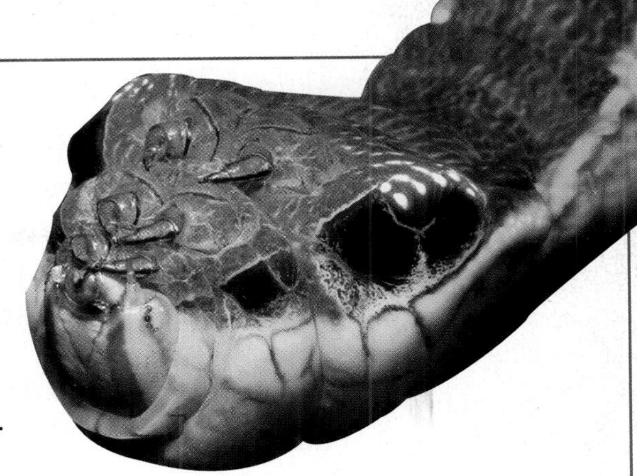

Mimicry ▶

If you're afraid of snakes, you'd probably be terrified to see this organism staring at you. But this caterpillar only looks like a snake. Its convincing resemblance to a viper tricks would-be predators into staying away.

Protective Covering ▼

Have you ever seen a pine cone with a face? This organism is actually a pangolin, a small African mammal. When threatened, the pangolin protects itself by rolling up into a scaly ball.

False Coloring ▲

If you saw this moth in a dark forest, you might think you were looking into the eyes of a large mammal. The large false eyespots on the moth's wings scare potential predators away.

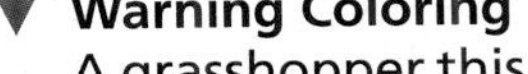

▼ Warning Coloring

A grasshopper this brightly colored can't hide. So what defense does it have against predators? Like many brightly colored animals, this grasshopper is poisonous. Its bright blue and yellow colors warn predators not to eat it.

Camouflage ▲

Is it a leaf? Actually, it's a walking leaf insect. But if you were a predator, you might be fooled into looking elsewhere for a meal.

Lab zone Skills Activity

Classifying

Classify each interaction as an example of mutualism, commensalism, or parasitism. Explain your answers.

- A remora fish attaches itself to the underside of a shark without harming the shark, and eats left-over bits of food from the shark's meals.
- A vampire bat drinks the blood of horses.
- Bacteria living in cows' stomachs help them break down the cellulose in grass.

Symbiosis

Many of the interactions in the saguaro community you read about are examples of symbiosis. **Symbiosis** (sim bee OH sis) is a close relationship between two species that benefits at least one of the species. **The three types of symbiotic relationships are mutualism, commensalism, and parasitism.**

Mutualism A relationship in which both species benefit is called **mutualism** (MYOO choo uh liz um). The relationship between the saguaro and the long-eared bats is an example of mutualism. The bats benefit because the cactus flowers provide them with food. The saguaro benefits as its pollen is carried to another plant on the bat's nose.

In some cases of mutualism, two species are so dependent on each other that neither could live without the other. This is true for some species of acacia trees and stinging ants in Central and South America. The stinging ants nest only in the acacia tree, whose thorns discourage the ants' predators. The tree also provides the ants' only food. The ants, in turn, attack other animals that approach the tree and clear competing plants away from the base of the tree. To survive, each species needs the other.

Commensalism A relationship in which one species benefits and the other species is neither helped nor harmed is called **commensalism** (kuh MEN suh liz um). The red-tailed hawks' interaction with the saguaro is an example of commensalism. The hawks benefit by having a place to build their nest, while the cactus is not affected by the hawks.

Commensalism is not very common in nature because two species are usually either helped or harmed a little by any interaction. For example, by creating a small hole for its nest in the cactus stem, the elf owl slightly damages the cactus.

FIGURE 17
Mutualism
Three yellow-billed oxpeckers get a cruise and a snack aboard an obliging hippopotamus. The oxpeckers eat ticks living on the hippo's skin. Since both the birds and the hippo benefit from this interaction, it is an example of mutualism.

Parasitism Parasitism (PA ruh sit iz um) involves one organism living on or inside another organism and harming it. The organism that benefits is called a **parasite,** and the organism it lives on or in is called a **host.** The parasite is usually smaller than the host. In a parasitic relationship, the parasite benefits from the interaction while the host is harmed.

Some common parasites are fleas, ticks, and leeches. These parasites have adaptations that enable them to attach to their host and feed on its blood. Other parasites live inside the host's body, such as tapeworms that live inside the digestive systems of dogs, wolves, and some other mammals.

Unlike a predator, a parasite does not usually kill the organism it feeds on. If the host dies, the parasite loses its source of food. An interesting example of this rule is shown by a species of mite that lives in the ears of moths. The mites almost always live in just one of the moth's ears. If they live in both ears, the moth's hearing is so badly affected that it is likely to be quickly caught and eaten by its predator, a bat.

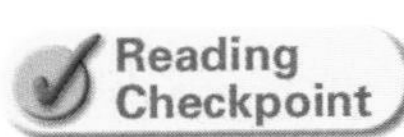

Why doesn't a parasite usually kill its host?

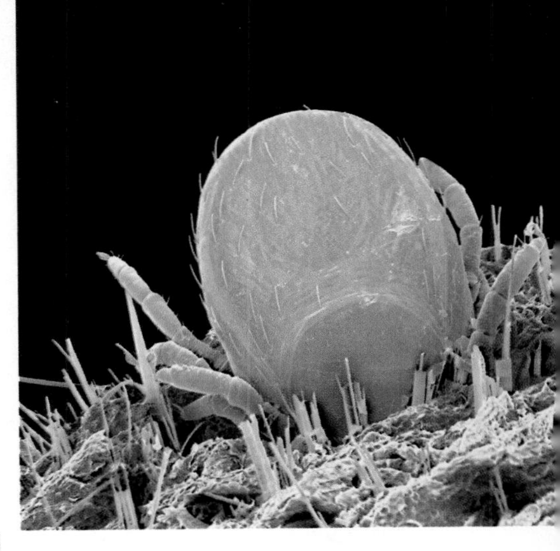

FIGURE 18
Parasitism
Ticks feed on the blood of certain animals. Classifying *Which organism in this interaction is the parasite? Which organism is the host?*

Section 3 Assessment

Target Reading Skill Using Prior Knowledge
Review your graphic organizer and revise it based on what you just learned in the section.

Reviewing Key Concepts

1. a. Defining What are adaptations?
   b. Explaining How are a snake's sharp fangs an adaptation that helps it survive in the saguaro community?
   c. Developing Hypotheses Explain how natural selection in snakes might have led to adaptations such as sharp fangs.
2. a. Reviewing What are three main ways in which organisms interact?
   b. Classifying Give one example of each type of interaction.
3. a. Listing List the three types of symbiotic relationships.
   b. Comparing and Contrasting For each type of symbiotic relationship, explain how the two organisms are affected.
   c. Applying Concepts Some of your classroom plants are dying. Others that you planted at the same time and cared for in the same way are growing well. When you look closely at the dying plants, you see tiny mites on them. Which symbiotic relationship is likely occurring between the plants and mites? Explain.

Lab zone At-Home Activity

Feeding Frenzy You and your family can observe interactions among organisms at a bird feeder. Fill a clean, dry, 2-liter bottle with birdseed. With paper clips, attach a plastic plate to the neck of the bottle. Then hang your feeder outside where you can see it easily. Observe the feeder at different times of the day. Keep a log of all the organisms you see near it and how they interact.

Section 4

Changes in Communities

Reading Preview

Key Concept

- How do primary and secondary succession differ?

Key Terms

- succession
- primary succession
- pioneer species
- secondary succession

Target Reading Skill

Comparing and Contrasting As you read, compare and contrast primary and secondary succession by completing a table like the one below.

Factors in Succession	Primary Succession	Secondary Succession
Possible cause	Volcanic eruption	
Type of area		
Existing ecosystem?		

Lab zone Discover Activity

What Happened Here?

1. The two photographs at the bottom of this page show the same area in Yellowstone National Park in Wyoming. The photograph on the left was taken soon after a major fire. The photograph on the right was taken a few years later. Observe the photographs carefully.
2. Make a list of all the differences you notice between the two scenes.

Think It Over

Posing Questions How would you describe what happened during the time between the two photographs? What questions do you have about this process?

In 1988, huge fires raged through the forests of Yellowstone National Park. The fires were so hot that they jumped from tree to tree without burning along the ground. Huge trees burst into flame from the intense heat. It took months for the fires to burn themselves out. All that remained were thousands of blackened tree trunks sticking out of the ground like charred toothpicks.

Could a forest community recover from such disastrous fires? It might seem unlikely. But within just a few months, signs of life had returned. First, tiny green shoots of new grass poked through the sooty ground. Then, small tree seedlings began to grow. The forest was coming back! After 15 years, young forests were flourishing in many areas.

Fires, floods, volcanoes, hurricanes, and other natural disasters can change communities very quickly. But even without disasters, communities change. The series of predictable changes that occur in a community over time is called **succession.**

Changes in a Yellowstone community ▼

1 Volcanic Eruption
Shortly after a volcanic eruption, there is no soil, only ash and rock.
2 Pioneer Species
The first species to grow are pioneer species such as mosses and lichens.
3 Soil Creation
As pioneer species grow and die, soil forms. Some plants grow in this new soil.
4 Fertile Soil and Maturing Plants
As more plants die, they decompose and make the soil more fertile. New plants grow and existing plants mature in the fertile soil.

FIGURE 19
Primary Succession
Primary succession occurs in an area where no soil and no organisms exist.
Applying Concepts *What determines the particular species that appear during succession?*

Primary Succession

Primary succession is the series of changes that occur in an area where no soil or organisms exist. Such an area might be a new island formed by the eruption of an undersea volcano or an area of rock uncovered by a melting sheet of ice.

Figure 19 shows the series of changes an area might undergo after a violent volcanic eruption. The first species to populate the area are called **pioneer species.** They are often carried to the area by wind or water. Typical pioneer species are mosses or lichens, which are fungi and algae growing in a symbiotic relationship. As pioneer species grow, they help break up the rocks. When the organisms die, they provide nutrients that enrich the thin layer of soil that is forming on the rocks.

Over time, plant seeds land in the new soil and begin to grow. The specific plants that grow depend on the climate of the area. For example, in a cool, northern area, early seedlings might include alder and cottonwood trees. Eventually, succession may lead to a community of organisms that does not change unless the ecosystem is disturbed. Reaching this mature community can take centuries.

What are some pioneer species?

1 Abandoned Field
Grasses and wildflowers have taken over this abandoned field.

2 Tree Growth Begins
After a few years, pine seedlings and other plants replace some of the grasses and wildflowers.

FIGURE 20
Secondary Succession
Secondary succession occurs following a disturbance to an ecosystem, such as clearing a forest for farmland.

Secondary Succession

The changes following the Yellowstone fire were an example of secondary succession. **Secondary succession** is the series of changes that occur in an area where the ecosystem has been disturbed, but where soil and organisms still exist. Natural disturbances that have this effect include fires, hurricanes, and tornadoes. Human activities, such as farming, logging, or mining, may also disturb an ecosystem. **Unlike primary succession, secondary succession occurs in a place where an ecosystem currently exists.**

Secondary succession usually occurs more rapidly than primary succession. Consider, for example, an abandoned field in the southeastern United States. You can follow the process of succession in such a field in Figure 20. After a century, a hardwood forest is developing. This forest community may remain for a long time.

What are two natural events that can disturb an ecosystem?

For: Links on succession
Visit: www.SciLinks.org
Web Code: scn-0514

3 A Forest Develops
As tree growth continues, the trees begin to crowd out the grasses and wildflowers.

4 Mature Community
Eventually, a mixed forest of pine, oak, and hickory dominates the landscape.

Section 4 Assessment

Target Reading Skill **Comparing and Contrasting** Use the information in your table to help you answer Question 1 below.

Reviewing Key Concepts

1. a. **Defining** What is primary succession? What is secondary succession?
   b. **Comparing and Contrasting** How do primary succession and secondary succession differ?
   c. **Classifying** Grass poking through a crack in a sidewalk is an example of succession. Is it primary succession or secondary succession? Explain.

Lab zone At-Home Activity

Community Changes Interview a family member or neighbor who has lived in your neighborhood for a long time. Ask the person to describe how the neighborhood has changed over time. Have areas that were formerly grassy been paved or developed? Have any farms, parks, or lots returned to a wild state? Write a summary of your interview. Can you classify any of the changes as examples of succession?

Chapter 21 Study Guide

1 Living Things and the Environment

Key Concepts

- An organism obtains food, water, shelter, and other things it needs to live, grow, and reproduce from its environment.
- An organism interacts with both the living and nonliving parts of its habitat.
- The smallest unit of organization is a single organism, which belongs to a population that includes other members of its species. The population belongs to a community of different species. The community and abiotic factors together form an ecosystem.

Key Terms

organism
habitat
biotic factor
abiotic factor
photosynthesis
species
population
community
ecosystem
ecology

2 Studying Populations

Key Concepts

- Some methods of determining the size of a population are direct and indirect observations, sampling, and mark-and-recapture studies.
- Populations can change in size when new members join the population or when members leave the population.
- Population density can be determined using the following equation:

$$\text{Population density} = \frac{\text{Number of individuals}}{\text{Unit area}}$$

- Some limiting factors for populations are food and water, space, and weather conditions.

Key Terms

estimate
birth rate
death rate
immigration
emigration
population density
limiting factor
carrying capacity

3 Interactions Among Living Things

Key Concepts

- Every organism has a variety of adaptations that are suited to its specific living conditions.
- There are three major types of interactions among organisms: competition, predation, and symbiosis.
- The three types of symbiotic relationships are mutualism, commensalism, and parasitism.

Key Terms

natural selection
adaptations
niche
competition
predation
predator
prey
symbiosis
mutualism
commensalism
parasitism
parasite
host

4 Changes in Communities

Key Concept

- Unlike primary succession, secondary succession occurs in a place where an ecosystem currently exists.

Key Terms

succession
primary succession
pioneer species
secondary succession

Review and Assessment

Go Online PHSchool.com
For: Self-Assessment
Visit: PHSchool.com
Web Code: cea-5010

Organizing Information

Identifying Main Ideas Copy the graphic organizer about determining population size onto a separate sheet of paper. Then complete it and add a title. (For more on Identifying Main Ideas, see the Skills Handbook.)

Main Idea

There are four main ways to determine the size of a population.

Detail	Detail	Detail	Detail
a. ___?___	b. ___?___	c. ___?___	d. ___?___

Reviewing Key Terms

Choose the letter of the best answer.

1. A prairie dog, a hawk, and a badger all are members of the same
   a. niche.
   b. community.
   c. species.
   d. population.
2. All of the following are examples of limiting factors for populations *except*
   a. space.
   b. food.
   c. time.
   d. weather.
3. In which type of interaction do both species benefit?
   a. predation
   b. mutualism
   c. commensalism
   d. parasitism
4. Which of these relationships is an example of parasitism?
   a. a bird building a nest on a tree branch
   b. a bat pollinating a saguaro cactus
   c. a flea living on a cat's blood
   d. ants protecting a tree that produces the ants' only food
5. The series of predictable changes that occur in a community over time is called
   a. natural selection.
   b. ecology.
   c. commensalism.
   d. succession.

If the statement is true, write *true.* If it is false, change the underlined word or words to make the statement true.

6. Grass is an example of a biotic factor in a habitat.
7. Immigration is the number of individuals in a specific area.
8. An organism's specific role in its habitat is called its niche.
9. The struggle between organisms for limited resources is called mutualism.
10. A parasite lives on or inside its predator.

Writing in Science

Descriptive Paragraph Use what you have learned about predators and prey to write about an interaction between two organisms. For each organism, describe at least one adaptation that helps it either catch prey or fend off predators.

Populations and Communities
Video Preview
Video Field Trip
▶ Video Assessment

Review and Assessment

Checking Concepts

11. Name two biotic and two abiotic factors you might find in a forest ecosystem.

12. Explain how plants and algae use sunlight. How is this process important to other living things in an ecosystem?

13. Describe how ecologists use the technique of sampling to estimate population size.

14. Give an example showing how space can be a limiting factor for a population.

15. What are two adaptations that prey organisms have developed to protect themselves? Describe how each adaptation protects the organism.

Thinking Critically

16. **Making Generalizations** Explain why ecologists usually study a specific population of organisms rather than the entire species.

17. **Problem Solving** In a summer job working for an ecologist, you have been assigned to estimate the population of grasshoppers in a field. Propose a method and explain how you would carry out your plan.

18. **Relating Cause and Effect** Competition for resources in an area is usually more intense within a single species than between two different species. Suggest an explanation for this observation. (*Hint:* Consider how niches help organisms avoid competition.)

19. **Classifying** Lichens and mosses have just begun to grow on the rocky area shown below. Which type of succession is occurring? Explain.

Math Practice

20. **Inequalities** Review the two inequalities about population size. Then revise each inequality to include immigration and emigration in addition to birth rate and death rate.

Applying Skills

Use the data in the table below to answer Questions 21–24.

Ecologists monitoring a deer population collected data during a 30-year study.

Year	0	5	10	15	20	25	30
Population (thousands)	15	30	65	100	40	25	10

21. **Graphing** Make a line graph using the data in the table. Plot years on the horizontal axis and population on the vertical axis.

22. **Interpreting Data** In which year did the deer population reach its highest point? Its lowest point?

23. **Communicating** Write a few sentences describing how the deer population changed during the study.

24. **Developing Hypotheses** In Year 16 of the study, this region experienced a very severe winter. How might this have affected the deer population?

Lab zone Chapter Project

Performance Assessment Review your report and graph to be sure that they clearly state your conclusion about the effects of crowding on plant growth. With your group, decide how you will present your results. Do a practice run-through to make sure all group members feel comfortable with their parts. After your presentation, list some improvements you could have made in your experimental plan.

Standardized Test Prep

Test-Taking Tip

Interpreting Graphs

When you are asked to interpret a line graph, look at the labels on the axes. The labels tell you what relationship is plotted—in other words, what variables are being compared. On the graph below, the axis labels show that the size of a prairie dog population is being compared over time.

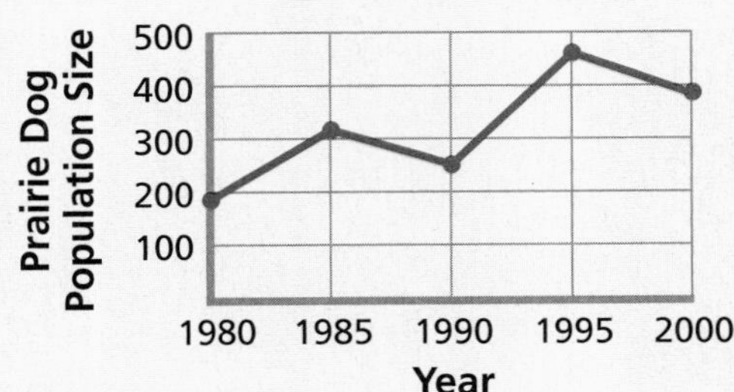

Sample Question

Based on the graph, which of the following is true?

A The prairie dog population was smaller in 1990 than in 1995.

B The prairie dog population was greater in 1990 than in 1995.

C The prairie dog population density was greater in 1990 than in 1985.

D The prairie dog population density was smaller in 1990 than in 1985.

Answer

The correct answer is **A.** You can eliminate **C** and **D** because the axis labels refer to population size rather than population density. Of the remaining choices, **A** is the only one that is correct, because the line of the graph is lower in 1990 than in 1995.

Choose the letter of the best answer.

1. According to the graph above, in what year was the prairie dog population the largest?

A 1980 **B** 1990

C 1995 **D** 2000

2. In general, which of the following is a true statement about population size?

F If birth rate < death rate, population size increases.

G If death rate < birth rate, population size decreases.

H If birth rate > death rate, population size increases.

J If death rate > birth rate, population size increases.

3. A freshwater lake has a muddy bottom, which is home to different types of algae and other organisms. Many species of fish feed on the algae. Which of the following is an *abiotic* factor in this ecosystem?

A the temperature of the water

B the color of the algae

C the number of species of fish

D the amount of food available to the fish

4. Although three different bird species all live in the same trees in an area, competition between the birds rarely occurs. The most likely explanation for this lack of competition is that these birds

F occupy different niches.

G eat the same food.

H have a limited supply of food.

J live in the same part of the trees.

5. During primary succession, a typical pioneer species is

A grass.

B lichen.

C pine trees.

D soil.

Constructed Response

6. Suppose that two species of squirrels living in the same habitat feed on the same type of nut. Describe two possible outcomes of competition between the two squirrel species.

Chapter 22

Ecosystems and Biomes

Chapter Preview

1. **Energy Flow in Ecosystems**
   Discover *Where Did Your Dinner Come From?*
   Try This *Weaving a Food Web*
2. **Cycles of Matter**
   Discover *Are You Part of a Cycle?*
   Active Art *Water Cycle*
   Skills Activity *Developing Hypotheses*
   Try This *Carbon and Oxygen Blues*
3. **Biogeography**
   Discover *How Can You Move a Seed?*
   Active Art *Continental Drift*
   Skills Lab *Biomes in Miniature*
4. **Biomes and Aquatic Ecosystems**
   Discover *How Much Rain Is That?*
   Try This *Desert Survival*
   Skills Activity *Inferring*
   Active Art *Earth's Biomes*
   Analyzing Data *Biome Climates*
   Skills Lab *Change in a Tiny Community*

This macaque adds to the rich diversity of organisms in the tropical rain forest. ▶

Ecosystems and Biomes

▶ Video Preview
Video Field Trip
Video Assessment

Lab zone™ Chapter **Project**

Breaking It Down

Nothing in an ecosystem is wasted. Even when living things die, organisms such as mushrooms recycle them. This natural process of breakdown is called decomposition. When fallen leaves and other waste products decompose, a fluffy, brown mixture called compost is formed. You can observe decomposition firsthand in this chapter project by building a compost chamber.

Your Goal To design and conduct an experiment to learn more about the process of decomposition

To complete this project, you must

- build two compost chambers
- investigate the effect of one of the following variables on decomposition: moisture, oxygen, temperature, or activity of soil organisms
- analyze your data and present your results
- follow the safety guidelines in Appendix A

Plan It! Your teacher will provide you with a sample of compost material. Observe the wastes in the mixture with a hand lens. Write a hypothesis about which kinds of waste will decay and which will not. Next, decide which variable you will test and plan how you will test it. Once your teacher approves your plan, build your compost chambers and begin your experiment.

Section 1

Energy Flow in Ecosystems

Reading Preview

Key Concepts

- What energy roles do organisms play in an ecosystem?
- How does energy move through an ecosystem?
- How much energy is available at each level of an energy pyramid?

Key Terms

- producer
- consumer
- herbivore
- carnivore
- omnivore
- scavenger
- decomposer
- food chain
- food web
- energy pyramid

Target Reading Skill

Building Vocabulary A definition states the meaning of a word or phrase by telling about its most important feature or function. After you read the section, reread the paragraphs that contain definitions of Key Terms. Use all the information you have learned to write a definition of each Key Term in your own words.

Lab zone Discover Activity

Where Did Your Dinner Come From?

1. Across the top of a sheet of paper, list the different types of foods you ate for dinner last night.
2. Under each item, write the name of the plant, animal, or other organism that was the source of that food. Some foods have more than one source. For example, macaroni and cheese contains flour (which is made from a plant such as wheat) and cheese (which comes from an animal).

Think It Over

Classifying How many of your food sources were plants? How many were animals?

Do you play an instrument in your school band? If so, you know that each instrument has a role in a piece of music. For instance, the flute may provide the melody while the drum provides the beat.

Just like the instruments in a band, each organism has a role in the movement of energy through its ecosystem. A bluebird's role, for example, is different from that of the giant oak tree where it is perched. But all parts of the ecosystem, like all parts of a band, are necessary for the ecosystem to work.

Energy Roles

An organism's energy role is determined by how it obtains energy and how it interacts with other organisms. **Each of the organisms in an ecosystem fills the energy role of producer, consumer, or decomposer.**

Producers Energy enters most ecosystems as sunlight. Some organisms, such as plants, algae, and some bacteria, capture the energy of sunlight and store it as food energy. These organisms use the sun's energy to turn water and carbon dioxide into food molecules in a process called photosynthesis.

An organism that can make its own food is a **producer.** Producers are the source of all the food in an ecosystem. In a few ecosystems, producers obtain energy from a source other than sunlight. One such ecosystem is found in rocks deep beneath the ground. How is energy brought into this ecosystem? Certain bacteria in this ecosystem produce their own food using the energy in a gas, hydrogen sulfide, that is found in their environment.

Consumers Some members of an ecosystem cannot make their own food. An organism that obtains energy by feeding on other organisms is a **consumer.**

Consumers are classified by what they eat. Consumers that eat only plants are **herbivores.** Familiar herbivores are caterpillars and deer. Consumers that eat only animals are **carnivores.** Lions and spiders are some examples of carnivores. Consumers that eat both plants and animals are **omnivores.** Crows, bears, and most humans are omnivores.

Some carnivores are scavengers. A **scavenger** is a carnivore that feeds on the bodies of dead organisms. Scavengers include catfish and vultures.

Decomposers If an ecosystem had only producers and consumers, the raw materials of life would stay locked up in wastes and the bodies of dead organisms. Luckily, there are organisms in ecosystems that prevent this problem. **Decomposers** break down wastes and dead organisms and return the raw materials to the ecosystem.

You can think of decomposers as nature's recyclers. While obtaining energy for their own needs, decomposers return simple molecules to the environment. These molecules can be used again by other organisms. Mushrooms and bacteria are common decomposers.

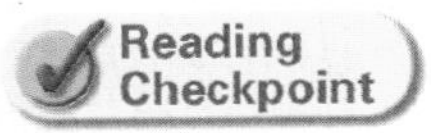

What do herbivores and carnivores have in common?

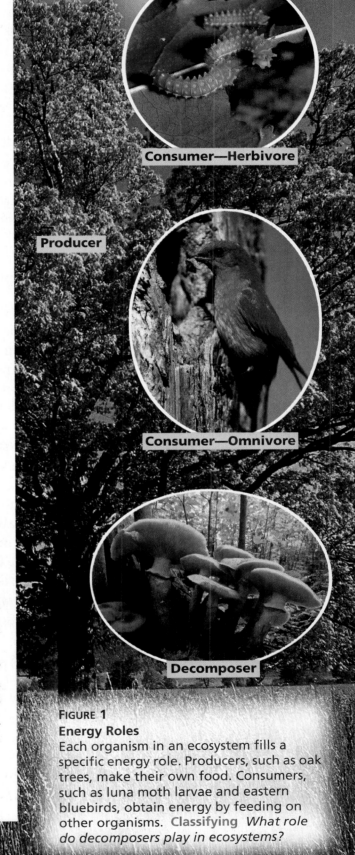

Consumer—Herbivore

Producer

Consumer—Omnivore

Decomposer

FIGURE 1
Energy Roles
Each organism in an ecosystem fills a specific energy role. Producers, such as oak trees, make their own food. Consumers, such as luna moth larvae and eastern bluebirds, obtain energy by feeding on other organisms. **Classifying** *What role do decomposers play in ecosystems?*

For: Links on food chains and food webs
Visit: www.SciLinks.org
Web Code: scn-0521

Lab zone Try This Activity

Weaving a Food Web

This activity shows how the organisms in a food web are interconnected.

1. Your teacher will assign you a role in the food web.
2. Hold one end of each of several pieces of yarn in your hand. Give the other ends of your yarn to the other organisms to which your organism is linked.
3. Your teacher will now eliminate an organism. All the organisms connected to the missing organism should drop the yarn that connects them.

Making Models How many organisms were affected by the removal of just one organism? What does this activity show about the importance of each organism in a food web?

Food Chains and Food Webs

As you have read, energy enters most ecosystems as sunlight and is converted into food molecules by producers. This energy is transferred to each organism that eats a producer, and then to other organisms that feed on these consumers. **The movement of energy through an ecosystem can be shown in diagrams called food chains and food webs.**

Food Chains A **food chain** is a series of events in which one organism eats another and obtains energy. You can follow one food chain in Figure 2. The first organism in a food chain is always a producer, such as the tree. The second organism feeds on the producer and is called a first-level consumer. The termite is a first-level consumer. Next, a second-level consumer eats the first-level consumer. The second-level consumer in this example is the woodpecker.

Food Webs A food chain shows only one possible path along which energy can move through an ecosystem. But just as you do not eat the same thing every day, neither do most other organisms. Most producers and consumers are part of many food chains. A more realistic way to show the flow of energy through an ecosystem is a food web. As shown in Figure 2, a **food web** consists of the many overlapping food chains in an ecosystem.

In Figure 2, you can trace the many food chains in a woodland ecosystem. Note that an organism may play more than one role in an ecosystem. For example, an omnivore such as the mouse is a first-level consumer when it eats grass. But when the mouse eats a grasshopper, it is a second-level consumer.

Just as food chains overlap and connect, food webs interconnect as well. While a gull might eat a fish at the ocean, it might also eat a mouse at a landfill. The gull, then, is part of two food webs—an ocean food web and a land food web. All the world's food webs interconnect in what can be thought of as a global food web.

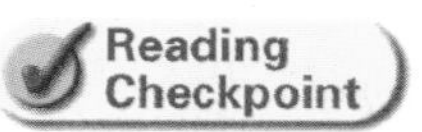

What energy role is filled by the first organism in a food chain?

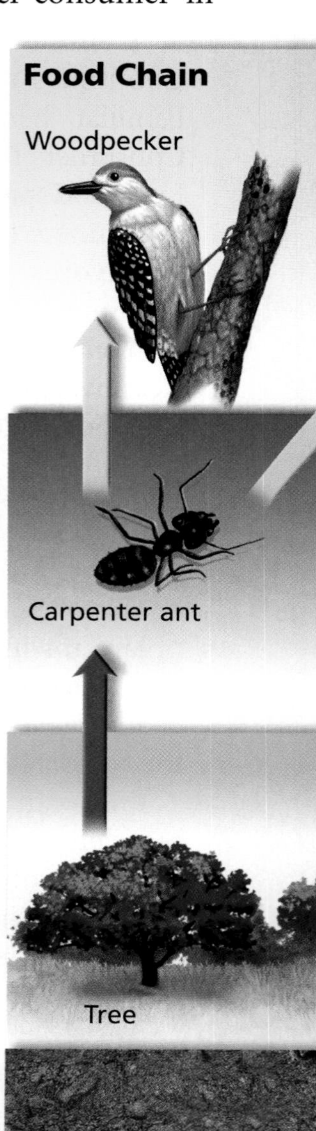

FIGURE 2
A Food Web

A food web consists of many interconnected food chains. Trace the path of energy through the producers, consumers, and decomposers. **Interpreting Diagrams** *Which organisms in the food web are acting as herbivores? Which are carnivores?*

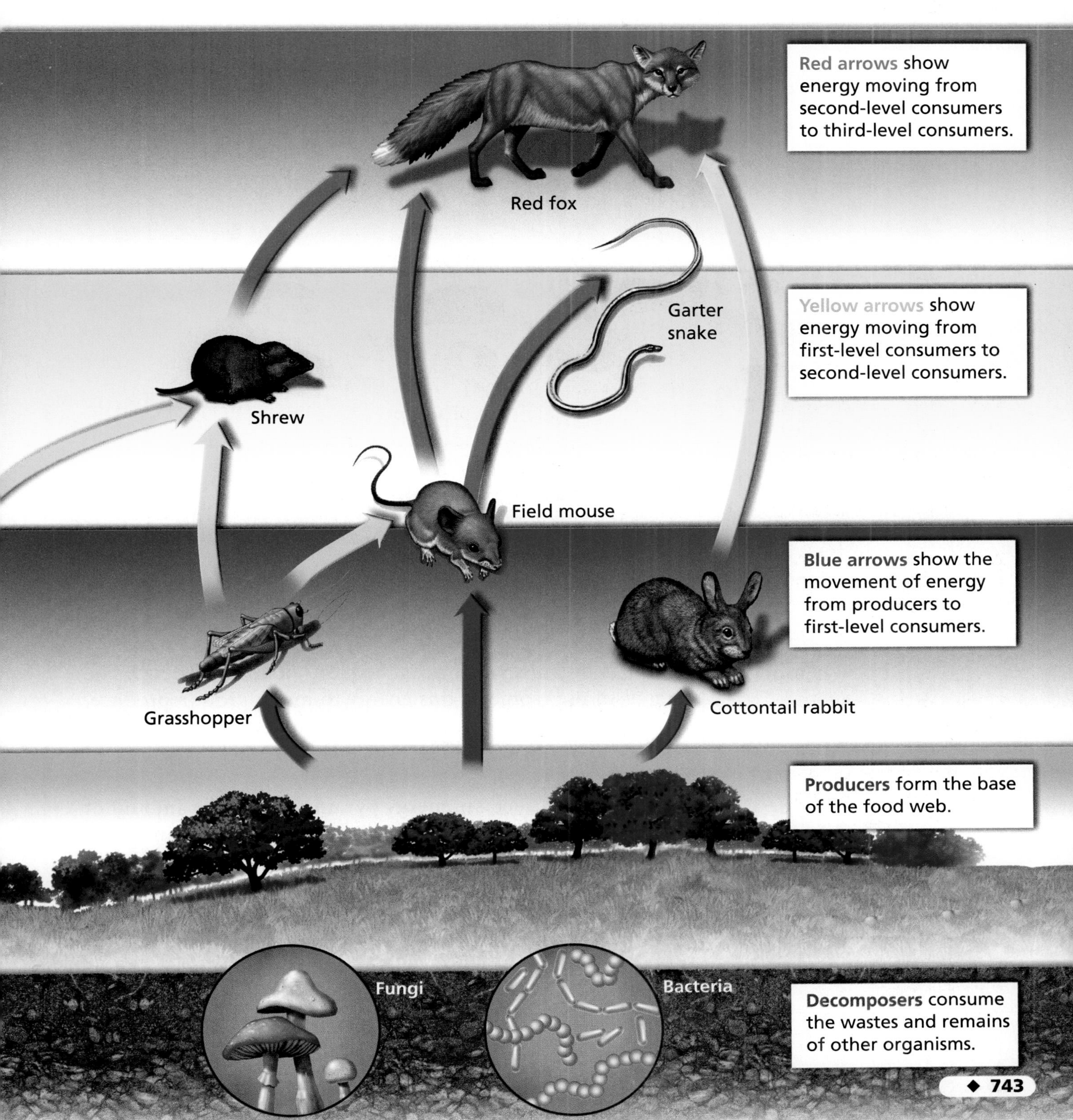

Red arrows show energy moving from second-level consumers to third-level consumers.

Yellow arrows show energy moving from first-level consumers to second-level consumers.

Blue arrows show the movement of energy from producers to first-level consumers.

Producers form the base of the food web.

Decomposers consume the wastes and remains of other organisms.

FIGURE 3
Energy Pyramid
This energy pyramid diagram shows the energy available at each level of a food web. Energy is measured in kilocalories, or kcal.
Calculating *How many times more energy is available at the producer level than at the second-level consumer level?*

Third-Level Consumers (1 kcal)

Second-Level Consumers (10 kcal)

First-Level Consumers (100 kcal)

Producers (1,000 kcal)

Energy Pyramids

When an organism in an ecosystem eats, it obtains energy. The organism uses some of this energy to move, grow, reproduce, and carry out other life activities. This means that only some of the energy it obtains will be available to the next organism in the food web.

A diagram called an **energy pyramid** shows the amount of energy that moves from one feeding level to another in a food web. You can see an energy pyramid in Figure 3. **The most energy is available at the producer level of the pyramid. As you move up the pyramid, each level has less energy available than the level below.** An energy pyramid gets its name from the shape of the diagram—wider at the base and narrower at the top.

In general, only about 10 percent of the energy at one level of a food web is transferred to the next higher level. The other 90 percent of the energy is used for the organism's life processes or is lost to the environment as heat. Since about 90 percent of the energy is lost at each step, there is not enough energy to support many feeding levels in an ecosystem.

The organisms at higher feeding levels of an energy pyramid do not necessarily require less energy to live than do the organisms at lower levels. Since so much energy is lost at each level, the amount of energy available at the producer level limits the number of consumers that the ecosystem is able to support. As a result, there are usually few organisms at the highest level in a food web.

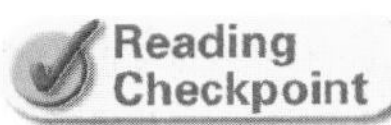

Why is the pyramid shape useful for showing the energy available at each of the levels of a food web?

FIGURE 4
Energy Flow
This barn owl will soon use the energy contained in the rat to carry out its own life processes.

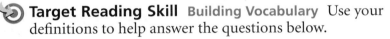

Section 1 Assessment

Target Reading Skill **Building Vocabulary** Use your definitions to help answer the questions below.

Reviewing Key Concepts

1. a. **Identifying** Name the three energy roles that organisms fill in an ecosystem.
   b. **Explaining** How do organisms in each of the three energy roles obtain energy?
   c. **Classifying** Identify the energy roles of the following organisms in a pond ecosystem: tadpole, algae, heron.
2. a. **Defining** What is a food chain? What is a food web?
   b. **Comparing and Contrasting** Why is a food web a more realistic way of portraying an ecosystem than is a food chain?
3. a. **Reviewing** What does an energy pyramid show?
   b. **Describing** How does the amount of energy available at one level of an energy pyramid compare to the amount of energy available at the next level up?
   c. **Relating Cause and Effect** Why are there usually few organisms at the top of an energy pyramid?

Lab zone At-Home Activity

Energy-Role Walk Take a short walk outdoors with a family member to look for producers, consumers, and decomposers. Create a list of the organisms and their energy roles. For each consumer, try to classify it further according to what it eats and its level. Then explain to your family member how energy flows in ecosystems.

Section 2

Integrating Chemistry

Cycles of Matter

Reading Preview

Key Concepts

- What processes are involved in the water cycle?
- How are carbon and oxygen recycled in ecosystems?
- What is the nitrogen cycle?

Key Terms

- water cycle
- evaporation
- condensation
- precipitation
- nitrogen fixation

Target Reading Skill

Sequencing A sequence is the order in which a series of events occurs. As you read, make a cycle diagram that shows the water cycle. Write each event of the water cycle in a separate oval.

The Water Cycle

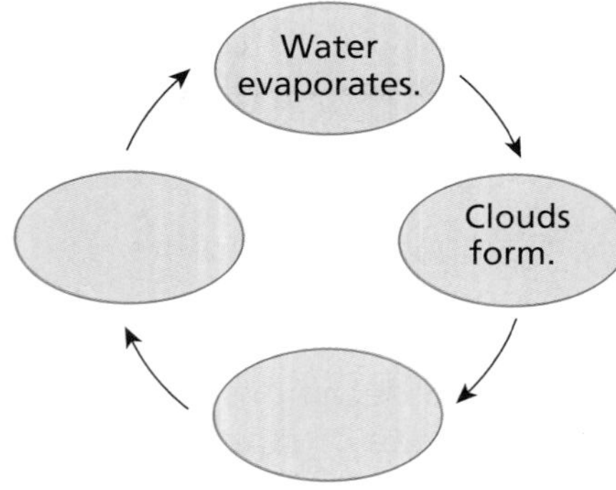
Water evaporates.
Clouds form.

Lab zone Discover Activity

Are You Part of a Cycle?

1. Hold a small mirror a few centimeters from your mouth.
2. Exhale onto the mirror.
3. Observe the surface of the mirror.

Think It Over

Inferring What is the substance that forms on the mirror? Where did this substance come from?

A pile of crumpled cars is ready for loading into a giant compactor. The aluminum and copper pieces have already been removed so that they can be recycled, or used again. Now the steel will be reclaimed at a recycling plant. Earth has a limited supply of aluminum, copper, and the iron used in steel. Recycling old cars is one way to ensure a steady supply of these materials.

Like the supply of metal for building cars, the supply of matter in an ecosystem is limited. Matter in an ecosystem includes water, carbon, oxygen, nitrogen, and many other substances. If matter could not be recycled, ecosystems would quickly run out of the raw materials necessary for life. In this section, you will learn about some cycles of matter: the water cycle, the carbon and oxygen cycles, and the nitrogen cycle.

To understand how these substances cycle over and over through an ecosystem, you need to know a few basic terms that describe the structure of matter. Matter is made up of tiny particles called atoms. Two or more atoms that are joined and act as a unit make up a molecule. For example, a water molecule consists of two hydrogen atoms and one oxygen atom.

The Water Cycle

Water is essential for life. To ensure a steady supply, Earth's water must be recycled. The **water cycle** is the continuous process by which water moves from Earth's surface to the atmosphere and back. **The processes of evaporation, condensation, and precipitation make up the water cycle.** As you read about these processes, follow the cycle in Figure 5.

Condensation
Evaporation
Precipitation
Evaporation from plants
Evaporation from lakes
Evaporation from oceans
Surface runoff
Groundwater

FIGURE 5
Water Cycle
In the water cycle, water moves continuously from Earth's surface to the atmosphere and back. **Observing** *In which step of the water cycle does water return to Earth's surface?*

Go Online
active art

For: Water Cycle activity
Visit: PHSchool.com
Web Code: cfp-4024

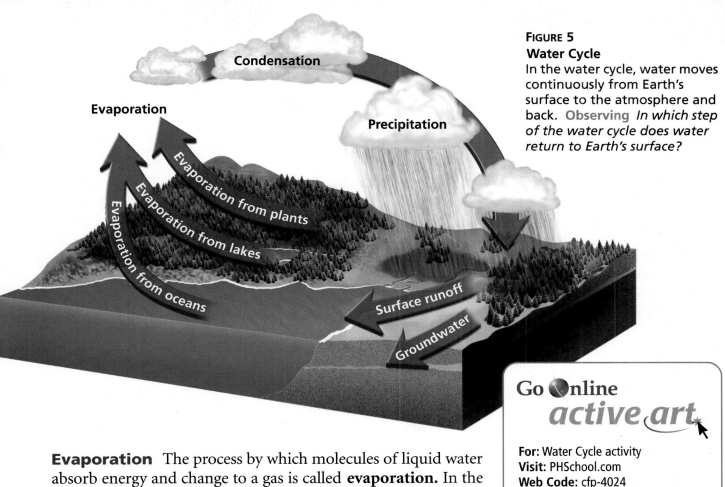

Evaporation The process by which molecules of liquid water absorb energy and change to a gas is called **evaporation.** In the water cycle, liquid water evaporates from oceans, lakes, and other surfaces and forms water vapor, a gas, in the atmosphere. The energy for evaporation comes from the heat of the sun.

Living things also give off water. For example, plants release water vapor from their leaves. You release liquid water in your wastes and water vapor when you exhale.

Condensation As the water vapor rises higher in the atmosphere, it cools down. The cooled vapor then turns back into tiny drops of liquid water. The process by which a gas changes to a liquid is called **condensation.** The water droplets collect around particles of dust, eventually forming clouds.

Precipitation As more water vapor condenses, the drops of water in the cloud grow larger. Eventually the heavy drops fall back to Earth as **precipitation**—rain, snow, sleet, or hail. Most precipitation falls back into oceans or lakes. The precipitation that falls on land may soak into the soil and become groundwater. Or the precipitation may run off the land, eventually flowing back into a river or ocean.

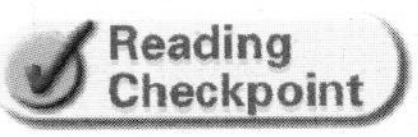

What process causes water from the surface of the ocean to enter the atmosphere as water vapor?

Lab zone **Skills Activity**

Developing Hypotheses

You've decided to have cocoa at a friend's house on a cold, rainy day. As your friend boils some water, you notice that the inside of a window near the stove is covered with water droplets. Your friend thinks the window is leaking. Using what you know about the water cycle, can you propose another explanation for the water droplets?

Lab zone Try This Activity

Carbon and Oxygen Blues

This activity explores the role of producers in the carbon and oxygen cycles.

1. Your teacher will provide you with two plastic cups containing bromthymol blue solution. Bromthymol blue solution appears blue in the absence of carbon dioxide and appears yellow in the presence of carbon dioxide. Note the color of the solution.
2. Place two sprigs of an *Elodea* plant into one of the cups. Do not put any *Elodea* into the second cup. Cover both cups with plastic wrap. Wash your hands.
3. Place the cups where they will not be disturbed. Observe the two cups over the next few days. Note any color changes.

Inferring What do your observations indicate about the role of producers in the carbon and oxygen cycles?

The Carbon and Oxygen Cycles

Two other substances necessary for life are carbon and oxygen. Carbon is an essential building block in the bodies of living things. Most organisms use oxygen for their life processes. **In ecosystems, the processes by which carbon and oxygen are recycled are linked. Producers, consumers, and decomposers play roles in recycling carbon and oxygen.**

The Carbon Cycle Producers take in carbon dioxide gas from the air during photosynthesis. They use carbon from the carbon dioxide to make food molecules—carbon-containing molecules such as sugars and starches. When consumers eat producers, they take in the carbon-containing food molecules. When consumers break down these food molecules to obtain energy, they release carbon dioxide and water as waste products. When producers and consumers die, decomposers break down their remains and return carbon compounds to the soil. Some decomposers also release carbon dioxide as a waste product.

The Oxygen Cycle Like carbon, oxygen cycles through ecosystems. Producers release oxygen as a result of photosynthesis. Most organisms take in oxygen from the air or water and use it to carry out their life processes.

Human Impact Human activities also affect the levels of carbon and oxygen in the atmosphere. When humans burn oil and other fuels, carbon dioxide is released into the atmosphere. When humans clear forests for lumber, fuel, and farmland, carbon dioxide levels also rise. As you know, producers take in carbon dioxide during photosynthesis. When trees are removed from the ecosystem, there are fewer producers to absorb carbon dioxide. There is a greater effect if trees are burned down to clear a forest. If trees are burned down to clear a forest, additional carbon dioxide is released in the burning process.

What role do producers play in the carbon and oxygen cycles?

FIGURE 6
Rising Carbon Dioxide Levels
When forests burn, large amounts of carbon dioxide are released into the air. In addition, there are fewer trees available to absorb carbon dioxide from the air.

FIGURE 7

Carbon and Oxygen Cycles

This scene shows how the carbon and oxygen cycles are linked. Producers, consumers, and decomposers all play a role in recycling these two substances.

Interpreting Diagrams *How do human activities affect the carbon and oxygen cycles?*

Carbon dioxide in the atmosphere
Humans clear forests for crops, releasing carbon compounds to the air.
Humans burn fuels for energy, releasing carbon compounds to the air.
Plants take in carbon dioxide and use carbon to make sugar molecules.
Animals break down sugar molecules and release carbon dioxide.
Plants produce oxygen.
Animals take in oxygen.
Decomposers return carbon compounds to the soil and release carbon dioxide to the air.

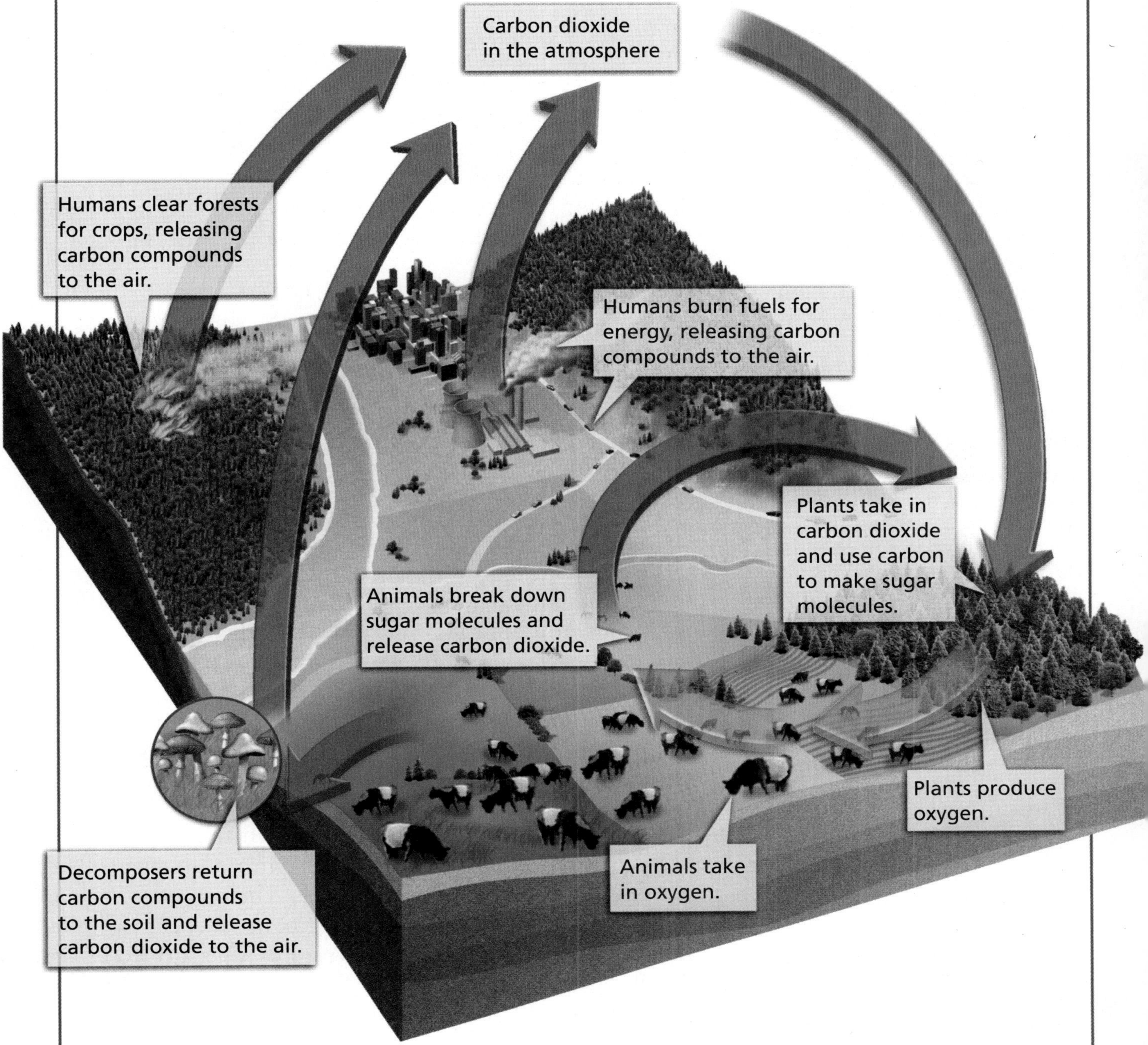

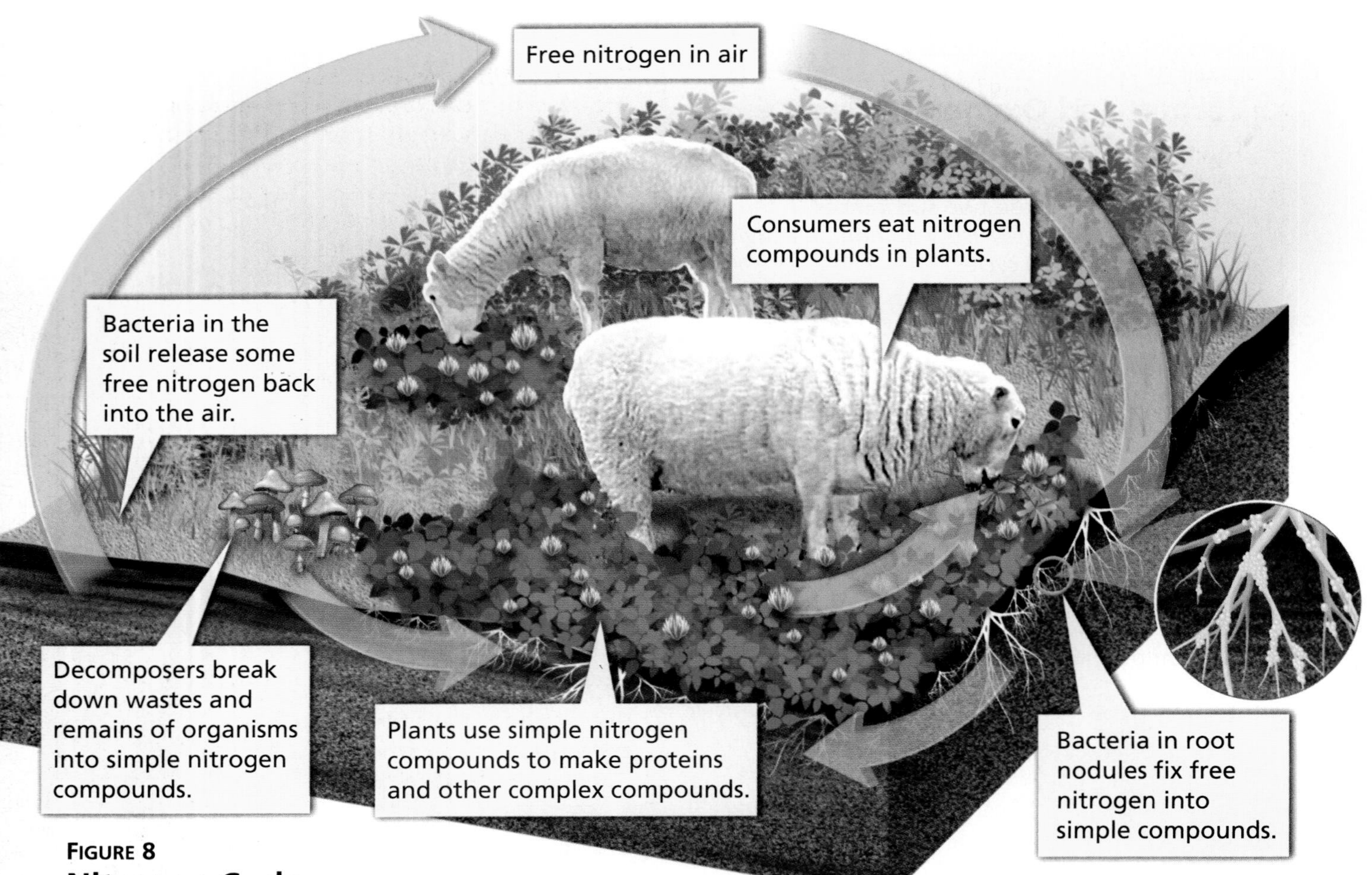
Free nitrogen in air
Consumers eat nitrogen compounds in plants.
Bacteria in the soil release some free nitrogen back into the air.
Decomposers break down wastes and remains of organisms into simple nitrogen compounds.
Plants use simple nitrogen compounds to make proteins and other complex compounds.
Bacteria in root nodules fix free nitrogen into simple compounds.

FIGURE 8
Nitrogen Cycle
In the nitrogen cycle, free nitrogen from the air is fixed into compounds. Consumers can then use these nitrogen compounds in carrying out their life processes.
Relating Cause and Effect *How does nitrogen get returned to the environment?*

The Nitrogen Cycle

Like carbon, nitrogen is a necessary building block in the matter that makes up living things. **In the nitrogen cycle, nitrogen moves from the air to the soil, into living things, and back into the air.** You can follow this process in Figure 8.

Since the air around you is about 78 percent nitrogen gas, you might think that it would be easy for living things to obtain nitrogen. However, most organisms cannot use nitrogen gas. Nitrogen gas is called "free" nitrogen because it is not combined with other kinds of atoms.

Nitrogen Fixation Most organisms can use nitrogen only once it has been "fixed," or combined with other elements to form nitrogen-containing compounds. The process of changing free nitrogen into a usable form of nitrogen is called **nitrogen fixation.** Most nitrogen fixation is performed by certain kinds of bacteria. Some of these bacteria live in bumps called nodules (NAHJ oolz) on the roots of certain plants. These plants, known as legumes, include clover, beans, peas, alfalfa, and peanuts.

The relationship between the bacteria and the legumes is an example of mutualism. Both the bacteria and the plant benefit from this relationship: The bacteria feed on the plant's sugars, and the plant is supplied with nitrogen in a usable form.

Return of Nitrogen to the Environment

Once nitrogen has been fixed, producers can use it to build proteins and other complex compounds. Decomposers, in turn, break down these complex compounds in animal wastes and the bodies of dead organisms. Decomposition returns simple nitrogen compounds to the soil. Nitrogen can cycle from the soil to producers and then to consumers many times. At some point, however, bacteria break down the nitrogen compounds completely. These bacteria then release free nitrogen back into the air. The cycle continues from there.

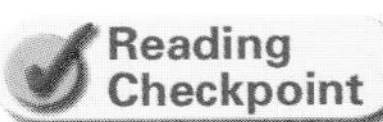

Where do some nitrogen-fixing bacteria live?

FIGURE 9
Growth in Nitrogen-Poor Soil
Pitcher plants can grow in nitrogen-poor soil because they have another way of obtaining nitrogen. Insects become trapped in the plant's tube-shaped leaves. The plant then digests the insects and uses their nitrogen compounds for its functions.

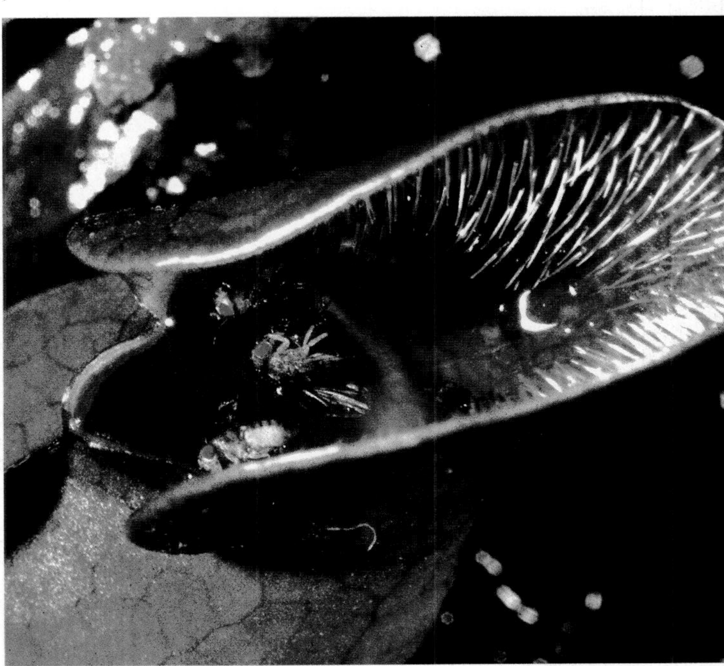

Section 2 Assessment

Target Reading Skill Sequencing Refer to your cycle diagram about the water cycle as you answer Question 1.

Reviewing Key Concepts

1. a. Defining Name and define the three major processes that occur during the water cycle.
   b. Making Generalizations Defend this statement: The sun is the driving force behind the water cycle.
2. a. Reviewing Which two substances are linked in one recycling process?
   b. Comparing and Contrasting What role do producers play in the carbon and oxygen cycles? What role do consumers play in these cycles?
   c. Developing Hypotheses How might the death of all the producers in a community affect the carbon and oxygen cycles?
3. a. Reviewing Why do organisms need nitrogen?
   b. Sequencing Outline the major steps in the nitrogen cycle.
   c. Predicting What might happen in a community if all the nitrogen-fixing bacteria died?

Writing in Science

Comic Strip Choose one of the cycles discussed in this section. Then draw a comic strip with five panels that depicts the important events in the cycle. Remember that the last panel must end with the same event that begins the first panel.

Section 3

Biogeography

Reading Preview

Key Concepts

- How has the movement of the continents affected the distribution of species?
- What are three ways that dispersal of organisms occurs?
- What factors can limit the dispersal of a species?

Key Terms

- biogeography
- continental drift
- dispersal
- exotic species
- climate

Target Reading Skill

Relating Cause and Effect As you read, identify three causes of dispersal. Write the information in a graphic organizer like the one below.

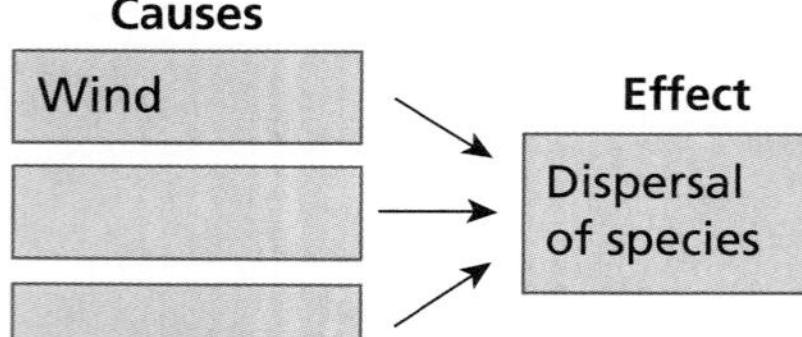

Lab zone Discover Activity

How Can You Move a Seed?

1. Place a few corn kernels at one end of a shallow pan.
2. Make a list of ways you could move the kernels to the other side of the pan. You may use any of the simple materials your teacher has provided.
3. Now try each method. Record whether each was successful in moving the kernels across the pan.

Think It Over

Predicting How might seeds be moved from place to place?

Imagine how European explorers must have felt when they saw Australia for the first time. Instead of familiar grazing animals such as horses and deer, they saw animals that looked like giant rabbits with long tails. Peering into eucalyptus trees, the explorers saw bearlike koalas. And who could have dreamed up an egg-laying animal with a beaver's tail, a duck's bill, and thick fur? You can see why people who heard the first descriptions of the platypus accused the explorers of lying!

As the explorers had learned, different species live in different parts of the world. The study of where organisms live is called **biogeography.** The word *biogeography* is made up of three Greek word roots: *bio,* meaning "life"; *geo,* meaning "Earth"; and *graphy*, meaning "description of." Together, these root words tell what biogeographers do—they describe where living things are found on Earth.

Koala in a eucalyptus tree in Australia ▶

FIGURE 10
Continental Drift
The movement of the continents is one factor affecting the distribution of organisms. **Interpreting Maps** *How has Australia's location changed?*

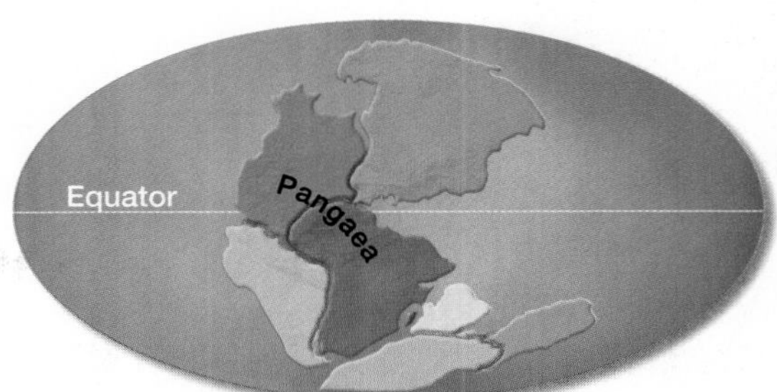

225 Million Years Ago

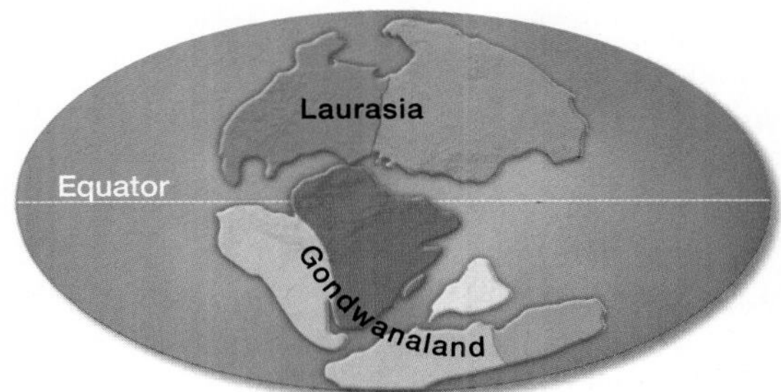

180–200 Million Years Ago

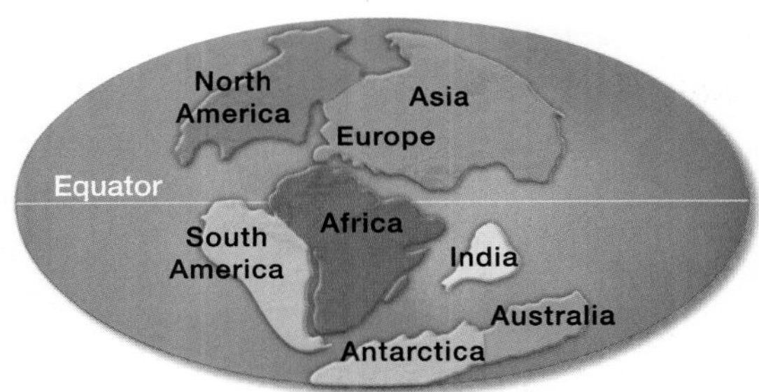

135 Million Years Ago

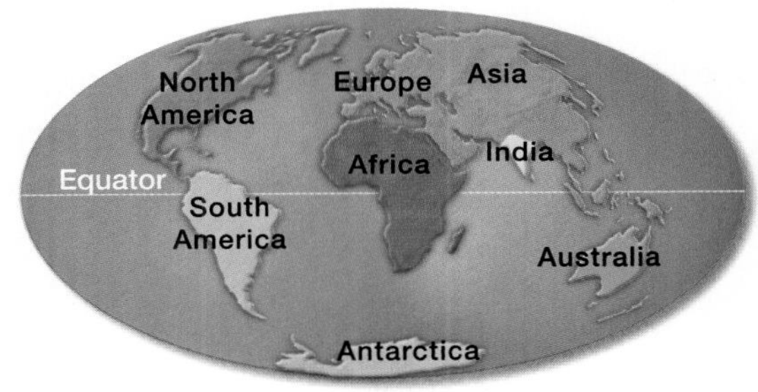

Earth Today

Continental Drift

In addition to studying where species live, biogeographers also try to understand what led to the worldwide distribution of species that exists today. **One factor that has affected how species are distributed is the motion of Earth's continents.** The continents are parts of huge blocks of solid rock, called plates, that make up Earth's surface. Scientists have found that the plates have been moving very slowly for millions of years. As the plates move, the continents move with them in a process called **continental drift.**

Figure 10 shows how much the continents have moved over time. About 225 million years ago, all of today's continents were part of one large landmass now called Pangaea. But after millions of years of slow drifting, they have moved to their present locations.

Continental drift has had a great impact on the distribution of species. Consider Australia, for example. Millions of years ago Australia drifted away from the other landmasses. Organisms from other parts of the world could not reach the isolated island. Kangaroos, koalas, and other unique species flourished in this isolation.

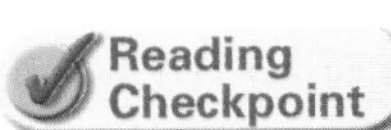

What was Pangaea?

Means of Dispersal

The movement of organisms from one place to another is called **dispersal.** Organisms may be dispersed in several different ways. **Dispersal can be caused by wind, water, or living things, including humans.**

Wind and Water Many animals move into new areas on their own. But plants and small organisms need assistance to move from place to place. Wind can disperse seeds, the spores of fungi, tiny spiders, and other small, light organisms. Similarly, water transports objects that float, such as coconuts and leaves. Small animals may get a free ride to a new home on top of these floating rafts.

For: Continental Drift activity
Visit: PHSchool.com
Web Code: cfp-1015

FIGURE 11
Means of Dispersal
Berry seeds can be dispersed by animals, such as cedar waxwings (top left), that eat berries and leave seeds in their wastes. The spores of puffball mushrooms (top center) and the seeds of milkweed plants (top right) are usually dispersed by wind.
Inferring *What are two ways that seeds disperse?*

Other Living Things Organisms may also be dispersed by other living things. For example, a bird may eat berries in one area and deposit the seeds elsewhere in its wastes. And if your dog or cat has ever come home covered with sticky plant burs, you know another way seeds can get around.

Humans are also important to the dispersal of organisms. As people move around the world, they take organisms with them. Sometimes this dispersal is intentional, as when Europeans who explored Central and South America in the 1500s took corn and tomato plants back to Europe. Sometimes it is unintentional, as when insects are carried from one location to another by an airplane passenger. An organism that is carried into a new location by people is referred to as an **exotic species.**

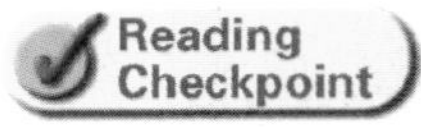

What are two ways that an animal can disperse a species?

Limits to Dispersal

With all these means of dispersal, you might expect to find the same species everywhere in the world. Of course, that's not so. **Three factors that limit dispersal of a species are physical barriers, competition, and climate.**

Physical Barriers Barriers such as water, mountains, and deserts are hard to cross. These features can limit the movement of organisms. For example, once Australia became separated from the other continents, the ocean acted as a barrier to dispersal. Organisms could not easily move to or from Australia.

Competition When an organism enters a new area, it must compete for resources with the species already there. To survive, the organism must find a unique niche. Existing species may outcompete the new species. In this case, competition is a barrier to dispersal. Sometimes, however, new species outcompete the existing species. The existing species may be displaced.

Climate The typical weather pattern in an area over a long period of time is the area's **climate.** Climate differences can limit dispersal. For example, conditions at the top of the mountain shown in Figure 12 are very different from those at the base. The base of the mountain is warm and dry. Low shrubs and cactuses grow there. Higher up, the climate becomes cooler and wetter, and larger trees such as oaks and firs grow. Near the top of the mountain, it is very cold and windy. Only short plants can grow in this area.

Places with similar climates tend to have species that occupy similar niches. For example, most continents have a large area of flat, grassy plains. So these continents have organisms that occupy the niche of "large, grazing mammal." In North America, the large, grazing mammals of the grasslands are bison. In Africa, they are wildebeests and antelopes. And in Australia, they are kangaroos.

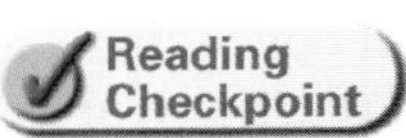

How does the climate at the base of a mountain differ from the climate at the top?

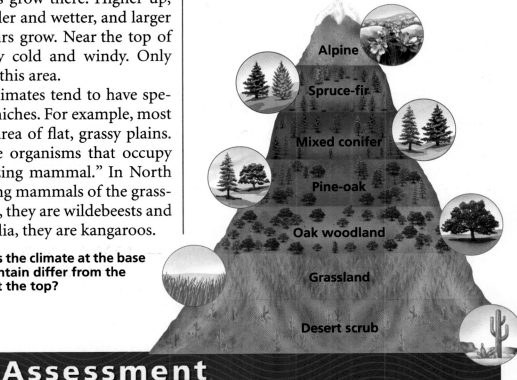

FIGURE 12
Climate Differences and Dispersal
The climate changes dramatically as you move up a tall mountain. Climate determines the distribution of species on different parts of the mountain.

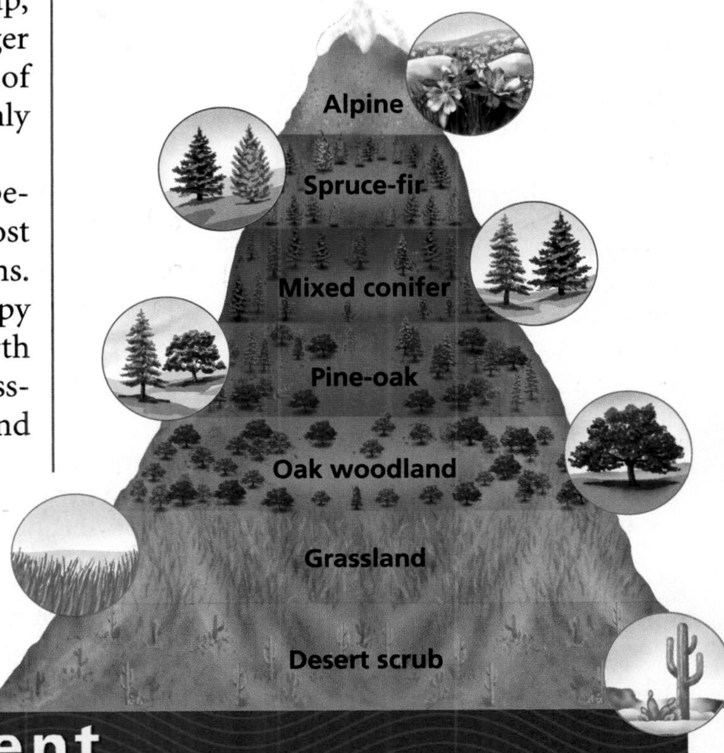

Section 3 Assessment

Target Reading Skill

Relating Cause and Effect Refer to your graphic organizer about means of dispersal to help you answer Question 2 below.

Reviewing Key Concepts

1. a. **Defining** What is continental drift?
   b. **Explaining** How has continental drift affected the dispersal of organisms?
   c. **Relating Cause and Effect** How can continental drift explain why unique species are often found on islands?
2. a. **Listing** What are three ways in which organisms can be dispersed?
   b. **Explaining** What role do humans play in the dispersal of species?
   c. **Predicting** Do you think the role of humans in the dispersal of species will increase or decrease in the next 50 years? Defend your answer.
3. a. **Identifying** What are three factors that can limit the dispersal of a species?
   b. **Applying Concepts** Suppose that a new species of insect were introduced to your area. How might competition limit its dispersal?

Lab zone At-Home Activity

Sock Walk Take an adult family member on a "sock walk" to learn about seed dispersal. Each person should wear a thick white sock over one shoe. Take a short walk through woods, a field, or a park. Back home, observe how many seeds you collected. Then plant the socks in pans of soil. Place the pans in a sunny spot and water them regularly. How many species did you successfully disperse?

Lab zone **Skills Lab**

Biomes in Miniature

Problem

What abiotic factors create different biomes around the world?

Skills Focus

observing, making models

Materials

- scissors
- clear plastic wrap
- index card
- lamp
- tape
- empty, clean cardboard milk carton
- stapler
- about 30 rye grass seeds
- 10 impatiens seeds
- 5 lima bean seeds
- sandy soil or potting soil

Procedure 

1. Your teacher will assign your group a biome. You will also observe the other groups' model biomes. Based on the chart below, predict how well you think each of the three kinds of seeds will grow in each set of conditions. Record these predictions in your notebook. Then copy the data table on the facing page four times, once for each biome.
2. Staple the spout of the milk carton closed. Completely cut away one of the four sides of the carton. Poke a few holes in the opposite side for drainage, and then place that side down.
3. Fill the carton to 3 centimeters from the top with the type of soil given in the table. Divide the surface of the soil into three sections by making two lines in it with a pencil.
4. In the section near the spout, plant the impatiens seeds. In the middle section, plant the lima bean seeds. In the third section, scatter the rye grass seeds on the surface.
5. Water all the seeds well. Then cover the open part of the carton with plastic wrap.
6. On an index card, write the name of your biome, the names of the three types of seeds in the order you planted them, and the names of your group members. Tape the card to the carton. Put the carton in a warm place where it will not be disturbed.
7. Once the seeds sprout, provide your biome with light and water as specified in the chart. Keep the carton covered with plastic wrap except when you add water.
8. Observe all the model biomes daily for at least one week. Record your observations.

Growing Conditions

Biome	Soil Type	Hours of Light per Day	Watering Instructions
Forest	Potting soil	1–2 hours of direct light	Let the surface dry; then add water.
Desert	Sandy soil	5–6 hours of direct light	Let the soil dry to a depth of 2.5 cm below the surface.
Grassland	Potting soil	5–6 hours of direct light	Let the surface dry; then add water.
Rain forest	Potting soil	No direct light; indirect light for 5–6 hours	Keep the surface of the soil moist.

Data Table			
Name of Biome: ______			
Day	Impatiens	Lima Beans	Rye Grass
1			
2			
3			
4			
5			
6			
7			

Analyze and Conclude

1. **Observing** In which model biome did each type of seed grow best? In which model biome did each type of seed grow least well?
2. **Making Models** In this experiment, how did you model the following abiotic factors: sunlight, water, and temperature?
3. **Inferring** How was each type of seed affected by the soil type, amount of light, and availability of water?
4. **Classifying** Why do you think that ecologists who study biomes often focus on identifying the key abiotic factors and typical plants in an area?
5. **Communicating** Write a paragraph explaining how your miniature biomes modeled real-life biomes. Which features of real-life biomes were you able to model well? Which features of real-life biomes were more difficult to model?

Design an Experiment

Write a plan for setting up a model rain forest or desert terrarium. Include typical plants found in that biome. *Obtain your teacher's approval before carrying out your investigation.*

Section 4

Biomes and Aquatic Ecosystems

Reading Preview

Key Concepts

- What are the six major biomes found on Earth?
- What factors determine the type of biome found in an area?
- What do freshwater and marine ecosystems include?

Key Terms

- biome • canopy • understory
- desert • grassland • savanna
- deciduous tree
- coniferous tree • tundra
- permafrost • estuary
- intertidal zone • neritic zone

Target Reading Skill

Comparing and Contrasting As you read, compare the biomes by completing a table like this one.

Characteristic	Tropical Rain Forest	Tundra
Temperature	Warm all year	
Precipitation		
Typical Organisms		

Lab zone Discover Activity

How Much Rain Is That?

The table shows the typical amount of precipitation that falls each year in four locations. With your classmates, you will create a full-sized bar graph on a wall to represent these amounts.

Location	Precipitation (cm)
Mojave Desert	15
Illinois Prairie	70
Great Smoky Mountains	180
Costa Rican Rain Forest	350

1. Using a meter stick, measure a strip of adding-machine paper 15 centimeters long. Label this strip "Mojave Desert."
2. Repeat Step 1 for the other locations. Label each strip.
3. Follow your teacher's instructions on hanging your strips.

Think It Over

Developing Hypotheses What effect might the amount of precipitation have on the types of species that live in a location?

Congratulations! You and your classmates have been selected to take part in an around-the-world scientific expedition. On this expedition you will collect data on the climate and typical organisms of each of Earth's biomes. A **biome** is a group of land ecosystems with similar climates and organisms.

The ecologists leading your expedition have agreed to focus on six major biomes. **The six major biomes that most ecologists study are the rain forest, desert, grassland, deciduous forest, boreal forest, and tundra.**

Be sure to pack a variety of clothing for your expedition. You will visit places ranging from steamy tropical jungles to frozen Arctic plains. **It is mostly the climate—temperature and precipitation—in an area that determines its biome.** This is because climate limits the species of plants that can grow in an area. In turn, the species of plants determine the kinds of animals that live there.

Hurry up and pack—it's almost time to go!

Rain Forest Biomes

The first stop on your expedition is a rain forest. This biome is living up to its name—it's pouring! Fortunately, you remembered to pack a raincoat. After just a short shower, however, the sun reappears. Surprisingly, though, very little sunlight reaches you through the thick leaves above.

Plants are everywhere in the rain forest. Some plants, such as the ferns, flowers, and vines hanging from tree limbs, even grow on other plants! And animals are flying, creeping, and slithering all around you.

Temperate Rain Forests When you hear the term *rain forest,* you probably think of a warm, humid, "jungle" in the tropics. But there is another type of rain forest. The northwestern coast of the United States receives more than 300 centimeters of rain a year. Huge trees grow there, including cedars, redwoods, and Douglas firs. However, it is difficult to classify this region. Many ecologists refer to this ecosystem as a temperate rain forest. The term *temperate* means having moderate temperatures.

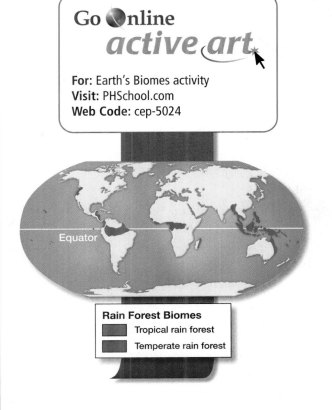

Go Online active art

For: Earth's Biomes activity
Visit: PHSchool.com
Web Code: cep-5024

Equator

Rain Forest Biomes
Tropical rain forest
Temperate rain forest

FIGURE 13 Temperate Rain Forest
Temperate rain forests receive a great deal of rain and have moderate temperatures. Mule deer are commonly found in the Olympic Rain Forest in Washington State. **Interpreting Maps** *Where is one temperate rain forest located?*

◀ Pileated woodpecker

◀ Orangutan

▲ Bromeliad

FIGURE 14
Tropical Rain Forest
Tropical rain forests are wet, warm biomes that contain an amazing variety of plants and other organisms. In the large photo, a river winds through the lush Indonesian rain forest.

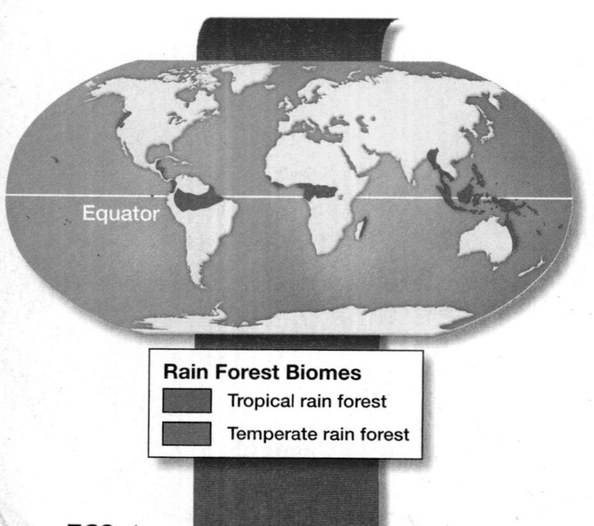

Tropical Rain Forests As you can see on the map, tropical rain forests are found in regions close to the equator. The climate is warm and humid all year long, and there is a lot of rain. Because of these climate conditions, an astounding variety of plants grow in tropical rain forests. In fact, scientists studying a 100-square-meter area of one rain forest identified 300 different kinds of trees!

Trees in the rain forest form several distinct layers. The tall trees form a leafy roof called the **canopy.** A few giant trees poke out above the canopy. Below the canopy, a second layer of shorter trees and vines form an **understory.** Understory plants grow well in the shade formed by the canopy. The forest floor is nearly dark, so only a few plants live there.

The abundant plant life in tropical rain forests provides habitats for many species of animals. Ecologists estimate that millions of species of insects live in tropical rain forests. These insects serve as a source of food for many reptiles, birds, and mammals. Many of these animals are, in turn, food sources for other animals. Although tropical rain forests cover only a small part of the planet, they probably contain more species of plants and animals than all the other biomes combined.

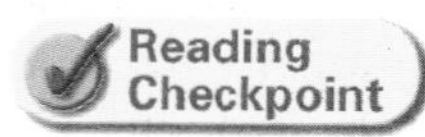

What is the climate of the tropical rain forest?

Desert Biomes

The next stop on your expedition is a desert. It couldn't be more different from the tropical rain forest you just left. You step off the bus into the searing summer heat. At midday, it is too hot to walk outside in the desert.

A **desert** is an area that receives less than 25 centimeters of rain per year. The amount of evaporation in a desert is greater than the amount of precipitation. Some of the driest deserts may not receive any precipitation in a year! Deserts often undergo large shifts in temperature during the course of a day. A scorching hot desert like the Namib Desert in Africa cools rapidly each night when the sun goes down. Other deserts, such as the Gobi in central Asia, are cooler, and even experience freezing temperatures in the winter.

Organisms that live in the desert must be adapted to the lack of rain and extreme temperatures. For example, the stem of a saguaro cactus has folds that work like the pleats in an accordion. The stem expands to store water when it is raining. Gila monsters can spend weeks at a time in their cool underground burrows. Many other desert animals are most active at night when the temperatures are cooler.

FIGURE 15
Desert
The Mojave Desert in the southwestern United States is a typical hot desert.
Making Generalizations *Describe the climate conditions of a typical desert.*

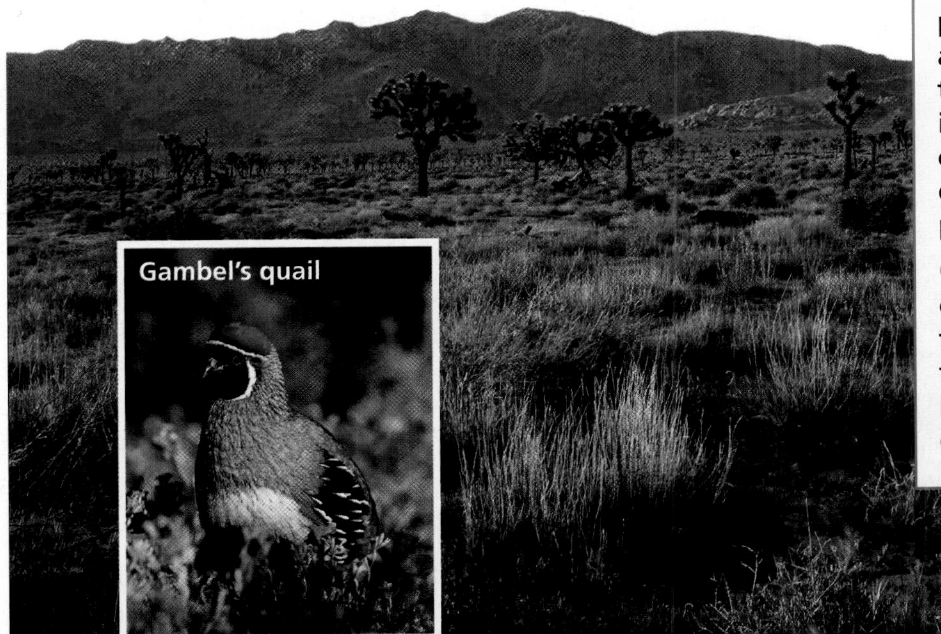

Lab zone **Try This Activity**

Desert Survival

Use a hand lens to carefully observe a small potted cactus. **CAUTION:** *Be careful of the spines.* With a pair of scissors, carefully snip a small piece from the tip of the cactus. Observe the inside of the plant. Note any characteristics that seem different from those of other plants.

Observing How is the inside of the cactus different from the outside? Suggest how the features you observe might be adaptations to its desert habitat.

FIGURE 16
Savanna
Migrating wildebeest make their way across a vast Kenyan savanna. A savanna is one type of grassland biome—an area populated mostly by grasses and other non-woody plants.

Grassland Biomes

The next stop on the expedition is a grassy plain called a prairie. Temperatures here are more comfortable than they were in the desert. The breeze carries the scent of soil warmed by the sun. This rich soil supports grasses as tall as you. Startled by your approach, sparrows dart into hiding places among the waving grass stems.

Although this prairie receives more rain than a desert, it does not get enough rain for trees to grow. Ecologists classify prairies, which are generally found in the middle latitudes, as grasslands. A **grassland** is an area that is populated mostly by grasses and other non-woody plants. Most grasslands receive 25 to 75 centimeters of rain each year. Fires and droughts are common in this biome. Grasslands that are located closer to the equator than prairies are known as savannas. A **savanna** receives as much as 120 centimeters of rain each year. Scattered shrubs and small trees grow on savannas along with grass.

Grasslands are home to many of the largest animals on Earth—herbivores such as elephants, bison, antelopes, zebras, rhinoceroses, giraffes, and kangaroos. Grazing by these large herbivores helps to maintain the grasslands. They keep young trees and bushes from sprouting and competing with the grass for water and sunlight.

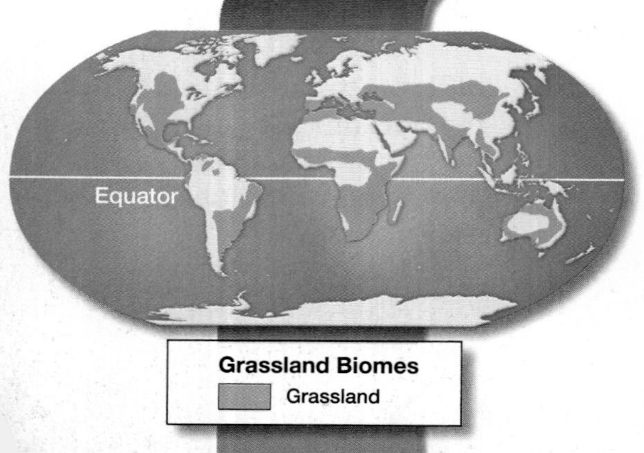

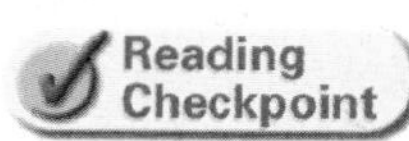

What type of grassland usually receives more rainfall, a prairie or a savanna?

Deciduous Forest Biomes

Your trip to the next biome takes you to another forest. It is now late summer. Cool mornings here give way to warm days. Several members of the expedition are busy recording the numerous plant species. Others are looking through their binoculars, trying to identify the songbirds. You step carefully to avoid a small salamander.

You are now visiting a deciduous forest biome. Many of the trees in this forest are **deciduous trees** (dee SIJ oo us), trees that shed their leaves and grow new ones each year. Oaks and maples are examples of deciduous trees. Deciduous forests receive enough rain to support the growth of trees and other plants, at least 50 centimeters per year. Temperatures in the deciduous forest vary greatly during the year. The growing season usually lasts five to six months.

The variety of plants in a deciduous forest creates many different habitats. Different species of birds live in different parts of the forest, eating the insects and fruits in their specific areas. Mammals such as chipmunks and skunks live in deciduous forests. In a North American deciduous forest you might also see wood thrushes, white-tailed deer, and black bears.

If you were to return to this biome in the winter, you would not see much wildlife. Many of the bird species migrate to warmer areas. Some of the mammals hibernate, or enter a state of greatly reduced body activity similar to sleep. Animals that hibernate rely on fat stored in their bodies during the winter months.

Reading Checkpoint **What are deciduous trees?**

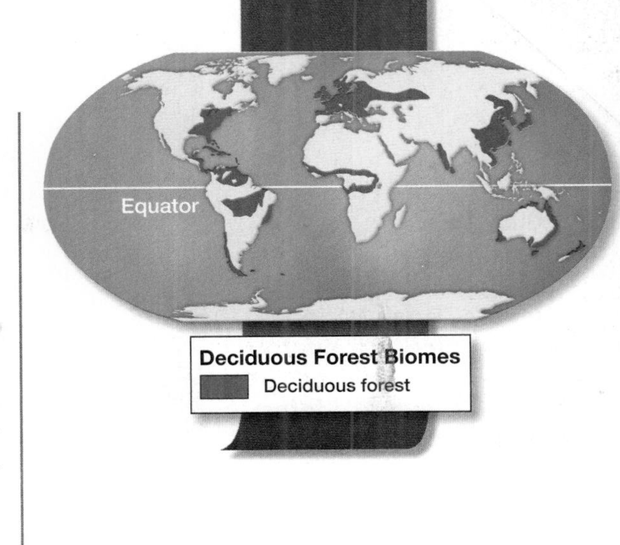

FIGURE 17
Deciduous Forest
This forest is a beautiful example of a deciduous forest in autumn. Most of the trees in a deciduous forest have leaves that change color and drop each autumn.
Comparing and Contrasting *How do deciduous forests differ from rain forests?*

▼ Southern flying squirrel

▼ Red fox

FIGURE 18
Boreal Forest
This boreal forest in Alaska's Denali National Park is home to coniferous trees and animals such as moose. The boreal forest is often called the "spruce-moose" forest.

Boreal Forest Biomes

Now the expedition heads north into a colder climate. The expedition leaders claim they can identify the next biome, a boreal forest, by its smell. When you arrive, you catch a whiff of the spruce and fir trees that blanket the hillsides. Feeling the chilly early fall air, you pull a jacket and hat out of your bag.

Boreal Forest Plants Most of the trees in the boreal forest are **coniferous trees** (koh NIF ur us), trees that produce their seeds in cones and have leaves shaped like needles. The boreal forest is sometimes referred to by its Russian name, the *taiga* (TY guh). Winters in these forests are very cold. The snow can reach heights well over your head! Even so, the summers are rainy and warm enough to melt all the snow.

Tree species in the boreal forest are well-adapted to the cold climate. Since water is frozen for much of the year, trees in the boreal forest must have adaptations that prevent water loss. Fir, spruce, hemlock, and other coniferous trees all have thick, waxy needles that prevent water from evaporating.

Boreal Forest Animals Many of the animals of the boreal forest eat the seeds produced by the coniferous trees. These animals include red squirrels, insects, and birds such as finches and chickadees. Some herbivores, such as snowshoe hares, moose, and beavers, eat tree bark and new shoots. The variety of herbivores in the boreal forest supports many large predators, including wolves, bears, great horned owls, and lynxes.

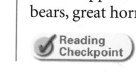

Reading Checkpoint **How are needles an advantage to trees in the boreal forest?**

Lab zone Skills Activity

Inferring

Observe the map that shows the locations of boreal forests. Where are most boreal forests located? Why are there no boreal forests in the Southern Hemisphere?

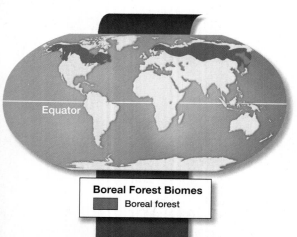

Equator

Boreal Forest Biomes
Boreal forest

Tundra Biomes

As you arrive at your next stop, the driving wind gives you an immediate feel for this biome. The **tundra** is an extremely cold and dry biome. Expecting deep snow, many are surprised to learn that the tundra may receive no more precipitation than a desert.

Most of the soil in the tundra is frozen all year. This frozen soil is called **permafrost.** During the short summer, the top layer of soil thaws, but the underlying soil remains frozen. Because rainwater cannot soak into the permafrost, there are many shallow ponds and marshy areas on the tundra in the summer.

Tundra Plants Plants of the tundra include mosses, grasses, shrubs, and dwarf forms of a few trees, such as willows. Most of the plant growth takes place during the long days of the short summer season. North of the Arctic Circle, the sun does not set during midsummer.

Tundra Animals In summer, the animals you might remember most are insects. Insect-eating birds take advantage of the plentiful food and long days by eating as much as they can. But when winter approaches, these birds migrate south. Mammals of the tundra include caribou, foxes, wolves, and Arctic hares. The mammals that remain on the tundra during the winter grow thick fur coats. What can these animals find to eat on the tundra in winter? The caribou scrape snow away to find lichens. Wolves follow the caribou and look for weak members of the herd to prey upon.

Reading Checkpoint **What is permafrost?**

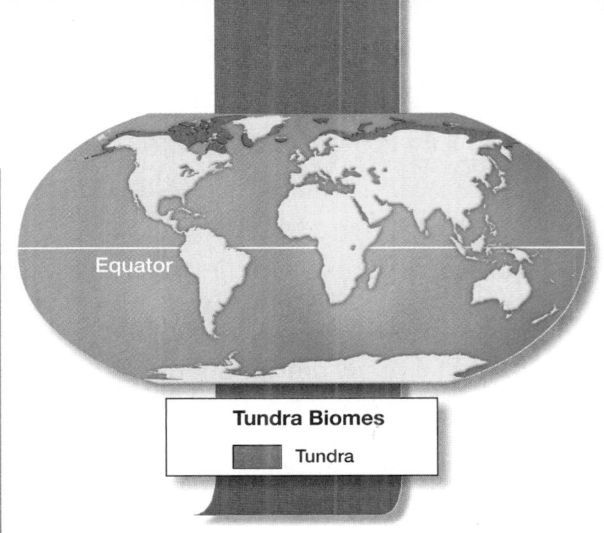

FIGURE 19
Tundra
Although it is frozen and seemingly barren in winter, the tundra in Alaska explodes with color in autumn.
Relating Cause and Effect *Why are there no tall trees on the tundra?*

Musk ox ▲

Math Analyzing Data

Biome Climates

An ecologist collected climate data from two locations. The graph shows the monthly average temperatures in the two locations. The total yearly precipitation in Location A is 250 cm. In Location B, the total yearly precipitation is 14 cm.

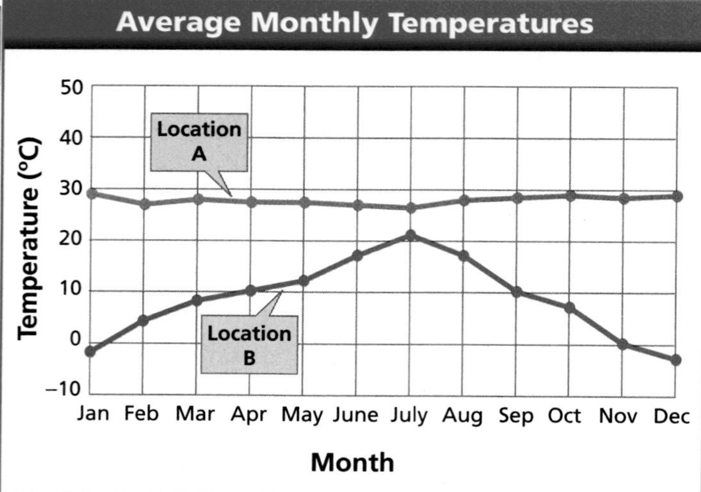

1. **Reading Graphs** What variable is plotted on the horizontal axis? On the vertical axis?
2. **Interpreting Data** Look over the graph. How would you describe the temperature over the course of a year in Location A? In Location B?
3. **Drawing Conclusions** Given the precipitation and temperature data for these locations, in which biome would you expect each to be located? Explain your answers.
4. **Predicting** What would you expect a temperature graph for your biome to look like? Draw a temperature graph for the biome in which you live.

Mountains and Ice

Some areas of land are not part of any major biome. These areas include mountain ranges and land that is covered with thick sheets of ice.

You read in Section 3 that the climate of a mountain changes from its base to its summit. If you were to hike all the way up a tall mountain, you would pass through a series of biomes. At the base, you might find grasslands. As you climbed, you might pass through deciduous forest and then boreal forest. As you neared the top, your surroundings would resemble the treeless tundra.

Other places are covered year-round with thick ice sheets. Most of the island of Greenland and the continent of Antarctica fall into this category. Organisms that are adapted to life on ice include emperor penguins, polar bears, and leopard seals.

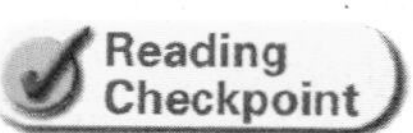

What are two landmasses that are covered year-round with ice?

FIGURE 20
Mountains
Pikas, such as this one, live in rocky mountain habitats. They spend much of their time in the summer gathering and storing plants for food. This behavior helps pikas survive through the long harsh winter.

Freshwater Ecosystems

On this part of the expedition, you will explore Earth's waters. Most of Earth's surface is covered with water, but only a tiny fraction is fresh water. **Freshwater ecosystems include streams, rivers, ponds, and lakes.** These ecosystems provide habitats for an amazing variety of organisms, from microscopic algae to huge bears.

Streams and Rivers Your first stop is a mountain stream. Where the stream begins, the cold, clear water flows rapidly. Animals that live here are adapted to the strong current. For example, insects and other small animals have hooks or suckers that help them cling to rocks. Trout have streamlined bodies that allow them to swim despite the rushing water. Few plants or algae can grow in this fast-moving water. Instead, first-level consumers rely on leaves and seeds that fall into the stream.

As the stream flows along, other streams join it. The current slows, and the water becomes cloudy with soil. The slower-moving water is warmer and contains less oxygen. This larger stream might now be called a river. Different organisms are adapted to life in a river. Plants take root among the pebbles on the river bottom. These producers provide food for young insects and homes for frogs and their tadpoles. These consumers, in turn, provide food for many larger consumers.

Ponds and Lakes Your next stop is a pond. Ponds and lakes are bodies of standing, or still, fresh water. Lakes are generally larger and deeper than ponds. Ponds are often shallow enough that sunlight can reach the bottom even in the center of the pond, allowing plants to grow there. In large ponds and most lakes, however, algae floating at the surface are the major producers.

Many animals are adapted for life in the still water. Along the shore of the pond, you observe dragonflies, turtles, snails, and frogs. Sunfish live in the open water, feeding on insects and algae from the surface. Scavengers such as catfish live near the pond bottom. Bacteria and other decomposers also feed on the remains of other organisms.

FIGURE 21
A Pond Ecosystem
Ponds and lakes are freshwater ecosystems characterized by still water. Pickerelweed and herons are typical pond organisms.
Interpreting Photographs *How is the heron well-suited to its aquatic environment?*

◀ Tricolored heron

FIGURE 22

Marine Ecosystems

The ocean is home to a number of different ecosystems. Factors such as water temperature and the amount of sunlight determine what types of organisms can live in each zone.

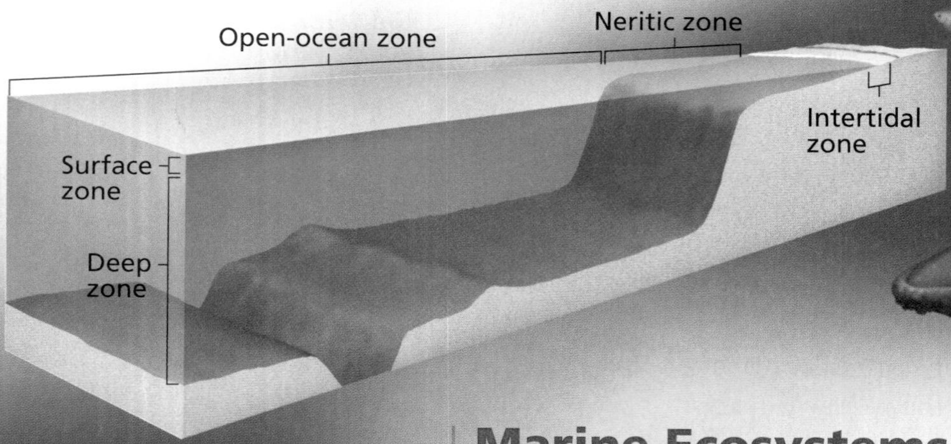

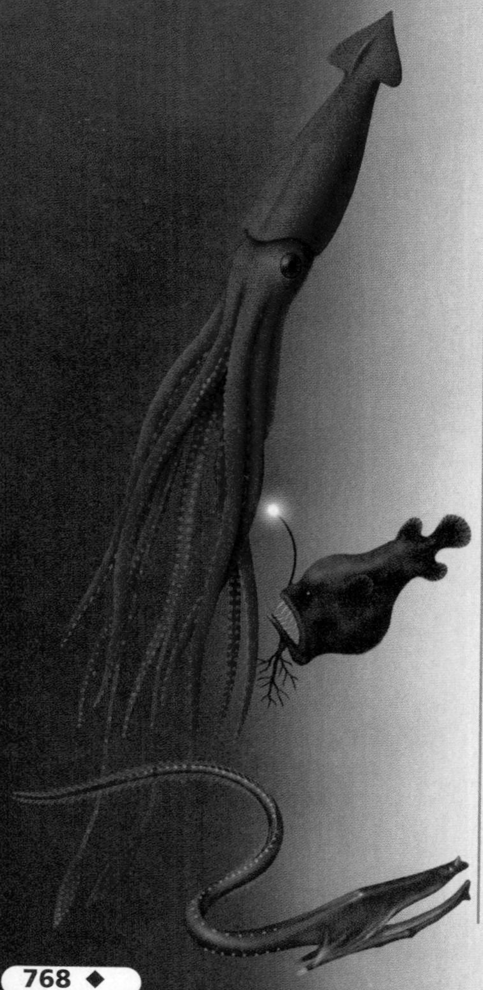

Open-ocean zone

Neritic zone

Open-ocean zone

Intertidal zone

Surface zone

Deep zone

Marine Ecosystems

Now you head to the coast to explore some marine ecosystems. On your way, you'll pass through an estuary. An **estuary** (ES choo ehr ee), is found where the fresh water of a river meets the salt water of the ocean. Algae and plants such as marsh grasses provide food and shelter for numerous animals, including crabs, worms, clams, and fish. Many animals use the calm waters of estuaries for breeding grounds. **Marine ecosystems include estuaries, intertidal zones, neritic zones, and the open ocean.**

Intertidal Zone Next, you walk along the rocky shoreline. Here, between the highest high-tide line and the lowest low-tide line, is the **intertidal zone.** Organisms here must be able to survive pounding waves and sudden changes in water levels and temperature that occur with high and low tides. Animals such as barnacles and sea stars cling to the rocks. Others, such as clams and crabs, burrow in the sand.

Neritic Zone Now you set out to sea. The edge of a continent extends into the ocean for a short distance, like a shelf. Below the low-tide line is a region of shallow water called the **neritic zone** (nuh RIT ik), which extends over the continental shelf.

Because sunlight passes through the shallow water of the neritic zone, photosynthesis can occur. As a result, this zone is particularly rich in living things. Many large schools of fish, such as sardines, feed on algae. In warm ocean waters, coral reefs may form. Coral reefs provide living homes to a wide variety of other organisms.

Intertidal zone

Neritic zone

The Open Ocean Out in the open ocean, light penetrates only a few hundred meters deep. Algae carry out photosynthesis in this region of the open ocean, known as the surface zone. Many marine animals depend on the algae for food.

The deep zone is located below the surface zone. The deep zone is almost totally dark. Most animals in this zone feed on the remains of organisms that sink down from the surface zone. The deepest parts of the deep zone are home to bizarre-looking animals, such as giant squid whose eyes glow in the dark.

For: Links on aquatic ecosystems
Visit: www.SciLinks.org
Web Code: scn-0525

Section 4 Assessment

Target Reading Skill **Comparing and Contrasting** Use the information in your table about biomes to help you answer Question 1.

Reviewing Key Concepts

1. a. **Listing** What are the six major biomes?
   b. **Comparing and Contrasting** How are the three forest biomes alike? How are they different?
   c. **Inferring** A plain is dry, bitterly cold, and contains a few, short plants scattered about. What biome might this describe?
2. a. **Reviewing** What two factors are most important in determining an area's biome?
   b. **Relating Cause and Effect** If deserts and tundras receive similar amounts of rainfall, why are these two biomes so different?
   c. **Applying Concepts** Why would hiking up a tall mountain be a good way to observe how climate determines an area's biome?
3. a. **Reviewing** What are some freshwater ecosystems? What are some marine ecosystems?
   b. **Explaining** Why is sunlight an important abiotic factor in all aquatic ecosystems?

Writing in Science

Firsthand Account Choose one of the biomes and write a journal entry detailing the observations you made during your expedition. Describe sights, sounds, and smells you experienced as well as specific details about the organisms you observed.

Lab zone **Skills Lab**

Change in a Tiny Community

Problem

How does a pond community change over time?

Skills Focus

observing, classifying

Materials

- hay solution
- pond water
- small baby-food jar
- wax pencil
- plastic dropper
- microscope slide
- coverslip
- microscope

Procedure

1. Use a wax pencil to label a small jar with your name.
2. Fill the jar about three-fourths full with hay solution. Add pond water until the jar is nearly full. Examine the mixture, and record your observations in your notebook.
3. Place the jar in a safe location out of direct sunlight where it will remain undisturbed. Always wash your hands thoroughly with soap after handling the jar or its contents.
4. After two days, examine the contents of the jar, and record your observations.
5. Use a plastic dropper to collect a few drops from the surface of the solution in the jar. Make a slide following the procedures in the box at the right. **CAUTION:** *Slides and coverslips are fragile, and their edges are sharp. Handle them carefully.*
6. Examine the slide under a microscope, using both low and high power and following the procedures in the box at the right. Draw each type of organism you observe. Estimate the number of each type in your sample. The illustration below shows some of the organisms you might see.
7. Repeat Steps 5 and 6 with a drop of solution taken from the side of the jar beneath the surface.
8. Repeat Steps 5 and 6 with a drop of solution taken from the bottom of the jar. When you are finished, follow your teacher's directions about cleaning up.
9. After 3 days, repeat Steps 5 through 8.
10. After 3 more days, repeat Steps 5 through 8 again. Then follow your teacher's directions for returning the solution.

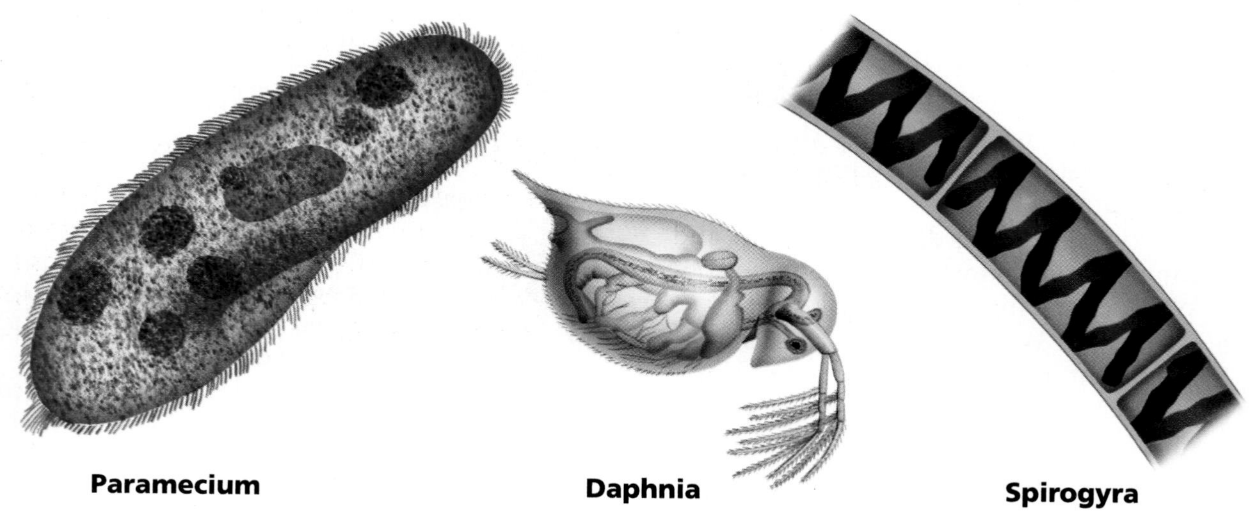

Paramecium **Daphnia** **Spirogyra**

Making and Viewing a Slide

A. Place one drop of the solution to be examined in the middle of a microscope slide. Place one edge of a coverslip at the edge of the drop, as shown in the photo. Gently lower the coverslip over the drop. Try not to trap any air bubbles.

B. Place the slide on the stage of a microscope so the drop is over the opening in the stage. Adjust the stage clips to hold the slide.

C. Look from the side of the microscope, and use the coarse adjustment knob to move the low-power objective close to, but not touching, the coverslip.

D. Look through the eyepiece, and use the coarse adjustment knob to raise the body tube and bring the slide into view. Use the fine adjustment knob to bring the slide into focus.

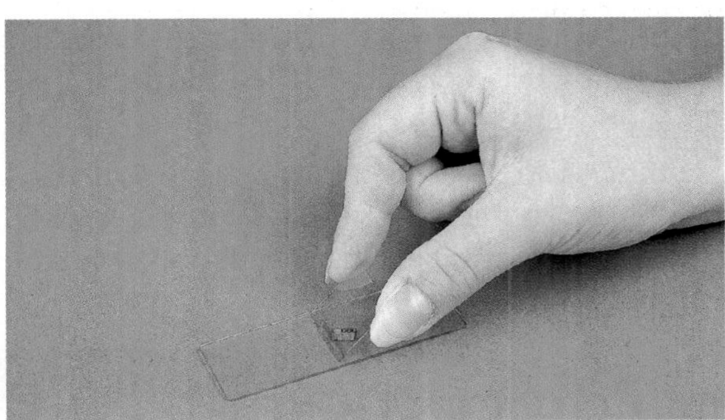

E. To view the slide under high power, look from the side of the microscope, and revolve the nosepiece until the high-power objective clicks into place just over, but not touching, the slide.

F. While you are looking through the eyepiece, use the fine adjustment knob to bring the slide into focus.

Analyze and Conclude

1. **Classifying** Identify as many of the organisms you observed as possible. Use the diagrams on the facing page and any other resources your teacher provides.
2. **Observing** How did the community change over the period of time that you made your observations?
3. **Inferring** What biotic and abiotic factors may have influenced the changes in this community? Explain.
4. **Developing Hypotheses** Where did the organisms you observed in the jar come from?
5. **Communicating** Based on what you have observed in this lab, write a paragraph that explains why ecosystems change gradually over time. Be sure to discuss the important factors that lead to changes in ecosystems.

Design an Experiment

Write a hypothesis about what would happen if you changed one biotic or abiotic factor in this activity. Design a plan to test your hypothesis. *Obtain your teacher's permission before carrying out your investigation.*

Chapter 22 Study Guide

1 Energy Flow in Ecosystems

Key Concepts

- Each organism in an ecosystem fills the energy role of producer, consumer, or decomposer.
- The movement of energy through an ecosystem can be shown in diagrams called food chains and food webs.
- The most energy is available at the producer level of the energy pyramid. As you move up the pyramid, each level has less energy available than the level below.

Key Terms

producer
consumer
herbivore
carnivore
omnivore
scavenger
decomposer
food chain
food web
energy pyramid

2 Cycles of Matter

Key Concepts

- The processes of evaporation, condensation, and precipitation make up the water cycle.
- In ecosystems, the processes by which carbon and oxygen are recycled are linked. Producers, consumers, and decomposers play roles in recycling carbon and oxygen.
- In the nitrogen cycle, nitrogen moves from the air to the soil, into living things, and back into the air.

Key Terms

water cycle
evaporation
condensation
precipitation
nitrogen fixation

3 Biogeography

Key Concepts

- One factor that has affected how species are distributed is the motion of Earth's continents.
- Dispersal can be caused by wind, water, or living things, including humans.
- Three factors that limit dispersal of a species are physical barriers, competition, and climate.

Key Terms

biogeography
continental drift
dispersal
exotic species
climate

4 Biomes and Aquatic Ecosystems

Key Concepts

- The six major biomes that most ecologists study are the rain forest, desert, grassland, deciduous forest, boreal forest, and tundra.
- It is mostly the climate—temperature and precipitation—in an area that determines its biome.
- Freshwater ecosystems include streams, rivers, ponds, and lakes.
- Marine ecosystems include estuaries, intertidal zones, neritic zones, and the open ocean.

Key Terms

biome
canopy
understory
desert
grassland
savanna
deciduous tree
coniferous tree
tundra
permafrost
estuary
intertidal zone
neritic zone

Review and Assessment

For: Self-Assessment
Visit: PHSchool.com
Web Code: cha-4220

Organizing Information

Sequencing Copy the cycle diagram about the nitrogen cycle onto a separate sheet of paper. Then complete it. (For more on Sequencing, see the Skills Handbook.)

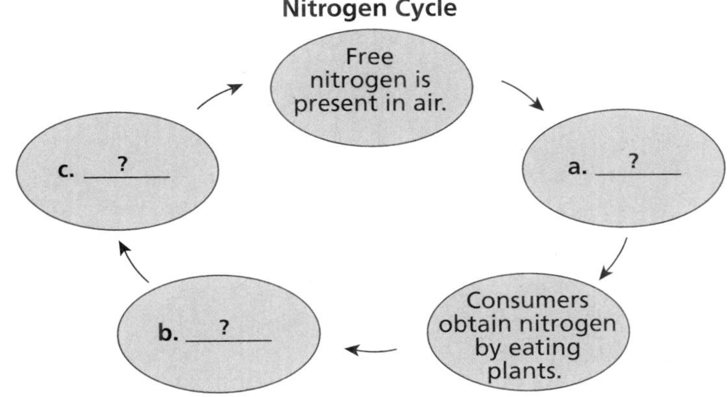

Reviewing Key Terms

Choose the letter of the best answer.

1. Which of the following organisms are typical decomposers?
   a. grasses and ferns
   b. mushrooms and bacteria
   c. mice and deer
   d. lions and snakes
2. A diagram that shows how much energy is available at each feeding level in an ecosystem is a(n)
   a. food chain.
   b. food web.
   c. water cycle.
   d. energy pyramid.
3. When drops of water in a cloud become heavy enough, they fall to Earth as
   a. condensation.
   b. evaporation.
   c. permafrost.
   d. precipitation.
4. Organisms may be dispersed in all the following ways *except* by
   a. wind.
   b. water.
   c. temperature.
   d. other organisms.
5. Much of Canada is covered in fir and spruce forests. The winter is cold and long. What is this biome?
   a. tundra
   b. boreal forest
   c. deciduous forest
   d. grassland

If the statement is true, write *true.* If it is false, change the underlined word or words to make the statement true.

6. An organism that eats the remains of dead organisms is called a(n) herbivore.
7. The study of where organisms live is called continental drift.
8. Precipitation and temperature are the two major abiotic factors that determine what types of plants can grow in an area.

Writing in Science

Encyclopedia Entry Write a half-page encyclopedia entry about life in the desert. Describe at least two plants and animals that live in the desert. Focus on the adaptations that allow these organisms to thrive in the harsh environment.

Ecosystems and Biomes
Video Preview
Video Field Trip
▶ Video Assessment

Review and Assessment

Checking Concepts

9. Name and describe each of the three energy roles organisms can play in an ecosystem.
10. How are food chains and food webs different?
11. What is the source of energy for most ecosystems? Explain.
12. Describe the role of nitrogen-fixing bacteria in the nitrogen cycle.
13. Explain how competition can affect the dispersal of species.
14. Why is the tropical rain forest able to support so many species?
15. In which biome would you find large herbivores such as elephants and zebras? Explain.
16. Describe the role of algae in freshwater and marine ecosystems.

Thinking Critically

17. **Inferring** Polar bears are very well adapted to life around the Arctic Ocean. Their white fur camouflages them in the snow. They can withstand freezing temperatures for a long time. They can swim and hunt in very cold water. Is the distribution of polar bears limited by physical barriers, competition, or climate? Explain your answer.
18. **Comparing and Contrasting** How are the temperate rain forest and the tropical rain forest similar? How are they different?
19. **Predicting** A chemical spill has just killed off all the algae in a part of the surface zone in the open ocean. How will this accident affect the food webs in that part of the surface zone?
20. **Classifying** Which organisms in the illustration are producers? Consumers?

Applying Skills

Use the diagram of a food web below to answer Questions 21–24.

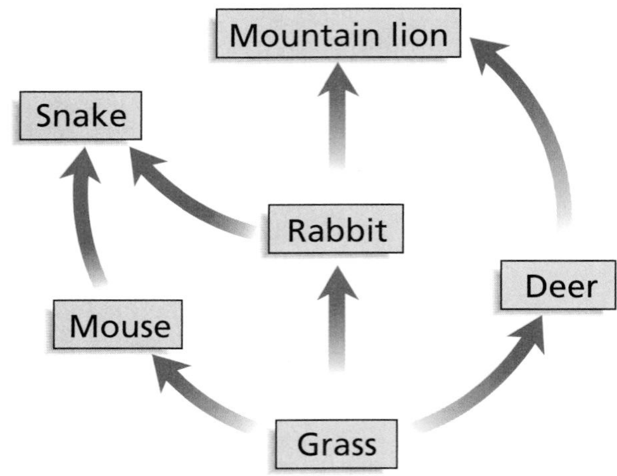

21. **Interpreting Diagrams** Which organism in this food web fills the role of producer?
22. **Classifying** Specify whether each consumer in this food web is a first-level, second-level, or third-level consumer.
23. **Inferring** Which level of the food web contains the greatest amount of available energy?
24. **Predicting** If a disease were to kill most of the rabbits in this area, predict how the snakes, deer, and mountain lions would be affected.

Lab zone Chapter Project

Performance Assessment Create a report, poster, or other product that clearly presents your data and conclusions from your decomposition experiment. In your notebook, compare your results to your predictions about the different waste materials in the compost mixture. Were you surprised by any of your results? Based on what you have learned from your project and those of your classmates, make a list of the ideal conditions for decomposition.

Standardized Test Prep

Test-Taking Tip

Interpreting a Diagram

When answering questions about diagrams, examine the diagram carefully, including labels. Ask yourself what the diagram is about and what it shows you. Make sure that you understand the meaning of any arrows. For example, the arrows in the diagram below indicate the direction of energy flow from producers to consumers in a food chain.

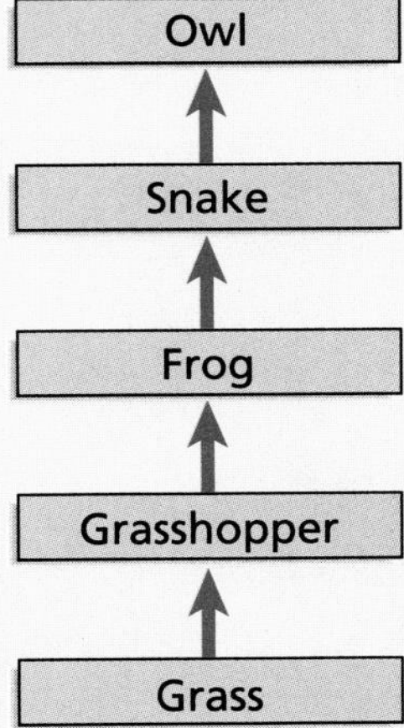

Sample Question

In the food chain shown in the diagram, which of the following organisms obtains its energy directly from the frog?

A the grass
B the grasshopper
C the snake
D the owl

Answer

The correct answer is **C**. By looking at the arrows in the diagram, you can see that the energy flows in this food chain directly from the frog to the snake.

Choose the letter of the best answer.

1. You are in an area in Maryland where the fresh water of the Chesapeake Bay meets the Atlantic Ocean. What type of habitat are you in?

A a neritic zone
B an intertidal zone
C an estuary
D the tundra

2. Which pair of terms could apply to the same organism?

F carnivore and producer
G decomposer and consumer
H scavenger and herbivore
J carnivore and consumer

3. You and your classmates have just set up a terrarium in a jar using gravel, moist soil, leafy plants, and mosses. The day after the jar was sealed, you noticed water droplets on the inside of the jar. What process caused the water droplets to form?

A evaporation
B condensation
C precipitation
D surface runoff

Use the energy pyramid diagram below and your knowledge of science to answer Questions 4 and 5.

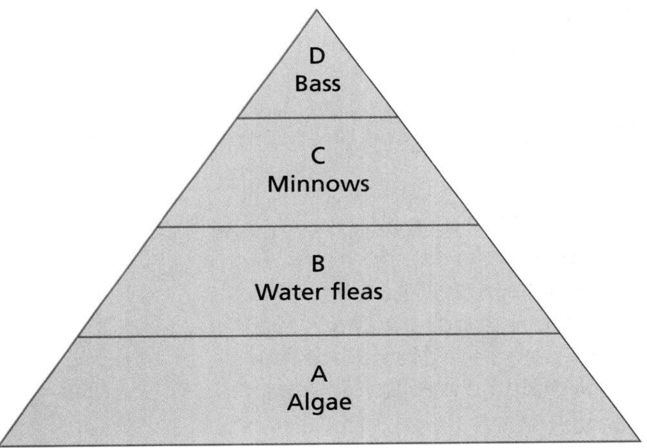

4. Which organisms are the producers in this ecosystem?

F algae
G minnows
H water fleas
J bass

5. At which level of this energy pyramid is the LEAST energy available?

A level A
B level B
C level C
D level D

Constructed Response

6. Explain how the processes by which carbon and oxygen cycle through the atmosphere are interrelated.

Chapter 23

Living Resources

Chapter Preview

1. **Environmental Issues**
   Discover *How Do You Decide?*
   Science and History *Making a Difference*
   Skills Lab *Recycling Paper*

2. **Forests and Fisheries**
   Discover *What Happened to the Tuna?*
   Active Art *Logging Methods*
   Skills Activity *Calculating*
   At-Home Activity *Renewable Resource Survey*
   Skills Lab *Tree Cookie Tales*
   Technology and Society *Paper*

3. **Biodiversity**
   Discover *How Much Variety Is There?*
   Try This *Grocery Gene Pool*
   Analyzing Data *California Peregrine Falcon Recovery*
   At-Home Activity *Species Refuges*

Interactive Textbook

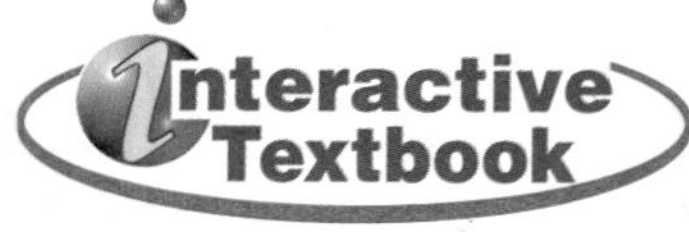

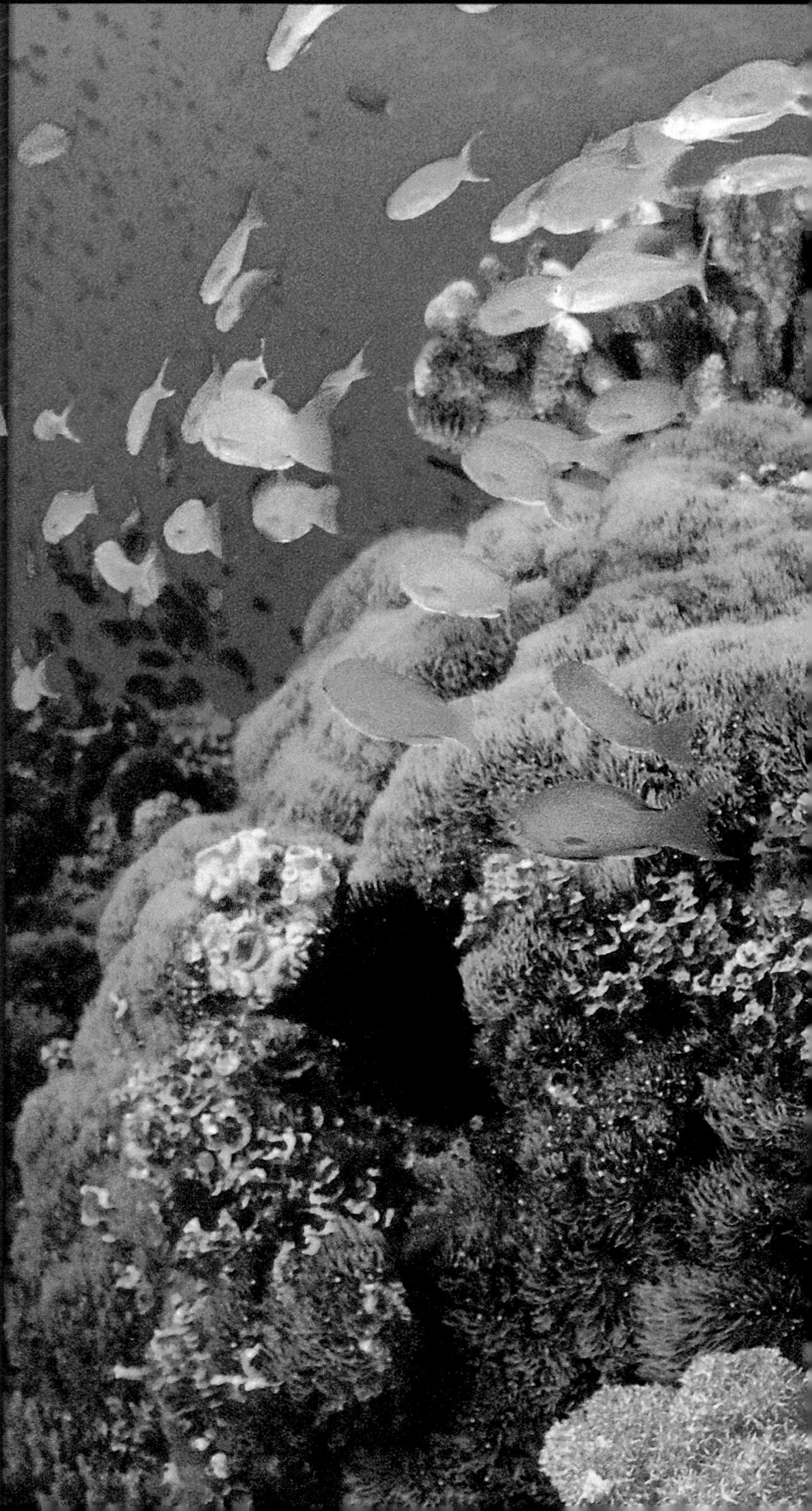

Coral reefs are the most diverse ecosystems in the ocean. ▶

Lab zone™ Chapter **Project**

Variety Show

In this chapter's project, you will become an ecologist as you study the diversity of life in a small plot of land. Keep in mind that the area you will study has just a tiny sample of the huge variety of organisms that live on Earth.

Your Goal To observe the diversity of organisms in a plot of land

To complete this project, you must

- stake out a 1.5 meter-by-1.5 meter plot of ground
- keep a record of your observations of the abiotic conditions
- identify the species of organisms you observe
- follow the safety guidelines in Appendix A

Plan It! Look for a location for your plot. With your teacher's approval, stake out a square plot measuring 1.5 meters on each side. Prepare a notebook in which to record your observations, including the date, time, air temperature, and other weather conditions. Also include places for drawings or photographs of the organisms in your plot.

Section 1

Integrating Environmental Science

Environmental Issues

Reading Preview

Key Concepts

- What are the general categories of environmental issues?
- How do decision makers balance different needs and concerns?

Key Terms

- natural resource
- renewable resource
- nonrenewable resource
- pollution
- environmental science

Target Reading Skill

Identifying Main Ideas As you read the Types of Environmental Issues section, write the main idea in a graphic organizer like the one below. Then write three supporting details that give examples of the main idea.

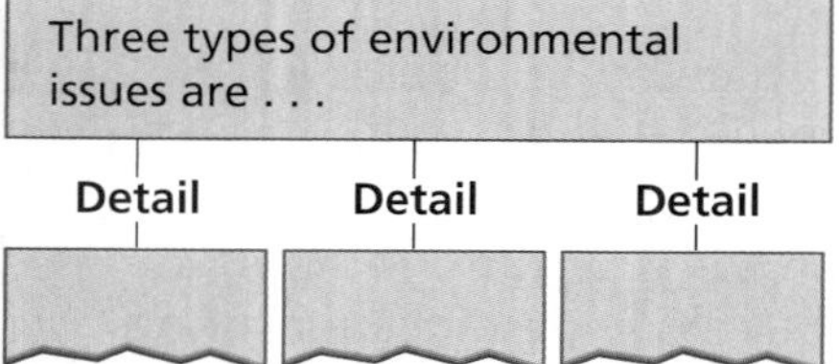

Lab zone Discover Activity

How Do You Decide?

1. On a sheet of paper, list the three environmental issues you think are most important today.
2. Next to each issue, write the reason it is important.
3. Join with three other classmates and share your lists. Decide which issue on your lists is the most important.

Think It Over

Forming Operational Definitions Based on your group's discussion, how would you define *environmental issue?*

Here's a riddle for you: What is bigger than the United States and Mexico combined; is covered with more than two kilometers of ice; is a unique habitat for many animals; and is a source of oil, coal, and iron? The answer is Antarctica.

People have different ideas about the best way to make use of Antarctica. Some people want access to the minerals. Some want to build hotels, parks, and ski resorts. Others want to protect the ecosystems. What should be done? Who should decide the continent's future?

Types of Environmental Issues

The debate about Antarctica's future is just one environmental issue that people face today. **Environmental issues fall into three general categories: resource use, population growth, and pollution.** Because these three types of issues are interconnected, they are very difficult to study and solve.

1000 B.C.
About 50 million

A.D. 1
About 285 million

Resource Use Anything in the environment that is used by people is called a **natural resource.** Some natural resources are renewable. **Renewable resources** are either always available or are naturally replaced in a relatively short time. Renewable resources include sunlight, wind, fresh water, and trees. Some people think that renewable resources can never be used up. This is not always true. If people cut down trees faster than they can grow back, the supply of trees could run out.

Natural resources that are not replaced in a useful time frame are called **nonrenewable resources.** As nonrenewable resources such as coal or oil are used, the supply decreases.

Population Growth Figure 1 shows how the human population has changed in the last 3,000 years. The population grew very slowly until about A.D. 1650. Then, improvements in medicine, agriculture, and waste disposal resulted in people living longer. The human population has been growing faster and faster ever since. But scientists do not expect it to grow as rapidly in the future.

When a population grows, the demand for resources also grows. Has your town ever experienced a water shortage? If so, you might have noticed that people have been asked to restrict their water use. The water supplies in many areas were designed to serve fewer people than they now do, so shortages sometimes occur during unusually warm or dry weather.

Pollution The contamination of Earth's land, water, or air is called **pollution.** Pollution can be caused by a variety of factors, including chemicals, wastes, noise, heat, and light. Pollution can destroy wildlife and cause human health problems.

Pollution can be related to both resource use and population growth. For example, as more people need to be fed, more fertilizers and other chemicals may be used to produce food. These chemicals can run off the land and pollute bodies of water.

Reading Checkpoint **What are three factors that can cause pollution?**

A.D. **2000**
About 6 billion

A.D. **1000**
About 300 million

FIGURE 1
Human Population Growth
More than 6 billion people now live on Earth.
Making Generalizations
How has the human population changed over the past 1,000 years?

For: Links on the environment
Visit: www.SciLinks.org
Web Code: scn-0531

Making Environmental Decisions

Dealing with environmental issues means making decisions. These decisions can be made at personal, local, national, or global levels. Your decision to walk to your friend's house rather than ride in a car is made at a personal level. A town's decision about how to dispose of its trash is made at a local level. A decision about whether the United States should allow oil drilling in a wildlife refuge is a decision made on a national level. Decisions about how to protect Earth's atmosphere are made on a global level.

Every decision has some impact on the environment. Your personal decisions of what to eat or how to travel have a small impact. But when the personal decisions of millions of people are combined, they have a huge impact on the environment.

Science and **History**

Making a Difference

Can one individual change the way people think? The leaders featured in this timeline have influenced the way that many people think about environmental issues.

1890 John Muir
The actions of John Muir, a nature writer from California, lead to the establishment of Yosemite National Park.

1903 Theodore Roosevelt
President Theodore Roosevelt establishes the first National Wildlife Refuge on Pelican Island, Florida, to protect the brown pelican.

1905 Gifford Pinchot
Forestry scientist Gifford Pinchot is appointed the first director of the United States Forest Service. His goal is to manage forests scientifically to meet current and future lumber needs.

1880 — 1900 — 1920

Balancing Different Needs Lawmakers work with environmental scientists and other groups to make environmental decisions. **Environmental science** is the study of natural processes in the environment and how humans can affect them. But the data provided by scientists are only part of the process. Environmental decision making requires a balance between the needs of the environment and the needs of people. **To help balance the different opinions on an environmental issue, decision makers weigh the costs and benefits of a proposal.**

Types of Costs and Benefits Many costs and benefits are economic, but not all. Others can be ecological, recreational, or scenic. For example, suppose a state is deciding whether to allow logging in a park. Removing trees is an ecological cost because it changes the ecosystem. In addition, popular recreational or scenic areas may be lost. But providing jobs and a supply of wood has economic benefits.

Writing in Science

Research and Write Find out more about one of the people featured in this timeline. Write a short biography of the person's life that explains how he or she became involved in environmental issues. What obstacles did the person overcome to accomplish his or her goal?

1962 Rachel Carson
Biologist Rachel Carson writes *Silent Spring*, which describes the harmful effects of pesticides on the environment. The book raises awareness of how human activities can affect the environment.

1969 Marjory Stoneman Douglas
At the age of 79, journalist Marjory Stoneman Douglas founds Friends of the Everglades. This grassroots organization is dedicated to preserving the unique Florida ecosystem. She continued to work for the Everglades until her death in 1998.

1977 Wangari Maathai
Biologist Wangari Maathai founds the Green Belt Movement. This organization encourages restoring forests in Kenya and in other African nations.

1949 Aldo Leopold
A Sand County Almanac is published shortly after the death of its author, Aldo Leopold. This classic book links wildlife management to the science of ecology.

1940 1960 1980

FIGURE 2
Identifying Costs and Benefits
Drilling for oil in Antarctica could provide a new source of energy. But an oil spill could harm the area's penguins and other wildlife.

Weighing Costs and Benefits Once you have identified the potential costs and benefits of a decision, you must analyze them. For example, it is important to consider a decision's short-term and long-term costs and benefits. A plan's short-term costs might be outweighed by its long-term benefits.

Consider the costs and benefits of drilling for oil in Antarctica. There would be many costs. It would be very expensive to set up a drilling operation in such a cold and distant place. Transporting the oil would also be difficult and costly. An oil spill in the seas around Antarctica could harm the fish, penguins, and seals there.

On the other hand, there would be benefits to drilling for oil in Antarctica. Oil drilling would provide a new supply of oil for heat, electricity, and transportation. If the worldwide supply of oil were larger, the price might drop, making oil available to more people. The plan would also create many new jobs. Would the benefits of drilling for oil in Antarctica outweigh the costs? This is the kind of question lawmakers must ask before they make environmental decisions.

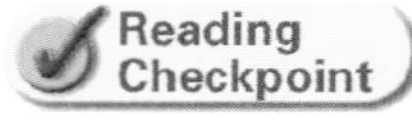

What are two types of costs and benefits?

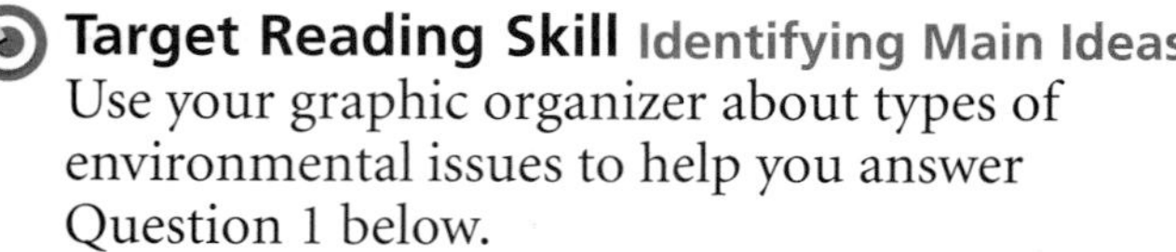

Target Reading Skill Identifying Main Ideas Use your graphic organizer about types of environmental issues to help you answer Question 1 below.

Reviewing Key Concepts

1. a. Identifying What are the three main types of environmental issues?
   b. Explaining Why is population growth an environmental issue?
   c. Relating Cause and Effect How might a growing population affect the supply of a renewable resource such as trees? Explain your answer.
2. a. Reviewing Why is weighing costs and benefits useful for decision makers?
   b. Classifying Name one economic cost and one noneconomic cost of drilling for oil in Antarctica. List one benefit of drilling in Antarctica.
   c. Making Judgments Suppose you were a world leader faced with the question of drilling in Antarctica. What decision would you make? Give reasons for your decision.

Writing in Science

Persuasive Letter Write a letter to the editor expressing your viewpoint on whether people should be allowed to use powerboats on a lake in your town. Your letter should clearly show how you weighed the costs and benefits to arrive at your viewpoint.

Lab zone **Skills Lab**

Recycling Paper

Problem

Is paper a renewable resource?

Skills Focus

observing, predicting

Materials

- newspaper
- microscope
- water
- eggbeater
- square pan
- screen
- plastic wrap
- mixing bowl
- heavy book
- microscope slide

Procedure

1. Tear off a small piece of newspaper. Place it on a microscope slide and examine it under a microscope. Record your observations.
2. Tear a sheet of newspaper into pieces about the size of postage stamps. Place the pieces in the mixing bowl. Add enough water to cover the newspaper. Cover the bowl and let the mixture stand overnight.
3. The next day, add more water to cover the paper if necessary. Use the eggbeater to mix the wet paper until it is smooth. This thick liquid is called paper pulp.
4. Place the screen in the bottom of the pan. Pour the pulp onto the screen, spreading it out evenly. Then lift the screen above the pan, allowing most of the water to drip into the pan.
5. Place the screen and pulp on several layers of newspaper to absorb the rest of the water. Lay a sheet of plastic wrap over the pulp. Place a heavy book on top of the plastic wrap to press more water out of the pulp.
6. After 30 minutes, remove the book. Carefully turn over the screen, plastic wrap, and pulp. Remove the screen and plastic wrap. Let the pulp sit on the newspaper for one or two more days to dry. Replace the newspaper layers if necessary.
7. When the pulp is dry, observe it closely. Record your observations.

Analyze and Conclude

1. **Observing** What kind of structures did you observe when you examined torn newspaper under a microscope?
2. **Inferring** What are these structures made of? Where do they come from?
3. **Predicting** What do you think happens to the structures you observed when paper is recycled? How do you think this affects the number of times paper can be recycled?
4. **Communicating** Based on what you learned in this lab, do you think paper should be classified as a renewable or nonrenewable resource? Defend your answer with evidence and sound reasoning.

Design an Experiment

Using procedures like those in this lab, design an experiment to recycle three different types of paper, such as shiny magazine paper, paper towels, and cardboard. *Obtain your teacher's permission before carrying out your investigation.* How do the resulting papers differ?

Section 2

Forests and Fisheries

Reading Preview

Key Concepts

- How can forests be managed as renewable resources?
- How can fisheries be managed for a sustainable yield?

Key Terms

- clear-cutting
- selective cutting
- sustainable yield
- fishery
- aquaculture

Target Reading Skill

Using Prior Knowledge Before you read, write what you know about forests and fish resources in a graphic organizer like the one below. As you read, write what you learn.

What You Know
1. Forests provide people with lumber and paper. 2.

What You Learned
1. 2.

Lab zone Discover Activity

What Happened to the Tuna?

1. Use the data in the table to make a line graph. Label the axes of the graph and add a title. (To review graphing, see the Skills Handbook.)
2. Mark the high and low points on the graph.

Think It Over

Inferring Describe the changes in the tuna population during this period. Can you suggest a reason for these changes?

Year	Western Atlantic Bluefin Tuna Population
1970	218,000
1975	370,000
1980	67,000
1985	58,000
1990	46,000
1995	63,000
2000	67,000

At first glance, an oak tree and a bluefin tuna may not seem to have much in common. One is a plant and the other is an animal. One lives on land and the other lives in the ocean. However, oak trees and tuna are both living resources. People use oak trees to make furniture, lumber, and cork. Tuna are a source of food for people.

Every day you use many different products that are made from living organisms. In this section, you will read about two major types of living resources: forests and fisheries.

Forest Resources

Forests contain many valuable resources. Many products are made from the fruits, seeds, and other parts of forest plants. Some of these products, such as maple syrup, rubber, and nuts, come from living trees. Other products, such as lumber and wood pulp for making paper, require cutting trees down. Coniferous trees, including pine and spruce, are used for construction and for making paper. Hardwoods, such as oak, cherry, and maple, are used for furniture because of their strength and beauty.

Trees and other plants produce oxygen that organisms need to survive. They also absorb carbon dioxide and many pollutants from the air. Trees help prevent flooding and control soil erosion. Their roots absorb rainwater and hold the soil in place.

Managing Forests

There are about 300 million hectares of forests in the United States. That's nearly a third of the nation's area! Many forests are located on public land. Others are owned by individuals or by private timber and paper companies. Forest industries in the United States provide jobs for more than 1 million people.

Because new trees can be planted to replace trees that are cut down, forests can be renewable resources. The United States Forest Service and environmental organizations work with forestry companies to conserve forest resources. They try to develop logging methods that maintain forests as renewable resources.

For: Logging Methods activity
Visit: PHSchool.com
Web Code: cep-5032

Logging Methods There are two major methods of logging: clear-cutting and selective cutting. **Clear-cutting** is the process of cutting down all the trees in an area at once. Cutting down only some trees in a forest and leaving a mix of tree sizes and species behind is called **selective cutting.**

FIGURE 3
Logging Methods
Clear-cutting involves cutting down all the trees in an area at once.
Interpreting Diagrams *What is selective cutting?*

Each logging method has advantages and disadvantages. Clear-cutting is usually quicker and cheaper than selective cutting. It may also be safer for the loggers. In selective cutting, the loggers must move the heavy equipment and logs around the remaining trees in the forest. But selective cutting is usually less damaging to the forest environment than clear-cutting. When an area of forest is clear-cut, the ecosystem changes. After clear-cutting, the soil is exposed to wind and rain. Without the protection of the tree roots, the soil is more easily blown or washed away. Soil washed into streams may harm the fish and other organisms that live there.

Sustainable Forestry Forests can be managed to provide a sustainable yield. A **sustainable yield** is an amount of a renewable resource such as trees that can be harvested regularly without reducing the future supply. Sustainable forestry works sort of like a book swap: as long as you donate a book each time you borrow one, the total supply of books will not be affected. Planting a tree to replace one that was cut down is like donating a book to replace a borrowed one.

FIGURE 4
Sustainable Forestry
Sustainable forestry practices include the planting of young trees after mature trees have been harvested.

In sustainable forestry, after trees are harvested, young trees are planted. Trees must be planted frequently enough to keep a constant supply. Different species grow at different rates. Forests containing faster-growing trees, such as pines, can be harvested and replanted every 20 to 30 years. On the other hand, some forests containing hardwood trees, such as hickory, oak, and cherry, may be harvested only every 40 to 100 years. One sustainable approach is to log small patches of forest. This way, different sections of forest can be harvested every year.

Certified Wood The Forest Stewardship Council is an international organization dedicated to sustainable forest management. This organization oversees certification of forests that are well managed and provide good working conditions for workers. Once a forest is certified, its wood may carry a "well-managed" label. This label allows businesses and individuals to select wood from forests that are managed for sustainable yields.

What is a sustainable yield?

Fisheries

An area with a large population of valuable ocean organisms is called a **fishery.** Some major fisheries include the Grand Banks off Newfoundland, Georges Bank off New England, and Monterey Canyon off California. Fisheries like these are valuable renewable resources.

Until recently, fisheries seemed like an unlimited resource. The waters held such huge schools of fish. And fish reproduce in incredible numbers. A single codfish can lay as many as 9 million eggs in a single year! But people have discovered that this resource has limits. After many years of big catches, the number of sardines off the California coast suddenly declined. The same thing happened to the huge schools of cod off the New England coast. What caused these changes?

The fish were caught faster than they could breed, so the population decreased. This situation is known as overfishing. Scientists estimate that 70 percent of the world's major fisheries have been overfished. But if fish populations recover, a sustainable yield can again be harvested. **Managing fisheries for a sustainable yield includes strategies such as setting fishing limits, changing fishing methods, developing aquaculture techniques, and finding new resources.**

Fishing Limits Laws can ban the fishing of certain species. Laws may also limit the number or size of fish that can be caught or require that fish be within a certain range of sizes. These laws ensure that young fish survive long enough to reproduce and that all of the largest adult fish aren't caught. If a fishery has been severely overfished, however, the government may ban fishing completely until the populations recover.

Lab zone Skills Activity

Calculating

In a recent year, the total catch of fish in the world was 112.9 million metric tons. Based on the data below, calculate the percent of this total each country caught.

Country	Catch (millions of metric tons)
China	24.4
Japan	6.8
United States	5.6
Peru	8.9

FIGURE 5
Fisheries
Even though fisheries are renewable resources, they must be managed for sustainable yields, or the supply of fish may run out.

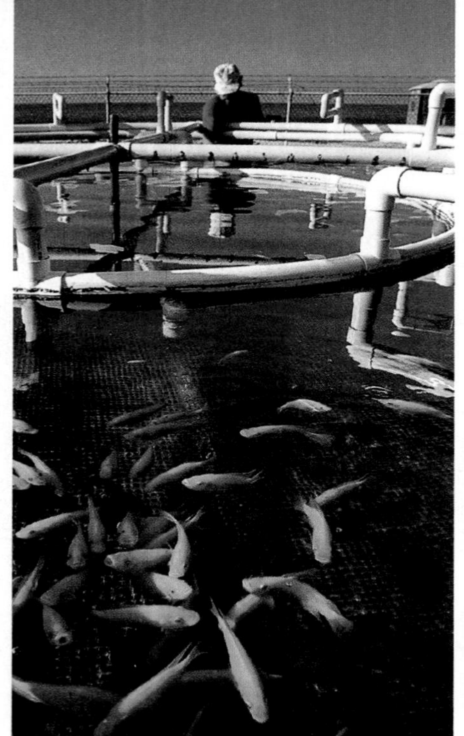

FIGURE 6
Aquaculture
Aquaculture is helping to meet the demand for fish. This fish farm in Hawaii raises tilapia.
Applying Concepts *What costs and benefits does aquaculture involve?*

Fishing Methods Today many fishing crews use nets with a larger mesh size that allow small, young fish to escape. In addition, many other fishing practices are regulated by laws. Some fishing methods have been outlawed. These methods include poisoning fish with cyanide and stunning them by exploding dynamite underwater. These techniques harm all the fish in an area rather than targeting certain fish.

Aquaculture The practice of raising fish and other water-dwelling organisms for food is called **aquaculture.** The fish may be raised in artificial ponds or bays. Salmon, catfish, and shrimp are farmed in this way in the United States.

However, aquaculture is not a perfect solution. The artificial ponds and bays often replace natural habitats such as salt marshes. Maintaining the farms can cause pollution and spread diseases into wild fish populations.

New Resources Today about 9,000 different fish species are harvested for food. More than half the animal protein eaten by people throughout the world comes from fish. One way to help feed a growing human population is to fish for new species. Scientists and chefs are working together to introduce people to deep-water species such as monkfish and tile fish, as well as easy-to-farm freshwater fish such as tilapia.

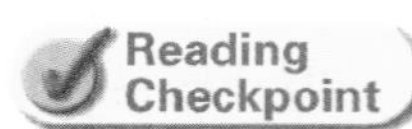

What is aquaculture?

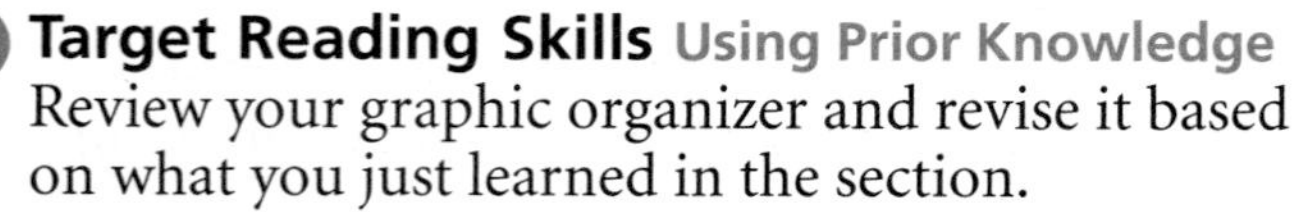

Target Reading Skills Using Prior Knowledge Review your graphic organizer and revise it based on what you just learned in the section.

Reviewing Key Concepts

1. a. Reviewing Why are forests considered renewable resources?

b. Comparing and Contrasting How does the clear-cutting logging method differ from selective cutting?

c. Developing Hypotheses You are walking in a clear-cut section of forest a few days after a heavy rainstorm. A nearby stream is very muddy and has many dead fish. What might have happened?

2. a. Listing What are four ways fisheries can be managed for a sustainable yield?

b. Explaining What are two kinds of laws that regulate fishing? How can they help ensure the health of a fishery?

c. Predicting What might happen to a fish population over time if all the largest fish in the population were caught? Explain.

Lab zone At-Home Activity

Renewable Resource Survey With a family member, conduct a "Forest and Fishery" survey of your home. Make a list of all the things that are made from either forest or fishery products. Then ask other family members to predict how many items are on the list. Are they surprised by the answer?

Lab zone Skills Lab

Tree Cookie Tales

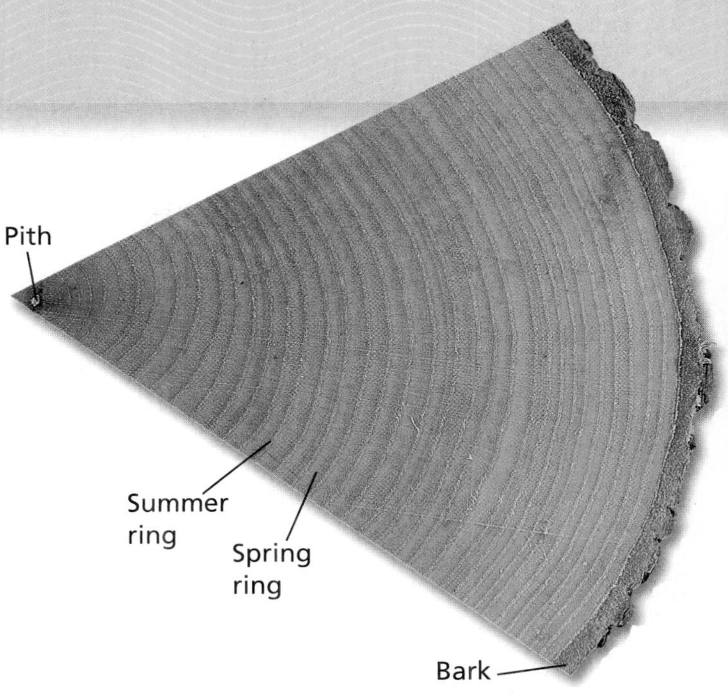

Problem

What can tree cookies reveal about the past? A tree cookie is a slice of a tree trunk that contains clues about the tree's age, past weather conditions, and fires that occurred during its life.

Skills Focus

observing, inferring, interpreting data

Materials

- tree cookie
- metric ruler
- hand lens
- colored pencils
- calculator (optional)

Procedure

1. Your teacher will give you a "tree cookie." Use a hand lens to examine your tree cookie. Draw a simple diagram of your tree cookie. Label the bark, tree rings, and center, or pith.
2. Notice the light-colored and dark-colored rings. The light ring results from fast springtime growth. The dark ring, where the cells are smaller, results from slower summertime growth. Each pair of light and dark rings represents one year's growth, so the pair is called an annual ring. Observe and count the annual rings.
3. Compare the spring and summer portions of the annual rings. Identify the thinnest and thickest rings.
4. Measure the distance from the center to the outermost edge of the last summer growth ring. This is the radius of your tree cookie. Record your measurement.
5. Measure the distance from the center to the outermost edge of the tenth summer growth ring. Record your measurement.
6. Examine your tree cookie for any other evidence of its history, such as damaged bark or burn marks. Record your observations.

Analyze and Conclude

1. **Inferring** How old was your tree? How do you know?
2. **Calculating** What percent of the tree's growth took place during the first ten years of its life? (*Hint:* Divide the distance from the center to the tenth growth ring by the radius. Then multiply by 100. This gives you the percent of growth that occurred during the tree's first ten years.)
3. **Observing** How did the spring rings compare to the summer rings for the same year? Suggest a reason.
4. **Interpreting Data** Why might the annual rings be narrower for some years than for others?
5. **Communicating** Using evidence from your tree cookie, write a paragraph that summarizes the history of the tree. Be sure to include as much detail as possible in your summary.

Design an Experiment

Suppose you had cookies from two other trees of the same species that grew near your tree. Write a plan for verifying the interpretations you made in this lab. *Obtain your teacher's permission before carrying out your investigation.*

Technology and Society

• Tech & Design •

Paper

What do a dollar bill, your report card, and a comic book have in common? They are all printed on paper, of course! But where does paper come from? As shown here, paper is made through a process that typically starts with wood from trees. The papermaking process was first invented in China about 2,000 years ago. Today, paper mills around the world rely on powerful machines to produce huge quantities of paper.

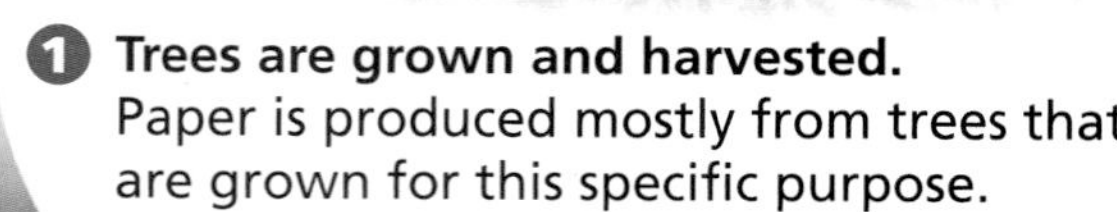

1 Trees are grown and harvested. Paper is produced mostly from trees that are grown for this specific purpose.

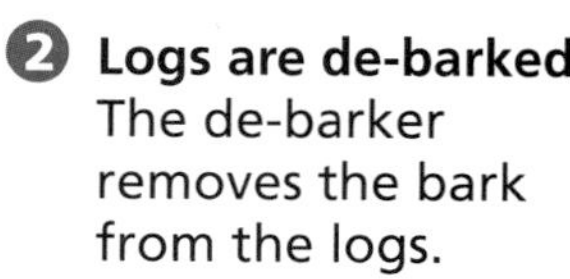

2 Logs are de-barked. The de-barker removes the bark from the logs.

3 Wood chips are made. The chipper chops the wood into small pieces.

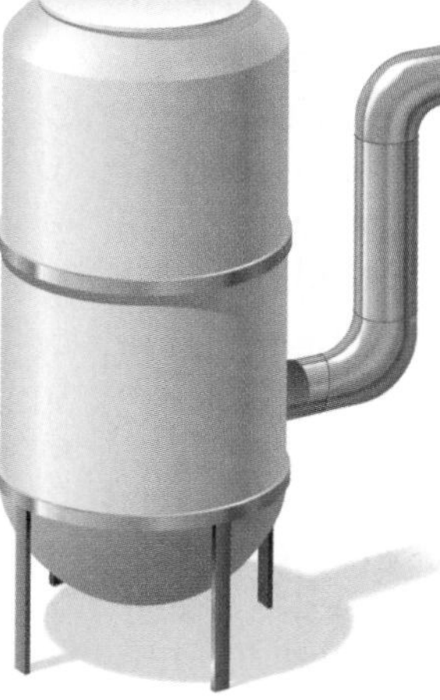

4 Pulp is formed. Heat and chemicals break down the chips into fibers called pulp.

The Benefits of Paper

Paper benefits society in so many ways. Many everyday items are made out of paper—tissues, paper cups, and cardboard packaging. Perhaps most important, paper is used as a portable, inexpensive way to print words and images. Throughout time, paper has allowed people to express their thoughts, record history, and share knowledge. In addition, the paper industry employs many people, and generates income for the economy.

Paper and the Environment

Paper has negative impacts on the environment. Each step in the papermaking process requires energy and produces wastes. Some of these wastes, such as dioxins, are toxic. Dioxins form when water is used to flush chemicals from the paper. Paper products also make up a lot of the garbage in landfills. Because of the environmental costs, engineers are working to create a new type of "paper" called electronic paper, or e-paper. Someday soon, you might use flexible, ultra-thin, digital screens instead of paper.

Weigh the Impact

1. Identify the Need
How does society rely on paper? How would your life be different if paper had never been invented?

2. Research
Use the Internet to investigate e-paper, a new technology that may replace traditional paper. List some potential uses of e-paper.

3. Write
Write a paragraph or two comparing e-paper and regular paper. Be sure to include the pros and cons of both technologies based on your research.

For: More on paper
Visit: PHSchool.com
Web Code: ceh-1040

5 Water is added.
Water is added to the pulp to form slush. The slush is then sprayed onto wide screens. The water begins to drain off.

6 Water is removed.
The paper is squeezed through several presses to remove the excess water.

7 Paper is dried.
Heated rollers dry the paper, making it flat and smooth.

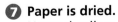

Section 3

Biodiversity

Reading Preview

Key Concepts

- In what ways is biodiversity valuable?
- What factors affect an area's biodiversity?
- Which human activities threaten biodiversity?
- How can biodiversity be protected?

Key Terms

- biodiversity
- keystone species
- extinction
- endangered species
- threatened species
- habitat destruction
- habitat fragmentation
- poaching
- captive breeding

Target Reading Skill

Building Vocabulary After you read this section, reread the paragraphs that contain definitions of Key Terms. Use all the information you have learned to write a meaningful sentence using each Key Term.

Lab zone Discover **Activity**

How Much Variety Is There?

1. You will be given two cups of seeds and two paper plates. The seeds in cup A represent the trees in a section of tropical rain forest. The seeds in cup B represent the trees in a section of deciduous forest.
2. Pour the seeds from cup A onto a plate. Sort the seeds by type. Count the different types of seeds. This number represents the number of different kinds of trees in that forest.
3. Repeat Step 2 with the seeds in cup B.
4. Share your results with your class. Use the class results to calculate the average number of different kinds of trees in each type of forest.

Think It Over

Inferring How do the variety of trees in the two forests differ? Can you suggest any advantages of having a wide variety of species?

No one knows exactly how many species live on Earth. As you can see in Figure 7, more than 1.5 million species have been identified so far. The number of different species in an area is called its **biodiversity.** It is difficult to estimate the total biodiversity on Earth because many areas of the planet have not been thoroughly studied. Some experts think that the deep oceans alone could contain 10 million new species! Protecting biodiversity is a major environmental issue today.

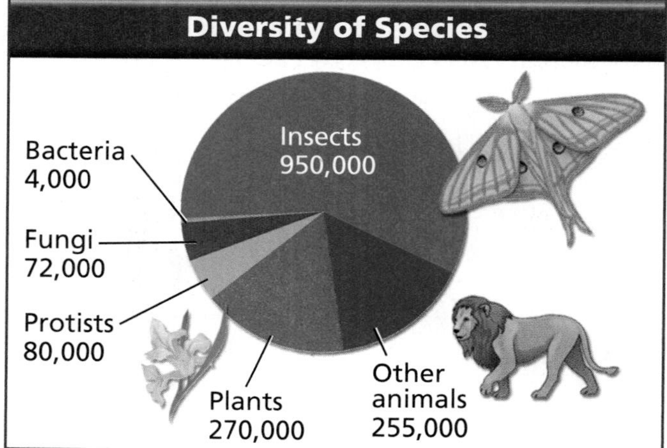

FIGURE 7
Organisms of many kinds are part of Earth's biodiversity.

The Value of Biodiversity

Preserving biodiversity is important. One reason is that wild organisms and ecosystems are a source of beauty and recreation. **In addition, biodiversity has both economic value and ecological value within an ecosystem.**

FIGURE 8
Economic Value of Biodiversity
These women are breast cancer survivors. Some of them probably received taxol as a treatment. Taxol was discovered in the Pacific yew tree by scientists investigating why the tree was unusually resistant to diseases and insects.

Economic Value Many plants, animals, and other organisms have economic value. They provide food and raw materials for medicines, clothing, and other products. For example, taxol, a cancer-fighting chemical, was first discovered in the Pacific yew tree. A country's ecosystems can also be economically valuable. Wildlife tours in rain forests, savannas, mountains ranges, and other locations are common. This ecosystem tourism, or ecotourism, is an important source of jobs for such nations as Brazil, Costa Rica, and Kenya.

Ecological Value All the species in an ecosystem are connected to one another. Species may depend on each other for food and shelter. A change that affects one species will surely affect all the others.

Some species play a particularly important role in their ecosystems. A **keystone species** is a species that influences the survival of many other species in an ecosystem. For example, the sea otter eating a sea urchin in Figure 9 belongs to a keystone species. In the 1800s, hunters on the Pacific coast killed most of the sea otters for fur. The sea urchins, now able to reproduce without control, ate up all the kelp. When sea otters were reintroduced, the kelp population recovered. The ecosystem's balance was restored.

What is a keystone species?

FIGURE 9
Ecological Value of Biodiversity
The sea otters in the Pacific Ocean near Washington are members of a keystone species. If the population of a keystone species drops too far, the entire ecosystem can be disrupted.
Relating Cause and Effect *How do sea otters help keep their ecosystem in balance?*

FIGURE 10

Land and Ocean Ecosystems

Three factors that affect the biodiversity of an ecosystem are area, climate, and niche diversity. **Making Generalizations** *Which factor is most likely responsible for the biodiversity of coral reefs? Of tropical rain forests?*

Although tropical rain forests make up only 7% of Earth's land area, they are home to more than 50% of the world's species.

Factors Affecting Biodiversity

Biodiversity varies from place to place on Earth. **Factors that affect biodiversity in an ecosystem include area, climate, and diversity of niches.**

Area Within an ecosystem, a large area will contain more species than a small area. For example, suppose you were counting tree species in a forest. You would find far more tree species in a 100-square-meter area than in a 10-square-meter area.

Climate In general, the number of species increases from the poles toward the equator. The tropical rain forests of Latin America, southeast Asia, and central Africa are the most diverse ecosystems in the world. These forests cover only about 7 percent of Earth's land surface but contain more than half of the world's species.

The reason for the great biodiversity in the tropics is not fully understood. Many scientists hypothesize that it has to do with climate. For example, tropical rain forests have fairly constant temperatures and large amounts of rainfall throughout the year. Many plants in these regions grow year-round. This continuous growing season means that food is always available for other organisms.

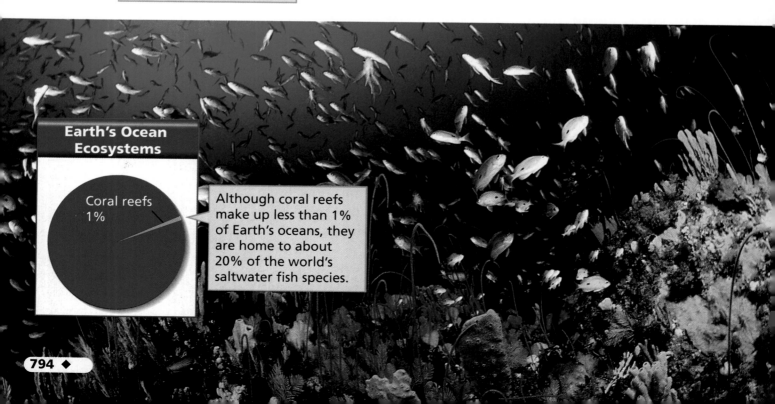

Earth's Ocean Ecosystems

Coral reefs 1%

Although coral reefs make up less than 1% of Earth's oceans, they are home to about 20% of the world's saltwater fish species.

Niche Diversity Coral reefs make up less than 1 percent of the oceans' area. But reefs are home to 20 percent of the world's saltwater fish species. Coral reefs are the second most diverse ecosystems in the world. Found only in shallow, warm waters, coral reefs are often called the rain forests of the sea. A reef supports many different niches for organisms that live under, on, and among the coral. This enables more species to live in the reef than in a more uniform habitat, such as a flat sandbar.

Gene Pool Diversity

Just as the diversity of species is important within an ecosystem, diversity is also important within a species. The organisms in a healthy population have a diversity of traits. Traits such as color, size, and ability to fight disease are determined by genes. Genes are the structures in an organism's cells that carry its hereditary information.

Organisms receive a combination of genes from their parents. Genes determine an organism's characteristics, from its size and appearance to its ability to fight disease.

The organisms in one species share many genes. But each organism also has some genes that differ from those of other individuals. These individual differences make up the total gene "pool" of that species.

Species that lack a diverse gene pool are less able to adapt to changes in the environment. For example, some food crops have little diversity. A fungus once wiped out much of the corn crop in the United States. Fortunately, some wild varieties of corn have genes that make them resistant to the fungus. Scientists were able to use some of those wild varieties to breed corn that could fight off the fungus. A species with a diverse gene pool is better able to survive such challenges.

Reading Checkpoint **What do an organism's genes determine?**

Lab zone Try This Activity

Grocery Gene Pool

With a parent or other adult, visit a supermarket or produce market in your area. Choose one type of fruit or vegetable, such as apples or potatoes. Make a list of all the different varieties of that fruit or vegetable the store sells. Note any differences in appearance between the varieties.

Inferring Judging from the appearance of the different varieties, do you think your fruit or vegetable has a diverse gene pool? Explain.

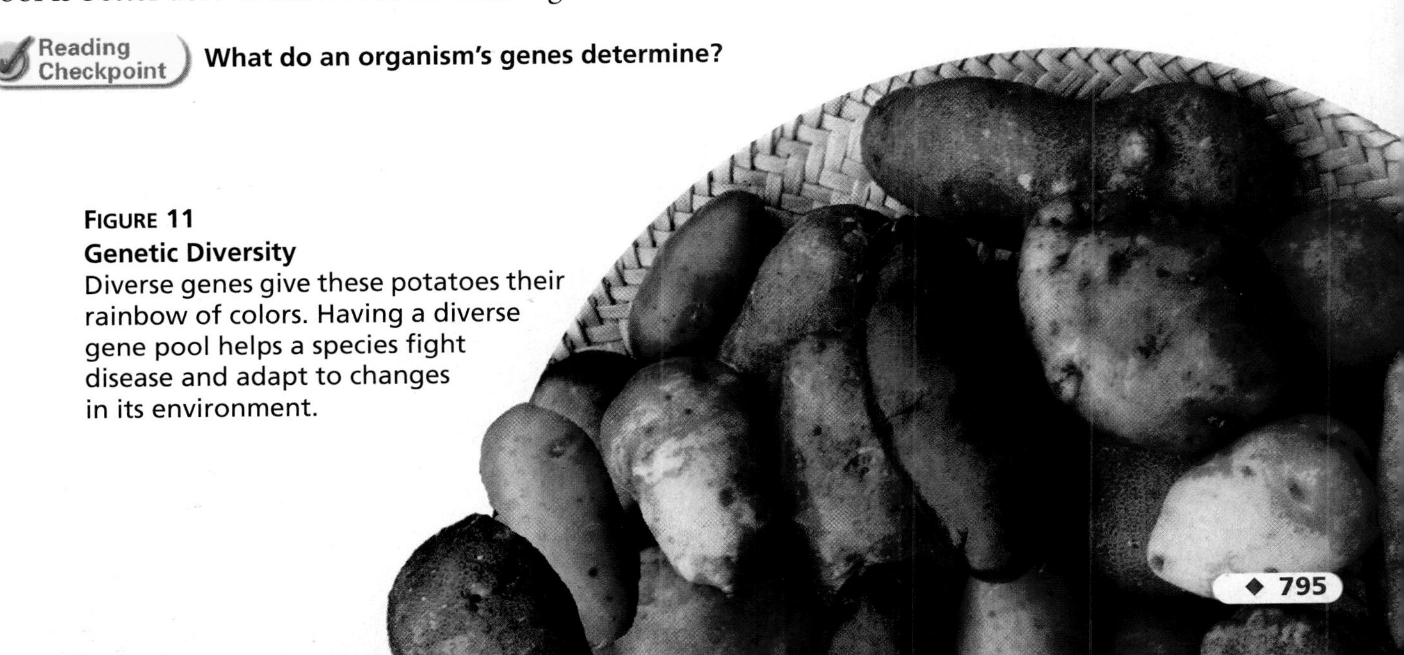

FIGURE 11
Genetic Diversity
Diverse genes give these potatoes their rainbow of colors. Having a diverse gene pool helps a species fight disease and adapt to changes in its environment.

Extinction of Species

The disappearance of all members of a species from Earth is called **extinction.** Extinction is a natural process. But in the last few centuries, the number of species becoming extinct has increased dramatically.

Once the size of a population drops below a certain level, the species may not be able to recover. For example, in the 1800s, there were millions of passenger pigeons in the United States. People hunted the birds, killing many hundreds of thousands. This was only part of the total population. But the remaining birds could not reproduce enough to sustain the population. Only after 1914, when the species became extinct, did people realize that the species could not survive without its enormous numbers.

FIGURE 12

Endangered Species

A broad range of species and habitats are represented on the endangered list in the United States.

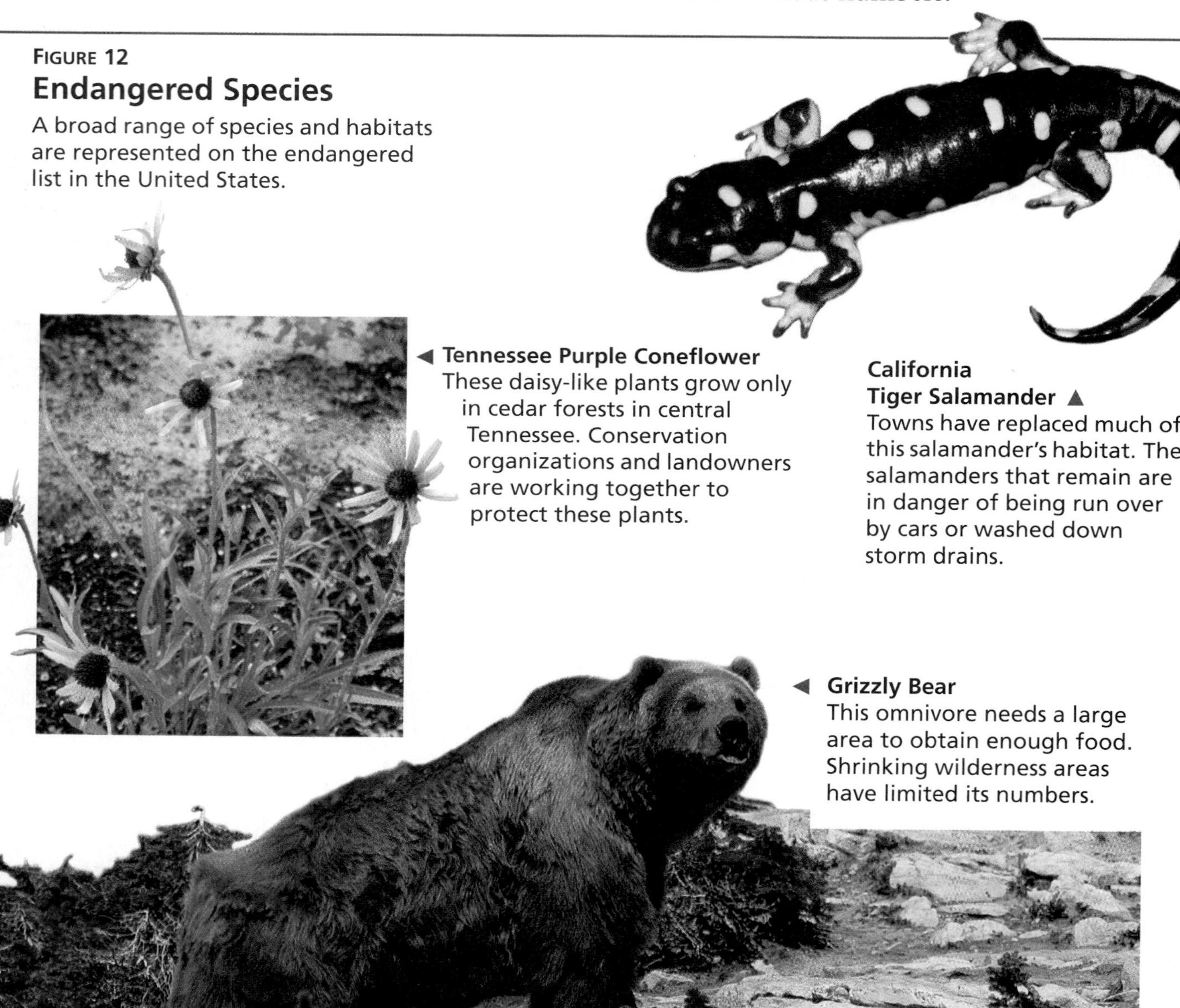

◀ **Tennessee Purple Coneflower**
These daisy-like plants grow only in cedar forests in central Tennessee. Conservation organizations and landowners are working together to protect these plants.

California Tiger Salamander ▲
Towns have replaced much of this salamander's habitat. The salamanders that remain are in danger of being run over by cars or washed down storm drains.

◀ **Grizzly Bear**
This omnivore needs a large area to obtain enough food. Shrinking wilderness areas have limited its numbers.

Species in danger of becoming extinct in the near future are called **endangered species.** Species that could become endangered in the near future are called **threatened species.** Threatened and endangered species are found on every continent and in every ocean.

Some endangered or threatened species are well-known animals, such as the tiger or China's giant panda. Others are little known, such as hutias, rodents that live on only a few Caribbean islands. Ensuring that these species survive is one way to protect Earth's biodiversity.

How has the number of species becoming extinct changed in the last few centuries?

Go Online PLANET DIARY

For: More on biodiversity
Visit: PHSchool.com
Web Code: ced-5033

▲ **Schaus Swallowtail Butterfly**
Threatened by habitat loss and pesticide pollution in the Florida Keys, this butterfly was nearly wiped out by Hurricane Andrew in 1992.

Whooping Crane ▶
Threatened by habitat destruction and disease, about half of the remaining whooping cranes are in zoos. The species is recovering well since its lowest point in the 1940s.

◀ **Piping Plover**
The population of this tiny coastal bird is recovering as a result of increased protection of its sand-dune nesting sites.

Steller's Sea Lion ▶
Overfishing has led to a decline in this mammal's sources of food. Other factors may also be threatening this species.

Causes of Extinction

A natural event, such as an earthquake or a volcanic eruption, can damage an ecosystem, wiping out populations or even species. **Human activities can also threaten biodiversity. These activities include habitat destruction, poaching, pollution, and the introduction of exotic species.**

Habitat Destruction The major cause of extinction is **habitat destruction,** the loss of a natural habitat. This can occur when forests are cleared to build towns or create grazing land. Plowing grasslands or filling in wetlands greatly changes those ecosystems. Some species may not be able to survive such changes to their habitats.

Breaking larger habitats into smaller, isolated pieces, or fragments, is called **habitat fragmentation.** For example, building a road through a forest disrupts habitats. This makes trees more vulnerable to wind damage. Plants may be less likely to disperse their seeds successfully. Habitat fragmentation is also very harmful to large mammals. These animals usually need large areas of land to find enough food to survive. They may not be able to obtain enough resources in a small area. They may also be injured trying to cross to another area.

Poaching The illegal killing or removal of wildlife from their habitats is called **poaching.** Many endangered animals are hunted for their skin, fur, teeth, horns, or claws. Hunters sell the animals they kill. The animal parts are then used for making medicines, jewelry, coats, belts, and shoes.

People illegally remove organisms from their habitats to sell them as exotic pets. Tropical fish, tortoises, and parrots are very popular pets, making them valuable to poachers. Endangered plants are sometimes illegally dug up and sold as houseplants or medicines.

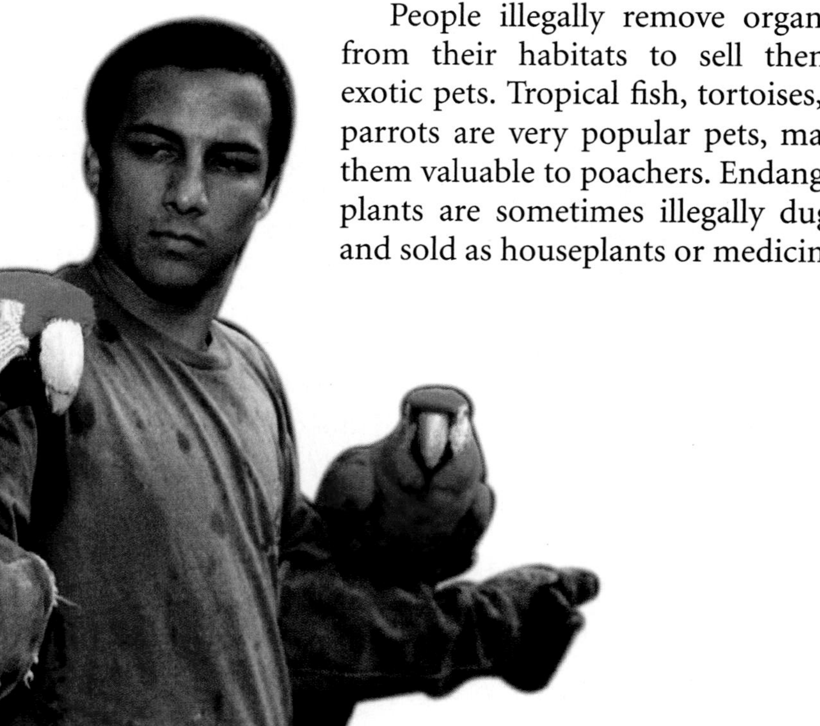

FIGURE 13
Poaching
These scarlet macaws at a zoo in Costa Rica were rescued from poachers who were exporting macaws illegally as pets. Zoo employees will help restore the birds to full health so they can be released back into their habitats.
Inferring *Why are there laws against removing endangered species from their habitats?*

Math Analyzing Data

California Peregrine Falcon Recovery

The peregrine falcon, the world's fastest bird of prey, was nearly extinct in the United States in 1970. The pesticide DDT was weakening peregrine eggshells, so the eggs rarely hatched. In 1972, the United States banned DDT. Use the graph to answer questions about the peregrine population in California.

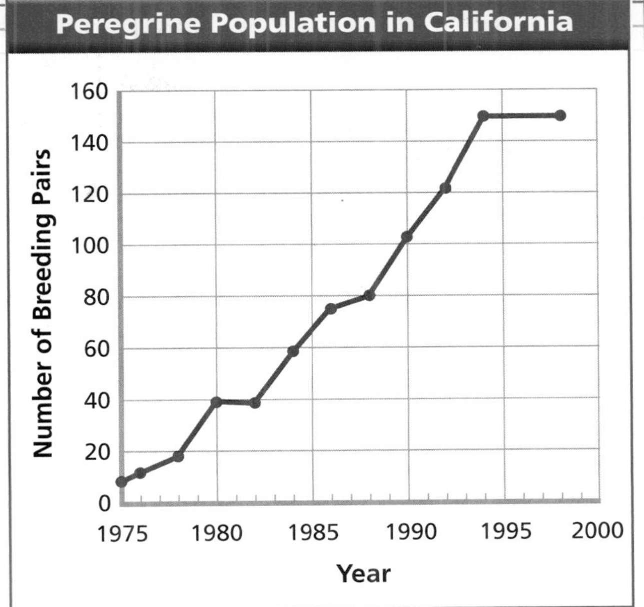

1. **Reading Graphs** What variable is plotted on the *x*-axis? What variable is plotted on the *y*-axis?
2. **Interpreting Data** How did California's peregrine population change from 1976 to 1998?
3. **Inferring** Why do you think the peregrine population grew fairly slowly at first?
4. **Predicting** What might this graph have looked like if DDT had not been banned?

Pollution Some species are endangered because of pollution. Substances that cause pollution, called pollutants, may reach animals through the water they drink or air they breathe. Pollutants may also settle in the soil. From there, they are absorbed by plants and build up in other organisms through the food chain. Pollutants may kill or weaken organisms or cause birth defects.

Exotic Species Introducing exotic species into an ecosystem can threaten biodiversity. When European sailors began visiting Hawaii hundreds of years ago, rats from their ships escaped onto the islands. Without any predators in Hawaii, the rats multiplied quickly. They ate the eggs of the nene goose. To protect the geese, people brought the rat-eating mongoose from India to help control the rat population. Unfortunately, the mongooses preferred eating eggs to rats. With both the rats and the mongoose eating its eggs, the nene goose is now endangered.

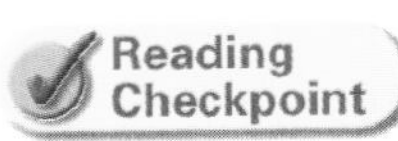

What is poaching?

FIGURE 14
Kudzu
Kudzu is an exotic species that was introduced to the United States from Japan in 1876. It can grow up to 30 centimeters a day, so its vines can quickly strangle native trees and shrubs. It can also take over abandoned structures, such as this house in Georgia.

FIGURE 15
Captive Breeding
Captive breeding programs use a scientific approach to protect endangered species. California condor chicks raised in captivity need to learn what adult condors look like. Here, a scientist uses a puppet to feed and groom a chick. **Predicting** *What sort of problems could animals raised by humans come upon when they are released into the wild?*

Protecting Biodiversity

Some people who work to preserve biodiversity focus on protecting individual endangered species. Others try to protect entire ecosystems, such as the Great Barrier Reef in Australia. **Three successful approaches to protecting biodiversity are captive breeding, laws and treaties, and habitat preservation.**

Captive Breeding **Captive breeding** is the mating of animals in zoos or wildlife preserves. Scientists care for the young, and then release them into the wild when they are grown.

Captive breeding was the only hope for the California condor, the largest bird in North America. Condors became endangered due to habitat destruction, poaching, and pollution. By 1984, there were only 15 California condors. Scientists captured all the condors and brought them to zoos to breed. Today, there are more than 200 California condors. Though successful, this program has cost more than $20 million. You can see the drawback of captive breeding.

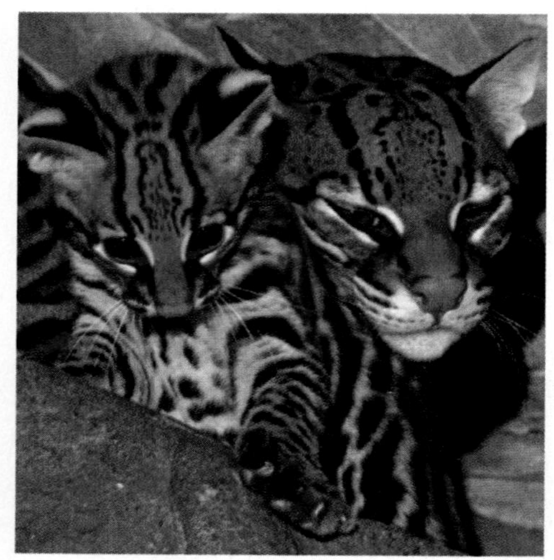

FIGURE 16
A Protected Species
Laws against selling products made from endangered species have helped protect animals such as these ocelots. These small cats were once hunted nearly to extinction for their fur.

Laws and Treaties Laws can help protect individual species. In the United States, the Endangered Species Act prohibits trade in products made from threatened or endangered species. This law also requires the development of plans to save endangered species. American alligators and green sea turtles have begun to recover as a result of this law.

The most important international treaty protecting wildlife is the Convention on International Trade in Endangered Species. This treaty lists more than 800 threatened and endangered species that cannot be traded for profit. Treaties like this are difficult to enforce. Even so, this treaty has helped to protect many endangered species, including African elephants.

Habitat Preservation The most effective way to preserve biodiversity is to protect whole ecosystems. Protecting whole ecosystems saves not only endangered species, but also the species they depend upon and those that depend upon them.

Beginning in 1872 with Yellowstone National Park, the world's first national park, many countries have set aside wildlife habitats as parks and refuges. In addition, private organizations have purchased millions of hectares of endangered habitats throughout the world. Today, there are about 7,000 nature parks, preserves, and refuges in the world.

To be most effective, reserves must have the characteristics of diverse ecosystems. For example, they must be large enough to support the populations that live there. The reserves must contain a variety of niches. And of course, it is still necessary to keep the air, land, and water clean, control poaching, and remove exotic species.

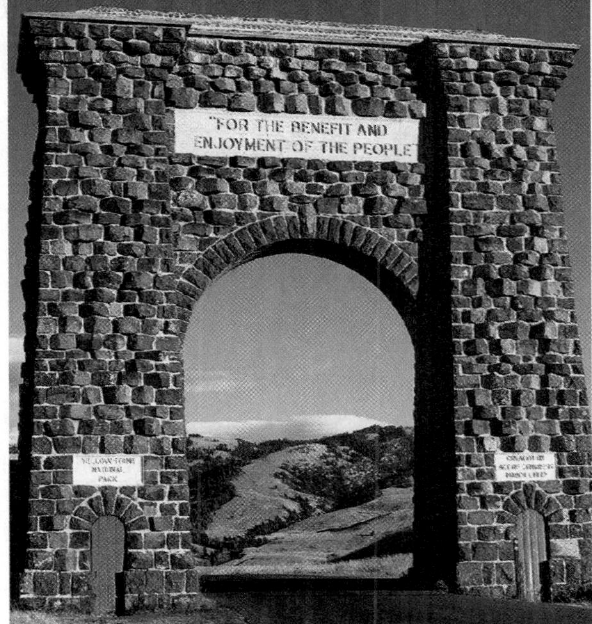

FIGURE 17
Habitat Preservation
Preserving whole habitats is an effective way to protect biodiversity. Habitat preservation is the aim of national parks such as Yellowstone.

What is the most effective way to preserve biodiversity?

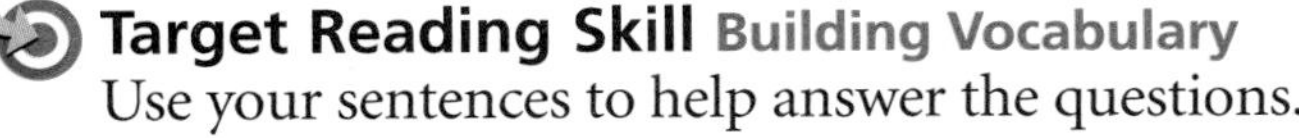

Section 3 Assessment

Target Reading Skill **Building Vocabulary** Use your sentences to help answer the questions.

Reviewing Key Concepts

1. a. **Listing** What are two ways in which biodiversity is valuable?
   b. **Problem Solving** What economic reasons could you give people in the rain forest for preserving the ecosystem?
2. a. **Identifying** What are three factors that affect the biodiversity in an ecosystem?
   b. **Explaining** How does each of these factors affect biodiversity?
   c. **Developing Hypotheses** Would you expect to find great biodiversity in the tundra biome? Why or why not?
3. a. **Listing** Name four human activities that can threaten biodiversity.
   b. **Applying Concepts** Black bears are roaming through a new housing development in search of food, even though the housing development is still surrounded by forest. How can you account for the bears' behavior?
4. a. **Reviewing** What are three approaches to protecting biodiversity?
   b. **Relating Cause and Effect** For each approach to protecting biodiversity, list at least one factor that might limit its success.
   c. **Making Judgments** List some ways in which those limitations might be dealt with.

Lab zone **At-Home Activity**

Species Refuges Obtain a map of your community or state. With a family member, identify any city, state, or national parks, reserves, or refuges in your area. Choose one location and find out whether there are endangered or threatened species living there. Then prepare a five-minute presentation for your class on what you learned.

Chapter 23 Study Guide

1 Environmental Issues

Key Concepts

- Environmental issues fall into three general categories: resource use, population growth, and pollution.
- To help balance the different opinions on an environmental issue, decision makers weigh the costs and benefits of a proposal.

Key Terms

natural resource
renewable resource
nonrenewable resource
pollution
environmental science

2 Forests and Fisheries

Key Concepts

- Because new trees can be planted to replace trees that are cut down, forests can be renewable resources.
- Managing fisheries for a sustainable yield includes setting fishing limits, changing fishing methods, developing aquaculture techniques, and finding new resources.

Key Terms

clear-cutting
selective cutting
sustainable yield
fishery
aquaculture

3 Biodiversity

Key Concepts

- Biodiversity has both economic value and ecological value within an ecosystem.
- Factors that affect biodiversity in an ecosystem include area, climate, and diversity of niches.
- Human activities can threaten biodiversity. These activities include habitat destruction, poaching, pollution, and the introduction of exotic species.
- Three successful approaches to protecting biodiversity are captive breeding, laws and treaties, and habitat preservation.

Key Terms

biodiversity
keystone species
extinction
endangered species
threatened species
habitat destruction
habitat fragmentation
poaching
captive breeding

Review and Assessment

For: Self-Assessment
Visit: PHSchool.com
Web Code: cha-4230

Organizing Information

Concept Mapping Copy the concept map about biodiversity onto a separate sheet of paper. Then complete it and add a title. (For more on Concept Mapping, see the Skills Handbook.)

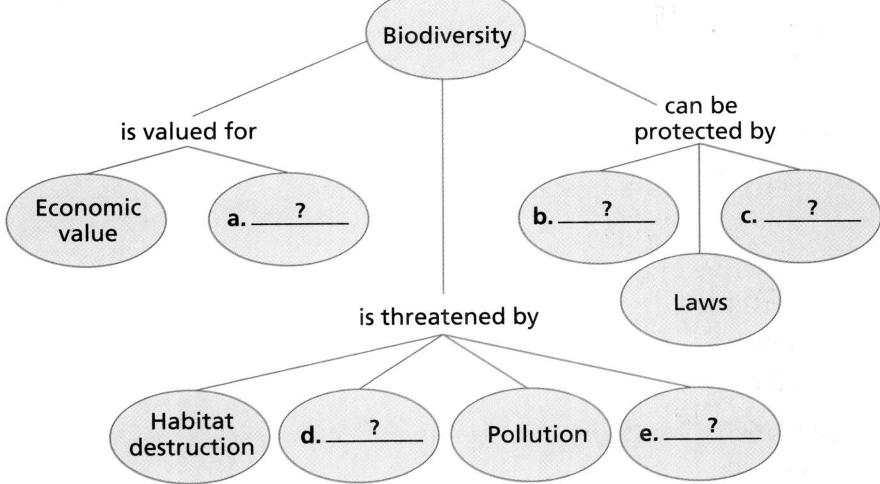

Reviewing Key Terms

Choose the letter of the best answer.

1. The contamination of Earth's air, land, or water is called
   a. extinction.
   b. aquaculture.
   c. pollution.
   d. habitat destruction.
2. The practice of raising fish for food is called
   a. aquaculture.
   b. overfishing.
   c. poaching.
   d. captive breeding.
3. The most diverse ecosystems in the world are
   a. coral reefs.
   b. deserts.
   c. grasslands.
   d. tropical rain forests.
4. If all members of a species disappear from Earth, that species is
   a. extinct.
   b. endangered.
   c. renewable.
   d. threatened.
5. Species that are in danger of becoming extinct in the near future are called
   a. exotic species.
   b. endangered species.
   c. keystone species.
   d. threatened species.
6. The most effective way to preserve biodiversity is through
   a. habitat fragmentation.
   b. habitat destruction.
   c. habitat preservation.
   d. captive breeding.

Writing in Science

Dialogue The salmon population in an area of the ocean has declined significantly. Fishers depend on catching salmon to make a living. Write a dialogue in which an environmental scientist and a fisher try to find a solution to the problem.

Review and Assessment

Checking Concepts

7. What is a renewable resource? What is a nonrenewable resource?
8. Describe how environmental decisions are made.
9. How does the idea of a sustainable yield pertain to forestry? How does it apply to fisheries?
10. Describe one way that overfishing can be prevented.
11. Why is gene pool diversity important to survival of a species?
12. Explain how habitat destruction affects species.
13. How can an exotic species threaten an ecosystem?

Thinking Critically

14. **Relating Cause and Effect** Explain how human population growth affects resource use and pollution.
15. **Comparing and Contrasting** Which logging method is shown below? Compare the effects of this method with those of selective cutting.

16. **Making Generalizations** Describe how an exotic species can threaten other species in an ecosystem.
17. **Predicting** How could the extinction of a species today affect your life in 20 years?
18. **Making Judgments** Should keystone species get special legal protection? Explain.

Applying Skills

Use the table to answer Questions 19–23.

A study was done to identify the reasons why mammal and bird species become endangered or threatened. The data are shown in the table below.

Reason	Mammals	Birds
Poaching	31%	20%
Habitat loss	32%	60%
Exotic species	17%	12%
Other causes	20%	8%

19. **Graphing** Make a bar graph comparing the reasons why mammals and birds become endangered or threatened. Show reasons on the horizontal axis and percentages of animal groups on the vertical axis.
20. **Interpreting Data** What is the major reason that mammals become endangered or threatened? What is the main threat to birds?
21. **Predicting** Would stricter laws against poaching be likely to benefit mammal species or bird species more? Explain.
22. **Making Judgments** If you were on a committee formed to protect bird species in your state, what action would you recommend? Support your recommendation using the data in the table.
23. **Developing Hypotheses** Suggest two explanations for the differences between the data for mammals and birds.

Lab zone Chapter Project

Performance Assessment In your presentation, clearly describe the biodiversity you observed in your plot. You can use drawings, video, photos, or a computer for your presentation. Be sure to include the data you collected on abiotic factors as well.

Standardized Test Prep

Test-Taking Tip

Reading All the Answer Choices

Always read every answer choice before selecting the answer you think is correct. If you don't read all the answer choices, you may not notice another choice that is more complete and precise.

Sample Question

The major cause of extinction today is

A poaching.
B pollution.
C habitat destruction.
D introduction of exotic species.

Answer

The correct answer is **C. A, B,** and **D** are also causes of extinction, but **C**—habitat destruction—is the major cause.

Choose the letter of the best answer.

1. A disease kills most members of a plant species in an ecosystem. Several animal species feed on that plant species. After a time, the populations of those animal species decline. Which of the following inferences is valid?
   A The ecosystem will soon recover.
   B The plant species will become extinct.
   C The plant species is a keystone species in that ecosystem.
   D Several animal species in the ecosystem will eventually become extinct.

2. In some areas, foresters plant one tree for every tree they cut. This activity is an example of
   F a nonsustainable approach to a nonrenewable natural resource.
   G a sustainable approach to a nonrenewable natural resource.
   H a nonsustainable approach to a renewable natural resource.
   J a sustainable approach to a renewable natural resource.

The graph below shows how the population of one kind of fish, haddock, changed in Georges Bank between 1980 and 2000. Use the graph below to answer Questions 3 and 4.

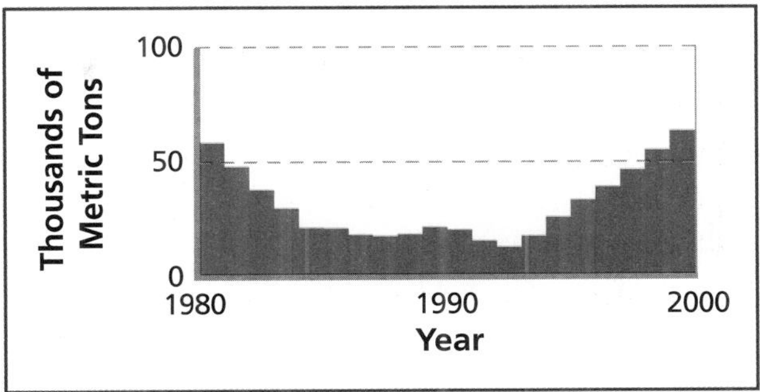

3. Which of the following statements is a valid interpretation of the graphed data?
   A Overfishing of haddock began in 1990 and stopped in 2000.
   B By 2000, the haddock population had recovered.
   C The haddock population from 1980 to 1990 demonstrates the idea of sustainable use.
   D The haddock population is decreasing and will probably continue to decrease.

4. Which of the following probably accounts for the trend shown between 1992 and 2000?
   F laws regulating haddock fishing
   G overfishing
   H niche diversity
   J habitat fragmentation

5. An environmental impact statement describes the possible effects that a project might have on the environment. Which of the following would be included in an environmental impact statement on drilling for oil in Antarctica?
   A the costs of setting up a drilling operation
   B the estimated amount of oil produced by the drilling operation
   C the effect of oil spills on organisms living in Antarctica
   D the effect of increased oil production on the economy

Constructed Response

6. Explain how people benefit when biodiversity is maintained and worldwide ecosystems contain a wide variety of organisms.

Think Like a Scientist

Scientists have a particular way of looking at the world, or scientific habits of mind. Whenever you ask a question and explore possible answers, you use many of the same skills that scientists do. Some of these skills are described on this page.

Observing

When you use one or more of your five senses to gather information about the world, you are **observing.** Hearing a dog bark, counting twelve green seeds, and smelling smoke are all observations. To increase the power of their senses, scientists sometimes use microscopes, telescopes, or other instruments that help them make more detailed observations.

An observation must be an accurate report of what your senses detect. It is important to keep careful records of your observations in science class by writing or drawing in a notebook. The information collected through observations is called evidence, or data.

Inferring

When you interpret an observation, you are **inferring,** or making an inference. For example, if you hear your dog barking, you may infer that someone is at your front door. To make this inference, you combine the evidence—the barking dog—and your experience or knowledge—you know that your dog barks when strangers approach—to reach a logical conclusion.

Notice that an inference is not a fact; it is only one of many possible interpretations for an observation. For example, your dog may be barking because it wants to go for a walk. An inference may turn out to be incorrect even if it is based on accurate observations and logical reasoning. The only way to find out if an inference is correct is to investigate further.

Predicting

When you listen to the weather forecast, you hear many predictions about the next day's weather—what the temperature will be, whether it will rain, and how windy it will be. Weather forecasters use observations and knowledge of weather patterns to predict the weather. The skill of **predicting** involves making an inference about a future event based on current evidence or past experience.

Because a prediction is an inference, it may prove to be false. In science class, you can test some of your predictions by doing experiments. For example, suppose you predict that larger paper airplanes can fly farther than smaller airplanes. How could you test your prediction?

Activity

Use the photograph to answer the questions below.

Observing Look closely at the photograph. List at least three observations.

Inferring Use your observations to make an inference about what has happened. What experience or knowledge did you use to make the inference?

Predicting Predict what will happen next. On what evidence or experience do you base your prediction?

Classifying

Could you imagine searching for a book in the library if the books were shelved in no particular order? Your trip to the library would be an all-day event! Luckily, librarians group together books on similar topics or by the same author. Grouping together items that are alike in some way is called **classifying.** You can classify items in many ways: by size, by shape, by use, and by other important characteristics.

Like librarians, scientists use the skill of classifying to organize information and objects. When things are sorted into groups, the relationships among them become easier to understand.

Activity

Classify the objects in the photograph into two groups based on any characteristic you choose. Then use another characteristic to classify the objects into three groups.

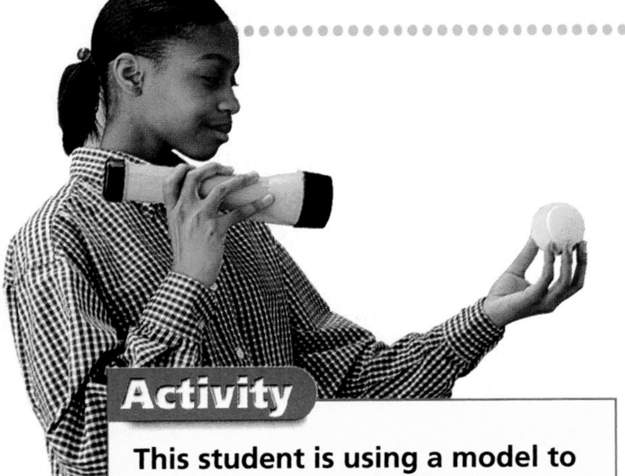

Activity

This student is using a model to demonstrate what causes day and night on Earth. What do the flashlight and the tennis ball in the model represent?

Making Models

Have you ever drawn a picture to help someone understand what you were saying? Such a drawing is one type of model. A model is a picture, diagram, computer image, or other representation of a complex object or process. **Making models** helps people understand things that they cannot observe directly.

Scientists often use models to represent things that are either very large or very small, such as the planets in the solar system, or the parts of a cell. Such models are physical models—drawings or three-dimensional structures that look like the real thing. Other models are mental models—mathematical equations or words that describe how something works.

Communicating

Whenever you talk on the phone, write a report, or listen to your teacher at school, you are communicating. **Communicating** is the process of sharing ideas and information with other people. Communicating effectively requires many skills, including writing, reading, speaking, listening, and making models.

Scientists communicate to share results, information, and opinions. Scientists often communicate about their work in journals, over the telephone, in letters, and on the Internet. They also attend scientific meetings where they share their ideas with one another in person.

Activity

On a sheet of paper, write out clear, detailed directions for tying your shoe. Then exchange directions with a partner. Follow your partner's directions exactly. How successful were you at tying your shoe? How could your partner have communicated more clearly?

Making Measurements

By measuring, scientists can express their observations more precisely and communicate more information about what they observe.

Measuring in SI

The standard system of measurement used by scientists around the world is known as the International System of Units, which is abbreviated as SI (**Système International d'Unités,** in French). SI units are easy to use because they are based on multiples of 10. Each unit is ten times larger than the next smallest unit and one tenth the size of the next largest unit. The table lists the prefixes used to name the most common SI units.

Common SI Prefixes		
Prefix	**Symbol**	**Meaning**
kilo-	k	1,000
hecto-	h	100
deka-	da	10
deci-	d	0.1 (one tenth)
centi-	c	0.01 (one hundredth)
milli-	m	0.001 (one thousandth)

Length To measure length, or the distance between two points, the unit of measure is the **meter (m).** The distance from the floor to a doorknob is approximately one meter. Long distances, such as the distance between two cities, are measured in kilometers (km). Small lengths are measured in centimeters (cm) or millimeters (mm). Scientists use metric rulers and meter sticks to measure length.

Common Conversions		
1 km	=	1,000 m
1 m	=	100 cm
1 m	=	1,000 mm
1 cm	=	10 mm

Activity

The larger lines on the metric ruler in the picture show centimeter divisions, while the smaller, unnumbered lines show millimeter divisions. How many centimeters long is the shell? How many millimeters long is it?

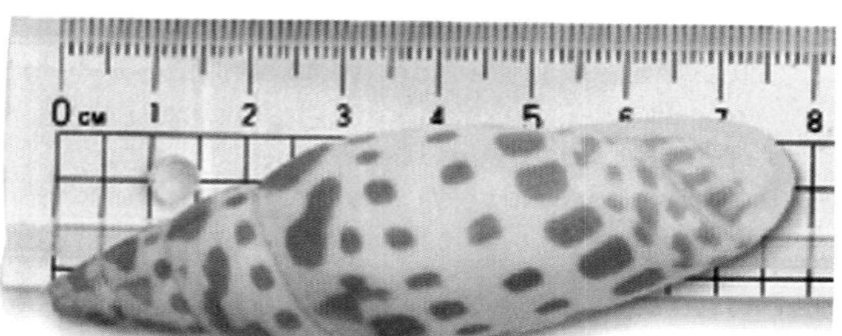

Liquid Volume To measure the volume of a liquid, or the amount of space it takes up, you will use a unit of measure known as the **liter (L).** One liter is the approximate volume of a medium-size carton of milk. Smaller volumes are measured in milliliters (mL). Scientists use graduated cylinders to measure liquid volume.

Activity

The graduated cylinder in the picture is marked in milliliter divisions. Notice that the water in the cylinder has a curved surface. This curved surface is called the *meniscus*. To measure the volume, you must read the level at the lowest point of the meniscus. What is the volume of water in this graduated cylinder?

Common Conversion		
1 L	=	1,000 mL

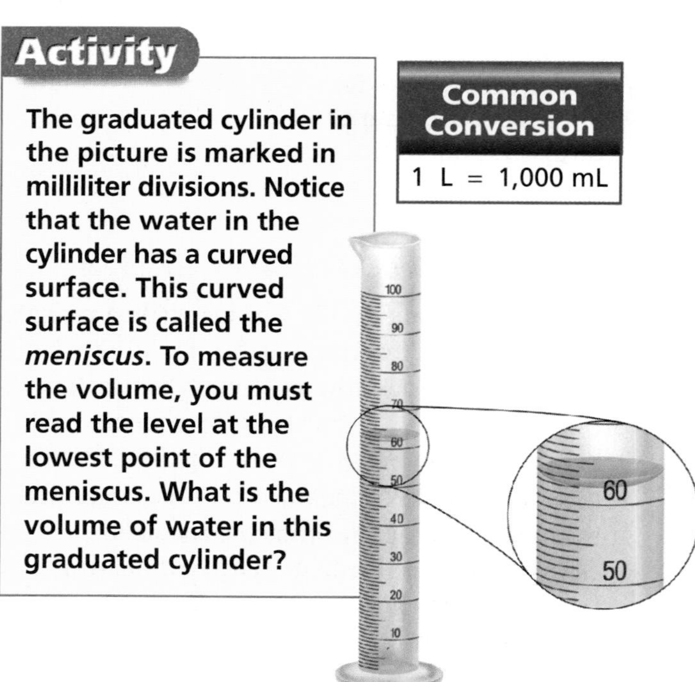

Mass To measure mass, or the amount of matter in an object, you will use a unit of measure known as the **gram (g).** One gram is approximately the mass of a paper clip. Larger masses are measured in kilograms (kg). Scientists use a balance to find the mass of an object.

Common Conversion

1 kg = 1,000 g

Activity

The mass of the potato in the picture is measured in kilograms. What is the mass of the potato? Suppose a recipe for potato salad called for one kilogram of potatoes. About how many potatoes would you need?

0.25 KG

Temperature To measure the temperature of a substance, you will use the **Celsius scale.** Temperature is measured in degrees Celsius (°C) using a Celsius thermometer. Water freezes at 0°C and boils at 100°C.

Time The unit scientists use to measure time is the **second (s).**

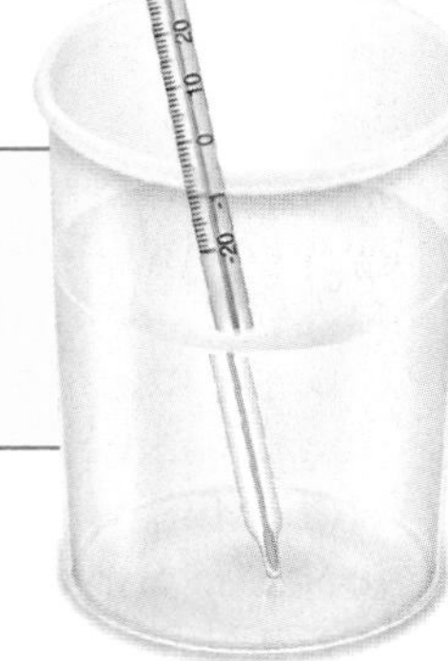

Activity

What is the temperature of the liquid in degrees Celsius?

Converting SI Units

To use the SI system, you must know how to convert between units. Converting from one unit to another involves the skill of **calculating,** or using mathematical operations. Converting between SI units is similar to converting between dollars and dimes because both systems are based on multiples of ten.

Suppose you want to convert a length of 80 centimeters to meters. Follow these steps to convert between units.

1. Begin by writing down the measurement you want to convert—in this example, 80 centimeters.
2. Write a conversion factor that represents the relationship between the two units you are converting. In this example, the relationship is 1 meter = 100 centimeters. Write this conversion factor as a fraction, making sure to place the units you are converting from (centimeters, in this example) in the denominator.
3. Multiply the measurement you want to convert by the fraction. When you do this, the units in the first measurement will cancel out with the units in the denominator. Your answer will be in the units you are converting to (meters, in this example).

Example

80 centimeters = ■ meters

$$80 \text{ centimeters} \times \frac{1 \text{ meter}}{100 \text{ centimeters}} = \frac{80 \text{ meters}}{100}$$

$$= 0.8 \text{ meters}$$

Activity

Convert between the following units.

1. 600 millimeters = ■ meters
2. 0.35 liters = ■ milliliters
3. 1,050 grams = ■ kilograms

Conducting a Scientific Investigation

In some ways, scientists are like detectives, piecing together clues to learn about a process or event. One way that scientists gather clues is by carrying out experiments. An experiment tests an idea in a careful, orderly manner. Although experiments do not all follow the same steps in the same order, many follow a pattern similar to the one described here.

Posing Questions

Experiments begin by asking a scientific question. A scientific question is one that can be answered by gathering evidence. For example, the question "Which freezes faster—fresh water or salt water?" is a scientific question because you can carry out an investigation and gather information to answer the question.

Developing a Hypothesis

The next step is to form a hypothesis. A **hypothesis** is a possible explanation for a set of observations or answer to a scientific question. In science, a hypothesis must be something that can be tested. A hypothesis can be worded as an *If . . . then . . .* statement. For example, a hypothesis might be *"If I add salt to fresh water, then the water will take longer to freeze."* A hypothesis worded this way serves as a rough outline of the experiment you should perform.

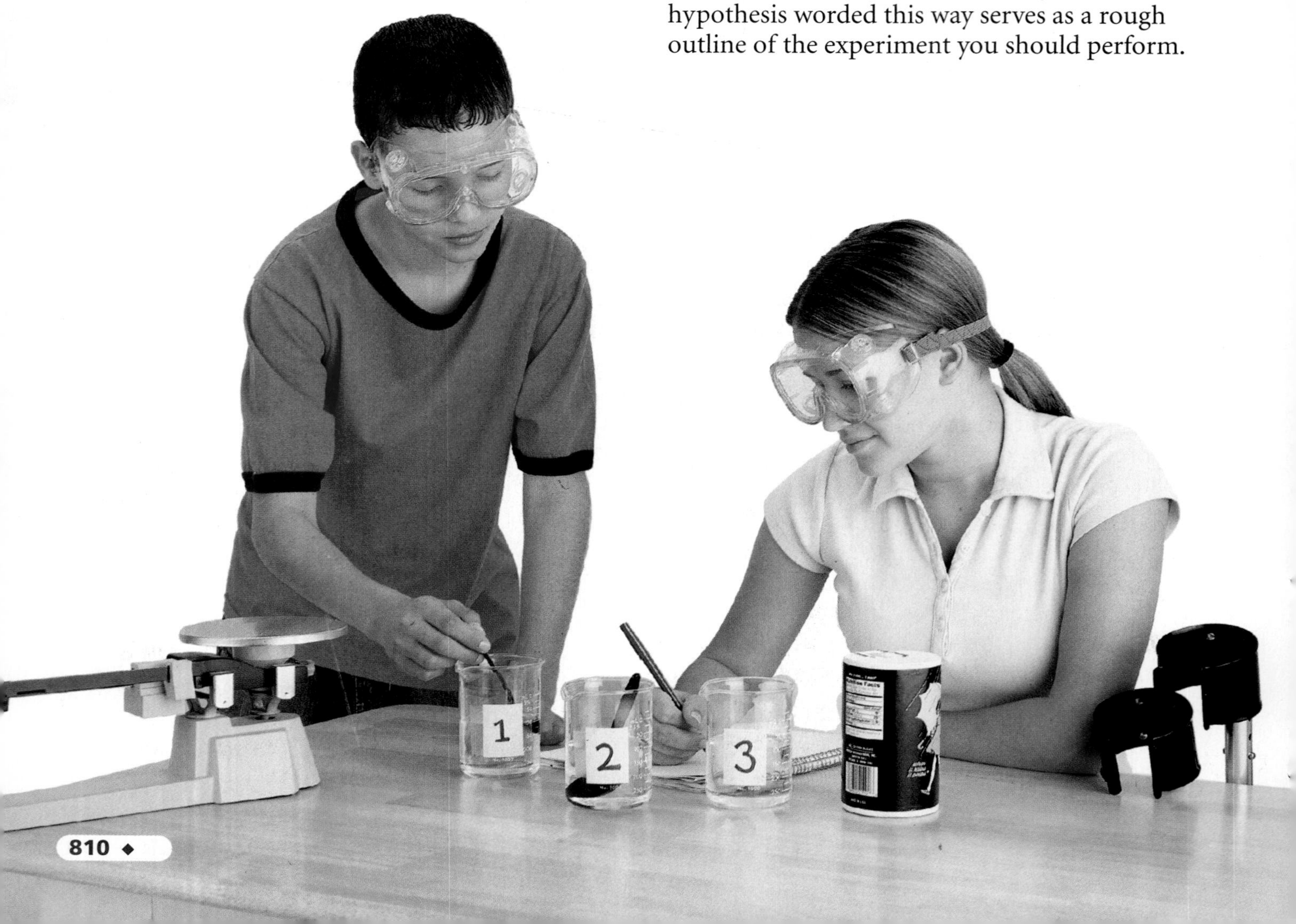

Designing an Experiment

Next you need to plan a way to test your hypothesis. Your plan should be written out as a step-by-step procedure and should describe the observations or measurements you will make.

Two important steps involved in designing an experiment are controlling variables and forming operational definitions.

Controlling Variables In a well-designed experiment, you need to keep all variables the same except for one. A **variable** is any factor that can change in an experiment. The factor that you change is called the **manipulated variable.** In this experiment, the manipulated variable is the amount of salt added to the water. Other factors, such as the amount of water or the starting temperature, are kept constant.

The factor that changes as a result of the manipulated variable is called the **responding variable.** The responding variable is what you measure or observe to obtain your results. In this experiment, the responding variable is how long the water takes to freeze.

An experiment in which all factors except one are kept constant is called a **controlled experiment.** Most controlled experiments include a test called the control. In this experiment, Container 3 is the control. Because no salt is added to Container 3, you can compare the results from the other containers to it. Any difference in results must be due to the addition of salt alone.

Forming Operational Definitions Another important aspect of a well-designed experiment is having clear operational definitions. An **operational definition** is a statement that describes how a particular variable is to be measured or how a term is to be defined. For example, in this experiment, how will you determine if the water has frozen? You might decide to insert a stick in each container at the start of the experiment. Your operational definition of "frozen" would be the time at which the stick can no longer move.

Experimental Procedure	
1.	Fill 3 containers with 300 milliliters of cold tap water.
2.	Add 10 grams of salt to Container 1; stir. Add 20 grams of salt to Container 2; stir. Add no salt to Container 3.
3.	Place the 3 containers in a freezer.
4.	Check the containers every 15 minutes. Record your observations.

Interpreting Data

The observations and measurements you make in an experiment are called **data.** At the end of an experiment, you need to analyze the data to look for any patterns or trends. Patterns often become clear if you organize your data in a data table or graph. Then think through what the data reveal. Do they support your hypothesis? Do they point out a flaw in your experiment? Do you need to collect more data?

Drawing Conclusions

A **conclusion** is a statement that sums up what you have learned from an experiment. When you draw a conclusion, you need to decide whether the data you collected support your hypothesis or not. You may need to repeat an experiment several times before you can draw any conclusions from it. Conclusions often lead you to pose new questions and plan new experiments to answer them.

Activity

Is a ball's bounce affected by the height from which it is dropped? Using the steps just described, plan a controlled experiment to investigate this problem.

Technology Design Skills

Engineers are people who use scientific and technological knowledge to solve practical problems. To design new products, engineers usually follow the process described here, even though they may not follow these steps in the exact order. As you read the steps, think about how you might apply them in technology labs.

Identify a Need

Before engineers begin designing a new product, they must first identify the need they are trying to meet. For example, suppose you are a member of a design team in a company that makes toys. Your team has identified a need: a toy boat that is inexpensive and easy to assemble.

Research the Problem

Engineers often begin by gathering information that will help them with their new design. This research may include finding articles in books, magazines, or on the Internet. It may also include talking to other engineers who have solved similar problems. Engineers often perform experiments related to the product they want to design.

For your toy boat, you could look at toys that are similar to the one you want to design. You might do research on the Internet. You could also test some materials to see whether they will work well in a toy boat.

Drawing for a boat design ▼

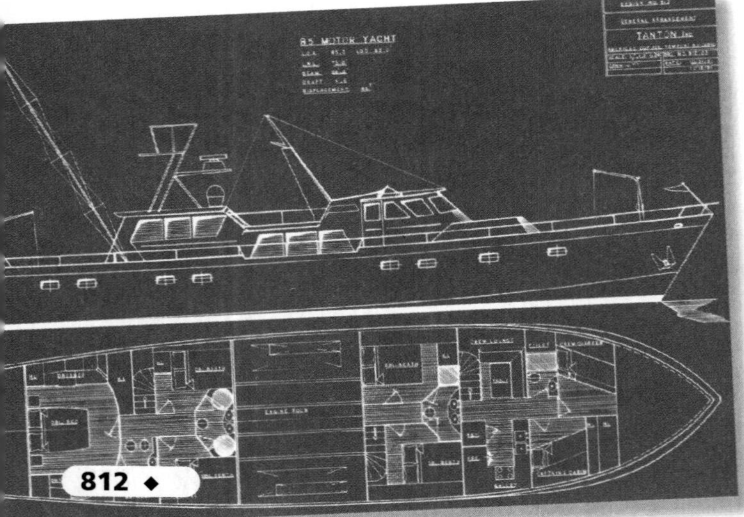

Design a Solution

Research gives engineers information that helps them design a product. When engineers design new products, they usually work in teams.

Generating Ideas Often design teams hold brainstorming meetings in which any team member can contribute ideas. **Brainstorming** is a creative process in which one team member's suggestions often spark ideas in other group members. Brainstorming can lead to new approaches to solving a design problem.

Evaluating Constraints During brainstorming, a design team will often come up with several possible designs. The team must then evaluate each one.

As part of their evaluation, engineers consider constraints. **Constraints** are factors that limit or restrict a product design. Physical characteristics, such as the properties of materials used to make your toy boat, are constraints. Money and time are also constraints. If the materials in a product cost a lot, or if the product takes a long time to make, the design may be impractical.

Making Trade-offs Design teams usually need to make trade-offs. In a **trade-off,** engineers give up one benefit of a proposed design in order to obtain another. In designing your toy boat, you will have to make trade-offs. For example, suppose one material is sturdy but not fully waterproof. Another material is more waterproof, but breakable. You may decide to give up the benefit of sturdiness in order to obtain the benefit of waterproofing.

Build and Evaluate a Prototype

Once the team has chosen a design plan, the engineers build a prototype of the product. A **prototype** is a working model used to test a design. Engineers evaluate the prototype to see whether it works well, is easy to operate, is safe to use, and holds up to repeated use.

Think of your toy boat. What would the prototype be like? Of what materials would it be made? How would you test it?

Troubleshoot and Redesign

Few prototypes work perfectly, which is why they need to be tested. Once a design team has tested a prototype, the members analyze the results and identify any problems. The team then tries to **troubleshoot,** or fix the design problems. For example, if your toy boat leaks or wobbles, the boat should be redesigned to eliminate those problems.

Communicate the Solution

A team needs to communicate the final design to the people who will manufacture and use the product. To do this, teams may use sketches, detailed drawings, computer simulations, and word descriptions.

Activity

You can use the technology design process to design and build a toy boat.

Research and Investigate

1. Visit the library or go online to research toy boats.
2. Investigate how a toy boat can be powered, including wind, rubber bands, or baking soda and vinegar.
3. Brainstorm materials, shapes, and steering for your boat.

Design and Build

4. Based on your research, design a toy boat that
   - is made of readily available materials
   - is no larger than 15 cm long and 10 cm wide
   - includes a power system, a rudder, and an area for cargo
   - travels 2 meters in a straight line carrying a load of 20 pennies
5. Sketch your design and write a step-by-step plan for building your boat. After your teacher approves your plan, build your boat.

Evaluate and Redesign

6. Test your boat, evaluate the results, and troubleshoot any problems.
7. Based on your evaluation, redesign your toy boat so it performs better.

Creating Data Tables and Graphs

How can you make sense of the data in a science experiment? The first step is to organize the data to help you understand them. Data tables and graphs are helpful tools for organizing data.

Data Tables

You have gathered your materials and set up your experiment. But before you start, you need to plan a way to record what happens during the experiment. By creating a data table, you can record your observations and measurements in an orderly way.

Suppose, for example, that a scientist conducted an experiment to find out how many Calories people of different body masses burn while doing various activities. The data table shows the results.

Notice in this data table that the manipulated variable (body mass) is the heading of one column. The responding variable (for Experiment 1, the number of Calories burned while bicycling) is the heading of the next column. Additional columns were added for related experiments.

Calories Burned in 30 Minutes

Body Mass	Experiment 1: Bicycling	Experiment 2: Playing Basketball	Experiment 3: Watching Television
30 kg	60 Calories	120 Calories	21 Calories
40 kg	77 Calories	164 Calories	27 Calories
50 kg	95 Calories	206 Calories	33 Calories
60 kg	114 Calories	248 Calories	38 Calories

Bar Graphs

To compare how many Calories a person burns doing various activities, you could create a bar graph. A bar graph is used to display data in a number of separate, or distinct, categories. In this example, bicycling, playing basketball, and watching television are the three categories.

To create a bar graph, follow these steps.

1. On graph paper, draw a horizontal, or *x*-, axis and a vertical, or *y*-, axis.
2. Write the names of the categories to be graphed along the horizontal axis. Include an overall label for the axis as well.
3. Label the vertical axis with the name of the responding variable. Include units of measurement. Then create a scale along the axis by marking off equally spaced numbers that cover the range of the data collected.
4. For each category, draw a solid bar using the scale on the vertical axis to determine the height. Make all the bars the same width.
5. Add a title that describes the graph.

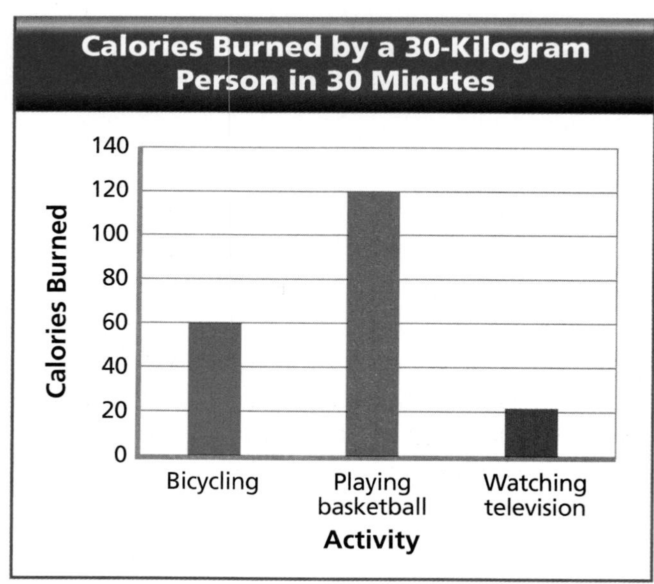

Line Graphs

To see whether a relationship exists between body mass and the number of Calories burned while bicycling, you could create a line graph. A line graph is used to display data that show how one variable (the responding variable) changes in response to another variable (the manipulated variable). You can use a line graph when your manipulated variable is *continuous,* that is, when there are other points between the ones that you tested. In this example, body mass is a continuous variable because there are other body masses between 30 and 40 kilograms (for example, 31 kilograms). Time is another example of a continuous variable.

Line graphs are powerful tools because they allow you to estimate values for conditions that you did not test in the experiment. For example, you can use the line graph to estimate that a 35-kilogram person would burn 68 Calories while bicycling.

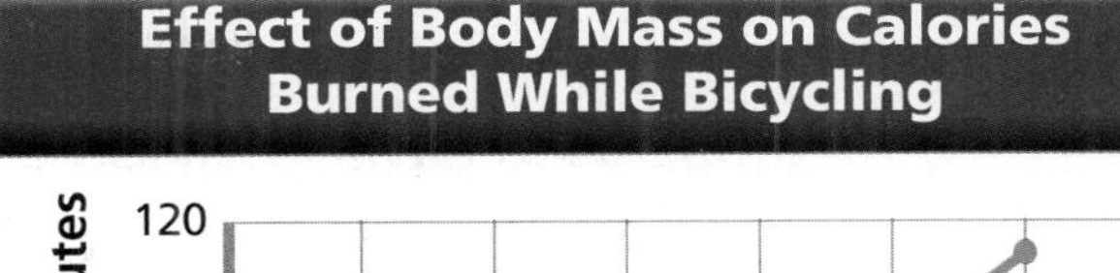

Effect of Body Mass on Calories Burned While Bicycling

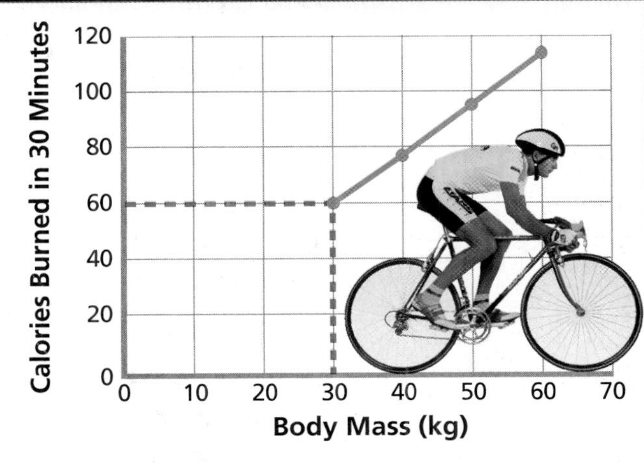

To create a line graph, follow these steps.

1. On graph paper, draw a horizontal, or *x*-, axis and a vertical, or *y*-, axis.
2. Label the horizontal axis with the name of the manipulated variable. Label the vertical axis with the name of the responding variable. Include units of measurement.
3. Create a scale on each axis by marking off equally spaced numbers that cover the range of the data collected.
4. Plot a point on the graph for each piece of data. In the line graph above, the dotted lines show how to plot the first data point (30 kilograms and 60 Calories). Follow an imaginary vertical line extending up from the horizontal axis at the 30-kilogram mark. Then follow an imaginary horizontal line extending across from the vertical axis at the 60-Calorie mark. Plot the point where the two lines intersect.
5. Connect the plotted points with a solid line. (In some cases, it may be more appropriate to draw a line that shows the general trend of the plotted points. In those cases, some of the points may fall above or below the line. Also, not all graphs are linear. It may be more appropriate to draw a curve to connect the points.)
6. Add a title that identifies the variables or relationship in the graph.

Activity

Create line graphs to display the data from Experiment 2 and Experiment 3 in the data table.

Activity

You read in the newspaper that a total of 4 centimeters of rain fell in your area in June, 2.5 centimeters fell in July, and 1.5 centimeters fell in August. What type of graph would you use to display these data? Use graph paper to create the graph.

Circle Graphs

Like bar graphs, circle graphs can be used to display data in a number of separate categories. Unlike bar graphs, however, circle graphs can only be used when you have data for *all* the categories that make up a given topic. A circle graph is sometimes called a pie chart. The pie represents the entire topic, while the slices represent the individual categories. The size of a slice indicates what percentage of the whole a particular category makes up.

The data table below shows the results of a survey in which 24 teenagers were asked to identify their favorite sport. The data were then used to create the circle graph at the right.

Favorite Sports

Sport	Students
Soccer	8
Basketball	6
Bicycling	6
Swimming	4

To create a circle graph, follow these steps.

1. Use a compass to draw a circle. Mark the center with a point. Then draw a line from the center point to the top of the circle.
2. Determine the size of each "slice" by setting up a proportion where x equals the number of degrees in a slice. (*Note:* A circle contains 360 degrees.) For example, to find the number of degrees in the "soccer" slice, set up the following proportion:

$$\frac{\text{Students who prefer soccer}}{\text{Total number of students}} = \frac{x}{\text{Total number of degrees in a circle}}$$

$$\frac{8}{24} = \frac{x}{360}$$

Cross-multiply and solve for x.

$$24x = 8 \times 360$$
$$x = 120$$

The "soccer" slice should contain 120 degrees.

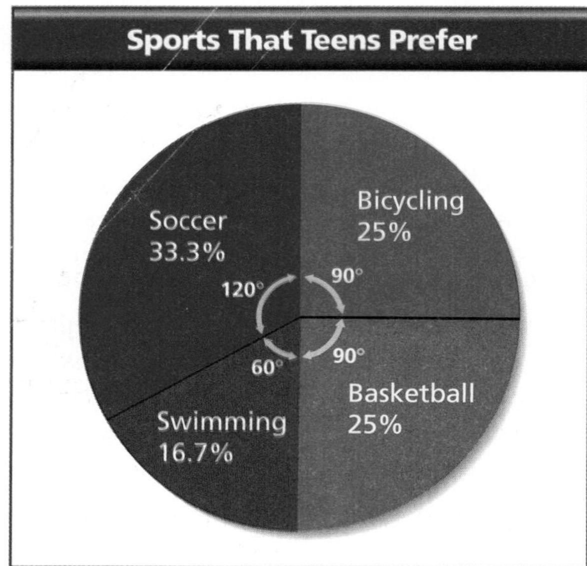

3. Use a protractor to measure the angle of the first slice, using the line you drew to the top of the circle as the 0° line. Draw a line from the center of the circle to the edge for the angle you measured.
4. Continue around the circle by measuring the size of each slice with the protractor. Start measuring from the edge of the previous slice so the wedges do not overlap. When you are done, the entire circle should be filled in.
5. Determine the percentage of the whole circle that each slice represents. To do this, divide the number of degrees in a slice by the total number of degrees in a circle (360), and multiply by 100%. For the "soccer" slice, you can find the percentage as follows:

$$\frac{120}{360} \times 100\% = 33.3\%$$

6. Use a different color for each slice. Label each slice with the category and with the percentage of the whole it represents.
7. Add a title to the circle graph.

Activity

In a class of 28 students, 12 students take the bus to school, 10 students walk, and 6 students ride their bicycles. Create a circle graph to display these data.

Math Review

Scientists use math to organize, analyze, and present data. This appendix will help you review some basic math skills.

Mean, Median, and Mode

The **mean** is the average, or the sum of the data divided by the number of data items. The middle number in a set of ordered data is called the **median.** The **mode** is the number that appears most often in a set of data.

Example

A scientist counted the number of distinct songs sung by seven different male birds and collected the data shown below.

Male Bird Songs

Bird	A	B	C	D	E	F	G
Number of Songs	36	29	40	35	28	36	27

To determine the mean number of songs, add the total number of songs and divide by the number of data items—in this case, the number of male birds.

$$\text{Mean} = \frac{231}{7} = 33 \text{ songs}$$

To find the median number of songs, arrange the data in numerical order and find the number in the middle of the series.

27 28 29 35 36 36 40

The number in the middle is 35, so the median number of songs is 35.

The mode is the value that appears most frequently. In the data, 36 appears twice, while each other item appears only once. Therefore, 36 songs is the mode.

Practice

Find out how many minutes it takes each student in your class to get to school. Then find the mean, median, and mode for the data.

Probability

Probability is the chance that an event will occur. Probability can be expressed as a ratio, a fraction, or a percentage. For example, when you flip a coin, the probability that the coin will land heads up is 1 in 2, or $\frac{1}{2}$, or 50 percent.

The probability that an event will happen can be expressed in the following formula.

$$P(\text{event}) = \frac{\text{Number of times the event can occur}}{\text{Total number of possible events}}$$

Example

A paper bag contains 25 blue marbles, 5 green marbles, 5 orange marbles, and 15 yellow marbles. If you close your eyes and pick a marble from the bag, what is the probability that it will be yellow?

$$P(\text{yellow marbles}) = \frac{\text{15 yellow marbles}}{\text{50 marbles total}}$$

$$P = \frac{15}{50}, \text{ or } \frac{3}{10}, \text{ or } 30\%$$

Practice

Each side of a cube has a letter on it. Two sides have *A*, three sides have *B*, and one side has *C*. If you roll the cube, what is the probability that *A* will land on top?

Area

The **area** of a surface is the number of square units that cover it. The front cover of your textbook has an area of about 600 cm^2.

Area of a Rectangle and a Square To find the area of a rectangle, multiply its length times its width. The formula for the area of a rectangle is

$$A = \ell \times w, \text{ or } A = \ell w$$

Since all four sides of a square have the same length, the area of a square is the length of one side multiplied by itself, or squared.

$$A = s \times s, \text{ or } A = s^2$$

Example

A scientist is studying the plants in a field that measures 75 m × 45 m. What is the area of the field?

$$A = \ell \times w$$

$$A = 75 \text{ m} \times 45 \text{ m}$$

$$A = 3{,}375 \text{ m}^2$$

Area of a Circle The formula for the area of a circle is

$$A = \pi \times r \times r, \text{ or } A = \pi r^2$$

The length of the radius is represented by r, and the value of π is approximately $\frac{22}{7}$.

Example

Find the area of a circle with a radius of 14 cm.

$$A = \pi r^2$$

$$A = 14 \times 14 \times \frac{22}{7}$$

$$A = 616 \text{ cm}^2$$

Practice

Find the area of a circle that has a radius of 21 m.

Circumference

The distance around a circle is called the circumference. The formula for finding the circumference of a circle is

$$C = 2 \times \pi \times r, \text{ or } C = 2\pi r$$

Example

The radius of a circle is 35 cm. What is its circumference?

$$C = 2\pi r$$

$$C = 2 \times 35 \times \frac{22}{7}$$

$$C = 220 \text{ cm}$$

Practice

What is the circumference of a circle with a radius of 28 m?

Volume

The volume of an object is the number of cubic units it contains. The volume of a wastebasket, for example, might be about 26,000 cm^3.

Volume of a Rectangular Object To find the volume of a rectangular object, multiply the object's length times its width times its height.

$$V = \ell \times w \times h, \text{ or } V = \ell wh$$

Example

Find the volume of a box with length 24 cm, width 12 cm, and height 9 cm.

$$V = \ell wh$$

$$V = 24 \text{ cm} \times 12 \text{ cm} \times 9 \text{ cm}$$

$$V = 2{,}592 \text{ cm}^3$$

Practice

What is the volume of a rectangular object with length 17 cm, width 11 cm, and height 6 cm?

Fractions

A **fraction** is a way to express a part of a whole. In the fraction $\frac{4}{7}$, 4 is the numerator and 7 is the denominator.

Adding and Subtracting Fractions To add or subtract two or more fractions that have a common denominator, first add or subtract the numerators. Then write the sum or difference over the common denominator.

To find the sum or difference of fractions with different denominators, first find the least common multiple of the denominators. This is known as the least common denominator. Then convert each fraction to equivalent fractions with the least common denominator. Add or subtract the numerators. Then write the sum or difference over the common denominator.

Example

$$\frac{5}{6} - \frac{3}{4} = \frac{10}{12} - \frac{9}{12} = \frac{10-9}{12} = \frac{1}{12}$$

Multiplying Fractions To multiply two fractions, first multiply the two numerators, then multiply the two denominators.

Example

$$\frac{5}{6} \times \frac{2}{3} = \frac{5 \times 2}{6 \times 3} = \frac{10}{18} = \frac{5}{9}$$

Dividing Fractions Dividing by a fraction is the same as multiplying by its reciprocal. Reciprocals are numbers whose numerators and denominators have been switched. To divide one fraction by another, first invert the fraction you are dividing by—in other words, turn it upside down. Then multiply the two fractions.

Example

$$\frac{2}{5} \div \frac{7}{8} = \frac{2}{5} \times \frac{8}{7} = \frac{2 \times 8}{5 \times 7} = \frac{16}{35}$$

Practice

Solve the following: $\frac{3}{7} \div \frac{4}{5}$.

Decimals

Fractions whose denominators are 10, 100, or some other power of 10 are often expressed as decimals. For example, the fraction $\frac{9}{10}$ can be expressed as the decimal 0.9, and the fraction $\frac{7}{100}$ can be written as 0.07.

Adding and Subtracting With Decimals To add or subtract decimals, line up the decimal points before you carry out the operation.

Example

$$\begin{array}{r} 27.4 \\ +\ 6.19 \\ \hline 33.59 \end{array} \qquad \begin{array}{r} 278.635 \\ -\ 191.4 \\ \hline 87.235 \end{array}$$

Multiplying With Decimals When you multiply two numbers with decimals, the number of decimal places in the product is equal to the total number of decimal places in each number being multiplied.

Example

$$\begin{array}{rl} 46.2 & \text{(one decimal place)} \\ \times\ 2.37 & \text{(two decimal places)} \\ \hline 109.494 & \text{(three decimal places)} \end{array}$$

Dividing With Decimals To divide a decimal by a whole number, put the decimal point in the quotient above the decimal point in the dividend.

Example

15.5 ÷ 5

$$5\overline{)15.5} = 3.1$$

To divide a decimal by a decimal, you need to rewrite the divisor as a whole number. Do this by multiplying both the divisor and dividend by the same multiple of 10.

Example

$$1.68 \div 4.2 = 16.8 \div 42$$

$$42\overline{)16.8} = 0.4$$

Practice

Multiply 6.21 by 8.5.

Ratio and Proportion

A **ratio** compares two numbers by division. For example, suppose a scientist counts 800 wolves and 1,200 moose on an island. The ratio of wolves to moose can be written as a fraction, $\frac{800}{1,200}$, which can be reduced to $\frac{2}{3}$. The same ratio can also be expressed as 2 to 3 or 2 : 3.

A **proportion** is a mathematical sentence saying that two ratios are equivalent. For example, a proportion could state that $\frac{800 \text{ wolves}}{1,200 \text{ moose}} = \frac{2 \text{ wolves}}{3 \text{ moose}}$. You can sometimes set up a proportion to determine or estimate an unknown quantity. For example, suppose a scientist counts 25 beetles in an area of 10 square meters. The scientist wants to estimate the number of beetles in 100 square meters.

Example

1. Express the relationship between beetles and area as a ratio: $\frac{25}{10}$, simplified to $\frac{5}{2}$.
2. Set up a proportion, with x representing the number of beetles. The proportion can be stated as $\frac{5}{2} = \frac{x}{100}$.
3. Begin by cross-multiplying. In other words, multiply each fraction's numerator by the other fraction's denominator.

   $$5 \times 100 = 2 \times x, \text{ or } 500 = 2x$$

4. To find the value of x, divide both sides by 2. The result is 250, or 250 beetles in 100 square meters.

Practice

Find the value of x in the following proportion: $\frac{6}{7} = \frac{x}{49}$.

Percentage

A **percentage** is a ratio that compares a number to 100. For example, there are 37 granite rocks in a collection that consists of 100 rocks. The ratio $\frac{37}{100}$ can be written as 37%. Granite rocks make up 37% of the rock collection.

You can calculate percentages of numbers other than 100 by setting up a proportion.

Example

Rain falls on 9 days out of 30 in June. What percentage of the days in June were rainy?

$$\frac{9 \text{ days}}{30 \text{ days}} = \frac{d\%}{100\%}$$

To find the value of d, begin by cross-multiplying, as for any proportion:

$$9 \times 100 = 30 \times d \qquad d = \frac{900}{30} \qquad d = 30$$

Practice

There are 300 marbles in a jar, and 42 of those marbles are blue. What percentage of the marbles are blue?

Significant Figures

The **precision** of a measurement depends on the instrument you use to take the measurement. For example, if the smallest unit on the ruler is millimeters, then the most precise measurement you can make will be in millimeters.

The sum or difference of measurements can only be as precise as the least precise measurement being added or subtracted. Round your answer so that it has the same number of digits after the decimal as the least precise measurement. Round up if the last digit is 5 or more, and round down if the last digit is 4 or less.

Example

Subtract a temperature of 5.2°C from the temperature 75.46°C.

$$75.46 - 5.2 = 70.26$$

5.2 has the fewest digits after the decimal, so it is the least precise measurement. Since the last digit of the answer is 6, round up to 3. The most precise difference between the measurements is 70.3°C.

Practice

Add 26.4 m to 8.37 m. Round your answer according to the precision of the measurements.

Significant figures are the number of nonzero digits in a measurement. Zeroes between nonzero digits are also significant. For example, the measurements 12,500 L, 0.125 cm, and 2.05 kg all have three significant figures. When you multiply and divide measurements, the one with the fewest significant figures determines the number of significant figures in your answer.

Example

Multiply 110 g by 5.75 g.

$$110 \times 5.75 = 632.5$$

Because 110 has only two significant figures, round the answer to 630 g.

Scientific Notation

A **factor** is a number that divides into another number with no remainder. In the example, the number 3 is used as a factor four times.

An **exponent** tells how many times a number is used as a factor. For example, $3 \times 3 \times 3 \times 3$ can be written as 3^4. The exponent ^{4} indicates that the number 3 is used as a factor four times. Another way of expressing this is to say that 81 is equal to 3 to the fourth power.

Example

$$3^4 = 3 \times 3 \times 3 \times 3 = 81$$

Scientific notation uses exponents and powers of ten to write very large or very small numbers in shorter form. When you write a number in scientific notation, you write the number as two factors. The first factor is any number between 1 and 10. The second factor is a power of 10, such as 10^3 or 10^6.

Example

The average distance between the planet Mercury and the sun is 58,000,000 km. To write the first factor in scientific notation, insert a decimal point in the original number so that you have a number between 1 and 10. In the case of 58,000,000, the number is 5.8.

To determine the power of 10, count the number of places that the decimal point moved. In this case, it moved 7 places.

$$58{,}000{,}000 \text{ km} = 5.8 \times 10^7 \text{ km}$$

Practice

Express 6,590,000 in scientific notation.

Reading Comprehension Skills

Your textbook is an important source of science information. As you read your science textbook, you will find that the book has been written to assist you in understanding the science concepts.

Learning From Science Textbooks

As you study science in school, you will learn science concepts in a variety of ways. Sometimes you will do interesting activities and experiments to explore science ideas. To fully understand what you observe in experiments and activities, you will need to read your science textbook. To help you read, some of the important ideas are highlighted so that you can easily recognize what they are. In addition, a target reading skill in each section will help you understand what you read.

By using the target reading skills, you will improve your reading comprehension—that is, you will improve your ability to understand what you read. As you learn science, you will build knowledge that will help you understand even more of what you read. This knowledge will help you learn about all the topics presented in this textbook.

And—guess what?—these reading skills can be useful whenever you are reading. Reading to learn is important for your entire life. You have an opportunity to begin that process now.

The target reading skills that will improve your reading comprehension are described below.

Building Vocabulary

To understand the science concepts taught in this textbook, you need to remember the meanings of the Key Terms. One strategy consists of writing the definitions of these terms in your own words. You can also practice using the terms in sentences and make lists of words or phrases you associate with each term.

Using Prior Knowledge

Your prior knowledge is what you already know before you begin to read about a topic. Building on what you already know gives you a head start on learning new information. Before you begin a new assignment, think about what you know. You might page through your reading assignment, looking at the headings and the visuals to spark your memory. You can list what you know in the graphic organizer provided in the section opener. Then, as you read, consider questions like the ones below to connect what you learn to what you already know.

- How does what you learn relate to what you know?
- How did something you already know help you learn something new?
- Did your original ideas agree with what you have just learned? If not, how would you revise your original ideas?

Asking Questions

Asking yourself questions is an excellent way to focus on and remember new information in your textbook. You can learn how to ask good questions.

One way is to turn the text headings into questions. Then your questions can guide you to identify and remember the important information as you read. Look at these examples:

Heading: Using Seismographic Data
Question: How are seismographic data used?
Heading: Kinds of Faults
Question: What are the kinds of faults?

You do not have to limit your questions to the text headings. Ask questions about anything that you need to clarify or that will help you understand the content. *What* and *how* are probably the most common question words, but you may also ask *why*, *who*, *when*, or *where* questions. Here is an example:

Properties of Waves

Question	Answer
What is amplitude?	Amplitude is . . .

Previewing Visuals

Visuals are photographs, graphs, tables, diagrams, and illustrations. Visuals, such as this diagram of a normal fault, contain important information. Look at visuals and their captions before you read. This will help you prepare for what you will be reading about.

Often you will be asked what you want to learn about a visual. For example, after you look at the normal fault diagram, you might ask: What is the movement along a normal fault? Questions about visuals give you a purpose for reading—to answer your questions. Previewing visuals also helps you see what you already know.

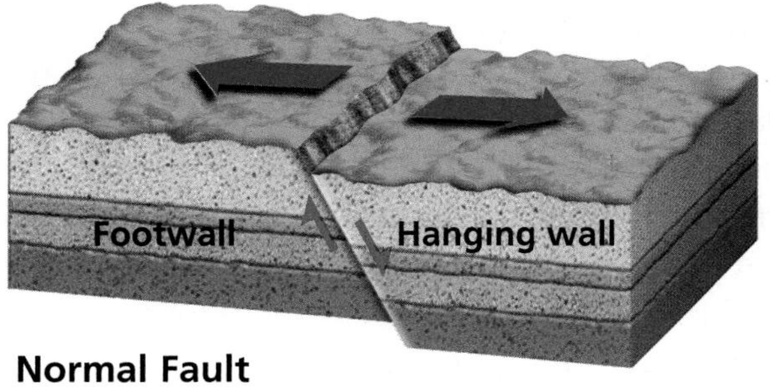

Normal Fault

Outlining

An outline shows the relationship between main ideas and supporting ideas. An outline has a formal structure. You write the main ideas, called topics, next to Roman numerals. The supporting ideas, sometimes called subtopics, are written under the main ideas and labeled A, B, C, and so on. An outline looks like this:

Technology and Society
I. Technology through history II. The impact of technology on society A. B.

When you have completed an outline like this, you can see at a glance the structure of the section. You can use this outline as a study tool.

Identifying Main Ideas

When you are reading, it is important to try to understand the ideas and concepts that are in a passage. As you read science material, you will recognize that each paragraph has a lot of information and detail. Good readers try to identify the most important—or biggest—idea in every paragraph or section. That's the main idea. The other information in the paragraph supports or further explains the main idea.

Sometimes main ideas are stated directly. In this book, some main ideas are identified for you as key concepts. These are printed in boldface type. However, you must identify other main ideas yourself. In order to do this, you must identify all the ideas within a paragraph or section. Then ask yourself which idea is big enough to include all the other ideas.

Comparing and Contrasting

When you compare and contrast, you examine the similarities and differences between things. You can compare and contrast in a Venn diagram or in a table. Your completed diagram or table shows you how the items are alike and how they are different.

Venn Diagram A Venn diagram consists of two overlapping circles. In the space where the circles overlap, you write the characteristics that the two items have in common. In one of the circles outside the area of overlap, you write the differing features or characteristics of one of the items. In the other circle outside the area of overlap, you write the differing characteristics of the other item.

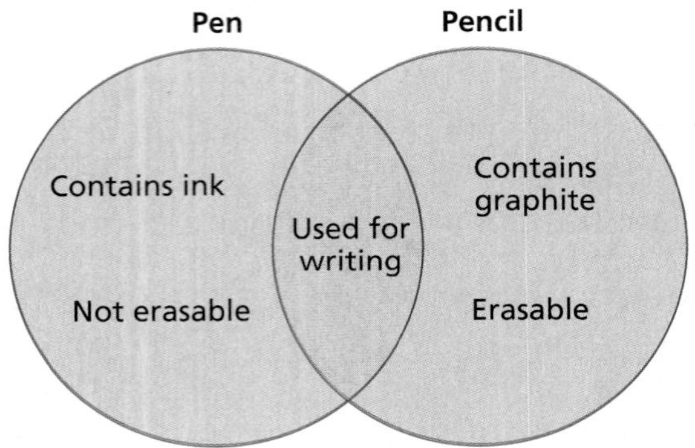

Table In a compare/contrast table, you list the items to be compared across the top of the table. Then list the characteristics or features to be compared in the left column. Complete the table by filling in information about each characteristic or feature.

Blood Vessel	Function	Structure of Wall
Artery	Carries blood away from heart	
Capillary		
Vein		

Sequencing

A sequence is the order in which a series of events occurs. Recognizing and remembering the sequence of events is important to understanding many processes in science. Sometimes the text uses words like *first, next, during,* and *after* to signal a sequence. A flowchart or a cycle diagram can help you visualize a sequence.

Flowchart To make a flowchart, write a brief description of each step or event in a box. Place the boxes in order, with the first event at the top of the page. Then draw an arrow to connect each step or event to the next.

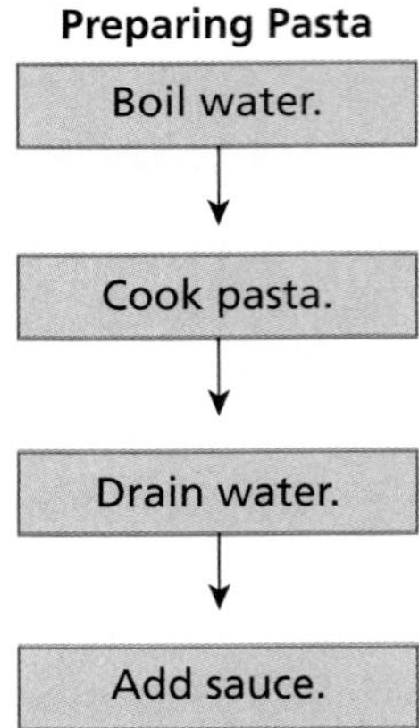

Cycle Diagram A cycle diagram shows a sequence that is continuous, or cyclical. A continuous sequence does not have an end because when the final event is over, the first event begins again. To create a cycle diagram, write the starting event in a box placed at the top of a page in the center. Then, moving in a clockwise direction around an imaginary circle, write each event in a box in its proper sequence. Draw arrows that connect each event to the one that occurs next, forming a continuous circle.

Identifying Supporting Evidence

A hypothesis is a possible explanation for observations made by scientists or an answer to a scientific question. A hypothesis is tested over and over again. The tests may produce evidence that supports the hypothesis. When enough supporting evidence is collected, a hypothesis may become a theory.

Identifying the supporting evidence for a hypothesis or theory can help you understand the hypothesis or theory. Evidence consists of facts—information whose accuracy can be confirmed by testing or observation.

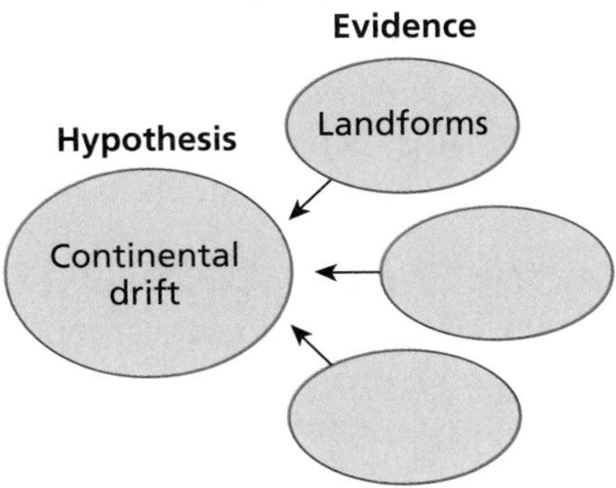

Relating Cause and Effect

Identifying causes and effects helps you understand relationships among events. A cause makes something happen. An effect is what happens. When you recognize that one event causes another, you are relating cause and effect. Words like *cause, because, effect, affect,* and *result* often signal a cause or an effect.

Sometimes an effect can have more than one cause, or a cause can produce several effects. For example, car exhaust and smoke from industrial plants are two causes of air pollution. Some effects of air pollution include breathing difficulties for some people, death of plants along some highways, and damage to some building surfaces.

Science involves many cause-and-effect relationships. Seeing and understanding these relationships helps you understand science processes.

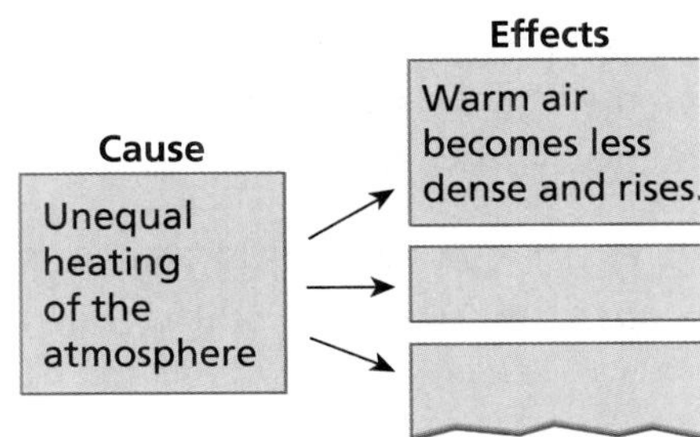

Concept Mapping

Concept maps are useful tools for organizing information on any topic. A concept map begins with a main idea or core concept and shows how the idea can be subdivided into related subconcepts or smaller ideas. In this way, relationships between concepts become clearer and easier to understand.

You construct a concept map by placing concepts (usually nouns) in ovals and connecting them with linking words. The biggest concept or idea is placed in an oval at the top of the map. Related concepts are arranged in ovals below the big idea. The linking words are often verbs and verb phrases and are written on the lines that connect the ovals.

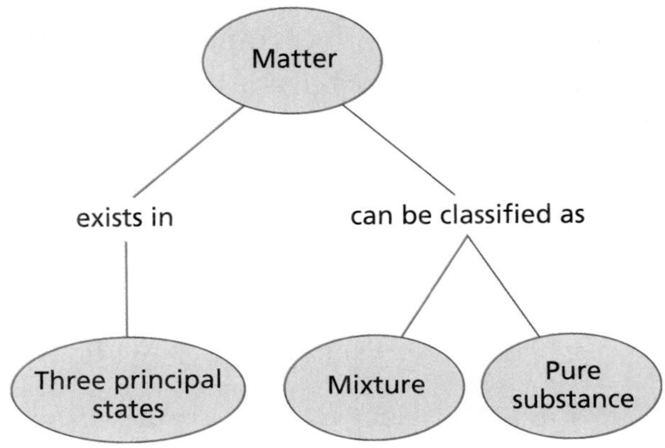

Safety Symbols

These symbols warn of possible dangers in the laboratory and remind you to work carefully.

Safety Goggles Wear safety goggles to protect your eyes in any activity involving chemicals, flames or heating, or glassware.

Lab Apron Wear a laboratory apron to protect your skin and clothing from damage.

Breakage Handle breakable materials, such as glassware, with care. Do not touch broken glassware.

Heat-Resistant Gloves Use an oven mitt or other hand protection when handling hot materials such as hot plates or hot glassware.

Plastic Gloves Wear disposable plastic gloves when working with organisms and harmful chemicals. Keep your hands away from your face, and dispose of the gloves according to your teacher's instructions.

Heating Use a clamp or tongs to pick up hot glassware. Do not touch hot objects with your bare hands.

Flames Before you work with flames, tie back loose hair and clothing. Follow instructions from your teacher about lighting and extinguishing flames.

No Flames When using flammable materials, make sure there are no flames, sparks, or other exposed heat sources present.

Corrosive Chemical Avoid getting acid or other corrosive chemicals on your skin or clothing or in your eyes. Do not inhale the vapors. Wash your hands after the activity.

Poison Do not let any poisonous chemical come into contact with your skin, and do not inhale its vapors. Wash your hands when you are finished with the activity.

Fumes Work in a ventilated area when harmful vapors may be involved. Avoid inhaling vapors directly. Only test an odor when directed to do so by your teacher, and use a wafting motion to direct the vapor toward your nose.

Sharp Object Scissors, scalpels, knives, needles, pins, and tacks can cut your skin. Always direct a sharp edge or point away from yourself and others.

Animal Safety Treat live or preserved animals or animal parts with care to avoid harming the animals or yourself. Wash your hands when you are finished with the activity.

Plant Safety Handle plants only as directed by your teacher. If you are allergic to certain plants, tell your teacher; do not do an activity involving those plants. Avoid touching harmful plants such as poison ivy. Wash your hands when you are finished with the activity.

Electric Shock To avoid electric shock, never use electrical equipment around water, or when the equipment is wet or your hands are wet. Be sure cords are untangled and cannot trip anyone. Unplug equipment not in use.

Physical Safety When an experiment involves physical activity, avoid injuring yourself or others. Alert your teacher if there is any reason you should not participate.

Disposal Dispose of chemicals and other laboratory materials safely. Follow the instructions from your teacher.

Hand Washing Wash your hands thoroughly when finished with the activity. Use soap and warm water. Rinse well.

General Safety Awareness When this symbol appears, follow the instructions provided. When you are asked to develop your own procedure in a lab, have your teacher approve your plan before you go further.

Science Safety Rules

General Precautions

Follow all instructions. Never perform activities without the approval and supervision of your teacher. Do not engage in horseplay. Never eat or drink in the laboratory. Keep work areas clean and uncluttered.

Dress Code

Wear safety goggles whenever you work with chemicals, glassware, heat sources such as burners, or any substance that might get into your eyes. If you wear contact lenses, notify your teacher.

Wear a lab apron or coat whenever you work with corrosive chemicals or substances that can stain. Wear disposable plastic gloves when working with organisms and harmful chemicals. Tie back long hair. Remove or tie back any article of clothing or jewelry that can hang down and touch chemicals, flames, or equipment. Roll up long sleeves. Never wear open shoes or sandals.

First Aid

Report all accidents, injuries, or fires to your teacher, no matter how minor. Be aware of the location of the first-aid kit, emergency equipment such as the fire extinguisher and fire blanket, and the nearest telephone. Know whom to contact in an emergency.

Heating and Fire Safety

Keep all combustible materials away from flames. When heating a substance in a test tube, make sure that the mouth of the tube is not pointed at you or anyone else. Never heat a liquid in a closed container. Use an oven mitt to pick up a container that has been heated.

Using Chemicals Safely

Never put your face near the mouth of a container that holds chemicals. Never touch, taste, or smell a chemical unless your teacher tells you to.

Use only those chemicals needed in the activity. Keep all containers closed when chemicals are not being used. Pour all chemicals over the sink or a container, not over your work surface. Dispose of excess chemicals as instructed by your teacher.

Be extra careful when working with acids or bases. When mixing an acid and water, always pour the water into the container first and then add the acid to the water. Never pour water into an acid. Wash chemical spills and splashes immediately with plenty of water.

Using Glassware Safely

If glassware is broken or chipped, notify your teacher immediately. Never handle broken or chipped glass with your bare hands.

Never force glass tubing or thermometers into a rubber stopper or rubber tubing. Have your teacher insert the glass tubing or thermometer if required for an activity.

Using Sharp Instruments

Handle sharp instruments with extreme care. Never cut material toward you; cut away from you.

Animal and Plant Safety

Never perform experiments that cause pain, discomfort, or harm to animals. Only handle animals if absolutely necessary. If you know that you are allergic to certain plants, molds, or animals, tell your teacher before doing an activity in which these are used. Wash your hands thoroughly after any activity involving animals, animal parts, plants, plant parts, or soil.

During field work, wear long pants, long sleeves, socks, and closed shoes. Avoid poisonous plants and fungi as well as plants with thorns.

End-of-Experiment Rules

Unplug all electrical equipment. Clean up your work area. Dispose of waste materials as instructed by your teacher. Wash your hands after every experiment.

The microscope is an essential tool in the study of life science. It allows you to see things that are too small to be seen with the unaided eye.

You will probably use a compound microscope like the one you see here. The compound microscope has more than one lens that magnifies the object you view.

Typically, a compound microscope has one lens in the eyepiece, the part you look through. The eyepiece lens usually magnifies 10 ×. Any object you view through this lens would appear 10 times larger than it is.

The compound microscope may contain one or two other lenses called objective lenses. If there are two objective lenses, they are called the low-power and high-power objective lenses. The low-power objective lens usually magnifies 10 ×. The high-power objective lens usually magnifies 40 ×.

To calculate the total magnification with which you are viewing an object, multiply the magnification of the eyepiece lens by the magnification of the objective lens you are using. For example, the eyepiece's magnification of 10 × multiplied by the low-power objective's magnification of 10 × equals a total magnification of 100 ×.

Use the photo of the compound microscope to become familiar with the parts of the microscope and their functions.

The Parts of a Compound Microscope

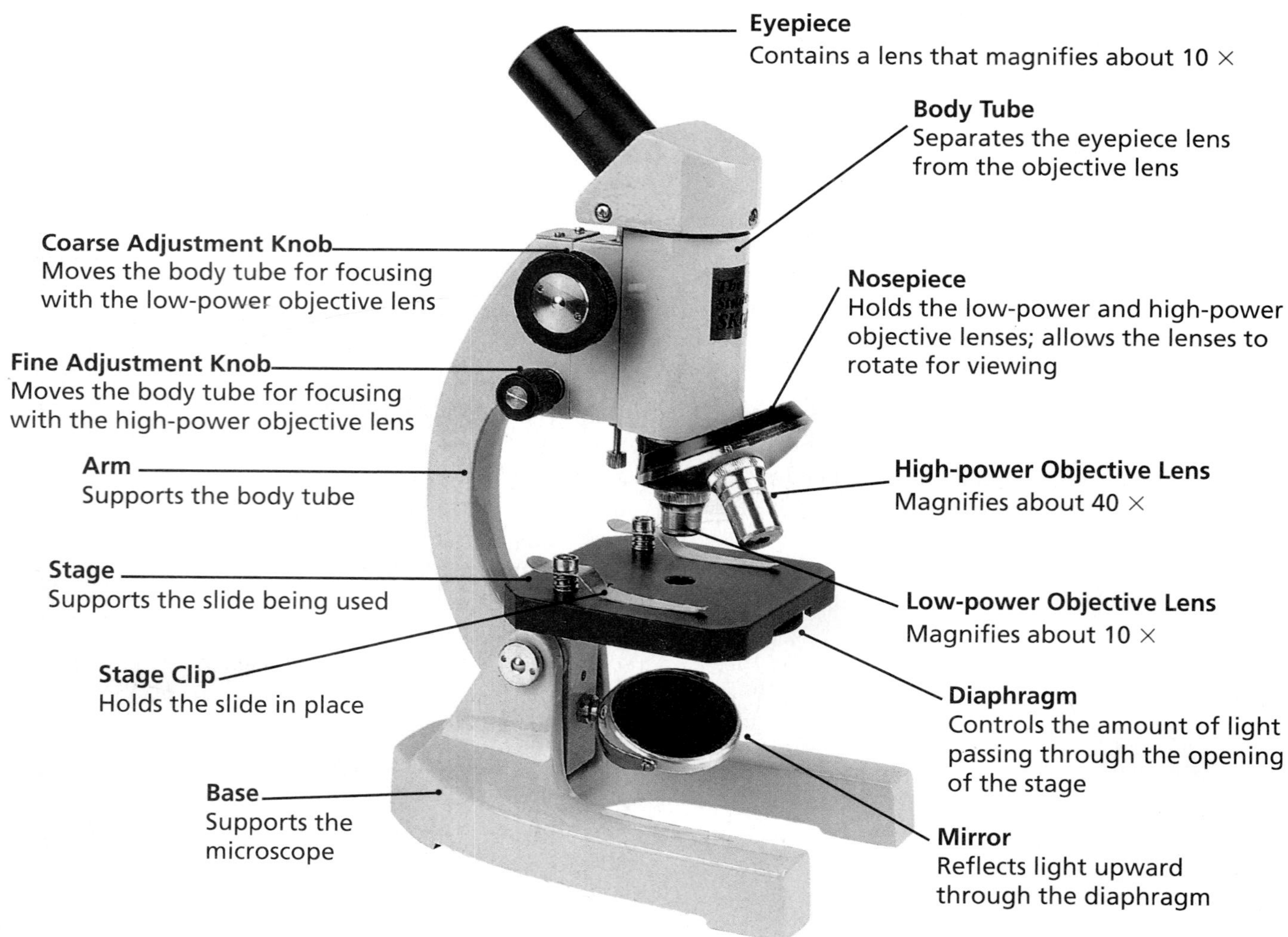
Eyepiece
Contains a lens that magnifies about 10 ×
Body Tube
Separates the eyepiece lens from the objective lens
Coarse Adjustment Knob
Moves the body tube for focusing with the low-power objective lens
Fine Adjustment Knob
Moves the body tube for focusing with the high-power objective lens
Nosepiece
Holds the low-power and high-power objective lenses; allows the lenses to rotate for viewing
Arm
Supports the body tube
High-power Objective Lens
Magnifies about 40 ×
Stage
Supports the slide being used
Low-power Objective Lens
Magnifies about 10 ×
Stage Clip
Holds the slide in place
Diaphragm
Controls the amount of light passing through the opening of the stage
Base
Supports the microscope
Mirror
Reflects light upward through the diaphragm

Using the Microscope

Use the following procedures when you are working with a microscope.

1. To carry the microscope, grasp the microscope's arm with one hand. Place your other hand under the base.
2. Place the microscope on a table with the arm toward you.
3. Turn the coarse adjustment knob to raise the body tube.
4. Revolve the nosepiece until the low-power objective lens clicks into place.
5. Adjust the diaphragm. While looking through the eyepiece, also adjust the mirror until you see a bright white circle of light. **CAUTION:** *Never use direct sunlight as a light source.*
6. Place a slide on the stage. Center the specimen over the opening on the stage. Use the stage clips to hold the slide in place. **CAUTION:** *Glass slides are fragile.*
7. Look at the stage from the side. Carefully turn the coarse adjustment knob to lower the body tube until the low-power objective almost touches the slide.
8. Looking through the eyepiece, very slowly turn the coarse adjustment knob until the specimen comes into focus.
9. To switch to the high-power objective lens, look at the microscope from the side. Carefully revolve the nosepiece until the high-power objective lens clicks into place. Make sure the lens does not hit the slide.
10. Looking through the eyepiece, turn the fine adjustment knob until the specimen comes into focus.

Making a Wet-Mount Slide

Use the following procedures to make a wet-mount slide of a specimen.

1. Obtain a clean microscope slide and a coverslip. **CAUTION:** *Glass slides and coverslips are fragile.*
2. Place the specimen on the slide. The specimen must be thin enough for light to pass through it.
3. Using a plastic dropper, place a drop of water on the specimen.
4. Gently place one edge of the coverslip against the slide so that it touches the edge of the water drop at a 45° angle. Slowly lower the coverslip over the specimen. If air bubbles are trapped beneath the coverslip, tap the coverslip gently with the eraser end of a pencil.
5. Remove any excess water at the edge of the coverslip with a paper towel.

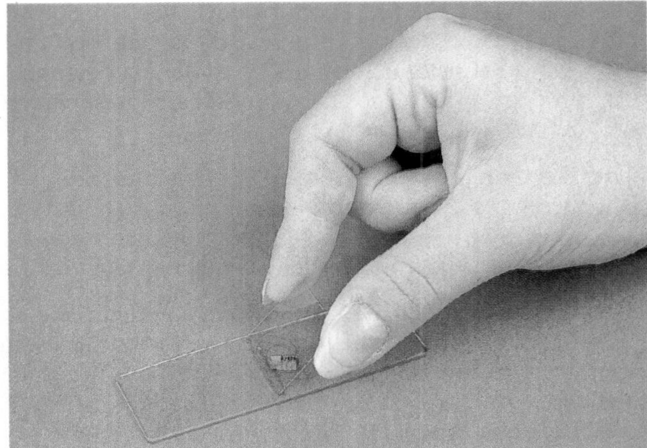

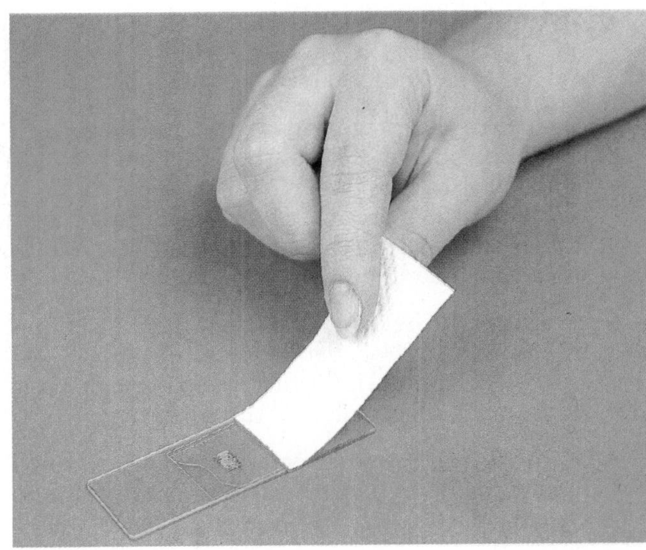

English and Spanish Glossary

A

abdomen The hind section of an arthropod's body that contains its reproductive organs and part of its digestive tract. (p. 340)
abdomen Sección posterior del cuerpo de un artrópodo que contiene sus órganos reproductores y parte de su aparato digestivo.

abiotic factor A nonliving part of an organism's habitat. (p. 706)
factor abiótico La parte no viva del hábitat de un organismo.

absorption The process by which nutrients pass from the digestive system into the blood. (p. 517)
absorción Proceso por el cual las moléculas de los nutrientes pasan a través de la pared del sistema digestivo a la sangre.

active immunity Immunity that occurs when a person's own immune system produces antibodies in response to the presence of a pathogen. (p. 606)
inmunidad activa Inmunidad que ocurre cuando el sistema inmunológico de una persona produce anticuerpos en respuesta a la presencia de un patógeno.

active transport The movement of materials through a cell membrane using energy. (p. 84)
transporte activo Movimiento de materiales a través de la membrana celular que usa energía.

adaptation A behavior or physical characteristic that allows an organism to survive or reproduce in its environment. (pp. 175, 296, 723)
adaptación Comportamiento o característica física que ayuda a un organismo a sobrevivir o a reproducirse en su medio ambiente.

addiction A physical dependence on a substance. (pp. 575, 653)
adicción Dependencia física de una sustancia.

adolescence The stage of development between childhood and adulthood when children become adults physically and mentally. (p. 689)
adolescencia Etapa del desarrollo entre la niñez y la adultez cuando los niños empiezan a ser adultos física y mentalmente.

aggression A threatening behavior that one animal uses to gain control over another. (p. 446)
agresión Comportamiento amenazante que usa un animal para ganar el control sobre otro.

AIDS (acquired immunodeficiency syndrome) A disease caused by a virus that attacks the immune system. (p. 602)
SIDA (Síndrome de inmunodeficiencia adquirida) Enfermedad causada por un virus que ataca el sistema inmunológico.

alcoholism A disease in which a person is both physically addicted to and emotionally dependent on alcohol. (p. 657)
alcoholismo Enfermedad en la que una persona es adicta físicamente y dependiente emocionalmente del alcohol.

algae Plantlike protists. (p. 231)
algas Protistas con características vegetales.

alleles The different forms of a gene. (p. 113)
alelos Diferentes formas de un gen.

allergen A substance that causes an allergy. (p. 612)
alergeno Sustancia que causa la alergia.

allergy A disorder in which the immune system is overly sensitive to a foreign substance. (p. 612)
alergia Trastorno fisiológico en el cual el sistema inmunológico es extremadamente sensible a las sustancias externas.

alveoli Tiny sacs of lung tissue specialized for the movement of gases between air and blood. (p. 568)
alveolos Sacos diminutos de tejido pulmonar especializados en el intercambio de gases entre el aire y la sangre.

amino acid A small molecule that is linked chemically to other amino acids to form proteins.
amino ácido Pequeña molécula que se une químicamente a otros aminoácidos para formar proteínas. (pp. 77, 507)

amniotic egg An egg with a shell and internal membranes that keep the embryo moist (p. 389)
huevo amniótico Huevo con cáscara y membranas internas que mantiene al embrión húmedo.

amniotic sac A fluid-filled sac that cushions and protects a developing embryo and fetus in the uterus. (p. 684)
saco amniótico Saco lleno de líquido que amortigua y protege al embrión y al feto en desarrollo en el útero.

amphibian An ectothermic vertebrate that spends its early life in water and its adult life on land.
anfibio Vertebrado ectotérmico que pasa la primera etapa de su vida en el agua y la madurez en la tierra. (p. 382)

anabolic steroids Synthetic chemicals that are similar to hormones produced in the body. (p. 654)
esteroides anabólicos Sustancias químicas sintéticas que son semejantes a las hormonas producidas por el cuerpo.

angiosperm A flowering plant that produces seeds enclosed in a protective structure. (p. 276)
angiosperma Planta con flores que produce semillas encerradas en una estructura protectora.

annual A flowering plant that completes its life cycle in one growing season. (p. 287)
anual Planta con flores que completa su ciclo de vida en una sola temporada de crecimiento.

antenna An appendage on the head of an arthropod that contains sense organs. (p. 337)
antena Apéndice en la cabeza de un animal que contiene órganos sensoriales.

antibiotic A chemical that kills bacteria or slows their growth without harming body cells. (p. 608)
antibiótico Sustancia química que mata las bacterias o frena su crecimiento sin dañar las células del cuerpo humano.

antibody A protein produced by a B cell of the immune system that destroys pathogens. (p. 600)
anticuerpo Proteína producida por una célula B del sistema inmunológico que destruye un tipo específico de patógeno.

antigen A molecule that the immune system recognizes either as part of the body or as coming from outside the body. (p. 600)
antígeno Molécula en una célula que puede reconocer el sistema inmunológico como parte del cuerpo o como un agente extraño.

anus A muscular opening at the end of the rectum through which waste material is eliminated from the body. (pp. 318, 527)
ano Abertura muscular al final del recto a través de la cual se elimina el material de desecho digestivo del cuerpo.

aorta The largest artery in the body. (p. 539)
aorta La arteria más grande del cuerpo.

aquaculture The practice of raising fish and other water-dwelling organisms for food. (p. 788)
acuicultura Técnica del cultivo de peces y otros organismos acuáticos para consumo humano.

arachnid An arthropod with two body sections, four pairs of legs, and no antennae. (p. 340)
arácnido Artrópodo con dos secciones corporales, cuatro pares de patas y sin antenas.

artery A blood vessel that carries blood away from the heart. (p. 538)
arteria Vaso sanguíneo que transporta la sangre que sale del corazón.

arthropod An invertebrate that has an external skeleton, a segmented body, and jointed appendages.
artrópodo Invertebrado que tiene esqueleto externo, cuerpo segmentado y apéndices anexos. (p. 335)

asexual reproduction A reproductive process that involves only one parent and produces offspring that are identical to the parent. (pp. 220, 297)
reproducción asexual Proceso de reproducción que implica a sólo un progenitor y produce descendencia que es idéntica al progenitor.

asthma A disorder in which the respiratory passages narrow significantly. (p. 613)
asma Trastorno fisiológico por el cual las vías respiratorias se estrechan considerablemente.

atherosclerosis A condition in which an artery wall thickens from a buildup of fatty materials. (p. 553)
arteriosclerosis Condición en la que la pared de una arteria se hace más gruesa debido a la acumulación de materiales grasos.

atrium Each of the two upper chambers of the heart that receives blood that comes into the heart.
aurícula Cada una de las dos cámaras superiores del corazón que reciben la sangre que entra en el corazón. (pp. 384, 537)

autonomic nervous system The group of nerves in the peripheral nervous system that controls involuntary actions. (p. 637)
sistema nervioso autónomo Grupo de nervios en el sistema nervioso periférico que controla las acciones involuntarias.

autotroph An organism that makes its own food.
autótrofo Organismo que produce su propio alimento. (pp. 38, 87)

auxin A plant hormone that speeds up the rate of growth of plant cells. (p. 285)
auxina Hormona vegetal que acelera el crecimiento de las células de la planta.

axon A threadlike extension of a neuron that carries nerve impulses away from the cell body. (p. 628)
axón Extensión con forma de hilo de una neurona que lleva los impulsos nerviosos del cuerpo de la célula.

B

B cell A lymphocyte that produces proteins that help destroy pathogens. (p. 600)
célula B Linfocito que produce proteínas que ayudan a destruir un tipo específico de patógeno.

bacteria Single-celled organisms that lack a nucleus; prokaryotes. (p. 218)
bacteria Organismo unicelular que no tiene núcleo.

bacteriophage A virus that infects bacteria. (p. 211)
bacteriófago Virus que infecta bacterias.

behavior All the actions an animal performs. (p. 437)
comportamiento Todas las acciones que realiza un animal.

biennial A flowering plant that completes its life cycle in two years. (p. 287)
bienal Planta con flores que completa su ciclo de vida en dos años.

bilateral symmetry Body plan with two haves that are mirror images. (p. 301)
simetría bilateral La cualidad de ser divisible en mitades que son imágenes reflejas.

bile A substance produced by the liver that breaks up fat particles. (p. 525)
bilis Sustancia producida por el hígado que descompone las partículas de grasa.

binary fission A form of asexual reproduction in which one cell divides to form two identical cells.
fisión binaria Forma de reproducción asexual en la que una célula se divide para formar dos células idénticas. (p. 220)

binomial nomenclature The system for naming organisms in which each organism is given a unique, two-part scientific name. (p. 44)
nomenclatura binaria Sistema para nombrar organismos, en el cual a cada organismo se le da un nombre científico único de dos partes.

biodiversity The number of different species in an area. (p. 792)
biodiversidad Número de diferentes especies en un área determinada.

biogeography The study of where organisms live.
biogeografía Estudio del lugar donde viven los organismos. (p. 752)

biological control A natural predator or disease used to combat a pest insect. (p. 355)
control biológico Depredador o enfermedad natural liberada en un área para combatir una plaga de insectos.

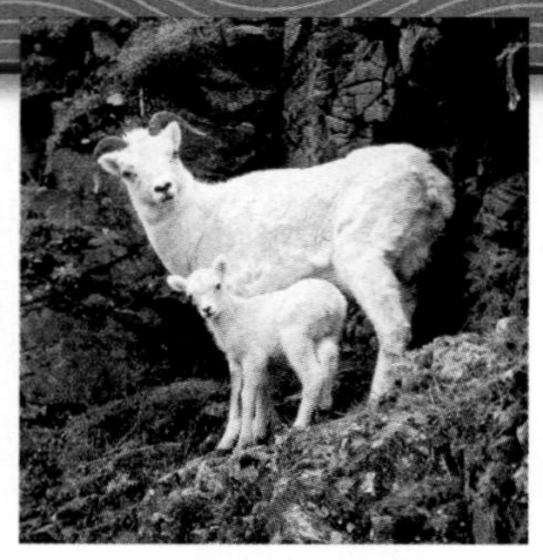

biome A group of land ecosystems with similar climates and organisms. (p. 758)
bioma Grupo de ecosistemas terrestres con climas y organismos similares.

biotic factor A living part of an organism's habitat.
factor biótico La parte viva del hábitat de un organismo. (p. 705)

bird An endothermic vertebrate that has feathers and a four-chambered heart, and lays eggs. (p. 407)
ave Vertebrado endotérmico que tiene plumas, un corazón de 4 cámaras y pone huevos.

birth rate The number of births in a population in a certain amount of time. (p. 714)
tasa de natalidad Número de nacimientos en una población en un período determinado.

bivalve A mollusk that has two shells held together by hinges and strong muscles. (p. 331)
bivalvo Molusco que tiene dos conchas unidas por charnelas y fuertes músculos.

blood pressure The pressure that is exerted by the blood against the walls of blood vessels. (p. 542)
presión arterial Presión que ejerce la sangre contra las paredes de los vasos sanguíneos.

brain The part of the central nervous system that is located in the skull and controls most functions in the body. (p. 633)
encéfalo Parte del sistema nervioso central que está ubicado en el cráneo y controla la mayoría de las funciones del cuerpo.

brain stem The part of the brain that lies between the cerebellum and spinal cord, and controls the body's involuntary actions. (p. 634)
tronco encefálico Parte del encéfalo que se encuentra entre el cerebelo y la médula espinal, y controla las acciones involuntarias del cuerpo.

branching tree A diagram that shows how scientists think different groups of organisms are related.
árbol ramificado Diagrama que muestra cómo piensan los científicos que se relacionan diferentes grupos de organismos. (p. 186)

bronchi The passages that direct air into the lungs.
bronquios Conductos que dirigen el aire hacia los pulmones. (p. 568)

bronchitis An irritation of the breathing passages in which the small passages become narrower than normal and may be clogged with mucus. (p. 576)
bronquitis Irritación de los conductos respiratorios en la que los conductos pequeños se hacen más estrechos de lo normal y se pueden obstruir con mucosidad.

budding A form of asexual reproduction of yeast in which a new cell grows out of the body of a parent.
gemación Forma de reproducción asexual de las levaduras, en la que una nueva célula crece del cuerpo de su progenitor. (p. 238)

C

calorie The amount of energy needed to raise the temperature of one gram of water by one degree Celsius. (p. 503)
caloría Cantidad de energía que se necesita para elevar la temperatura de un gramo de agua un grado Celsius.

cambium A layer of cells in a plant that produces new phloem and xylem cells. (p. 268)
cámbium Una capa de células de una planta que produce nuevas células de floema y xilema.

cancer A disease in which some body cells divide uncontrollably. (p. 493)
cáncer Enfermedad en la que algunas células del cuerpo se dividen descontroladamente.

canopy A leafy roof formed by tall trees. (p. 760)
bóveda arbórea Cubierta densa formada por las cimas hojeadas de los árboles altos.

capillary A tiny blood vessel where substances are exchanged between the blood and the body cells.
capilar Vaso sanguíneo minúsculo donde se intercambian las sustancias de la sangre y las células del cuerpo. (p. 538)

captive breeding The mating of animals in zoos or wildlife preserves. (p. 800)
reproducción en cautiverio Apareamiento de animales en zoológicos y reservas naturales.

carbohydrate An energy-rich organic compound made of the elements carbon, hydrogen, and oxygen. (pp. 76, 504)
carbohidrato Compuesto orgánico altamente energético hecho de elementos de carbono, hidrógeno y oxígeno.

carbon monoxide A colorless, odorless gas produced when substances—including tobacco—are burned. (p. 575)
monóxido de carbono Gas incoloro e inodoro producido cuando se queman algunas sustancias, incluido el tabaco.

carcinogen A substance or a factor in the environment that can cause cancer. (p. 614)
carcinógeno Sustancia o factor en el ambiente que puede causar cáncer.

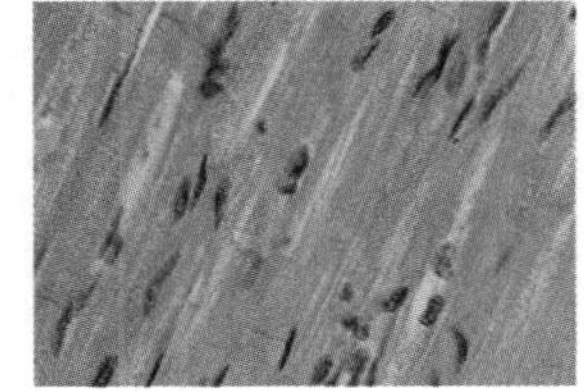

cardiac muscle Muscle tissue found only in the heart. (p. 485)
músculo cardiaco Tejido muscular que sólo se encuentra en el corazón.

cardiovascular system The body system that consists of the heart, blood vessels, and blood; circulatory system. (p. 534)
sistema cardiovascular Sistema corporal que está formado por el corazón, los vasos sanguíneos y la sangre; tambien llamado sistema circulatoria.

carnivore A consumer that eats only animals. (pp. 330, 741)
carnívoro Consumidor que come sólo animales.

carrier A person who has one recessive allele for a trait, but does not have the trait. (p. 149)
portador Persona que tiene un alelo recesivo para un determinado rasgo, pero que no tiene el rasgo.

carrying capacity The largest population that an area can support. (p. 717)
capacidad de carga La mayor población que puede sustentar un área.

cartilage A connective tissue that is more flexible than bone and that protects the ends of bones and keeps them from rubbing together. (pp. 377, 477)
cartílago Tejido conectivo que es más flexible que el hueso y que protege los extremos de los huesos y evita que se rocen.

cast A type of fossil that forms when a mold becomes filled in with minerals that then harden. (p. 190)
vaciado Tipo de fósil que se forma cuando un molde se llena con minerales que luego se endurecen.

cell The basic unit of structure and function in living things. (pp. 34, 51, 295, 469)
célula Unidad básica de estructura y función de los seres vivos.

cell cycle The regular sequence of growth and division that cells undergo. (p. 96)
ciclo celular Secuencia regular de crecimiento y división de las células.

cell membrane The outside cell boundary that controls which substances can enter or leave the cell.
membrana celular Estructura celular que controla qué sustancias pueden entrar y salir de la célula. (pp. 61, 469)

cell theory A widely accepted explanation of the relationship between cells and living things. (p. 54)
teoría celular Explicación ampliamente aceptada sobre la relación entre las células y los seres vivos.

cell wall A rigid layer of nonliving material that surrounds the cells of plants and some other organisms. (p. 61)
pared celular Capa rígida de material no vivo que rodea las células vegetales y de algunos organismos.

central nervous system The division of the nervous system consisting of the brain and spinal cord.
sistema nervioso central División del sistema nervioso formado por el encéfalo y la médula espinal. (p. 632)

cephalopod An ocean-dwelling mollusk whose foot is adapted as tentacles that surround its mouth.
cefalópodo Molusco que vive en el océano, cuyas extremidades se adaptaron a la forma de tentáculos alrededor de su boca. (p. 332)

cerebellum The part of the brain that coordinates muscle action and helps maintain balance. (p. 634)
cerebelo Parte del encéfalo que coordina las acciones de los músculos y ayuda a mantener el equilibrio.

cerebrum The part of the brain that interprets input from the senses, controls movement, and carries out complex mental processes. (p. 634)
cerebro Parte del encéfalo que interpreta los estímulos de los sentidos, controla el movimiento y realiza procesos mentales complejos.

chlorophyll A green pigment found in the chloroplasts of plants, algae, and some bacteria. (p. 88)
clorofila Pigmento verde que se encuentra en los cloroplastos de las plantas, algas y algunas bacterias.

chloroplast A structure in the cells of plants and some other organisms that captures energy from sunlight and uses it to produce food. (p. 66)
cloroplasto Estructura en las células vegetales y algunos otros organismos que captan la energía de la luz solar y la usan para producir alimento.

chordate The phylum whose members have a notochord, a nerve cord, and slits in their throat area at some point in their lives. (p. 368)
cordado Fílum cuyos miembros poseen un notocordio, un cordón nervioso y aberturas en el área de la garganta en alguna etapa de su vida.

chromosome A doubled rod of condensed chromatin (p. 97)
cromosoma Doble bastón de cromatina condensada; contiene ADN que transporta información genética.

cilia The hairlike projections on the outside of cells that move in a wavelike manner. (pp. 229, 567)
cilios Finas proyecciones en el exterior de las células, que se mueven de manera ondulante.

circadian rhythm A behavior cycle that occurs over a period of approximately one day. (p. 450)
ritmo circadiano Ciclo de comportamiento que ocurre en un período de aproximadamente un día.

classification The process of grouping things based on their similarities. (pp. 10, 43)
clasificación Proceso de agrupar cosas según sus semejanzas.

clear-cutting The process of cutting down all the trees in an area at once. (p. 785)
tala total Proceso de cortar simultáneamente todos los árboles de un área.

climate The typical weather pattern in an area over a long period of time. (p. 755)
clima Patrón típico del tiempo en un área durante un largo período.

clone An organism that is genetically identical to the organism from which it was produced. (p. 159)
clon Organismo que es genéticamente idéntico al organismo del que proviene.

closed circulatory system A circulatory system in which blood moves only within a connected network of tubes called blood vessels. (p. 319)
sistema circulatorio cerrado Sistema circulatorio en el cual la sangre se mueve sólo dentro de una red conectada de conductos llamados vasos sanguíneos.

cnidarian An invertebrate animal that uses stinging cells to capture food and defend itself. (p. 307)
cnidario Animal invertebrado que usa células punzantes para capturar alimento y defenderse.

cochlea A snail-shaped tube in the inner ear that is lined with receptor cells that respond to sound.
cóclea Tubo en forma de caracol en el oído interno que está recubierto de células receptoras que responden al sonido. (p. 647)

codominance A condition in which neither of two alleles of a gene is dominant or recessive. (p. 123)
codominancia Condición en la que ninguno de los dos alelos de un gen es dominante ni recesivo.

colony A group of individual organisms living or growing together. (p. 310)
colonia Grupo de mucho animales individuales.

commensalism A relationship between two species in which one species benefits and the other is neither helped nor harmed. (p. 728)
comensalismo Relación entre dos especies donde una se beneficia y la otra no obtiene ni beneficio ni perjuicio.

communicating The process of sharing ideas with others through writing and speaking. (p. 17)
comunicar Proceso de compartir ideas con otras personas a través de la escritura o el lenguage hablado.

community All the different populations that live together in an area. (p. 707)
comunidad Todas las diferentes poblaciones que viven juntas en un área.

compact bone Hard, dense bone tissue that is beneath the outer membrane of a bone. (p. 478)
hueso compacto Tejido de hueso denso y duro que se encuentra debajo de la membrana externa de un hueso.

competition The struggle between organisms to survive as they attempt to use the same limited resource. (p. 724)
competencia Lucha entre organismos por los recursos limitados en un hábitat.

complete metamorphosis A type of metamorphosis characterized by four dramatically different stages. (p. 346)
metamorfosis completa Tipo de metamorfosis caracterizado por cuatro etapas muy diferentes.

compound Two or more elements that are chemically combined. (p. 75)
compuesto Dos o más elementos que se combinan químicamente.

concussion A bruiselike injury of the brain that occurs when the soft tissue of the brain collides against the skull. (p. 639)
contusión Magulladura en el encéfalo que ocurre cuando el tejido suave del encéfalo choca contra el cráneo.

condensation The process by which a gas changes to a liquid. (p. 747)
condensación Proceso por el cual un gas se convierte en líquido.

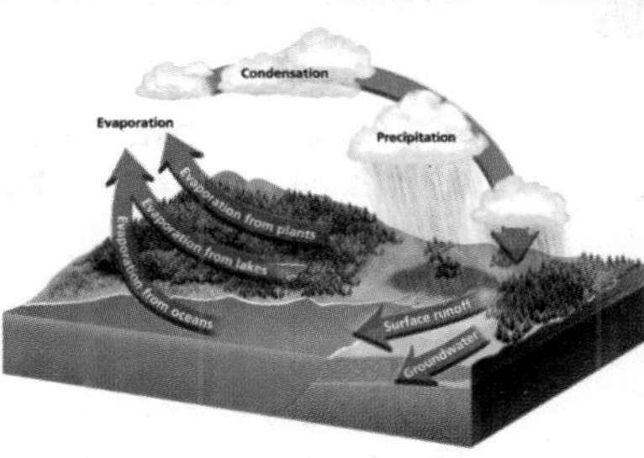

conditioning The process of learning to connect a stimulus with a good or bad outcome. (p. 440)
condicionamiento Proceso de aprendizaje que relaciona un estímulo con un suceso bueno o malo.

cone The reproductive structure of a gymnosperm.
cono Estructura reproductora de una gimnosperma. (p. 274)

coniferous tree A tree that produces its seeds in cones and that has needle-shaped leaves. (p. 764)
árbol conífero Árbol que produce sus semillas en conos y sus hojas tienen forma de aguja.

conjugation The process in which a unicellular organism transfers some of its genetic material to another unicellular organism. (p. 220)
conjugación Proceso por el cual un organismo unicelular transfiere parte de su material genético a otro organismo unicelular.

connective tissue A body tissue that provides support for the body and connects all of its parts.
tejido conectivo Tejido que da soporte al cuerpo y conecta todas sus partes. (p. 470)

consumer An organism that obtains energy by feeding on other organisms. (pp. 350, 741)
consumidor Organismo que obtiene energía alimentándose de otros organismos.

continental drift The very slow motion of the continents. (p. 753)
deriva continental Movimiento muy lento de los continentes.

contour feather A large feather that helps give shape to a bird's body. (p. 407)
pluma remera Pluma grande que ayuda a dar forma al cuerpo del ave.

contractile vacuole The cell structure that collects extra water from the cytoplasm and then expels it from the cell. (p. 228)
vacuola contráctil Estructura celular que recoge el agua sobrante del citoplasma y luego la expulsa de la célula.

controlled experiment An experiment in which only one variable is manipulated at a time. (p. 16)
experimento controlado Experimento en el cual sólo una variable es manipulada a la vez.

coral reef A diverse environment named for the coral animals that make up its stony structure.
arrecife de coral Medio ambiente diverso nombrado así por los animales coralinos que forman la estructura rocosa. (p. 310)

cornea The clear tissue that covers the front of the eye. (p. 643)
córnea Tejido transparente que cubre el frente del ojo.

coronary artery An artery that supplies blood to the heart itself. (p. 540)
arteria coronaria Arteria que lleva sangre al corazón en sí.

cotyledon A seed leaf. (p. 264)
cotiledón Hoja de una semilla.

courtship behavior The behavior that animals of the same species engage in to prepare for mating.
comportamiento de cortejo Comportamiento en el que participan los animales de la misma especie en preparación para el apareamiento. (p. 447)

critical night length The number of hours of darkness that determines whether or not a plant will flower. (p. 286)
longitud nocturna critica El número de horas de oscuridad que determina si florece una planta o no.

crop A bird's internal storage pouch that allows it to store food inside its body after swallowing it.
buche Depósito de almacenamiento interno del ave que permite guardar el alimento dentro del ave después de tragarlo. (p. 409)

crustacean An arthropod that has two or three body sections, five or more pairs of legs, and two pairs of antennae. (p. 338)
crustáceo Artrópodo que tiene dos o tres secciones corporales, cinco o más pares de patas y dos pares de antenas.

cuticle The waxy, waterproof layer that covers the leaves and stems of most plants. (p. 252)
cutícula Capa cerosa e impermeable que cubre las hojas y los tallos de la mayoría de las plantas.

cytokinesis The final stage of the cell cycle, in which the cell's cytoplasm divides, distributing the organelles into each of the two new cells. (p. 100)
citocinesis Fase final del ciclo celular en la cual se divide el citoplasma de la célula y se distribuyen los organelos en cada una de las dos nuevas células.

cytoplasm The material within a cell apart from the nucleus. (pp. 63, 469)
citoplasma Material que hay en una célula, pero fuera del núcleo.

D

data Facts, figures, and other evidence gathered through observations. (p. 16)
dato Hecho, cifra u otra evidencia reunida por medio de las observaciones.

day-neutral plant A plant with a flowering cycle that is not sensitive to periods of light and dark.
planta de día neutro Planta cuyo ciclo de floración no es sensible a la duración de los períodos de luz y oscuridad. (p. 286)

death rate The number of deaths in a population in a certain amount of time. (p. 714)
tasa de mortalidad Número de muertes en una población en un período determinado.

deciduous tree A tree that sheds its leaves and grows new ones each year. (p. 763)
árbol caducifolio Árbol cuyas hojas caen y vuelven a crecer anualmente.

decomposer An organism that breaks down chemicals from wastes and dead organisms, and returns important materials to the soil and water. (pp. 224, 350, 741)
descomponedor Organismo que separa sustancias químicas de los organismos muertos y devuelve materiales importantes al suelo y al agua.

dendrite A threadlike extension of a neuron that carries nerve impulses toward the cell body.
dendrita Extensión en forma de hilo de una neurona que lleva los impulsos nerviosos hacia el cuerpo de las células. (p. 628)

depressant A drug that slows down the activity of the central nervous system. (p. 654)
sustancia depresora Droga que disminuye la velocidad de la actividad del sistema nervioso central.

dermis The inner layer of the skin. (p. 491)
dermis Capa más interna de la piel.

desert An area that receives less than 25 centimeters of precipitation per year. (p. 761)
desierto Área que recibe menos de 25 centímetros de precipitación al año.

development The process of change that occurs during an organism's life to produce a more complex organism. (p. 35)
desarrollo Proceso de cambio que ocurre durante la vida de un organismo, mediante el cual se desarrolla un organismo más complejo.

diabetes A condition in which either the pancreas fails to produce enough insulin or the body's cells can't use it properly. (p. 613)
diabetes Condición en la que el páncreas no puede producir suficiente insulina o las células del cuerpo no la pueden usar adecuadamente.

diaphragm A large muscle located at the bottom of a mammal's rib cage that functions in breathing.
diafragma Músculo grande ubicado en la parte inferior de la caja torácica de un mamífero, que participa en la respiración. (pp. 422, 570)

dicot An angiosperm that has two seed leaves.
dicotiledónea Angiosperma cuyas semillas tienen dos cotiledones. (p. 280)

Dietary Reference Intakes (DRIs) Guidelines for the amounts of nutrients needed daily. (p. 514)
Dietéticas ingestas de referencia Pautas que muestran la cantidad de nutrientes que se necesitan diariamente.

diffusion The process by which molecules move from an area of higher concentration to an area of lower concentration. (pp. 81, 541)
difusión Proceso por el cual las moléculas se mueven de un área de mayor concentración a otra de menor concentración.

digestion The process by which the body breaks down food into small nutrient molecules. (p. 517)
digestión Proceso por el cual el cuerpo descompone la comida en pequeñas moléculas de nutrientes.

dispersal The movement of organisms from one place to another. (p. 753)
dispersión Movimiento de los organismos de un lugar a otro.

DNA Deoxyribonucleic acid; the genetic materal that carries information about an organism and is passed from parent to offspring. (p. 78)
ADN Ácido desoxirribonucleico; material genético que lleva información sobre un organismo y que se pasa de padres a hijos.

dominant allele An allele whose trait always shows up in the organism when the allele is present.
alelo dominante Alelo cuyo rasgo siempre se manifiesta en el organismo, cuando el alelo está presente. (p. 113)

dormancy A period when an organism's growth or activity stops. (p. 286)
dormición Período durante el cual se suspende el crecimiento o la actividad de un organismo.

down feather A short, fluffy feather that traps heat and keeps a bird warm. (p. 407)
plumones Plumas cortas y mullidas que atrapan el calor y mantienen al ave abrigada.

drug Any chemical taken into the body that causes changes in a person's body or behavior. (p. 651)
droga Cualquier sustancia química que se incorpora al cuerpo, que causa cambios en el cuerpo o comportamiento de una persona.

drug abuse The deliberate misuse of drugs for purposes other than medical. (p. 651)
abuso de drogas Uso indebido deliberado de drogas para fines no médicos.

E

eardrum The membrane that separates the outer ear from the middle ear, and that vibrates when sound waves strike it. (p. 647)
tímpano Membrana que separa el oído externo del oído medio, y que vibra cuando le llegan ondas sonoras.

echinoderm A radially symmetrical invertebrate that lives on the ocean floor and has an internal skeleton and a water vascular system. (p. 358)
equinodermo Invertebrado con simetría radial que vive en el suelo oceánico y tienen un esqueleto interno.

ecology The study of how organisms interact with their environment. (pp. 350, 708)
ecología El estudio de cómo interactúan los organismos con su medio ambiente.

ecosystem The community of organisms that live in a particular area, along with their nonliving surroundings. (p. 708)
ecosistema Comunidad de organismos que viven en un área determinada, junto con su medio ambiente no vivo.

ectotherm An animal whose body does not produce much internal heat. (p. 370)
ectotermo Animal cuyo cuerpo no produce mucho calor interno.

egg A female sex cell. (p. 675)
óvulo Célula sexual femenina.

element Any substance that cannot be broken down into simpler substances. (p. 74)
elemento Cualquier sustancia que no puede descomponerse en sustancias más pequeñas.

embryo A young organism that develops from a zygote (p. 264); a developing human during the first eight weeks after fertilization. (p. 683)
embrión Organismo joven que se desarrolla a partir de un cigoto; humano en desarrollo durante las primeras ocho semanas después de ocurrir la fecundación.

emigration Leaving a population. (p. 714)
emigración Abandono de una población.

emphysema A serious disease that destroys lung tissue and causes breathing difficulties. (p. 577)
enfisema Enfermedad grave que destruye el tejido pulmonar y causa dificultades respiratorias.

endangered species A species in danger of becoming extinct in the near future. (p. 797)
especie en peligro de extinción Especie que corre el riesgo de desaparecer en el futuro próximo.

endocrine gland A structure of the endocrine system that produces and releases its chemical products directly into the bloodstream. (p. 667)
glándula endocrina Estructura del sistema endocrino que produce y libera sus productos químicos directamente a la corriente sanguínea.

endoplasmic reticulum A cell structure that forms passageways in which proteins and other materials are carried through the cell. (p. 63)
retículo endoplasmático Estructura celular que forma un laberinto de pasajes por los que se transportan las proteínas y otros materiales de una parte de la célula a otra.

endoskeleton An internal skeleton. (p. 358)
endoesqueleto Esqueleto interno.

endospore A small, rounded, thick-walled, resting cell that forms inside a bacterial cell. (p. 221)
endospora Célula pequeña y redonda de paredes gruesas que se encuentra en reposo, que se forma dentro de una célula bacteriana.

endotherm An animal whose body controls and regulates its temperature by controlling the internal heat it produces. (p. 371)
endotermo Animal cuyo cuerpo controla y regula su temperatura controlando el calor interno que produce.

energy pyramid A diagram that shows the amount of energy that moves from one feeding level to another in a food web. (p. 744)
pirámide de la energía Diagrama que muestra la cantidad de energía que pasa de un nivel de alimentación a otro en una red alimentaria.

engineer A person who is trained to use both technological and scientific knowledge to solve practical problems. (p. 21)
ingeniero Persona capacitada para usar conocimientos tecnológicos y científicos para resolver problemas prácticos.

environmental science The study of the natural processes that occur in the environment and how humans can affect them. (p. 781)
ciencias del medio ambiente Estudio de los procesos naturales que ocurren en el medio ambiente y cómo los seres humanos pueden afectarlos.

enzyme A protein that speeds up chemical reactions in a living thing. (p. 77, 519)
enzima Proteína que acelera las reacciones químicas en un ser vivo.

epidermis The outer layer of the skin. (p. 490)
epidermis Capa más externa de la piel.

epiglottis A flap of tissue that seals off the windpipe and prevents food from entering. (p. 519)
epiglotis Extensión de tejido que sella la entrada de la tráquea impidiendo la entrada del alimento.

epithelial tissue A body tissue that covers the surfaces of the body, inside and out. (p. 470)
tejido epitelial Tejido corporal que cubre la superficie del cuerpo, por dentro y por fuera.

esophagus A muscular tube that connects the mouth to the stomach. (p. 519)
esófago Tubo muscular que conecta la boca con el estómago.

estimate An approximation of a number, based on reasonable assumptions. (p. 712)
estimación Cálculo aproximado de un número, basándose en supuestos razonables.

estrogen A hormone produced by the ovaries that controls the development of eggs and adult female characteristics. (p. 678)
estrógeno Hormona producida por los ovarios que controla el desarrollo de los óvulos y de las características femeninas adultas.

estuary A habitat in which the fresh water of a river meets the salt water of the ocean. (p. 768)
estuario Hábitat en el cual el agua dulce de un río se encuentra con el agua salada del mar.

eukaryote An organism whose cells contain nuclei.
eucariota Organismo cuyas células contienen núcleo. (p. 48)

evaporation The process by which molecules of a liquid absorb energy and change to a gas. (p. 747)
evaporación Proceso por el cual las moléculas de un líquido absorben energía y pasan al estado gaseoso.

evolution The gradual change in a species over time.
evolución Cambio gradual de una especie a través del tiempo. (p. 176)

excretion The process by which wastes are removed from the body. (p. 579)
excreción Proceso por el cual se eliminan los desechos del cuerpo.

exoskeleton A waxy, waterproof outer shell or outer skeleton that protects the animal and helps prevent evaporation of water. (p. 336)
exoesqueleto Concha externa cerosa e impermeable o esqueleto externo que protege al animal y ayuda a evitar la evaporación del agua.

exotic species Species that are carried to a new location by people. (p. 754)
especies exóticas Especies que lleva la gente a un nuevo lugar.

extinction The disappearance of all members of a species from Earth. (pp. 193, 796)
extinción Desaparición de la Tierra de todos los miembros de una especie.

F

fallopian tube A passageway for eggs from an ovary to the uterus. (p. 678)
trompa de falopio Pasaje por el que pasan los óvulos desde un ovario al útero.

farsightedness The condition in which a person can see distant objects clearly. (p. 645)
hipermetropía Condición en la que una persona puede ver claramente los objetos distantes.

fat Energy-containing nutrients that are composed of carbon, oxygen, and hydrogen. (p. 505)
grasas Nutrientes que contienen energía y están compuestos de carbono, oxígeno e hidrógeno.

fermentation The process by which cells break down molecules to release energy without using oxygen. (p. 93)
fermentación Proceso por el cual las células descomponen las moléculas para liberar energía sin usar oxígeno.

fertilization The joining of a sperm and an egg.
fecundación Unión de un espermatozoide y un óvulo. (pp. 111, 297, 675)

fetus A developing human from the ninth week of development until birth. (p. 683)
feto Humano en desarrollo desde la novena semana de desarrollo hasta el nacimiento.

fish An ectothermic vertebrate that lives in the water and has fins. (p. 375)
pez Vertebrado ectotérmico que vive en el agua y tiene branquias.

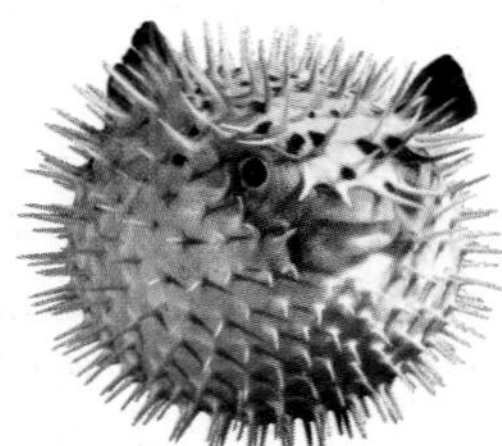

fishery An area with a large population of valuable ocean organisms. (p. 787)
pesquería Área con una gran población de organismos marinos.

flagellum A long, whiplike structure that helps a cell to move. (p. 218)
flagelo Estructura larga con forma de látigo que ayuda a la célula para moverse.

flower The reproductive structure of an angiosperm. (p. 276)
flor Estructura reproductora de una angiosperma.

follicle Structure in the dermis of the skin from which a strand of hair grows. (p. 491)
folículo Estructura en la dermis de la piel de donde crece un pelo.

food chain A series of events in which one organism eats another and obtains energy. (pp. 350, 742)
cadena alimentaria Serie de sucesos en los que un organismo se come a otro y obtiene energía.

Food Guide Pyramid A diagram that classifies foods into six groups to help people plan a healthy diet. (p. 512)
Pirámide guía de los alimentos Diagrama que clasifica los alimentos en seis grupos para ayudar a la gente a planear una dieta sana.

food web The pattern of overlapping food chains in an ecosystem. (p. 742)
red alimentaria Patrón de cadenas alimentarias sobrepuestas en un ecosistema.

fossil The preserved remains or traces of an organism that lived in the past. (p. 173, 396)
fósil Restos o huellas preservados de un organismo que vivió en el pasado.

fossil record The millions of fossils that scientists have collected. (p. 192)
registro fósil Los millones de fósiles que han descubierto los científicos.

free-living organism An organism that does not live in or on other organisms. (p. 316)
organismo autónomo Organismo que no vive dentro o sobre otro organismo.

frond The leaf of a fern plant. (p. 259)
fronda Hoja de un helecho.

fruit The ripened ovary and other structures of an angiosperm that enclose one or more seeds. (p. 278)
fruto Ovario maduro y otras estructuras que encierran una o más semillas de una angiosperma.

fruiting body The reproductive structure of a fungus that contains many hyphae and produces spores. (p. 238)
órgano fructífero Estructura reproductora de un hongo que contiene muchas hifas y produce esporas.

fungus A eukaryotic organism that has cell walls, uses spores to reproduce, and is a heterotroph that feeds by absorbing its food. (p. 236)
hongo Organismo eucariótico que posee paredes celulares, usa esporas para reproducirse y es un heterótrofo que se alimenta absorbiendo su comida.

G

gallbladder The organ that stores bile after it is produced by the liver. (p. 525)
vesícula Órgano que almacena la bilis después de ser producida por el hígado.

gametophyte The stage in the life cycle of a plant in which the plant produces gametes, or sex cells.
gametofito Etapa en el ciclo de vida de una planta en la cual la planta produce gametos, es decir, células sexuales. (p. 254)

gastropod A mollusk with a single shell or no shell.
gasterópodo Molusco con una única concha o sin concha. (p. 330)

gene The set of information that controls a trait; a segment of DNA on a chromosome that codes for a specific trait. (p. 113)
gen Conjunto de información que controla un rasgo; un segmento de ADN en un cromosoma el cual codifica un rasgo determinado.

gene therapy The insertion of working copies of a gene into the cells of a person with a genetic disorder in an attempt to correct the disorder. (p. 161)
terapia génica Inserción de copias activas de un gen en las células de una persona con un trastorno genético para intentar corregir dicho trastornó.

genetic disorder An abnormal condition that a person inherits through genes or chromosomes.
trastorno genético Condición anormal que hereda una persona a través de genes o cromosomas. (p. 152)

genetic engineering The transfer of a gene from the DNA of one organism into another organism, in order to produce an organism with desired traits. (p. 160)
ingeniería genética Transferencia de un gen desde el ADN de un organismo a otro, para producir un organismo con los rasgos deseados.

genetics The scientific study of heredity. (p. 110)
genética Ciencia que estudia la herencia.

genome All of the DNA in one cell of an organism.
genoma Todo el ADN de una célula de un organismo. (p. 162)

genotype An organism's genetic makeup, or allele combinations. (p. 122)
genotipo Composición genética de un organismo, es decir, las combinaciones de los alelos.

genus A classification grouping that consists of a number of similar, closely related species. (p. 44)
género Clasificación por grupo formada por un número de especies similares y muy relacionadas.

germination The sprouting of the embryo from a seed that occurs where the embryo resumes growth. (p. 266)
germinación La brotadura del embrión de una semilla; se occura cuando el embrión resuma su crecimiento.

gestation period The length of time between fertilization and birth of a mammal. (p. 424)
período de gestación Tiempo entre la fecundación y el nacimiento del mamífero.

gill An organ that removes oxygen from water. (p. 329)
branquia Órgano que extrae el oxígeno del agua.

gizzard A muscular, thick-walled part of a bird's stomach that squeezes and grinds partially digested food. (p. 409)
molleja Parte muscular, de paredes gruesas del estómago del ave que exprime y muele parcialmente el alimento digerido.

glucose A sugar that is the major source of energy for the body's cells. (p. 504)
glucosa Azúcar que es la principal fuente de energía de las células del cuerpo.

Golgi body A structure in a cell that receives proteins and other newly formed materials from the endoplasmic reticulum, packages them, and distributes them to other parts of the cell. (p. 66)
aparato de Golgi Estructura en la célula que recibe del retículo endoplasmático las proteínas y otros materiales recientemente formados, los empaqueta y los distribuye a otras partes de la célula.

gradual metamorphosis A type of metamorphosis in which an egg hatches into a nymph that resembles an adult, and which has no distinctly different larval stage. (p. 346)
metamorfosis gradual Tipo de metamorfosis en la que un huevo incubado pasa a la etapa de ninfa con aspecto de adulto, y no tiene una etapa de larva diferenciada.

gradualism The theory that evolution occurs slowly but steadily. (p. 197)
gradualismo Teoría que enuncia que la evolución ocurre lenta pero continuamente.

grassland An area populated by grasses and other nonwoody plants. Most grasslands get 25 to 75 centimeters of rain each year. (p. 762)
pradera Área poblada de pastos y de otras plantas no leñosas. La mayoría de las praderas recibe de 25 a 75 centímetros de lluvia al ãno.

gymnosperm A plant that produces seeds that are not enclosed by a protective fruit. (p. 272)
gimnosperma Planta cuyas semillas no están encerradas en una fruta protectora.

H

habitat The specific environment that provides the things an organism needs to live, grow, and reproduce. (pp. 386, 705)
hábitat Medio ambiente específico que proporciona las cosas que un organismo necesita para vivir, crecer y reproducirse.

habitat destruction The loss of a natural habitat.
destrucción del hábitat Pérdida de un hábitat natural. (p. 798)

habitat fragmentation The breaking of a habitat into smaller, isolated pieces. (p. 798)
fragmentación del hábitat Desintegración de un hábitat en porciones aisladas más pequeñas.

half-life The time it takes for half of the atoms in a radioactive element to decay. (p. 192)
vida media Tiempo que demoran en desintegrarse la mitad de los átomos de un elemento radiactivo.

heart A hollow, muscular organ that pumps blood throughout the body. (p. 536)
corazón Órgano muscular hueco que bombea sangre a todo el cuerpo.

heart attack A condition in which blood flow to part of the heart muscle is blocked, causing heart cells to die. (p. 553)
infarto cardiaco Condición en la que se obstruye el flujo de sangre a una parte del músculo cardiaco, lo que causa la muerte de las células cardiacas.

hemoglobin An iron-containing protein that binds chemically to oxygen molecules. (p. 546)
hemoglobina Proteína que contiene hierro, y que se enlaza químicamente a las moléculas de oxígeno.

herbivore A consumer that eats only plants. (pp. 330, 741)
herbívoro Consumidor que come sólo plantas.

heredity The passing of traits from parents to offspring. (p. 110)
herencia Transmisión de rasgos de padres a hijos.

heterotroph An organism that cannot make its own food. (pp. 38, 87)
heterótrofo Organismo que no puede producir su propio alimento.

heterozygous Having two different alleles for a trait. (p. 122)
heterocigoto Tener dos alelos diferentes para el mismo rasgo.

hibernation A state of greatly reduced body activity that occurs during the winter. (p. 450)
hibernación Estado de gran disminución de la actividad corporal que ocurre durante el invierno.

histamine A chemical that is responsible for the symptoms of an allergy. (p. 612)
histamina Sustancia química responsable de los síntomas de una alergia.

HIV (human immunodeficiency virus) The virus that causes AIDS. (p. 602)
VIH (Virus de la inmunodeficiencia humana) Virus que causa el SIDA.

homeostasis The maintenance of stable internal conditions in an organism. (pp. 40, 472)
homeostasis Mantenimiento de condiciones internas estables.

homologous structures Body parts that are structurally similar in related species and that provide evidence for a common ancestor. (p. 184)
estructuras homólogas Partes del cuerpo que son estructuralmente similares entre las especies relacionadas; proveen evidencia de que las estructuras se heredaron de un antepasado común.

homozygous Having two identical alleles for a trait.
homocigoto Tener dos alelos idénticos para el mismo rasgo. (p. 122)

hormone A chemical in an organism that produces a specific effect such as growth or development.
hormona Sustancia química que afecta el crecimiento y el desarrollo. (pp. 285, 667)

host The organism that a parasite or virus lives in or on. (pp. 210, 316, 729)
huésped Organismo dentro o fuera del cual vive un parásito.

hybrid An organism that has two different alleles for a trait; an organism that is heterozygous for a particular trait. (p. 114)
híbrido Organismo que tiene dos alelos diferentes para un rasgo; un organismo que es heterocigoto para un rasgo en particular.

hybridization A selective breeding method in which two genetically different individuals are crossed. (p. 158)
hibridación Método de cruce selectivo en el cual se cruzan dos individuos genéticamente diferentes.

hypertension A disorder in which a person's blood pressure is consistently higher than normal; also called high blood pressure. (p. 554)
hipertensión Trastorno en el que la presión arterial de una persona es constantemente más alta de lo normal; tambien se llama presión alta.

hyphae The branching, threadlike tubes that make up the bodies of multicellular fungi. (p. 237)
hifas Delgados tubos ramificados que constituyen el cuerpo de los hongos multicelulares.

hypothalamus A part of the brain that links the nervous system and the endocrine system. (p. 668)
hipotálamo Parte del encéfalo que une el sistema nervioso con el sistema endocrino.

hypothesis A possible explanation for a set of observations or answer to a scientific question; must be testable. (p. 15)
hipótesis Explicación posible a un conjunto de observaciones o respuesta a una pregunta científica; debe ser verificable.

I

immigration Moving into a population. (p. 714)
inmigración Ingreso a una población.

immune response Part of the body's defense against pathogens, in which cells of the immune system react to each kind of pathogen with a defense targeted specifically at that pathogen. (p. 600)
reacción inmunológica Parte de la defensa del cuerpo contra los patógenos en la que las células del sistema inmunológico reaccionan a cada tipo de patógeno con una defensa específica.

immunity The body's ability to destroy pathogens before they can cause disease. (p. 606)
inmunidad Capacidad del cuerpo para destruir los patógenos antes de que causen enfermedades.

imprinting A process in which newly hatched birds or newborn mammals learn to follow the first moving object they see. (p. 439)
impronta Proceso por el cual las aves o mamíferos recién nacidos aprenden a seguir al primero objeto que ven.

inbreeding A selective breeding method in which two individuals with identical or similar sets of alleles are crossed. (p. 158)
endogamia Método de cruce selectivo en el que se cruzan dos individuos con pares de alelos idénticos o semejantes.

infectious disease A disease caused by the presence of a living thing in the body. (p. 593)
enfermedad infecciosa Enfermedad causada por la presencia de un ser vivo en el cuerpo.

inferring The process of making an inference, an interpretation based on observations and prior knowledge. (p. 8)
inferir Proceso de realizar una inferencia; una interpretación basada en observaciones y conocimiento previo.

inflammatory response Part of the body's defense against pathogens, in which fluid and white blood cells leak from blood vessels into tissues, and white blood cells destroy pathogens. (p. 599)
reacción inflamatoria Parte de la defensa del cuerpo contra los patógenos en la cual los fluidos y los glóbulos blancos salen de los vasos sanguíneos hacia los tejidos y destruyen los patógenos descomponiéndolos.

insect An arthropod with three body sections, six legs, one pair of antennae, and usually one or two pairs of wings. (p. 344)
insecto Artrópodo con tres secciones corporales, seis patas, un par de antenas y normalmente uno o dos pares de alas.

insight learning The process of learning how to solve a problem or do something new by applying what is already known. (p. 442)
aprendizaje por discernimiento Proceso de aprender cómo resolver un problema o hacer algo nuevo aplicando lo que ya se sabe.

instinct An inborn behavior pattern that an animal performs correctly the first time. (p. 438)
instinto Patrón innato de conducta que un animal ejecuta correctamente desde la primera vez.

insulin A chemical produced in the pancreas that enables the body's cells to take in glucose from the blood and use it for energy. (p. 613)
insulina Sustancia química que se produce en el páncreas, que permite que las células del cuerpo absorban glucosa de la sangre y la usen como energía.

interneuron A neuron that carries nerve impulses from one neuron to another. (p. 628)
interneurona Neurona que lleva los impulsos nerviosos de una neurona a otra.

interphase The stage of the cell cycle that takes place before cell division occurs. (p. 96)
interfase Fase del ciclo celular que ocurre antes de la división.

intertidal zone The area between the highest high-tide line and lowest low-tide line. (p. 768)
zona intermareal Área entre la línea más alta de la marea alta y la línea más baja de la marea baja.

invertebrate An animal that does not have a backbone. (p. 299)
invertebrado Animal que no posee columna vertebral.

involuntary muscle A muscle that is not under conscious control. (p. 482)
músculos involuntarios Músculo que no se puede controlar conscientemente.

iris The circular structure that surrounds the pupil and regulates the amount of light entering the eye.
iris Estructura circular que rodea la pupila y regula la cantidad de luz que entra en el ojo. (p. 643)

J

joint A place in the body where two bones come together. (p. 476)
articulación Lugar en el cuerpo en donde se unen dos huesos.

K

karyotype A picture of all the chromosomes in a cell arranged in pairs. (p. 154)
cariotipo Imagen de todos los cromosomas de una célula, organizados en parejas.

keystone species A species that influences the survival of many others in an ecosystem. (p. 793)
especie clave Especie que influye en la supervivencia de muchas otras en un ecosistema.

kidney A major organ of the excretory system that removes urea and other wastes from the blood.
riñón Órgano principal del sistema excretor que elimina la urea y otros materiales de desecho de la sangre. (pp. 388, 580)

L

large intestine The last section of the digestive system, where water is absorbed into the blood and the remaining material is eliminated from the body. (p. 527)
intestino grueso Última sección del sistema digestivo, donde se absorbe el agua hacia el torrente sanguíneo y los materiales restantes son eliminados del cuerpo.

larva The immature form of an animal that looks very different from the adult. (p. 305)
larva Forma inmadura de un animal que se ve muy diferente al adulto.

larynx The voice box (p. 572)
laringe Dos pliegues de tejido que forman la caja sonora humana.

learning The process that leads to changes in behavior based on practice or experience. (p. 438)
aprendizaje Proceso que conduce a cambios en el comportamiento basados en la práctica o la experiencia.

lens The flexible structure that focuses light that has entered the eye. (p. 643)
cristalino Estructura flexible que enfoca la luz que entra en el ojo.

lichen The combination of a fungus and either an alga or an autotrophic bacterium that live together in a mutualistic relationship. (p. 241)
liquen Combinación de un hongo y una alga o bien una bacteria autótrofa, que viven juntos en una relación de mutualismo.

life science The study of living things. (p. 12)
ciencias de la vida Estudio de los seres vivos.

lift The difference in pressure between the upper and lower surfaces of a bird's wings that produces an upward force that causes the bird to rise. (p. 417)
fuerza de elevación Diferencia de presión entre la superficie superior e inferior de las alas de un ave, que produce una fuerza ascendente que permite que el ave se eleve.

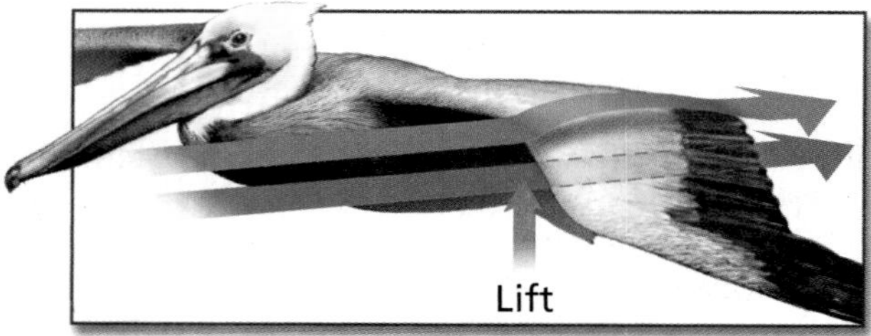

ligament Strong connective tissue that holds bones together in movable joints. (p. 477)
ligamentos Tejido conectivo resistente que une los huesos en las articulaciones móviles.

limiting factor An environmental factor that prevents a population from increasing. (p. 716)
factor limitante Factor ambiental que impide el crecimiento de una población.

lipid Energy-rich organic compound, such as a fat, oil, or wax, that is made of carbon, hydrogen, and oxygen. (p. 76)
lípido Compuesto orgánico rico en energía, como grasa, aceite y cera, formado por carbono, hidrógeno y oxígeno.

liver The body's largest organ; it produces bile, breaks down medicines, and helps eliminate nitrogen from the body. (p. 525)
hígado Órgano más grande del cuerpo; produce bilis, descompone las medicinas y elimina el nitrógeno del cuerpo.

long-day plant A plant that flowers when the nights are shorter than the plant's critical night length.
planta de día largo Una planta que florece cuando las noches son más cortas que la longitud nocturna critica de la planta. (p. 286)

lung An organ found in air-breathing vertebrates that exchanges oxygen and carbon dioxide with the blood. (pp. 384, 568)
pulmón Órgano que se encuentra en los vertebrados que respiran aire, con el que intercambian oxígeno y dióxido de carbono con la sangre.

lymph The fluid that the lymphatic system collects and returns to the bloodstream. (p. 551)
linfa Fluido que el sistema linfático recoge y devuelve al torrente sanguíneo.

lymph node A small knob of tissue in the lymphatic system that filters lymph, trapping bacteria and other microorganisms that cause disease. (p. 551)
ganglio linfático Pequeña prominencia de tejido en el sistema linfático que filtra la linfa, atrapando las bacterias y otros microorganismos que causan enfermedades.

lymphatic system A network of veinlike vessels that returns the fluid that leaks out of blood vessels to the bloodstream. (p. 550)
sistema linfático Red de vasos semejantes a venas que devuelve al torrente sanguíneo el fluido que sale de los vasos sanguíneos.

lymphocyte White blood cell that distinguishes between each kind of pathogen. (p. 600)
linfocito Glóbulo blanco que reacciona a cada tipo de patógeno con una defensa específica.

lysosome A small, round cell structure containing chemicals that break down large food particles into smaller ones. (p. 66)
lisosoma Pequeña estructura celular redonda que contiene sustancias químicas que descomponen las partículas de alimento grandes en otras más simples.

M

making models The process of creating representations of complex objects or processes. (p. 11)
hacer modelos Proceso de crear representaciones de objetos o procesos complejos.

mammal An endothermic vertebrate with a four-chambered heart, skin covered with fur or hair, and young fed with milk from the mother's body. (p. 420)
mamífero Vertebrado endotérmico con un corazón de cuatro cámaras y piel cubierta de pelaje o pelo, que alimenta a sus crías con leche materna.

mammary gland An organ in female mammals that produces milk for the mammal's young. (p. 421)
glándula mamaria Órgano en los mamíferos hembra que produce leche para alimentar a las crías.

manipulated variable The one factor that a scientist changes during an experiment; also called independent variable. (p. 16)
variable manipulada Único factor que un científico cambia durante un experimento; también llamada variable independiente.

marrow The soft connective tissue that fills the internal spaces in bone. (p. 478)
médula ósea Tejido conectivo suave que rellena los espacios internos de un hueso.

marsupial A mammal whose young are born alive at an early stage of development, and which usually continue to develop in a pouch on their mother's body. (p. 424)
marsupial Mamífero cuyas crías nacen vivas en una etapa muy temprana del desarrollo, y que normalmente sigue su desarrollo en una bolsa en el cuerpo de la madre.

medusa The cnidarian body plan having a bowl shape and adapted for a free-swimming life.
medusa Cnidario cuyo cuerpo se caracteriza por tener forma de cuenco, y que está adaptado para nadar libremente en el agua. (p. 307)

meiosis The process that occurs in the formation of sex cells (sperm and egg) by which the number of chromosomes is reduced by half. (p. 128)
meiosis Proceso que ocurre en la formación de las células sexuales (espermatozoide y óvulo) por el cual el número de cromosomas se reduce a la mitad.

melanin A pigment that gives skin its color. (p. 491)
melanina Pigmento que da color a la piel.

menstrual cycle The cycle of changes that occurs in the female reproductive system, during which an egg develops and the uterus prepares for the arrival of a fertilized egg. (p. 679)
ciclo menstrual Ciclo de cambios que ocurre en el sistema reproductor femenino, durante el cual se desarrolla un óvulo, y el útero se prepara para la llegada del óvulo fecundado.

menstruation The process in which the thickened lining of the uterus breaks down, and blood and tissue then pass out of the female body. (p. 680)
menstruación Proceso en el cual el grueso recubrimiento del útero se descompone la sangre y el tejido salen del cuerpo femenino.

messenger RNA RNA that copies the coded message from DNA in the nucleus and carries the message into the cytoplasm. (p. 133)
ARN mensajero ARN que copia el mensaje codificado del ADN en el núcleo y lo lleva al citoplasma.

metamorphosis A process in which an animal's body undergoes dramatic changes in form during its life cycle. (p. 339)
metamorfosis Proceso por el cual el cuerpo de un animal cambia de manera drástica durante su ciclo de vida.

microscope An instrument that makes small objects look larger. (p. 51)
microscopio Instrumento que hace que los objetos pequeños se vean más grandes.

migration The regular, periodic journey of an animal from one place to another and back again for feeding or reproduction. (p. 450)
migración Viaje regular y periódico de un animal de un lugar a otro y de regreso al mismo lugar con el propósito de alimentarse o reproducirse.

minerals Nutrients that are needed by the body in small amounts and are not made by living things.
minerales Nutrientes que el cuerpo necesita en pequeñas cantidades y que no producen los seres vivos. (p. 510)

mitochondria Rod-shaped cell structures that convert energy in food molecules to energy the cell can use to carry out its functions. (p. 63)
mitocondria Estructura celular con forma de bastón que transforma la energía de las moléculas de alimentos en energía que la célula puede usar para llevar a cabo sus funciones.

mitosis The stage of the cell cycle during which the cell's nucleus divides into two new nuclei and one copy of the DNA is distributed into each daughter cell. (p. 97)
mitosis Fase del ciclo celular durante la cual el núcleo de la célula se divide en dos nuevos nucleolos y se distribuye una copia del ADN a cada célula hija.

mold A type of fossil formed when a shell or other hard part of an organism dissolves, leaving an empty space in the shape of the part. (p. 190)
molde Tipo de fósil que se forma cuando el caparazón, concha u otra parte dura de un organismo enterrado se disuelve y deja un área hueca con la forma de esa parte.

mollusk An invertebrate with a soft, unsegmented body; most are protected by a hard outer shell.
molusco Invertebrado con cuerpo blando y sin segmentos; la mayoría están protegidos por una concha exterior dura. (p. 329)

molting The process of shedding an outgrown exoskeleton. (p. 336)
muda Proceso de cambio de un exoesqueleto a otro.

monocot An angiosperm with one seed leaf. (p. 280)
monocotiledónea Angiosperma cuyas semillas tienen un solo cotiledón.

monotreme A mammal that lays eggs. (p. 424)
monotrema Mamífero que pone huevos.

motor neuron A neuron that sends an impulse to a muscle or gland, causing the muscle or gland to react.
neurona motora Neurona que envía un impulso a un músculo o glándula, haciendo que el músculo o la glándula reaccione. (p. 628)

mucus A thick, slippery substance produced by the body. (p. 519)
mucosidad Sustancia espesa y lubricante que produce el cuerpo.

multicellular Consisting of many cells. (p. 34)
multicelular Que se compone de muchas células.

multiple alleles Three or more forms of a gene that code for a single trait. (p. 146)
alelo múltiple Tres o más formas de un gen que codifican un solo rasgo.

muscle tissue A body tissue that contracts or shortens, making body parts move. (p. 470)
tejido muscular Tejido corporal que se contrae o acorta, permitiendo así que se muevan las partes del cuerpo.

mutation A change in a gene or chromosome. (p. 136)
mutación Cambio en un gen o cromosoma.

mutualism A close relationship between organisms of two species in which both organisms benefit.
mutualismo Relación entre dos especies de la cual ambas se benefician. (pp. 230, 728)

N

natural resource Anything in the environment that is used by people. (p. 779)
recurso natural Cualquier cosa del medio ambiente que usa la gente.

natural selection A process by which individuals that are better adapted to their environment are more likely to survive and reproduce than others of the same species. (pp. 177, 723)
selección natural Proceso por el cual los individuos que se adaptan mejor a sus ambientes tienen más posibilidades de sobrevivir y reproducirse que otros miembros de la misma especie.

nearsightedness The condition in which a person can see nearby objects clearly. (p. 645)
miopía Condición en la que una persona puede ver claramente los objetos cercanos.

negative feedback A process in which a system is turned off by the condition it produces. (p. 670)
reacción negativa Proceso en el cual un sistema se apaga por la condición que produce.

nephron Small filtering structure found in the kidneys that removes wastes from blood and produces urine.
nefrón Estructura diminuta de filtración que hay en los riñones, que elimina los desechos de la sangre y que produce la orina. (p. 580)

neritic zone The region of shallow ocean water over the continental shelf. (p. 768)
zona nerítica Región donde el agua del océano es poco profunda sobre la placa continental.

nerve A bundle of nerve fibers. (p. 628)
nervio Conjunto de fibras nerviosas.

nerve impulse The message carried by a neuron.
impulso nervioso Mensaje que lleva una neurona. (p. 628)

nervous tissue A body tissue that carries electrical messages back and forth between the brain and every other part of the body. (p. 470)
tejido nervioso Tejido corporal que lleva mensajes eléctricos entre el encéfalo y todas las demás partes del cuerpo y viceversa.

neuron A cell that carries information through the nervous system. (p. 628)
neurona Célula que lleva información a través del sistema nervioso.

niche The role of an organism in its habitat, or how it makes its living. (p. 723)
nicho Función de un organismo en su hábitat, o cómo sobrevive.

nicotine A stimulant drug in tobacco that increases the activities of the nervous system, heart, and other organs. (p. 575)
nicotina Sustancia química en el tabaco que acelera la actividad del sistema nervioso, corazón y otros órganos.

nitrogen fixation The process of changing free nitrogen gas into a usable form. (p. 750)
fijación del nitrógeno Proceso de conversión del gas nitrógeno libre en una forma aprovechable.

noninfectious disease A disease that is not caused by a pathogen. (p. 611)
enfermedad no infecciosa Enfermedad que no es causada por un patógeno.

nonrenewable resource A natural resource that is not replaced in a useful time frame. (p. 779)
recurso no renovable Recurso natural que no se restaura una vez usado, en un período relativamente corto.

nonvascular plant A low-growing plant that lacks true vascular tissue. (p. 253)
planta no vascular Planta de crecimiento lento que carece de tejido vascular verdadero.

notochord A flexible rod that supports a chordate's back. (p. 368)
notocordio Bastoncillo flexible que sostiene el lomo de los cordados.

nucleic acid Very large organic molecule made of carbon, oxygen, hydrogen, nitrogen, and phosphorus, that contains the instructions cells need to carry out all the functions of life. (p. 78)
ácido nucléico Molécula orgánica muy grande compuesta de carbono, oxígeno, hidrógeno, nitrógeno y fósforo, que contiene las instrucciones que las células necesitan para realizar todas las funciones vitales.

nucleus The control center of a eukaryotic cell that directs the cell's activities and contains the information that determines the cell's form and function. (pp. 47, 469)
núcleo Centro de control de la célula eucariota que dirige las actividades de la célula y que contiene información que determina la forma y función de la célula.

nutrients Substances in food that provide the raw materials and energy the body needs to carry out all its essential processes. (p. 502)
nutrientes Sustancias en los alimentos que proveen la materia prima y la energía que necesita el cuerpo para realizar los procesos elementales.

nymph A stage of gradual metamorphosis that usually resembles the adult insect. (p. 346)
ninfa Etapa de la metamorfosis gradual en la que normalmente el insecto se parece a un insecto adulto.

O

observing The process of using one or more of your senses to gather information. (p. 7)
observar Proceso de usar uno o más de los cinco sentidos para reunir información.

omnivore A consumer that eats both plants and animals. (pp. 331, 741)
omnívoro Consumidor que come tanto plantas como animales.

open circulatory system A circulatory system in which the heart pumps blood into open spaces in the body, and blood is not confined to blood vessels. (p. 329)
sistema circulatorio abierto Sistema circulatorio en el que el corazón bombea la sangre en espacios abiertos del cuerpo y la sangre no se mantiene en vasos sanguíneos.

operational definition A statement that describes how to measure a particular variable or how to define a particular term. (p. 16)
definición operativa Enunciado que describe cómo medir una variable determinada o cómo definir un término determinado.

organ A structure in the body that is composed of different kinds of tissue. (pp. 295, 470)
órgano Estructura del cuerpo compuesta de diferentes tipos de tejidos.

organ system A group of organs that work together to perform a major function in the body. (p. 470)
sistema de órganos Grupo de órganos que trabajan juntos para realizar una función importante del cuerpo.

organelle A tiny cell structure that carries out a specific function within the cell. (p. 60)
organelo Diminuta estructura celular que realiza una función específica dentro de la célula.

organism A living thing. (pp. 34, 705)
organismo Ser vivo.

osmosis The diffusion of water molecules through a selectively permeable membrane. (p. 82)
ósmosis Difusión de las moléculas de agua a través de una membrana con permeabilidad selectiva.

osteoporosis A condition in which the body's bones become weak and break easily. (p. 481)
osteoporosis Condición en la cual los huesos del cuerpo se debilitan y se rompen fácilmente.

ovary A flower structure that encloses and protects ovules and seeds as they develop; Organ of the female reproductive system in which eggs and estrogen are produced. (pp. 277, 678)
ovario Estructura de la flor que encierra y protege a los óvulos y a las semillas durante su desarrollo; órgano del sistema reproductor femenino en el cual se producen los óvulos y el estrógeno.

ovulation The process in which a mature egg is released from the ovary into a fallopian tube.
ovulación Proceso en el cual el óvulo maduro sale del ovario y va a la trompa de falopio. (p. 680)

ovule A structure that contains an egg cell. (p. 274)
óvulo Estructura que contiene una célula reproductora femenina.

P

pacemaker A group of cells located in the right atrium that sends out signals that make the heart muscle contract and that regulates heartbeat rate.
marcapasos Grupo de células ubicado en la aurícula derecha que envía señales para que el músculo cardiaco se contraiga, y que regula el ritmo cardiaco. (p. 537)

paleontologist A scientist who studies extinct organisms, examines fossil structure, and makes comparisons to present-day organisms. (p. 398)
paleontólogo Científico que estudia los organismos extintos, examina las estructuras de los fósiles y los compara con los organismos de la actualidad.

pancreas A triangular organ that lies between the stomach and the small intestine. (p. 526)
páncreas Órgano triangular ubicado entre el estómago y la primera parte del al intestino delgado.

parasite The organism that benefits by living on or in a host in a parasitism interaction. (pp. 210, 316)
parásito Organismo que se beneficia de vivir en la superficie o en el interior de un húesped en una interacción de parasitismo.

parasitism A relationship in which one organism lives on or in a host and harms it. (p. 729)
parasitismo Relación en la cual un organismo vive en la superficie o en el interior de un huésped y lo perjudica.

passive immunity Immunity in which antibodies are given to a person rather than produced within the person's own body. (p. 610)
inmunidad pasiva Inmunidad en la que los anticuerpos vienen de otro organismo y no del cuerpo de la propia persona.

passive transport The movement of materials through a cell membrane without using the cell's energy. (p. 84)
transporte pasivo Movimiento de materiales a través de la membrana celular sin el uso de energía.

pasteurization A process of heating food to a temperature that is high enough to kill most harmful bacteria without changing the taste of the food.
pasteurización Proceso de calentamiento del alimento a una temperatura suficientemente alta como para matar la mayoría de las bacterias dañinas sin cambiar el sabor de la comida. (p. 223)

pathogen An organism that causes disease. (p. 593)
patógeno Organismo que causa enfermedades.

pedigree A chart or "family tree" that tracks which members of a family have a particular trait.
genealogía Tabla o "árbol genealógico" que muestra qué miembros de una familia tienen un rasgo en particular. (p. 153)

penis The organ through which both semen and urine leave the male body. (p. 677)
pene Órgano a través del cual salen del cuerpo masculino tanto el semen como la orina.

Percent Daily Value A value that shows how the nutritional content of one serving of food fits into the diet of a person who consumes 2,000 Calories per day. (p. 513)
Porcentaje de valor diario Valor que muestra cómo el contenido nutricional de una porción de alimento se corresponde con la dieta de una persona que consume 2,000 Calorías al día.

perennial A flowering plant that lives for more than two years. (p. 287)
perenne Planta con flores que vive más de dos años.

peripheral nervous system The division of the nervous system consisting of all of the nerves located outside the central nervous system. (p. 632)
sistema nervioso periférico Parte del sistema nervioso formada por todos los nervios ubicados fuera del sistema central nervioso.

peristalsis Involuntary waves of muscle contraction that keep food moving along in one direction through the digestive system. (p. 519)
peristaltismo Ondulaciones involuntarias de contracción muscular que empujan el alimento en una dirección a través del sistema digestivo.

permafrost Soil that is frozen all year. (p. 765)
permagélido Suelo que está congelado todo el año.

pesticide A chemical designed to kill a pest animal.
pesticida Sustancia química diseñada para matar una plaga animal. (p. 355)

petal A colorful, leaflike structure of some flowers.
pétalo Estructura de color brillante, en forma de hoja que tienen algunas flores. (p. 276)

petrified fossil A fossil formed when minerals replace all or part of an organism. (p. 190)
fósil petrificado Fósil que se forma cuando los minerales reemplazan todo el organismo o parte de él.

phagocyte A white blood cell that destroys pathogens by engulfing them and breaking them down.
fagocito Glóbulo blanco que destruye los patógenos envolviéndolos y descomponiéndolos. (p. 599)

pharynx The throat. (p. 567)
faringe Garganta.

phenotype An organism's physical appearance, or visible traits. (p. 122)
fenotipo Apariencia física de un organismo, es decir, los rasgos visibles.

pheromone A chemical released by one animal that affects the behavior of another animal of the same species. (p. 445)
feromona Sustancia química liberada por un animal que afecta el comportamiento de otro animal de la misma especie.

phloem The vascular tissue through which food moves in some plants. (p. 263)
floema Tejido vascular por el que circula el alimento en algunas plantas.

photoperiodism A plant's response to seasonal changes in length of night and day. (p. 286)
fotoperiodicidad Respuesta de una planta a los cambios de día y noche por las estaciones.

photosynthesis The process in which some organisms use water along with sunlight and carbon dioxide to make their own food. (pp. 87, 706)
fotosíntesis Proceso por el cual los organismos usan el agua junto con la luz solar y el dióxido de carbono para producir su alimento.

phylum One of the major groups into which biologists classify members of a kingdom. (p. 298)
fílum Uno de alrededor de 35 grupos principales en los que los biólogos clasifican los miembros del reino animal.

pigment A colored chemical that absorbs light.
pigmento Compuesto químico de color que absorbe luz. (p. 88)

pioneer species The first species to populate an area. (p. 731)
especies pioneras Primeras especies en poblar una región.

pistil The female reproductive part of a flower. (p. 277)
pistilo Parte reproductora femenina de una flor.

pituitary gland An endocrine gland that controls many body activities. (p. 670)
glándula pituitaria Glándula endocrina que controla muchas actividades corporales.

placenta A membrane that becomes the link between the developing embryo or fetus and the mother. (pp. 425, 684)
placenta Membrana que se convierte en la unión entre el embrión o feto en desarrollo y la madre.

placental mammal A mammal that develops inside its mother's body until its body systems can function independently. (p. 425)
mamífero placentario Mamífero que se desarrolla dentro del cuerpo de la madre hasta que sus sistemas corporales pueden funcionar por sí solos.

plasma The liquid part of blood. (p. 545)
plasma Parte líquida de la sangre.

platelet A cell fragment that plays an important part in forming blood clots. (p. 548)
plaqueta Fragmento de célula que juega un papel muy importante en la formación de coágulos sanguíneos.

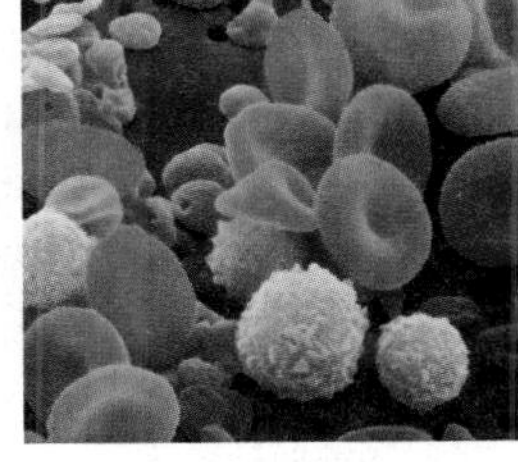

poaching Illegal killing or removal of wildlife from their habitats. (p. 798)
caza ilegal Matanza o eliminación de la fauna silvestre de su hábitat.

pollen Tiny particles (male gametophytes) produced by seed plants that contain the cells that later become sperm cells. (p. 263)
polen Partículas diminutas (gametofitos masculinos) producidas por las plantas de semillas que contienen las células que posteriormente se convierten en células reproductoras masculinas.

pollination The transfer of pollen from male reproductive structures to female reproductive structures in plants. (p. 274)
polinización Transferencia de polen de las estructuras reproductoras masculinas a las estructuras reproductoras femeninas de las plantas.

pollinator An animal that carries pollen from one plant to another of the same species, enabling plants to reproduce. (p. 354)
polinizador Animal que lleva polen de una planta a otra de la misma especie, permitiendo que las plantas se reproduzcan.

pollution Contamination of Earth's land, water, or air. (p. 779)
contaminación Polución del suelo, agua y aire de la Tierra.

polyp The cnidarian body plan is characterized by a vaselike shape and that usually adapted for a life attached to an underwater surface. (p. 307)
pólipo Cnidario cuyo cuerpo se caracteriza por tener forma cilíndrica, y que generalmente está adaptado para vivir adherido a una superficie submarina.

population All the members of one species in a particular area. (p. 707)
población Todos los miembros de una especie en un área particular.

population density The number of individuals in an area of a specific size. (p. 716)
densidad de población Número de individuos en un área de un tamaño específico.

pore An opening through which sweat reaches the surface of the skin. (p. 491)
poro Abertura a través de la cual el sudor sale a la superficie de la piel.

precipitation Rain, snow, sleet, or hail. (p. 747)
precipitación Lluvia, nieve, aguanieve o granizo.

predation An interaction in which one organism kills another for food. (p. 725)
depredación Interacción en la cual un organismo mata y se come a otro.

predator The organism that does the killing in a predation interaction. (p. 725)
depredador Organismo que mata en la depredación.

predicting The process of forecasting what will happen based on past experience or evidence. (p. 9)
predecir Proceso de pronosticar lo que va a suceder en el futuro, basado en la experiencia pasada o en evidencia.

prey An organism that is killed and eaten by another organism. (p. 725)
presa Organismo que otro organismo mata y come.

primary succession The series of changes that occur in an area where no soil or organisms exist. (p. 731)
sucesión primaria Serie de cambios que ocurren en un área en donde no existe suelo ni organismos.

probability A number that describes how likely it is that an event will occur. (p. 118)
probabilidad Número que describe la posibilidad de que ocurra un suceso.

producer An organism that can make its own food.
productor Organismo que puede elaborar su propio alimento. (pp. 350, 741)

prokaryote An organism whose cells lack a nucleus and some other cell structures. (p. 47)
procariota Organismo cuyas células carecen de núcleo y otras estructuras celulares.

protein Large organic molecule made of carbon, hydrogen, oxygen, nitrogen, and sometimes sulfur.
proteína Molécula orgánica grande compuesta de carbono, hidrógeno, oxígeno, nitrógeno y, a veces, azufre. (pp. 77, 507)

protist A eukaryotic organism that cannot be classified as an animal, plant, or fungus. (p. 227)
protista Organismo eucariótico que no se puede clasificar como animal, planta ni hongo.

protozoan An animal-like protist. (p. 227)
protozoario Protista con características animales.

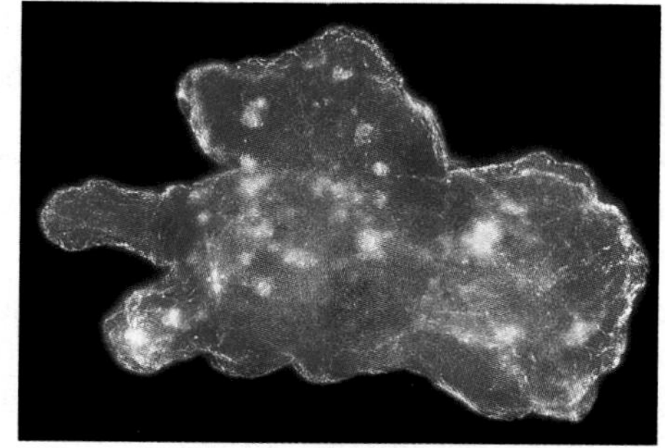

pseudopod A "false foot" or temporary bulge of cytoplasm used for feeding and movement in some protozoans. (p. 228)
seudópodo "Falso pie" o abultamiento temporal del citoplasma, que algunos protozoarios usan para alimentarse o desplazarse.

puberty The period of sexual development in which the body becomes able to reproduce. (p. 689)
pubertad Período de desarrollo sexual durante la adolescencia en el que el cuerpo se vuelve capaz de reproducir.

pulse The alternating expansion and relaxation of an artery wall as blood travels through an artery.
pulso Expansión y relajación alternada de una pared arterial a medida que la sangre viaja por la arteria. (p. 540)

punctuated equilibria The theory that species evolve during short periods of rapid change.
equilibrio puntuado Teoría que enuncia que las especies evolucionan durante períodos breves de cambios rápidos. (p. 197)

Punnett square A chart that shows all the possible combinations of alleles that can result from a genetic cross. (p. 120)
cuadrado de Punnett Tabla que muestra todas las combinaciones posibles de los alelos que pueden resultar de una cruza genética.

pupa The third stage of complete metamorphosis, in which an insect changes from a larva to an adult.
pupa Tercera etapa de la metamorfosis completa, en la cual un insecto cambia de larva a adulto. (p. 346)

pupil The opening through which light enters the eye. (p. 643)
pupila Abertura por la que entra la luz al ojo.

purebred The offspring of many generations that have the same traits. (p. 111)
cepa pura raza pura Descendiente de muchas generaciones que tienen los mismos rasgos.

Q

qualitative observation An observation that deals with characteristics that cannot be expressed in numbers. (p. 7)
observación cualitativa Observación que se centra en las características que no se pueden expresar con números.

quantitative observation An observation that deals with a number or amount. (p. 7)
observación cuantitativa Observación que se centra en un número o cantidad.

R

radial symmetry The quality of having many lines of symmetry that all pass through a central point.
simetría radial Cualidad de tener muchos ejes de simetría que pasan por un punto central. (p. 301)

radioactive dating A technique used to determine the actual age of a fossil on the basis of the amount of a radioactive element it contains. (p. 192)
datación radiactiva Técnica que se usa para determinar la edad real de un fósil basándose en la cantidad de elementos radiactivos que contiene.

radioactive element An unstable element that breaks down into a different element. (p. 192)
elemento radiactivo Elemento inestable que se descompone en un elemento diferente.

radula A flexible ribbon of tiny teeth in mollusks. (p. 330)
rádula Hilera flexible de minúsculos dientes en los moluscos.

receiver A device that receives radio waves and converts them into a sound or light signal. (p. 455)
receptor Aparato que recibe las ondas de radio y las convierte en señales de sonido o de luz.

recessive allele An allele that is masked when a dominant allele is present. (p. 113)
alelo recesivo Alelo que queda oculto cuando está presente un alelo dominante.

rectum The end of the large intestine where waste material is compressed into a solid form before being eliminated. (p. 527)
recto Final del intestino grueso, donde el material de desecho se comprime a una forma sólida antes de ser eliminado.

red blood cell A cell in the blood that takes up oxygen in the lungs and delivers it to cells elsewhere in the body. (p. 546)
glóbulo rojo Célula de la sangre que capta el oxígeno en los pulmones y lo lleva a las células de todo el cuerpo.

reflex An automatic response that occurs rapidly and without conscious control. (p. 637)
reflejo Respuesta automática que ocurre muy rápidamente y sin control consciente.

relative dating A technique used to determine which of two fossils is older. (p. 191)
datación relativa Técnica que se usa para determinar cuál de dos fósiles es más antiguo.

renewable resource A resource that is either always available or is naturally replaced in a relatively short time. (p. 779)
recurso renovable Recurso que está siempre disponible o que es restituido de manera natural en un período relativamente corto.

replication The process by which a cell makes a copy of the DNA in its nucleus. (p. 96)
replicación Proceso por el cual una célula copia el ADN de su núcleo.

reptile An ectothermic vertebrate that lays eggs and has lungs and scaly skin. (p. 388)
reptil Vertebrado ectotérmico que pone huevos, y que tiene pulmones y piel con escamas.

respiration The process by which cells break down simple food molecules to release the energy they contain. (pp. 91, 565)
respiración Proceso por el cual las células descomponen moléculas simples de alimento para liberar la energía que contienen.

responding variable The factor that changes as a result of changes to the manipulated, or independent, variable in an experiment; also called dependent variable. (p. 16)
variable respuesta Factor que cambia como resultado del cambio de la variable manipulada, o independiente, en un experimento; también llamada variable dependiente.

response An action or change in behavior that occurs in reaction to a stimulus. (pp. 35, 437, 627)
respuesta Acción o cambio en el comportamiento que ocurre como resultado de un estímulo.

retina The layer of receptor cells at the back of the eye on which an image is focused. (p. 644)
retina Capa de células receptoras en la parte posterior del ojo donde se enfoca una imagen.

rhizoid A thin, rootlike structure that anchors a moss and absorbs water and nutrients. (p. 257)
rizoide Estructura fina parecida a una raíz que sujeta un musgo al suelo, y que absorbe el agua y los nutrientes.

ribosome A small grain-like structure in the cytoplasm of a cell where proteins are made. (p. 63)
ribosoma Estructura pequeña parecida a un grano en el citoplasma de una célula donde se fabrican las proteínas.

RNA Ribonucleic acid; a nucleic acid that plays an important role in the production of proteins. (p. 78)
ARN Ácido ribonucleico; ácido nucleico que juega un papel importante en la producción de proteínas.

root cap A structure that covers the tip of a root, protecting the root from injury. (p. 267)
cofia Estructura que cubre la punta de una raíz y la protege contra daños.

S

saliva The fluid released when the mouth waters that plays an important role in both mechanical and chemical digestion. (p. 518)
saliva Líquido liberado por la boca que juega un papel muy importante en la digestión química y mecánica.

satellite An instrument that orbits a celestial body, such as Earth. (p. 456)
satélite Instrumento que orbita un cuerpo celeste, como la Tierra.

savanna A grassland close to the equator that receives as much as 120 centimeters of rain per year. (p. 762)
sabana Tierra de pastos próxima al ecuador que recibe hasta 120 centímetros de lluvia al año.

scavenger A carnivore that feeds on the bodies of dead organisms. (pp. 316, 741)
carroñero Carnívoro que se alimenta del cuerpo de animales muertos.

science A way of learning about the natural world and the knowledge gained through the process.
ciencia Estudio del mundo natural a través de observaciones y del razonamiento lógico. (p. 6)

scientific inquiry The diverse ways in which scientists study the natural world and propose explanations based on evidence they gather. (p. 14)
investigación científica Diversidad de métodos con los que los científicos estudian el mundo natural y proponen explicaciones del mismo basadas en la evidencia que reúnen.

scientific theory A well-tested concept that explains a wide range of observations. (p. 176)
teoría científica Concepto comprobado que explica una amplia gama de observaciones.

scrotum An external pouch of skin in which the testes are located. (p. 676)
escroto Bolsa externa de piel en donde se ubican los testículos.

secondary succession The series of changes that occur in an area where the ecosystem has been disturbed, but where soil and organisms still exist. (p. 732)
sucesión secundaria Serie de cambios que ocurren en un área después de la perturbación de un ecosistema, pero donde todavía hay suelo y organismos.

sedimentary rock Rock formed of hardened layers of sediments. (p. 396)
roca sedimentaria Roca formada por las capas endurecidas de sedimentos.

seed The plant structure that contains a young plant inside a protective covering. (p. 263)
semilla Estructura de una planta que contiene una plántula dentro de una cubierta protectora.

selective breeding The process of selecting a few organisms with desired traits to serve as parents of the next generation. (p. 158)
cruce selectivo Proceso de selección de algunos organismos con los rasgos deseados para que sirvan de como progenitores de la siguiente generación.

selective cutting The process of cutting down only some trees in an area. (p. 785)
tala selectiva Proceso de cortar sólo algunos árboles de un área.

selectively permeable A property of cell membranes that allows some substances to pass through, while others cannot. (p. 80)
permeabilidad selectiva Propiedad de las membranas celulares que permite que algunas sustancias pasen y otras no.

semen A mixture of sperm and fluids. (p. 677)
semen Mezcla de células de espermatozoides y fluidos.

semicircular canals Structures in the inner ear that are responsible for the sense of balance. (p. 648)
canales semicirculares Estructuras en el oído interno responsables del sentido del equilibrio.

sensory neuron A neuron that picks up stimuli from the internal or external environment and converts each stimulus into a nerve impulse. (p. 628)
neurona sensorial Proceso de selección de algunos organismos con los rasgos deseados para servir como progenitores de la siguiente generación.

sepal A leaflike structure that encloses the bud of a flower. (p. 276)
sépalo Estructura, parecida a una hoja, que encierra el botón de una flor.

sex chromosomes A pair of chromosomes carrying genes that determine whether a person is male or female. (p. 147)
cromosomas sexuales Par de cromosomas portadores de genes que determinan si una persona es macho o hembra.

sex-linked gene A gene that is carried on the X or Y chromosome. (p. 148)
gen ligado al sexo Gen portador del cromosoma X o Y.

sexual reproduction A reproductive process that involves two parents that combine their genetic material to produce a new organism, which differs from both parents. (pp. 220, 297)
reproducción sexual Proceso de reproducción que implica a dos progenitores que combinan su material genético para producir un nuevo organismo diferente a los dos progenitores.

short-day plant A plant that flowers when the nights are longer than the plant's critical night length. (p. 286)
planta de día corto Una planta que florece cuando las noches son más largas que la longitud nocturna critica de la planta.

skeletal muscle A muscle that is attached to the bones of the skeleton and provides the force that moves the bones. (p. 484)
músculos esqueléticos Músculo que está unido a los huesos del esqueleto y que proporciona la fuerza para que los huesos se muevan.

skeleton The inner framework made of all the bones of the body. (p. 474)
esqueleto Estructura formada por todos los huesos del cuerpo.

small intestine The part of the digestive system in which most chemical digestion takes place. (p. 524)
intestino delgado Parte del sistema digestivo en la cual se produce la mayoría de la digestión química.

smooth muscle Involuntary muscle found inside many internal organs of the body. (p. 484)
músculos lisos Músculo involuntario que se encuentra dentro de muchos órganos internos del cuerpo.

society A group of closely related animals of the same species that work together in a highly organized way. (p. 449)
sociedad Grupo de animales de la misma especie estrechamente relacionados que lo realizan juntos de una manera altamente organizada.

somatic nervous system The group of nerves in the peripheral nervous system that controls voluntary actions. (p. 637)
sistema nervioso somático Grupo de nervios en el sistema nervioso periférico que controla las acciones voluntarias.

species A group of organisms that are physically similar and can mate with each other and produce offspring that can also mate and reproduce. (pp. 44, 173, 707)
especie Grupo de organismos que son físicamente semejantes, se pueden cruzar y producen crías que también se pueden cruzar y reproducir.

sperm A male sex cell. (p. 675)
espermatozoide Célula sexual masculina.

spinal cord The thick column of nerve tissue that links the brain to most of the nerves in the peripheral nervous system. (p. 633)
médula espinal Columna gruesa de tejido nervioso que une el encéfalo con la mayoría de los nervios en el sistema nervioso periférico.

spongy bone Layer of bone tissue having many small spaces and found just inside the layer of compact bone. (p. 478)
hueso esponjoso Capa de tejido de un hueso que tiene muchos espacios pequeños y se encuentra justo dentro de la capa del hueso compacto.

spontaneous generation The mistaken idea that living things arise from nonliving sources. (p. 36)
generación espontánea Idea equivocada de que los seres vivos surgen de fuentes inertes.

spore A tiny cell that is able to grow into a new organism. (p. 234)
espora Célula diminuta que, al crecer, puede convertirse en un nuevo organismo.

sporophyte The stage in the life cycle of a plant in which the plant produces spores. (p. 254)
esporofito Etapa en el ciclo de vida de una planta en la que la planta produce esporas.

stamen A male reproductive part of a flower.
estambre Parte reproductora masculina de una flor. (p. 276)

stimulant A drug that speeds up body processes.
estimulante Droga que acelera los procesos del cuerpo. (p. 654)

stimulus A change in an organism's surroundings that causes the organism to react. (pp. 35, 437)
estímulo Cambio en el entorno de un organismo que le hace reaccionar.

stomach A J-shaped, muscular pouch located in the abdomen. (p. 520)
estómago Bolsa muscular con forma de J localizada en el abdomen.

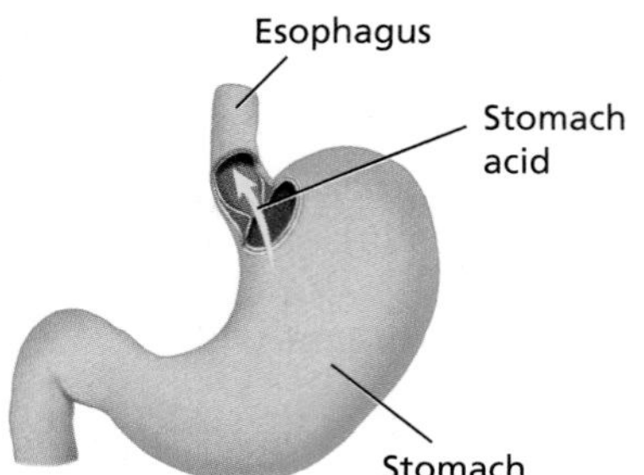

stomata Small openings on a leaf through which oxygen and carbon dioxide can move. (p. 89)
estomas Pequeños orificios en la superficie inferior de la hoja a través de los cuales se intercambia oxígeno y dióxido de carbono.

stress The reaction of a person's body to potentially threatening, challenging, or disturbing events. (p. 473)
estrés Reacción del cuerpo de un individuo a amenazas, retos o sucesos molestos potenciales.

striated muscle A muscle that appears banded; also called skeletal muscle. (p. 484)
músculo estriado Músculo con forma de franjas; también se llama músculo esquelético.

succession The series of predictable changes that occur in a community over time. (p. 730)
sucesión Serie de cambios predecibles que ocurren en una comunidad a través del tiempo.

sustainable yield An amount of a renewable resource that can be harvested regularly without reducing the future supply. (p. 786)
rendimiento sostenible Cantidad de un recurso renovable que puede ser recolectado constantemente sin reducir el abastecimiento futuro.

swim bladder An internal, gas-filled organ that helps a bony fish stabilize its body at different water depths.
vejiga natatoria Órgano interno lleno de gas que ayuda a un pez con esqueleto a estabilizar su cuerpo a diferentes profundidades. (p. 379)

symbiosis A close relationship between two organisms of different species that benefits at least one of the organisms. (pp. 230, 728)
simbiosis Relación estrecha entre especies de la que se beneficia al menos una de ellas.

synapse The junction where one neuron can transfer an impulse to the next structure. (p. 630)
sinapsis Unión donde una neurona puede transferir un impulso a la siguiente estructura.

T cell A lymphocyte that identifies pathogens and distinguishes one pathogen from another. (p. 600)
célula T Linfocito que identifica los patógenos y distingue un patógeno de otro.

tadpole The larval form of a frog or a toad. (p. 383)
renacuajo Estado de larva de una rana o un sapo.

tar A dark, sticky substance that forms when tobacco burns. (p. 575)
alquitrán Sustancia oscura y pegajosa producida cuando se quema tabaco.

target cell A cell in the body that recognizes a hormone's chemical structure. (p. 668)
célula destinataria Célula del cuerpo que reconoce la estructura química de una hormona.

taxonomy The scientific study of how living things are classified. (p. 43)
taxonomía Estudio científico de cómo se clasifican los seres vivos.

technology How people modify the world around them to meet their needs or to solve practical problems. (p. 20)
tecnología Cómo la gente modifica el mundo que la rodea para satisfacer sus necesidades o para solucionar problemas prácticos.

tendon Strong connective tissue that attaches muscle to bone. (p. 484)
tendón Tejido conectivo resistente que une un músculo a un hueso.

territory An area that is occupied and defended by an animal or group of animals. (p. 447)
territorio Área que ocupa y defiende un animal o grupo de animales.

testis Organ of the male reproductive system in which sperm and testosterone are produced.
testículo Órgano del sistema reproductor masculino en el cual se producen los espermatozoides y la testosterona. (p. 676)

testosterone A hormone produced by the testes that controls the development of physical characteristics in mature men. (p. 676)
testosterona Hormona producida por los testículos que controla el desarrollo de las características físicas del hombre maduro.

thorax An arthropod's midsection, to which its wings and legs are attached. (p. 344)
tórax Sección media de un insecto, a la que están unidas las alas y las patas.

threatened species A species that could become endangered in the near future. (p. 797)
especie amenazada Especie que puede llegar a estar en peligro de extinción en el futuro próximo.

tissue A group of similar cells that perform the same function. (pp. 295, 470)
tejido Grupo de células semejantes que realizan la misma función.

tolerance A state in which a drug user needs larger amounts of the drug to produce the same effect on the body. (p. 652)
tolerancia Estado en el que un consumidor de drogas necesita mayores cantidades de la droga para que produzca el mismo efecto en el cuerpo.

toxin A poison produced by bacterial pathogens that damages cells. (p. 594)
toxina Veneno producido por patógenos bacterianos y que daña las células.

trachea The windpipe; a passage through which air moves in the respiratory systems (p. 568)
tráquea Conducto a través del cual se mueve el aire en el sistema respiratorio.

trait A characteristic that an organism can pass on to its offspring through its genes. (p. 110)
rasgo Característica que un organismo puede transmitir a su descendencia a través de sus genes.

transfer RNA RNA in the cytoplasm that carries an amino acid to the ribosome and adds it to the growing protein chain. (p. 133)
ARN de transferencia ARN en el citoplasma que lleva un aminoácido al ribosoma y lo suma a la cadena proteínica que se está formando.

transmitter A device that sends out signals in the form of radio waves. (p. 455)
transmisor Aparato que envía señales en forma de ondas de radio.

transpiration The process by which water is lost through a plant's leaves. (p. 271)
transpiración Proceso por el cual las hojas de una planta eliminan agua.

trial-and-error learning A form of conditioning in which an animal learns to perform a behavior more and more skillfully. (p. 441)
aprendizaje por ensayo y error Forma de condicionamiento en el cual un animal aprende a ejecutar un comportamiento más y más hábilmente.

tropism The growth response of a plant toward or away from a stimulus. (p. 284)
tropismo Respuesta de una planta a un estímulo, que consiste en crecer hacia el estímulo o en la dirección opuesta.

tube feet Extensions of an echinoderm's water vascular system that stick out from the body and function in movement and obtaining food. (p. 359)
pies ambulacrales Extensiones del sistema vascular de agua de un equinodermo que sobresalen del cuerpo y sirven para la locomoción y la obtención de alimento.

tumor An abnormal tissue mass that results from the rapid division of cells. (p. 614)
tumor Masa de tejido anormal que resulta de la rápida división de las células cancerosas.

tundra An extremely cold, dry biome. (p. 765)
tundra Bioma extremadamente frío y seco.

umbilical cord A ropelike structure that forms between the embryo or fetus and the placenta.
cordón umbilical Estructura con forma de cuerda que se forma entre el embrión o feto y la placenta. (p. 685)

understory A layer of shorter plants that grow in the shade of a forest canopy. (p. 760)
sotobosque Estrato de plantas de baja estatura que crecen a la sombra de la bóveda arborea.

unicellular Made of a single cell. (p. 34)
unicelular Compuesto por una sola célula.

urea A chemical that comes from the breakdown of proteins. (p. 580)
urea Sustancia química que viene de la descomposición de proteínas.

ureter A narrow tube that carries urine from one of the kidneys to the urinary bladder. (p. 580)
ureter Conducto estrecho que lleva la orina desde cada uno de los riñones a la vejiga urinaria.

urethra A small tube through which urine flows from the body. (p. 580)
uretra Pequeño conducto a través del cual fluye la orina desde el cuerpo.

urinary bladder A sacklike muscular organ that stores urine until it is eliminated from the body.
vejiga urinaria Órgano muscular con forma de saco que almacena la orina hasta que es eliminada del cuerpo. (p. 580)

urine A watery fluid produced by the kidneys that contains urea and other wastes. (pp. 388, 580)
orina Fluido acuoso producido por los riñones que contiene urea y otros materiales de desecho.

uterus The hollow muscular organ of the female reproductive system in which a fertilized egg develops. (p. 679)
utero Organo muscular hueco del sistema reproductor femenino en el que se desarrolla el bebé.

vaccination The process by which harmless antigens are deliberately introduced into a person's body to produce active immunity; also called immunization. (p. 607)
vacunación Proceso por el cual antígenos inocuos se introducen deliberadamente en el cuerpo de una persona para producir inmunidad activa; también se llama inmunización.

vaccine A substance used in a vaccination that consists of weakened or killed pathogens that can trigger the immune system into action. (pp. 215, 607)
vacuna Sustancia usada en una vacunación que está formada por patógenos que han sido debilitados o muertos pero que todavía pueden activar el sistema inmunológico.

vacuole A sac inside a cell that acts as a storage area.
vacuola Saco dentro de la célula que actúa como área de almacenamiento. (p. 66)

vagina A muscular passageway leading to the outside of the body; also called the birth canal. (p. 679)
vagina Pasaje muscular que lleva hacia afuera del cuerpo; también llamado canal de nacimiento.

valve A flap of tissue in the heart or a vein that prevents blood from flowing backward. (p. 537)
válvula Tapa de tejido en el corazón o en una vena que impide que la sangre fluya hacia atrás.

variable A factor in an experiment that can change.
variable Factor que puede cambiar en un experimento. (p. 16)

variation Any difference between individuals of the same species. (p. 177)
variación Cualquier diferencia entre individuos de la misma especie.

vascular plant A plant that has true vascular tissue.
planta vascular Planta que tiene tejido vascular verdadero. (p. 253)

vascular tissue The internal transporting tissue in some plants that is made up of tubelike structures.
tejido vascular Tejido de transporte interno en algunas plantas que está formado por estructuras parecidas a tubos. (p. 252)

vein A blood vessel that carries blood back to the heart. (p. 538)
vena Vaso sanguíneo que devuelve la sangre al corazón.

ventricle A lower chamber of the heart that pumps blood out to the lungs and body. (pp. 384, 537)
ventrículo Cámara inferior del corazón que bombea la sangre hacia los pulmones y el cuerpo.

vertebrae The small bones that make up the backbone. (pp. 369, 475)
vértebras Los huesecillos que forman la columna vertebral de un animal.

vertebrate An animal that has a backbone. (p. 299)
vertebrado Animal que posee columna vertebral.

villi Tiny finger-shaped structures that cover the inner surface of the small intestine and provide a large surface area through which digested food is absorbed. (p. 526)
vellosidades Pequeñas estructuras con forma de dedo que cubren la superficie interna del intestino delgado y proporcionan una amplia superficie a través de la cual se absorbe el alimento digerido.

virus A tiny, nonliving particle that invades and then reproduces inside a living cell. (p. 210)
virus Partícula diminuta no viva que invade una célula viva y luego se reproduce dentro de ella.

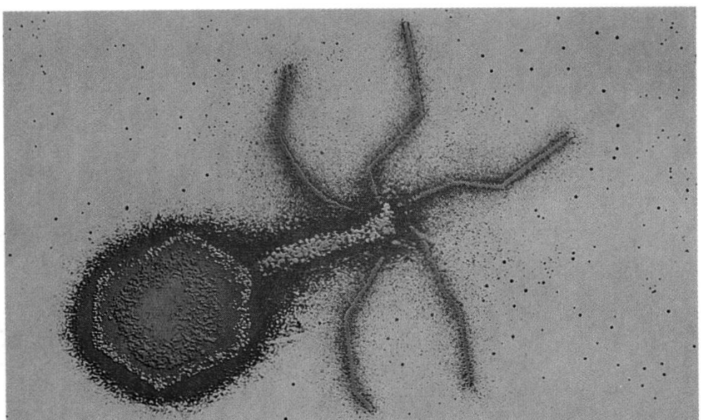

vitamins Molecules that act as helpers in a variety of chemical reactions within the body. (p. 508)
vitaminas Moléculas que actúan como ayudantes en gran variedad de reacciones químicas que se producen en el cuerpo.

vocal cords Folds of connective tissue that stretch across the opening of the larynx and produce a person's voice. (p. 572)
cuerdas vocales Pliegues de tejido conectivo que se extienden a lo largo de la abertura de la laringe y producen la voz de la persona.

voluntary muscle A muscle that is under conscious control. (p. 483)
músculos voluntarios Músculo que se puede controlar conscientemente.

W

water cycle The continuous process by which water moves from Earth's surface to the atmosphere and back. (p. 746)
ciclo del agua Proceso continuo mediante el cual el agua pasa de la superficie de la Tierra a la atmósfera y viceversa.

water vascular system A system of fluid-filled tubes in an echinoderm's body. (p. 359)
sistema vascular de agua Sistema de vasos llenos de líquidos en el cuerpo de un equinodermo.

white blood cell A blood cell that fights disease.
glóbulo blanco Célula de la sangre que protege contra las enfermedades. (p. 547)

withdrawal A period of adjustment that occurs when a drug-dependent person stops taking the drug. (p. 653)
síndrome de abstinencia Período de ajuste que ocurre cuando una persona adicta a las drogas deja de consumirlas.

X

xylem The vascular tissue through which water and nutrients move in some plants. (p. 263)
xilema Tejido vascular por el que circulan agua y nutrientes en algunas plantas.

Z

zygote A fertilized egg, produced by the joining of a sperm and an egg. (pp. 252, 675)
cigoto Óvulo fecundado, producido por la unión de un espermatozoide y un óvulo.

Index

Page numbers for key terms are printed in **boldface** type.
Page numbers for illustrations, maps, and charts are printed in *italics*.

B

C

Index

Page numbers for key terms are printed in **boldface** type.
Page numbers for illustrations, maps, and charts are printed in *italics*.

E

Index

Page numbers for key terms are printed in **boldface** type.
Page numbers for illustrations, maps, and charts are printed in *italics.*

G

H

Index

Page numbers for key terms are printed in **boldface** type.
Page numbers for illustrations, maps, and charts are printed in *italics*.

I

J

K

L

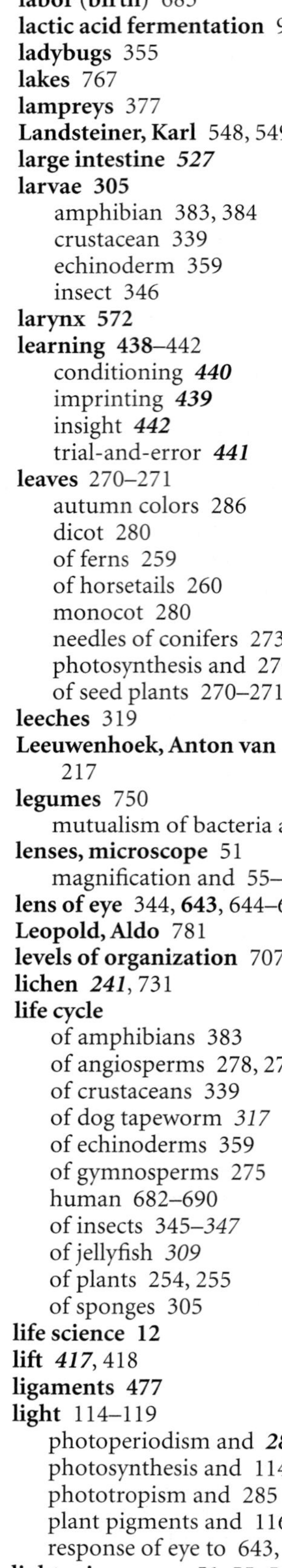

Page numbers for key terms are printed in **boldface** type.
Page numbers for illustrations, maps, and charts are printed in *italics.*

N

O

P

Q

R

Index

Page numbers for key terms are printed in **boldface** type.
Page numbers for illustrations, maps, and charts are printed in *italics*.

S

Page numbers for key terms are printed in **boldface** type.
Page numbers for illustrations, maps, and charts are printed in *italics*.

owledgments

...nent for page 206: Excerpt from *James Herriot's Dog Stories.* ... 1986 by James Herriot. Published by St. Martin's Press.

...dgment for page 700: Excerpt from *The Amateur Naturalist* by Gerald ... copyright © 1982 by Gerald Durrell. Used by permission of Alfred A. Knopf, ...vision of Random House, Inc.

Staff Credits

Diane Alimena, Scott Andrews, Jennifer Angel, Carolyn Belanger, Barbara A. Bertell, Peggy Bliss, James Brady, Anne M. Bray, Sarah M. Carroll, Kerry Cashman, Jonathan Cheney, Joshua D. Clapper, Lisa J. Clark, Patricia M. Dambry, Frederick Fellows, Jonathan Fisher, Patti Fromkin, Paul Gagnon, Robert Graham, Kerri Hoar, Anne Jones, Kelly Kelliher, Toby Klang, Dotti Marshall, Constance J. McCarty, Carolyn McGuire, Ranida Touranont McKneally, Richard McMahon, Natania Mlawer, Dorothy Preston, Maureen Raymond, Rashid Ross, Siri Schwartzman, Melissa Shustyk, Laurel Smith, Kara Stokes, Jennifer A. Teece, Amanda M. Watters, Merce Wilczek, Amy Winchester, Char Lyn Yeakley **Additional Credits** Louise Gachet, Terence Hegarty, Kevin Keane, Greg Lam, Marcy Rose

Illustration

Articulate Graphics: 645; **Michelle Barbera:** 177, 178, 179; **Sally Bensusen:** 344, 346, 347; **Morgan Cain & Associates:** 36, 37, 75, 128, 129, 381, 429, 601, 636; **Patrice Rossi Calkin:** 317, 440, 476, 477; **David Corrente:** 121t; **Warren Cutler:** 383; **John Edwards & Associates:** 54, 63, 64, 65, 66, 81, 93, 121b, 186, 193, 211, 232, 264, 305, 308, 309, 315, 330, 331, 337, 369, 389, 407, 408t, 409, 414, 417, 455, 478, 479, 484, 485, 490, 491, 517, 518, 519, 521, 525, 535, 536, 537, 539, 540, 541, 546, 547, 560, 628, 629, 630, 635, 662, 676, 677, 678, 679, 684, 768, 769; **Foerster Interactive Arts:** 295, 307, 581, 755; **Tom Gagliano:** 663l; **Andrea Golden:** 321, 339; **Phil Guzy:** 567, 568, 571, 572, 643, 644, 647, 649, 669, 670, 687; **Biruta Hansen:** 722, 723; **Robert Hynes:** 709; **Kevin Jones Associates:** 190, 191, 269, 716, 731, 732, 733, 747, 749, 750; **Steve McEntee:** 83, 84, 101, 102, 133, 134, 135, 136; **Richard McMahon:** 59, 88, 89, 607; **Richard McMahon with J/B Woolsey Associates:** 194, 195; **Fran Milner:** 338, 379, 526, 569; **Karen Minot:** 47, 78, 87, 111, 112, 246, 286, 290, 329, 785; **Paul Mirocha:** 461; **Matthew Pippin:** 398; **Sandra Sevigny:** 475; **Walter Stuart:** 304, 359, 449; **Sam Ward:** 597; **J/B Woolsey Associates:** 117, 123, 129b, 160, 319, 710; **J/B Woolsey Associates (Mark Desman):** 368, 372, 373, 460; **XNR Productions:** 172, 173, 451, 454. **All charts and graphs by Matt Mayerchak.**

Photography

Cover image top- Underwater life at Cayman Island in the Caribbean- Jeff Hunter/Getty Images; **bottom** - Queen angelfish - Ian and Karen Stewart/Bruce Coleman, Inc. **xxii t,1,2 all, 3 all,** Pittsburgh Steelers/Mike Fabus; **xxii b,** Doug Pensinger/Getty Images, Inc.

Chapter 1 Pages 4-5, Barrett and MacKay: **5 inset,** Jon Chomitz; **7b,** Manoh Shah/Getty Images, Inc.; **7t,** Michael Nichols/National Geographic Society; **8,** K. & K. Ammann/Bruce Coleman, Inc.; **9,** Wild Chimpanzees.org; **10b,** Dorling Kindersley Media Library; **10t,** Wild Chimpanzees.org; **11l,** Irven De Vore/Anthrophoto file; **11r,** Adrian Warren/Lastrefuge.co.uk; **12b,** Tony Freeman/PhotoEdit; **12m,** ARS; **12t,** Tim Thompson/Stone/Getty Images, Inc.; **13l,** Dan Lamont/Corbis; **13r** Jeff Greenberg/PhotoEdit; **14b,** M.T. Frazier/Photo Researchers, Inc.; **14t,** Houghton Mifflin Company; **15, 16, 17 all,** Richard Haynes; **18,** Getty Images, Inc.; **19b,** Brad Mangin/Corbis; **19tl,** PhotoDisc, Inc./Getty Images, Inc.; **19tm,** Tony Freeman/PhotoEdit; **19tr,** Mark Antman/The Image Works; **20l,** Sean Cayton/The Image Works; **20r,** Getty Images, Inc.; **21l,** Clayton J. Price/CORBIS; **21m,** Phototake; **21r,** Photo Researchers; **22,** Getty Images, Inc.; **23b,** Richard Haynes; **23t,** Russ Lappa; **24, 25, 28b,** Richard Haynes; **28t,** Manoh Shah/Getty Images, Inc.; **30,** Renee Stockdale/Animals Animals.

Chapter 2 Pages 32-33, Roland Birke/Peter Arnold, Inc.; **33 inset,** Richard Haynes; **34,** Russ Lappa; **35l,** Michael & Patricia Fogden/CORBIS; **35r,** Biodisc/Visuals Unlimited; **36,** Breck Kent/Animals Animals; **37,** Superstock; **38-39,** Stephen J. Krasemann/DRK Photo; **38 inset,** Tom Brakefield/DRK Photo; **39 inset l,** Kennan Ward/Corbis; **39 inset r,** W. Perry Conway/Corbis; **40,** Michael Newman/PhotoEdit; **41, 42t,** Russ Lappa; **42b,** Inga Spence/The Picture Cube, Inc.; **43,** Biophoto Associates/Photo Researchers, Inc.; **44l,** Gerard Lacz/Animals Animals; **44m,** Gavriel Jecan/Art Wolfe, Inc.; **44r,** Ron Kimball Studios; **45,** Lynn Stone/Animals Animals; **46,** Thomas Kitchin/Tom Stack & Associates, Inc.; **48-49,** Daniel J. Krasemann/DRK Photo; **48 inset l,** Carolina Biological/Visuals Unlimited; **48 inset r,** W. Wayne Lockwood, M.D./Corbis; **49 inset l,** Photodisc/Getty Images, Inc.; **49 inset r,** E.R. Degginger/Animals Animals; **50t,** Richard Haynes; **50b,** McDonald Wildlife Photo, Inc./DRK Photo; **51t,** Photo Researcher, Inc.; **51b,** Richard Haynes; **52l,** FSU Research Foundation; **52m,** The Granger Collection; **52r, 53l,** Bettmann/Corbis; **53m,** Pascal Goetgheluck/SPL/Photo Researchers; **53r,** Lawrence Migdale/Stock Boston; **54,** John Locke/Dembinsky Photo Associates; **55,** Getty Images, Inc.; **56t,** Photo Researchers, Inc.; **56bl,** Sinclair Stammers/SPL/Photo Researchers, Inc.; **56br,** SPL/Photo Researchers, Inc.; **57,** CRNI/SPL/Photo Researchers, Inc.; **58,** Richard Haynes; **60t,** Runk/Schoenberger/Grant Heilman Photography, Inc.; **60b,** Corbis; **61l,** Runk/Schoenberger/Grant Heilman Photography; **61r,** Mike Abbey/Visuals Unlimited; **62,** Alfred Paskieka/SPL/Photo Researchers, Inc.; **63t,** Bill Longcore/Photo Researchers, Inc.; **63b,** SPL/Photo Researchers, Inc.; **66,** Photo Researchers, Inc.; **67t,** David Scott/CRNI/Phototake; **67b** Motta & S. Correr/SPL/Photo Researchers, Inc.; **68,** W. Wayne Lockwood, M.D./Corbis; **70,** Runk Schoenberger/Grant Heilman Photography.

Chapter 3 Pages 72-73, Michael J. Doolittle/The Image Works; **73 inset, 74t,** Russ Lappa; **74b,** Jeffrey A. Scovil; **75,** Digital Vision/Getty Images, Inc.; **76t,** Japack Company/Corbis; **76m,** Andrew Syred/Science Photo Library/Photo Researchers, Inc.; **76bl,** Getty Images, Inc.; **76br,** Vittoriano Rastelli/Corbis; **77,** Scheidermeyer/OSF/Animals Animals; **78,** CNRI/Science Photo Library; **79,** Richard Haynes; **80-81b,** Damilo P. Donadomi/Bruce Coleman, Inc.; **85,** M. Abbey/Visuals Unlimited; **86-87,** Todd Gustafson/Panoramic Images; **86t,** Russ Lappa; **87 inset,** Stephen J. Krasemann/Photo Researchers, Inc.; **88,** Biophoto Associates/Photo Researchers, Inc.; **89,** Dr. Jeremy Burgess/SPL/Photo Researchers, Inc.; **90,** Superstock; **94,** Richard Hutchins/PhotoEdit; **95t,** David Scharf/Peter Arnold, Inc.; **95b,** AP/Wide World Photos; **96-97t,** Royalty-Free/Corbis; **97b,** Biophoto Associates/Science Source/Photo Researchers, Inc.; **98 all, 99 all,** M. Abbey/Photo Researchers, Inc.; **100,** Visuals Unlimited; **103,** Runk/Schoenberger/Grant Heilman Photography; **104,** Royalty-Free/Corbis.

Chapter 4 Pages 108-109, Ron Kimball Studios; **109 inset,** Richard Haynes; **110t,** Getty Images, Inc.; **110bl,** Hulton Archive/Getty Images, Inc.; **110-111,** Jerry Howard/Positive Images; **113,** Dorling Kindersley; **114 both,** Meinrad Faltner/Corbis Stock Market; **115,** Villanova University; **116 tl,** Michael Newman/PhotoEdit; **116t,** David Young-Wolf/PhotoEdit; **116bl,** Mary Kate Denny/Photoedit; **116bml,** Nicolas Russell/Getty Images, Inc.; **116bmr,** David Young Wolf/PhotoEdit; **116br,** Corbis; **118t,** U.S. Mint/Omni-Photo Communications, Inc.; **118b,** David Young-Wolff/Photo Edit; **119,** Jim Cummins/Getty Images, Inc.; **124, 125t,** Dorling Kindersley; **125b,** Richard Haynes; **126,** Dennis Kunkel/PhotoTake, **127l,** Michael Abbey/Photo Researchers, Inc.; **127r** E.R. Degginger/Color-Pic, Inc.; **131,** Adrian Warren/Last Refuge Ltd.; **137,** Dorling Kindersley; **138,** Adrian Warren/Last Refuge Ltd.

Chapter 5 Pages 142-143, Royalty-Free/Corbis; **143 inset, 144t,** Richard Haynes; **144b,** Michael Newman/PhotoEdit; **145t,** Everett Collection; **145 all,** David Young-Wolf/PhotoEdit; **145m,** David Urbina/PhotoEdit; **145bl,** Michael Newman/PhotoEdit; **146,** Camille Tokerud/Stone/Getty Images, Inc.; **147 both,** Biophoto Associates/Photo Researchers, Inc.; **148l,** Corbis; **148r,** Michael Douma, Institute for Dynamic Educational Advancement; **150,** Amy Etra/PhotoEdit; **151t,** CNRI/Science Photo Library/Photo Researchers, Inc.; **151b,** Jonathan Nourok/PhotoEdit; **152 both,** Stanley Flegler/Visuals Unlimited; **153,** Craig Farraway; **155 both,** National Hemophilia Foundation; **156,** White Packert/Getty Images, Inc.; **157,** South West News Service; **158t,** Paul McCormick/Getty Images, Inc.; **158m,** Grant Heilman; **158bl,** Foodpix; **158bm,** Photo Researchers, Inc.; **158br,** Foodpix; **159,** The Image Works; **161l,** Animals Animals/Earth Scenes; **161r,** 5-D and Segrest Farms/AP/Wide World Photos; **162,** Photo Researchers, Inc.; **163,** David Parker/Photo Researchers, Inc.; **164t,** Nathan Benn/Corbis; **164b,** Getty Images, Inc.; **165,** Andrew Brooks/CORBIS; **166t,** The Image Works; **166b,** Craig Farraway.

Chapter 6 Pages 170-171, Tui De RoyMinden Pictures; **171 inset,** Richard Haynes; **172t,** Portrait by George Richmond/Down House, Downe/Bridgeman Art Library; **172 frame,** Dorling Kindersley; **172b,** Christopher Ralling; **173t, 173b,** Tui De Roy/Minden Pictures; **174t,** Photo Researchers, Inc.; **174b,** Jeremy Woodhouse/Masterfile; **175,** Dr. Jeremy Burgess/SPL/Photo Researchers, Inc.; **176t, 176b,** Barbara D. Livingston; **176b,** AP/Wide World Photos; **176 horseshoe,** Dorling Kindersley; **181, 182t,** Richard Haynes; **182b,** Dorling Kindersley; **183,** Michael K. Richardson; **184l,** G. Alamany & E. Vicouns/Corbis; **184m,** Photo Researchers, Inc.; **184r,** Robert Pearcy; **185l,** Gary Milburn/Tom Stack & Associates, Inc.; **185r,** Betty K. Bruce/Animals Animals/Earth Scenes; **187l, 187r,** Pat & Tom Leeson/Photo Researchers, Inc.; **189t,** James L. Amos/Photo Researchers, Inc.; **189b,** AP/Wide World Photos; **191,** Peter Pavlovsky/Fossils.de; **196 all,** Douglas Henderson; **197,** Breck P. Kent; **198,** Photo Researchers, Inc.; **202 t,** Bridgeman Art Library; **202b,** Myrleen Ferguson Cate/PhotoEdit; **203,** Ron Kimball; **204tl, 204bl, 204tr, 204 mr,** Corel Corp.; **204br,** Jack Daniels/Getty Images, Inc.; **205tl,** Corel Corp.; **205bl,** C. Jeanne White/Photo Researchers, Inc.; **205tr,** Dorling Kindersley; **205mr, 205br,** Corel Corp.; **206l,** G. K. & Vikki Hart/Getty Images, Inc.; **206r,** AP/ Wide World Photos; **207,** Corbis.

Chapter 7 Pages 208-209, Dennis Kunkel/Phototake; **209 inset,** Richard Haynes; **211,** Lee D. Simon/Science Source/Photo Researchers, Inc.; **212-213,** Peter Minister/Dorling Kindersley; **214,** Institut Pasteur/CNRI/Phototake; **215,** Esbin-Anderson/Omni-Photo; **216t,** Custom Medical Stock; **216b,** Dr. Linda Stannard, UCT/Science Photo Library/Photo Researchers, Inc.; **217,** Richard Haynes; **218,** USDA/Visuals Unlimited; **219l, 219m,** Dennis Kunkel/Phototake; **219r,** Photo courtesy of Agriculture and Agri-Food Canada; **220l,** Dr. K.S. Kim/Peter Arnold, Inc.; **220r,** Dr. Dennis Kunkel/Phototake; **221,** Alfred Pasieka/Peter Arnold, Inc.; **222l,** StockFood/Raben; **222r,** Richard Haynes; **223l,** DK Images; **223m,** J. C. Carton/Bruce Coleman; **223r,** Neil Marsh/DK Images; **224t,** John Riley/Getty Images; **224b,** Ben Osborne; **224 inset,** Michael Abbey/Photo Researchers, Inc.; **225,** David Young-Wolff/PhotoEdit; **226 t,** Science VU/Visuals Unlimited; **226b,** Jan Hinsch/Science Photo Library/Photo Researchers, Inc.; **227t,** O.S.F./Animals

Animals/Earth Scenes; **227m,** A. Le Toquin/Photo Researchers, Inc.; **227b,** Gregory G. Dimijian/Photo Researchers, Inc.; **228,** Astrid & Hanns-Frieder Michler/Photo Researchers, Inc.; **229,** Eric Grave/Photo Researchers, Inc.; **230t,** Layne Kennedy/CORBIS; **230b,** Oliver Meckes/Photo Researchers, Inc.; **230 inset,** Jerome Paulin / Visuals Unlimited; **231,** David M. Phillips/Visuals Unlimited; **232,** Sinclair Stammers Oxford Scientific Films/Animals Animals/Earth Scenes; **233,** Runk/Schoenberger/Grant Heilman Photography; **234l, 234r,** David M. Dennis/Tom Stack & Associates, Inc.; **235t,** Dwight R. Kuhn; **235b,** G.R. Roberts/Omni-Photo; **236,** Michael Fogden/Animals Animals/Earth Scenes; **237,** Fred Unverhau/Animals Animals/Earth Scenes; **238,** David Scharf/Peter Arnold, Inc.; **239l,** Michael Fogden/Animals Animals/Earth Scenes; **239l inset,** Scott Camazine l; **239tr,** Carolina Biological/Visuals Unlimited; **239br,** Runk /Schoenberger/Grant Heilman Photography, Inc.; **239r inset,** E.R. Degginger/Photo Researchers, Inc.; **240,** Photo courtesy of David Read; **241,** Rod Planck/Tom Stack & Associates, Inc.; **241 inset,** V. Ahmadjian / Visuals Unlimited; **242, 243,** Richard Haynes; **244l,** Geoff Brightling/Dorling Kindersley; **244r,** Michael Fogden/Animals Animals/Earth Scenes.

Chapter 8 Pages 248-249, Barrett and MacKay; **249 inset, 250,** Richard Haynes; **251,** Michael J. Doolittle/The Image Works; **252,** Ludovic Maisant/Corbis; **254tl,** Runk/Schoenberger/Grant Heilman Photography, Inc.; **254tr,** Peter Chadwick/DK Images; **254b,** Frans Lanting/Minden Pictures; **256l,** J. Lotter Gurling/Tom Stack & Associates, Inc.; **256r,** Runk/Schoenberger/Grant Heilman Photography, Inc.; **260l,** Gerald Moore; **260r,** Runk/Schoenberger/Grant Heilman Photography, Inc.; **261,** Richard Haynes; **262,** Russ Lappa; **263l, 263r,** Phil Schermeister/Corbis; **265bl,** D. Cavagnaro/Visuals Unlimited; **265br,** Frans Lanting/Minden Pictures; **265tl,** John Pontier/Animals Animals/Earth Scenes; **265tm,** Heather Angel/Natural Visions; **265tr,** Color-Pic/Animals Animals/Earth Scenes; **266,** Color-Pic/Earth Scenes; **266l inset, 266r** inset, Runk/Schoenberger/ Grant Heilman Photography, Inc.; **267,** Color-Pic/Earth Scenes; **267l inset,** Max Stuart/Alamy; **267r inset, 268l,** Runk/Schoenberger/Grant Heilman Photography, Inc.; **268r,** Richard Shiell/Animals Animals/Earth Scenes; **269,** Darrell Gulin/Getty Images, Inc.; **271t, 271b,** Dr. Jeremy Burgess/Photo Researchers, Inc.; **272,** Richard Haynes; **273l,** Michael Fogden/Animals Animals/Earth Scenes; **273tm,** Jim Strawser/Grant Heilman Photography, Inc.; **273bm,** Ken Brate/Photo Researchers, Inc.; **273r,** Breck Kent/Animals Animals/Earth Scenes; **275t,** Grant Heilman/Grant Heilman Photography, Inc.; **275t inset,** Breck P. Kent/Animals Animals/Earth Scenes; **275b,** Patti Murray/Animals Animals/Earth Scenes; **275b inset,** Breck P. Kent; **276,** Frans Lanting/Minden Pictures; **278l,** Perennou et Nuridsany / Photo Researchers, Inc.; **278ml,** Russ Lappa; **278mr,** Philip Dowell /Dorling Kindersley; **278r,** Jules Selmes and Debi Treloar/Dorling Kindersley; **279t,** Nancy Rotenberg/Animals Animals/Earth Scenes; **279b,** Dwight Kuhn; **281,** Michael Keller/Corbis; **282,** Richard Haynes; **284,** David Sieren /Visuals Unlimited; **285t,** John Colwell/Grant Heilman Photography; **285m,** Heather Angel/Natural Visions; **285b, 287t,** E.R. Degginger; **287m,** Mark E. Gibson/Corbis; **287b,** Larry Lefever/Grant Heilman Photography, Inc.

Chapter 9 Pages 292-293, Deep Sea Photos; **293 inset, 294t,** Richard Haynes; **294bl, 294br,** Heather Angel/Natural Visions; **295,** Neil Flether/Oxford University Museum; **296t,** Frank Greenaway /Dorling Kindersley Media Library; **296b,** Frank Oberle/Getty Images; **297,** Michael Quinton/Minden Pictures; **299,** Wolfgang Bayer/Bruce Coleman, Inc.; **300,** Tom and Pat Leeson; **301tl,** Norbert Wu/Minden Pictures; **301tm,** Andrew J. Martinez/Photo Researchers, Inc.; **301tr,** James Watt/Visuals Unlimited; **301b,** Stuart Westmorland/Corbis; **302,** Tom Brakefield/Corbis; **303,** Michael DeFreitas/Bruce Coleman, Inc.; **307l,** Dale Sanders/Masterfile; **307r,** G. S. Grant/Photo Researchers, Inc.; **308t,** © Jeff Rotman/www.jeffrotman.com; **308b all,** Dorling Kindersley; **310 inset,** Linda Pitkin/Getty Images; **310-311,** Tim McKenna/Corbis; **311r,** David B. Fleetham/Tom Stack & Associates, Inc.; **312t,** Richard Cummins/CORBIS; **312-313,** Jeff Hunter/Getty Images; **314t,** Richard Haynes; **314b,** Dr. Alan L. Yen; **316,** Hans Strand/Getty Images; **316 inset,** David M. Dennis/Tom Stack & Associates, Inc.; **318,** Sinclair Stammers/Photo Researchers, Inc.; **320,** David Young-Wolff/PhotoEdit; **322t,** Dorling Kindersley; **322b,** Andrew J. Martinez/Photo Researchers, Inc.

Chapter 10 Pages 326-327, Barrett and MacKay; **327 inset,** Richard Haynes; **328t,** Corel Corp.; **328b,** Richard Nowitz; **330l,** Digital Vision/Getty Images; **330r,** Brandon Cole / Visuals Unlimited; **332l,** Douglas Faulkner/Photo Researchers, Inc.; **332tr,** Ken Lucas/Visuals Unlimited; **332br,** Norbert Wu/Minden Pictures; **333l, 333r,** Dave Fleetham/Tom Stack & Associates; **334,** William Leonard/DRK Photo; **335t,** Richard Haynes; **335b,** R.J.Erwin/Photo Researchers, Inc.; **336t,** John Gerlach/Tom Stack & Associates, Inc.; **336b,** Robert A. Lubeck/Animals Animals; **339,** Dr. P. Wilson/FLAP/Bruce Coleman, Inc.; **340t,** Geoff Dann/Dorling Kindersley; **340b,** Meckes/Ottawa/Eye of Science/Photo Researchers, Inc.; **341t,** Tim Flach/Getty Images, Inc.; **341b,** Robert Calentine/Visuals Unlimited; **342l,** Marty Cordano/DRK Photo; **342r,** Simon D. Pollard/Photo Researchers, Inc.; **343t,** Robert Calentine/Visuals Unlimited; **343b,** Valerie Hodgson/Visuals Unlimited; **345l,** Dorling Kindersley Media Library; **345m,** Gregory G. Dimijian/Photo Researchers, Inc.; **345r,** Andrew Syred/SPL/Photo Researchers, Inc.; **348,** Robert A. Lubeck/Animals Animals; **349, 350t,** Richard Haynes; **350-351,** James P. Rowan/DRK Photo; **351l,** Bob Jensen/Bruce Coleman, Inc.; **351m,** Michael Edergerr/DRK Photo; **351r,** J. Fennell/Bruce Coleman, Inc.; **352l,** Bettmann/Corbis; **352r,** Aberdeen University Library, Scotland/Bridgeman Art Library; **353l,** Robert Frerck/Odyssey Productions; **353m,** Sergio Piumatti; **353r,** Darwin Dale / Photo Researchers, Inc.; **354t,** John Trager/Visuals Unlimited; **354b,** Geoff du Feu /Getty Images; **355,** Anthony Bannister; Gallo Images/CORBIS; **356-357 background,** AGStockUSA, Inc **356-357,** Norm Thomas/PHoto Researchers, Inc.; **357t,** Frank Whitney/Getty I **358,** Richard Haynes; **360-361t,** Kerrick James; **360 inset l,** Neil G. McDaniel/P Researchers, Inc.; **360 inset r,** Brian Parker/Tom Stack & Associates, Inc.; **36** ©Brandon D. Cole/CORBIS; **361r,** Ed Bravendam/Minden Pictures.

Chapter 11 Pages 366-367, Norbert Wu/Minden Pictures; **367 inset,** Richard Haynes; **368,** Russ Lappa; **369,** Tom Flach/Getty Images, Inc.; **370,** Dave King/Dorling Kindersley Media Library; **371l,** Michael Fogden/DRK Photo; **371r,** Frans Lanting/Minden Pictures; **374b,** Brian Parker/Tom Stack & Associates; **374t,** Gerard Lacz/Animals Animals; **375,** NHPA/LUTRA; **376b,** Mark Stouffer Enterprises/Animals Animals/Earth Scenes; **376tl,** John D. Cunningham/Visuals Unlimited; **376tr,** Michael Patrick O'Neil/Photo Researchers, Inc.; **377b,** Animals Animals/Earth Scenes; **377 inset,** Herve Berthoule Jacana/Photo Researchers, Inc.; **377t,** Bruce Coleman, Inc.; **378b,** Amos Nachoum /Corbis; **378t,** Frank Burek/Animals Animals; **380br,** DRK Photo; **380l,** Norbert Wu; **380m,** Stuart Westmorland/Getty Images, Inc.; **380tr,** Norbert Wu; **382,** Michael Fogden/Photo Researchers, Inc.; **384,** Gerry Ellis/Minden Pictures; **385l,** Carmela Leszczynski/ Animals Animals/Earth Scenes; **385r,** Visuals Unlimited; **386,** Michael Fogden/OSF/Animals Animals; **387b,** Joe McDonald/Tom Stack & Associates, Inc.; **387t,** Richard Haynes; **388,** Thomas Wiewandt www.wildhorizons.com; **389,** Jay Ireland & Georgienne Bradley/ Bradleyireland.com; **390,** Dorling Kindersley; **391b,** Art Wolfe/Getty Images; **391t,** Kim Taylor & Jane Burton/DK Images; **392l,** M.C. Chamberlain/DRK Photo; **392r,** Gerald & Buff Corsi/Tom Stack & Associates; **393,** T.A. Wiewandt/DRK Photo; **395b,** Tom Bean/DRK Photo; **395t,** Richard Haynes; **396l,** Typ 605.77.700 F, Department of Printing and Graphic Arts, Houghton Library, Harvard College Library; **396m,** Natural History Museum, London; **396r,** Ernst Mayr Library of the Museum of Comparative Zoology, Harvard University. ©President and Fellows of Harvard; **397l,** Andy Crawford/DK Images; **397r,** Louis Psihoyos/Matrix; **400,** Stuart Westmorland/Getty Images, Inc.

Chapter 12 Pages 404-405, Barrett and MacKay; **405 inset,** Richard Haynes; **406b,** John Downes/DK Images; **406t,** Richard Haynes; **407,** Russell & Martha Hansen; **409,** Geoff Higgings/PhotoLibrary.com; **410b,** Jerome Wexler/Photo Researchers, Inc.; **410m,** Nancy Sheehan/PhotoEdit; **410t,** Stephen J. Krasemann/DRK Photo; **411l,** Kim Taylor/DK Images; **411r,** Richard Wagner; **412br,** Gary Griffen/Animals Animals; **412l,** Dave Watts/Tom Stack & Associates, Inc.; **412tr,** NHPA/Manfred Danegger; **413l,** D. Allen/Animals Animals; **413m,** Stephen J. Krasemann/DRK Photo; **413r,** Wayne Lankinen/DRK Photo; **415,** Richard Haynes; **416b,** Darrell Gulin/DRK photo; **416t,** Richard Haynes; **417,** Thomas Mangelsen/Minden Pictures; **418,** Frans Lanting/Minden Pictures; **419l,** Michio Hoshino/Minden Pictures; **419r,** Arthur Morris / Visuals Unlimited; **420b,** Eric Valli/Minden Pictures; **420t,** Richard Haynes; **421br,** Dave King/DK Images; **421mr,** Philip Dowell/Dorling Kindersley; **421tl,** Hilary Pooley/Animals Animals; **421tr,** Phillip Dowell/DK Images; **422l,** Daryl Balfour/Getty Images, Inc.; **422r,** Art Wolfe; **423b, 423t,** Frans Lanting/Minden Pictures; **424b,** Dave Watts/Tom Stack & Associates, Inc.; **424t,** Tom McHugh/Photo Researchers; **425,** Joe McDonald/Visuals Unlimited; **426bl,** Dave Welling; **426br,** Johnny Johnson/DRK Photo; **426ml,** Chuck Davis/Getty Images, Inc.; **426tl,** Stephen J. Krasemann/DRK PHOTO; **426tr,** Roger Aitkenhead/Animals Animals; **427bl,** M.P. Kahl/DRK Photo; **427br,** Renee Lynn/Getty Images, Inc.; **427ml,** Charlie Heidecker/Visuals Unlimited; **427tl,** Dwight Kuhn; **427tr,** Art Wolfe/Getty Images, Inc.; **428,** Johnny Johnson/DRK Photo; **430l,** Dave Watts/Tom Stack & Associates, Inc.; **430r,** Joe McDonald/Visuals Unlimited.

Chapter 13 Pages 434-435, M. Philip Kahl Jr./Photo Researchers, Inc.; **435 inset,** Getty Images, Inc.; **436b,** Michael Fogden/DRK Photo; **436t,** Jerome Wexler/Photo Researchers, Inc.; **437l, 437r,** Heather Angel/Natural Visions; **438,** Lawrence Stepanowicz/Alamy; **439,** Nina Leen/Time Life Pictures/Getty Images, Inc.; **441,** Steve Solum/Bruce Coleman Inc.; **442,** Bernd Heinrich; **444,** Richard Haynes; **445,** Natural Visions; **446b,** John Cancalosi/DRK Photo; **446t,** Art Wolfe; **447,** OSF/David Boag/Animals Animals; **448,** David E. Myers/Getty Images, Inc.; **450,** Kim Taylor/Bruce Coleman; **451,** M.A. Chappell/Animals Animals; **452,** Doug Wechsler; **453,** Richard Haynes; **454-455,** Douglas Faulkner/Corbis; **455t,** Arthur Morris/Visuals Unlimited; **456,** Natalie Fobes/CORBIS; **457,** Michio Hoshino/Minden Pictures; **458l,** Steve Solum/Bruce Coleman Inc.; **458r,** Natural Visions; **460,** David Hosking/Getty Images, Inc.; **462-463, 463r, 464,** Norbert Wu; **465b,** Dale Stokes/Norbert Wu; **465t,** Norbert Wu.

Chapter 14 Pages 466-467, Matthew Stockman/Getty Images , Inc.; **467 inset, 468, 469l,** Richard Haynes; **469r,** K.G. Murti/Visuals Unlimited; **470b,** Biophoto Associates/Science Source/Photo Researchers, Inc.; **470bm,** James Hayden, RBP/Phototake; **470t,** John D. Cunningham/Visuals Unlimited; **470tm,** Fred Hossler/Visuals Unlimited; **471 all,** Richard Haynes; **472l,** Jon Feingersh/Corbis; **472r,** Myrleen Ferguson Cate/PhotoEdit; **473,** Mike Powell/Getty Images, Inc.; **474,** Russ Lappa; **475l,** Dorling Kindersley; **475r,** Richard Haynes; **476l,** David Young-Wolff/PhotoEdit; **476r,** Rudi Von Briel/PhotoEdit; **477l,** Journal-Courier/Steve Warmowski/The Image Works; **477r,** Peter Hvizdak/The Image Works; **478-479,** Andrew Syred/Science Photo Library/Photo Researchers, Inc.; **479br,** David Madison Sports Images, Inc 2003; **479l,** Prof. P. Motta/Dept. of Anatomy/University, "La Sapienza", Rome/Science Photo Library/Photo Researchers, Inc.; **479tr,** Prof. P. Motta/Dept. of Anatomy/University, "La Sapienza", Rome/Science Photo Library/Photo Researchers, Inc.; **480l,** David Young-Wolff/PhotoEdit; **480r,** Marc Romanelli/Getty Images, Inc.; **481l,** INNERSPACE IMAGING/Photo Researchers, Inc.; **481r,** ZEPHYR/Photo Researchers, ard Haynes; **483bl,** Eric Grave/Photo Researchers, Inc.; **483m,** es; **483r**, Ed Reschke/Peter Arnold, Inc.; **483tl,** Astrid & Hans- o Researchers, Inc.; **484b,** Jim Cummins/Getty Images, Inc.; **484t,** aynes; **485,** Jim Cummins/Getty Images, Inc.; **486,** David Madison Sports Inc. 2003; **487, 488,** Richard Haynes; **489l,** Richer Wehr/Custom Medical Photo; **489r,** David Madison Sports Images, Inc.; **490,** Richard Haynes; **o,** Russ Lappa; **491t,** Prof. P. Motta/Dept. of Anatomy/University "La Sapienza" ome/SPL/Photo Researchers, Inc.; **493,** Eyewire Collection/Getty Images, Inc.; **494, 495,** Richard Haynes; **496,** David Young-Wolff/PhotoEdit.

Chapter 15 Pages 500-501, Stephen Simpson/Taxi/Getty Images; **501 inset,** Jon Chomitz; **503l,** David Young-Wolff/Getty Images, Inc.; **503m** Cindy Charles/PhotoEdit,Inc.; **503r,** Jose Luis Pelaez, Inc./Corbis; **504l,** Richard Haynes; **504m,** Matthew Klein/Corbis; **505b, 505tl, 505tr,** Royalty-Free/Corbis; **506l,** Dorling Kindersley; **506m,** Richard Haynes; **506r,** Stephen Oliver/Dorling Kindersley; **507,** Larry Lefever/Grant Heilman Photography, Inc.; **508,** Jack Montgomery/Bruce Coleman, Inc.; **509,** Jules Selmes/ Dorling Kindersley; **510l,** Davies & Starr/Getty Images, Inc.; **510m, 510r,** Russ Lappa; **511,** Joan Baron/Corbis; **512,** Michael Malyszko/Getty Images; **513,** Richard Haynes; **514,** David Young-Wolff/PhotoEdit; **517,** Richard Haynes; **518l,** Dorling Kindersley; **518r,** Richard Haynes; **521,** CNRI/SPL/Photo Researchers, Inc.; **523, 524, 525,** Richard Haynes; **526,** Prof. P. Motta/Dept. of Anatomy/University "La Sapienza" Rome/SPL/Photo Researchers, Inc.; **527,** CNRI/SPL/Photo Researchers, Inc.; **528b,** Davies & Starr/Getty Images, Inc.; **528t,** Jon Chomitz.

Chapter 16 Pages 532-533, Dennis Kunkel/Phototake; **533 inset, 535,** Richard Haynes; **537,** SPL/Photo Researchers, Inc.; **538,** Felix Stensson/Alamy; **539,** Richard Haynes; **540,** VVG/Science Photo Library/Photo Researchers; **542,** Cabisco/Visuals Unlimited; **543,** Arthur Tilley/Getty Images, Inc.; **544,** Richard Haynes; **545,** Andrew Syred/SPL/Photo Researchers, Inc.; **547b,** National Cancer Institute/Science Photo Library/Photo Researchers, Inc.; **547m,** Andrew Syred/Science Photo Library/Photo Researchers, Inc.; **547t,** Bill Longcore/Science Source/Photo Researchers, Inc.; **548,** Oliver Meckes/Photo Researchers, Inc.; **551,** Richard Haynes; **552b,** Thom Duncan/Adventure Photo/Image State; **552t,** Bob Daemmrich/Stock Boston; **553l, 553r,** Custom Medical Stock Photo; **554l,** The Granger Collection, NY; **554m,** Courtesy of the Baker Institute; **554r,** Layne Kennedy/Corbis; **555l,** Liaison/Getty Images, Inc.; **555m,** Richard T. Nowitz/Corbis; **555r,** Reuters NewMedia/Corbis; **556,** Nicole Katano/Stone/Getty Images, Inc.; **558b,** Richard Haynes; **558t,** Oliver Meckes/Photo Researchers, Inc.

Chapter 17 Pages 562-563, Mario Corvetto/Evergreen Photo Alliance; **563 inset,** Richard Haynes; **564b,** Dennie Cody/Getty Images; **564t, 566 all, 567,568,** Richard Haynes; **570,** Mark Gibson/Corbis; **571 both,** Richard Haynes; **572,** Dorling Kindersley; **573,** Russ Lappa; **574,** Dorling Kindersley Media Library; **576l,** Matt Meadows/Peter Arnold, Inc.; **576r,** Jonathan Nourok/PhotoEdit; **577br,** Photo Researchers, Inc.; **577l,** Michal Heron/Prentice Hall; **577tr,** SIV/Photo Researchers, Inc.; **578,** Sonda Dawes/The Image Works; **579, 581,** Richard Haynes; **582l,** Andy Crawford/Dorling Kindersley; **582r,** Dorling Kindersley; **583,** Ken Karp; **585,** Richard Haynes; **586,** Dennie Cody/Getty Images.

Chapter 18 Pages 590-591, L. Stannard/Photo Researchers, Inc.; **592,** Richard Haynes; **592-593,** Corbis/Bettmann; **593r,** Pete Saloutos/Corbis; **594b,** Dennis Kunkel/ Phototake.; **594m,** Biozentrum/Photo Researchers, Inc.; **594t,** CNRI/Photo Researchers, Inc.; **596b,** Mike Peres/Custom Medical Stock Photo, Inc.; **596t,** Scott Camazine/Photo Researchers, Inc.; **598l,** Science Pictures Ltd./Photo Researchers, Inc.; **598r,** Professors Motta, Correr, and Nottola/Photo Researchers, Inc.; **599,** Lennart Nilsson/Boehringer Ingelheim International GmbH; **602,** NIBSC/Photo Researchers, Inc.; **603,** Jon Riley/Stone/Getty Images, Inc.; **604, 605,** Richard Haynes; **606,** Russ Lappa; **607,** Aaron Haupt/Photo Researchers, Inc.; **608l,**Dorling Kindersley; **608m,** Historical Picture Service/Custom Medical Stock; **608r,** Giraudon/Art Resource, NY; **609l,** Bettmann/Corbis; **609r,** Fashion Wire Daily/AP/Wide World Photo; **610,** Eyewire/Getty Images; **611b,** Jerome Tisne/Getty Images, Inc.; **611t,** Richard Haynes; **612l,** Eye of Science / Photo Researchers, Inc.; **612m,** Andrew Syred/Photo Researchers, Inc.; **612r,** Ron Kimball; **613,** Richard Haynes; **615,** Dept. of Clinical Radiology, Salisbury District Hospital/Science Photo Library/Photo Researchers, Inc.; **616,** Stevie Grand/Science Photo Library/Photo Researchers, Inc.; **618bl,** BSIP / Photo Researchers, Inc.; **618bm,** Dennis Kunkel/Phototake; **618br,** Veronika Burmeister / Visuals Unlimited; **618ml,** Dr. Gary Gaugler / Photo Researchers, Inc.; **618,** Visuals Unlimited; **618tr,** Dr. Dennis Kunkel / Visuals Unlimited; **618-619,** Richard Haynes; **619l,** Dr. Stanley Flegler / Visuals Unlimited; **619r,** C. Swartzell/Visuals Unlimited; **620b,** Jon Riley/ Stone/Getty Images, Inc.; **620tl,** Mike Peres/Custom Medical Stock Photo, Inc.; **620tr,** Eye of Science / Photo Researchers, Inc.

Chapter 19 Pages 624-625, Michael Kevin Daly/CORBIS; **625 inset,** Richard Haynes; **627,** Micke Blake/Reuters New Media, Inc./Corbis; **629,** Rolf Brudere/Masterfile; **631,** Richard Haynes; **632b,** Chet Gordon/The Image Works; **632t, 635,** Richard Haynes; **637,** Tom Stewart/Corbis; **638 all,** Richard Haynes; **639,** Barbara Stitzer/PhotoEdit; **640t,** Ian Vorster; **640-641,** Larry Dale Gordon/Getty Images, Inc.; **642,** Tony Freeman/PhotoEdit; **643b,** Diane Hirsch/Fundamental Photographs; **643t,** Diane Schiumo/Fundamental Photographs; **644,** Omikron/Photo Researchers, Inc.; **645,** Richard Haynes; **648l,** Lennart Nilsson; **648r,** Lee Snider/The Image Works; **649l,** Richard Haynes; **649r,** Prof. P. Motta/Photo Researchers, Inc.; **650,** Mugshots/Corbis; **651,** Richard Haynes; **652-653,** Digital Vision/Getty Images, Inc.; **654,** David Young-Wolff/PhotoEdit; **656b,** Stacy Pick/Stock Boston; **656t** Tom Carter/PhotoEdit; **657b,** PhotoEdit; **657t,** CNRI/SPL/Photo Researchers, Inc.; **659,** Richard Haynes; **660b,** David Young-Wolff/PhotoEdit; **660t,** Diane Hirsch/Fundamental Photographs.

Chapter 20 Pages 664-665, George Shelley/Corbis; **665 inset,** Richard Haynes; **667l,** Chad Slattery/Getty Images, Inc.; **667r,** Pictor; **669, 670, 672, 673 all,** Richard Haynes; **675 both,** David M. Phillips/Photo Researchers, Inc.; **680,** Professors P.M. Motta & J. Van Blerkom/ SPL/Photo Researchers, Inc.; **682b,** Dr Yorgos Nikas/SPL/Photo Researchers, Inc.; **682tl, tr,** Stephen R. Swinburne/Stock Boston; **683l,** CNRI/SPL/Photo Researchers, Inc.; **683m,** G. Moscoso / Photo Researchers, Inc.; **683r,** Neil Bromhall/SPL/Photo Researchers, Inc.; **685,** Petit Format/Photo Researchers, Inc.; **686,** Index Stock Imagery, Inc.; **687l,** Roy Morsch/Corbis; **687r,** Tony Freeman/PhotoEdit; **688l,** Penny Gentieu; **688m,** Tony Arruza/Corbis; **688r,** Spencer Grant/PhotoEdit; **689l,** David Grossman/The Image Works; **689r,** Myrleen Ferguson/PhotoEdit; **690,** Michael Newman/PhotoEdit; **692b,** Myrleen Ferguson/ PhotoEdit; **692t,** Pictor.

Chapter 21 Pages 702-703 Getty Images, Inc.; **703, inset** Richard Haynes; **704b.** C.K. Lorenz/Photo Researchers; **704t,** Tom Lazar/Animals Animals/Earth Scenes; **705,** C.W. Schwartz/Animals Animals/Earth Scenes; **706b,** John Cancalosi/Tom Stack & Associates; **706m,** Christoph Burki/Getty Images, Inc; **706t,** Konrad Wothe/Minden Pictures; **707,** Breck P. Kent/Animals Animals/Earth Scenes; **711,** Frans Lanting / Minden Pictures; **712l,** Fred Bruemmer/Peter Arnold, Inc; **712r,** C. Allan Morgan/DRK Photo; **713l,** Thomas Mangelsen/Minden Pictures; **713r,** Wallace J. Nichols; **715b,** Leonard Lee Rue III/Photo Researchers, Inc.; **715t,** Alan D. Carey/Photo Researchers, Inc.; **716,** Kenneth W. Fink/Photo Researchers, Inc.; **717b,** Tony Craddock/Getty Images, Inc.; **717t,** Anthony Bannister/Animals Animals/Earth Scenes; **718,** Tom & Pat Leeson/Photo Researchers, Inc.; **719 both,** Dave King/Dorling Kindersley Media Library; **720b,** Raymond Gehman/Corbis; **720-721,** Gary Griffen/Animals Animals/Earth Scenes; **724bl,** Rob Simpson/Visuals Unlimited; **724ml,** Patti Murray/Animals Animals/Earth Scenes; **724r,** Wally Eberhart/Visuals Unlimited; **724tl,** Ron Willocks/Animals Animals/Earth Scenes; **725,** F. Stuart Westmorland/Photo Researchers, Inc.; **726,** S. Dalton OSF/Animals Animals/Earth Scenes; **727bl,** Art Wolfe; **727br,** Brian Rogers/Visuals Unlimited; **727mr,** Nigel J. Dennis/Photo Researchers. Inc.; **727tl,** Leroy Simon/Visuals Unlimited; **727tr,** Dante Fenolio/Photo Researchers, Inc.; **728,** Daryl Balfour/Getty Images, Inc.; **729b,** Richard Haynes; **729t,** Volker Steiger/SPL/Photo Researchers, Inc.; **730 both,** Tom & Pat Leeson/Photo Researchers; **734b,** Dave King/Dorling Kindersley Media Library; **734t,** Leroy Simon/Visuals Unlimited.

Chapter 22 Pages 738-739, Daniel J. Cox/Getty Images, Inc.; **739 inset,** Richard Haynes; **740-741,** Kent Foster/Photo Researchers, Inc.; **741b inset,** S. Nielsen/DRK Photo; **741m inset,** Adam Jones/Photo Researchers, Inc.; **741t inset,** David Northcott/DRK Photo; **744b,** Kim Taylor & Jane Burton/Dorling Kindersley Media Library; **744 all,** Frank Greenaway, Kim Taylor & Jane Burton/Dorling Kindersley Media Library; **745,** Andy Rouse/DRK Photo ; **746,** Richard Haynes; **748,** Asa C. Thoresen/Photo Researchers, Inc.; **751,** E. R. Degginger/Photo Researchers, Inc.; **752b,** Penny Tweedie/TSI; **752t,** Richard Haynes; **754l,** Gregory K. Scott/Photo Researchers, Inc.; **754m,** Kenneth H. Thomas/Photo Researchers, Inc.; **754r,** Runk/Schoenberger/Grant Heilman, Inc.; **757,** Richard Haynes; **759,** Jim Zipp/Photo Researchers, Inc.; **759l inset**, S. Nielsen/DRK Photo; **760l,** Frans Lanting/Minden Pictures; **760m,** Renee Lynn/Getty Images, Inc.; **760r,** MICHAEL & PATRICIA FOGDEN/Minden Pictures; **761,** Barbara Gerlach/DRK Photo; **761 inset,** Maslowski/Photo Researchers, Inc.; **762,** Art Wolfe/Getty Images, Inc.; **762 inset,** Gerry Ellis/Minden Pictures; **763,** Carr Clifton/Minden Pictures; **763b inset,** Stephen J. Krasemann/DRK Photo; **763t inset,** Nick Bergkessel/Photo Researchers, Inc.; **764,** Stephen J. Krasemann/DRK Photo; **764r,** Jeff Lepore/Photo Researchers, Inc.; **765,** Michio Hoshino/Minden Pictures; **765 inset,** YVA MOMATIUK/JOHN EASTCOTT / Minden Pictures; **766,** JOHN CANCALOSI/National Geographic Society; **767b,** David Weintraub/Photo Researchers, Inc.; **767t,** Steven David Miller/Animals Animals/Earth Scenes; **771,** Russ Lappa; **772b,** Steven David Miller/Animals Animals/Earth Scenes; **772t,** Andy Rouse/DRK Photo.

Chapter 23 Pages 776-777, Robert Yin/SeaPics.com; **777 inset,** Russ Lappa; **778-779,** Key Sanders/Getty Images, Inc.; **780l, 780m,** Corbis; **780r,** UPI/Corbis-Bettmann; **781l,** Erich Hartmann/Magnum Photos; **781m,** Kevin Fleming/Corbis; **781r,** William Campbell/Peter Arnold, Inc.; **783,** Richard Haynes; **786,** Inga Spence/Visuals Unlimited; **787,** G.R. Robinson/Visuals Unlimited; **788,** Greg Vaughn/Tom Stack & Associates; **789,** Russ Lappa; **790,** Royalty Free/CORBIS; **791,** Lester Lefkowitz/Corbis; **792,** Richard Haynes; **793b,** Stephen J. Krasemann/DRK Photo; **793t,** Bill Greenblatt/Getty Images, Inc.; **794b,** Fred Bavendam/Minden Pictures; **794t,** Wayne Lynch/DRK Photo; **795,** D. Cavagnaro/DRK Photo; **796b,** Jeff Lepore/Photo Researchers, Inc.; **796tl,** David Sieren/Visuals Unlimited; **796tr,** David Dennis/Animals Animals/Earth Scenes; **797bl,** Marilyn Kazmers/Peter Arnold, Inc.; **797ml,** Stephen J. Krasemann/DRK Photo; **797r,** Ken Lucas/Visuals Unlimited; **797tl,** David Liebman; **798,** Kent Gilbert/AP/Wide World Photos; **799, 801,** James H. Robinson/Animals Animals/Earth Scenes; **802t,** David Dennis/Animals Animals/Earth Scenes; **802b,** G.R. Robinson/Visuals Unlimited.

Page 806, Tony Freeman/PhotoEdit; **807t,b** Russ Lappa; **807m,** Richard Haynes; **808, 810,** Richard Haynes; **812,** Taunton Yachts; **813,** Richard Haynes; **815t,** Dorling Kindersley; **815b,** Richard Haynes; **817,** Image Stop/Phototake; **820, 827,** Richard Haynes; **828, 829,** Russ Lappa.

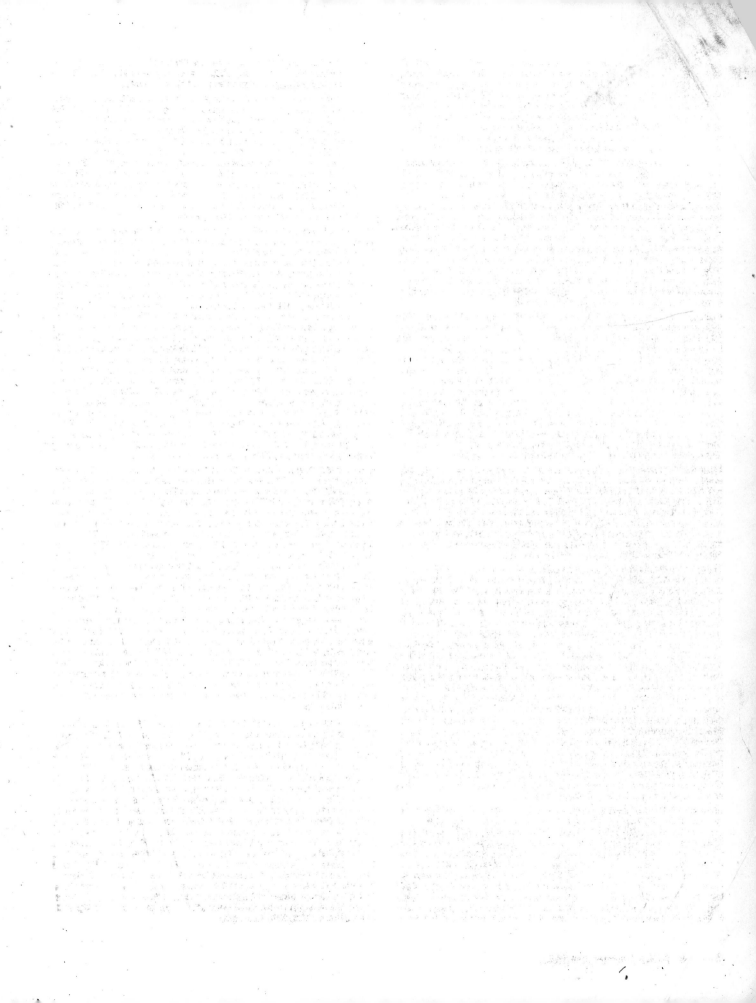

Periodic Table of Elements

Key

C	Solid
Br	Liquid
H	Gas
Tc	Not found in nature

Period	1	2	3	4	5	6	7	8	9
1	1 H Hydrogen 1.0079								
2	3 Li Lithium 6.941	4 Be Beryllium 9.0122							
3	11 Na Sodium 22.990	12 Mg Magnesium 24.305							
4	19 K Potassium 39.098	20 Ca Calcium 40.08	21 Sc Scandium 44.956	22 Ti Titanium 47.90	23 V Vanadium 50.941	24 Cr Chromium 51.996	25 Mn Manganese 54.938	26 Fe Iron 55.847	27 Co Cobalt 58.933
5	37 Rb Rubidium 85.468	38 Sr Strontium 87.62	39 Y Yttrium 88.906	40 Zr Zirconium 91.22	41 Nb Niobium 92.906	42 Mo Molybdenum 95.94	43 Tc Technetium (98)	44 Ru Ruthenium 101.07	45 Rh Rhodium 102.91
6	55 Cs Cesium 132.91	56 Ba Barium 137.33	71 Lu Lutetium 174.97	72 Hf Hafnium 178.49	73 Ta Tantalum 180.95	74 W Tungsten 183.85	75 Re Rhenium 186.21	76 Os Osmium 190.2	77 Ir Iridium 192.22
7	87 Fr Francium (223)	88 Ra Radium (226)	103 Lr Lawrencium (262)	104 Rf Rutherfordium (261)	105 Db Dubnium (262)	106 Sg Seaborgium (263)	107 Bh Bohrium (264)	108 Hs Hassium (265)	109 Mt Meitnerium (268)

Lanthanides

57 La Lanthanum 138.91	58 Ce Cerium 140.12	59 Pr Praseodymium 140.91	60 Nd Neodymium 144.24	61 Pm Promethium (145)	62 Sm Samarium 150.4

Actinides

89 Ac Actinium (227)	90 Th Thorium 232.04	91 Pa Protactinium 231.04	92 U Uranium 238.03	93 Np Neptunium (237)	94 Pu Plutonium (244)